復刻版

子供の世紀

大阪（日本）児童愛護連盟＝発行

第10巻

1936年9月〜37年10月
（14巻9号〜15巻10号）

六花出版

復刻版『子供の世紀』第10巻

刊行にあたって

一、本復刻版は、一九二一年に設立された大阪（日本）児童愛護連盟の機関誌『コドモ愛護』『子供の世紀』（一九二三〜一九四四年）の現在確認されている全二二三冊を復刻するものである。

一、第1巻巻頭に菊池義昭氏・内田塔子氏による解説を掲載した。
また第一五巻巻末に「総目次」のデジタルデータをCD－ROMに収録し、付す予定である。

一、本巻の原資料収集にあたっては、左記の機関のご協力を得た。改めて御礼を申し上げます。（順不同・敬称略）
日本玩具博物館、北海道大学附属図書館、北海道大学大学院医学研究科・医学部図書館

一、資料の中には、人権の視点から見て不適切な語句・表現・論もあるが、歴史的資料の復刻という性質上、そのまま収録した。

一、資料の中の個人の名前・本籍地・出生年月日などの個人情報については、個人が特定されることによって人権が侵害されるおそれがあると考えられる場合は、一部を[redacted]で伏せた。本復刻が学術研究に活用されることを目的としていることを理解されたい。

一、本巻三六七頁の一部の村岡花子氏の記事は、著作権継承者の許諾が得られず収録できませんでした。

一、刊行にあたってはなるべく状態の良い原資料を使用するように努力したが、原本の状態や複写の環境等によって読みにくい箇所があることをお断りいたします。

一、復刻にあたって、原資料を適宜縮小し、復刻版一ページにつき四面を収録した。

（編集部）

［第10巻 目次］

巻号数●発行年月――復刻版ページ

◉全巻収録内容

巻	収録内容
第1巻	一巻三号～四巻一二号 解説＝菊池義昭・内田塔子
第2巻	五巻一号～六巻四号
第3巻	六巻五号～七巻六号
第4巻	七巻七号～八巻一〇号
第5巻	八巻一一号～九巻一二号
第6巻	一〇巻一号～一一巻二号
第7巻	一一巻三号～一二巻四号
第8巻	一二巻五号～一三巻六号
第9巻	一三巻七号～一四巻八号
第10巻	一四巻九号～一五巻一〇号
第11巻	一五巻一一号～一六巻一二号
第12巻	一七巻一号～一八巻二号
第13巻	一八巻三号～一九巻四号
第14巻	一九巻五号～二〇巻六号
第15巻	二〇巻七号～二二巻四号 付録＝総目次デジタルデータ（CD－ROM）

基礎鞏固　經營眞摯

創立　明治四拾四年

コドモの保険　日本徴兵

入營・嫁入準備　出世・教育資金

子を持つ親心

可愛い子供の爲に何程かづゝの貯金をしてやらうと考へるのは、凡ての親としての至情で、男子ならば適齡迄、女子ならば嫁入迄と誰しも心掛ける所ですが、さて實行はなかなか困難です。

最良の實行方法

徴兵保險、生存保險のコドモ保險は此需用を充たす最良の施設で、一度御加入になれば知らず識らずの間に愛兒の爲に必要な資金が積立てらるゝことになります。

日本徴兵保險株式會社

本社　東京市麹町區内山下町一ノ一

第十四回全大阪あかんぼ審査會

主催　大阪こども研究會
　　　大阪兒童愛護聯盟
後援　大阪市

規定

全日本に於ける乳幼兒審査の魁として、且大阪の年中行事として世の母性に膾炙し、既に第十四回を數へて五萬人の乳幼兒の發育狀態を審査し、年々優良兒の選出表彰を行ひ、育兒上に多大の貢獻を認められつゝある大阪こども研究會・大阪兒童愛護聯盟共同主催の本『あかんぼ審査會』は躍進日本を背景としてこゝに第十四回審査會を左の通り開催致すことゝなりました。例により斯界專門諸大家が直接綿密なる審査に當らるゝことは本會の最も誇とするところであります。二十年後の日本を背負ふ賴母しき赤ちゃんの奮つて御參加の程を切望いたします。

日時　昭和十一年**九月廿四日**より廿七日まで（四日間）
會場　大阪高麗橋　**三越**　三階西館
資格　**滿二歳以下**の健康乳幼兒（昭和九年十月一日以後出生の者）
方法　體重、身長、胸圍、大顋門等の測定及び榮養體質の鑑定、並に母親に對し哺育事項の質問

品質斷然！世界一
森永無糖ドライミルク

新しきものは常に一歩を先んず！
最新噴霧式機械による最も進歩した無糖粉乳いよいよ發賣

牛乳より消化よしペルオキシターゼ反應により榮養の完全なること遙かに他社品に優る
八倍の水に溶けば完全なる純良乳になり絕對安心！

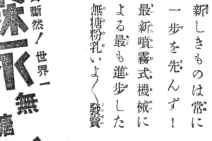

加糖 森永ドライミルクの姉妹品

森永煉乳株式會社

表彰 審査の結果、優良兒には褒狀を贈呈いたします。右表彰式は十二月中に（日時未定）大阪三越に於て擧行致します。

審査申込方法

往復はがきに左記の事項を明記し**九月十日**までに「大阪東區高麗橋 三越内 わかんば審査會事務所」宛お申込下さい。申込不備のものは受付ません。

1. 乳幼兒の名前、男女別
2. 乳幼兒の出產年月日
3. 父又は母の住所、姓名

往復はがきの復の方には必ず住所姓名を記入して下さい。

締切 先着順に受付けて豫定人員**四千名**に達したる時を以て締切ります。

會長 大阪市長 坂間棟治氏

審査委員

大阪帝國大學醫學部小兒科長 醫學博士 笠原道夫氏
同 小兒科 醫學博士 前田伊三次郎氏
同 同 醫學博士 伊藤謙吉氏
同 眼科 醫學博士 宇山安夫氏
同 齒科長 醫學博士 弓倉繁家氏
同 齒科 醫學博士 石野惠庸氏
同 法醫學敎室 醫學博士 中田篤郎氏
同 同 醫學博士 大村得三氏
同 同 醫學士 松倉豐治氏
大阪市立市民病院小兒科長 醫學博士 谷口清一氏
大阪市立堀川乳兒院長 醫學博士 生地憲氏
大阪市立今宮乳兒院長 醫學博士 廣島英夫氏
大阪市立扇町產院長 醫學博士 余田忠吾氏
大阪市立今宮產院長 醫學博士 吉岡德平氏
大阪市立阿波堀產院長 醫學士 板野正一氏
大阪兒童愛護聯盟理事 醫學博士 大野內記氏
同 醫學博士 肥爪貫三郎氏
同 醫學博士 原田龍夫氏
同 醫學博士 横田群三氏
同 醫學士 西川爲雄氏
日本兒童愛護聯盟參與 醫學博士 金子丑之助氏
大阪兒童愛護聯盟顧問 醫學博士 原田達三氏
同 醫學博士 松尾勇氏
同 醫學博士 酒井幹夫氏
奈良女子高等師範學校敎授 理學士 桑野久任氏

應援
大阪帝國大學小兒科・眼科・齒科・法醫學職員
大阪帝國大學醫學部學生
大阪市保健部醫員

あかんぼ審査會
事務所 大阪高麗橋 三越內

「子供の世紀」（第十四卷 第九號） 新時代の育兒法號

目次

敎育結婚保險
徵兵保險
東京 第一徵兵 銀座

よわい子供に
補血
强壯
ポリタミン
血色のわるい、榮養不良の子
食慾すゝまず、胃腸の弱い子
疲勞し易く、屢々熱を出す子
かうした腺病質の子供には、消化の煩ある强壯劑はムダも多く胃腸を害する恐れもある。ポリタミンは消化の要らぬ榮養原アミノ酸であるから、そのまゝ血肉成分となつて体重を增し或は食慾をすゝめ、或は感冒や結核に對する抵抗力を强くする。
册子「弱い子をもつ親達へ」無代進呈
小瓶
中瓶
大瓶
發賣元
株式會社 武田長兵衛商店
大阪市東區道修町
36.-1267 (O)

よわい子供に
補血
强壯
ポリタミン
血色のわるい、榮養不良の子
食慾すゝまず、胃腸の弱い子
疲勞し易く、屢々熱を出す子
かうした腺病質の子供には、消化の煩ある强壯劑はムダも多く胃腸を害する恐れもある。ポリタミンは消化の要らぬ榮養原アミノ酸であるから、そのまゝ血肉成分となつて体重を增し或は食慾をすゝめ、或は感冒や結核に對する抵抗力を强くする。
册子「弱い子をもつ親達へ」無代進呈
小瓶
中瓶
大瓶
發賣元
株式會社 武田長兵衛商店
大阪市東區道修町
36.-1267 (O)

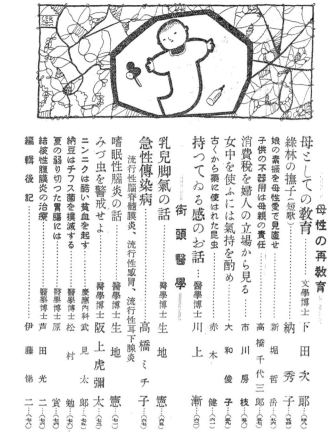

光榮ある大阪市立北市民館

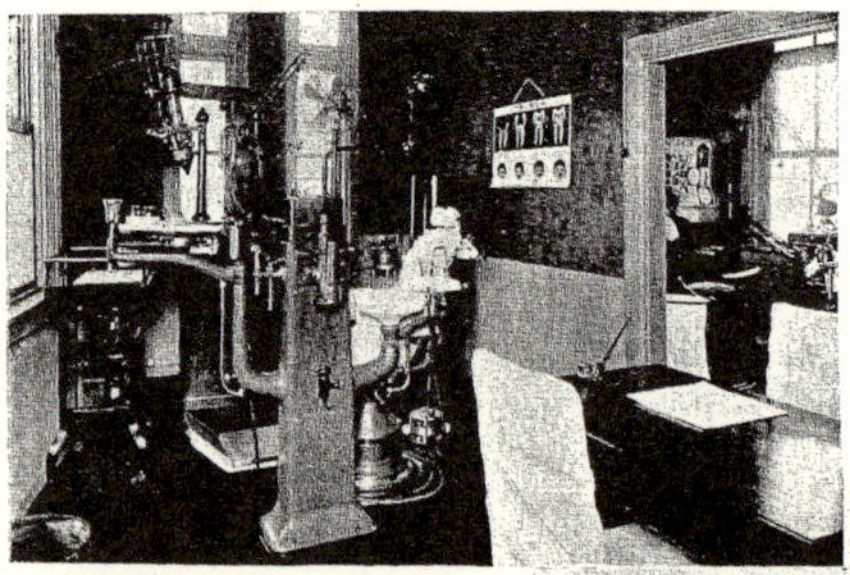

（上）大阪市立北市民館兒童齒科診療室
大正十一年以來ライオン歯磨本舗の特志寄贈により開始され今日に及んで居る。

（中）北市民館は我が國に於ける隣保事業開始の最も古き歴史を有し、各種の施設があり、殊に全日本に魁けした兒童愛護運動發祥の地である。
聖上陛下には忝くも昭和四年六月五日御臨幸遊ばされた。

（下）北市民館保育組合幼稚園兒の含嗽室に於ける齒磨教練。
（右端は伊藤醫學士）

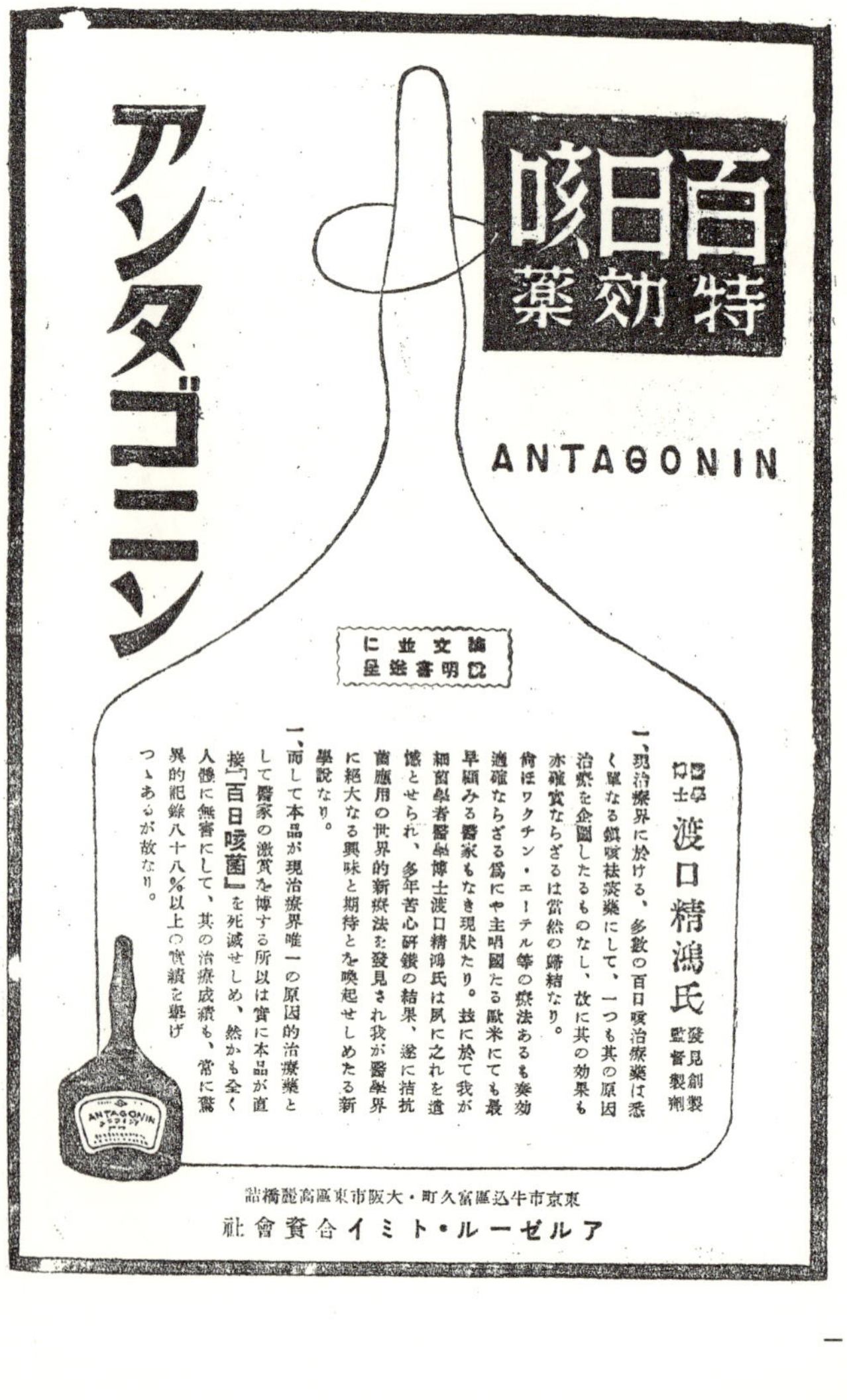

乳幼兒便祕の

大部分は胃腸障碍に原因して居り、病狀が目立たずに進行するので下痢以上に危險です
而し強制的な浣腸や下劑は厄介な習慣や恐ろしい衰弱が伴ひます
こんな場合榮養を整へつゝ自然な便通をつけるマルツ汁エキスを與へるのが最も有効安全な療法として各醫科大學病院等で旺んに應用されて居ります

詳しい説明書見本は御申越次第進呈

通じが付て丈夫になる

マルツ汁エキス

定價（大 五〇〇瓦 一、九〇 小 二〇〇瓦 七〇）

全國藥店食料品店にあります
但し粗惡なニセモノあり和光堂製と御指定を乞ふ

東京市神田區鍛冶町九 株式會社 和光堂 大阪市東區南久太郎町

醫學博士 有馬頼吉氏 醫學博士 青山敬二氏 醫學博士 太繩壽郎氏 發見創製

日・英・米・加奈陀・愛蘭 專賣特許

アーオー

結核免疫元

治療的應用

肺結核（潛伏、輕症、中等症）
腺結核、皮膚結核、泌尿生殖器結核、
外科的結核、眼科的結核、肋膜腹膜炎、喘息

豫防的應用

虛弱兒童、腺病質學童
感冒ニ罹リ易キ成人並ニ兒童

診斷的應用

結核ノ存否病勢並ニ豫後ヲ確斷シ得 而モ
無害ニシテ同時ニ治療的効果ヲ有スル方法
（所謂吉田氏反應）

文献試品贈呈

製造所 有馬研究所
發賣元 須美商店
大阪市東區北濱四丁目四〇

ライオン歯磨

景品が二つ
アベック・サービス
一緒に當る

A賞

イ ポータブル蓄音機 / 婦人持洋傘
ロ パーレット寫眞機 / ハンドバッグ
ハ 寶石入指環 / クローム側腕時計
ニ 電氣機關車 / テンプル人形
ホ 美術置時計 / 姫鏡臺

B・C・D賞は省略

計壹千名樣

ライオンで健康！
能書と外函で福運！

清掃効果は絶對的、何處の御家庭にも無くてならぬライオン歯磨！此の機會に此の百パーセントの興味！是非お買上を！

能書二枚と外函二個を一組として御應募下さい

ライオン歯磨チューブ入家庭用、大形、中形及びライオン歯刷子一號、二號、三號の能書二枚と外函二個を一組として二つの外函に次の三項をお書き下さい。箱製ライオン歯磨は帯封二枚を以て能書一枚と外函一個に代用（箱製のみの場合は帯封四枚を一組とす）帯封は葉書大の紙に貼る事

(一)御希望のA賞一つ (二)御住所と御姓名 (三)御購讀の新聞名

一組毎に封筒に入れ、十五瓦迄三錢切手（十五瓦又は其端數毎に三錢）を貼つて、左記へ御送り下さい。（お買上の販賣店でもお取次致します。）

東京市本所區うまや橋際 又は 大阪市東區博勞町三丁目
ライオン歯磨本舗 アベック・サービス係

正規御應募者へ洩れなく粗景呈上

締切 昭和十一年十月三十一日本舗到着のもの。
抽籤方法 Aは希望賞品別に抽籤、B・C・DはAに當籤洩れの分より順次抽籤。
當籤發表 昭和十一年十一月下旬、主なる新聞紙上にA賞御當籤者全部を發表。其他は景品の發送を以て之に代ふ。
御注意 能書二枚と外函二個とが一組になつてゐないものは無效。

お買物は皆様の髙島屋へ

お子様用品は五階に取揃へ…

毎土・日曜日…お子様デー

東京 日本橋 髙島屋

明朗な若き母性は波の如く押し寄せてくる

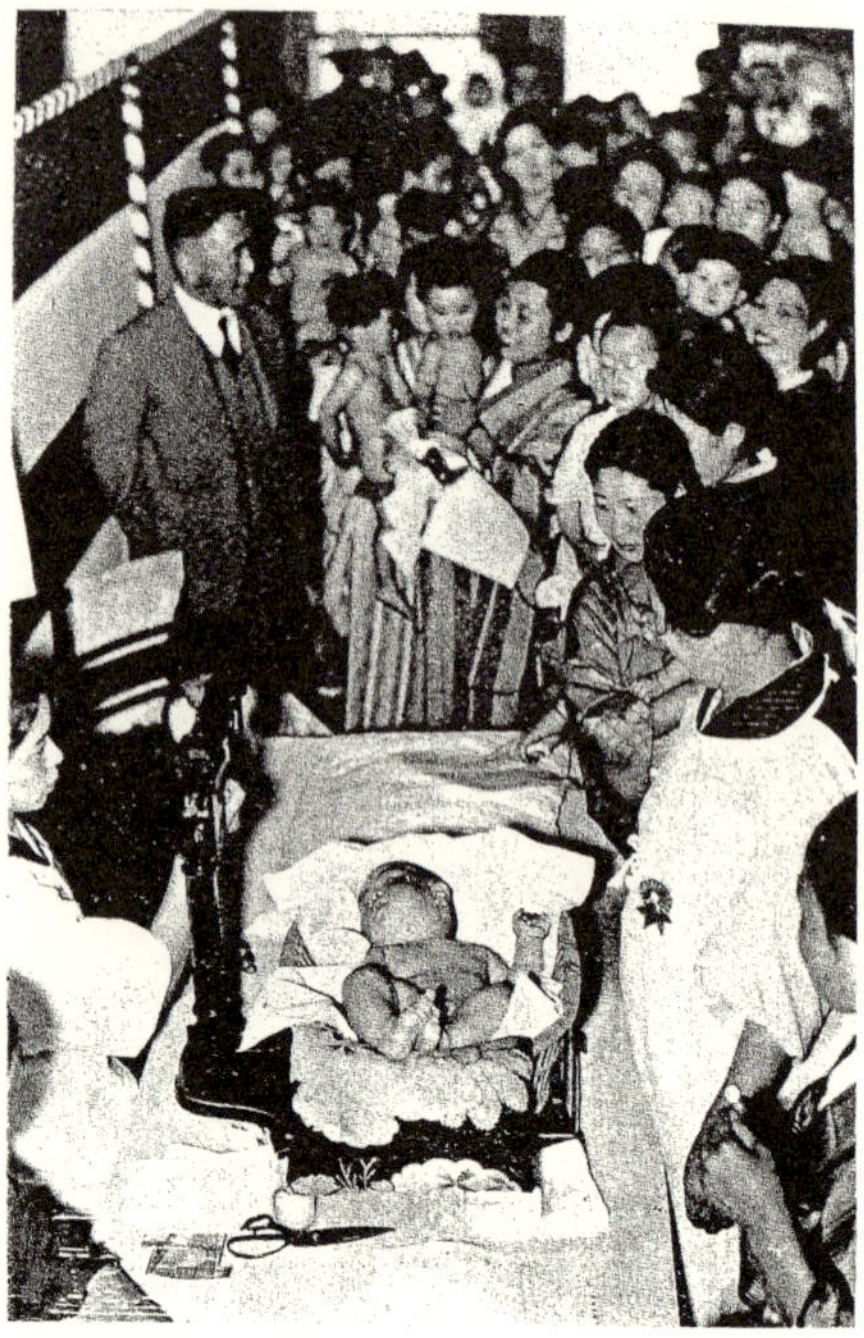

――第八回全東京乳幼兒審査會場にて
東京朝日新聞社寫眞班の撮影になるもの――

（向つて右端は小石川產婆會副會長藤原女史、左端は松本女史）

お嬢さんのお供をする高木保之助畵伯

去る六月の東京に於ける審査會に參加された高木畵伯のお嬢さんは、一家の人々にまもられ雜沓の會場に來て、先づ大衆の人々に驚かれた。

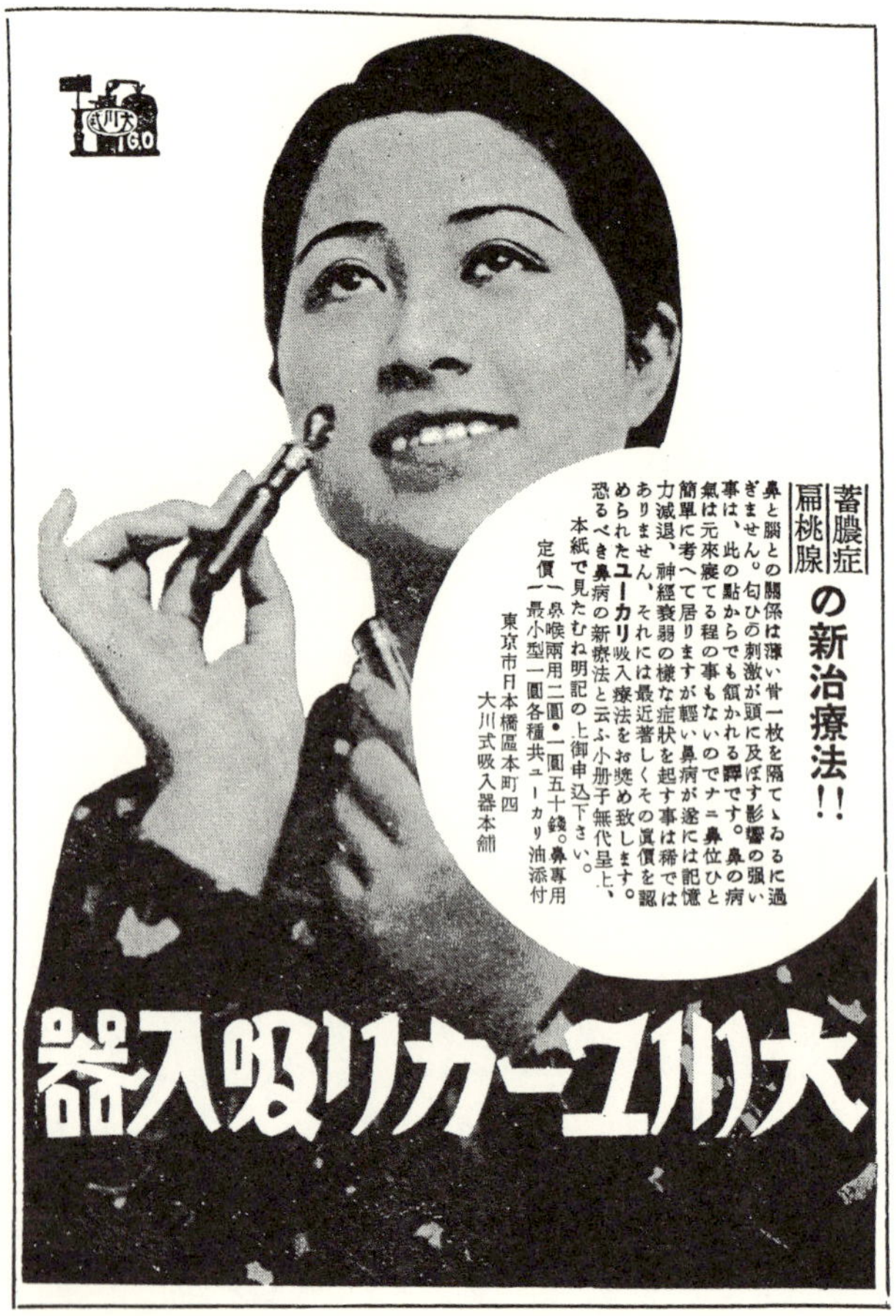

蓄膿症
扁桃腺
の新治療法!!
鼻と腦との關係は薄い骨一枚を隔てゝゐるに過ぎません。匂ひの刺激が頭に及ぼす影響の强い事は、此の點からでも頷かれる譯です。鼻の病氣は元來寢てる程の事もないのでナニ鼻位ひと簡單に考へて居りますが輕い鼻病が遂には記憶力減退、神經衰弱の樣な症状を起す事は稀ではありません、それには最近著しくその眞價を認められたユーカリ吸入療法をお奬め致します。恐るべき鼻病の新療法と云ふ小册子無代呈上、
本紙で見たむね明記の上御申込下さい。
定價 一鼻喉兩用二圓・一圓五十錢。鼻専用 一最小型一圓各種共ユーカリ油添付
東京市日本橋區本町四
大川式吸入器本舖
大川ユーカリ吸入器

審査は慈愛と嚴密とを生命とする

――第八回全東京審査會にて――

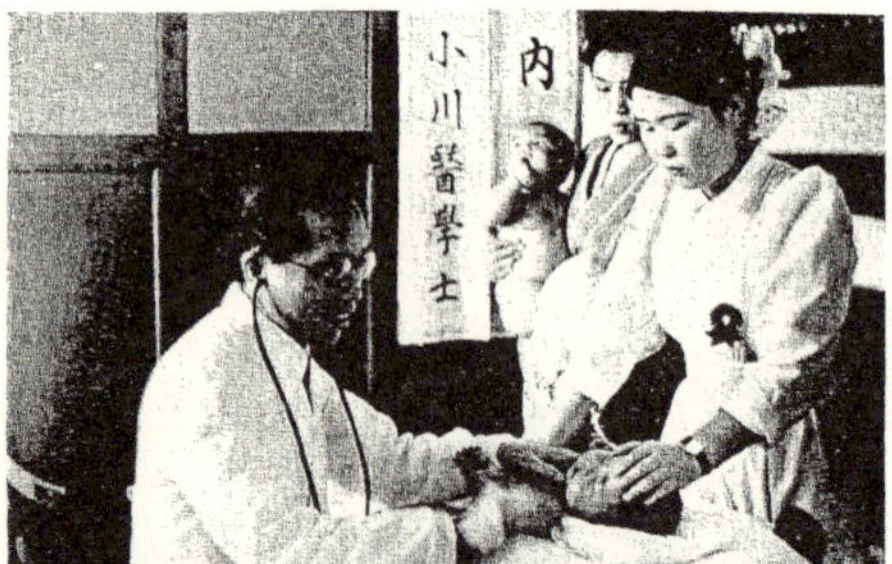

小川醫學士の内科審査

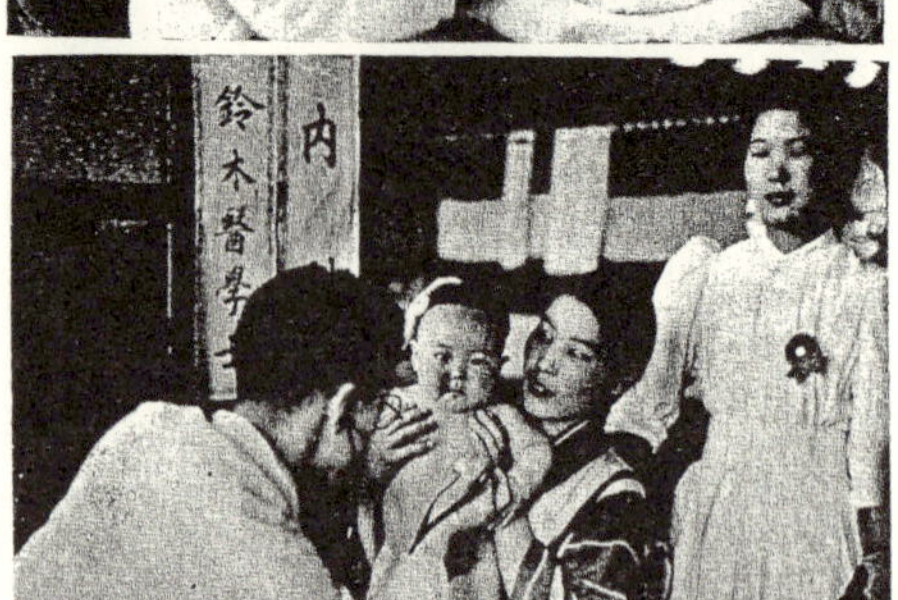

鈴木醫學士の内科審査

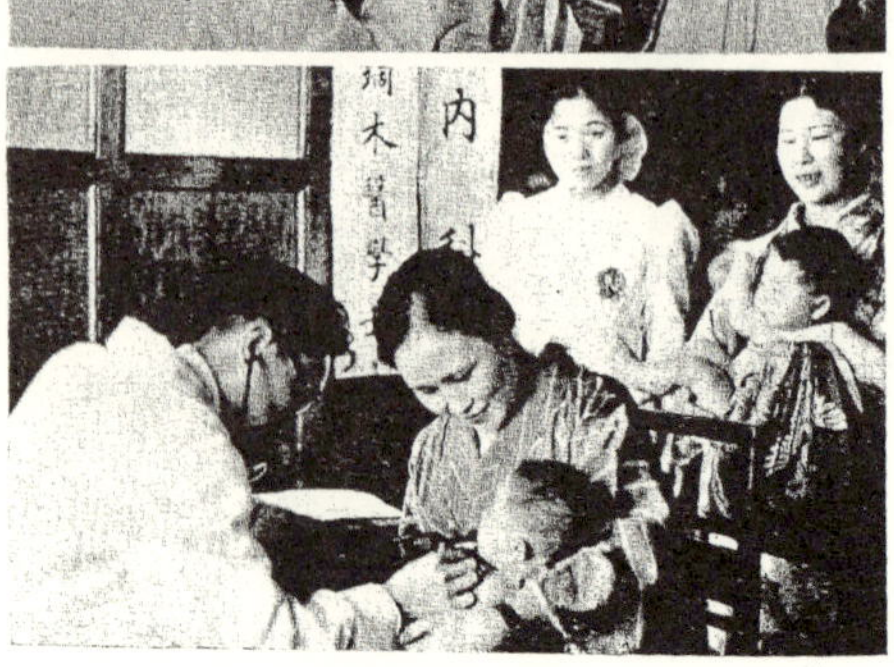

鏑木醫學士の内科審査

全國醫學界の推奨を得たる完全な榮養食料品

お醫者がスヽメル滋養のお菓子

乳菓 **カルケット**

大人…元氣增進　產婦…榮養補充
小兒…發育旺盛　病後…疲勞回復

本品の特徴は
人體に必要なる**カルシウム**分を有効に配劑す
（衛生試驗所證明）

健康の御家庭は一家に一罐必らず御常備あれ。

澱粉、脂肪、蛋白質の外特に健康に必要なる**カルシウム**分を有効に配劑し、砂糖による害を除き、一家の健康を保つ完全食料品として、**カルケット**を常用せられる事は、賢明なる現代の主婦の御役目であり、又お菓子の選擇に滿點といふべきであります。

美麗包裝各種

御家庭用	角罐	二、二五〇瓦
御進物用	大平罐	七五〇瓦
同	中平罐	五〇〇瓦
同	小平罐	三七〇瓦

◇外に散歩遠足用丸棒包（十錢）有り

東京
大阪　中央製菓株式會社

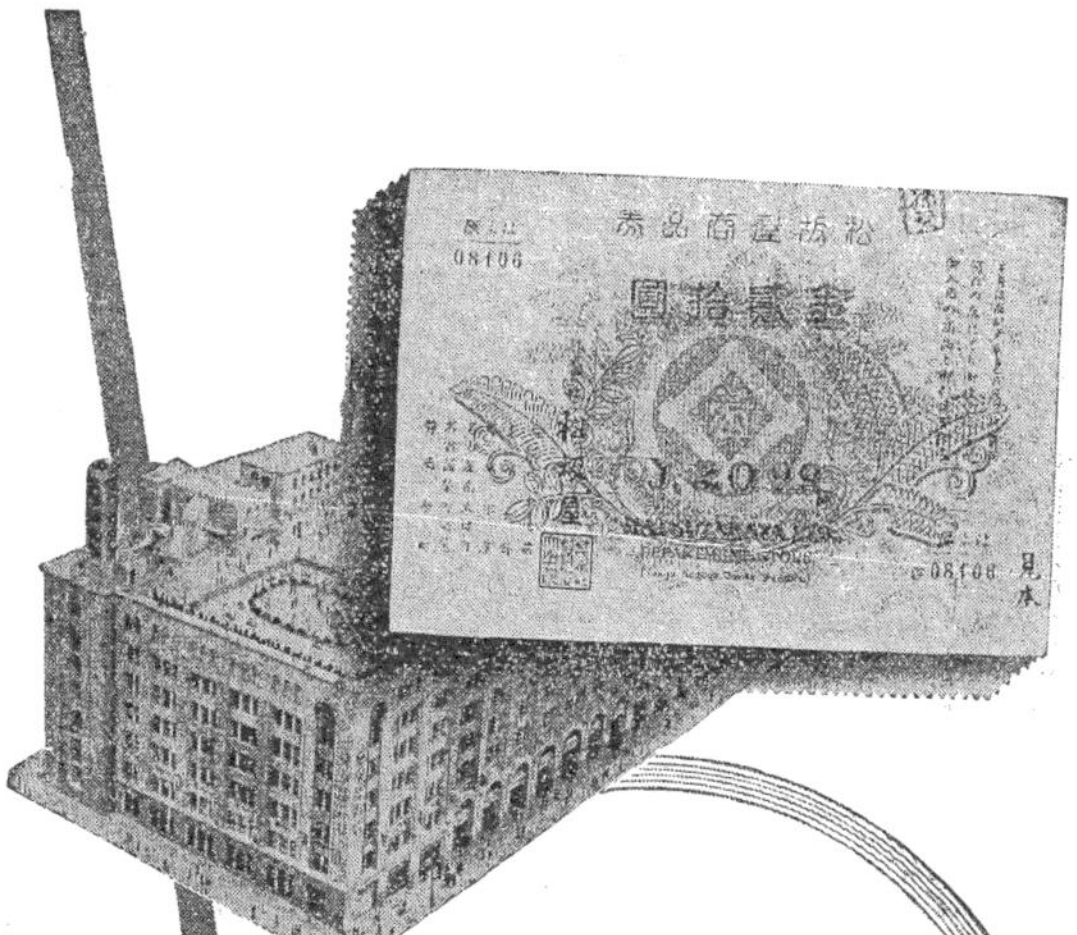

御贈答品の王座

松坂屋の

商品券

五円以上
御好みに應じ調進

大阪・名古屋・静岡
東京上野・東京銀座
一松坂屋各店共通一

飲ませ易いヒマシ油

ヒマオール

ヒマシ油を必要とする凡ての場合に
用量はヒマシ油に準じて可なり……

厭ふべきヒマシ油臭を去り、芳香と甘味を附し、外觀は美麗なる淡桃色となして小兒にも之が服用を容易ならしめたるものなり……

30瓦入　¥ .15

500瓦入　¥ 1.30

SANKYO

東京・室町
三共株式會社

パトローゲン

稻垣乙丙博士創製
鈴木梅太郎博士完成

監製　東京帝國大學農學部構內　財團法人糧食研究會
製造　明治製菓株式會社

半ポンド入　壹圓貳拾錢
一ポンド入　貳圓貳拾錢
三ポンド入　五圓五拾錢

日本乳幼兒の身體に最も適合せる
超母乳代用榮養素配合粉乳
パトローゲンを選ばれよ

パトローゲンの三大特性

一、乳幼兒發育に必要なるヴイタミンAの適量を決定し純正粉乳を配合せる爲脂肪過多による胃腸障害の憂なく體力の旺盛と抵抗力の增加顯著なり。

二、可溶性デキストリンの給源「ココイド」は酵母によるヴイタミンBの參加により消化吸收同化の三作用を最も有効に完結し迅速なる發育を促進す。

三、酵母に紫外線を照射せしめヴイタミンDを化生し特に添加せるマツカラム鹽中燐、石灰と作用し歯牙骨格の形成を容易且つ強靭ならしむ。

申越次第說明書進呈　東京・京橋　明治製菓株式會社

昭和十一年　**子供の世紀**　九月號

金持は欲が深過ぎる（巻頭言）

雜誌の發行を道樂と見てよいか惡いかの問題は別として、生活に何不自由ない金持の道樂としては雜誌の經營などは上品な部類に屬する。

何年か前の事だが、日本女性文化の爲めに永年貢獻して來た一名流婦人から、雜誌創刊の相談を受けた事があつたが、それは我々の關係してる廣告業者を紹介させる一手段であつたので實に其の拔け目のない事に驚かされたものであつた。

亦最近、Ｆ財産閥を代表する一巨頭とも云ふ可き人が、知人を介して記者に面會を求めた用件と云ふものは、子女の國際親善に關する雜誌を發行したいから、顧問となつて盡力して頂きたいと云ふ事であつた。それで依頼さるゝ儘、十數年間の體驗や苦心を傾けて雜誌經營に關する智慧を提供したところ、其の巨頭氏の目的は實は他にあつたのだ、卽ち關西地方にすけなくとも記者の顔で四五千名の讀者を無報酬につくらせる事にあつたので、如何に今の金持を以て任じて居る人々の强欲非道な事に驚かされたのである。

尙一富豪が産業組合のために數十萬圓を投じて、民衆の味方となり、社會の福祉增進のために働く決心をしたと云つて、體裁を整へた立派な雜誌を郵送して來た、此の人は平常慈善事業を口にして居るから雜誌も定めし無料配布だと思つてゐたら、果せる哉集金郵便がやつて來た昔から都は馬の眼を拔く處と云はれたが、今の世は地方の人々でも金のある人は馬の眼を拔くやうな眞似をして居る、金持は金を儲けながら名を殘す工夫をしてゐるのだ。

欲の深過ぎるのは貧乏人でなく金滿家である、いつの時代に彼等は社會民衆のために、一切の實を投じて國民の幸福のために身を捨てる事をするだらうか、洵に前途遼遠の感がする。持てる人は益々與へられて實の置き場にも困る始末、持たぬ人は現在持てる物までも取られて了ふのである。

記者はよく博士級の人々から雜誌經營の秘訣を尋ねられた時、一言にして「全財産を捧ぐる事だ」と答へて居る、全生命、全生涯、全財産を捧げない事に成功した例は未だ此の世に一つもないではないか。

警戒す可きものは靑年や貧しき人々でなく、智慧者と老人と金持である、富豪と老人と新聞紙が製造した名士より相談を持ちかけられた時は、眉につばをしてよく彼等の言葉を聽かねばならぬ。

欲の深過ぎる金持は良民の敵であり、國を亡ぼす仇敵であると云ふも過言ではあるまい。

— 1 —

母性の知識（一）

醫學博士　生地　憲

妊娠中の心得

心の養生　妊娠せる婦人の心の持ち方は、腹の中の子供の身體や、心の發育に、大變關係するものでありますから常々心の平和に氣をつけることが、良い子を生まうとする用意であります。妊娠せる婦人は常よりも大變神經が興奮するものですから、ひどく心を刺戟し、感情を激しく動かさせる様な小説を讀んだり、芝居や活動寫眞を見たりなどする事をつゝしみ、美麗はしい花木を眺めたり、明媚なる風景に接したり、家に居ては昔のえらい人などの畵像を見て心を高尙な又朗かな氣分にして夜は十分に眠り周圍の人達の理解ある同情と保護とによつて、心持を平安にして居る事が、大切であります。

身體の養生　妊娠した婦人は、ふだん慣れた暮しむきを變へないのがよいのですが、次の様なことには氣をつけねばなりません。

（一）　運動は適度に歩く位はよろしいが疲勞れを感じない程度に。

電車、人力車、馬車、自動車、汽車、汽船などに乘つて遠方へ旅するのはよくありませぬ。

坂路や、階段の昇り降りはよくありませぬ。腹に力を入れる仕事はよくありませぬ。例へば（重い荷物を手に提げ又は上に揚げる事、長い間シヤガンで洗濯をしたりすること、たんすのひきだしを無理に引き出す事、大便の通じがなくていきむ事）。

高く手を伸す事はよくありませぬ（イ、高い棚から物を取り下ろし、又は上げる事、ロ、蚊帳の釣手の取りはずし）。

（二）　飮食物はふだんの通りでよろしいが其の分量が餘り多すぎぬ樣に注意せねばなりませぬ。一般に飮食してならぬものは

（イ）　消化の惡いもの

（ロ）　ふだん食べなれないもの

（ハ）　ピリツと辛いもの、例へば芥子、わさび、とうがらし、さんしよなど

（ニ）　酒を飮む事

（ホ）　濃い茶やコーヒなど

（ヘ）　氷水などの様なつめたいもの

（三）　身體を淸潔に保つ事、入浴は隔日位にし身體をいつもきれいにすることは大切である。然し水風呂に入る事、海に入ることは不可ません。又溫浴でも餘り熱いお湯に入つたり、又は長時間の入浴はお控へ下さい。

（四）　衣服は四時の時候に應じて適當に着る事が大切であるが、決して窮屈にならぬ樣に又淸潔に保たねばならぬ。

腹帶は、妊娠五箇月の末頃からするしきたりであるがこれは窮屈にならぬ樣餘り堅くしめては害がある。コルセツト、股引、大帶などはお止めになる樣に。

（五）　乳房は將來授乳の用あるものであるから、妊娠の初めから壓迫せぬ樣にし、其の乳嘴の陷沒してゐるものは、常に指で引き出して勃起させる樣になさい。

（六）　便通は毎日ある樣に、然し劇しい下劑は危險である。

（七）　下腹の冷えぬ樣左の事に氣を付けねばなりませぬ。

（イ）　水風呂に入る事

（ロ）　海に入る事

（ハ）　寢びえする事

（八）　藥用を無暗に用ひてはならぬ、お腹の子供に色々の害を及ぼす事がある。之には醫師に相談を要する。

お産に就ての心得

お産は病氣ではないのであるから心配する事はいりませぬ。產婆の手當を受け、やすらかに時期を待つて居ればよいのである。

產後に就ての心得

（一）　褥床は淸潔にして汚穢せる敷布等は速に代へ、被覆は淸潔、柔軟、且保溫に適する樣に、然し褥婦は發汗し易いから徒に重ねては害があり、尙餘り重い被布團は腹壁を壓して恢復を害する。

（二）　褥衣　寬濶、溫暖でなる可く白色の物を用ふれば淸潔を保ち易い、殊に惡露の汚染せない樣に注意せねばならぬ。乳房と腹部は冷さぬ樣に。

（三）　腹帶を用ひること、通例は產後第八週までは廢めぬことです。

（四）　食物　一般に刺戟性の或は興奮性の香味料や濃い茶、コーヒ、及び「アルコール」性の飮料、消化不良性の食物、又は脂肪の多いものは禁ずる。

（五）　便通　褥婦は概して便祕の傾向を有するから、產褥第三日に自然便通の無い時は石鹼、又は「リスリン」水を以て灌腸をする。其の後は緩和下劑を以て毎日又は一日おきに一回の便通を計るのがよろしい。然し下劑の使用は、なるべく醫師に相談するがよい。

（六）　精神の安靜、褥婦の精神作用は甚だ不安で感動し易いから、總て精神の興奮を來す事柄は少くとも產褥後一週間位避けるやうに、例へば

（イ）　產褥婦の部屋へ多人數の訪問

（ロ）　家事に關する心配事

（ハ）　讀　書

（七）　床離れは早過ぎてはなりませぬ。產後は心身共に最も安靜にたもち、七日目位から經過よくば、しばらくの間座し、十日目頃から立ち始め、一二時間づゝ床を離れ次第に其の時間を長くし、二三週間の後に全く床を離れてよろしい。

赤ん坊に對する注意

「生れてから二十四時間」は乳をやらないでもよいのです。若しそれまでに乳をほしがつて泣く時は白湯を少しづゝ與へて置けばよろしい。五香や「まくり」などを飮ますのは害はあつても益にはなりませぬ。

臍　帶　は生れて五日か七日の中に乾いて落るものですが若し其の取扱に落度があると赤ん坊を恐るべき疾病に罹らすことがあります。

出　血　臍帶が落ちてそこから少しづゝ血が出ることがあります。これは臍出血と稱し油斷のならぬ病氣であります。赤ん坊の臍が赤くなつたり腫れたり、血が出る樣な事を認めたならすぐ醫者の診察を受けねばなりませぬ。

入　浴　生れて百日間若し出來るならば一箇年間位は毎日一度づゝ湯（攝氏三七—四〇度）に入れた方がよろしい、尤も熱があつたり風邪の氣味があつたり其の他變つた事のある時は止めて置くのです。一日に一度以上湯に入れる事は却つて害があります。

— 2 —

— 3 —

— 4 —

入浴の時間　湯には六、七分間、入れる時刻は午後二時頃か或は夜分眠りに就く前がよろしい、乳を飲ませてから凡そ一時間位を過ぎてから湯に入れ浴後は外出させないでなるべく寢かせた方がよろしい、口の中を洗つたりすることは却て不潔にしたり、傷けたりする恐れがあります。唯口のまはりを清潔に拭ふだけで口腔内は拭かないことです。

黄　疸　生れてから二、三日經つて顏から初まり全身が黄色になります。これは初生兒黄疸といひ普通に現はれて來るもので八日から二週間位迄の間に自然になほるものですが、長い間なほらぬか又は熱が高い時には醫師に相談せねばなりません。

胎　便　生れて二三日間は一日に二三回黑色でねば〳〵した餘り臭のせぬ軟かな大便が出るものです。此の便は其の後黄色になりますが、それが長引きて五六日間も黑い便を通ずるか或は生れて二、三日を過ぎて一度黄色の便を通じたものが、再び黑色の大便の通ずる時は早く醫師の診察を受けねばなりませぬ。

赤ん坊の尿　初め一日位は小便が出なくとも心配はありませぬ。又小便の中に黄色の細かき粒を見る事があつても驚くには及びませぬ。通常產後二、三週間にて薄き黄色で透き通りて臭のない水の樣な小便が一日四、五回通ずるものです。

睡　眠　產後一箇月半は手を上へ曲げて乳を飲む時間の外は大方晝も夜も眠るものです、赤ん坊で眠りの惡いのは何かからだに故障がある徵です。

乳　房　生れてから三、四日にして赤ん坊の乳房が腫れて押さへると乳の出ることがありますがつとめて搾るのはよくない事で捨てゝ置けば一、二週間で癒るものです。

泣　聲　赤ん坊の泣き聲が高くて强いのは丈夫な徵であります。泣き聲の弱いのは其の反對であります。

乳の遣り方

(其の一) 母乳榮養の場合

赤ん坊には母の乳が何よりもよい天から授かつた養ひ分であります。それ故子供を丈夫に育てやうとするには是非とも母の乳で養はねばなりませぬ。

出生時　生れてから二十四時間は乳をやらないでもよいのですが、お產の後六時間から八時間位たつと乳房が少し張つて參るものです。丁度其の時分に赤ん坊が眼を醒まし乳を欲しがりて泣くならば其の時からすぐ乳をやつても差支ありませぬ。

乳をやる回數と時間　最初の間は赤ん坊の欲しがるに從ひ二時間か二時間半位每に乳を遣つてよいのですが眠つて居るならば無理におこしてまでやらなくてもよろしい。

生れてから一箇月以後は三時間置に乳を飲ませ一日に六、七回與へる。

生れて三箇月以後は一日に五、六回とし一回の飮ませる時間は十五分間內外が普通です。

乳をやる時の注意　乳首を含ませる時に母親がつばを乳首につけて濕す事は母親の口中の不潔な物を赤ん坊の口中にうつす事になりますから、やめねばなりませぬ。

乳を飮ませるには生れて二、三週間後よりは赤ん坊を抱いて飮ませ其の際赤ん坊の鼻を押へて息を妨げない樣に氣をつける事です、片一方の乳房のみにてお腹一杯になる樣に飮ませ其の次の時には他の一方を飮ませ左右代る代る飮ますのがよろしい。

產後五、六日間出る初乳(あらちゝ)は黄色で粘り氣のあるものですが、これを最初から飮ますのは何も差支はありませぬ。却つて輕い下劑の効力がありますから胎毒下しなどを用ひる必要はないのであります。

母親は從來の生活や習慣を變へないで適度の運動をし精神のあまり疲勞するやうな事は避け、充分に睡眠をとるのが必要です。食餌は平素より慣用してゐる食物、飮料を換へることは無用であるが授乳によりて母親は澤山の榮養分を失ふのであるから、これを補ふために消化し易くて滋養に富んだものを與へ、且乳をやるために多量の水分を失ふ故、補ひとして牛乳、スープ、味噌汁等を攝らせ且食餌の回數を增し時にはお夜食をもとらせるのです。

乳首の平らなもの或はくぼんで居るものは姙娠中より前以て吸引器或は手の指を以てひねり出し、且一日五、六回「アルコール」にて乳首及其の周圍をきれいに拭くときは、其の部の皮膚を丈夫にし又痛みを豫防する事が出來ます。

授乳の障碍　色々の原因で母親が赤ん坊にお乳を飮ませる事が出來なくなつたり、お乳の分泌が減つたりします。

(一)　原因が母親にあるもの

(イ)　母親の乳汁分泌が惡るい場合　これは眞實に乳腺の發育が惡るくて乳の分泌の尠ないことがある、こんなことは極く稀で大抵は母親の乳腺の發育は充分であるにも不拘乳汁の出の困難な場合が多いのです。これは授乳の方法が惡いか、乳兒が乳を吸ふ力が弱いためかによります。

(ロ)　乳嘴や乳房の形が常と變つて居たり乳嘴が裂けて傷が出來たり、又は傷も何もなくても其の部分の知覺が過敏であるために痛みにより、或は乳汁が鬱滯して乳腺炎を起し授乳の出來ぬことがあります。これ等は皆醫師に相談を要します。乳腺炎の場合に未だ化膿もして居ない間は患側の乳房からの授乳は乳兒に害はなく乳腺炎には却つてよい影響があります。

(二)　原因が子供にある場合

乳兒の唇や口蓋が生れつき畸形であつて(例へば兎唇狼咽、口蓋裂等)乳を吸ふのが困難な場合、或は月たらずで生れて吸ふ力が弱い場合、神經質、お產が重くて新生兒が昏睡狀態になつたやうな場合に哺乳の困難なことがあります。斯う云ふ時は乳を搾つて與へるがよろしい、尙こんな時でも度々乳房を吸はせて哺乳の練習をする必要があります。其の他よく乳兒では鼻がつまつて哺乳の困難を起すことがありますが、こんな時は其の鼻炎の治療を受ける事が肝要です。

以上の樣に色々の原因によりて赤ん坊にお乳を飮ませるに障碍が出來て來ますので授乳困難の起つた時には以上の注意をすると共に夫が原因除去に努めなければなりませぬ。

乳母の撰び方　乳母を雇ふ前には醫師に診斷して貰ひ結核、黴毒、淋疾、癩病、脚氣、傳染性皮膚病、トラホーム等の有無を調べる、乳母の年齡は二十歲から三十歲まで位の性質の溫良なものでこれまで子供を取扱ふた經驗のあるものがよい。乳母の子と乳兒との年の差は二三箇月或は四、五箇月位までは差支ない。雇ふた後は乳を與へる時間を規則正しくする習慣をつけ、食物などは特別にする必要もなく充分睡眠時間を與へ適度に運動をさせば乳汁の分泌がよくなる、生後九箇月頃まで雇へばよい。

上總の海

平澤壽子

女ありき上總の海にうらぶれて漁取りしつつ歌口誦さむ
わが魂もあくがれ出づる心地しぬ太平洋に月のぼるとて
窓に凭り磯打つ浪をききにけむ旅の女も旅の男も
いささかの怒りに變へむものとして上總の海に來は來つれども
力なき女は海を見てありぬやりどころなき憤りもて
海人の子がする生業をやさしみぬあるがままにも生くる姿の
古き世の人の如くに穴堀りてものを言はむと思ふ日も在り
待つ程の消息とてなしと思ひつつ朝夕はなほ門に出づ
夜半に思ふ昔むかしのわが委世の美酒に醉ひ痴れしころ
その心移るとは知れあぢさゐの色よき程は折らずばやまじ
いやはては藻屑ともなれかにかくにいまは想ひの歌をこそ詠め
人らしく何怒りけむうかれ女はうかれ心に浪の音きく

疫痢とは？

大阪市民病院小兒科長醫學博士　谷口清一

水夫が暴風を恐れ、泥棒が佩劍の音を恐れると同じやうに、疫痢といふ言葉は子を持つ親に取つては無上の恐怖を齎すものゝ一つである、それは疫痢といふ病氣が餘りにも急激であつて、數時間乃至數日の間に通り魔のやうにいとし子の命を奪ひ去る事實をまざ〳〵見せつけられることがしば〳〵あるが故である。父たり母たるものは疫痢は如何なる病氣であつて、これに對する豫防法とか取扱ひの大要を心得て置くことが育兒上大變必要な事柄である。

さて世の中にはあまりに疫痢に恐れる結果として子供の食べ物に甚だしい制限を加へる兩親もある、これは疫痢恐怖症ともいふべきであらう。

疫痢の起るわけ

疫痢は子供に起る病氣であつて先づ二歳から八歳までの小兒を侵すものとされてゐるが、稀には青年に起つたといふ報告もある、疫痢の病原菌は目下のところ特別の疫痢菌があるのではなく、赤痢菌、パラ赤痢菌、大腸菌などによつて起るものと認められてゐる。

つまり大人であれば赤痢になるべきものが、子供であるがために中毒症狀が激しくなつて疫痢の症狀を呈するものであるといふ見方が最も有力視されてゐる。かういふ理由によつてもし青年でも、赤痢に對して敏感なものであるとか、赤痢菌毒が非常に強力であれば、勿論青年にも疫痢が起り得る道理である（然し實際問題としてこれは甚だ稀な事柄である）。

次に今一つ考へなければならぬことは食物の中毒による腸炎が疫痢と誤診されてゐる可能性が濃厚にある。濱

松の餡餅事件、布施のアイスキャンデー事件で有名となつたゲルトネル氏の腸炎菌による腸炎なども、これが一二名の幼兒に起つた場合には疫痢と診斷するよりほかに病名のつけやうがないのである。

要するに疫痢といふ病氣は以上述べたやうな病原菌が食物とともに幼兒の消化器内に攝取せられて起るのである。

どんな食物からか

疫痢に罹つた場合果してどのたべ物が原因であつたかを決めることは至難である、前日または前々日に取つたたべ物が原因になることがあるから、その決定は殆ど不可能といつてよい、然し長い間の經驗によつて、大體を推定することが出來る。よく疫痢の原因となるたべ物を列擧すると次のやうである。

餡氣のもの（饅頭、餡餅、土用餅）、**氷類**（アイスクリーム、アイスケーキ、小豆入氷水など）、**果實**（枇杷、桃、バナナ）

小豆類はよく疫痢の原因となるもので、たゞ餡氣のみならず、お赤飯、小豆飯などがその原因となることも時々ある。アイスクリームが疫痢の原因となるのは氷といふ冷たいものと、腐敗し易い玉子が原料であるといふ二つの理由によるものと思はれる。

菓子類の中でシュークリーム、古いカステラ及びワッフルなどが原因となることがある。

かゝり易い子供

胸腺淋巴素質といつて、腺病質で、身體のぶく〳〵してゐる子供に疫痢が多いといはれるけれどもこれは餘りあてにならない、たゞ注意すべきことは多少胃腸の弱つてゐる時分に前述の食物を攝ると疫痢になり易い。また寢冷えのために胃腸が弱つてゐる時も同樣であつて、これらは誘因と認むべきである。また氷水でお腹を冷すと胃の働きが弱くなり、胃酸の分泌が少くなつて疫痢を誘發し易い、そも〳〵健康の胃であれば胃酸の分泌が盛んなために、一匹や二匹の病原菌が食物と共に胃に運ばれても胃酸のために死滅して病氣にならないのであるが、氷水、寢冷え等で胃の働きが弱くなつてゐると、どうしても疫痢に罹り易い狀態に置かれてゐるものと見なければならぬ。

分り易い症狀

元氣であつた子が俄に元氣がなくなり、頭痛、發熱、多眠があり、嘔吐やむかつきがあり、その中に下痢が始まる、下痢は軟便のこともあるが多くは青黒いやうなしかも一種の臭氣あるねんばりした粘液便が出る、時とし

て血液便の出ることもある、欠伸、嗜眠、痙攣などの中毒症狀が現はれたり、大きな大息を衝いたり、脈が百三十以上になれば重體と見るべきである。

疑ひある時には

以上述べたやうな症狀があつて、疫痢が疑はしい時には直に專門醫の手當を受けなければならない。しかしそれが夜間であるとか、急に醫師を迎へることの出來ない時分には、家庭で適當の處置を取ることが必要である。その方法は

1、**ヒマシ油を與へること**
二、三歳の子供には約六グラム
四、五歳の子供には約一〇グラム
七、八歳の子供には約一五グラム
嫌がつて飲まない時は冷したサイダーなどに浮かして飲ませるのがよろしい。

2、**リスリン灌腸**　リスリンと湯ざましを等分に混ぜて一回に二〇グラムを灌腸する。

3、**頭部及び心臟部の冷却**　熱が高ければ氷嚢または氷枕で頭を冷却し、心臟の動悸が強い時分には心臟部も氷で冷すのがよい。

4、**食物**　食物は何物をも與へずたゞお湯とか番茶などを適度に與へて口渴を防ぐやうにするがよろしい。

5、**嘔吐の甚しい時**　には胃部を冷却し、腹痛の甚だしい時には溫濕布、懷爐などで腹部を溫めるとよい。

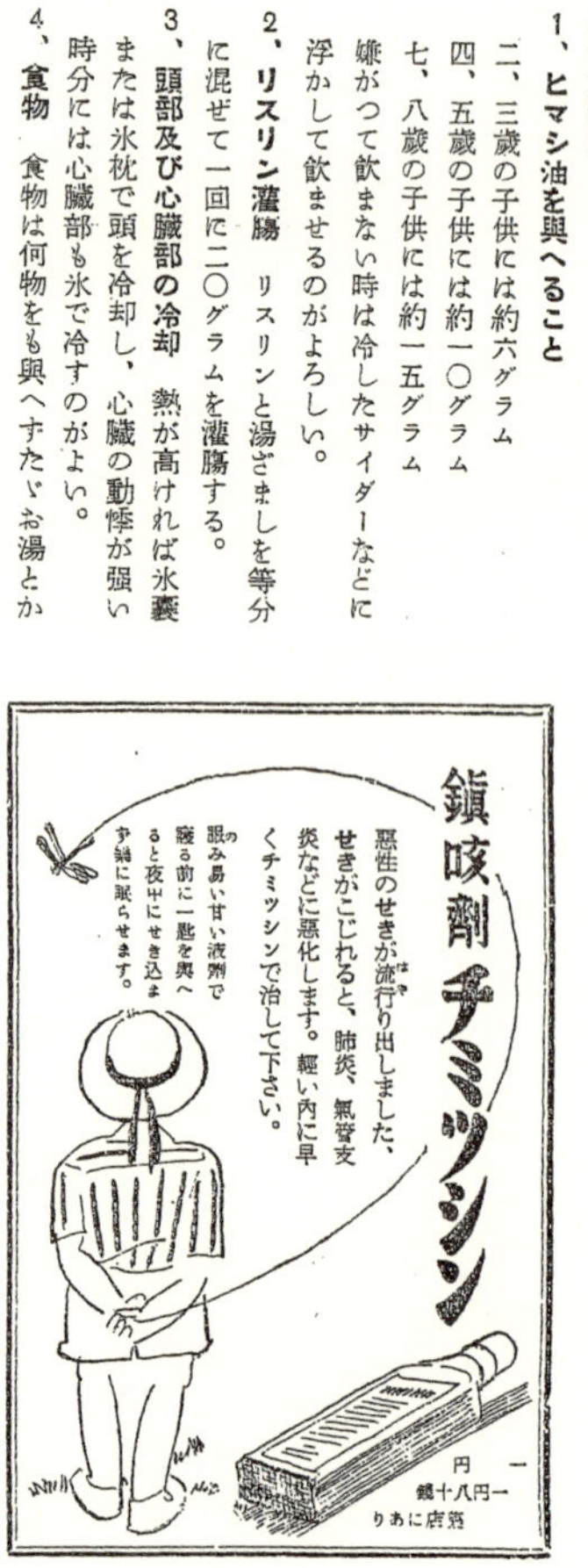

新時代の育兒讀本

生れてからの一年（一）

大阪帝大醫學部小兒科教室 醫學博士　前田伊三次郎

育兒の一年を初生兒期と乳兒期に分けてその榮養、發育、生理および看護上の注意について述べて見よう。

初生兒期

母體を離れて呱々の聲を擧げればすでに完全に獨立した一個の生命ある有機體である。その後二週間あまりは母體の一部として生存してゐた胎生兒の跡始末をする特殊の生理的變化の著しい時期でこれを初生兒期といふ。植物でいへば、てうど種子から芽を吹き出した二葉の時期に相當し、生涯中最も纎弱で特に人間では特別の養護が必要な時期である。

この時期はすべての機能は未熟で發達の第一過程にあり、種々な刺戟に對して抵抗最も弱くかつ反應が強く現はれる。例へば腦の僅かな刺戟で痙攣を起し易く、外界の溫度に依り容易に影響され著明な體溫の動搖が起る。

種々な傳染病に對して母體から受けついだ免疫力以外には、自ら之に對する防禦力は極めて貧弱である等、年長兒あるひは大人に比べて著しい相違のあることはいふ迄もない事實であろ。

發育生理

正規分娩で普通の發育を遂げた初生兒出生直後の體重は日本人では二、八〇〇——三、三〇〇グラムで、平均三、〇〇〇グラム、二、七〇〇グラム、以下のものは虚弱兒で生活機能は特に弱く、この場合は榮養および保護は特別の注意が必要である。三、四〇〇グラム以上のものは巨大兒である、勿論女兒は男兒に比べて幾分體重は少い。この體重は生後數日間に一五〇——三〇〇グラムを失ふ。これは生後數日間の哺乳量の僅少なると、胎便排出尿および皮膚、肺から失はれる水分によるもので、

生理的の減少であつて二週間位で元の體重に回復するのが普通であるが、乳汁分泌の不十分あるひは體質異常その他の原因で三週以上一ケ月餘もかゝることがある。この場合人工榮養兒は母乳榮養兒に比べてその體重の減少の度が强く、從つてまた回復もやゝ遲れるのが一般である。身長は平均男兒四九センチ、女兒は四八センチである。初生兒の約八〇パーセントに於て生後第二―第五日で黃疸が現れのち數日遲いものは三週間くらゐで漸次消失する。黃疸が非常に著明な場合は一時的に殆んど哺乳せないこともあるが、一般に大した影響はないものである。この際便が黃色である限りは病的ではない。病的には先天性膽道輸膽管の閉塞、先天性梅毒、敗血症等にも見ることがあるが、他にも病的の變化があるから、區別は容易である。また體重減少の極期に相當する時期には生後(二―五日)往々體溫が急に昇つて卅八度以上、時には四十度にも達する發熱を見る。これは一過性熱または、水分飢餓性熱といはれ數時間あるひは一兩日間續くことがあるが、十分水分または乳を與へると全く無熱となる。この發熱は初生兒の一八―二〇パーセントに見られる。新生兒の體溫は腦にある體溫調節中樞の發育不十分のため容易に外界の溫度の影響に依つて左右されるが、普通健康兒では腋の下に測つて時に卅七度二、三分を越すこともあるが、普通は卅七度以下である。呼吸は一分間に平均四十位(三五―四五)、脈搏數は一四〇ぐらゐ、飢餓時哺乳時を除いて殆んど二十四時間睡眠するのが普通で、神經過敏なものは睡眠も淺く睡眠時間短く時に眼をさます。

排便　生後數日間胎便(黑褐色粘稠便)を排出するが漸後黃色軟膏樣便一日に一回―二回、尿量は一日に哺乳量の約六〇―七〇パーセントで第一日―第二日は約百グラム、第一週には二百グラム、第二週には三百グラムで、一日回數は哺乳回數の約三倍に相當する。

精神機能發育の程度　手足の運動は全く目的なく衝動的ですでに聽覺、味覺、嗅覺の存することは急に大きい音をさせると手足を縮め抱くような運動を起し、辛いもの苦いもの等を口に入れると辛い、苦いの表情を現す。また甚だしい臭氣の强いものも同樣これを感覺した表情が現れることによつて認められる。

養榮

生後第一日は分娩時の疲勞のためよく睡眠し、普通は哺乳しない――、また母體の乳汁分泌も極めて僅少であるから一般に授乳せず白湯又はサツカリンで調味せる白湯一日二〇グラムぐらゐ與へ、第二日から授乳するのが普通である。この際俗間で昔から五香あるひは「ふき」の根等の煎じたものを飲ますことがあるが多くは、一種の迷信からで醫學的の根據があるものではない。

授乳回數　一日に六回朝六―七時から夜十―十一時までに三時間または三時間半の間隔を置く。十一時以後朝の第一回哺乳時までは七―八時間胃の休養時間を與へる習慣は母子の健康上肝要なことである。普通健康兒で母乳も普通に出る場合、一日に哺乳する量は平均第二日六〇グラム、第三日一二〇グラム、第四日一八〇グラム、第五日二四〇グラム、第六日三〇〇グラム、第二週六〇〇グラムである。乳汁分泌は最初の一、二週間は十分でなくても、漸次增加して來ることがあるから、あまり早く諦め過ぎて人工榮養を行ふことは愼まねばならぬ。乳汁分泌は分娩後一ケ月くらゐでは漸次增加し、以後は多少の增減あるも殆ど一定するのが普通である。

人工榮養の止むなき場合は三分の一牛乳(牛乳一湯二の割合)これに三パーセントの滋養糖を添加したものを用ひ回數および一日量は母乳の場合と同樣の粉乳を普通牛乳の濃度に直したものをさらに三分一とすればよいが粉乳にすでに砂糖または澱粉等が添加されてゐる場合はこれを參酌せねばならぬ。もし牛乳に依つて下痢を起す傾向があれば、牛酪例へば、「エレドン」等を八パーセントくらゐに薄めたものを用ふべきである。

看護の注意

保溫は初生兒特に虛弱兒(早產兒體重二、七〇〇グラム以下のもの)には特に榮養と同樣に重要なものである、口腔は鵞口瘡(シタ〳〵)のない限りは妄りにガーゼまたは脫脂綿等で拭ふことは不必要のみならず、かへつて危險である。哺乳直前に乳嘴の淸拭消毒は敢へて必要ではない。殊にアルコールで拭ふことは、乳嘴皮膚がカサ〳〵になつて、ひゞが出來、たゞれたりしてかへつて細菌の侵入する危險を生ずる。强ひて淸潔にするには淸水或は硼酸水で拭ふぐらゐで十分である。

ついでに授乳婦の衞生及食餌について簡單に述べておかう。授乳中の婦人は特に手指、肌着は淸潔にし、含鉛白粉を使用してはならない。適度の運動をなし、常に爽快な氣分で居ることは食餌と共に十分にして良質の乳汁分泌の重要素である。食餌は特に普通人と異にする必要はないが、偏食におちいることなく種々なものを攝取し、特にヴイタミンの缺乏を來さぬよう心掛けねばならぬ。從つて米飯の主食、野菜、魚、獸肉、果物等適當に、十分に攝るほかに水分は少くとも普通の場合よりも一リツトルは多く取る必要がある。これがため或る人は授乳婦に特に一日五百グラムの牛乳を攝ることを推奬してゐるが强ひて攝取せねばならぬというほどのことではない。要は偏食なく十分榮養を攝取すれば足る。なほ母體が攝取せる種々の藥物が乳汁に移行することがあるが、多くの場合これがその乳兒を害する程のものではないから問題にする必要はない。

催乳劑あるひは乳汁分泌促進食餌として、いろ〳〵昔から試みられてゐるが、食餌は兎も角も藥劑では確實に有効なものはない、只一つ暗示的の効果が期待されるに過ぎぬ。なほマツサージ、人工太陽等を試み奏功することもあるから、乳汁不足の場合は試みるもよい。乳汁分泌の減少または停止は精神感動、食餌、運動不足等が重要な原因をなすが、乳兒の吸入力の弱いこと長時間鬱滯等はまた有力な原因となるから注意せねばならぬ。

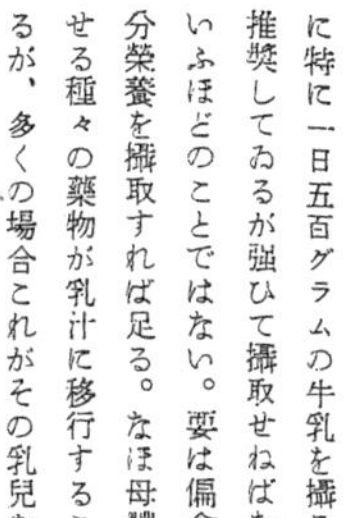

ギンザトップ二十番

【特長】
一、最上原料を特殊技術により製せらるゝ本品は、彼の高價なフイツシユスキン(魚皮)以上に喝采を博して居ります。
二、感觸が柔かで滑らかで抵抗少く、使用者自らがその使用に氣付かぬほどであります。
三、それでゐて他の厚手のサツクよりも遙かに丈夫で數回の使用に耐へます。
四、形態も微妙な技術に成功し殆んど萬人向に出來て居りますから、使用中亂暴があつても何等そういう心配がありません。
五、各個につき通風檢査耐力試驗がしてありますから、疵物や孔アキがなく絕對保險證付嚴選品であります。

產兒調節とコンドーム
性病豫防に**コンドーム**
感じを妨げず………
薄く……柔かく………
それで丈夫な
最高級**コンドーム**!!!
ゴム製品の目醒ましい發達の所產としてサツクも**ギンザトツプ**の如き完璧品が生れました!

―定價―
◎ギンザトツプ二十番

	一打	半打
▲C品(透明)	二・〇〇	一・一〇
▲B品(眞珠色)	一・五〇	・八〇
▲A品(櫻色)	一・〇〇	・五五
組合せ(一箇宛)	〇・四五(携帶用ケース入)	
C品(三箇入)	〇・六〇(同)	

―送料―
內地十錢、市內六錢、(代金引換は切手廿錢前送願ひます)新領土四十二錢、代引四十七錢
見本品御入用の方は小爲替五十錢又は三錢切手十七枚封入お申越下されば ABC 三種セル容器入をお送りいたします

東京市銀座西一丁目七番地
島津藥局
ギンザトツプ本舖
電話京橋六五二六番
振替東京四二四八九番

お藥の服み方

言付けや効能書に反いたら利かぬ

『一日三回』や『食前食後』に含まれる重要性

眞島義治郎

醫者の藥は勿論、賣藥もこの頃は親切になつて服み方の注意、その他いろ〳〵書き添へてゐますから、それをよく讀んで――丁度病院で患者さんに注意するのと同じ氣持で守つて貰ふやうにすれば、間違ひが起らないと思ひます。

時には三度に分けて服む一日分を、一回にのめば治りが早からうなどと考へて、さうする人があるやうですが、これは大變害があります。何故分けて服むやうにしてあるかといひますと、先づ適量の藥を體內に働かせ、その働きがなくなりさうになつた頃に、また藥を與へるといふ風にしてあるので、時には一日五回に分けて服むやうにしてあるのです。これを一度に服んでしまふことは、假りに過量から來る害がなくても、やがてその藥は排泄されてしまひますから、長い間利いてゐないといふことがあり、多量を次から次にとつゞけますと、今度は過量から來る害が生じてものによつては取り返しのつかぬことになります。

次に消化をよくするための消化劑は出來るだけ早く食物と一緒にする必要がありますから、オブラートに包んだりせず、食事後二、三十分以內には必ず服むようにせねばいけません。

丸藥は種類によつて違ひますが、大抵は苦いとか服みにくいので、服みよいやうにアラビヤゴムやリスリンでかためてあるので、とけるのに早くても五六分、普通三十分以內とされてゐますから、苦いのを平氣な人は、むしろ嚙み碎いた方がよいかも知れません。

錠劑は粉藥と余り變りありませんから、粉が服みにくい人は錠劑を用ひて差支ありません。

お茶で服むがよいか、お湯で服むがよいかといふことに就いては、鐵劑の入つてゐるものはお茶は禁物です。鐵はお茶の中にあるタンニンと合して靑インクのやうになり、吸收されませんから利き目がないといふことになるのです。その他の藥は別に大した心得法もありませんが、たゞ催眠劑ですが、眠るために用ひる場合は溫湯を用ひ、同じ藥を鎭痛劑として用ひる場合は、水で服むのがよいのです。又人によりますと、口中香料のやうなものを用ひたあと、他の藥を用ひると利き目が少ないだらうといふ人がありますが、そんなことはありません。然し同性質の藥を常用すれば、日が經つにつれ習慣となつて、多量にしなければならなくなりますから注意を要します。次に一般的に申しますと、

下劑は食間▲下痢止めは食前▲咳止めは食後一時間▲熱さましは食間又は食後▲虫下しは空腹時▲强壯劑は食直後▲健胃劑食前▲消化劑は食後▲治淋劑食直後

(食前とは二十分乃至三十分前食間とは食事した後凡そ一時間乃至二時間、食後に二十分乃至三十分後)

— 親の慈愛の金字塔 —

御出産の御祝品に絶好

出産から小學校入學まで、六年間の生ひ立ちを細かに綴りゆく美しい本

四六倍版摸造紙八四頁
色クロース金模様装幀
各頁極彩畫叢飾揮毫
優雅堅牢な保存用箱入

大阪こども研究會編

わが子の歴史

杉浦非水先生装幀・有名畫家十先生各頁着彩飾畫

定價 一冊 三円

◇地方送料 内地四十五錢 台灣鮮七十五錢 ◇荷造料十六錢

慈愛深き親達の手で、この美しい本に可愛いお子様の生ひ立ちを細かく御記入になつて、成人の後お子様へ贈られることは、何と意義深い事で御座いませう。

大阪市高麗橋 三越 圖書部
振替口座大阪三〇三番

教育種々相（六）

ツカダキタロウ

サーカス式教育法

古い話でありますが、嘗て東京の大塚に、高等師範學校の附屬小學校を參觀した事があります。

これは、北垣先生の修身教授を拜觀に出たのでありましたが、受付の間違ひで、佐々木先生とかの算術教授の教室へ案内されて終つたのです。そして、私は幸福にも「見學用教育」なるものゝ實際を見る事が出來たのでありました。

當時、と云つて古い話でありますが、その當時では、最も新しい方式による算術教授とかで、計算の教授を白銅貨とコップとで、如何にも巧妙に教へられてゐたもので、その訓練の上手さに驚いた者であります。が然し、それよりも一層驚いた事は、如何にも先生と生徒との應答が、「見て呉れ」「見せてやるぞ」式であつた事です。

白銅貨で硝子コップのフチを叩いて、チンと音をさせると、ハッとばかり子供達が眼を見はり、一つ白銅貨がコップに落ちる毎に、間髪も入れず、計算の答えを呼ぶあたり、私は私の大好きなサーカスの演技を見てゐるが如き感を持つたのであります。

猛獸使ひが、猛獸を使ふ樣子をお考え下されば、私の見學した算術教授が、ハッキリ皆樣の目の前に浮ぶと思ひます。鞭こそ持たね、先生のかけ聲の一つ一つに、尋常二年生の生徒が、反射的に動く有樣は、よくもこれまで、「仕込んだ」ものと許する以外には、適當な言葉がありませんでした。

まさか、大塚附屬校の生徒は、猛獸でもありますまいから、檻には入れてありませんが、そのビク〱した姿、オド〱した樣子、先生の一擧手一投足に、極度の注視をする有樣は、支那人の曲藝の程度を越して、實に猛獸の、猛獸使ひに對すると同じものがあつたのであります。

幸か不幸か、私の教室には見學者は私一人であつたのです。一白面の、然も局外者の見學者一人の場合に於ても、猶斯くの如くとすれば、公開教授とかの場合は鞭を手にされるかと信じますが、この被教育者こそ、世にも哀れな有樣であると思つたのであります。

何でも、大塚の附屬校は、全國より教育家の參觀者が殺到する處とか聞いてゐますので、嘸や全國にも、この模範？が普及してゐる事と思ひますが、私は此サーカス式教育法に、多大の疑問と反對とを持つてゐます。公開教授とか、參觀者に對する模範とか、研究發表教授とかの名目で、屢々多數の同業者を招いて、生徒達への教師の教授ぶりを見物させる事が流行しますが、私はこれを、サーカスと比べて、何の變りも無い事を發見して、寒心をさせられてゐます。

ハーゲンベックのサーカスで、或は又ベル・ハームストンの曲藝團で、見物達が猛獸や鳥獸の訓練ぶりを見て、拍手をしてゐますが、有料と無料との差こそあれ教師達が行ふ處の、教授法の公開又は參觀は、同じく演技者の腕を感心するにとどまり、決して尊敬を受くる事は無いものでありませう。

斯くの如く考えて來る時に、今日の如く、少し研究に熱心なものは、自ら好んで公開の教授をなし、又參觀者を招いて、自らの教授を廣告するが如き事は、教育の本質に逆くと共に、被教育者を害ふ事甚だしきものある事を思はねばなりません。

それと共に、斯かる狀態に終始する被教育者即ち生徒は、參觀者即ち見物の拍手を望む者となり、人前ばかり上手に立廻るに至る事を知らねばなりますまい。私は私の誤れる見學から、このサーカス式教育が、廣く全國の殊に師範學校と稱さるゝ曲藝團に行はれてゐるのを見て、心から悲しむと共に、他の學校教育者が、これを眞似る事を聞いて、殘念に思ふてゐる者であります。

教育とは、見せるべきのものに非ず。又見るべきもので無いと思ふ私は、サーカス式教育を排斥するものであります。

危險な遊び場

與謝野晶子

都市の子供に就いて氣付いたことを云ふのであるが、時節柄大川へ遊びに遣るなども、海水浴場が悪いとも私はするのでない。私は各百貨店が子供伴れの客を呼ばんが爲めに、種々と子供向きの設備をしてゐても、其れがどんなに完全なものであつても、母親が其れを其儘受入れて、或時は子供だけを百貨店へ遊びに出すやうな結果になつては危險なものであると思ふのである。殊に百貨店のある附近の家庭に多い習慣ではなからうか。

—◈—

玩具の賣場付近に小學生が何人かづゝで來て遊んで居るのを見ては、家庭のみならず小學校の教師方にもこの注意がしたくなるのである。客に對する商人の弱味を尻目に掛けて、悠々と高價な玩具を箱から勝手に出して其れが汽車や自動車であれば床の上を走らせて居る兒童は、家庭や學校では悪童でもあるまいが、其處だけではさう見える。是れを女店員がどうすることも出來ず、はらはらとして眺めて居る光景などは都市の悲哀の一つである。

—◈—

平生十分な玩具の與へられない兒童と云つても、もう學齡以上の子に玩具は要らぬ物であるし、手工の科目も學校にあるのであるから、自身の遊び物は自身で作らせるやうに教師達は導いて、外國品擬ひの高價な玩具を無用にふだんに與へられる富豪の子を羨望させぬやう教へられたいものである。百貨店の中には交通の危險はないが、こんなことから悪の方へ一歩でも入ることがあつては恐ろしい。小金を使はせない所を選んだ賢い考へのやうに思ふ母親があれば其れは大間違ひである。小金で買へないものを目で眺めて居るだけに、子供の慾望が滿足出來なくなつた時に、どんな結果を招くかと親達も教師も考へて欲しいのである。

—◈—

兒童が野山の花や木を折つて家へ歸ることなどは盗みでもない。歐米の習慣を皮相的に學んで、そんなことを見童にやかましく云ふのに私は不贊成である。兒童は遊ぶうちに野山の木や草と同化して友達になつてゐるのであるから、家へ伴れて歸つても不思議はない。私は其れだけの自由は兒童に讓ることなしに與へたい。百貨店は母や姉が行つてさつさと用を濟ませて來る所として、子供は電車にでも乘せて近い郊外へ遊びに出す方が危險の少いことであると私は思ふ心から、母親たちと教師方に忠告をするのである。

第二國民の體質改造

軍事評論家　福永恭助

僕は皆がそろつて賞めると、却つて疑つてみる癖がある。といふのは、兎角日本人は情熱的である一面、頗る雷同性がある國民であることを知つてゐるからである。こんなわけで『錠劑わかもと』が素晴らしく効くといふ聲が巷に充ちてくるのでまたかと苦々しく思つてゐた。

ところが僕には二人の子供があるが、妹は小學校の二年生であるのに、六年生位ゐの發育振りで、模範的な健康兒であるが、兄の方は幼時からいたつて弱い。何とか丈夫にしたいとおもふ親心から、いろ〳〵榮養劑を服ませた揚句、試みに『錠劑わかもと』を使用する氣になり、一ト月二タ月とたつ中に、目にみえて丈夫になり、いつの間にかあれほどの風邪引きが風邪も引かないやうになつた。

こんなわけで第二國民の體質低下が、國家の最も關心事となつてゐる場合、體質改造には『錠劑わかもと』こそ是非とも必要なものとして、今では心から支持してゐる次第だ。

『錠劑わかもと』は二十五日分一圓六十錢、八十三日分五圓の一日數錢に過ぎぬ廉價で、東京市芝公園わかもと本舗榮養と育兒の會（振替東京一七〇〇番）から頒布され全國藥店で取次いでゐます。

愛と教育

——教育と健康——

賀川豐彥

私は子供について多くの意見を持ち、子供の教師として貧民窟で十三年半も送つて來たものだから、結婚してから九年目に初子を與へられると、自分の子供の教育方針についていろ〳〵なことを考へさせられた。これが貧民窟で仕事をしてゐない私なら、さう子供の教育について心を用ひないであらうけれども、今まで貧民窟に住んでゐたし、この後も貧民窟のために盡したいと思つてゐる自分達だから、子供の生れるといふことは隨分私共にとつて大事件であつた。妻が妊娠してゐる間から、酒亂の人々や脅迫に來る破戸漢が絶えないので、それも心配の種であつた。貧民窟で乳兒死亡率の高いことを知つてゐる私は、貧民窟で子供は絶對に育たないと思つてゐる。私共の近所で生れた赤ン坊の死亡率を研究したことがあつたが、一年間に六十二人生れて四十五人位死んでゐるのを見て吃驚させられた。こんな高い乳兒死亡率を持つてゐる貧民窟でどうして子供が育つて行くだらうと心配したのであつた。

日本の乳兒死亡率は都會の勞働者の數が殖えると共に增加し、大正二年頃には千に對して百五十一の死亡率を持つてゐたことを記してゐる。さう云つた全國的の乳兒死亡率に比較して、貧民窟は約その四倍も高いのだから貧民窟で育てることは、その年の中に子供を半分以上殺すことだと思つたので、私の第一の仕事は、子供とその母のために貧民窟の近所に適當な家を見つけることであつた。

貧民窟に於ける育兒の困難

實際貧民窟で子供の育たないのは當然で、私共のやう

な大人でも皮膚病の絶え間なく、夫婦ともトラホームに冒されて年中閉口してゐるのだし、その他の傳染病に至つては、此所に住む十三年半の間に、ペスト三回、コレラ五回、赤痢二回、天然痘三回、チブスは毎年絶えたことなしと云ふ狀態だから、危險なことこの上もない。殊に大正六年の天然痘の如きは、私共の一家が罹らなかつただけで、向う三軒兩隣りの全部がこの病に冒され、當時一日十七人もの患者を、貧民窟から避病院へ送つたほどであつた。インフルエンザの時なども大抵の家が冒され、私共の家でも夫婦の外はみんな倒れた。又大正七年の夏から八年にかけては、チブスのために私共の家から六人の患者を避病院へ送らねばならなかつた。

かう云つた貧民窟の疾病と戰ふことは決して容易ではなく、特に貧民窟では少し衰弱すると結核に罹る虞れがあり、衰弱した者を其儘置くと、殆んど末期の腸結核に冒されずにはゐない。さう云つた病人を幾十人となく世話して來た私は、私共の獨り子を貧民窟で育てる勇氣を持ち得ない。さうかと云つて貧民窟から遠く離れることは、私にとつて固より不可能だから、貧民窟の表筋の母の家に同居することにした。

病的に育ち行く子供

貧民窟の子供はかう云つた方面から考へる時、全く氣の毒なものである。育つて行くのが不思議に思へる位である。殊に乳兒を背負つて仕事に行く母親達は、一日のうち僅か一度か二度お襁褓を替へるだけで、ずく〳〵に濡れたものを脊に括り着けた儘仕事をするのだから、こんな子供の皮膚は水腫れになつてゐる。貧民窟には保育所もあるが、極めて不完全なもので、收容人員も僅かだから、多くの子供は露路に捨てられてゐるのも同樣である。少し大きくなつて露路をよち〳〵歩けるやうになると、その子供達は睡眠不足のために性質の違つたやうな態度をとる。

私は斷言することが出來る。貧民窟の子供は百人中九十九人まで神經衰弱に罹つてゐることを、その理由は彼等の全部が睡眠不足に惱まされてゐるからである。家の狹隘なること、夜具の不足せること、南京蟲、蚤、虱の絶えず襲擊すること、暑氣寒氣を避け得る工夫の足りないこと等がその主なる原因となつてゐるのだ。

かう云つてしまへば、普通の人達はたゞ成程と考へるのみに止まるだらうが、實際貧民窟に住んで見ると、これらの一つ一つが如何に恐るべき人間の敵であるかを痛感せずには居られない。

子供に安眠と健康と慰安を與へよ

たとへば南京蟲についても、東京深川區靈岸小學校長

楠本熊太郎氏が『木賃宿止宿兒童の特種教育に關する實際的研究』といふ報告書を出してをられるが、調査兒童四十九の中、夏の間南京蟲に嚙まれて安眠出來ない者が三十九名に達してゐることを擧げてゐる。そして一夜に殺す數の、家庭によつての違ひを表にして、十四以上を殺す家庭五軒、二十四以上を殺す家庭九軒、三十四以上を殺す家庭七軒、四十四以上を殺す家庭四軒、五十四以上を殺す家庭三軒、七十四以上を殺す家庭二軒、八十四以上を殺す家庭二軒、九十四以上を殺す家庭一軒と云ふ寧ろ酸鼻に堪えない狀態を示してゐる。私共の經驗した所に依れば、貧民窟はどんな家庭でも一晩に四五十四殺さない所はない。私共は毎年蚊帳のやうなものを逆に釣つてその中で寢て來たが、それでも妻は南京蟲のために夏の間は神經衰弱で惱み通した。かう云つた安眠の不足は、貧民兒童を全く性質の變つた人間にしてしまふ。その上榮養不良や四圍の境遇の恐怖が伴ふから、貧民窟から良い兒童を求めようとするのは、寧ろ無理な註文だと云はねばならない。

私共の過去の戰ひはかう云つた子供のために、安眠と健康と慰安を少しでも與へたいと云ふ願望のもとに、いろ〳〵な設備をすることであつた。

兒童教育に及ぼす榮養の關係

私は貧民窟に來て始めて教育の本質をも知り、立體的に境遇が人間に及ぼす影響をも教へられた。私の社會改造の原理も貧民窟で考へたことが基礎となつてゐる。教育の原理も貧民窟で見たいろ〳〵な要點を綜合して考へたものである。それから割出して、私の觀た教育の原理は、教育を藝術のやうに考へる所に成立つてゐる。だから教へねばならぬとか、教へられねばならぬとかいふやうな心持は全く抱きたくない。

子供の心は、大理石のやうなもので、教師はその上に彫刻して行く藝術家である。藝術家は先づその材料の選擇をする。材料が傷つかないやうに完全な保存法も考へなければならない。そのために兒童の榮養を顧み、心理的環境をも思ひ遣るべきである。生理的に、心理的に缺陷があれば、兒童の教育は不可能である。さう云つた意味に於て、私は子供の榮養問題を酷く氣にかけてゐる。

病弱な子供には教育を强ひることが出來ない。それは彫刻に適しないものである。殊に五歳までの榮養狀態は成長して後まで常に影響することを知つた。私は貧民窟の子供の顔と、帝國大學の學生諸君の顔とを比較、研究して見て、その榮養狀態の著しき差に驚いたことがあつた。帝國大學の學生諸君の殆んど全部は、幼時の榮養狀態がよいために、皮膚に彈力性の富んだ顔をしてゐる。

それに反して、貧民兒童は殆んど全部といつてもいゝだらう、榮養不良のために顔の毛の生際が焦茶色になり、顔面の所々に斑點があつて血行の不足を示して居る。

だから私は不良少年を叱らなければならぬ時でも、榮養の惡い子供は決して叱らない。先づその子供の榮養の何が缺けてゐるかを考へて、叱る代りに食物を與へる。又必ず叱らなくてはならぬ時があつても、食事中には決して叱らない。

榮養が十分に足りて、兒童の成長が目に見えるやうになれば、榮養不足から來た不良性格は自らよくなるものである。私はさう云つた經驗を少なからず持つてゐる。幼い時に不良兒だつたものが、大きくなつて癒るといふのはかう云つたやうな子供であつて、榮養の補給が完全になると共に性格もよくなるのである。

榮養の學業に及ぼす影響

榮養の不足が如何に兒童の成績の上に影響するかは、私が大阪の特殊小學校の兒童について研究したことによつて明になつた。その學校に出席する細民兒童の六年間の成績を借りて統計をとつて見た所が、貧民兒童は文部省の研究した全國小學兒童の十五萬人の平均身長に比較して、男子に於て約一寸、女子に於て一寸五分の差のあることを發見した。體重に於ても男女とも毎歳を經るに從つて、男は約一貫、女子は一貫五百位遲れて行くことを發見する。さう云つたやうな榮養狀態だから、女子に於ては落第生が多く、男子に於ても平均點が非常に低くて、普通の學校では見られない惡成績を示してゐる。これについては西洋各國も注意して、兒童の食費を政府が負擔してゐる國なども隨分ある。英國の如き、また米國のフィラデルフィヤの如きは、法律を以て兒童の榮養を保護してゐる。

榮養が完全であつても睡眠不足の場合は、子供を十分教育することは出來ない。さう云つた時には、私は安眠を與へる工夫をする。生理的の關係を考へた後に、私は心理的の關係をも考へて見る。その子供の父の血統、祖父母の血統、親族の樣子をも聞く。出來るならば、その親族に犯罪系統があつたか、自殺者があつたか、發狂者變質者、天才等の有無をも聞き糺す。血統といふものは爭はれないもので、大抵遺傳的法則に當て篏る。よく父母の系統を聞く人があるが、それでは足らない。どうしても親類の樣子を聞く必要がある。

私生兒は教育上公生兒に比較して劣るやうに考へられる。これは種が惡いためでもあらうが、榮養の關係や、道德的關係もあらう。日本ばかりでなく、外國の統計でも、私生兒が公生兒に劣ることを擧げてゐる。殊に飮酒

關係、梅毒、結核等が心理的に及ぼす影響なども必ず考へなければならない。かうして低能兒と遊蕩兒とを區分した後に、更に兒童の心理的狀態をも檢査しなければならない。

感情及び意志の檢査法

今日各種の精神檢査法が發達して、兒童の精神測定をいろ〳〵な方法で行つてゐるやうであるが、私はそれらの精神檢査法が多くは智的方面に止まつて、感情及び意志の方面の檢査法が未だ發達してゐないことを悲しむものである。今日のビネー・シモン式精神檢査法は、智的方面を測定するには比較的優れたものであるかも知れないが、感情及び意志の方面に於ては何の役にも立たない。それで若しも幼稚園に兒童を入學せしめるのに、現今行はれてゐるやうな精神檢査法であるならば、優良兒童は却つて試驗に落第する虞れがあるかも知れない。兒童の情意の方面が發達してゐるならば、智的方面に多少遲れてゐることがあつても、それは決して悲觀すべきものでないと思ふ。

私は兒童の精神測定を、多くは兒童の話す言語とその會話によつて行つてゐる。言語の明晰なものは大抵智力のすぐれたものであつて、意志の方面に於ても相當に發達してゐるものである。更に私は兒童との會話によつて兒童の精神を檢査する。それは精神病學者が、精神分析を用ひて患者の性格を研究するのと何等の差がない。私は精神分析法が教育上、一大貢獻をなすことを信じてゐる。

生理的に兒童を考へて見て私の恐ろしく思ふことは、教育といふ生命藝術が出來上らない前に、その多くの素材が脆くも打ち壞されてゐることである。殊に心理的に來る環境の影響の著しいことは、貧民窟にゐる私にはよく解る。

『心の傷』と心の衞生

貧民窟では、飛び離れた田舍で起る一年間の事件が一日の中に起る程、そこには何時も問題が紛糾してゐる。淫賣婦の横行、殺人、賭博、夫婦喧嘩、醉ツ拂ひ、掏摸泥棒といつたやうな、近所の色々な出來事が、貧民窟では一日の中に幾回となく兒童の腦底に刻みつけられる。それで餘程すぐれた兒童でないかぎり、皆かうした環境から來る心理的映像に心を傷つけられる。精神分析に於て、これを『心の傷』と云つて居るが、一旦兒童の心の臺にこの傷を刻みつけた以上、もう一生拭ふことの出來ぬものとなる。この四圍の境遇から來る心理的な『心の傷』を除かない限り、とてもよい子供に仕上げることは出來ない。この『心の傷』を拭ふ工夫を稱して、私は心の衞生といつてゐる。この心の衞生は肉的の衞生が貧民窟に於て不可能である如く、靈の貧民窟である今日の細民街に於ても不可能の事である。私は子の親となつて恐れたことは、肉體の不衞生と共に、この魂の不衞生についてゞあつた。

私は極く最近まで私の弟の子供を貧民窟で育てゝゐた。無賴漢がまだ二歳にしかならぬこの子供を抱いて酒屋へ連れて行き、親切のつもりで酒を飮ました。その爲に私の甥は酒の味を覺え、やつと二つの赤ン坊でありながら、お正月には酒を吳れといつて親達を困らせたことがあつた。不斷無賴漢が私の家に出入するから、この甥も無賴漢の口眞似をして亂暴な言葉を使ひはじめた。今は大連の方へ送つてゐるので安心であるが、今なほ私の心配することは私の不注意から貧民窟で甥に與へた『心の傷』は、恐らく一生拭ひ去ることが出來まいといふことである。

かういつたやうな教育に對する第一歩の困難から、いよいよ彫刻を始めるといふ第二の出發點に達すると、私は今いろ〳〵なことを考へさせられる。

私の藝術教育

私は子供を教育する場合に、藝術家としてそれに臨む。そして兒童の前に立つ時は一生懸命である。教育は私の創作なのだ。私はいや〳〵に教へることをしない。子供が可愛いからとて、子供本位であることを忘れ、自分のために子供を道具に使ふやうなことはしない。兒童は私の創作である。だから一生懸命である。

さういつた心持で今日の教育家を見るに、或種の教育家の中には教育が藝術であることを自覺しないでゐる人が隨分多いやうである。從つて眞劍味を缺いてゐる。腰かけ的に學校で教鞭をとつてゐるやうな人も見かける。さう云つたやうな教育は兒童の心を傷つける恐れがある。私は今日の小學教師に對しても、少し創作的氣分をもつて教育に從はんことを望んでやまない者である。

それから私の考へることは、創作としての私の子供が教育される場合に、私を標準として教へたくないといふことである。私は私の力一ぱいを出して教へる。然し私が兒童を彫刻する場合に、これが創作である以上、現在の私より更にいゝものを作りたいといふ希望を持つてゐる。今迄の教育だと、弟子は先生にだけなればいゝのであるが、創作としての教育では或る型に嵌つてはいけない。兒童の魂の中にまだ私が發見し得ない或るものを見出さなければならない。これが即ち創作である。これは恰度金鑛を掘るやうなもので、私はその鑛脈に達するま

でにいろ〳〵な工夫をする。そして鑛脈に達した後に、その中から金を掘り出すことになる。中世紀式教育法と近世式教育法との相違はこゝにある。

杓子定規的教育を避けよ

フローベルは、哲學的表象を以て兒童を教へ、モンテソリーは人類學的立場より感覺を誘導して兒童の魂に迫らんとしたやうであるが、私はさう云つたやうなすべての工夫の上に、兒童の全靈の爆發を見るために、あらゆる工夫を凝らす必要があると思ふ。イエスは『弟子は師の如くなりなば足りなん』と云つた一方で『我を信ずる者は我がなすところの事をなさん。且つ之より大なる事をなすべし』といつて居るが、神の子の言葉としては實に考ふべきことである。即ち教育によつて弟子が先生よりえらくなれるといふことを、イエスが暗示してゐるのである。

今日までの教育は、先生の知つてゐることを杓子定規的に兒童の心に注入する傾向があつた。それで兒童は、自分の生命に何等關係のないいろ〳〵な餘計な事まで多く吸收させられた。その爲めに兒童は病的にさへなる傾向を呈した。日本に於ける中等教育の如きは、最もその著しい例である。學校が軍隊式に出來てゐるために、學問までが軍隊化してゐる。さういつたカーキー色式の課業は、兒童の心に訴へる所が實に僅かである。それで中學校を卒業しても、何の役にも立たぬ者が出來るのである。

本能に依る機械の成長

私は今日の種類の學校教育には餘り信用を置かない。勞働者諸君に接する機會を多く持てば持つほど、その感を深くする。勞働者諸君が年期奉公に行つて教へられる各種の技術は、矢張り一種の教育である。然し彼等の教育は多くは本能的に教へられたものであつて、その間に無理がない。一つの機械に關しても、彼等は殆んど自分の身體の一部分であるかの如くに知り盡すのである。そこに機械に關する本當の知識が與へられるのであつて、職工の間に機械の發明者の多いのは、かうした本能的知識からである。私はこれを本能による機械の成長といつて居る。

學校教育も本能を教育し得るやうにならなければ、眞の教育といふことは出來ない。換言すれば、今日の學校教育は餘りに表面的であつて、感情と意志の生活と知識の吸收とが、相關的に發達して居ない。學校出身の學士達が、工場に出て行つて職工だけの仕事の出來ないのは多くはかうした理由に基くのである。彼等は理窟を知つて居る。しかしそれは生きた理窟でないから、その理窟

は消化されず、腦底に於て早くも忘却されて了ふ。それといふのも、彼等の知識は要求した知識でなく、いやいやに注入された知識であるから、心理的法則に從つて、時が經つと共に忘却されて了ふのである。

私は今日の學校を、兒童の求むる知識を與ふる學校にしたいと思ふ。米國の哲學者ウイリアム・ジエームスは知識は要求する所に發生するものであると云ひ、獨逸の哲學者コーヘンは、知識は生產であると云つて居るが、兒童をして知識を生產せしめる樣な敎育を私達は選びたいと思ふ。

今日の學校敎育は生產でなくて消費である。それは兒童の消化を俟つ石である。これに反して勞働者のそれは本能的に生產せられた體驗の知識であるから、勞働者は知識を得て非常に喜ぶ。私は今日の敎育がかう云つた形に改造せられるために、今日の軍隊的組織を破壞する必要があると思ふ。そしても少し自由な、も少し勞働を加味したものに變更しなければならないと思ふ。私は今日の入學試驗など云ふものが可笑しくて仕方がない。兒童が求むるやうな知識を與へる設備にさへすれば、入學試驗なんかは要らない譯である。さうして或る一定の敎育を受けさせた後、兒童の優秀であるか否かは、仕事を遣らせさへすれば自ら解る。かう云つた意味で最近の日本に於て、自働敎育、自由敎育の勃興しつゝあることは喜ぶべき傾向である。

虛弱兒童（肺門淋巴腺腫脹）を放任するな

後年肋膜や結核に襲はれ易い體質となる

微熱があり、食慾が不振で體重が增加しないばかりでなく、反つて減退の傾きがあり、元氣がなく、少許の運動でも疲れ易い兒童をレントゲンで診斷すると肺門淋巴腺腫脹の場合が多く、虛弱兒童と概稱されます。

『潛在性結核』と稱へてゐたこともあります。この期に於て一ばん必要なのはVA（ヴイタミン）即ち肝油で數週又は數ヶ月に亘つて連用すると、狀態が好轉して來ます。

しかるに、これを放置すると後年思春期に於て肺、肋膜が弱り肋膜や肺尖カタル等に襲はれ易い體質となります。

肺門淋巴腺腫脹は結核ではないが初期の感染し易き狀態ともいふべきで、昔は

肝油も昔の服みにくかつた時代と違ひ、ヴイタミンADの非常に濃厚な鱈魚（ハリバット）肝油が發見され、これを糖衣の小粒とせる一粒肝油が發明された結果、これまでの何十分の一の微量で足りるハリバが出來て、幼兒なら一日一粒、小兒なら二粒、學校で先生のお力を借りずとも兒童が家庭で喜んで服みたがります。

神話と童話

沖野岩三郎

一

何所の國でも、其民族の初期から、彼らの間に一種の信念をもつて語り傳へられてゐる神話がある。此の神は大抵の場合其の民族の宗敎となり歷史の根原となる。最初はそれが其民族の眞劍な宗敎であり且つ歷史であるが、人智が進むに隨ひ其の宗敎は傳說になり、歷史は昔話になる。しかし、いつまで經つても其の神話の感化といふものは其の民族から消え去らない。

日本の神話中で、一番强く國民の頭に浸み込んでゐるのは、高天原といふ地名と天照太神といふ女神とである。高天原から天降つたといふ神話が高天原を「天」だと敎へた事は日本開闢以來今日に到るまで强い權威をもつて國民の上に臨んでゐる。だから今日のやうに科學が發達し、人類學が進步した世の中でも、一般日本人は自分の祖先が何人種であるといふ事を硏究しようとしない。或意味に於ては、夫れは硏究すべからざる事だと思つてゐる。だから日本は遂に日本人であつて「天」から天降つた人種だといふ非科學的な考へ方が輕蔑されないのである。と、同時に天照太神は空中から世界を照した太陽であると信じられてゐる。

既にして伊弉諾尊、伊弉册尊と共に議りて曰く、吾既に大八州の國及び山川草木を產めり、何ぞ天下の主たる者を生まざらんや。是に於て共に日の神を生む。大日靈貴と號す。此の子光華明彩にして六合の內に照徹す。故に二神喜んで曰く、吾が息多しと雖も、未だかくの如き靈異の兒あらず。宜しく久しく此國に留むべからず。自ら當に早く天に送り而して授くるに天上の事を以てすべしと。是の時天地相去る未だ遠からず、故に天柱を以て、天上に擧げたるなり。此の神話は、今日まで强い權威をもつてゐる。即ち日本人は世界各國の何れの國民にも比較出來ない優秀な國民であるといふ自信が、此の神話から流れ出てゐるといふ事は疑を容れる餘地がない。「日本は神國だ」といふ言葉が今に到るまで、愛國者の標語であるにみてもわかる。此の原稿を書いてゐる所へ、二通の四種郵便物が配達された。一通は「太陽民族は神の

國を世界に再建すべし」の宣言で、本文の書き出しに「我大倭民族の祖先は神の國を建設してゐたのであるが、千五百年前佛敎傳來し五百年前耶蘇敎傳來し明治維新以來海外の思想は非常なる勢を以て我神國精神を浸せり。其の結果吾々は今や自己をも沒却し國家は累卵の危なき狀態である吾々は一刻も早く醒めねばならない。自覺すると共に我神國精神を世界に示し祖先の建てたる神の國を世界に建設せねばならない。」とあり、他の一通には「吾が日本帝國は皆樣の知らるゝ如く神代より神國と稱せられ人々の行ふべき道は之を神道と稱へらるゝは其の始め天之御中主大神より起り而して天照皇大御神の皇孫瓊々杵尊を豊葦原瑞穗の國に天降り依さし奉りてより幾千万歲の間平和に幸福に進步せるは一に吾々の御惠みに依るのであります云々。」とあつた。

日本人が日の丸の國旗をもつ原因は、十字架を重ねた英國旗のやうな他國の神話に起因した宗敎的の意味でもなく、一州を一星とする米國旗のやうなものでもない。日本の國旗は日の御子天照太神を太陽と信じてゐた神話から出たもので、日本人が此の日の丸に對する感じは、其の宗敎的、歷史的の感じである。だから、たんに赤い圓い記號ではないのである。

嘗て米國の大學敎授某氏が日本に來て、日本の大學生に對つて「日本人の祖先は何所から來たのだらうか。」といふ質問をしたがはつきりした答を與へられなかつた。敎授は不思議に思つて其後數十人の學生に同じ質問をしたが、誰一人彼を滿足せしむるに足る答をしなかつたといふ事である。それは日本人に人類學の智識が足りない爲でもなく、歷史に興味をもたないためでもない。日の神の御子が天降つたのだといふ神話の權威が强いからであると思ふ。

この神話が其の民族の中に浸つて行つた時、假令それが歷史上の根據を失はうと非科學的であらうと、其の民族には一種特別の崇高さをもつのである。前年日本の皇室に御慶事のあつた時、イタリーの皇室から贈られたお祝ひの品は、二人の子供が狼の乳を飮んでゐる所を寫した置物であつた。

イタリー人にとつては、其國の創始者ロミユラス・レマス兄弟が狼の乳をのんで育つたといふ神話が今に到るまで神秘な權威をもつてゐるのである。けれども現代のイタリーの人々は、アルバ王が一妖物を見た時、テセスの神告に從つて、一女をして其の妖物と交らしめた結果產れた二人の男子が、狼の乳をのんで育つたといふ神話を事實だとは思つてゐないであらう。

しかし夫れが歷史的の事實であらうが無からうが、そんな事は問題ではない。其の神話が浸み込んでゐる國民以外には到底解する事の出來ない思想が彼らに燻染されてゐるのである。支那の歷史を繙く時、「天皇氏は木德を以て王たり、歲は攝提より起る。無爲にして而して化す。兄弟十二人、各々一萬八千歲」といふ書起しを見る。それから殷、周の時代までの出來事は神話である。

日出でゝ而して作き、日入つて而して息ふ。井を鑿つて而して飮み、田を耕して而して食ふ。帝の力何ぞ我に有らんや。

といふ歌が、老人の口から歌はれるのを善政の極致としてゐた堯は、子の丹朱が不肖であるといふので、許由に天下を讓らうと

する。けれども許由は受けなかつた。天子になれなどゝいふ言葉を聞いただけでも忌々しいと云つて、川へ行つて耳を洗つた。で更に子州支父に讓らうとすると、子州支父は「我れ適ま幽憂の病がある。これを治療する事すら出來ないのに、天下を治めるなどとは以ての外である。」と云つて謝絕する。やつと舜を見つけ出して天下を讓つたが、舜の子商均も亦不肖であつた。で、子州支伯に位を讓らうとすると、やつぱり幽憂の病があるからと云つて謝絕した。で、善券に相談すると、

余宇宙の中に立ち、冬日は皮毛を衣、夏日は葛を衣る。春は耕種して以て勞働するに足り、秋は收穫して以て休食するに足る日出でて而して作き、日入つて而して息ふ。天地の間に逍遙して而して心意自ら得たり。吾れ何ぞ天下を以てせんや。悲しい哉、子の余を知らざるや。

と云つて深山へ隱れたきり出て來ない。そこで石戶之農に讓らうとすると、夫は負妻は戴き子を擕へて海外へ逃げてしまつた。

こんな神話をもつ支那の國民には、如何五倫五常の道が唱へられ、忠孝の大道が說かれようと、善政を敷く爲には天子が代つてもいゝのだといふ思想が深く人心に食ひ入つてゐる筈である。此點に於て日本の神話が歷史的の出發點にもつ思想は非常に支那と違つてゐる。

大八島豊葦原の水穗の國は、吾が御子の繼々王として治しめし給ふべき國なり……天津日嗣の榮へまさんこと、とこしへに天壤と共にかぎりなく窮まりなかるべし。

といふのが、天照太神が皇孫瓊々杵尊を、葦原の中津國の主となし給うた時のお言葉である。

斯うして高天原の天の磐座を離れ、天の八重雲を排し分け、稜威の道別に道別きて日向の高千穗の峰に天降り給うたのである。即ち天上より降り給ふたのである。これが即ち吾々日本人の祖先である事を心から信じてゐたので、日本が全世界中特に秀でた神國であり特殊な優良人種であるといふ信念をもつのは當然の事である。だから支那の文物が盛んに輸入され、老子莊子の學問が頻りに敎へられても、日本人の頭には夫れが左程に浸入しなかつたのである。即ち神話の感化が濃密な間は、どんな思想が入つて來ても夫れを排斥し得るのである。佛敎が日本に入つて來て、あれだけ上下悉くを信者となし得たに拘らず、日本神社といふものは依然として存在し得たなど其の著しき一例である。

此の神話に二種ある。即ち一つは單に自分の國のみの神話であつて、自國以外に夫れを信ぜしめ得ないもの、他の一つは其神話の權威を他國にまで及ぼさうとし、且つ及ぼし得るものである。世界中で一番强い感化を多數の國民に與へた神話は「ヘブライ神話」と「グリイキ神話」の二つである。この二つは非常によく似てゐる。

グリーキ神話では、世界の始めに無始無終のクロノスがあり、其次にケオスがあり次にガイアがあつて、此のガイアから萬物が生じる事になつてゐる。ケオスは混沌であつて、ガイアは大地の義である。

ヘブライ神話では、最初からエホバ神があり混沌を經て光が來地が現はれて萬物が生じる。グリイキ神話では、人類の歷史を黃

金時代、白銀時代、青銅時代、黑鐵時代の四期に分け、黑鐵時代を人類墮落の絶頂としてある。だから神は大洪水を降して一切の人類を絶滅させようとした。しかしプロメトイスの子デウカリオンと其妻のピルラだけは正直の故を以て、神からの豫告を受けて方舟を作つて其中に入つて助かつた。

二人が方舟を出た時、各々小石を拾つて投げた。デウカリオンの投げた石が男の子となり、ピルラ の 投げた石 が 女の子となつた。そしてこゝから新しい世界が始まる。其の男の子がヘレンといふ名であつたからギリシヤ人は自らを Hellenes といふのである。

ヘブライ神話では、黄金、白銀、黑鐵の四期が洪水より遙か以後になつてゐる。一番最初 に 黄金時代の手本エデン の 園があつた。けれども其所に住んでゐたアダム、イブの二人の心に、人間的の智慧が閃いた爲め、其の樂園を追ひだされた。次いで其子のカインが血を好んだ事から、段々と罪惡が地上に擴がつた爲め、神は天から四十日四十夜雨を降して人類を絶滅しようとした。所が正直なノアの一族八人だけ神の豫告を得て、方舟を作つて其中で助かつた。其の八人といふのは、ノア夫婦と、其の男子セム、ハム、ヤペテ三人と其の妻達とであつた。此のセム、ハム、ヤペテの三人が三方に分れて其の子孫が全世界に廣まつたといふのである。即ち人類學 Anthropology では、セミチック Semitic といふ人種は、ノアの長男セム Sam の子孫はハミチック Hamitic といつて埃及南アフリカ、エチオピアの先祖である。三男ヤペテの子孫は所謂アリアン人で、印度人ヨウロツパ人が夫れであると云ふのである。

グリイキ神話では、最初に黄金時代があつて黑鐵時代まで墮落した後に洪水の刑罰が來るのであるが、ヘブライ神話では、最初の樂園から間もなく洪水の刑罰があり、其後數回の刑罰の後にバビロンの王ネブカデネザロに現はれた夢の警告として、金、銀、銅、鐵、石の五時代の來る豫言がある。即ちバビロンが滅びた後に、銀のペルシヤが起り、次に銅のギリシヤが起り、鐵のローマが起り、最後に石の國、即ち神の完全なる國が出來るといふ意味だと、宗敎家が解釋する所の五時代である。

斯くの如くヘブライ神話と、グリイキ神話とは非常によく似たものであるが、グリイキ神話はギリシヤ、ローマの初期の宗敎として信仰を繋いだだけで、多神敎である神話中の神々は間もなく宗敎的に殆んで、詩歌藝術の神として殘つた。そして今日に到るまで全世界に其權威を振ひつゝある。

ヘブライ神話は最初ユダヤ人のみの宗敎であり、歴史であつたが、後には夫れが全世界の人類に、宗敎及び歴史として權威をもつやうになつて來た。何故にヘブライ神話が其のやうに强かつたかといふに、それは多くの理由がある。理由の一は、エデンの園の所在地を明瞭に示さなかつた事である。日向の高千穗の峰であるとか、奈良の丹波市であるとかいふやうに、發祥の地が明瞭すぎると、其の神話は地理的に固定されてしまふ。しかるにヘブライ神話の最初の起りは世界の中心ともいふべきペルシヤ灣頭ユーフラチス川の邊りであらうと想像される程度で、そのスケールが如何にも大きい。

理由の二は、徹頭徹尾正義の觀念が中心となつてゐる事である。即ち正義を愛する神と罪惡に迷ひ易き人間との闘爭史を、概念的な勸善懲惡の筆法でなく、善者が亡びて惡者が榮えたり、惡者が改悔して善人になつたり、神と人との交錯した心理が人間味深く書かれてゐるからであらう。

理由の三は、正義を愛する英雄、神の心を代表する豫言者が、いつも多數被害迫者のために憤然として起つ。そしていつも正義が最後の捷利を得る事である。

理由の四は、神が單一であつて信仰の迷路を作らなかつた事である。

理由の五は、神話の範圍を一國内に限らないで、世界全人類を目標としてゐる事であそ。即ち全世界の人類をノアの子達セム、ハム、ヤペテの子孫とした如く、總てが世界的であつた事である。

理由の六は、人間味の多い事である。しかも現實的であつて、死後の事すら殆ど書かれてゐない。神と共に天に昇つたとか、火の車が迎へに來たとかいふやうな記事はあるが、それは原始人の話としては、信仰の象徴であつて荒唐無稽なものではない。同じ巨人ではあるが、ヘブライ神話に現はれるゴリアテやサムソンなどは、やつぱり普通の人間である。グリイキ神話のゼウスと巨人の戰などとは全く異なつた話である。

以上に述べたやうな理由が、ヘブライ神話が全世界を征服しさうな勢を示した所以であると思はれる。

二

十二人の兄弟が各々一萬八千歳も生きたり、戰爭に負けたと云つて、頭を不周山に觸れて天柱を拆き、地維を缺いたり、群臣後宮七十四人を隨へて龍に乘つて天つたり、天子に推されたと云つて海や山に逃げ隱れたといふ神話をもつ支那に、七十一年間母胎にゐた老子の出た事に不思議はない。同じ思想をもつ莊子の第一卷を開いて、

北冥に魚あり其の名を鯤となす。鯤の大きさ其の幾千里なるを知らず。化して鳥となる其名を鵬となす。鵬の背其幾千里なるを知らず。怒んげ而して飛ぶ時、其の翼垂天の雲の如し。といふ文字を讀む時、其文が全然神話の領域であるといふ事が明である。白髮三千丈愁によつて斯の如く長しと云つたり、去歳相思ふ兩行の涙、今幾に流れて腮の邊に到ると云つたりする文字の遣ひ方は今日と雖も尚ほ殘つてゐる。强く言ふなら、神話といふものが國民性を作るといつてもいゝ位である。少くとも國民性の淵源は神話にあると言ひ得る。一國民の風俗習慣は神話時代から、長い長い歳月を閲して燻染され凝固されて遂に國民性となるもので、神話をもつ國民の思想を根底より覆さうとする事は一朝一夕の業ではない。博士ルボンは嘗て、

日本の進化は事物の表面に於てのみ行はれ、所謂大和魂には秋毫も到達しない。日本人は今を去る五十年前までは、一たび都門を出づれば、風俗習慣思想及び法律まで依然として昔のまゝであらう。それは必然な事である。と云はれた。これを變改しようとする事は一種の危險なる謬想である。と云はれた。博士の謂ふ所の大和魂とは日本の神話が產んだ、日本の國民性であるに相違ない。即ち日本

人が神代の頃からもつてゐて、養ひ育てられて來た日本人のみのもつ精神を日本魂といふのである。日本魂といふのは戰爭にばかり發揮せられるものでなく、日常日本人の行爲に現はれる總ての風俗習慣をいふのである。

明治十四年の頃、森有禮氏が言語學者のホイットラア博士に曾つて、日本を文明國たらしむる爲、日本人の言葉を英語にしてはどうであらうと言つた時、ホイットラア博士は國民のもつ言語は、其國民のものであつて一人一個の意見や發案で變改出來るものではないと云つて忠實に其の無謀を諭したといふ事である。吾々のもつ言葉、風俗、習慣、これらは神話時代からの遺物であり、其の變形である事を知つた時、吾々の體內にも神話時代の血液が流れてゐる事を敎へられる。

吾々は今、神話の影響が如何に國民性に及ぼされてゐるかを研究すべき必要に迫られてゐる。

ヴイタミンBが不足すると
子供の發育が鈍る

ヴイタミンBは一名發育促進ヴイタミンと呼ばれるほどで、この成分はエビオス錠の中に夥しく豐富に含まれて居ります。

◇

ですから、發育の遲れた子だちにこれを與へますと、これまで食べものに好き嫌ひが激しく食慾も少ししか進まなかつたのが次第に無理を言はなくなり、何でも美味しく頂くやうになります。蒼白かつた顏色が再び子供特有のリンゴのやうた血色をとりもどします。——これはヴイタミンBの作用で、今まで弱つて居た胃腸が丈夫になり、骨や筋肉を作るに必要な成分が毎日の食物中からどしどし血液中に吸收される、そして身體の各部分に送り込まれるからであります。

◇

これでお子だちの發育を妨げて居た原因は取り除かれ、すくすくと伸び始めます。是非お試し下さい。

三〇錠……一円六十錢

エビオス錠を連用せよ

わくら葉

荻野美夫

時折を痛みさし來る下腹をおさへつ聞けり雨戸うつ雨

かりそめの病なれども主なき教室の兒の樣思ひさびしむ

心こめし數十通の見舞狀手にしておめおめ伏し居らるべきや

忙しさにあれたる君が手のぬくみ感じながらにねむり入りたり

道の爲め倒れてやまむ覺悟なりいとし敎兒の見舞狀あだにすべきか

椅子のままあやふく說き出す我言葉のがさじときく子に涙すも

自ら枕にひゞく脈はくの思はしからぬを今日もすごしつ

よすぎ貧しき身を山の家に伏せりつつ今日も晩鴉をさびしみてゐる

よすぎ貧しき男にあれば何時よりか病む時をのみ歌つくり來し

流感・肺炎・百日咳等・特効

吸入藥 カシピロン

合理的吸入療法と其効果ある理由

本品は上圖の如く普通の吸入器で之を吸入して呼吸器直接に作用す、芳香爽快にして、毫も副作用なし

一、せきの出る神經に作用して咳を止め、又痰を溶解して容易く祛痰の効を奏す。

一、心臟を強め抗病力を增進し且つ肺炎、氣管支炎等の炎症を治する効ありて全快を早む。

一、解熱作用あり、即ち體熱中樞を刺戟して發熱を抑制し又殺菌力あり。

適應症　感冒、肺炎、氣管支炎等の急性病は勿論麻疹、百日咳等の小兒獨特の病に特効あり又肺結核、喘息等の鎭咳、祛痰に適應す

前第四師團軍醫部長　英陸軍々醫監
大阪市民病院小兒科長　谷口醫學博士
福井赤十字病院長　大野醫學博士
大阪府立保嬰館前館長　上村醫學博士
大阪醫科大學前教授　辰己醫學博士
實驗推奬

全國藥店にあり

定價　六十錢・一圓・二圓等

惡意なる模倣、類似品あり御注意を乞ふ

大阪市東區平野町　道修藥學研究所

日本赤十字社病院　慶應大學病院御用

テツヅール

吉本醫學博士　簡野醫學博士推奬

藥學博士　石津利作先生創製

幼兒の榮養と母體の保健

お茶を禁ぜぬ便利の鐵劑

體内造血器管を皷舞し其機能を旺盛ならしめ純血を豊富に新生し潑溂たる活力を附與す。故に

貧血の人、虚弱の人、病後の人、不眠症の人、神經衰弱の人、産婦、夏期に衰弱する人、肉體及精神過勞に適し又、登山、旅行、運動競技、試驗前後は常備、携帶の要あり。

愛兒の爲に

今迄小兒に適する鐵劑がなかつたが本品によりて初めて理想が現實したとは小兒科醫の言明である。

發育が遲れたり、虚弱であり、血色肉付わるく、夜尿をしたり、病後の小兒等弱き愛兒の榮養は美味で飲みよきテツヅールの服用に依り効果に直に母親の慈眼に映ずべし。

四週間分金貳圓八十錢　八週間分金四圓五十錢

東京日本橋區本町三丁目
發賣元　里村三治商店

各藥店
三越
松屋
松坂屋
にあり

關西代理店
大阪市道修町一
キリン商會

增量斷行　器械設備の完成と共に定價は元の儘にて二週間分を四週分に增量して非常に御德用になりました

忘れがちな存在

——裏から見た臍——

島崎義明

胎内生活をやつてゐる時分には、文字通り命の綱のつけどころであつた臍も、生れ落ちてからは裸體以外ではその存在をも忘れられんとしてゐる。「いつみてもひまさうなのは臍のあな」とは、あまりにも忘恩な川柳子の作である。先づ、臍の語義如何といふに、古いところでは、ギリシア語の Omphalos, ラテン語の Umbilicus から英米蘭語の Navel, 獨語の Nabel, 佛語の Onbilic, 伊語の Ombilico, 露語の Pup, 西語の Ombligo, 蘭語の Umbigo などいづれも歐米の言葉では、「中心」といふことを意味する。支那では、臍は古くは齊とかいたもので噬齊の悔の出所たる左傳には「若不早圖、後君噬齊」とあつて、單に齊の字になつてゐる。齊の中の謂であつて中州を齊州、中國を齊州といふが如きはこのためである。なほ臍(まなか)に同じとあるから、これまた中心の意を表はしてゐる。

實際、臍の高さを計測して見ると平均十五センチ位であつて、略腹の中央にあるが、たびたびお産をした人では、お産をせぬ人よりも少し上についてゐる、殊に姙娠末期になると、臍の高さも數センチは昇つて來る。つまり、腹が大きくなる場合は下腹がのびるわけである。しかし臍の高さほど個人的に差當あるものはないことは、吾々が開腹術をする際に認める事實であつて、平均十五センチはあつても、その上下に二、三センチの動揺はあるのである。

臍は帶なりとある。ちよつといい考へのやうに見えるが賛成は致しかねる。といふのは、帶といふのは、子房下位と子房上位とで出來方に相異はあるが、いづれも果物側からいふのでないから、赤ン坊を果物と見たら、帶

は臍緒に相當し、臍はむしろ帶蒂といふ部分に相當してゐる。臍帶は臍帶に同じであるから、この方が理由にあつてゐる。

正字通に、子初生所繫包斷之爲臍帶以其當心腎之中前直神闕後直命門故謂之臍也とある。鍼灸醫學では、神闕は一名臍中ともいひ、臍の正中をいひ、命門とは、第二、第三腰椎の棘狀突起の中間をいふのであるが、レントゲン寫眞をとつて、臍を脊椎に透影して見ると、大體第四腰椎の所に當るものが最も多いのである。

日本語の「ほそ」や、朝鮮語のペコップは、それぞれ凹んだ場所もしくは腹の孔といふ意味であつて、臍といふものは凹んでゐるのが普通である。其理由は、臍の部分には皮下脂肪組織がないからであつて、肥れば肥るほど臍の孔は段々と深くなるのである。出臍といふのは、臍ヘルニアのことで、これは勿論病的のものである。しかし、臍は、哺乳動物でも、有胎盤類以外のものには存在しないから、それ以下の動物、例へば、蛙やひきがへるなどは、たとひ便々たる腹をしてゐても也有が詠みし如く「見付けたり蛙に臍はなきことを」を知るのである。

臍の底は紙一重位の程度で、直ぐに腹膜になつてゐるから、臍をいぢると腹が痛むのは、此腹膜を刺戟するからであるが、汚い眞黑な垢を寶物のやうに大事に保存しておく必要はないのである。かく臍と腹とは紙一重であるから腹の内のことはすぐ臍にあらはれて來る。例へば腹水といつて腹に水がたまつたり、或は姙娠末期になつてお腹が大きくなると臍が平らになる。また日本人のやうに垢のたまつた黑い臍ではわかりかねるが、西洋人のやうに、ピンク色のものでは子宮外姙娠のために腹に大出血がある場合には、臍もまた紫色に見える。胃癌の轉移もやつて來る腹膜炎になると臍の緣が不平等となり一部が厚い襞をなして臍窩を掩ふやうになる。つまり、かういふ襞のある側に腹膜炎がおこつたのである。このほか、臍が渦卷形のものでは、その方向によつて右利きか左利きかがわかるといはれてゐる。

さて、臍の裏はどうなつてゐるか、これはよく聞かれることだが、この裏を見ると、臍の古蹟たる所以はますます明瞭になる。臍の裏側は、窪もなければ出張つてもゐない。平らになつてゐる。そして、こゝから四本の筋が放線狀に出てゐる。その内一本は、右上方に昇つて肝臟に入るもので、これは胎生時に臍靜脈のあつた跡である。即ち母體から來た動脈血が通る血管があつたのである。下の方へは、臍を頂點として三本の筋が丁度二等邊三角形の長い二邊と、頂點から下した垂直線のやう

な恰好になつて出てゐる。中央の筋は、膀胱に聯絡してゐるから、稀には、臍から尿が出ることがあるのは、このためである。他の二本は臍動脈即ち母體へ還る血液の通る血管のあつたところである。

旣に述べし如く、醫學的に、臍が種々の病氣によつて變化を來すといふことを、昔から知つてゐたかどうかわからないが、人相ならぬ臍相では、臍といふものは、運命的に重大なる役割を演じてゐるものだといはれてゐる。神明水鏡集に、次のやうな意味のことがのつてゐる。「臍は筋脈の元で、六府總領の闕をなすものである。故に、臍深く濶きものは、有能の材であるばかりでなく有福の相であり、淺く小さき者は愚にして貧、臍の低くつくものは思慮深く、高き者は識量に缺けてゐる。大にして能く李を容るゝ如きは天下に名をなす相、小さく出張つてゐるのは貧弱にして短命、黑痣があるのは含珠の相と稱んで食祿豊かな相である」。さて皆さん、かうなると今まで等閑に付してゐた臍をもう一度見なほして見なければならぬやうな氣になりませんか。若しか、黑痣がありはしないかと、さあさ、臍の垢をとつて、明るいところでどうぞ御ゆつくり御覽下さい。

小兒科

高洲病院

大阪兒童愛護聯盟理事
院長 醫學博士 肥爪貫三郎
顧問 醫學博士 高洲謙一郎
大阪市南區北桃谷町三五
(市電上本町二丁目交叉點西)
電話東一一三一・五八五三・五九一三番

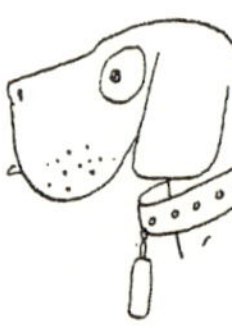

泥棒さんの話

川上漸

むかし／＼支那の國に一人の偉い大將がありました。澤山の家來がありましたが、何れも武藝にかけては人並すぐれた人ばかりでした。それは、大將が平生、何か一つ人にすぐれた技倆を持つたものでなければ、家臣にはせぬといふて居つたからでありました。

ある日のこと、一人のみすぼらしい男が大將の邸へ訪ねて來て、家臣にして欲しいと申しました。取次に出た家臣さんが、

「私の所の大將さんは、何か一つ人並すぐれた技倆をもつた人でなければ家臣にはしてくれられませぬ。」と申しますと、その男は、

「私は泥棒をする事にかけては誰にも劣りませぬどうぞ大將樣へ、さう申し上げてください。」と答へました。

變な人だとは思ひましたけれど、その通りに大將さんへ申しました。すると大將さんは自分で玄關まで出て來て、

「どうぞお上りください。そして私の家に居つて下さい」と丁寧に申しましたので、外の家臣は大そう驚きました。

澤山の家臣達は、毎日々々一生懸命で武術のお稽古をいたしました。弓を射つたり馬に騎つたり劍術を擧んだりいたしました、泥棒さんだけは、いつもぶらり／＼遊んでばかり居りました。

ある年のこと、隣國の大將が大勢の家臣を引きつれて雲霞の如く攻めよせて來ました。平生お稽古を勵んでをつたこちらの家臣達は、さあ、この時だと、腕を鳴らして館を躍り出でました。——或る者は逞しい馬に跨り、ある者は長い槍をひつさげ、大きな弓を持つたもの、長い刀を帶びたもの、何れも勇み立つて戰場へ驅けて行きました。泥棒さんだけは何も持たずに、ぶらり／＼と一

番あとからついて行きました。

戰場では兩方の家臣達が激しく戰ひました。が、どうしたものかおひ／＼と此方の方が敗けてまゐります。大勢の味方が押され／＼て退きますのに、泥棒さんは敵へ背を向けて一番先にどん／＼逃げ出してしまひました。

戰は幾日も／＼續きましたが、此方はたゞ敗けて退くだけでありました。

ある日大將の陣屋へ、一人の家臣がのそ／＼はいつて來ました。それは泥棒さんでした。泥棒さんは大將の前へ行つて丁寧にお辭儀をしてたら、

「大將さん！こゝで一番、私も働かせて頂かうと存じますが、その前に一つお約束がいたしたうございます。それは、私からお願ひ致しますことを、必ずウンツといつて御承知くださること、それから決して理由をお尋ねなさらぬこと、これだけをお約束致して置きたいのでございます」と申しました。

大將さんは「よしッ」と答へました。

あくる朝、泥棒さんはどこからか、一張りの綺麗な蚊帳を持つて來て、

「大將さん！手紙を一本書いて下さい。そして、それをこの蚊帳に添へて、敵の陣地へ屆けてください」と申しました。何と書くのかと尋ねますと、

「この品は私の方の物ではない、きつとあなた方の物だと思ふからお返しいたしますといふ意味を書いていたゞきたう存じます」と申しました。

大將はその通りにしてやりました。その日も味方は戰に敗けて、またも退きました。

翌る日の朝、泥棒さんは、眠たさうな顏をしてまたやつてまゐりました、こんどは綺麗な枕を一つ持つて來ました。

「大將さん！ご面倒でございませうが、今日もまた手紙を書いてください。文句は昨日の通りでよろしうございます。そしてやつぱりこの品に添へて敵の陣屋へ屆けてください。」

大將はその通りにしてやりました。

するとどうでせう。敵の陣屋にはにはかに喧がしくなつて、敵兵がみんないそいで逃げ始めたのです。味方はすかさずその後を追ひかけて、こんどはあべこべに、毎日々々勝ちつゞけて進みましたので、とう／＼戰は此方の勝になつてしまひました。

いつたいどうしたわけだつたのでせう。

敵の方では最初蚊帳がとゞいた時に不思議に思ひました。——「おや／＼！これは私たちの大將さんが釣つてお寢みになる蚊帳ぢや。彼方の軍勢の中には恐ろしい奴

がゐるぞ。こんなに澤山の家臣のゐる間をぬけて、大將さんの蚊帳を盜んで行つた奴がある。けんのん、けんのん、氣をつけないと大へんな事になる」と戒め合ひました。

ところがその翌日は、すつかり肚膽をぬかれてしまひました。

「おやッ！これは大將さんのお枕ぢや。一昨日の晩は蚊帳を盜んで行きをつたが、昨夜はお枕を盜んで行きをつた。さて／＼、恐ろしや、恐ろしや！今晩はきつと大將の首を盜みに來るに違ひない。戰の勝負はとにかくもこれでは逃げるよりほか仕方がないぞ」

かうなつたので、さあ、軍勢はすつかり浮き足になりました。大將さんの號令も耳に入らばこそ、どん／＼逃げてしまひます。大將さんも困りはてゝ「逃げるな逃げるな」と叫びながら、後を追つて退きましたので、戰はさん／″＼に敗けてしまつたのでした。

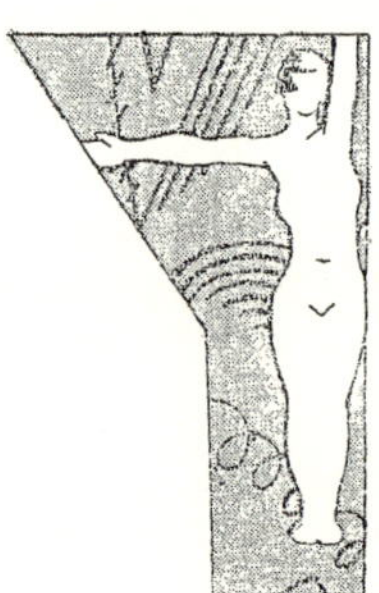

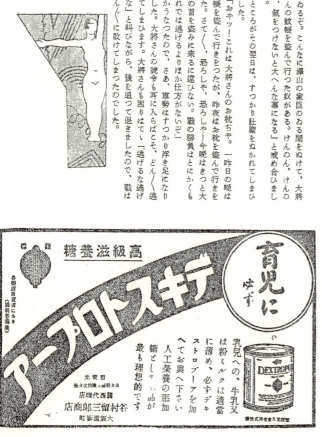

傳記小説

高橋是清（十一）

小杉健太郎

謎の手の灸

肥前唐津に到着したのは冬の頃。早速城內にある士族屋敷を修繕して學校にあて、忽ち五十人の生徒を募集して授業を開始した。

何がさて、唐津の藩風は尙武剛健の地で、攘夷氣分が濃厚だ。それゆえ一部の進步思想に眼ざめた人の外は、英學反對の者が多かつた。

おまけに、和喜次の散切頭に無腰といふいでたちが、忽ち生徒の間へ擴まつたから堪らない。ある夜、保守派のために、學校を燒き拂はれて了つた。

しかし、更生の意氣に燃えてゐた和喜次は、敢然としてさういふ周圍の反對に應戰した。丁度、そのころ、唐津藩主が東京へ移轉することゝなつたので、これ幸ひと、お城を學校に下げらるゝやうにといふ意見書を、藩主に具申した。

「藩是として開國進取の方針を定められ、英學を興し、フランス式步兵調練の機運を馴致せられたる今日、この趣旨をます〳〵徹底せしめんがためには、宜しく、頑迷者流の謬說を退け、以つて文化の進展を計られざるべからず、その方法多々ありと雖も、藩公自ら範を垂れたまひ、御城の御殿を開放せられ、學校と遊ばさるゝこそ、最も肝要と存じ候」

と、いふやうな要旨であつた。

すると、殿樣も重役も大いに贊成して、御殿も間もなく學校として下げ渡された。

學校名を耐恒寮と名づけ、二百五十名の生徒を藩費で養成するまで漕ぎつけた和喜次は、更に考へた。その頃は、もう牧田への借財も皆濟してしまつたので、自分の月給百圓の中から、四十圓を學校の維持費に寄附することにした。

また、重役とも相談の上、唐津藩の名物、捕鯨の收入四萬圓の中から、一萬五千圓を學校の維持費として補助するやうに實現した。こゝに耐恒寮の基礎は、全く確立した。

和喜次はかうした經營方面に力をそゝぐばかりでなく、英學校教授にも銳意努力したので、生徒は勿論、だん〳〵父兄の間にも

「英學の先生は若いが、調練や喇叭の先生より、偉物だぞ。」

と、いふ評判がたつた。それも一つは、酒だけは日に三升もあほつたので、かうした剛健な藩風の人々に、尊敬の念を起させた原因でもある。浴びる程の大酒はやつたが、酒に呑まれる和喜次ではなかつた。かれは教授のかたはら、自分の修養にも、非常に精進してゐたのである。

「東さん、あなたは英語はとても堪能ですが、漢學をお修めにならないのが殘念ですな。御希望でしたら失禮ながら拙者がお教へ申さう。」

或る日、かう親切に云つてくれたのは、中澤健作といふ學校係りの小參事である。この人は漢學では藩內隨一の大家であつた。和喜次も、それは有難いといつて、早速日本外史から習ひ始めた。

ところが、やつと覺えたかと思ふと、すぐその後から忘れて了ふといふ有樣で、一向進步をしない。一週間程つゞけて見たが、（生徒の中には漢學の相當出來るものが多い、こんな事が生徒に知れたら教師としての估券にかゝはる）

と、考へたから中澤についての勉學はやめて了つた。

その頃から、和喜次の左手の甲に、灸の跡がだん〳〵殖え始めたが、やがて、右手の甲にもそれがポツ〳〵現はれた。

「おい、先生どうしたんだろうな。」

「うむ、何だか變だぜ。」

などゝ、生徒達は氣味惡がるものさへあつた。和喜次の兩手の甲には、黑い灸點が、まるで蜂の巢を見るやうに埋めつくした。それを見つけた中澤健作が、不思議がつて、

「どうしましたか。」

と、訊いた。和喜次は微笑みながら、日本外史と字引をだして、

「これの爲ですよ。」

と、云つた。それでも理由のわからない健作は、書物と相手の顏をかたみに見競べながら、解せない面持をしてゐるのであつた。

「ハッハハ、たうとう白狀しなければなりませんかな。實はあなたにすゝめられて折角漢學をやり出しましたが、いかにも自分の腑甲斐なさを悟りましたので、これではならんと、字引と首ッ引で獨學を始めたんです。毎晩三時間づゝ勉強しました。所が、つい眠くなりますので、その都度灸をすえて讀むことにしたんです。よつて、斯の如く無慘な手となつた次第で、ハハハ……しかし、此の頃ではどうやら外史も一通りは讀み終つて日本も始めて呑みこめました。そして四五日前から、國史略をやり始めましたよ。最初はだいぶ苦しみましたが、近頃はかなり樂に進むやうになりました。」

「ほう」思はず健作は、相手の手の甲を見直して、自然に頭が下つた。

かうして和喜次が、更生の道を、精進又精進、ひたすら自己の

完成に向つて努力してゐると、突然、東京の桝吉から思ひがけない手紙が來た。

「――こんな事申上げるのは、身を切るやうな想ひがしますけれど、東家の兩親が、わたしに暇を貰つて歸れ〳〵とやかましく云つて困ります、始めはいゝ加減にあしらつてゐましたけれど此の頃は、母が每日朝夕二度づつきて、家のものがお前がゐないと困るからと手を合はせんばかりに賴みます。お祖母さまにもそれを見かねて、歸つてもいゝと仰有つて下さるのです。それに牧田屋の元ちやん（萬象のこと）が、わたしにいやらしい事をするんですの。それをわたし一度手嚴しくはねつけてからと云ふもの、反對に出て行けがしにするんです。……わたし、ほんとに濟みませんけれど、お祖母さまにはいゝ女中を一人つけて置いてますから、一先づ東家へ歸らして頂きますわ。どうか氣の弱い女とお笑ひ下さいますな。わたし、此の上あなた樣の御迷惑になるやうな、厚釜しいことは考へません。そのことは御祖母さまにも一札入れて置きましたの。でも、ねえ橋さま、その後とも、あなたのお胸の隅に、桝吉の名だけは止めてをいて下さいましね。では、あなた樣の御出世を蔭ながら水天宮さまにお願ひしてゐますわ。あら〳〵かしこ。」

讀み終つて、和喜次の心は、時雨に打たれたやうな感じだつた。今更、彼女とわかれるのは悲しかつた。しかし、それも兩親のためとあるなら諦めるより仕方がない。彼女のするまゝに委してやらう。それにしても、祖母の身が案じられる。丁度上京して樣子を見て來やうと決心した和喜次は、折も折、學校擴張にともなひ外國教師傭ひ入れの用務もあるので、早速かれは上京したのである。

その留守中に、唐津藩は伊萬里藩に合併されて伊萬里縣となり同時に、耶蘇教徒を片つ端から斬罪に處し、英語學校を閉鎖したといふ密使が二人、唐津表から彼の所へ早駕籠をとばしてきたので、和喜次も大變驚いて、すぐさま內務省へ行つて、このことを陳情した。すると、內務省でも伊萬里縣當局の暴政を非とし、直ちに嚴重なる指令を發したので、間もなく耶蘇教徒は放免、學校は從前どほり開放の運びになつた。が、和喜次は考へるところがあつて、この機會に辭職したのである。時は明治五年の秋。

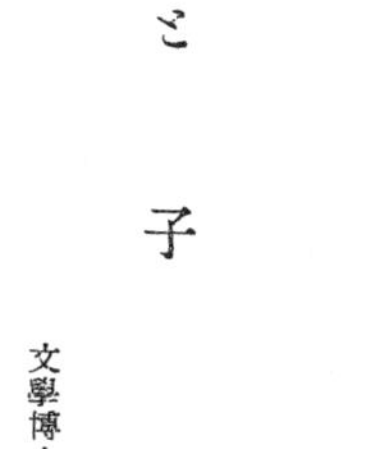

母と子

文學博士　下田次郎

一　母としての教育

（一）

母の愛は愛のクリームであります。母の愛に居る者は至幸であります。「愛は成功である、幸福である、生命である。愛は惡を考へない。澤山愛することは、澤山生きることである。愛せぬよりは、生きぬ方が可い。永久に愛することは、永久に生きることである。この世で人間に降る運命の中、愛しもせず、愛されもせず、獨りで生き、老ゆるほどの惡運はない」と、ドラモンドはいひました。

愛は惡を考へません。その行は善意の發動であります。誰が、愛してゐる人の不利益を謀るものがありませう。しかし自分では善いつもりで仕て居る事でも、實際は有害な結果を來たすことがあります。贔屓の引倒しといふのは、これであります。凡そ人のためを思ふもので母の子を思ふほど、親切なものはありますまい。それで居て、隨分子を引倒して居る母が少くありません。愛に溺れた母は、多くその子を賊ふものであります。ダイヤモンドも鑛石から切出して磨きをかけねば、光を發しません。自然のまゝの母心は、鑛石そのまゝのダイヤモンドであります。母心をして十分の光輝を發せしむるにはこれを教育せねばなりません。

「母心は理解されるよりも一層多く歌はれた。母の本能は過つことのないもので、別にこれを教育する必要はないと我等は誤想して居た。それで今日迄、母心は

教育されずに放つておかれた。從つて母心は盲目で、未熟で、無法なことも少くなかつた、所謂母の本能は無學のために、子供を殺し、又子供の最も貴い心身の所有を奪ふことを、防ぐことができなかつた。されば母心はいつも神聖で間違でない力であるとの感情的見解は止めて、これを教育せねばならぬ。母心はこれを形成する技術家を待つて居る映えある材料である。ニーチェは、人類はたゞ子孫を繁殖せしめるのみならず高上せしめねばならぬと言つたが、その意味に於て母は子を生み、養ひ、教へねばならぬ。」（エレン・ケー）

英國の哲學者スペンサーは、その著「教育論」に於て、早く既にこの事を論じました。

「子供の生死及びその道德の安否は、親の取扱ひ如何に出るに拘らず、將來親たるべき者に、子供の取扱ひ方が少しも教へられぬのは、驚くべきことでないか。無學の乳母や、偏見に因へられた祖母の助言に加勢されて無闇な慣習や、思ひ付きの出たらめに、次代の運命が託せられるといふのは、奇怪千萬ではないか。もし算術や簿記を知らないで、商業を始める者があるならば我等はその愚を叫び、その失敗を豫期するであらう。解剖を學ばないで、外科醫となる者があれば、我等はその大膽に驚き、その被術者を憐むだらう。然るに、身體智識、道德に關して何等の主義見識なしに、兒童教養の難事業を親が始めても、親の向ふ見ずに、驚き犧牲たる子を憐む者なきは、不思議ではないか。それで子が弱く、病身であれば、親はこれを天命に歸し、その多くは親の過失に由る事に氣付かない。德育、智育に於ても、兒童の心理を解せず、教育の理法を知らないために、子は出來損ひになつて仕まふのである。心身の開發は、準備なしに出來るやうな簡易な事業ではない。それに何等の準備をしないといふは狂ではないか。」

と、スペンサーは痛論しました。英國では、六十年前この絕叫を聞きましたが、我が國ではなほ、今日これを大聲叱呼せねばならぬのは、甚だ遺憾であります。

（二）

「小兒の教育」の著者スミス夫人は、母たるの道について、次の如く言ひました。子供の未來の生涯を築く礎石を据えるものは母であります。自分に授けられた小兒に神の理想を遺憾なく實現せしめることは、全く母に委ね

られてあります。紳士たり、淑女たる品性を築き上げるか、或は自己の怠慢に由つて、小兒の品性の發展を阻害し、不節制に由つて、これを打毀すかは、一に母の意志に由るものであります。嶮難多き旅路に出立する不朽の靈魂を、正しき道に導くのは、母の大なる特權であつてこの特權を賦與せられた母たる者は、その事業を完ふするに、最善の思慮と、明晰なる知識とを得るに努力せねばなりません。

然るに今日地上の凡ゆる專門家の中で、母といふものくらゐ自分の不朽の事業に對して、素養の乏しい者はありますまい。それで私共の間にも、「母の道」と稱する新しい學問が追々に發達致さうとして居ります。道とか學とかいふ語を聞いて、或は逡巡して、どのやうな母とならうとも、それは神の聖旨に依ることで、學術に由つて改良の出來るものでないと主張する方があるかも知れません。しかし、母の道とは、唯上述の思慮と知識とを得るに努め、これに由つて、如何なる母になれば宜しいかを研究することであります。

幸ひにして多くの母は、正しい天性を授けられて居りますが、然し悲しいことには、正しい見識を有する母は至つて少いのであります。子供の生涯はどうならねばならぬかは、大概立派に心得て居りますが、さて、どうすれば望むやうな結果が獲られるかを考へて居る母は、甚だ少いやうであります。かくて國民の福祉を增すに最も力ある根本は教育も奬勵もなく、放棄されて居るのであります。

それで今日の急務は、この問題に對して、聰明なる見識を以て天然のまゝに放任された狀態を變へて行くことであります。約めていへば私共が恰度他の學問を研究するやうに、思を潛めてこの母の道を研究し、母の天性に加へて、眞の條理を會得した母となつて貰ひたいのであります。

以上スミス夫人の言は、世の母たるべき婦人及び母たる人の傾聽し、努力すべき重大なる事であると思ひます。

（三）

人は身體と精神とを具へたものであります。而して人の身體は形體の最も美なるものでありますから、成るべくその美を、發揮するやうな身體に育て上げねばなりません。又「健心は健身に存す」とある如く、精神の健全なる發達を圖るには、身體を健全に發達せしめねばなりま

せん。それには、他日母たるべき若き婦人の身體を強壯にし、精力の充實した身體に鍛へ上げておく必要があります。さうすれば生れる子もまた丈夫で美しい身體を有することが出來ます。又生れた後には、子を丈夫に育てることに、十分努めねばなりません。そのためには母は生理衞生のことを一通りは心得特に育兒の心得がなくてはなりません。

「母が愛兒の病床に侍し、あらゆる看護も愛撫もその効なく、子が永久にその眼を閉ぢたるならば、母は悲しみに身も世もあられぬやうであらう。しかし一層深く痛切に母の心を刺すものは死に由つて子を失ふことでなく、罪に由つて子を失ふことである、子が母の訓誡にも懇願にも耳を貸さず、母のハートから離れゆくことである。子を獄道息子にすることである。」といつた人もありますが、母の引受けるものは、子の身體のみならず、その精神であります。否精神こそは最も大切なるもので如何に子を丈夫に育てゝも、その精神を荒廢せしめては母の有りがひもなく、天地に對しても申譯ない次第であります故に母は必理、特に兒童の心理及び教育のことは一通り心得て置き、また少くも普通教育に於ける子供の學習を補導するだけの修養が必要であります。中學教育に於ても、母が子の顧問となり得れば、一層結構であります。又母が國家、社會及び世界の事にも廣い見渡しを有し、時勢と並進して、その出來事についても子と話が出來、有益なる注意助言を與へることが出來るのは、一層望ましい事であります。自己の人格を養つて道德上子供の模範たるやう努むべきは云ふ迄もありません。又文學、美術、音樂等の趣味もあつて子供がこれに薰化されることも望ましい事であります。

（四）

要するに、婦人は母として子供の教養といふ最も貴き事業に對する素養がなくてはなりません。幼稚園の創設者フレーベルも「吾人は母たる人を教養せざるべからず」といひました。今日の教育家には、男子に兵役の義務ある如く、若き女子には、未來の母として必ず幼兒保育の實習を爲さしむべしと唱へる者もあります。世界のあらゆる幼兒は「我等の母を教育せよ」と訴へて居るのであります。身體強壯にして、賢母たるべく用意された母の子として生れ出るのと、身體虛弱にして生理的に子を生む以上に何等の備へもない母の子として生れ出るの

とは、子の幸不幸はどれだけでありませう。もし胎兒にして心あらば、自己一生の運命を氣遣つて我が母はよく教育され、準備されあるや否やを問ふでありませう。女詩人ギルマンは「新らしき人の新らしき母について歌ひ今後の貴い母は健康と強壯と美とを具有する子を生み、又その智に由つて、明晰なる頭腦と純粹なる精神と高尙なる心情とを有する人に、子を教育し、子は母の子たる事を誇る程の者でなくてはならぬ」といひました。かくて眞に人の母たるべき準備が調つたならば、生るべき子を安らかな氣分と大なる責任の自覺とを以て、心丈夫に待つて居ることが出來るのでありませう。

かくて子が生れて、十分に調へられたる準備は活きて働き、世に母の不合理の取扱に泣く幼兒はなくなりませう、母は常にその準備を經驗と修養とに由つて補い、高め、進まねばなりません。母は子の身體の母であるのみならず、又その精神の母であるべきであります。經驗に富んだ幼稚園の或保姆の眞の母について書いたものに「肉體の母あり、精進の母あり、又二つを兼ねたる母あり。唯子を生みたるのみにては、最高の意義に於ける母とは云ひ難し。かく想ふは、母たる務を盡すに、大なる妨げとなるべき誤りなり。己れは五人、六人或は十人の子女を生みて、なほ眞の母たる少しの資格だになき婦人を擧ぐる事得べし」とあります。世の母たる者は、唯肉體の母たるに甘んぜず、又盲目的に愛に溺れず、智能と聰明と人格とを以て、精神の母たることを務めねばなりません。誰が賢き女を見出すことを得ん。その價は眞珠よりも貴とし。彼は口を啓きて智慧をのぶ。仁愛を教誨その舌にあり。かれはその家の事を鑑み、怠惰の糧を食はず。その衆子は起て彼を祝す。その夫も彼を讚ていふ賢く事をなす女子は多けれども、汝はすべての女子に愈れり」（箴言第三一章）

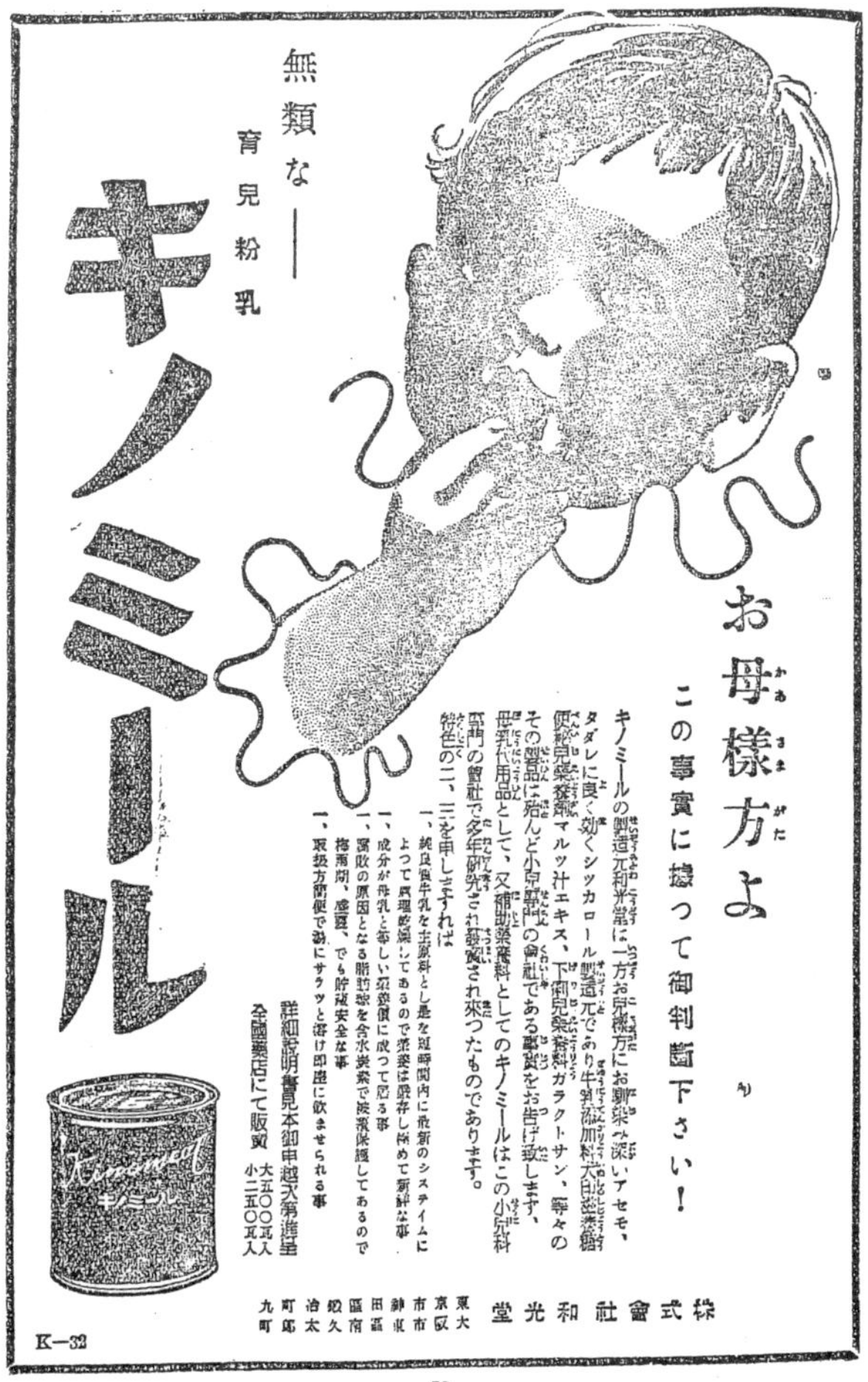

綠林の撫子

——辻堂近詠——

納　秀子

相みての心重さに耐へやらず離りすむにはなほもやるせな

かたわらにほのかに人のありと思へど海の渚のかなしき秋風

眼のさきの松の一群朱と燃えて心にいたきころとなりけり

こころよりこころにつゞく夜の渚たゞ銀色にほの光るなり

江の島の棧橋の灯の一れつに初秋の波にゆれてありけり

あるときは松の千葉もかゞやきてたふときものとをろがみにけり

何ごともわづらはしさも悲しさも松原の家にわすれ住みけり

寢ねたらぬ朧しみじみいたはりの松のかほりす風のよろしさ

いと小き毛蟲からみ這ふ松の葉とわれを吹きくる海の秋風

エイ、エイ、と吾子のボートを漕ぐ聲す母は眼ほそめほれほれとあり

今にして何の悔なきこの身なり高らかに踏め夜の渚を

天と土との間に一重厚紙のはりめぐらせし日のつゞきけり

花さかぬ悲しき庭のサルスベリ我と相似て九月となりぬ

よしえやし悲しき赤き花なくもまたの日あらむ我と似るかや

竹籔に風の音すよ秋の色の深める空を飛行機行くよ

今朝みれば三國一の不二の山も笑みこぼるると我仰ぎみし

誰れやらの黑き手に似し流木につまづきころぶとこやみの濱

頬にあるはわが黑髮か遠き日のわすれかねたる人の言葉か

秋風は海と人とを分け吹きぬこころにもしみて涙ともなる

秋風にたゞほそぼそと吹きゆるゝ白き袂もわかれのしるし

涙こそをかしからずやある時はつゞりて君に送らんとする

松原のみどりの中の撫子はこよなきものと吾子に教へぬ

眼つむれば涙よりなほしらしらと見ゆる面ありをそろしきかな

生きの身の命こめたる願ひ言かなはずなりて秋風となる

娘さんの素振に妙な變化はないか?

母性愛の眼で見直すこと

秋の新學期が愈よ始まります、青春期にある乙女達には永過ぎる夏休みでした、親の許を離れて避暑に出向いた方は勿論のこと、家にゐた方々でも何か休暇前と違つた態度、様子が現はれてはゐないでせうか、親御さんのために「魔」の尻尾のつかみ方をお知らせしませう—

外出

娘さんを避暑にやらなかつた家庭では、寛大な氣持からやたらに外出をさせがちです、併しこれは餘りいゝことではないやうです、海なんか退屈で—といふ娘達が集まつてアパートの部屋を借り男達のグループと日時を打合せて會合し、遊び戯れてゐた話なども此頃よく聞きます、また正體の判らぬ年上の女と映畫館や納涼會で知り合つて萬引のお先棒に使はれた實例などもあります、夏の東京は清淨無垢だ、娘は家にゐた—と安心し切つてゐては駄目です。

所持品

見馴れぬコンパクト、ハンドバツク色模樣のハンカチなどが娘さんの部屋から現れたりしたら、十分手に入れた經路を訊ねなければなりません、男に貰つた物であつたり、出所が明かでない場合などがよくあるからです。

併し正しい慈愛で所持品を注意することは必要ですが、神經過敏になり、萬事猜疑の眼でみるのは禁物です、親への反抗心から好んで不良の群に投じた實例は數限りなくあります、永い休暇の間は心身共に成長して子供らしさを脱し、持物の好みなども變ることがあるのですから、此の自然な變化要求と不自然な持物との區別ははつきり親が見分けねばなりません。

手紙、電話

娘の親しい友達は誰と誰で、聲や手蹟はかうだと注意深い親には判つてゐる筈です、爲にならぬ手紙や電話があつたら娘に知らせぬだけで滿足せずに學校或は警察と協力して執拗な不良の魔手が伸びる餘地のないまで對策を練るべきです。

小遣、お化粧

此の二つは直接娘の素行を示す標準ですから休暇前と餘りに甚だしい變化があるかどうかをよくみることです—いつも云ふやうに、不良の魔手が本格的に伸びるのは秋からです、夏の避暑地などの接近は一つの手段であるのです、男の不良だけでなく、女の友達にもよく氣をつけることを忘れないで頂きたいと思ひます。(淺草少年指導會新堀哲岳氏)

子供の不器用は母親にも責任あり

幼い時のイタヅラを叱らず『遊び』を善導せよ

高橋千代三郎

不器用な子供はかなり澤山居るが、それは生れつきといふことに起因してゐるものゝ反面には家庭の人の注意の足りなかつたこともかなり大きな原因になつてゐると考へる。

即ち子供の「いたづら」を善導しなかつた事が大きな誤りではなかつただらうか。

年頃三つ四つにもなれば、子供は誰だつて玩具其他のものをいぢつたり、或は壞したがつたりするものだ。子供がかうすることは遊戲的本能によるもので、この本能を善導しなければ、いけないのだ。善導——と一口にいつても、なか〳〵むづかしいことではあるが、まあこの本能をやたらに禁止しないこと、つまり貴重なものを壞されることは、どこの家庭だつて困るではあらうが、それが些細のことだつたら、頭から怒りつけたりせぬことだ。壞すことはやがては品物を構成することにならうと思ふからだ。

子供に取つては玩具は丁度食物のやうなものだから

危險なものとか、俗惡なものは避けねばならぬが、成るべく多く與へるがよい。それも靜的なものより動的なものがよく、殊に積木等は組立てゝ行く——つまり物を構成して行くものとして、人間に奥行が出來る因とならう。また手先きで組立てゝ行く事は、精神を陶冶して行く一つの方法ではなからうか。粘土でいろ〳〵のものを作ることも同じである。

それなのに或る家庭ではこの土をいぢることを着物や座敷がよごれるからと言つて止めさせたりするがそれなら庭の一隅に砂場でも作つてやつて欲しいと思ふ。

砂場は子供の創造力とか想像力を助成することが出來るもので、一例をあげれば木の切れつぱしでも立派な汽車になり、大人から考へれば馬鹿々々しい木の葉が船になつたりする。木の葉一枚を生命化して遊ぶその子供心を叱つたりするのは、將來ブキッチョにするばかりでなく、創造力の缺けた人間にしてしまふ。

殊に學校に入つてからは、どんなに子供がブキッチョだからとて、ガミ〳〵言ふのはいけない。

かうすれば子供の奮發心が却て失せてしまふ。ブキッチョならブキッチョなりに物を組立て、表現するやうに奬勵し必ず最後までやりとげさせるやうにやらればいけない。又母親によつては『私の家の子供は手はだめだが、算術がよく出來る』といつて平然としてゐる人もあるが、これは間違つたことで、頭と手とはどうしたつて切り離すことは出來ないものだ。

算術の惡いものは手工だつて駄目だし、手工の惡いものは算術だつて惡い。

それが證據には或る場合寸法を與へ、條件を與へて作らせた時、算術の出來ない子供は條件に合致しない。器用に出來ることも大切であるが、それよりも子供らしい子供でなくては出來ない味のあるものを作るのが大切なのである。ブキッチョは練習によつてなほつて行く。それには一つのことに熱中させることが必要だ。

製作三昧の境地に浸つてゐることが、大人になつてからの大きな役割となるのだから

母親や家庭の人たるものは、子供が小さい時は「あそび」を善導し學校に入つてからはブキッチョならブキッチョなりに、品物を最後まで構成させるいふ心掛を植ゑつけることが大切だらうと思ふ。

問題の消費税を

婦人の立場から見れば

政府が考へてゐると傳へられる増税案がいろ〳〵ありますが、その中でも婦人にとつて直接重大關係がある砂糖、織物、化粧品についての増税が、もし實現されたら大變だが、それにはまづ、消費税の何たるかを研究し、おもむろに反對陳情をやりませう——と、都下名流婦人連が集まつて『婦人税制研究會』をつくり嘉悅孝子女史を輝ける委員長に押し立て租税論第一課から始めることになつたのですが、以下委員の一人市川房枝女史のお話です。

租税なんかに無關心な家庭婦人が主となつて、今度の會ができたのは、畫期的なことです、第一回の會合では砂糖、人絹織物、化粧品に對する消費税が問題となりました。

化粧品は全部婦人の生活必需品ですこれに課税するのはけしからんといふ強硬意見もでましたが、石鹸、洗粉、齒磨、ポマード、クリームまでは必需品で、紅、白粉、香水は贅澤品であると話は細かくなりました、これには一圓以下を免税する從價制度によるのも一つの方法でせう、これまで目立たないで大きいものは砂糖の消費税です。

氷砂糖などは一斤につき九錢七厘、三盆白でも七錢七厘で現在の小賣値廿四錢五厘の三分一の高率です、金額からいつても、化粧品の總賣上高一ヶ年六千萬圓に對し砂糖は税金だけで八千萬圓に達してゐます、これではまるで税金を買つてゐるやうなものです、商人は増税とともに、堂々値上げをしますが、その際余分の利益を一、二割かけるのが普通のやり方、惡く行くと消費者からは賣値にちやんと税を算入しておきながら、脱税をはかるインチキ業者がきつと出てきます、將來、メリヤス、タヲル製品などまで課税されるやうなことがあつては、消費者はますます苦しむばかりです、一體日本の家庭婦人が、これまでをそはつた消費經濟は品物が家庭へ入つてからの話で、何でも檢約一點張りですが、收入はふえずに、小賣値段が高くなつては食はずにゐなければなりません、したがつて今度の税制研究會も一般經濟問題の研究に及ぼしたいといふ意見が有力です。

女中を使ふにはまづ氣持を酌め

大和俊子

私はもう十何年も女中さんの總元締めみたように働く人を扱つてきましたので、働く方の注文も解りいろ〳〵な家庭の様子も解りました。そこでそれをもとにして女中さんの上手な使ひ方を申しあげませう。

女中の氣持の變化

女中さんと一口にいひますけれど、現在は時代も、働く人の氣持も違つてきてゐますから昔のような氣持でゐてはとても女中さんは使へません。

女中さんの一番いやがることは時間の制限なく使はれることです。これではいくら女中さんでもこれだけすれば休息が出來るとか、自分の仕事が出來るとかいふ樂しみがないので、一日中ぶらぶらと仕事をして能率をあげなくなります。ですから朝起床したらいつまでにはどのくらゐの仕事が出來るといふように規則的に仕事を割附け、晝食後少し休息の時間を與へ、夜は臺所の用事がすんだら自分の時間にするといふ風にきめますと、家の中の用事も秩序立ちいつも整頓されます。これは子供が多くても、主婦の頭の働かし一つできめてその通りを守らせれば必ず實行の出來ることです。

それから働く人は睡眠時間が唯一の樂しみですから、少くとも七時間は與へて欲しいと思ひます。

食事、これも働く人の樂しみですから、今では女中に殘り物を食べさせるといふ家はなくなりましたが、多少氣をつけてやつて貰ひたいと思ひます。

それから一月の中に一日は必ず公休日を與へること、また休息時間には新聞や雜誌を讀ませてほしいと思ひます。

けぢめをつけよ

それから主婦と女中の關係を家族の一人といふ氣持でおくことはいゝのですが、若い人はともすると友達づき合にして禮儀作法や言葉づかひが亂暴になつたりいたします。これは大變な間違ひで、親しき中にも禮儀ありと昔からいはれるように、愛を持つて導き敎へることは必要ですが、どこまでも主人と女中といふけぢめを忘れてはいけません。

またむやみに金や物をやる人がありますが、これも感心しません、理由なく氣分でやるのは當人もそれほどありがたく感じません。それよりも暮とか盆とか何か理由のある時に、これはかうしたわけであげるといふようにしたいと思ひます。

以前には女中に行くのを一種の修業と心得てゐたもので、しつけて貰ふといふ氣持でしたが、今は少しでもお金がとれて樂な所に行きたいといふ氣になつてゐますし雇ふ方も、たゞやとつてゐるといふ氣持で昔のように愛情をもつて導く氣持がありません。兩方とももう少し考へて女中も將來主婦になる人で家庭のことを覺えるのはいゝことですから、この關係をうまく活かせることが上手に女中を使ふこつでせう。それから長くなるとなれて主婦を輕んじたりわがまゝになつたりする女中が多いのですが、これは使ひにくいばかりでなく、女中のためにも惡いから氣をつけていたゞきたいと思ひます。

このごろ若い方の間には女中を使ふのはいやだといふ方が多くなりました。これは大變いゝ傾向で、殊にこのごろはいろ〳〵便利な世の中になつてゐますし、家庭生活も昔のようではなくなつてゐます。だから一日女中を頼むだけの用事のない家が多いのではないでせうか。さうした場合一週間に何度とか、二三時間づゝ時間制の派出婦を利用されたらと思ひます。

派出婦を使ひなさい

時間制の派出婦は一時間二十錢です。それから半日へ午前七時から正午まで）（午後一時から夕方まで）といふのがあります。

今の若い方はずゐぶん上手に利用していらつしやいます。これを利用するのには先づなるべく近所の信用出來る會からきてもらひます。さうして頭を働かして豫定を立てます。

たとへば午後半日きて貰つて出掛けるが、その留守に掃除と洗濯をして貰つて、時間があれば解き物を用意し夕方の食事の用意をして貰ふ、これだけのことを頼んで出掛けます。すると夕方歸つても食事の用意が出來てゐるからあわてることもなく、家の中もきれいになつてゐる、たまつてゐた洗濯物も洗つてあるといふわけです。

幼い子供があつて赤ちやんもつれてどうしても行かなければならないところがある時に、半日頼み、荷物を持つて貰ひ、子供を注意して貰ふと交通のはげしい街く出ても割に樂です。その他使ひを頼むのもいゝし、急に二三時間出掛けることになつたりして留守がほしい時、洗濯なり、掃除なり、解き物なりの仕事をあたへて出ますと安心してしかも何か用事が片附いてゐるわけです。

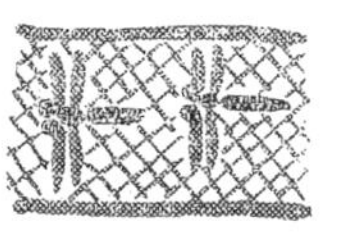

古くから民間で藥に使はれた昆虫

赤木　健

一口に虫けらと爪はじきされてゐる昆虫類の中にも、大層美味しいのや、また有益な藥になるのがあります。

我國では、古來種々なものが食べられてゐましたが、世界各國でも澤山食用に供されてゐた事實は古記錄に殘つてゐます。また食用のほかに、藥用としても適する昆虫が多くあります。左に藥用昆虫とその特効等を研究せられたものを記して見ませう。たゞし迷信的のものや、信用の出來ないものは、今後とも益々研究せねばなりません。此内で小兒特効藥のみを擧げませう、使用法は一般のものをとります。

ヂフテリアの藥

ヂフテリアには、シロスヂカミキリ、シヤウジヤウトンボ、葡萄スカシバの幼虫、ヤマカミキリ、ナツアカネ（赤とんぼ）等で、何れもこれらの昆虫は燒いて粉末にして用ひたものです。

百日咳の藥

百日咳には、ヤママユのムシ、アキトンボ、赤とんぼ、桑カミキリムシ、無花果の虫などです。使用法は、ヤママユのムシは煎じて飲用し、赤とんぼ等は黑燒にしたものを煎じて用ひたやうです。

小兒の虫藥

クワガタムシ、ヤママユのムシ、イボタの虫、カマキリの卵、カミキリムシの幼虫、柳カミキリ、クサカミキリ、ホシカミキリ、コウモリガ、桃心喰虫、葡萄スカシバの幼虫、蜂の幼蟲、蝗、シロスヂカミキリ、ヤマカミキリ、赤蜂等であります。

これ等の使用法は、イボタの虫は五齡の終り、まさに蛹化せんとする時アルコールに漬けるか、又は乾燥して貯藏しておき用ひます。

蜂の幼虫および葡萄スカシバの幼虫は、生のまゝかあるひは、焙つて食したものです。

小兒の痔藥

痔藥には、ボクトウガ、マダラコウモリガの幼虫、カミハムシ、ネナガイナゴ、クモガタコウモリ、バツタ、コガネムシの幼虫、ヘビトンボ、エンマコウロギ、ヤナギムシ、アカボウフラ等で、ボクトウガは火に焙つて粉末にして服用し、また蒲燒にして食したり生のまゝならば汁を搾つて酒と合せても食べられます。

ヘビトンボは燒いて食べます。マダラカウモリは生のまゝかまたは燒いて附燒にするか、或は佃煮とします。

寢小便藥

蜂の幼虫、臭木鐵砲虫等で、用法は蜂の幼虫はそのウヂを醬油で煮るか、あるひは附燒として食したものです。

一般小兒病藥

天牛（シンクイムシ）カハチラ、クサキノシンクイ、ブドウスカシバ、大麻螟蟲、蛆殼、蜂の幼虫、コウモリガ、赤トンボ等は一般小兒藥として、殊に痰の藥として効果があるといはれます。

驚風藥

柞蠶の蛹、シラミ、クサギムシ、ヤナギムシ、カシノキムシ、ゴキブリ等は驚風藥その他に効果があるとされてゐます。

柞蠶の蛹は、細かく碎いてのみ下します。シラミは生のまゝ用ひると特効があり、これを麥飲と練り合はせるとアカギレの藥となります。その他多くの藥用昆虫類の中には、まことに意外なものや、不思議な効力をもつたものがあります。これらのものは專門に研究した人に相談して用ふべきです、漢藥再吟味時代から相當民間藥については研究されてゐます。

持つてゐる感のお話

醫學博士　川上　漸

皆さんは平氣で活きていらつしやるやうです。私はそれが不思議でたまりません。手で物をいぢつたり、足で歩いたりしてゐながら、自分は手や足の持主だと、ふだん思つてる方はないでせう。皆さんに「首をお持ちですか？」といつたら「いやなをぢさんだね。首持たぬ人間があるの？をぢさんは醫者ぢやないの？」といつて私を輕蔑なさるかもしれません。でも皆さんは、からだの上に重い首をのせてゐながら、一日の中の大部分は、首のことなんか忘れていらつしやるでせう。買つていただいた自轉車や人形さんのことは、朝から晩まで思つてゐながらね。

皆さんの胸の中には肺臓、心臓、大動脈弓などがあつて、生れてから死ぬるまで、朝から晩まで、寢てから起きるまで、しよつちう動きどほしで、その上音まで立てゝをります。でも皆さんはそんなことはお氣づきにならぬでせう。皆さんのお腹の中には、胃だの、腸だの、肝臓だの、脾臓だの、そのほか膵臓、腎臓、膀胱、腸間膜などがあります。でも皆さんはふだんそんなものがあるとは思つてはいらつしやらぬでせう。さうでせうよ、皆さまはお臍を持つてゐることさへ、ふだんは忘れていらつしやるでせうからね。

けれどね、私は決して皆さまを輕蔑したりなんどは致しません。「結構のことです。決して自分はいろいろの臓器を持つてゐる、といふ事を氣づかずにお過しなさい。」と申します。いろいろの臓器を持つてゐるといふ事が忘れられぬやうでは大人にはなれませぬ。偉い人にもなれませぬ。

醫學の上からもうしますと、臓器を持つてゐる感じは、その臓器に病氣がある徴候であります。胃病の時には、お腹の内に胃のあることをハツキリ感じます。腸の惡い時には、お腹に腸のあることが忘れられません。足の病氣、手の病氣のときには、足や手を持つてゐることがしよつちう氣にかゝつてをります。重い病氣にかゝつてゐる人は、生命を「持つてる感じ」が、絶えず胸の裏にわだかまつて、その人を苦しめるものであります。皆さんは生命を持つてをられますよ。でもふだんは生命を「持つてる感じ」なしに、勉强したり遊戯をしたりしてをられます。皆さんはおたつしやでいらつしやるからであります。ね「持つてる感じ」は病氣の徴候だといふことがよくおわかりになりましたでせう。

さて皆さん！この「持つてる感じ」はいつたい何のために出來るものでせう？皆さんはご存知ですか？それはそれは大へんめんだうな順序でできたものであります。そして大へん役に立つものであります。

私どもはいろ〳〵の考で樣々の事をいたします。なか〳〵忙しいのであります。それで「自然」のおはからひによつて、からだの内のことは忘れてしまふやうになつてをります。——氣の散らぬやうにね——これが大へんありがたいことであります。心臓から耳までの距離は、お醫者さまの聽診器の護謨の管の長さよりは短いのですからお醫者さまの耳に聞える心臓の音は、心臓の持主の耳にも聞えるはづであります。然しこれがもし聞えては、やかましくて困りませう。氣が散つて勉强も遊戯も出來ますまいよ。「自然」はその音を忘れてしまふやうにして置いてくださるのです。考へてみれば、こんなことがからだのどこにもあります。

ふだん私どもは氣づかずにをりますけれども、私どものからだはしよつちういろいろの事柄のために害を加へられてをります。黴菌がはいつたり、細かいものがさゝつたり、目に見えない程の小さい創ができたりいたします。しかし私どもの血の中には巡視をする役目のものがあつて、たえずからだぢうを見まはつて、些細な害を始末してをります——私どもには少しも氣づかずに濟んでしまひます。ところが黴菌がたくさんはいつたり、大きい棘がさゝつたり、大きな創が出來たりいたしますと、見まはりをする役目の者がたくさんにその處へあつまつて來て、一生懸命に始末をしようといたします。こゝでちよいとお話を岐路へそらして——

鐵道の線路に故障ができると、見まはりの工夫さんが見つけて手當をいたしますが、故障がひどいときには、たくさんの工夫さんが集つてきて、修繕工事をはじめます。その時には線路の兩方へ信號を出して、汽車をおそく走らせます。修繕に手間がかゝると思ふ時は、管理局へ屆けを出して、汽車の通るのを休ませることもあります。皆さん、よくご存知でせう。

私どものからだの内でも、同じことであります。一生懸命で始末をする間だけ、害をうけた場所をいたはつたり休ませたりするために「持つてる感じ」が出來るのです。胃病のときに胃を「持つてる感じ」が出來ますのは、「胃修繕中食物をヘラセ」といふ信號であります。時々鐵道線路の上に「上り、速度一時間八哩」なんといふ標札が立てゝあるのと同じことです。「持つてる感じ」が强くなつて病床についてゐる有樣は、「信越線田口關山間運轉休止」といふやうな赤札が停車場に揭げてあるのと同じことです。「持つてる感じ」は大切の役に立つものであります。この「感じ」がなければ、私共は養生や療治をすることが出來ませんので、ちよつとした害のためにも大へんな重い病氣にかゝります。

乳兒脚氣の話

醫學博士　生地憲

こんな兒は脚氣を疑はねばならぬ

母乳を吸つて居る二ケ月位の乳兒で、乳の飲み方が減り乳を吐き、今迄黄色の好い大便をして居たのが、青くなつてブツ〳〵が交つて來、そして急に泣く聲が元氣がなくなり、顔色も悪るく、嗄れ聲となつて來たならば、子供は脚氣ではないかと疑はねばなりません。

乳兒脚氣の多くは、脚氣に罹かつてゐる母體から授乳せらるゝことによつて來るものではありますが、時に母體には脚氣の様な容態（例へば下肢の知覺が痲痺して、足がしびれ又は浮腫、心悸亢進）が證明せられてない場合もある。

大人脚氣の多い時には乳兒脚氣も多く夏季から秋に多い、男性乳兒は女性乳兒に比べて乳兒脚氣に餘計にかゝり易い、年齢ならば二—四ケ月の間のものが多い。

症状—乳兒脚氣はその著しい症状によつて、浮腫型、痲痺型、衝心型、腦型、不全型と分けられる、たゞし之等の型が互に移行することもある。單獨に來ることは殆んどない。

この病氣は急激に起つて來ることもあるし、又徐々に起つて來ることもある。そして起り始めの時期には既に述べた様に、消化不良の症狀（食慾減退、吐氣、青便）と聲が變つて來る。即ち吐乳は（一日一三四回）屢々起り、消化の悪い青い、ブツ〳〵の粘液の交る便を排泄し時には反對に便秘に傾むくことがあつて、顔色が蒼白く機嫌も悪くなつて、聲がだん〳〵出なくなり嗄聲となつて來る。よく泣いて睡眠も不安となる。少し息もせわしくなつてくる。熱はないことが多い。

重いものであると、循環障害が著明に現はれ（衝心型）、呼吸が大變早くなり、脈の數も増加し口唇や四肢の先が紫色になり、「チアノーゼ」を來す。患兒は啼泣呻吟して往々四肢を痙攣る様に動かし、顔に冷汗を出す。下肢や顔に時には全身に浮腫の認めらるゝこともある（浮腫型）、又眼瞼が下垂して、ねむたげな目付となり斜視となり眼球がすわつて、上の方へ向いてじつとしたりする。意識は稍明瞭を缺き全く無慾狀となつて來る事がある。（腦型）

豫防—早く病氣を見つけて榮養法を變へるか、大量のヴイタミンB劑を與へることが必要である。

療法—授乳を規則正しくし、一日に一—二回牛乳を與へて母乳を制限し、ヴイタミンB劑をなるべく大量に與へることが大切である。又同時に母體の脚氣を治さねばならぬ。

從來は脚氣の時には子供に全く乳を與へぬ事とせられましたが近時は脚氣だからといつてすぐ斷乳をするのは間違ひのもとゝされてゐる。

母體の脚氣を治すのは、ヴイタミンBを多量に含んだ食物を攝らしめ、或はヴイタミンB製劑を與へるとよい

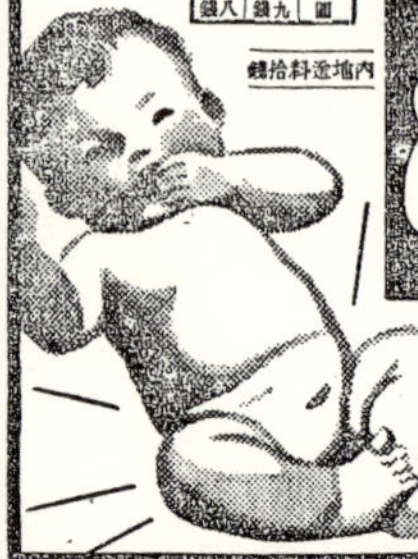
イージーおしめ
最優良純ゴム製
育兒の知識として!!
イージーおしめは權威ある諸先生さお母様方から育兒衛生上の最良品さして、御好評を博し、各方面にお愛用を忝くして居ります。
洗濯簡單
運動自在
保溫衛生
優良國産金牌受領
醫學博士 岡田道一先生推奬
全國藥店にあり
純ゴム製ワムツ
大形（三—四才用）金一圓
小形（二—三才用）金九十錢
嬰兒用（一—二才用）金八十錢
内地送料拾錢
東京市神田區東神田一
ビクトリヤ月經帶本舗
株式會社 大和ゴム製作所
振替東京一三〇〇二
姿体を美しくする
ビクトリヤ
ズロース付月經帶
星號（高級品）¥2.00
銀星號（普及品）¥1.50

急性傳染病

京都帝國大學醫學部小兒科看護婦長　高橋ミチ子

十三、流行性腦脊髄膜炎

本病は十種傳染病の一つであつて、大人に見ると同様に小兒にも起るものである。之は腦膜炎雙球菌と云ふ一種の病原菌が腦脊髄腔内で繁殖する結果として起る病氣である。春、夏、秋、冬、何れの季節にもあるが、冬及び春に最も多い。傳染徑路は明瞭でないが、患者の咽頭壁に存在する病原菌が咳嗽の時などに飛散し之が健康者の咽頭内で繁殖し、之が腦膜に達して腦膜炎の傳染が起るものゝ様である。

症候　突然惡感で初まるもので、時として、戰慄を伴ふ事がある。惡感と共、四十度近くの高熱を發し、同時に強い頭痛を訴へ、屢々嘔吐を伴ふものである。稀には痙攣や手足の震顫を來たし、譫語を放つ様な事もある。又本稍年長な小兒にあつては項部や腰に疼痛を訴へる。又本病の特徴として項部强直と云ふ現象が現はれて來る。此項部强直と云ふのは頸が強く後に反り返し、他動的にその頭を前に屈する時は患者は甚だしい痛みを訴へる。此項部强直が一層甚だしくなると角弓反張と云つて單に頸が後に反り返るのみならず、軀幹全體も反り返り、恰も反り橋の様な狀を呈し、患者は仰臥する事が困難となり自然に横臥する様になる、斯様な狀態は發病當時から全經過を通じて存在するものである。但し乳兒幼兒にあつては項部强直又は角弓反張が著明でない事が屢々ある。發病後數日經過した後に脣口「ヘルペス」と云つて口脣に水疱様の吹き出物が出來る事が多い。又發病當時に或は

痲疹様或は水痘様の發疹を見る事もある。

本病に罹つて居るものは、僅かの刺戟に對して驚き易く、僅かの光線に對して羞明を覺え、體に觸れると疼痛を感じ、時としては斜視を起し、複視と云つて一つのものが二つに見える様な事がある。乳兒にあつては大顖門が大きく腫れ上る事が多い。

以上述べた症狀の中最も顯著な事は頭痛、嘔吐及び高熱である。

經過は一定して居ない。僅かに數日で治るものもあれば二ケ月三ケ月に亘つて治るものもある、發病數日で死亡するものもあれば、又二、三ケ月病氣が續いた後遂に死亡する様な事もある。稍々遷延せるものにあつては間歇性に發熱し、その熱の出て居る間は強い頭痛、惡心、嘔吐及びその他の症狀が著明に現はれ、間歇時には比較的機嫌のよい事が多い。

處置　患者を隔離して之に接近しない事が豫防の第一である。處置としては頭の冷罨法を勵行し、安靜を旨とし羞明ある時は室内もなる可く暗くして直射光線の入らない様にし、物音を立てない様に注意しなければならぬ。本病患者は多く食慾を減退するものであるから、含嗽を行つて食慾を亢進せしむる様に努むる事が肝要である食物は滋養になる様な物で、なるべく患者の好むものを與へて差支はない。遷延して間歇熱を示す場合には間歇時になるべく滋養品を與へて患者の抵抗力を高める様にする事が必要である。

昏睡に陷つて絶えず眼裂を開いて居る様な場合には硼酸水に浸せる「ガーゼ」で兩眼を被ひ、頭痛の甚だしい時は溫浴を取らしめると痙攣に對しては疫痢の部で述べたのと同じ様に處置するのである。

十四、「インフルエンザ」（流行性感冒）

「インフルエンザ」は「インフルエンザ」菌と云ふ病原菌によつて起る病氣で、大人も子供も同様に之に犯さるゝものである。之は十種傳染病には屬して居ないのであるが、その傳染力は強いもので一時に一地方、全都市に蔓延し、時として世界的大流行を見る事がある。病原菌は患者の咯痰、唾液、鼻汁などの中に無數に存在し、之が患者の咳嗽と共に周圍に飛散し、健康者の咽喉鼻腔等の中に吸ひ込まれて、傳染を惹起するのである。流行の異なるに從つて比較的輕症なものと、甚だ惡性のものと

がある、大正七、八年の世界的大流行が甚だ悪性であつた事は吾々の記憶に新なるものである、「インフルエンザ」は年齢には殆んど區別はないとされて居るが、幼兒及び新生兒では一般に輕いものである。本病は多く寒冷の季節に起る事が多いが、初夏及び初秋の候にも見る事がある。

症候 稍年長なる小兒にあつては前驅症として種々の自覺的症狀がある。即ち一兩日に亘つて倦怠、食慾不振鼻汁分泌、鼻閉等があり、之に次いで、突然惡感戰慄を以て三十九度乃至四十度の高熱を發し、甚だしい頭痛、倦怠などを來し、輕咳があつて往々衂血を訴へる事がある。顏面は赤くなつて居る事が多い。以上は何れの「インフルエンザ」にも共有な症狀であるが、其の外色々異つた症狀が現はれて來る。此症狀の異なる點から病型を三つに分けて居る。

一、胃腸型 本型に屬する「インフルエンザ」にあつては上記の發熱、倦怠、頭痛、輕咳などの外に食慾不振嘔吐、下痢、腹痛などの胃腸の症狀を呈するもので、小兒殊に乳兒に於ては之が多い。それ故に一見急性消化不良の樣であるが、「インフルエンザ」流行時で而も家族に同病患者がある場合には、「インフルエンザ」の胃腸型である事がわかる。此胃腸疾患はあまり重症になる事は少くして數日の間に治癒する事が多い。

二、呼吸器型 「インフルエンザ」は多く呼吸器を犯すもので、咳嗽を作はない「インフルエンザ」は稀であると云つてもよい。處が此咳嗽が甚だしくなり、喘鳴、呼吸頻數などを伴ひ、氣管枝炎の症狀を現して來るのを、呼吸器型の「インフルエンザ」と云つて居る、本型は往々肺炎の症狀を呈し、往々之にて死亡する事がある。

三、神經型 頭痛とか腰痛が甚だしくて、不眠不安などを來たし、稀には神識の明瞭を失ひ、譫語を放ち、嗜眠或は昏睡に陥り、痙攣などを現す樣な事もある。

主なる症狀によつて以上の三型に分つけれども、往々同一患者で呼吸器、胃腸が犯され尚ほ同時に神經症狀を呈する事がある。要するに各型の間には確然たる區別はない。

「インフルエンザ」は長い經過を取る事は少い、多くは二三日で解熱し、數日の後には漸次健康に復する。しかし合併症のあるものにあつては、經過が色々である。台併症「インフルエンザ」肺炎。之は「インフルエンザ」

の經過中肺炎の症狀を呈するもので、その症狀及び豫後は加答兒性肺炎と同樣である。「インフルエンザ」の經過後に中耳炎を起し耳漏を惹起する樣なことがある。又インフルエンザの經過後に「インフルエンザ」腦膜炎を起し嘔吐、痙攣、切齒等の腦膜炎症狀を呈する事がある。之は重い病氣であつて何れも死の轉歸を取るものである。

處置 流行時には交際に注意し、家族に同病患者を出したる時は直に隔離する事が必要である。

惡感、發熱、頭痛、腰痛、顏面の潮紅等「インフルエンザ」の徴候が現はれた時には直に就床せしめ、安靜にし、頭に冷罨法を施す。かゝる場合に寒氣に觸れたり、勞働などで、疲勞すると往々怖るべき肺炎を誘致する危險ある事を忘れてはならぬ。溫湯を飲まして發汗を促し室内の溫度濕度等に注意し、含嗽、吸入等總て氣管枝の場合と同樣の處置を取るのである。發病當時に「アスピリン」などの解熱劑を用ひると著効を奏する事がある。

十五、流行性耳下腺炎

流行性耳下腺炎は小兒を犯す所の傳染性疾患であつて學齡兒童に最も多い、乳兒を犯す事は殆どない。十種傳染病には屬してゐない。

本病は怖るべき疾患ではなけれども、學校幼稚園などで多人數に傳染する事がある。

症候 本病は俗に「お多福風」と云ふ通り、耳の下から頬にかけて腫れる特徴ある病氣である。傳染後二十日位の潜伏期を經て發病するもので、發病の初めに當つて、一、二日間不機嫌、食欲不振、頭痛、惡心などのある事が多い。然し之等の前驅症が全く現はれない事もある。斯くて三十九度内外の熱發があり、之と相前後して耳下腺の部即ち耳の下が腫れて來る。只一方だけの事もあれば又兩側が同時に腫れ上る樣な事もある。此腫脹せる部を壓へた場合或は物を咀嚼する時などには少し痛みを感ずる、皮膚の色には變化のない事が多い。

三、四日間輕い熱が續いた後追々解熱し、之と相前後して腫れが消散するのが普通である。合併症として睾丸炎を起すことがある。此の睾丸炎は耳下腺の腫脹がなくなる時分に突然高熱を發し睾丸に強い疼痛を感じ睾丸が多少增大するものであるが、之も日を出でずして自然に全治するものである。稀に合併症として腎臟炎を起し血尿を出す事もあるが、多くは全治するものである。

嗜眠性腦炎の話

醫學博士　生　地　憲

此の病氣は、斯の歐洲大戰爭迄は、餘り醫學界にも知られて居なかつたもので、此の大戰爭中(一九一六年今から一九年前)最初墺太利に多數の患者が現はれ忽ち歐洲諸國に蔓延し次に米國、亞細亞諸國、日本に迄大流行を見るに至り、それ以來毎年此の患者を見る樣になつたのである。此の病氣の出現を始めて醫學界に報告したのは墺國、維納市の開業醫、「エコノモ」氏で一九一七年の事である。我國に於ては大正八年の夏、長野縣に流行したのが始めである。

病原菌　一種の傳染性の疾患である事はその流行の模樣からして明らかではあるが此の病原體に就ては、今日尚不明である。

此の病原體が患者の唾液、鼻汁、糞便中に出で之により他の人に傳染するならんと考へられてゐる。一般に冬期春期に多いが他の季節にも存在する男女老若の區別なく冒される。我國に近來流行してゐる腦炎は夏季腦炎と謂はれ、盛夏に流行し他の季節には少ない樣である。

症狀　發病の初めには一般に氣分惡しく、全身倦るく頭痛、眩暈、惡寒、輕き鼻咽喉カタルの症狀あり、恰度風邪の樣であるが、これが二―三日乃至一―二週間續く間に本病の特有の嗜眠狀態が始つて來る。是は普通の眠りと似て居る、しかしこの睡眠は呼び覺す時は正確に應對することが出來るが間もなく深い眠りに陷るのが特有である。同時に熱が出で又複視(物が二つに見える)と眼瞼下垂、視力障碍、顏面筋麻痺等が徐々に起り、又手足が引きつれ又は麻痺し、痛み、歩行困難等が起つて來る此外場合によりては樣々異つた病型を呈することもあつて、顏面や手足の痙攣又は强直、唾液增加、腦膜炎樣の症狀、不眠、亢奮、精神錯亂等色々の症狀が起ることがある。

經過　一―二週間乃至二―三ケ月で全癒することとあるが死亡することもある、又一旦治癒しても後に色々の腦症狀を殘すことが多い。死亡率は約三〇%である。

靴下の不潔から　みづ虫にかゝる

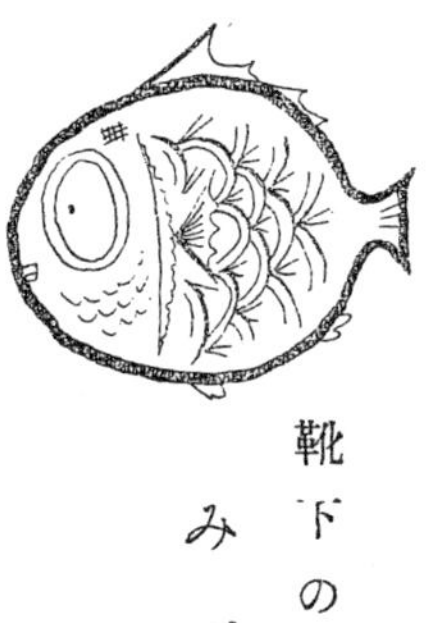

醫學博士　阪　上　虎　彌　太

そもそも「みづむし」はどうして起るかといひますと原因は複雑ですが、ごく簡單に素人によく分り易くいひますと、此頃のような季節に器物によく生じます黴――まあそれと同じようにわれわれの皮膚に生ずる黴に相當するのであります、尤も普通には白癬菌と稱する植物性寄生菌の傳染が原因となります、この白癬菌にも澤山の種類があり、またわれわれの皮膚もその場所により性質が異なるので同じような菌の傳染によりましてもあるひは「たむし」となり「ぜにたむし」となり、あるひは「しらくも」「はたけ」となり、あるひは「みづむし」「またくされ」といふように種々異つた形で現れるのであります。

「みづむし」は普通の場合、白癬菌が趾間あるひは足蹠等に寄生して惹起するのでありますが、出來るにしても種々の條件がいります、即ち寄生菌が蕃殖するためには適當な溫度濕潤などが必要であります。普通器物における黴もさうでありますが冬季の如く寒冷な時には寄生菌は發芽し難くまた乾燥してゐるところでは蕃殖するに不適當でもあります。梅雨の如く氣溫高く濕氣の多い時に汗が出ますと、その蒸發が非常に惡くて何日までも皮膚がジメジメしてゐる。このようなところが白癬菌の發育に最も適當したものといふべきで、殊に足のごとく靴下、足袋によつて一つの密閉された場所に閉ぢこめられてゐるところなどはなほ一層さうなのであります。

俗に「みづむし」といはれてゐるものをわれわれの方から見ると種々なものも含まれてゐるのでありますが、趾間に來るものと足蹠に廣く來るものとがあります。趾間がまづジメジメと濕つて痒い、そして小さな水疱が出來、暫くするとそれが破れます。或はそれまでに搔くためにキ汁が澤山出て來てそのために股の皮膚は白くふやけてたゞれて來ます、そして遂には大きく破れて來ることもあるし痒いために無理に搔き破ることもあります。そして痒さはます／＼激しく遂には皮膚の破れたところは痛くなり隨分苦しいものであります。

足蹠に出來るものは初め痒いばかりでありますが、詳細に見ますと足裏皮膚の底深く粟粒ぐらゐの小水疱がポツ／＼白く透けて現れてをります。足裏の皮膚は他の部分の皮膚とはちがひまして非常に厚いものでありますから、小水疱が出來ても最初は表面に盛り上つて來ず、何ともいへない不愉快な痛痒さを覺えるのみで、それを搔き破りますと深い小さな孔が生じます。こんなものが多數出來ますと、その部分一體に多少赤味をもつようになり、また皮膚も大きく破れて痛さ痒さが隨分甚だしくなつて來るのであります。

普通の場合は以上のごときものでありますが、何分足といふところは不潔がちになり易く、種々の細菌の巣窟をなしてゐるのでありますから、あまり搔いたためその傷痕から惡性の細菌が侵入して激しい炎症を起しますと發赤も腫脹も非常に强くなり疼痛のため歩行が困難となるなど決して少くありません。

治療は寄生菌が原因をなす以上まづ第一にそれを撲滅すべき殺菌劑を使用せねばなりません、硫黄劑、木タール、サリチール酸、昇汞、クリサロビン等種々ありまして、その時の症狀によりあるひは治療醫の好みによつて使用が異なります。私は好んでクリサロビンを五乃至十パーセントの割合にトラウマチチン内に混じたものを用ひます、先づ消毒した小鋏にて小水疱を切り開き包膜を除きその部附近にクリサロビン、トラウマチチンを塗布しますとトラウマチチンが直様全く乾燥して皮膚に着きますので治療上にも、その他の便宜上にも大變好都合であります。もし炎症の激しい時に同樣なことをしてゐますと反つてひどく惡化する場合もあります。赤く腫れ上り非常に痛いといふような場合には以上の强い藥を避けねばなりません。こんな場合には私は殺菌になり、消炎にもなるといふ目的をもつて千倍位のリバノール液（時には八百倍内外のカメレオン液）をもつてその部分を濕布なし赤味痛み腫れ等が緩和して後本當の初めの治療を施してゐます。このように述べてゐますと大變簡單に見えますが適當な處置をなすことは熟練した專門醫以外なか／＼むつかしいものでまして素人の生半可をなしてこじらしてしまふよりは少しをかしいと思うたならば信用ある專門醫に御一任するのが最も賢明だと思ひます。し

かしその症狀も輕くたゞ痒いくらゐの程度のものでありましたならばクリサロビン、トラウマチチンなどが最も宜しい。然しこの藥は激烈な作用をなし暫く塗つてゐますとクリサロビン皮膚炎と申しまして、これを塗布したところの周圍がピリ／＼として鮮赤色となり、また眼に入りますとひどい炎症を起しますので注意を要します。

豫防法としては靴下、足袋とか足を拭くに用ひたタオル等を一パーセントチモール酒精に一晩浸し靴、上草履等をフォルマリン消毒なすことが理想的でありますが、

元來「みづむし」は白癬菌或はそれと類似の糸狀菌の寄生によつて惹起することは事實であります。ゆゑに局所を常に乾燥淸潔ならしめて置くといふことが第一に必要であります。足が汗だくとなつた時は勿論、沐浴、海水浴その他濡れた時には乾いたタオルにて細心によく拭うて暫く外氣に曝して十分に乾かしておきもし多汗症、異汗症等の人などは一パーセントサリチール酒精、〇・二五パーセントチモール、メントール酒精等を塗布、滑石粉、天瓜粉、シッカロール等の如きサラ／＼した粉末を撒布しておきます。一層ひどい汗かきならばそのほかに五十パーセントフォルマリン酒精を塗布するとよろしい、そして靴下、足袋は度々交換し靴はなるべく通風よきものを、そして夏季には出來る丈靴、靴下、足袋等を避けてスリッパ（むし暑くない）を使用するがよろしい。

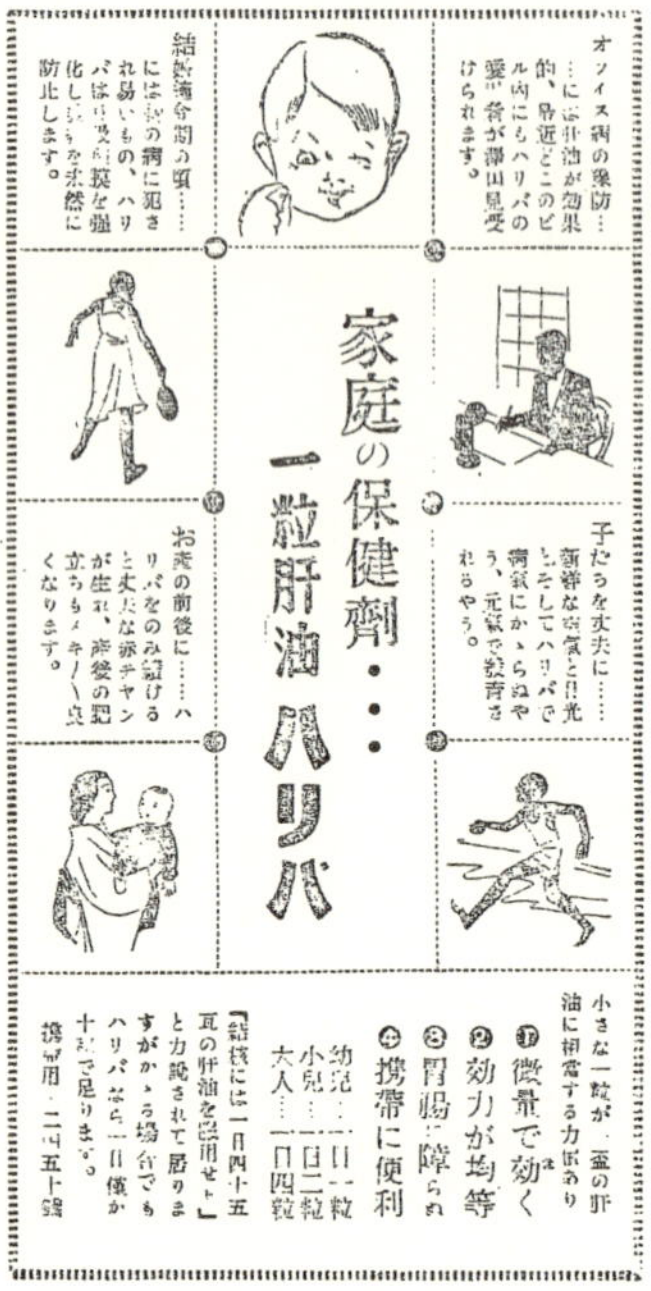

街頭醫學

大蒜を食べ過ぎると酷い貧血を起す

肺結核や腐敗または醱酵性下痢に効く漢藥として重寶がられるニンニクも用ひる量が多すぎると强度の貧血を起す—と云ふことが、ごく最近の實驗に依つて確かめられました。

二つの實驗

實驗の内容は頗る簡單です【實驗一】最近慶應病院へ入院したそれらしい二人の中年女に就て調べたところ果して過去三ケ年間、毎日九個乃至十個からの燒きニンニクを食用してゐたことが判り、直ちに禁食させたところ、少しも藥品を用ひないで一人は十日間、他は約一ケ月で全治したと云ふ事實です。【實驗二】次にこれを家兎について實驗を行つてみますと家兎の體重一キロ（二六七匁）についてニンニク約五グラム（中位ゐのもの一個）を與へると既に貧血症狀を呈しました

用量の限度

この家兎の實驗から推して體重五十キロ（約十三貫三百匁）の健康人の場合を割り出してみると、一日の用量十五グラム（同三個位）が限度と云ふことになります、ニンニク貧血といふのは同じ貧血の中でも極めて强度なもので、而も一種の溶血性貧血ともみられ、血球の破壞はもちろん、血色素まで分解され、ひいては眩暈、全身の倦怠等を手始めに、遂には運動にさへ差支へを來すものです。

貧血の症狀

一般の症狀としては（一）顔面の蒼白（二）口中粘膜の黄色味（三）分解された血色素が尿中に下るための赤味等が數へ上げられます。

中毒の正體

それではニンニク中の何がその中毒作用をなすかと云ふことに就ては、實驗の結果からフエニールヒドラチンと稱する揮發性物質に似た物質の作用と見られますがこのフエニールヒドラチンとは下熱劑として又結核菌の繁殖をふる程度で抑制するための對症藥として用ひられてゐるもので、かうした物質がニンニクの中にあると云ふことは、一面ニンニクが藥品として決して無視されぬ重要性を持つてゐる事實を示すものですが、ニンニクを藥用として用ひる者は一日十五グラム以内と云ふ使用限度を決して越えてはならぬこともまた忘れてならぬ大切な心得でありませう。（慶應病院内科武見太郎氏）

納豆はチフス菌を撲滅する

濱松や大阪市外布施町の中毒事件で一躍流行兒になつたゲルトネル氏菌の强敵は納豆ですと言つたら皆さんはハテ面妖なといふ顔をされるかも知れませんが、冷徹な實驗がちやんと證明してゐるんです、この菌は鼠のチフス菌の一種ですが、納豆は更にあらゆるチフス菌に對して斷然殺戮者の立場にあるのですから轉ばぬ先きの用心に大いに納豆を食べて豫防して下さい、では何故納豆がチフス菌の死刑執行者なのか？是を今學術的に説明すると色々むづかしい事になるので極く簡單にお話すれば、納豆にたくさん藏はれてある納豆菌酵素がチフス菌を溶菌する—平たく言へば食ひ殺して了ふ働らきを持つてゐるのです、私はこの事實を長年研究の結果、何千匹といふ兎やネズミを使つて發見することができたのですが、まづその實驗方法は兎を腸チフス保菌者にして置いた後、納豆を食べさします、そして適當な日時が經過してから解剖して見ると何と驚くではありませんか、兎の小腸大腸十二指腸などの腸管系統から腸チフス菌がすつかり姿を消してゐる（勿論顯微鏡で見てのことですが）いや姿を消したのではない强敵納豆菌の爲め食ひ殺され全滅してゐる事が判つたのでした

納豆菌がチフス菌を食ひ殺すのは實に特性といつてよいのです、そこで私達が毎日少しづゝでもいゝから納豆を常食すれば體の中へ忍び込んでくるチフス菌を片つ端しからやツつけてくれるといふわけで、わが國に最も多い腸チフスの豫防に持つてこいといふ結論が自然と生まれるではありませんか、御承知の通り納豆はおいしい物だし、値段は安いし榮養價値は高い、その上整腸劑に効果多大といふ重

寶な食べ物、その上に大敵チフス菌をノックアウトする特技がさらにあると知れたなら、粲す賞味せずには居られないでせう どうかどし／＼召上つて下さい（京都帝大細菌學教室醫學博士松村勉氏）

夏の間弱り切つた胃腸に何を與へればよいか

今年の夏は殊更に長く堪へ難く感ぜられただけに酷暑の漸く去つた今日になつて夏負けがいろ／＼の形をとつて現れてくる場合が多くその中でも酷暑に弱つた胃腸に冷い飲物を澤山に與へ過ぎて胃腸障害—さまではいかなくても、胃腸の働きの衰へから夏瘦せを起してゐる人々が多いと思はれます、かうした人々は天高く馬肥ゆる好季節をひかへ、この際速かに體力の整調恢復をはかるべきでありますがそれには食物の上にどうした注意が必要なのでせうか。

夏瘦せは胃腸障害

夏瘦せは主として長い間の胃腸の働きの衰へから結果されてきたのですから、この際その弱りきつた胃腸を大事に愛護する—やうに食物の選擇を心懸けることが大切で、そのためには何よりも胃腸の負擔が輕くてすむやうな食物を少しづつとることです。

脂肪の少い食物

従つて消化吸收の最も遲い脂肪のかつた食餌は避けねばなりません、夏の初めこそ夏負けを防ぐ意味から脂つこい食物も相當にとる必要がありましたが、胃腸をすつかり傷めつけて了つた今となつては、脂肪の强い肉類や天ぷらの類は何より禁物でまた同樣に消化の餘りよくない蛋白成分を多量に含んだ食物—例へば獸肉類も感心出來ません

魚肉と柔かい野菜

併し魚肉は消化のいゝものですから、これから漁れる最も大衆的な魚—鰺、鯖など、脂肪の餘り多くないものなら十分召上つてよく、が最も夏負けの狀態に適した食餌といふなら、それは消化の一番早い澱粉及び糖分の類です、これを副食物でいへば冬瓜、南瓜また薩摩芋、馬鈴薯、里芋など芋類、季節の野菜を柔かく煮たもの、または新鮮な生の物などがよく、たゞ消化を妨げる纖維の多いものは避けねばなりません、糖分としては甘い水氣のある果物がよく、これから多い葡萄などは病人にさへ喜んで奬められるもので、酸素を含んだこの種の果物を食べることは衰へた食慾を増進することにもなります、要するに夏負けを速かに恢復するためには柔かい消化のいゝ物を少しづゝ用心してとり胃、腸が恢復して食慾がでゝきたとき初めて澤山とるやうにすべきで、決して弱つた胃腸に無理に澤山榮養を與へる亂暴をしてはなりません（慶應病院食養研究會 醫學士原實氏）

結核性腹膜炎の治療と家庭の手當て

腹膜炎には急性、慢性のいろ／＼があり、また胃潰瘍、十二指腸潰瘍や盲腸炎などのために起るものなどがあるが、普通單に腹膜炎といへば結核性のものを意味し、また實際にもこれが一番多いでせう、さらに結核性のものでも水がたまる滲出性のものと癒着の起りやすい增殖性のものとありますが、この家庭生活で第一に必要なのは安靜といふことです、これは結核で多少肺もをかされてゐると考へられるからで、その上に水が澤山あると、横隔膜が上の方へ押しあげられ、そのため肺臟が壓迫される關係から、呼吸困難を來すので、さういふときには穿刺してたまつてゐる滲出液を取り除かねばなりません。

またそれほどでなく水の引きにくい場合でも穿刺はやつた方がよい、そして腹部にはグワヤコール・オレーフ油とか、硼酸水に數滴のメンタ油を加へたもので温濕布を施すとよい、さらに場合によつては人工太陽燈の照射やレントゲンの治療を行ふと一層効果があります、食べものはなるべく榮養價の多いものをとる、そして熱もされ水も引いてゐるものでも、あと一ケ月くらゐは床について安靜にし、つぎの一ケ月くらゐは身體をならし、仕事に携るのは、それから後のもう一ケ月がすぎてからにすべきで、それも輕い仕事を選ぶべきです、なほ腹にたまる水は、普通の飲料水とちがつて四パーセント以上の蛋白が含まれてゐるので穿刺がよいからといつて、無闇矢鱈に穿刺して腹水をとるのは考へものです、これは滲出性肋膜炎の場合でもおなじです。（醫學博士芦田光二氏談）

眞夏の生活（後記）

◉第十四回全大阪乳幼兒審査會は來九月廿四日より開催する事に決定し、大阪三越の堤、杉本、小野三氏の御盡力で準備は萬遺漏なく進行して居るのは、實に嬉しく力強く感謝に堪えぬ。「大阪朝日」「大阪每日」二大新聞には明治製菓株式會社の御好意で、三百五十行づゝの審査會發表のタイアップ廣告をする事になつて居る。之で、一安心した。

◉前號に記したやうに、七月二十二日早朝に上京して、八月二日午後九時半東京發にて歸阪の途についたのであるが、幸にも大川鍬三郎氏と御令息と同じ寢臺車だつたので種々話しに花が咲き、車中に愉快な時を過す事が出來た、尚八月三十日には恩師津田先生を岐阜に御見舞申上げてから上京する豫定である、兎に角八月中は芦屋の自宅にて種々事業上の劃策と戰鬪準備をするつもりである。

◉七月二十九日、川畔氏と壯丁問題の鍵談に就いて物語る、三十日はホテルに廣井先生の御來訪を受け、三十一日は藤原副會長宅に大阪朝日の眞島氏と共に饗應をうけた八月一日は早朝より中野正剛先生を御訪ねして「非爲胡成、非爲胡得」（錄大鹽中齋語）「萬物靜觀皆自得、四時佳興與人同」「雲霽月萬里、雲昇九江春」等を尺八の絹本に大書して頂く、大正八年記者が靜岡縣伊東町に牧師であつた頃、同地の線會より招かれて、彼の講和會議問題の講演に來られた時、共に寺尾亨博士邸を訪ねたり、思想問題を談じたりした事どもを追想し感慨無量であつた、歸途、內閣總理大臣官邸に岸秘書官を御訪ねし、溫容に接し、種々御話しを窺つた、夜は吉村壽伯邸に至り姪の恩師大貫先生にも御目にかゝる。

◉八月四日の夜八時五十分、神戸三宮驛をたゝるゝ平生文部大臣を御見送りし、五日は休暇中の子供等を連れ一家打ち揃ふて寶塚方面にハイキングをした、六日は三越にて審査會の相談會、七日は大野博士邸訪問八日は白名民憲氏の追悼錄を井口氏より見せて頂く、そして夜は春世と夜店に至る、十一日は明治商店の朝日氏に廣告の事を依賴し、十三日は亡き惠子の盂蘭盆會を施行十五日は陸軍、海軍兩省、山田、岡田兩博士等に審査會の寫眞を郵送した、尚前後二回に渉り印刷所に速達便を發送する、十七日は濟生會病院に原田博士を、十八日は今宮乳兒院に廣島博士を訪ね、十九日は久々にて寺川信氏と物語る事が出來た。

◉二十二日、ライオン齒磨本舗の山崎重役同東京本店平野廣告部長に御目にかゝる、それから午後は生地博士、岡部氏と三人にて長時間に渉り論談し愉快だつた。二十三日は日曜のため一日休息、白名氏の「靑波」を讀み了る、順子と春世は甲子園に散歩した、二十五日は聯盟創設滿十五年記念、全日本兒童愛護運動寫眞帖の最後の校正をして一日を過した、二十六日は宇留野、佐野二博士に原稿の依賴狀を認めた。

本誌定價　一冊　金參拾錢　郵税壹錢
半年分六冊　金壹圓六拾錢　郵税共
一年分十二冊　金參圓　郵税共
誌代郵税は一切前金の事
前金切の場合は發送中止
郵券代用は一割増のこと
昭和十一年八月廿八日印刷（每月一回）
昭和十一年九月一日發行（一日發行）
兵庫縣兵庫郡精道村芦屋
發行兼編輯人　伊藤悌二
印刷人　木下正人
大阪市西淀川區稗島北上三丁目三七番地
印刷所　木下印刷合資會社
電話福島（45）一五三四番　二四二六番
發行所　大阪兒童愛護聯盟
大阪市北區天神橋筋六丁目
大阪市立北市民館內
電話堀川（35）一〇〇〇一番　一〇〇〇二番
振替大阪五六七六三番

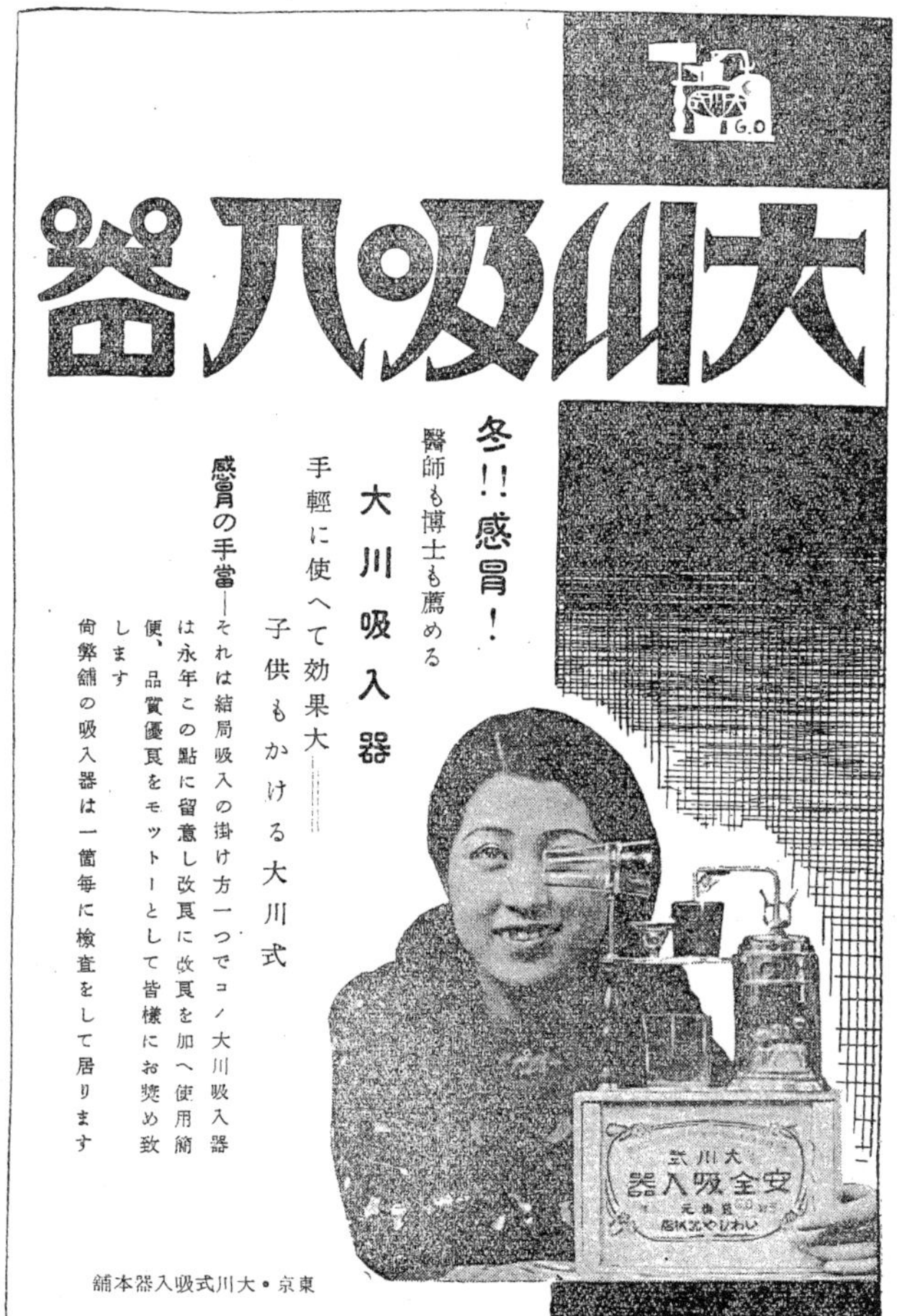

子供の世紀　第十四卷　第九號
大正十…年…月二十日第三種郵便物認可
昭和十…年八月二十八日印刷納本　毎月一回一日發行
日光ビタミン
V-D
乳幼兒の骨骼補强 体質改善
都會人の健康保持
オリーゼは日光ビタミンと强力消化酵素、豊富なビタミンB、カルシウム、燐、及植物ホルモンの綜合製劑で「都會人の藥」として病人は勿論都會の大人も小供も毎日これを服用することにより健康を保持し得られます。
適應症
乳兒發育不良、小兒食慾不振、消化器系疾患、結核性諸疾患、脚氣、骨軟化症、佝僂病、腺病質、腺病質、濕疹、蕁麻疹、齲齒、便秘、姙娠時の齒痛、姙婦及胎兒の榮養、授乳期、等
文献
菊版五十頁進呈
發賣元
乾卵食料品株式會社新藥部
大阪市東區伏見町貳丁目
支店　東京市日本橋區本町二丁目
オリーゼ
oryzae
ビタミンD 活性酵素 綜合製劑
粉末
100G
錠劑
ORYZAE
イヌイ
粉末
【定價金參拾錢】

最新學理に基く
育兒糖
ロロン
Roron
母乳代用には牛乳とロロン
牛乳や粉ミルクには、母乳に比べ榮養素が不足してゐますからこれだけで赤ちやんを育てますと、皮膚が蒼白くなり体重の増加が悪く、榮養不良に陷ります。それで必ず育兒糖ロロンを加へなければなりません。
育兒糖ロロンには赤ちやんに大切な榮養素――各種の含水炭素、ビタミンB、アミノ酸、燐酸カルシウム等――がのこらず含まれてゐます。從つて……
牛乳や粉乳にロロンを加へますと、申分のない母乳代用品になり、体重を増し、下痢や便秘を防ぎ、發育を盛んにして眞に丈夫な赤ちやんにします。
發賣元　大阪市道修町　株式會社武田長兵衛商店
五〇〇瓦（一圓五〇）
有名藥店にあり
36―12:7(O)

基礎鞏固　經營眞摯

創立　明治四拾四年

コドモの保險　日本徵兵

入營・嫁入準備　出世・教育資金

子を持つ親心

可愛い子供の爲に何程かづゝの貯金をしてやらうと考へるのは、凡ての親としての至情で、男子ならば適齡迄、女子ならば嫁入迄と誰しも心掛ける所ですが、さて實行はなかなか困難です。

最良の實行方法

徵兵保險、生存保險のコドモ保險は此需用を充たす最良の施設で、一度御加入になれば知らず識らずの間に愛兒の爲に必要な資金が積立てらるゝことになります。

日本徵兵保險株式會社

本社　東京市麴町區内山下町一ノ一

「子供の世紀」(第十四卷第十號) 人間性の發見號

目次

本文

――大阪の審査會――

新しきものは常に一歩を先んず！最新噴霧式機械による最も進歩した無糖粉乳いよ〳〵發賣

品質斷然！世界一

森永無糖ドライミルク

加糖森永ドライミルクの姉妹品

牛乳より消化よしペルオキシターゼ反應により榮養の完全なること遙かに他社品に優る

八倍の水に溶けば完全なる純良乳になり絕對安心！

森永煉乳株式會社

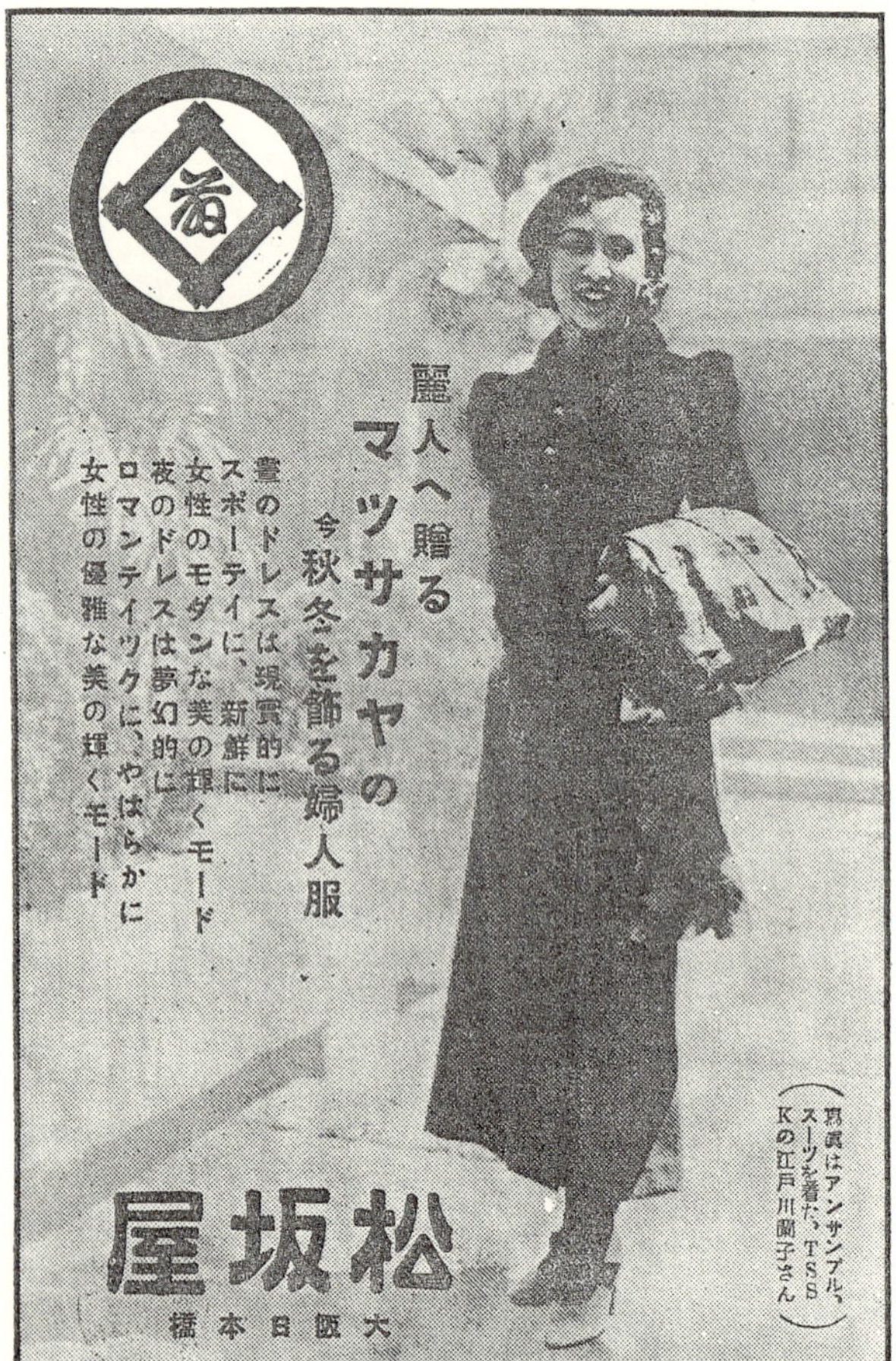

麗人へ贈る
マツサカヤの
今秋冬を飾る婦人服
晝のドレスは現實的に
スポーテイに、新鮮に
女性のモダンな美の輝くモード
夜のドレスは夢幻的に
ロマンテイツクに、やはらかに
女性の優雅な美の輝くモード
(寫眞はアンサンブル、スーツを着た、ＴＳＳＫの江戸川蘭子さん)
松坂屋
大阪日本橋

敎育結婚保險
徴兵保險
東京 第一徴兵 銀座

理想的珈琲沸器!!
大川パーコ
誰方でも美味しい珈琲が出來る
素的な珈琲沸器
御家庭で喫茶店以上の味を出す大川パーコはコーヒーの眞の味と薫りを充分出すいろ〳〵の條件に當嵌つた理想品エナ・ニューム製品で獨特の構造があります。
大川パーコを使はないで、コーヒーの眞味は味へないとさへ言はれる評判の品です。
推奬 ブラジル珈琲本部
無代進呈
あなたの住所を明記の上、下記本舗へ御申込下さい。美しい小冊子無代進呈
各百貨店洋食器部にあり
東京市日本橋區本町四
大川商店

第十四回全大阪乳幼兒審査會會長
坂間大阪市長三つ兒を祝福さる

（上） 向つて左より…中田保健部庶務課長、長部府社會事業主事、伊藤理事長、藤原市保健部長、大谷府社會課長（知事代理）、坂間市長、三つ兒のお父さん（記事參照）
（下） 坂間大阪市長の御一行、中央は市長、前列向つて右端は山川大阪三越支店次長左端は藤田三越販賣部長――

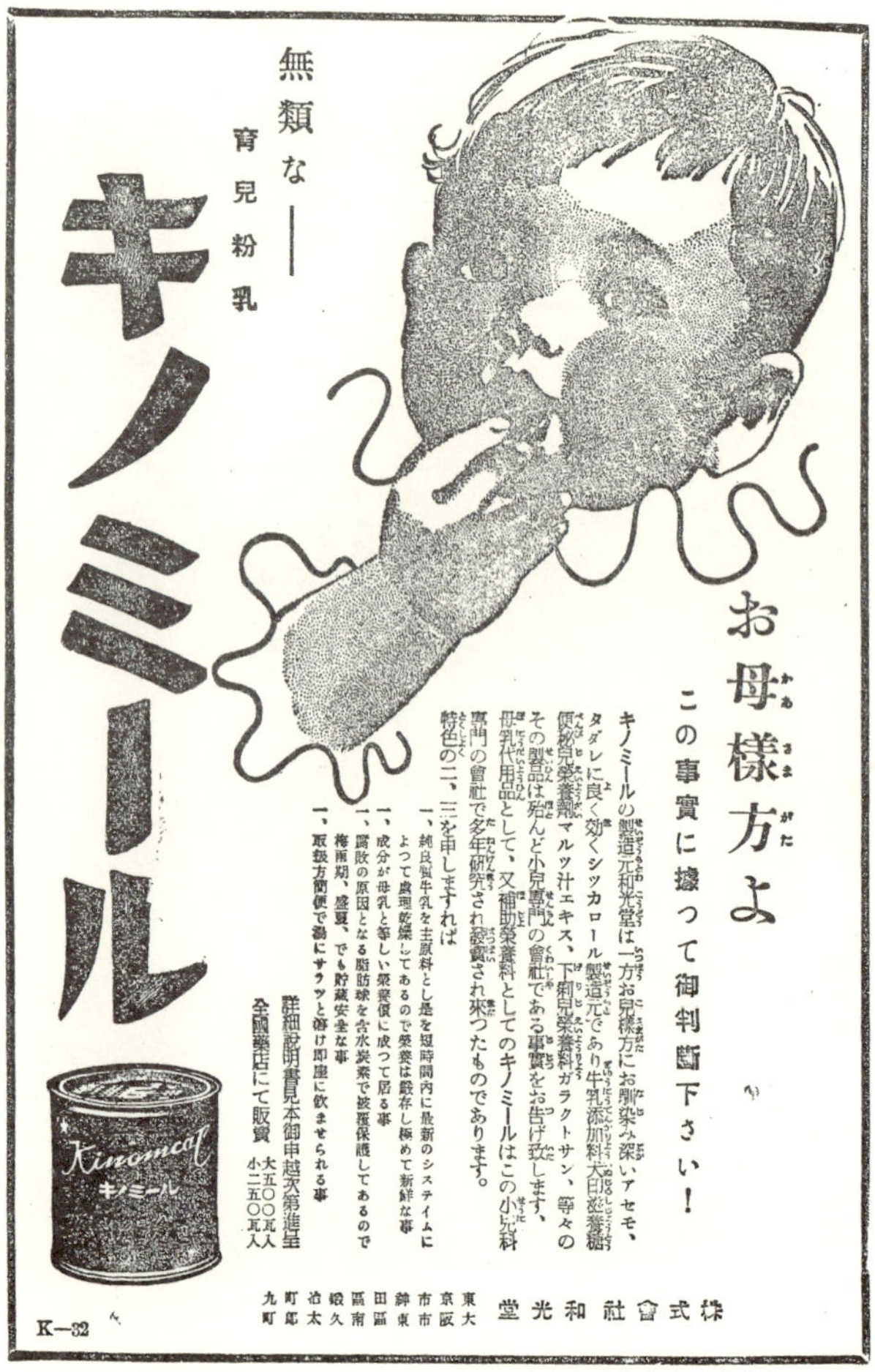
無類な――
育兒粉乳
キノミール
お母様方よ
この事實に據って御判斷下さい！
キノミールの製造元和光堂は一方お兒様方にお馴染み深いアセモ、タダレに良く効くシッカロール製造元であり牛乳添加料大日本滋養糖、便秘兒榮養劑マルツ汁エキス、下痢兒榮養料ガラクトサン、等々のその製品は殆んど小兒專門の會社である事實をお告げ致します、母乳代用品として、又補助榮養料としてのキノミールはこの小兒科專門の會社で多年研究され發賣され來つたものであります。
特色の二、三を申しますれば
一、純良質牛乳を主原料とし是を短時間内に最新のシステイムによつて處理乾燥してあるので榮養は殘存し極めて新鮮な事
一、成分が母乳と等しい榮養價に成つて居る事
一、腐敗の原因となる脂肪球を含水炭素で被覆保護してあるので梅雨期、盛夏、でも貯藏安全な事
一、取扱方簡便で湯にサラツと溶け即座に飲ませられる事
詳細説明書見本御申越次第進呈
全國藥店にて販賣 大五〇〇瓦入 小二五〇瓦入
Kinomeal キノミール
株式會社和光堂
東京市神田區鍛冶町九
大阪市東區南久太郎町
K—32

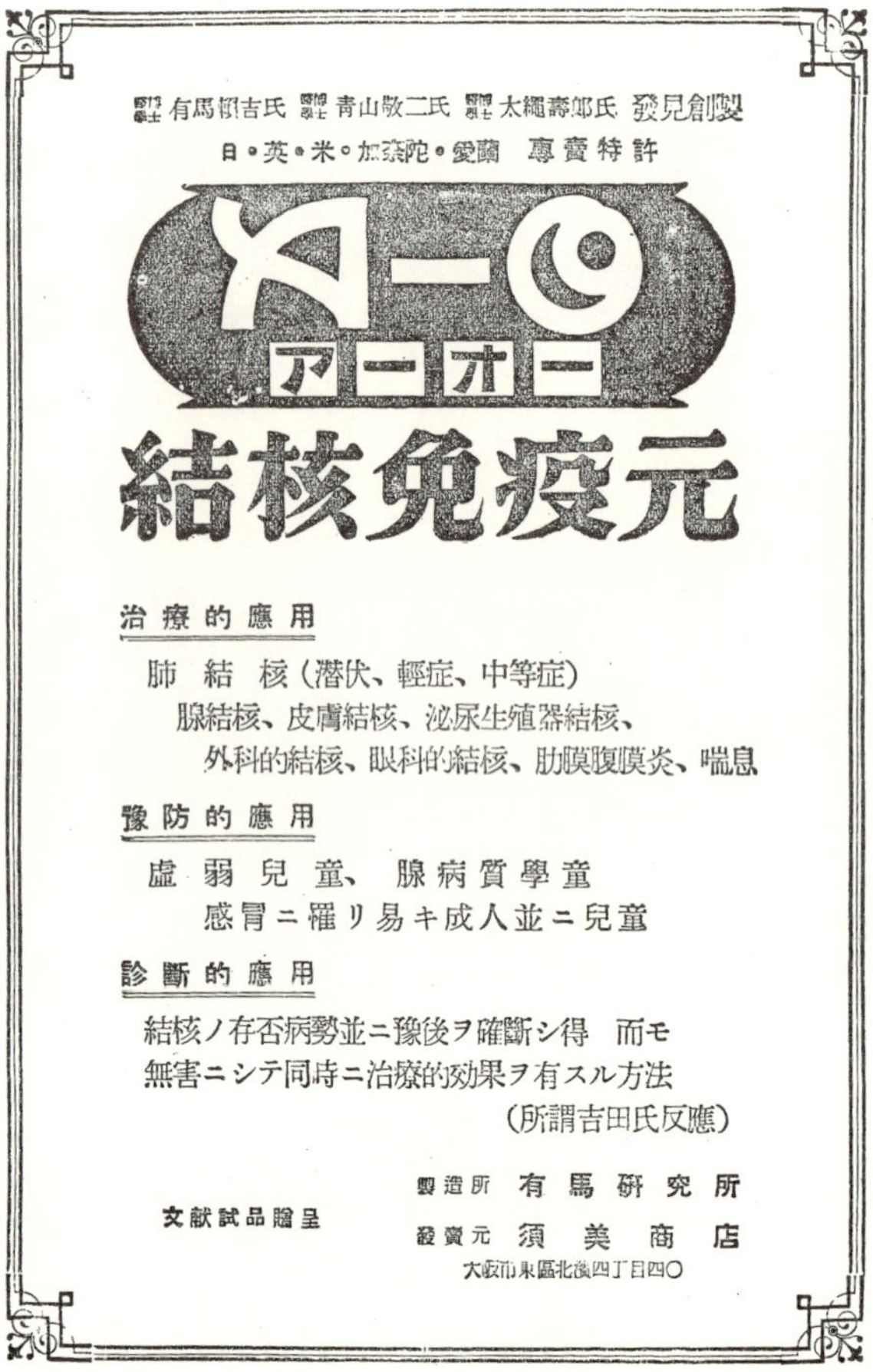
醫學博士 有馬頼吉氏 醫學博士 青山敬二氏 醫學博士 太繩壽郎氏 發見創製
日・英・米・加奈陀・愛蘭 專賣特許
結核免疫元
治療的應用
肺結核（潜伏、輕症、中等症）
腺結核、皮膚結核、泌尿生殖器結核、
外科的結核、眼科的結核、肋膜腹膜炎、喘息
豫防的應用
虚弱兒童、腺病質學童
感冒ニ罹リ易キ成人並ニ兒童
診斷的應用
結核ノ存否病勢並ニ豫後ヲ確斷シ得 而モ
無害ニシテ同時ニ治療的効果ヲ有スル方法
（所謂吉田氏反應）
文献試品贈呈
製造所 有馬研究所
發賣元 須美商店
大阪市東區北濱四丁目四〇

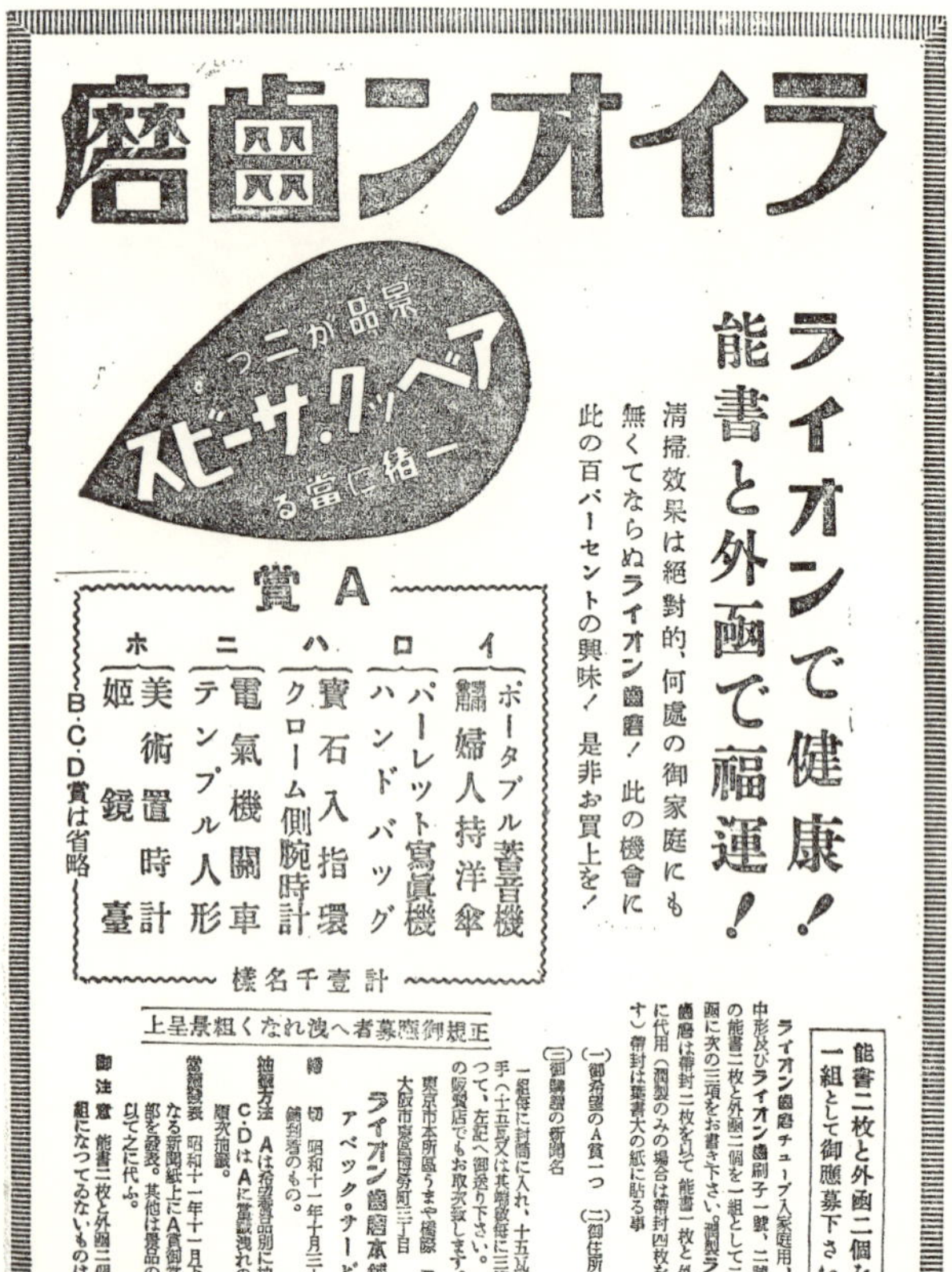
ライオン歯磨
景品が二つ
アベック・サービス
一緒に當る
ライオンで健康！
能書と外函で福運！
清掃效果は絶對的、何處の御家庭にも無くてならぬライオン歯磨！ 此の機會に此の百パーセントの興味！ 是非お買上を！
A賞
イ ポータブル蓄音機 婦人持洋傘
ロ パーレット寫眞機 ハンドバッグ
ハ 寶石入指環 クローム側腕時計
ニ 電氣機關車 テンプル人形
ホ 美術置時計 姫鏡臺
B・C・D賞は省略
計壹千名様
正規御應募者へ洩れなく粗景呈上
能書二枚と外函二個を一組として御應募下さい
ライオン歯磨チューブ入家庭用、大形、中形及びライオン歯刷子一號、二號、三號の能書二枚と外函二個を一組として二つの外函に次の三項をお書き下さい。粉製ライオン歯磨は帯封二枚を以て能書一枚と外函一個に代用（粉製のみの場合は帯封四枚を一組とす）帯封は葉書大の紙に貼る事
(一)御希望のA賞一つ (二)御住所と御姓名
(三)御購讀の新聞名
一組毎に封筒に入れ、十五瓦迄三錢切手（十五瓦又は其端數毎に三錢）を貼つて、左記へ御送り下さい。（お買上の販賣店でもお取次致します。）
東京市本所區うまや橋際 又は
大阪市東區博勞町二丁目
ライオン歯磨本舗
アベック・サービス係
締切 昭和十一年十月三十一日本舗到着のもの。
抽籤方法 Aは希望賞品別に抽籤、B・C・DはAに當籤洩れの分より順次抽籤。
當籤發表 昭和十一年十一月下旬、主なる新聞紙上にA賞御當籤者全部を發表。其他は賞品の發送を以て之に代ふ。
御注意 能書二枚と外函二個とが一組になつてゐないものは無效。

お買物は皆様の髙島屋へ
お子様用品は五階に取り揃へ…
毎土・日曜日…お子様デー
東京 日本橋
髙島屋

輝かしい海國赤ちやん寫眞大會の優良兒

—— 其の一 ——

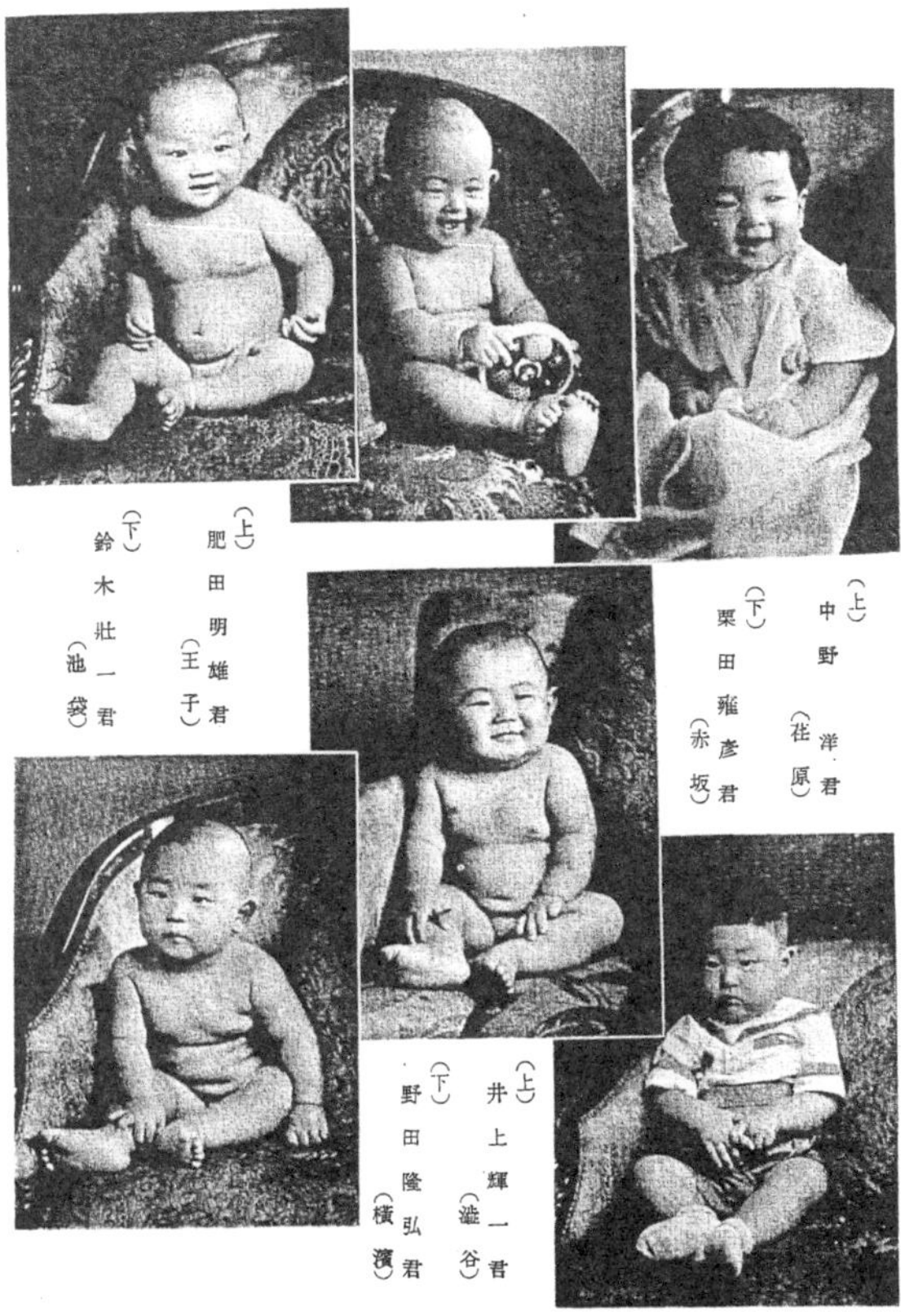

（上）肥田明雄君（王子）
（下）鈴木壯一君（池袋）

（上）中野洋君（荏原）
（下）栗田雍彦君（赤坂）

（上）井上輝一君（澁谷）
（下）野田隆弘君（横濱）

主催　東京高島屋
後援　日本兒童愛護聯盟

二十年後の日本に備ふる審査會

（上）健康なお子さんはどんな事にも驚かないし、つまらぬ事にも泣かない。
前岐阜縣師範學校長津田克太郎先生の令孫さその母君（土方の坊つちやん）
（下）本聯盟の審査會に全關西よりおし寄せた元氣あふるゝ母子達——

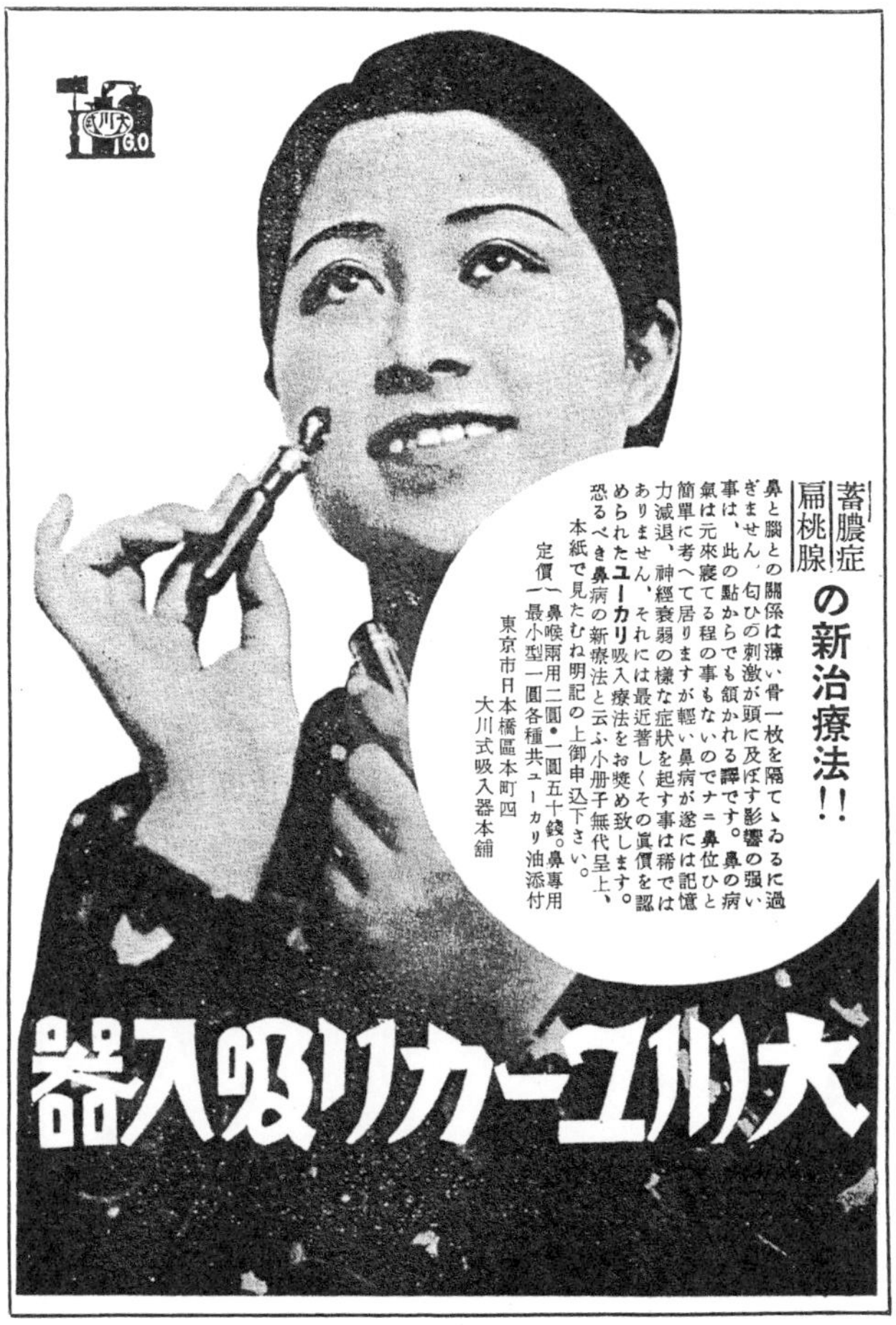

蓄膿症
扁桃腺
の新治療法!!
鼻と腦との關係は薄い骨一枚を隔てゝゐるに過ぎません、匂ひの刺激が頭に及ぼす影響の强い事は、此の點からでも頷かれる譯です。鼻の病氣は元來寢てる程の事もないのでナニ鼻位ひと簡單に考へて居りますが輕い鼻病が遂には記憶力減退、神經衰弱の樣な症狀を起す事は稀ではありません、それには最近著しくその眞價を認められたユーカリ吸入療法をお奬め致します。恐るべき鼻病の新療法と云ふ小册子無代呈上、本紙で見たむね明記の上御申込下さい。
定價 鼻喉兩用二圓・一圓五十錢。鼻專用最小型一圓各種共ユーカリ油添付
東京市日本橋區本町四
大川式吸入器本舖
大川ユーカリ吸入器

海國赤ちやん寫眞大會の審査委員會

本聯盟後援、海國赤ちやん寫眞大會の審査會は、九月十日午後から、東京高島屋にて審査員の嚴密な審査の結果、總數八百餘點の中から一歳より四歳まで各三名づつの推薦を選び出した。

寫眞は審査員——向つて左より、木村高島屋宣傳部長、小野東京寫眞專門學校教授、中鉢博士、倉橋惣三氏、伊藤理事長、吉村忠夫畫伯、立てるは大岩寫眞部長——

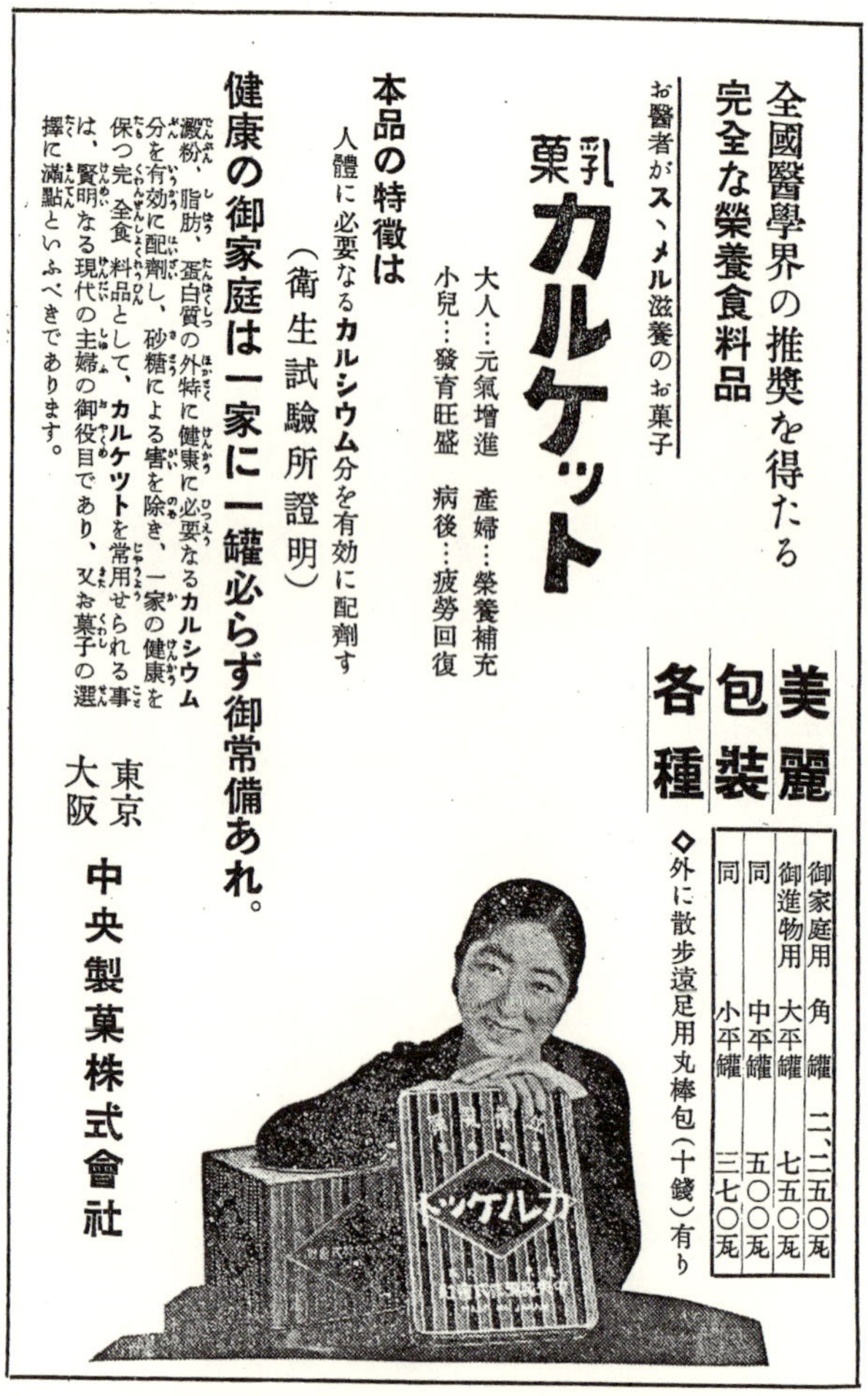

全國醫學界の推奬を得たる
完全な榮養食料品
お醫者がスヽメル滋養のお菓子
乳菓 カルケット
大人…元氣增進　産婦…榮養補充
小兒…發育旺盛　病後…疲勞回復
本品の特徴は
人體に必要なるカルシウム分を有効に配劑す
（衛生試驗所證明）
健康の御家庭は一家に一罐必らず御常備あれ。
澱粉、脂肪、蛋白質の外特に健康に必要なるカルシウム分を有効に配劑し、砂糖による害を除き、一家の健康を保つ完全食料品として、カルケットを常用せられる事は、賢明なる現代の主婦の御役目であり、又お菓子の選擇に滿點といふべきであります。
美麗包裝各種
御家庭用　角罐　二、二五〇瓦
御進物用　大平罐　七五〇瓦
同　中平罐　五〇〇瓦
同　小平罐　三七〇瓦
◇外に散歩遠足用丸棒包（十錢）有り
カルケット
東京 大阪 中央製菓株式會社

よわい子供に
補血強壯 ポリタミン
血色のわるい、榮養不良の子
食慾すゝまず、胃腸の弱い子
疲勞し易く、屢々熱を出す子
かうした腺病質の子供には、消化の煩ある强壯劑はムダも多く胃腸を害する恐れもある。ポリタミンは消化の要らぬ榮養原アミノ酸であるから、そのまゝ血肉成分となつて体重を增し或は食慾をすゝめ、或は感冒や結核に對する抵抗力を强くする。
冊子「弱い子をもつ親達へ」無代送呈
小瓶（一圓五〇）
中瓶（三圓五〇）
大瓶（四圓五〇）
全國藥店にあり
發賣元 株式會社 武田長兵衛商店 大阪市東區道修町

36--1267(O)

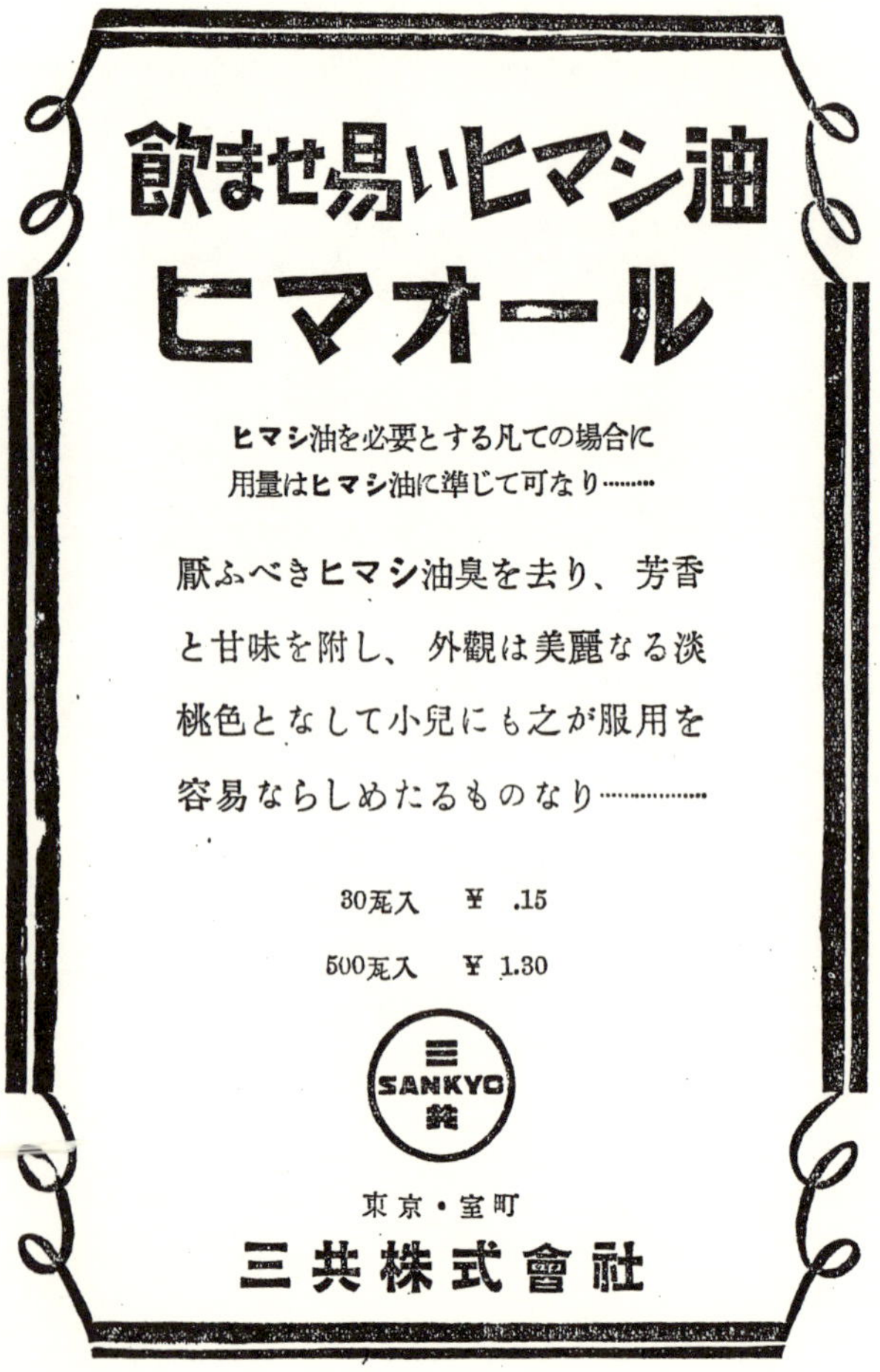

飲ませ易いヒマシ油
ヒマオール
ヒマシ油を必要とする凡ての場合に
用量はヒマシ油に準じて可なり……
厭ふべきヒマシ油臭を去り、芳香と甘味を附し、外觀は美麗なる淡桃色となして小兒にも之が服用を容易ならしめたるものなり……
30瓦入　￥ .15
500瓦入　￥ 1.30
三 SANKYO 共
東京・室町
三共株式會社

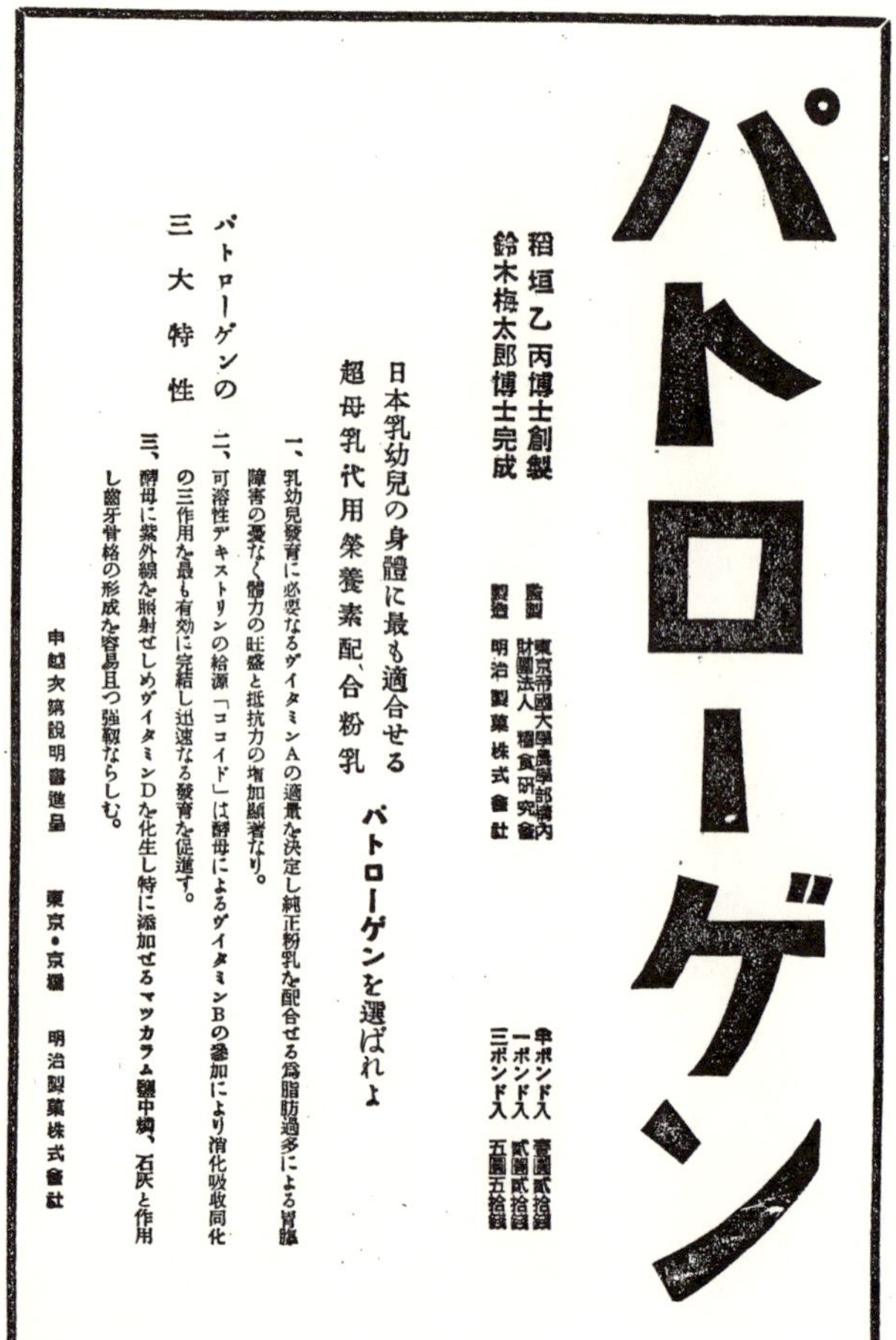

パトローゲン
稻垣乙丙博士創製
鈴木梅太郎博士完成
監製 東京帝國大學農學部構内 財團法人 糧食研究會
製造 明治製菓株式會社
半ポンド入　壹圓貳拾錢
一ポンド入　貳圓貳拾錢
三ポンド入　五圓五拾錢
日本乳幼兒の身體に最も適合せる
超母乳代用榮養素配合粉乳
パトローゲンを選ばれよ
パトローゲンの三大特性
一、乳幼兒發育に必要なるヴイタミンAの適量を決定し純正粉乳を配合せる爲脂肪過多による胃腸障害の憂なく體力の旺盛と抵抗力の增加顯著なり。
二、可溶性デキストリンの給源「ココイド」は酵母によるヴイタミンBの參加により消化吸收同化の三作用を最も有効に完結し迅速なる發育を促進す。
三、酵母に紫外線を照射せしめヴイタミンDを化生し特に添加せるマツカラム鹽中鋼、石灰と作用し齒牙骨格の形成を容易且つ强靱ならしむ。
申越次第說明書進呈
東京・京橋 明治製菓株式會社

生みの親育ての親（巻頭言）

人間程恩を忘れ易いものもないが、亦恩きせがましいものもないのである。例へば業なりて名をあげた人物が、その青年時代に一寸でも出入してゞもゐやうものなら、必ず「あれは若い時には世話ばかし焼かしてゐたものだ」とか、亦結婚の祝ひでも受けやうものなら「あの費用は大部分負擔させられた」とか、口さがなく言ふのは世の常なのである。

いつぞや中村福助の生みの親だと云つて、名乘りをあげたものがあつたが、名跡を尊ぶ俳優の家庭などには斯うした話しは珍らしくないにしても、育ての親からすれば甚だ迷惑な事である、まして眞の生みの親でないと云ふに至つては言語同斷である。

事業が幾多の難關を突破し、漸く社會の耳目を聳動せしむるやうになれば、其の逆境時代に振り向きもしなかつた人士が、いかにも自分獨りで資金でも投じたやうな顔をして吹聽するのは人間の通弊なのである、實に淺間しい事である。

去る大正十四年本聯盟が始めて東京に進出した時、諸博士、諸名士が審査會に就いて甲論乙駁、誠に四面楚歌と云ふやうな時、湯澤内務次官（當時保健課長）と唐澤博士のみが本事業を支持應援されたのであつて、今や本會の眞價を疑ふ者もないが、實に今昔の感に堪えないのである、育ての親も亦つらい哉である。

本聯盟が生みの親となつて、審査會を開催するに至つた堺市を始めとし、岸和田、和歌山、奈良五條、名古屋、札幌、朝鮮、臺灣、青島等現在どうなつてる事か、音沙汰のないのは一體どうした事であらうか？

二十年後の日本に備ふる　第十四回全大阪乳幼兒審査會の記

——坂間大阪市長を迎へて——

伊藤悌二

九月二十四日

水も漏さぬ審査委員陣

全日本に於ける乳幼兒審査の魁として、且つは我が國代表都市の年中行事として、世の母性に膾炙してゐる赤ん坊審査會は、我が大阪にては第十四回を數ふるに至つた、殊に本年は本審査會創始第十五年に相當するので、特に「二十年後の日本に備ふる」と銘打つたので社會の反響も大きく、從つて主催者も名實の伴ふものたらしめやうと渾身の努力をなしたのであつた。

前年度迄は三越八階の會堂で開催して來たが、いかにも狹隘を感ずるので、今回からは三階西館の催物會場に開く事となつた、然し前日までは古書に關する展覽會があつたので、どうしても今早朝から設備に取りかゝらねばならぬので係員の心勞は並大抵ではなかつた、けれ共案ずるより産むが易いと云ふ諺のやうに、開催時間迄には樂々と完成したので胸を撫で下した。

今年は新に子供優良必需品展覽會も併せて開催したので、子供婦人の會にはふさはしく、いかにも豪華を極めたものであつた。

審査委員の集まらぬ中より「大阪朝日」「大阪毎日」「大阪時事」「大阪夕刊」等の記者團がおし寄せて、夕刊に間にあはせるから早く子供を揃へて呉れ、とせきたてられるのには閉口せざるを得ない、總評は原田（龍）廣島、生地、伊藤（謙）大野、肥爪の六博士が控室にて、開會遲しと手をつかねて待つて居られる。

東京からは色調檢査に當らるゝ金子博士、奈良女高師の桑野教授、大阪帝大よりは眼科の岩井博士、法醫學の松倉學士、齒科の石野學士、北市民館の伊藤學士、ライオンの高安、久保田二學士等それぞ〳〵の部署につかれ、それから市民病院よりは西博士は數名の看護婦を隨へられ、榮養の部を擔當される事となつた。

緊張せる應援諸團體

應援團體は例年のやうに大阪帝大學生諸君三十名、それから市大阪婦人聯合會と市産婆會は各會交代にて奉仕される事となつた、實は三十名の學生諸君も講義等のためどうかと心配はしたが、學科の方も都合よく、應援さるゝ事となり安堵した、今日は婦人會の方からは田所、山本二幹事、一松夫人、佐伯市産婆會長、基督教女子青年會の幹部の方々は早刻より來會され、汗だくの奮鬪をされた、市保健部關係の産院、乳兒院等の看護婦諸姉は、午前の仕事を濟ましてから來らるゝので定刻に遲れまいと、急いで食事をさるゝ光景は誠にいぢらしいものであつた。

斯くして午後正一時、記者の開會の挨拶の後呼出しを始めて貰つたが、三越の接待部の方々は八百人に餘る赤ちゃんを呼ぶのには、メガホン位では追ひつかぬらしく、可なり咽喉も痛めたらしかつた。

何と云つても會場は新しく、勝手が違ふのと、昨年度の三四割も多く申込者が殺到するので、初日ではあるし非常な混雜であつた、然し慣れてゐる係員の御蔭で難なく整理されたのである。

府社會課の長部主事は參觀に來られ、餘りに雜沓してゐる會場を見て「夕方までに終るだらうか」と案じられる程の盛況振りで、大抵の人々は驚異の眼をみはるのも無理はない。長部主事は事務所で暫らく、我が國の社會事業の將來に就いて物語られたが、前途多事多難であるにつけても我々の覺悟も重且大と云はねばならない。

加々美前市長準市葬の日

昨年の九月二十六日（審査の第二日目）は、市立扇町産院の落成披露式が施行され、本會前會長加々美前市長の元氣に充ちた御挨拶を、あの廣々とした天幕で拜聽し、個人的にも親しく藤原保健部長と共に懇談する事が出來たのであつたが、何たる因縁であらう、今日本會開催の當日、一年前に御健在であつた加々美前市長の準市葬が、天王寺公園にて執行さるゝ日となるとは、神ならぬ身の誰れか知る人があらうか、記者は黄昏、驛前に求めた夕刊紙上に、本審査會と加々美前市長の盛大な葬式の寫眞がならんで居るのをみて實に感慨無量であつた。

氣候は土用級の殘暑のため、乳幼兒と母性の外出には好都合であり、東京と同じく初日より惠まれた天候であつた、初日のため混雜して迷子等も可なりあつたが、直ぐに親がみつかり、のどかなる審査會一情景を描くのであつた。受付締切は正六時で六時四十分頃閉會したが、今日は上流の人々も可なり多く、若き母性等の物語りを、聽くとはなしに聽いたのであるが、汗だくの混雜の中の審査の數々を、いかにも滿足げに樂しげに物語る樣は實に麗はしいと思つた、世の常の會ならば不平だら〳〵であらうと察せらるゝのであるが。三越にては初日の盛會を祝して係員諸氏に赤飯を祝はれた。

九月二十五日

乳幼兒の齒の研究は本會から

早朝、姫路市社會課の松尾、中尾二氏は態々本會を參觀に來た、各般の指導を懇願されるので數十分間話した。會場不備の點があるので改造を試みた、受付はラウドスピーカーを使用して場内に徹底せしむるやうに勉めた、審査の中心の人氣ある場所は何と云つても、金子博士の色調檢査と、桑野教授の能力檢査である、これらは東京でも大阪でも參觀人は珍らしがる。

今日の總評は原田（龍）廣島二博士、野須、西川二學士である、第二部の主査には余田、吉岡二博士が當られ、亦、濟生會病院小兒科より、三人の女醫さんの手傳があり、今日は非常に能率があがつた。帝大齒科の弓倉博士、市民病院の谷口、西二博士の出場もありて會場は一段と活氣を呈した。

今日は犬の日とかにて産婆會の應援時間が遲れたが、婦人聯合會員は若手の人々多く、審査の進行には差支がない、學生諸君も講義の都合上、昨日の半數である、それで指紋の方は希望者のみの研究にとゞめた、然し學生諸君擔當の體重、身長、胸圍、頭圍、おどりこ等の測定は熟練の人々のみなれば萬事なめらかに進行した。

齒科は北市民館の伊藤學士が早刻よりの奮闘華々しく、久保田、高安二學士と協力して審査に當られたが、如何せん八ヶ月以上の子供達のこと故、進行遲々たるものであつた、帝大の石野學士は口腔内のバイキンを研究する事を開始された。今日は本審査會が始めて大正十三年から三越(第一回は大正十一年、北市民館に開催)で開かるゝに至つた當時、始めて齒科を擔當された野崎吉郎氏が參觀された。恐らく我が國で數多い乳幼兒の齒科に關する、研究發表は同氏が一番早い方ではなからうかと思はれる、同氏は村島氏の近くに住んでゐる話しなどされて歸られた。

處が偶然にも、前記弓倉博士は、幼稚園時代までの幼兒の齒の研究が出來た話しを記者にされたが、どうも纏まつた乳幼兒の齒の研究は關西からと云つてよからう、帝大では石野學士の研究も大體完成に近づいてゐると云ふではないか。

坂間市長三つ兒を祝福さる

午後二時、本會々長坂間大阪市長參觀さるゝ旨の電話が、市保健部中田課長からあつたので、先着の課長と共に御迎へに出て貴賓室に御案内した。昨年十二月の表彰式に御臨席を願つた事があり、且つ兒童保護問題には深き御理解をもつて居らるゝので、本聯盟の成り立ち、審査會に記者の奉仕してゐる年數などつぶさに尋ねらるゝのであつた。其處へ府知事代理大谷社會課長が長部主事と見えて、記者に『子供の世紀』の終始一貫繼續してゐる事を稱贊され、その昔、記者が指導してゐた、堺と岸和田の審査會へ御參觀になつた話し等が出た。市長と御同行の藤原保健部長は觀艦式を前にしての全市民の種痘の事や、幸にも今日審査會に來會してゐる三つ兒——旭區放出町六三三南奈良男氏と夫人初子さんとの間に九年十一月二十五日に生れた良男、智男、達男の三君に就いて物語られた。

暫くして、記者は市長の御一行を三階の會場に御案内した頃は、一日の中で最も混雜を來してゐる最中なので、待合所の有樣を見られて市長は御心配のやうだつたが「間もなく整理されます」、と答へたらいたく喜ばれた、展覽會場にては本聯盟の事業一覽の寫眞に興味を注がれ、「永井さんのはどこかで前に見ましたよ」、と懷かしげに云はれた。記者は

一々御說明し乍ら體重計の前まで進むと、前記三つ兒の健康兒が體重を計つてゐたので、七八の新聞社の寫眞班が包圍攻擊を試み、市長に種々な註文をされるのには御困りのやうだつた、「ニッコリ笑つて下さい」、「そんなに急に笑はれないよ!」、と云つたやうな超世間的な問答には一同哄笑せざるを得ない、「モー一枚、モー一枚兩親の人と會話の處」、「無理な事を云ふね」……いかにも溫厚な市長のお話し振りには會場内を益々なごやかにするのだつた。

斯樣にして榮養、齒科、色調、眼科、能力、指紋、總評の各項を一々御案内したところ、非常に御滿足の御樣子で、色調と能力の部にて暫く足をとゞめられた、そして最後に本聯盟の事業一覽寫眞中、表彰式に於ける關元市長の御姿に沁々と眼をそゝがれるのであつた、水野元文相が東京の審査會へ臨場されてゐるのにも興味をもたれた。

それから出口にて御一行と記念の撮影をして會場を去られたのは三時であつた。今日の審査は前日より四十分程早く終りを告げた、それは一同が手慣れた爲めであつた。

九月二十六日

各紙の審査會禮讃

六時起床、「大阪朝日」にて審査會の記事をみ、尙大阪驛にて「大阪每日」「大阪時事」「關西日報」等に昨日の市長御臨場の寫眞と記事とが堂々と連載されて居るのをみた、斯樣にして三つ兒は一躍人氣を呼ぶに至つたのであるが、はからずも今日は双生兒の誇らしげなる來會を見た、殊に母親の顏はプウラドに輝いてゐた。

十一時、市保健部にて部長、課長、それから秘書課長にも御目にかゝつて昨日の御禮をのべ、明日の慰勞晩餐會の打合せをした。

事務所より佐伯產婆會長、中田博士、星野氏等各方面に電話した。今朝の新聞紙を見て臨時申込殺到したが、事務の繁劇のため一切斷つた、吉田ライオン齒磨大阪支店長、野中日本徵兵支店長等の熱心なる參觀があつた。

參加者の中には土方氏令息(恩師津田先生令孫)、山崎氏令孃(桑田教授令孫)等珍らしいお顏を發見した、いづれも健

康であるから泣き顏などせず終り迄ニコ〳〵してゐた。

新母性の年中行事

今日の總評は生地、原田(龍)、廣島、笠原、野須の諸先生である、土曜日であるから父親たる人の同行者が多い、同行者の大げさなのは東京程ではないにしても、今日のやうに雨の日は可なり多い。受付にて「附添の方は場内に入らずに待合所にて」、と云つても耳にはいりさうもない、心配顏をして出口に立ちあぐんでゐる父親達の姿は一種の珍景であり、これは他所ではみられぬまばゆい光景である。

雨のために出足のにぶると云ふ事は、本會開始以來未だ曾つてない事で、反つて心に落ちつきを見せ、會場は整頓してよいものである、今日は帝大學生諸君の應援がすくないが、それでも指紋は產婆會の援助のもとに多くとる事が出來た。第一日は參加の赤ちやんが生後八ヶ月以内が多數だつたので澤山とれなかつたが、今日は好成績であつた。滿一年以上にもなると大聲に泣き出す者が多く、從つて體重計にも乘り切れぬ偉大なる體格の持主がある。

誰れが參觀に來ても新聞の話しで持ちきりだ、第二部はインテレの產婆諸姉の援助で能率があがつた、おできの子供が眼につく、日本髮にデカ〳〵結つて來た奧樣は千人に一人もないやうだつた、それ程新母性達に無くてはならぬ年中行事となつて了つてゐるのである。

事務所にて生地、谷口二博士と標準表に關する打合せをした、今日も亦迷子が多かつたと云ふ報告があつた、雨勢衰へない、「大阪日日」の竹田氏等の參觀があつた。

九月二十七日

本會に功勞ある先覺を追慕す

審査會最終の日である。早朝大野博士宅を訪ふ。今日は日曜日であるから大學生諸君の應援は三十名以上に達してゐ

る總評は、横田、一色、野須、松尾の諸先生で、榮養狀態は谷口、今泉二博士である。

市婦人聯合會の河井、山本、安滿、田所、松井等の各幹部の方々が應援されたので實に力强い。審査人員は每日八百人を超え、四日間にて三千三百人を超過する盛況振りである。

日曜日なるが故に家族の同伴者が多い、終始一貫岩井博士は眼科を、金子博士は色調を、桑野教授は能力の審査をされた、金子博士は今夕八時の列車にて歸京さるゝ由である。

審査會が斯く盛況に趣くに從つて思ひ出さるゝのは、本會の基礎を築く上に多大の功勞があつた故三野院長や白名民憲氏の事どもである、我等はそゞろに先人の足跡をなつかしみつゝ前進したいものである。

閉會の後係員一同の記念撮影をなし、七階食堂にて六時四十分より晩餐慰勞會が開催され、會長代理中田保健庶務課長、聯盟理事大野博士、能勢三越支店長、金子博士、桑野教授、山本秀子女史、佐伯產婆會長、石野學士、松倉學士、余田博士、宇塚明治製菓大阪支店長、高安學士、それから帝大學生諸氏の興味津々たるテイブルスピーチがあつて一同歡喜に充たされ散會したのは九時であつた。

尙今回の審査に附屬した子供優良必需品展覽會を開催したるに、明治製菓株式會社、森永煉乳株式會社、ライオン齒磨本舗小林商店、和光堂、武田長兵衛商店新藥部、乾卯食料品株式會社、日本徵兵保險株式會社等が本會の趣旨に贊成されてそれ〴〵新しき意匠をこらし、參考品等を陳列して一般母親の育兒參考に資する事となつたのである、終りに臨み參加者各位に對し心からなる感謝を披瀝するものである。

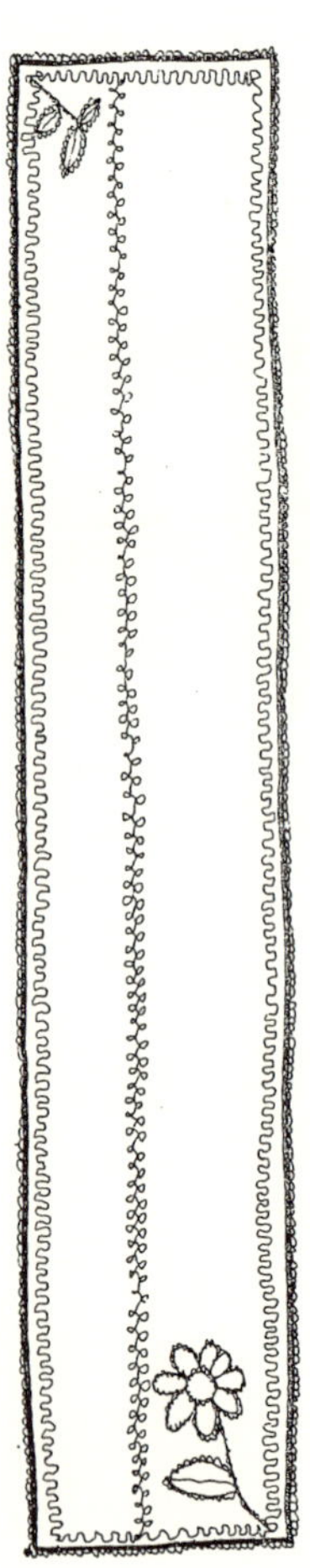

大阪全市各新聞紙の我等が審査會觀

――全紙寫眞入り――

三つ兒の健康兒

デイオンヌ五つ兒姉妹がいま世界の奇蹟として、滿二歳の誕生を迎へてゐる時、大阪にも朗らかな三つ兒兄弟がまる〳〵と育つて市長の坂間さんをすつかり喜ばした二十五日三越で催された赤ん坊審査會に堂々兄弟三人揃つて優良健康兒の名乘りを揚げた三つ兒君、旭區放出町の市吏員南奈良男氏(三六)と初子さん(三〇)との間に去る九年十一月二十五日誕生したもの……折柄視察にきてゐた坂間大阪市長や藤原市保健部長らのお歴々も〃これはおめでたい!〃とかはる〴〵だつこのリレーで大賑ひだつた。

(大阪朝日新聞九月廿六日附朝刊)

赤ん坊審査會

大阪三越で

大阪兒童愛護聯盟主催の第十四回大阪赤ん坊審査會は廿四日午後一時から大阪三越三階催場で大阪帝大小兒科長笠原博士ら廿名の醫師が主査となつて行はれた、引續き四日間にわたり申込四千の赤ちやんの審査を行ひ十二月一日表彰式を行ふ。

(大阪毎日新聞九月廿五日附朝刊)

珍しや審査會へ 三つ兒の赤ちやん

揃つて丈夫な男兒ばかり 市長さんも抱いて見る

赤ん坊審査會に登場した三つ兒の赤ん坊――兒童愛護聯盟主催の第十四回赤ん坊審査會第二日は前日に引つゞいて廿五日午後一時から三越三階催し物場で開かれたがこの日旭區放出町六三ノ二の市寢屋川塵芥燒却場詰技術員、南奈良男氏(三六)の愛兒、長男良男君、次男智男君、三男達男君の三人はお母さんの初子さん(三〇)らに抱かれて堂々と審査場に乘り込んだが、この三人の坊やはみんな昭和九年十一月廿五日がお誕生日といふ仲のよい三つ兒の兄弟、それが元氣にすく〳〵と育つてこの審査會に揃つて晴れの出場となつたものだが三つ兒の審査け全く記錄破りで審査員を顏まけさせ臨席した坂間市長も「ほゝうそれは珍しい!」と早速三つ兒の一人を抱きあげて「いゝ子だ〳〵」とニコ〳〵顏、他のお母さん群も「まあ可愛いこと」と詰めかけて忽ち人氣の中心となつてしまつた、さてこの赤ん坊トリオが入選するかどうかは十一月末でないと決定しないが兩親たちは今からその結果を待ちかねてゐる。

(大阪毎日新聞九月廿六日附朝刊)

市長さんに抱かれて 三つ兒君大威張り

赤ん坊審査會の朗景

◇廿六日の午後二時すぎ大阪三越三階で開催された赤ん坊審査會場へ坂間市長がひよつこりと姿を現した、大阪の新市長となつてまだやつと一箇月半、それだから赤ん坊が見たいといふ譯ではないが、赤ちやん好きの坂間さん至極上機嫌で目を細くしながら潑溂健康の可愛い赤ん坊を眺めてゐるうち

◇ふとさる十四日本社保健部で表彰され一躍人氣ものとなつた「三つ兒」を想ひ出し、カナダの五つ兒より大阪自慢の三つ兒に是非インタービユーしたいと、市役所の自動車を使者に寢屋川塵芥燒却場内の南奈良男氏宅に三つ兒をお迎へに飛ばさせた。

◇會場は「それ!三つ兒が來た」といふので俄然大騷ぎ、クル〳〵と丸裸にされた良男、智男、達男の三君はあまりの人出に「そも何事?」とくり〳〵目を丸くしてゐるのを眺めながら「ほう立派々々……」と感嘆し大ニコ〳〵でゐた坂間市長、突然善良なお父さんぶりを發揮して智男君を抱きあげてあやしながら「なか〳〵重いぞ」と微笑ましい風景を展開した。

(大阪時事新報九月廿六日附朝刊)

赤ちやんの健康審査會

けふ三越で

大阪兒童愛護聯盟では乳幼兒愛護の目的から健康な赤ちやんを表彰するためけふ廿四日から四日間三越樓上に於て四千人の赤ちやん(滿二歳まで)を審査することになつたがけふは午後一時からの開始と云ふに美事太つた可愛い赤ん坊行進狂燥曲に審査員連も汗濁であつた。

尙審査には阪大小兒科醫長笠原博士、堀川乳兒院生池廣島博士、大阪兒童愛護聯盟大野、横田、酒井の三博士であつた。

(夕刊大阪新聞九月廿四日附)

坂間市長 あかちやん審査會へ

目下大阪三越三階で開催中の大阪兒童愛護聯盟主催のあかちやん審査會に珍らしい男子三人兄弟を視察の坂間市長(寫眞は旭區放出町六三ノ二南奈良男氏(三六)妻初子(三〇)さんのあいだに出來た三ツ兒、長男良男、次男智男三男達男の三君、昭和九年十一月廿五日生)

(關西日報九月廿六日附朝刊)

小兒科

高洲病院

大阪兒童愛護聯盟理事

院長 醫學博士 肥爪貫三郎

顧問 醫學博士 高洲謙一郎

大阪市南區北桃谷町三五

(市電上本町二丁目交叉點西)

電話東一一三一・五八五三・五九一三番

新時代の育兒讀本

生れてからの一年

大阪帝大醫學部小兒科講師

醫學博士 前田伊三次郎

乳兒期

初生兒期を過ぎ、滿一年までを一般に乳兒といつてゐる。この時期は主に流動食卽ち乳をもつて主食とし、初生兒期に次いで抵抗力の弱い時期である。從つて罹患率死亡率ともに最も高く、殊に年長兒及び大人と異る點は榮養が直接、間接に疾病の原因、經過、豫後に重大な關係を持つてゐることである。ゆゑにこの時期においては育兒上、榮養は最も重要な問題である。

母乳榮養

母乳が乳兒の唯一無二の榮養品であることはいふまでもない。從つて母乳榮養が最良にして最安全な榮養法であることは人工榮養法が進歩した今日といへどもその罹患及死亡率はなほ自然榮養兒のそれの四、五倍の多きに達するを見ても明かである。さて最良無二の母乳榮養といへども、その方法宜しきを得ぬ場合は全く無害といへぬ。今原則的に母乳榮養法について述べて見よう。

授乳回數は一日五回または六回四ヶ月以後または乳汁分泌の豊富な場合は、一日五回で十分である。哺乳時間は普通十五分間で二十分間位までは差支へないが、それ以上は不必要である。もしなほ不足の場合は授乳回數を一回位増加するがよい。授乳間隔は三時間乃至四時間を可とし、夜間十一時以後朝の第一回授乳時まで、少くとも七、八時間與へざるよう習慣づけることである。健康上普通乳幼兒の一日の哺乳量は大體次の通りである。

(單位ミリ・リツトル)

滿一ケ月	六四〇	六ケ月	九〇〇
〃二ケ月	七八〇	六ケ月以上	九〇〇―一〇〇〇
〃三ケ月	八二〇		

〃四ヶ月　八三八
〃五ヶ月　八八三

また母乳は最良無二の榮養品とはいへ、これを禁止せねばならぬ場合がある。

母乳榮養を禁止する場合　母の再妊娠の場合は、その乳汁中に乳兒に害を及ぼす物質があるかどうかは、まだ十分明確ではなく、一般に有害物質は無いものと信ぜられてゐるが、なほ引續き授乳することは母體の負擔を重くして、子供よりも母體に惡影響がある。

母體が重患に罹つても、子供には害はないが、授乳によつて母體が衰弱し病氣の經過に惡影響ある場合例へば腎臟病、糖尿病、重症の心臟病、惡性腫瘍等の如きものなほ乳兒に危險な傳染病、例へば開放性結核、腸チプス猩紅熱、ヂフテリヤ、赤痢、丹毒等但し搾乳して與へることは妨げないこともある。

重症の癲癇、精神病等は禁止すべきである。脚氣は乳兒に著名な脚氣症狀がない限りは、脚氣の養生をしつゝ授乳は差支へない。なほ輕症の結核で時に輕度の發熱あるも食慾も榮養狀態もよい場合は授乳を持續するも差支へないが、授乳することに依つて、少しでも母體に影響ある場合例へば發熱、體重の減少、食慾減退等の兆ある時は、授乳を減らすか、全廢する必要がある。

母乳榮養兒の榮養障害　母乳榮養兒の榮養障害の最も多い原因は、飲み過ぎである。特に日本人に多い飲み過ぎは、一回に多量を飲み、回數の少い場合よりも不規則に回數の多い場合が多く、この場合は吐乳、下痢が起る便は綠色を帶び、灰白色の顆粒粘液を混じ水分が多い。吐乳は必ずしも飲み過ぎの場合に限らず、哺乳時に空氣を吸引し、これが哺乳後體位の變換、胃部壓迫の際に吐出する場合もあり、また常習吐乳もあるが多くは最初飲み過ぎが、原因となつてゐるから注意せねばならぬ。

體質異常も榮養障害の原因となる。規則正しく授乳せるに拘らず吐乳、下痢があつて、體重が增えない場合は多く體質異常が原因である。これは滲出性體質兒にしばしば見られる。その他感冒その他の傳染性の疾患の場合にも榮養障害を起して來る。何れにしても母乳榮養の榮養障害は、人工榮養兒のように恐ろしい危險は少い。適當な治療を加へれば容易に治り得るものである。

離乳　離乳は何ケ月から始めるべきかに就いては、人によつて多少意見を異にして居るが、一年以內に完了すべしといふことは一致してゐる。ドイツの小兒科醫の大家チエルニーに依ると、離乳期を過ぎてなほ母乳のみで榮養してゐると、小兒は更に發育するに必要な榮養素が母乳のもつてゐるだけの量では不足を來し發育上種々な

障害が現はれて來る。卽ち皮膚は蒼白、筋肉は弛緩、從つて運動倦怠、骨格の發育も障害され、神經過敏となるこれは蛋白、脂肪、含水炭素、ヴイタミン等の不足の外に石灰分、燐鐵等の骨及び血液製造に必要な材料の缺乏から起る障害である。人乳は六ケ月頃迄は完全な榮養品であるが、それ以上の乳兒には、漸次榮養素の不足を來すから、離乳の開始はその頃からが適當であるとしてゐる、しかして滿九ケ月を以て離乳完了期としてゐるが日本では多くの人は七、八、九ケ月頃から始め、滿一ケ年で完了するようにしてゐる。何れにしても六ケ月以上の乳兒は、すでに乳以外の食物を要求してゐることは、この時分から齒が生え出すことをもつて見ても解る。

しかし離乳期がてうど夏期に相當する場合は、秋期まで延期して危險を避けるがよい。なほ離乳期に健康を害してゐる場合も同樣、延期する方が安全な策である。而して離乳は開始してから完了まで少くとも三週間以上とせねばならぬ。最初は重湯で薄めた三分二牛乳あるひは一日一回位の間は重湯丈では榮養不足となるから、必ず牛乳を混ぜる必要がある。漸次一回より二回三回と母乳の代りに牛乳、重湯を與へ、すでに上下四本の門齒の發生を見る頃は、一回ぐらゐ最初はいはゆるオマジリ程度の薄粥を始める。この場合相當濃厚な粥を與へても、よく消化して體重がめきめき增加して來る小兒もある。母乳は最後に夜間丈一回にして、他は濃厚重湯を加へた牛乳(三分二又は四分三牛乳、糖は適當に加へてよい)と粥にする。十一、十二ケ月頃には粥三回、牛乳一回又は二回、いづれも一回量牛乳は一合位、粥は滿腹する迄與へてよいが、最初は少量から始めたがよい。

粥は野菜ソップ、卵黃を加へたいはゆるおぢあとして與へるもよい。卵黃は最初三分一個または半個位として一年近い小兒には一日卵黃三個分位は與へても差支へない。卵は小兒によつては下痢を起すことがあるから注意せねばならぬ。而して半熟程度のものが安全である。勿論味は食鹽又は醬油を用ひてよい。

野菜は最初七、八、九ケ月の離乳開始期にはスープとして與へるが、齒牙發生七、八本に及べば、馬鈴薯、ホーレン草、百合根等の裏濾から、よく煮たものゝ軟かいものに代へて行く。魚肉は十一、二ケ月ごろには淡味な脂肪の少いものなれば與へてよい。

要するに離乳期の食餌は軟かくて消化のいゝものでヴイタミンの不足しないようなものを選ぶべきで何ケ月には何々を幾許と一つの型にはめて定めるべきものではなく個人及び場合に應じて適當に加減すべきである。固形食を恐れ過ぎて餘り長く流動食のみを與へてゐると、却

つて危險であるから相當思ひ切つて早くから始めた方が予の經驗では成績がよい。

果汁は母乳榮養兒でも四ケ月ごろから少量(二―三〇グラム)與へた方が良く、離乳期には五、六〇グラムの林檎汁を與へるのが安全である。但し林檎汁は比較的ヴイタミンCが少い。これに反してレモン汁、夏蜜柑は相當多量のヴイタミンCを含有してゐるから比較的少量でも良いわけである。

牛乳は時には、特異質の關係で、下痢を起し易い小兒がある。こんな場合は全くこれを避けねばならぬ場合もあるが、牛酪乳を與へて成功することもあるから試みるべきものである。早くから濃厚な食餌を與へてゐる場合特に相當氣溫の高い頃は、水分の補給を十分にすることが必要で、榮養價から見て十分であつても、水分不足のため體重が十分增加せぬ場合がある。

人工榮養

人工榮養品として一般に牛乳及び牛乳製品を用ひられる。山羊乳も用ひられるが、特に優れた點はないのみか、高度の貧血を起す危險があるから、昔考へられた程優秀な榮養品ではない。牛乳は一般に消毒乳が用ひられ生乳は乳兒の榮養品としては不適當である。牛乳製品としては粉乳煉乳がある。消毒牛乳と粉乳と何れがよいかといふ點については、時と、場所及び品質によつて論ずべきであつて、一概に何れを可と決定することは出來ぬが近來粉乳の使用は增加し、且その製法も改良されなかなか優秀なものとなつた、成分の均等、細菌數の少き點消化し易き點その他腐敗の危險少き點などをもつて、消毒乳に優れりとする人が多くなつた。市販牛乳は品質、消毒、保存の點について全く不安なしとせない。煉乳は今日の牛乳製品中、乳兒の榮養品としては劣等なものとせざるを得ない。其の他の粉乳加工品例へばミルクフード、メリンスフード等の小兒粉は、使用に制限を加へるべきもので、一般永久榮養品としての價値は粉乳に劣る。

從來否今もなほ一―二ケ月まで三分一牛乳を用ひてゐる人もあるが、三分一牛乳は一般に初生兒以外に用ふべきものではない。餘りに稀釋の度を過ぎては榮養價が低いのみならず、ヴイタミンが不足するから、結果に於ても常に榮養不足の狀態にあり、從つて抵抗力も弱く二分一牛乳をもつて榮養せる乳兒に比べて榮養障害其他の疾病にかゝり易いことから、今日では歐米の小兒科醫は殆んど三分一牛乳は用ひてゐない。

稀釋液は一、二ケ月間は湯でよいが、三ケ月頃から重湯をもつて薄める。加へるべき糖は滋養糖あるひは蔗糖を五パーセントが普通であるが、豫期の如く體重が增加

せぬ場合は、七パーセント八パーセントを加へてよい。しかし蔗糖は甘味が過ぎるから、この場合に滋養糖がよい。以上の表に掲げた量はたゞ標準量でどの乳兒もこれで十分發育するものと思へば大なる間違ひである。人工榮養の場合は、特に體重の增加や一般狀態をよく觀察して、榮養量を加減すべきである。この意味から見て、販賣されてゐるが如き量および稀釋度を月齡に應じて劃線で定めた哺乳瓶に頼つて養育してをれば完全に發育するものと考へてゐては大なる誤りである。

果汁は人工榮養の場合は三ケ月頃から與へるべきで、其量は林檎汁なら一日二〇—三〇グラム、五、六ケ月兒には五〇—六〇グラム或は一〇〇グラム位でよい。レモン汁なら一〇—二〇—三〇グラムで十分である。これは主にヴイタミンCを補給するのが目的である。牛乳、粉乳、煉乳を問はず、人工榮養の場合には特に必要であるなほ日光照射の少い地方または人家稠密の大都市にあつては、佝僂病の豫防のためヴイタミンDの補給は決して無用のことではなく、豫防の目的には極めて少量でよいヴイタミンDの製劑では、ヴイガニトール、オリーゼ等がある。

EBIOS

發育期には…

……先づ第一に……

ヴィタミンBを！

草木や野菜に、良い肥料を與へると、めきめき成長が早くなるものです。それと丁度同じやうにお子達の發育を良くするには

良い發育促進劑が先づ第一に必要です。お子達の發育になくてはならぬ肥料、それはVB複合體と言ふ成分です。この成分が

不足すると、胃腸が弱つて食慾が減り、毎日のお食事から身體の發育に必要な滋養成分が充分に吸收されなくなります。そのため元氣が衰へ自然に發育が鈍くなるものです。

◇

ですから何はさて措いても、先づこの成分だけは不足させないやうご注意が大切ですが……それを補給するに近ごろは麥酒酵母が一ばん多く用ひられます。

◇

麥酒酵母を毎食後、四錠づゝ服み續けると、この中に含まれて居る濃厚なVB複合體と各種酵素との協同作用で胃腸をしんから丈夫にして、食慾が進むやうになり、食べたものが良く榮養化されて來るものです。

三〇〇錠…一圓六十錢

エビオス錠

E 221

急性傳染病

京都帝國大學醫學部
小兒科看護婦長　高橋ミチ子

一六、小兒痲痺

之も十種傳染病に屬してゐないので、外國にあつては時々大流行があるも、日本に於ては比較的稀で時々散在性を認むる位のものである。多くは三、四歳以下の幼兒乳兒を犯し五、六歳の小兒に見る事は極めて稀である。季節とは特別の關係はない。一種の傳染病である事は確なれども、その病原體及び傳染性徑路などは今日の所未だ明瞭ではない。然し一般に咽喉から傳染するものと想像せられて居る。

症候　前驅期及び痲痺の二期に分ける事が出來る。前驅期には色々の症狀が現れる、卽ち發熱三十九度內外に達し、發汗が甚だしく、皮膚の知覺が過敏となり、所々に疼痛を訴へ、不機嫌となり、屢々頭痛、嘔吐、下痢等を伴ひ、恰も胃腸疾患であるかの如き狀を呈する事がある。

以上前驅症の症狀は二、三日でなくなり、之と同時に痲痺が現はれた樣に見える事がある。痲痺は多く上肢や下肢に現れるものであるが、痲痺期の初めには四肢の外廣い區域に痲痺が現はれる事が多い。例へば頸の筋肉が痲痺して、頭を枕から上げ得ないとか、腹部筋肉痲痺のため怒責することも出來ず又仰臥の位置で體の上半を起し得ない樣な事が屢々ある。しかし之等の痲痺は時期の經過と共に追々輕快して殆んど恢復するものである。之に反し四肢の痲痺は容易に恢復せずして一生痲痺を貽す樣な事が多い。四肢に於ても痲痺の現はれた當時にあつ

ては廣汎な部に痲痺が現はれ、ために一方或は兩側の上肢或は下肢の運動が全く阻碍せられる樣な事が多いが、之も時期の經過に從つて輕快し只その一部にのみ痲痺の貽る事が多い、例へば上肢に於ては腕を上ぐる運動が長く犯され、下肢に於ては足關節の運動が障碍せられ、足蹠は常に內方に向ひ所謂內翻馬足の狀を貽し步行に際して跛行する事が多い、而して發病後一年以上を經過するも尙殘存する樣な痲痺は一生治癒せずに貽る。持久性痲痺で最も多いのは內翻馬足である。

小兒痲痺にはある特別の種類がある。痲痺が先づ下肢に現はれ、二、三日以內に此痲痺が段々上に進行して遂には呼吸運動迄痲痺を貽して治る者が最も多い。

處置　傳染性を有するものであるから、健康兒を患者が接近せしめない樣にしなければならぬ。發病の初期であつて急激な症狀を示して居る間及び痲痺の初めに於ては絕對の安靜を取らしめ周圍からの刺戟を避ける樣に注意すべきである。痲痺が起つて一、二月經過したものにあつては痲痺した部に「マッサージ」を施したり電氣療法を施すべきものである。家庭で注意すべきは入浴に際して痲痺して居る所を按摩し、障碍せられた運動を他動的に行ひ、又內翻馬足などの畸形を貽さない樣に醫師に相談を乞ひ、矯整器を絕えず使用すべきである。一年以上經過して尙ほ存在する痲痺は終生持續するものと諦めなければならぬ。但し強度の畸形に對しては外科的手術を施し幾分か之を矯正する事が出來る。

一七、狂犬病（恐水病）

狂犬病の恐るべき事は何人もよく知る所で、本邦にも時々その流行がある。而も多くは支那地方から輸入せらるゝものであるから、開港地から始まる事が多い。

狂犬病の病原體は現今尙不明に屬して居るけれども、その病原體が狂犬病に罹れる人畜の唾液中に存在することは確である、それ故に狂犬の咬傷によつて他動物に傳染する、人間の狂犬病も亦狂犬の咬傷から傳染するものである。而もその症狀の現はれたものは必ず死亡する。

症候　犬の咬傷を受けた後五、六十日位の潜伏期を經て發病するもので、潜伏期の間は咬傷も治癒し何等の症狀も現はさない。發病の初期に於ては數日に亘つて憂鬱となり、咬傷部に異常の感覺を覺え、食慾不振、頭痛、不安等がある。之について發揚狀態が現はれ、水を飲ま

んとするも痙攣の爲めに飲み込む事が出來なくなり、遂に水を見たゞけでも痙攣を起す樣になる。呼吸も不規則となり、患者は強く苦悶する。斯樣な發揚狀態を經過すると遂に全身の痲痺を來たして死するものである。

處置　狂犬病の流行時に際しては飼犬の持主は犬を外出せしめない樣に注意しなければならぬ。何となれば狂犬と咬み合ひ、之が狂犬病に罹り、家人などを咬み狂犬病を起さしめる虞があるからである。

狂犬病の流行當時は犬に咬まれた場合にはその犬が何處の犬なるかを確め、尙ほ出來得るならば、その犬を捕へ、警察に依賴し、狂犬なるや否やの判定を受けるのがよい。若しその犬が狂犬と決定した時は直にその設備のある病院で治療を受けなければならぬ。若し狂犬でない事が確であれば治療を受ける必要はない。

狂犬は果して如何なる狀態を呈するものであるかと云ふに、健康であつた犬が憂鬱となつて元氣がなく、絕えず跪つて眠れるが如き狀を呈し、食を取らず、之が數日間續いた後不安狀態となつて走り廻る樣になる。此憂鬱な時期並びに發揚して不安狀態を示す時にもよく人畜を咬む者である。

一旦狂犬に咬まれたらその儘放置すると狂犬病を起して必ず死を招くものであるから、若し咬んだ犬が狂犬と決定した時は直に注射を受けなければならぬ。

一八、鼠咬症

鼠咬症は大人にもあるが、乳兒には更によく之を見る之は鼠に咬まれた時に起る病氣であるが、鼠に咬まれた時は每回之を起すものと決つて居ない。卽ち狂犬病に於けると同じ樣に、ある病氣に罹つて居る鼠に咬まれた時に發病するものである。

症候　鼠に咬まれて直ぐ發病するものではなく、數日乃至數ケ月の潜伏期を經て發病する。發病當時には咬傷部は已に治癒して居る樣な事が多いから、その病氣が鼠咬と何等の關係がない樣に思はれて居る事が多い。

發病に際しては突然惡寒、頭痛などを覺え、高熱を發し、全身の倦怠を覺える。之と同時に咬傷部が發赤して疼痛を覺え多少腫れる樣な事がある、時としては水疱を作る樣な事がある。之と同時に鼠咬部に隣接せる淋巴腺が腫脹し、之に觸るゝ時は痛みを感ずる事が多い。又全身各所に大小不同の赤色斑が出來る。熱は發病當時は持

續性又は弛張性の發熱があるが、數日にして間歇性となる事が多い。

處置 捕鼠を完全にし且鼠に咬まれる機會を避ける事が豫防上必要である乳兒又は幼兒が餅とか菓子等を食ひ、その一部分が口邊又は手指などに附着した儘眠に就く事が多いが、斯くの如き事が原因となつて鼠に咬まれる事が多いから、眠に就かしめる時にはよく口圍又手などを拭つて置く様に心掛くべきである。發病した時は早く醫療を受けた方がよい、本病にて死する事は稀であるが、之は長い間續く事があるから、醫療によつて成るべく早く治癒せしめるがよい。

（終）

× × ×

登錄商標
ギンザトップ二十番

產兒調節とコンドーム
性病豫防にコンドーム
感じを妨げず…………
薄く……柔かく………
それで丈夫な
最高級コンドーム!!!
ゴム製品の目醒ましい發達の所產としてサックもギンザトップの如き完璧品が生れました！

【特長】
一、最上原料を特殊技術により製せらるゝ本品は、彼の高價なフィッシュスキン（魚皮）以上に感じを薄くして居ります。
二、感觸が柔かで滑らかで抵抗尠く、使用者自らがその使用に氣付かぬほどであります。
三、それでゐて他の厚手のサックよりも遙かに丈夫で數回の使用に耐へます。
四、形態も微妙な技術に成功し殆んど萬人向に出來て居りますから、使用中亂暴があつても何等そういう心配がありません。
五、各個につき送氣檢査耐力試驗がしてありますから、疵物や孔アキがなく絕對責任の保證付嚴選品であります

—定　價—
◎ギンザトップ二十番

	一打	半打
▲C品（透　明）	二・〇〇	一・一〇
▲B品（眞珠色）	一・五〇	・八〇
▲A品（櫻　色）	一・〇〇	・五五
組合せ（一箇宛）	〇・四五（携帶用ケース入）	
C品（三箇入）	〇・六〇（同　　〇）	

—送　料—
內地十錢、市內六錢、（代金引換は切手廿錢前送願ひます）新領土四十二錢、代引四十七錢
見本品御入用の方は小爲替五十錢又は三錢切手十七枚封入お申越下さればＡＢＣ三種セル容器入をお送りいたします

東京市銀座西一丁目七番地
島津藥局
ギンザトップ本舗
電話京橋六五二六番
振替東京四二四八九番

血族結婚者と其の子供

山形市立病院濟生館小兒科
醫學博士　宇　留　野　勝　彌

◇序　言

曩に廣島市の優良乳幼兒選奬會に參加した四千名の乳幼兒について色々の調査、統計をとつた場合血族結婚（以下略して血結と記す）の二、三の統計を發表したことがあつた。

次に述べる統計の材料は昭和七年から同十年までの四ヶ年間に私自ら山形地方一市二十二町村の滿四歲までの乳幼兒七千名を審査した際に調査したことを綜合して統計にしたもので此種の調査としては興味のある貴重な統計であると自分ながら自負して居る。この統計から結論として血結の弊害のあることを痛感していたゞければ私の望みは達する譯である。

◇血結の頻度

一般結婚の何割が血結であるかの問題だが、まづ「いとこ」結婚を法定で許されたる最も濃厚な血結と見て、これは一般に五パアセント位だと信ぜられて居る。私の五六五八組の結婚の調査では血結つまり「いとこ」結婚が三五五組で六、三パアセントである。この調査で確答を憚かつたものも幾分あるであらうから、大體で六―七パアセントの間であつて、これを世間一般の五パアセントに比すればやゝ高率、つまり山形地方は血結が多いことになる。なほこの外三七六組の遠緣結婚があるがこれとてどの程度の親戚であるか詳細の統計がないので一寸漠然たる憾みがあつて、むしろ他人結婚に近いものであらうと思惟する。

◇血結の子供の身體の發育

審査して體重も身長も胸圍もそろつて同年の日本標準値に達して居るもの、及びそろつて超過してすぐれて居

胃腸榮養
わかもと

虛弱兒童の体質改善

「わかもと」は多くの治性酵素を主とし、更にビタミン、蛋白質、グリコーゲン等お子供の發育成長には缺く事の出來ない多種多量の榮養素を偏頗なく含んでをつて、衰弱した胃腸の働きを恢復し、食慾を增進し、消化吸收を旺んならしめる結果、自然と榮養が亢まつて來ますから、弱いお子樣の体質改造には、單純な榮養劑などの遙かに及ばぬ効果があります。

錠劑　三百錠入　千錠入
粉末　九十瓦入　四百五十瓦入

發賣元　わかもと本舖
榮養と育兒の會
東京・芝公園

るものを優と呼び、反對にそろつて標準値に達して居ない貧弱なものを劣と呼ぶことに假定して、血結の子供に何人優が居り、何人劣が居るかといふ風にパアセントを出してみると、

	優	劣
血結の子供	一〇・四%	五二・一%
遠緣結婚の子供	一二・八	三八・三
他人結婚の子供	一三・二	四四・四

つまり血結の子供には優が少なく、劣が多いといふ不成績である。私が七千人の審査した中から身體發育榮養の兩極端のものを選拔してみたところ、優秀兒一〇四名劣等兒一五一名を得た。この優秀兒と云ふのは前記の優とは違つて拔群のもので選奬會ならさしづめ一等になり御褒美を頂戴するやうなものであるし、又こゝの劣等兒といふのは頗る發育不良で見るから憐愍の情をおこさざるを得ぬやうなものである。この兩者が果して血結の子供に多いか少ないか。

	優秀兒	劣等兒
血族の子	一・一%	三・四%
遠緣の子	一・一	一・九
他人の子	一・五	二・〇

矢張り血結の子供の中には優秀兒の輩出率がわるく、劣等兒の輩出率が多い。かうしたところを見ると血結排斥の聲を擧げざるを得ないではないか。

◇子供の出產狀況

調査した血結者の子供中安產（熟產）二九七名、早產二二名、難產二名である。それ〴〵の百分率をとつて一般七千名の子供の百分率と比較してみる。

	早產の率	難產の率
血結者の子供	六・九%	〇・六%
一般の子供	六・一	一・三

この統計は期待したやうな明確な結果を示さなかつた。難產の實數それ自身が餘りに少ないので此れの數字は重視出來かねる。早產の方にしても餘り相違はないが幾分血結者の子の方が早產が多いやうに思はれる。

◇出產時の小兒の體重

出產直後の體重は產婆が大抵計つてくれる。それを調査の材料にして血結者の子供は何百匁のが何人居るか百分率に表はして見た。一般といふのは結婚の血族他人等の區別せぬ全般の百分率である。

體重	血族	一般
七百匁未滿	三・一%	二・九%

七百匁代	九・二	一四・〇
八百匁代	三六・九	三二・九
九百匁代	三〇・〇	二八・九
一貫―一貫百匁	一四・六	一五・二
一貫百匁以上	六・二	六・一

血族と一般と殆んど差は認めがたい。むしろ强ひて云へば血族の方が體重の少ないものゝ歩合が少ない、つまり成績がよいやうにすら見える。

◇子供の同胞(けうだい)の死亡

次表は何人同胞の内何人死んだかの調査で、例へば二列目の同胞三人の欄は一人だけ死んで二人現存、二人死んで一人だけ生きて居るものゝ統計である。尤も三人全部生存して居るもの、三人全部死亡してしまつたものもある譯だけれど、乳幼兒審査を土臺としての調査だから三人全死亡は加算出來ぬ譯である。その一死が三人同胞の何パアセント、二死が何パアセントに當るかといふやうなことを統計にしてみた。

同胞數	死亡數	血族	一般
二人	一死	二二・六%	一五・九%
三人	一死	三三・五	二三・五
	二死	四・七	三・八
四人	一死	二九・二	三〇・五
	二死	八・六	八・三
	三死	一・七	〇・九
五人	一死	四八・四	三二・四
	二死	一二・五	一三・八
	三死	九・七	三・六
	四死	―	略
六人	一死	三三・三	三〇・四
	二死	三六・七	二二・二
	三死	一三・三	七・五
	四死、五死	―	略
七人以上	省略		

血結者の子供と一般とその同胞の死亡の樣子を上下照合して比較してみると、同じ死亡でも數多く死んで居る時の方が血族に高率を示して居る。つまり同じ數子供を產んだとすると血族の方は一般に比して多く子供が死亡して居ることになる。これで見ても血結者の子供は病弱であると推定される。

◇血結者の生產兒數

血結の母三二一名の生產(死流產は除外)の總數七〇四人であるから母一名の平均生產は三、八人となる。ところが一般の母の平均生產が三、九人であるから頗る僅少の差ではあるが血結の母は生產が劣ることになる。

◇血結母性の教育程度

	調査總數	其内血族	百分率
女學校	三五八名	二一名	五・九%
小學補習科	二五一	六	二・四
高等小學	一三二三	七八	五・九
尋常小學	三七八一	一九五	五・二

補習科だけ頗る血結が少ないことになつて居る。その他は殆んど差異がない。つまり生性の教育程度と血結とは關係がないと見てよろしい。これから推察して女性の教育を高めて血結の非を自覺せしめるだけでは實際問題に餘り役立たぬ。むしろ結婚當事者でない周圍の人間つまり兩親等に强く血結の害を知らしめることが急務と信ずる。

◇血結者の職業

	調査總數	其内血族	百分率
農	二四二一名	一四四名	五・九%
商	一〇九一	三四	三・一
勞働	一三九九	四七	三・四
其他	七五七	二三	三・〇

この最後の欄の「其他」にはサラリーマンなどの所謂知識階級が含まれて居る譯である。非常に興味あることは血結は農に最も多く、知識階級に最も少ないことである。この點からしても血結の弊害を叫ぶには先づ農村から初めなければならない。私は母の會、女子青年團の會などに出て常に聲を大にしてその恐るべき弊害を叫んで居るが、部落によつては特殊な技巧を有する副業を持つて居る關係上その技能のない嫁や婿を他村から貰ふ譯に行かぬと兩親が固執して居る。それでツイ同一部落内つまり技能あるものを嫁や婿にすることになるので血結が頗る多くなつて來る。

又農村では系累とか財產上の問題から血族同志に無理强ひに結婚を餘儀なくさせられるとか、一小部落だけ他と遠隔のところにあるため他から嫁に來るものなく、詮方なく同一部落の血族同志で結婚しなければならぬ場合もあるが、勿論そんな農村では血結が學理上大害のあることが分つて居るやうな人は一人も居ないと見てよろしい。

◇市町村別の血結の頻度

地方名	血族率	地方名	血族率
東金井村	一一・五%	寒河江町	六・五%
南金井村	一一・二	大郷村	五・六
鈴川村	一〇・八	出羽村	五・二
東澤村	一〇・八	長崎町	四・八
尾花澤町	一〇・〇	高畠町	四・五
高擶村	九・七	左澤町	二・七
堀田村	八・一	宮内町	二・三
谷地町	七・一	上山町	一・九
山邊町	六・八	山形市	一・六
楯岡町	六・六	天童町	一・三

農村に血結高率で町には低く、同じ町でも大町より小町が高率である。高率第三位の鈴川村は前述の如く紙を漉く副業が盛んなためその技能のないものを他村から嫁婿に貰ふことを好まず、又技能ある自村のものを他村へ呉れてやることを欲しないといふ陋習が昔からあつてそのため色々と面白からざる事實を生んで居る。卽ち遺傳的の聾啞、異常氣質、畸型などがしばしば報ぜられて居る。

◇血結の母性の死流產

血結の母の調査で死流產一回經驗者五七名、二回一三名、三回一名、四回二名で合計七三名ある。百分率にせば二二、七パアセントは死流產をやつたことのある母である。ところが他人、血族合併しての全般の死流產率は一六、七パアセントであつたから夫れと比較すれば血結の母性は死流產をやるものが一般より遙かに多いと云ふ結果が分る。

◇血結者の子供の旣往症

過去に疾病にかゝつたことのある子供がどの位居るかを調査して見る。

	血族の子	一般の子
乳兒の罹患率	四八・三%	三二・二%
幼兒の罹患率	五三・二	五〇・二

以上の如く乳兒でも幼兒でも血結の子供は過去に疾病になつたものが一般に比して高率を示して居る。これで見ても血結の子供の弱いことが分ると思ふ。

◇血結者の子供の胸廓異常

次表は血族及遠緣の子供が凸胸、凹胸、扁平胸の子供の何パアセント占めて居るかを見たものである。

	血族	遠緣
凸胸	六・九%	一三・八%
凹胸	五・二	一〇・九
扁平胸	一二・〇	一二・〇

前述した如く全般についての血族頻度は六、三パアセント、遠緣頻度は六、六パアセントであるからこれに比較すれば殆んど皆高率である。換言すると胸廓異常には血結の子供が多いと云ふことになつて、胸廓異常と遺傳の關係が立證される一材料になつて嬉しい。特に扁平胸が血結と關係が深いやうに思ふ。

◇血結者の子供の
乳兒期榮養方法

これは血結そのものとは直接關係のある事項ではない全般の血族頻度六、三パアセント、遠緣六、六パアセントに比して、人工及混合榮養兒の兩親の血族頻度七、〇パアセント、遠緣四、五パアセントである。つまり人工混合榮養兒の兩親は少しながら血族結婚が多いといへる。

× × × ×

以上羅列したところ全部に亘つて血結の非なる點がマザマザと見せつけられた譯であるが、多種の統計から特に非なるものゝみを選出して掲載したのではなくて、私の調査では一般に比して血結の方が有益だつたなどと認めるやうな成績は一ツも得て居らぬ。尤も中には血結と一般と何等の優劣がないといふのは一、二ないではなかつたが、他全部は以上のやうな結果である。敢へて識者の御考慮をお願ひする。

流感・肺炎・百日咳等・特効

吸入藥 カシピロン

合理的吸入療法と其効果ある理由

本品は上圖の如く普通の吸入器で之を吸入して呼吸器直接に作用す、芳香爽快にして、毫も副作用なし

一、せきの出る神經に作用して咳を止め、又痰を溶解して容易く祛痰の効を奏す。

一、心臟を強め抗病力を增進し且つ肺炎、氣管支炎等の炎症を治する効ありて全快を早む。

一、解熱作用あり、卽ち過熱中樞を刺戟して發熱を抑制し又殺菌力あり。

適應症 感冒、肺炎、氣管支炎等の急性病は勿論麻疹、百日咳等の小兒獨特の病に特効あり又肺結核、喘息等の鎭咳、祛痰に適應す

前第四師團軍醫部長	英陸軍々醫監	實驗
大阪市民病院小兒科長	谷口醫學博士	實驗
福井赤十字病院長	大野醫學博士	推奬
大阪府立保嬰館前館長	上村醫學博士	推奬
大阪醫科大學前敎授	辰己醫學博士	推奬

全國藥店にあり

定價 六十錢・一圓・二圓等

醜惡なる模倣、類似品あり御注意を乞ふ

大阪市東區平野町

道修藥學研究所

日本赤十字社病院　慶應大學病院御用

テツゾール

吉本醫學博士　簡野醫學博士推奬

藥學博士　石津利作先生創製

幼兒の榮養と母體の保健

お茶を禁ぜぬ便利の鐵劑

體內造血器管を鼓舞し其機能を旺盛ならしめ純血を豐富に新生し潑溂たる活力を附與す。故に

貧血の人、虛弱の人、病後の人、不眠症の人、神經衰弱の人、產婦、夏期に衰弱する人、肉體及精神過勞に適し又、登山、旅行、運動競技、試驗前後は常備、携帶の要あり。

愛兒の爲に

今迄小兒に適する鐵劑がなかつたが本品によりて初めて理想が現實したとは小兒科醫の言明である。

發育が遲れたり、虛弱であり、血色肉付わるく、夜尿をしたり、病後の小兒等弱き愛兒の榮養は美味で飮みよきテツゾールの服用に依り効果に直に母親の慈眼に映ずべし。

四週間分金貳圓八十錢　八週間分金四圓五十錢

東京日本橋區本町三丁目

發賣元 里村三治商店

大阪市道修町一

關西代理店 キリン商會

各藥店
三越
松屋
松坂屋
にあり

增量斷行 器械設備の完成と共に定價は元の儘にて二週間分を四週分に增量して非常に御徳用になりました

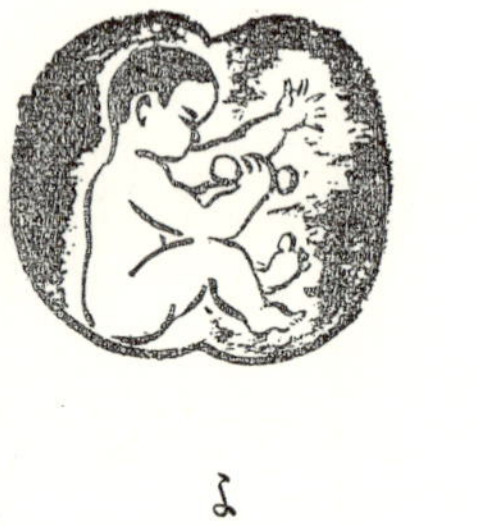

よく嚙め

奈良女高師教授 桑野久任

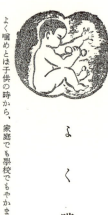

よく嚙めとは子供の時から、家庭でも學校でもやかましく云はれた事であるが、兩身の躾けも先生の教へもあまり身につかず、成人してからもついいゝかげんにして吞み込んでしまふことが多い。

固より一々考へて嚙んでゐたのでは、到底その煩に堪えないから、大抵は無意識に嚙んで、知らず識らずのうちに吞み込んでしまうのである。さあそうなると無意識の間にも、充分嚙みこなして食べるだけの習慣がついてゐないと面白くない。時々思ひ出して嚙むのでは駄目である。從つて躾けとしても敎へとしてもなるだけ早く子供のうちから充分嚙みこなす癖をつけて置かなければならない。

一體嚙むと云ふ事、卽ち咀嚼は如何にして行はれるか。齒で嚙むのではあるが、齒ばかりの仕事ではない。齒の生えてゐる顎の骨、殊に下顎の骨が働くのである。上顎のそれは決して動かない。口を開く時は下顎が下にさがり、口を閉ぢる時は下顎が上にあがる。下顎が擧る時上下二列の齒がかつちりと咬み合つて咀嚼を遂げるのである。

下顎骨の動くのは數組の咀嚼筋が働くためである。顎の所や頰の下部を抑へ、物を嚙むまねをしてみると、その邊がむくむく動く、これは咀嚼筋が働くための手應へである。猶咀嚼の際下顎骨は上下ばかりでなく、左右前後にも動くのである。これは牛や馬が嚙んでゐる所を見ると、人間より大形であるからはつきりわかる。

然らば咀嚼筋は又どうして働き出すか。それは神經から命令が來るからである。平生無意識に嚙んでゐる時は涎髓から命令が出るが、わざわざ嚙む時や心して嚙む時などは、一々大腦から命令が涎髓に行き、更にそこから神經によつて筋に命令が下るのである。かやうに嚙むと

云ふ事は腦からの命令で咀嚼筋が働き、その筋の働きで下顎骨が動き、その骨の動きで上下の齒列が咬み合つて行はれる仕事である。猶この際舌と頰とが內外からこれを助ける。卽ち頰は外側から食物のこぼれるのを防ぎ、舌は內方から食物を齒列の間に送り込む働きをする。かやうに咀嚼と云ふ事は、腦と咀嚼筋と下顎骨と齒との間に行はれるリレー式活動で、頗る複雜な一連の動作である。

然らば食物を取るに當つて、何故かゝる複雜な動作をしなければならないか。これは大形の食物を小形に碎いて、吞み下すに都合よくするのが第一の目的であるからである。實際犬や猫のやうな肉食獸では、咀嚼の要はたゞそのためだけである。肉類は胃の中に入れば、自然胃液によつて溶かされてしまふから、さう細かに嚙み碎く必要は無く、たゞ小さく咬み裂けば足るのである。然るに我々人間ではそれだけではすまない。卽ち先づ食物を小形に咬み切つた上、更に奧齒(臼齒)を挽臼のやうに働かせて、いやが上にも嚙み碎かなければならない。これは人間ばかりでなく、牛や馬のやうに草食するものや、熊や豚のやうに雜食するものに於ても同じである。

然らば又何故にさう細かに嚙み碎かなければならないか。それは食物をよく消化液に混ぜて、その働きを受けるに都合よくするためである。口中に出る消化液は唾液(つばき)であるから、咀嚼によつて食物がよく唾液にまじり、その消化を受けるに便利なやうにするためである。何故なら小さいもの細かいものほど、大きいもの粗いものに比べて、體積の割合に面積が廣いので、消化液に觸れて、その働きを受ける場面が廣いからである。

小さな物ほどその面積が廣いと云ふ事は、骰子(さい)のやうな立方體を考へてみるとすぐわかる。若しその一邊が一であるならば、その體積は一の三乘で一であり、その面積は一一が一で六面あるから六で、兩者の比は一對六である。若し一邊が二になつたら、その體積は二の三乘で八、その面積は二二が四が六面で二十四、兩者の比は八對二十四、卽ち一對三である。若し一邊が三になつたら、その體積は二十七、その面積は五十四で、兩者の比は一對二になる。更に又球に就いて考へてみると、體積の增加は半徑の三乘に比例するが、面積のそれは半徑の二乘に比例するのみであるから、球が大きければ大きいだけその面は割合に狹くなり、小さければ小さいほどその面は割合に廣くなるわけである。同樣の理由で、食物も細かに嚙み碎かれるだけ、それだけ消化液の働きに曝される面が廣くなるので、自然よく消化されることになる。

咀嚼は消化の第一歩であつて、しかもそれが意識的に行はれ、心のまゝになるのは非常に都合が好い事である從つて消化を良くするには先づよく嚙むことである。殊に口中で唾液の消化を受ける物が、日常我々の最も餘計に食べる米飯の主成分たる澱粉であることを考へると、ますます咀嚼の大切な所以がわかるであらう。

しかし米に限らず、麥でも豆でも野菜でも果物でも、よく嚙み碎くことは口中ばかりでなく、その後に來る腸胃の消化にも甚だ好都合である。たゞ肉類だけは既に述べたやうに、さう細かく嚙みこなす要は無い。猶又咀嚼が如何に大切だからと云つても、一口の食物を二十遍も嚙むなど云ふ人があるが、これは過ぎた事である。それなら始めから擂鉢で擂つて食べるがよい。又小鳥の擂り餌のやうなものを食べればよいが、これは齒の脫けた老人とか、胃腸を害つた病人とかなら兎も角、健全な人間が養生だと云つてそんなまねをしたら、却つて丈夫な胃腸を弱めてしまふことにもならう。

咀嚼の第二の利益は、知らず識らず過食に陷るのを防ぐことである。これは一寸人の氣づかない所得であるが恐らく咀嚼筋の疲勞感から、飽滿の感じが速かに起るためであらう。實際大食する人は大抵よく嚙まず鵜呑みにする癖がある。かうすると嚙まないために口中での消化が悪いばかりでなく、過食の結果胃腸での消化まで妨げられる。その上これが胃の中に澤山溜ると、胃液の鹽酸の浸み込むのが遲れ、細菌が繁殖して腐敗が起り、毒物が出來て胃腸を刺戟し、吐き下しする。さう云ふわけでよく嚙むと食ひ過ぎが防がれ、自然腸胃の健康まで衞られることになる。

咀嚼の第三の利益は間接に胃液の分泌を促すことである。胃液の分泌は食慾の如何に由つて左右されるものであるから、よく食物を嚙みしめ、その旨い所を味はつて食べると、自然食慾が高まり、間接に胃液の分泌を進めることになるが、鵜呑みにしてはその効が無い。

以上述べた通り、よく嚙むことは消化を良くするばかりでなく、過食を防いで胃腸を衞り、間接ながら胃液の分泌をも促す利益があるから、子供の時から、學校でも家庭でも「そんなに食べてはいけない」と云ひ聽かせる前に「よく嚙んでおあがり」と、躾け敎へる要がある。

（をはり）

はなのはなし

醫學博士　川上　漸

鼻といふものはへんなものですね。皆さんはどうお考へですか？まあ、おひまのときに靜かに鏡にむかつて、ようく、自分の鼻を見てごらん！何といふ傲慢なものでせうか！目や口や頰を押しわけて、そのまん中に突ッ立つて大そういばつてゐるではありませんか。前から見ても三角、側から見ても三角、そして下の方に孔が二つ。笑つたり話したりするときに、目だの口だの、頰や、額などが、一生懸命お手傳ひを致しますのに、鼻ばかりは、ほんのちよつと、皺をよせたり、脹らんだりするだけです。それでも何か得意の時には目や口をさしおいて指をつゝかせたり、拳を重ねて、自分のうへにのせさせたり致します。——歌がるたに勝つた時などにね。

私は汽車や電車の中で、心のひまなときには、こつそりと人さまの鼻を拜見して、いろ〳〵のことを考へてをります。額が短かくても鼻の長い方がある。もう少し長くしてはどういふものだらうと思はれる鼻もある。粘土でこねて作つたやうなものもあれば、借りて來てひつゝけたやうなものもある。しかし成程、鼻は偉いと思つてをります。どういふわけか知りませんが、目、眉、口、それから口の兩側の皺襞なんどが、なつかしさうに鼻の方へ向つてゐる人ですな——車の骨が軸へむかふやうに——なつてゐる人は、賢さうで、また剛く見えます。さうでない人はぼんやりしてゐるやうに見えてまた弱さうでもあります。成程鼻はいばつてをつてもよい筈だと思ひます。顏の中の王樣ですもの。

でも鼻が顏の裝飾でしかないとすれば、やはり私共は、鼻を傲慢なものだといはなければなりません。けれど、

私共は、ほんとうに鼻を尊敬しなければならぬのです。かやうに申しますと、皆さんは「それ、ごらん！」といつて、ご自分の鼻をお指しになるかもしれませんが、さあ、さうではありません。皆さんは皆さんのお鼻、私は私のお鼻——ではありません。私の鼻を尊敬しなければならぬのです。何故かと申しますと……

鼻はいろ〳〵の臭ひを嗅ぎわけてくれます。この水には臭ひがあるから飲んではいけないと敎へてくれます。このお菓子には腐敗したものがある、早く通り過ぎなくてはいけないと敎へてくれます。このお魚は古いとか、このお菓子は惡くなつたとかいふことのわかるのは、鼻が一々檢査してくれるからです。犬なんどは鼻で道をおぼえますからよほど鼻を尊敬してゐるに違ひありません。

それから鼻は呼吸をして與れます。「ちよつと〳〵、口からも呼吸が出來ます」と仰しやる方があるかも知れません。成程口でも呼吸はできますけれども、私共人間ばかりではなく、獸類でも、鳥類でも、蛙や龜なんどでも呼吸は鼻にたのんでやつてもらはなければなりません。人間より外の動物は、みんな自然の御命令どほりに鼻だけで呼吸をしてをります。犬は走つた後や夏の間だけ、口で呼吸することがありますが、あれは汗を出すかはりにやるのであつて、惡いことではないのです。人間だけがわがまゝに、口でも呼吸を致しますがそれはよくないことです。

口をあいて呼吸をしますと、鼻で呼吸をするよりらくです。それは口をあいた方が、鼻で呼吸するときよりも、肺臟へ通ふ道がひろくなるからであります。醫學の方から申しますと、空氣が肺臟まで通ふときに、狹い處や曲つた處があるために、空氣はいろ〳〵の抵抗を受けますが、その抵抗の大よそ半分は鼻をとほるときに受けるのです。口で呼吸をすれば、抵抗が半分になるわけで大へん都合がよいやうですが、けつしてさうではありません。

皆さん！新聞の天氣豫報の欄に、低氣壓高氣壓といふことが書いてあるのをご承知ですか。空氣が高氣壓の處から低氣壓の處へ流れて行くので、風がきまつた方向に吹くのです。それと同じやうに、私共が胸をひろげますと、

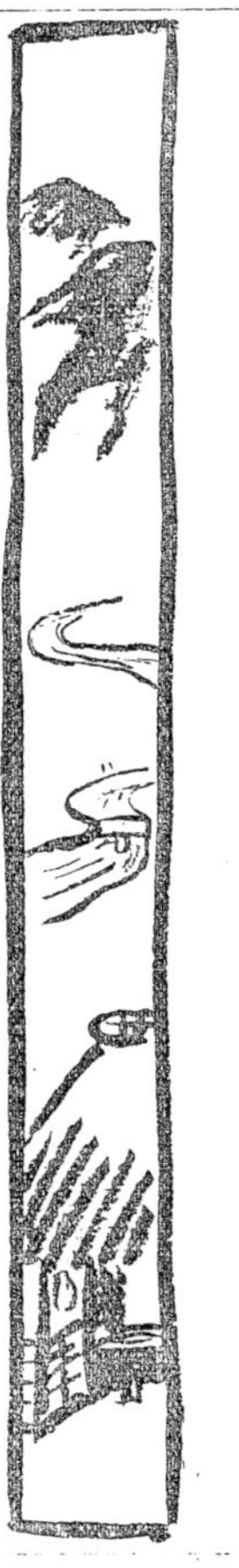

肺臟の內に低氣壓ができて、外の空氣が肺臟へはいつて行きます。わかりやすくいへば、空氣が吸ひ込まれます。しかし鼻が抵抗を致しますので、必要だけの空氣を吸ひこむには、胸をつよく長くひろげて置かなければなりません。これで五つの利益ができます——第一には、空氣が狹い曲つた道を通りますので、空氣の內にある細かい塵があちらへぶつゝかり、こちらへつきあたりして、みんな取り除かれてしまひます——第二には暑い空氣は、ひやされ、冷い空氣は溫められて、からだにさはらぬやうになります。——第三には肺臟全體が平等てひろがるために、はいつた空氣が肺臟中へとゞきます——第四には、肺臟に低氣壓が强くできて、長くつゞきますので、旋風に海の水が捲き上げられるやうに疲れた汚い血液までが、たくさんに肺臟へ呼び寄せられますから、血が早く清淨になります。皆さん、深呼吸をなさるときに、口でするより鼻でする方が早く頭腦がすうつと致しませう——第五には胸の筋肉が强健になります。口で呼吸をする人は、年寄つてから、鼻使ひが苦しくなります。

皆さん、空氣は鼻から吸ひ込まなければなりません。出すときはお勝手ですが、それでも矢張り鼻から出す方が面倒くさくなくてよいでせう。

皆さん、鼻をなるだけ尊敬して威張らせておやりなさい。そして玄關をよく掃除しておきなさい。

傳記
小說

高橋是清（三）

小杉健太郎

末松謙澄と相知る

程なく、鈴木知雄（六之助が改名）の紹介で、和喜次は大藏省管下の驛遞寮に就職したが、課長から「日本橋の橋詰めに貼りだす告示文を書け」といはれ「そんなものを僕は書けない。手習ひしてから書く」といつて、渡された西ノ内に罫をぬつたくつて、氣に入らないからサッサと驛遞寮を辭めてしまつた。

彼はフルベツキ博士の邸に再び同居しながら、つく〴〵考へた。

（俺はまだ〳〵駄目だ。裸になつて、自分を初歩から叩き直さればいけない。）

當時、大學南校はだん〳〵整備して、法學、理學、工業學、諸藝學、鑛山學といふやうな科目も敎へるやうになり、校名も開成學校と改稱されてゐたので、和喜次は意を決して試驗をうけ、やす〳〵と開成學校に入學したのである。先生が生徒になつたわけだ。

和喜次は學校へ通ふかたはら、開成學校の外國敎師から賴まれて、膝栗毛や玉篇の飜譯をしながら二十圓の報酬を得、それで生活をして居たのである。

その時分、佐々木高行侯の令孃が、フルベツキ博士のお孃さんに英語を習ひに來て居た。毎日、そのお伴をしてくる佐々木家の書生と、和喜次はいつしか懇意になつて了つた。書生はデップリ肥つて、溫和な、頭のよさそうな男で、末松謙澄といふ名前であつた。

「君は一體何になるつもりだい。」

或る日、令孃の勉强中に所在なく遊びにきた謙澄へ、和喜次はかういつて尋れた。

「僕は、このごろ出來た東京師範學校へ入るつもりだ。この間試驗を受けたら、幸ひ通つたから。」

「そこを出たら何になるんだ。」

「小學校の敎師になるさ。」

「小學校の……まあそれもいゝが、君は漢學を可なりやつたと云つてたね。それ位漢學が出來たら、今度は、英語をミッチリやつて、もつと大舞臺で活躍して見たらどうだ。」

「それア、勿論僕だつてさうしたいけれど、學資がないんでれそこへ行くと師範學校は官費だから。」

と、謙澄は眼を伏せた。

「よし、ぢや、英學は僕が敎へてやるよ。その代り、君が漢學を僕に敎へるんだ。君がお供をして待つて居る間に、こゝで交換敎授といふのは、どうだい。」

「うむ、それア結構だ。」

それから毎日、いはゆる交換敎授が、二人の間に行はれた。和喜次の漢學の力も眼ざましく進んだが、謙澄の英學の進歩も素晴しかつた。和喜次はまるで弟に敎へるやうな親切さで、いきなりパレーの萬國史からグン〳〵謙澄の頭へ詰めこんでやつた。

かうなると、謙澄も今は師範學校へ入學のことは、全く斷念した。が、それを聞くと、佐々木侯爵夫人や、箕作師範學校長がひどく腹を立てゝ了つた。折角、三百人の志願者の中からその半數の中に選拔されたものが、無暗に人の言葉に意志を飜へすとは、何たる無定見だと叱責するのである。謙澄もホト〳〵弱つて、又それを和喜次に訴へた。

「よし、そんなら、僕が行つて談判してやる。青年が遠大な理想を起して、大いに奮勵努力しやうといふのに、その前途を阻むとは、何といふ沒分曉漢だ！」

和喜次は義憤を感じて遠慮なく佐々木侯夫人と、箕作校長の邸へ出かけて行つて、激論をたゝかはし、たうとう二人とも說き伏せて了つた。

が、謙澄はこの事件以來、侯爵家に居づらくなつて、程なく同家をでて、下宿した。しかし、その日から彼は飯の心配をしなければならなかつたのである。

和喜次は責任を感じた。この友達の生活費を稼ぎだす方法を、あれこれと考へてゐる中に、ふと和喜次は彼等にふさはしい一案を思ひついた。それは外國新聞を飜譯して、その原稿を東京の新聞社に賣りこむ事であつた。幸ひフルベツキ家には外國新聞が澤山きて居る。殊にロンドン繪入新聞などはなか〳〵面白い記事が載つて居た。そのことを謙澄に相談すると、

「さあ、新聞社で買つてくれるだらうか。」

と、氣づかはしげに云ふ。

「それア判らないさ。しかし、さう君のやうに先の事ばかり心配しても仕方がない。やつて見なけりア、判らないぢやないか。」

「それもさうだな。」

この頃は謙澄も少しは飜譯が出來るやうになつてゐたので、二人が早速フルベッキから借りた外國新聞から面白さうな記事を飜譯して、各新聞社へ持ち込んだ。が、朝野、讀賣、報知では見事に斷はられた。

最後に、東京日日新聞へ行くと、應接へでてきたのが偶然にも岸田吟香であつた。和喜次は吟香は橫濱時代にヘボンの家で、相當の面識があるので、この奇遇をよろこびながら、おもむろに原稿をだして來意をつげると、

「そりや面白さうだな。ぢやかうしよう。掲載したものには、原稿一枚五十錢の稿料をあげる、といふ事にしやうぢやないか材料の選擇は君達にまかせるから、面白いやつを、ドシ〳〵持つて來給へ。」

暫くすると、日々紙上に、彼等の飜譯文が麗々しく載つて居た

謙澄は雀躍しながら喜んだ。

「おい橋！見ろよ！でてゐる〳〵。僕達は、もう吳下の舊阿蒙ぢやないんだ。これでも社會の木鐸だ！」

「ハッハハ、天下を取つた氣でゐるぞ。」

冷笑しながら、和喜次もこみあげる嬉しさでゾク〳〵した。

「原稿料が入つたら、大いに祝盃をあげよう。」

「よからう！久しぶりで豪遊をきはめるかな。」

「君の惚けによく聞かされる、そら何とかいつたな、兩國の…

……」

「柏屋か。」

「あすこはどうだ。君のために、あすこで大いに舊情を溫めようぢやないか。」

「恐ろしく氣が大きくなつたもんだな！あんな所でやつたら、原稿料は一夜で消しさんでしまふぞ。」

「さうか。それは少し考へものだ。」

月末になつて二人が日日新聞へ稿料を取りに行くと、吟香が、

「君達は一體毎月いくら位あればいゝんだ。」

と、訊くから、

「二人で五十圓はいります。」

和喜次が答へると、

「さうか。」

と云つて、すぐに五十圓出してくれた。これが稿料である。謙澄には始めて稼いだ稿料である。殊に豫定よりも多額の金を握つたので、謙澄はすつかり又氣が大きくなつて、

「これも君の御蔭といふもんだ。この中の一部を削つて、柏屋で舊情を溫めるといふわけにはいかないか。一寸でもいゝから行かうよ。橋！」

しかし、却つて、そこは和喜次にとつて胸の古疵が傷む所である。傷む所ではあるが、この愛すべき友達の氣持もよく判るだけに、和喜次は無下に斷るわけにも行かなかつた。

「よし、君がそんなに云ふなら、暫く位行つてもよい。だが僕は今日、外人から貰つたばかりの飜譯料があるから、君には一も迷惑はかけないよ。いや僕に委しておけよ。」

やがて、二人は兩國の柏屋へ行つた。柏屋は一名を水心樓とも云つた。

間もなく、和喜次の古馴染の藝者二三人きて、いろ〳〵とあの頃の話に打ち興じた。すると謙澄が料紙と硯を取りよせて、即席に、

會逢隅田水心樓　銀燭華莚却惹愁

喚起三年以前夢　鴛鴦襟裡不知秋

と、一詩を賦して、

「どうだ、色男！僕も君に肖かりたいよ。ハハハ。」

「冗談いふな。ハッハッハッ。」

突拍子もない不自然な高笑ひであつた。勿論こゝは場所違ひではあるけれど、桝吉のことをよく知つてゐる藝者が混つてゐて、彼女が今、外の男と一しよになつて日本橋で待合を開いてゐるという話であつた。和喜次は眞夜中に、時鳥の聲を聞いたやうな氣持がした。何となく淋しく感に打たれながら、しかし、やはり桝吉の幸福を祈らずには居られなかつた。

その後、謙澄は日々へ、正式に論說記者として入社した。そして、福地源一郞に認められ、西鄕從道、伊藤博文などに知られて遂に後年子爵を賜はるに至つたのである。それにしても、

「君、英語をやり給へ。」

と、すゝめた和喜次の一言こそ、かれの運命を左右したのであつた。

四日校長

明治六年七月、森有禮は二年半の滯米研究をおへて歸朝した。福澤諭吉、神田孝平、加藤弘之など敎育界の權威を網羅して明六社を組織し、以つて、わが敎育の振興を天下に絕叫して居た明六社は新思想の源泉であつた。

和喜次は有禮の紹介で文部省へ入つて、十等出仕に任じられたそこでかれは芝愛宕下の仙臺屋敷の長屋に移轉して、久しぶりに一家を構へ、早速祖母の喜代子と、義妹の香子とを引取つて、樂しい溫い家庭をつくつたのである。

香子の敎育は、篠田雲鳳といふ老女史が開いてゐる塾に通はせた。すると、妹の友達の西鄕お柳といふ女が非常に人柄が素直だつたので、祖母のすゝめにより、和喜次はその女と結婚することになつた——明治九年のことである。

和喜次が文部省での主な仕事は、モーレー博士附きの通譯であつた。モーレー博士といふのは日本の敎育制度確立の爲め文部省に招聘された米國人である。

所が、和喜次の二十二歲のとき、このモーレー博士が博覽會の要務を帶びて外國へ出張を命ぜられたので、かれも現職から大阪英語學校長に轉任を命ぜられた。

その頃、後藤常が駐佛公使館から職を辭して、歸朝してゐた。この男は語學も英、獨、佛の三ケ國語を自由にあやつり、漢學も達者であるから本省からも惜しまれたが、性格がいはゞ少し偏屈で、自ら世俗と交りを斷つて、番町に隱棲しながら佛敎を研究してゐたのである。

友人も親戚も遠ざかつたが、和喜次だけは、この有爲な男をもう一度世にだしたいと、時々今なほ訪問して居たので、今度の轉任につき、わざ〳〵暇乞に行つたのである。

「それはお芽出たう、と云ひたいが、僕を見捨てないのは君ばかりだ。その君が大阪行きか。淋しくなるなあ。どうだい、君は僕をもう一度世に引つぱりだそうとしたが、僕は自分の人格を築きあげてからでなければ、出直さないと云つて頑張つた。この議論の解決はまだついてない。果して僕が非か君が正しいか今日はひとつこの解決をつけてしまうぢやないか。もし、僕

が敗けたら君の言葉通りになる。が、君が負けたら、僕の意見に從つて大阪行きをやめたらどうだ。」

後藤は、求道者によくある特異な熱情をもつて、かう云ふのである。和喜次は思はず相手の熱意につりこまれて、

「これァ面白い、大いに論じやう。」

と、すぐ應じた。

その夜、二人は後藤の部屋で夜の更けるまで、激論を鬪かはした。すると常に佛敎や哲學を研究してゐる後藤の理論には、さすがに和喜次もダン〳〵として、旗色が頗る惡くなつた。そこで、つひに彼も、誓ひの通り大阪行きを斷念しなければならん羽目に至つた。

翌日、かれは文部省へ行つて轉任を申してると、文部大輔田中不二麿、督學局長野村素介など、いつも彼に好意をよせてゐた大官が、びつくりして、

「突然どうしたんだ?」

「いさゝか考へる所がございますので、どうかこれ以上理由を訊かないで辭めさせて下さい。」

さう云ふばかりで理由も說明せずに辭職して了つた。說明しても今の自分の氣持など到底諒解してもらへまい。却つて誤解を招くばかりだと思つたからである。辭令をうけてから四日目に、赴任もせずに、依願免官となつた。

「高橋は氣狂ひになつたんだらう。」

そんな噂も耳に入つた。云ひ忘れたが、この時はもう高橋と云ふ舊姓を名乘つてゐた。和喜次は、しかし信ずる所があるので、後藤の家に同居して、世間へも顔を出さず、二人きりで、專ら佛書の研究に精進した。ところが、やはり二人は二人であつた、半年ほどたつと、二人の意見の食ひ違ひが明かになつてきた。

(私心さへなければ、手段や結果はどうならうと問題ではない)

といふ後藤の思想には、和喜次は到底贊成出來なかつた。あの男は世を拗ねた隱士であり、自分は現實の社會を向上せしむべき實行家である。かう豁然と悟つた時、ふたりは袂を分たねばならないことを和喜次は知つた。

かれは後藤の家をでて、東京英語學校の敎官となつたのである。

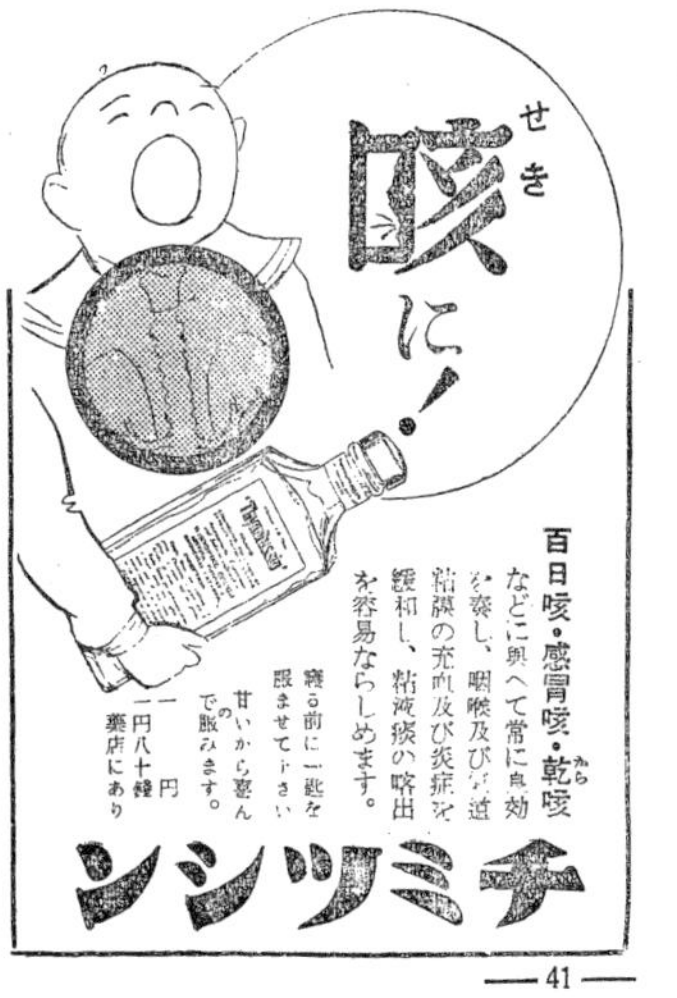

神話と童話 (二)

沖野岩三郎

二ノ二

今日の歐米人には二つの神話が感化を及ぼしてゐる。即ちグリイキ神話とヘブライ神話である。グリイキ神話にある神々は亡びてしまつて、ヘブライ神話にあるエホバの神一つが勝利を占めた。けれどもグリイキ神話は、藝術と哲學に姿を變じて歐米人の心に生き、ヘブライ神話は宗敎として彼らの心に生きたので、彼らは今に二つの神話をもつてゐるのである。

キユピツトのエロスが金の矢をアポロンに射、鉛の矢をダフネに射た。で、アポロンの心には戀の花が咲いたが、ダフネの心は愛の扉を堅く閉ぢた。叶はぬ戀とは知りながら、アポロンはダフネを追うた。そしてアポロンの手がダフネに觸れた時、ダフネの身は一本の樹木と化した。それが即ち月桂樹である。不朽の名譽を表彰する月桂冠の起原が、斯うしたグリイキ神話の物語だといふ事を知りつゝも、ヘブライ神話を信じてゐるクリスチヤンはそれを拒まないでゐる。と、同時に斯うした多くのグリイキ神話を信じてゐる彼等は自らをアダム、イヴの子孫としてゐるのである。グリイキ神話の女神アフロヂテが少年アドネスを慕つて、猛獸の爲に殺されたアドネスの屍體に取縋つて泣いた時の淚が、血に交つて花となつたのだといふアネモネの花を、ヘブライ神話を宗敎として說くキリスト敎會の敎壇の飾として別に怪まないでゐるのである。

堅苦しい宗敎として殘つたヘブライ神話と、柔い和やかな藝術意識として殘つたグリイキ神話との矛盾を悟らずに、其の二つを風俗習慣の中に織込んで着てゐるのが歐米人である。

美術シイズンに上野の竹の臺へ行つて繪畫の展覽會を觀るとする。日本繪を觀る時、そこに裸體の畫は殆ど見當らないが、西洋畫には夫れが無ければならないものとしてある。塑像でもやはりさうである。これを見た時何故日本の畫や彫刻には裸體が少くて西洋畫には夫れが多いのかといふ疑問が起つて來る筈である。同

時に其理由を知つて置く必要がある。殊に其の繪なり彫刻なりが生きた人間を丸裸にしてモデル臺に立たして置いて、それを寫すのだといふ事は、日本人には到底想像出來なかつた事である。

明治の中頃、黑田淸輝氏が內國勸業博覽會へ裸體像を出品した時、一流の新聞雜誌が、可なり力を入れて其の可否を論じたもので、其後發刊された「新著月刊」といふ文藝雜誌は裸體畫の口繪で度々當局の忌諱に觸れたのであつた。何故ならば、日本の風俗では裸體畫といふものは直ちに淫猥を聯想され、春畫を以て目せられるからである。其後美術展覽會のある度に、裸體畫、裸體像の出品者と當局との間に紛擾の絕間がなかつた。で、一時は其の裸體像の彫刻に赤い布の腰卷をさせて出品を許した滑稽さへあつた。今日のやうに西洋畫の趣味が一般人の頭に諒解された時代でも、まだ時々展覽會の門から逐ひ返される裸體像や裸體畫が決して少いとは云はれない。世界的の美術品だといはれてゐるロダンの「キス」がわざ〳〵日本まで運ばれて來て、公衆の眼に觸れさせられなかつたのも最近の事實である。然らば日本人は裸體をそんなに忌み嫌ふのかと云へば、決してさうではない。文明とか文化とかいふ言葉が、もう飽き足つてゐる今日でも、まだ汽車や電車の中に「太股出すべからず」といつたやうな貼札がある程、日本人は肉體を露出する癖がある。婦人の服裝の如きは或意味に於て、半裸體といつてもいゝ。暑い頃他人の家を訪問すると「まアお脫ぎなさい。」と云ふ言葉を挨拶とする。それ程裸體になる事を嫌はれない國民が、何故繪畫彫刻の裸體を嫌ふのであらうか。

これに反して、裸體の畫や彫刻を美術品として展覽したり、公園の眞中に裸體美人の彫刻をたてたりする歐米人は、裸體を平氣でゐるかといふに、決してさうではない。他人の前に出た時、チヨツキのボタンが一つ外れてゐても、アンダシヤツの袖口が一寸見えてゐても大變な失禮だとする彼等は、男子と婦人との會話に乳といふ言葉、腹といふ言葉をも遣はない。母性愛を高潮する彼等であり乍ら、他人の前で子供に乳房を含ませるといふやうな事は決してしない。それだけ生きてゐる人間の裸體を愼む國民の美術品として珍重する繪畫を見ると實に大きな矛盾を發見する。即ち日本人の實生活と美術に對する考へと、歐米人の實生活と美術に對する考へとは、全く正反對である。何故こんな矛盾が產み出されたかといふに、夫れは神話の感化であるといふ事は疑はれない現象である。

日本の神話に出る神々に裸體の神は無い。何萬年か計り知られない太古の元始時代に、天上から天降つた天孫は旣に衣冠束帶であつた。もし天孫降臨の圖だといつて、丸裸の神樣達が天から降つて來る繪を描いたなら、其畫家は不忠なる國賊だと云はれる。のみならず國粹黨から暗殺されるかも知れない。優しかるべき女神天照太神が、御弟素盞男命に御對面なさる時ですら髮を結んで髻となし、裳を縛つて袴となし、八坂瓊の五百箇の御統を以て、其髻及腕を纒ひ、背に千箭の靫と五百箭靫とを負ひ、臂に稜威の高鞆を着き、弓彇を振り起て劍柄を急握し……云々とある。山路松蔭といふ人の描いた天孫降臨の密畫を見たが、其中に唯一人の裸體も見當らない。皆な衣冠束帶で劍を手にしてゐる。日本人の頭では、美とか神聖とかいふ事は、裸體で象徵出來ないのである。

それは日本の神話に體格とか裸體美とかいふものが無かつたからではなからうか。神聖な神樣を裸體で現はす事は日本人の忍び得ない所である。美しい女を描くにもやはり其の肉體美よりも寧ろ衣裳美を描いた。櫻狩りも紅葉狩りにも裸體の女は踊つてゐない哥麿の繪を見ても皆美しい着物を着てゐる。

所がグリイキ神話は、どんな感化を歐洲人に與へてゐるかといふに、鍛冶屋の神ヴルカンや、運動の保護神アポローン。オリンピヤの競技の創始者ヘラクレース。競走者を追ひ越してアタランタの良人となつたヒツポネースなどの神話は、グリイキを振出しに全歐洲人を肉體的英雄の憧憬に入らしめた。結婚の神ヘラ。音樂舞踊の神ミユーズなどの神話が、歐洲人に詩を與へ、美を味ふ力を與へたといふことを否む事は出來ないであらう。そしてこれらの神々は皆な豊麗な肉體美をもつ裸神である。こんな裸神の神話に感化された祖先をもつ彼等が、ヘブライ神話を宗敎として信じ男女間の節操を最も嚴格に維持しようとするキリスト敎徒が、尙ほ且つ人にして神であるといふキリストを裸體にして拜むのである。

裸體畫を直ちに春畫として聯想する日本人は、義人たる佐倉宗吾を裸體として祭る事は堪えられない事である。もし紫式部や淸少納言の裸體像を公園內に建てようと企てる人があつたとするなら、其人は正に撲殺さるべき程の狂人だと言はれるに相違ない。源義朝も幡隨院長兵衞も裸體で殺されたのである。けれども其の裸體の奮鬪は日本人に包み隱されてゐる。義朝を武勇化するにはやはり「練貫に鶴繡うたる直垂に、萠黃匂の鎧着て、鍬形打つたる冑の緒をしめ、金作りの太刀を佩き、二十四さいたる切斑の矢負ひ、滋藤の弓を持ち、連錢芦毛なる馬に、金覆輪の鞍置いて乘つたりける者一騎……」といふ形容でなければ繪にも話にもならない。幡隨院の長兵衞でも派手な衣裳に太刀を落しざしに差させねば長兵衞の味が出ない。日本人の頭には裸體の勇者も美人もない。元來裸體でなければならない相撲取の銅像を建てるにしても多分其の相撲取に羽織を着せ兵兒帶を纒はせるであらうと思ふ。

代表的の西洋畫を二三枚見る。チヽアノの描いた天の愛、地の愛。バツカスとアリアドネ。ポインタアのアタランタの競走、それは何といふ美しい裸體畫であらう。着物は着てゐてもゴヤの描いたマハなどは裸體美を觀る事が出來る。レンプラントの十字架より取おろされるキリストなどは、裸體畫であるが言ひ知れない嚴肅さを含んでゐる。

以上の如く觀察して來ると、裸體を非常に厭ふべき事だとする習慣をもつ西洋人が、美術上に現はれる裸體を忌まないばかりかそれを讚美するやうになつた道程と、夕顔棚の下で裸體の夫婦が夕涼みをしてゐる圖に俳味を感じる日本人が、美術上に現はれる人物畫や彫刻となると、妙に四角張りたがる所以が略々解るやうに思ふ。

グリイキ神話の感化は、彼等に肉體美の觀念を與ふると同時に體格の强健に關する憧憬を產ましめた。アポローンやヘラクレスが日本の神であつたなら、あれだけの尊崇を受ける事は到底出來ない。八町二郎が如何によく走つても、礫の喜平次が如何によく石を投げても、日本人にはそれが神化されないのである。しかし八町

次郎が一時間に百里を走つて主人の仇を復したとか、礫の喜平次が石を投げて親の仇を殺したとか云ふのであつたなら、始めて日本人に讃美せられるのである。即ち日本の神話には武勇が多きを占めてゐるので、戀愛とか遊戯とかいふ事には縁が遠い。伊弉諾、伊弉册の二尊の絶妻の誓などでも、あれがグリイキ神話であつたら、大きな悲劇であり戀愛である筈だが、日本の神話では夫れが直ぐ戰爭化されてゐる。

三

元始時代の人間には、神話が其のまゝに宗教であり歴史であり科學であつたのが智識時代になると、神話と歴史との區別がはつきりと分れるやうになる。例令ば伊弉諾、伊弉册尊が天の浮橋の上に立つ時の、

底つ下豈に國無からんやと曰ひて、天の瓊矛を以て指し下し而してこれを探り、是に滄溟を得たり。其の矛鋒より滴瀝せる潮、凝りて一の島を成す、これを名づけてヲノコロ島といふ。二神こゝに於て、下りて彼の島に居る。

といふ記事は神話であるから、これを其のまゝに承認する事は出來る。しかし神武天皇が大和へお出でになつた時、草薙の劍を猿澤の池に指し下して引あげた其の刄の尖から落ちた滴が今の三笠山であると云つても、夫れは承認する事が出來ないのである。何となれば人皇第一代は天孫降臨の時から、もう一百七十九萬二千四百七十餘歳を經たとまで書物に書かれてゐる後世の事であるから、もう其時代は神話時代ではなくて歴史時代に入つてゐるのである。即ち原始時代から智識時代に入つた時であるから、さうした事實に印しない話は虚僞として排斥されるのが至當である。

神話時代には神樣が國々を産んだり、火の神を産んで燒死したり、其の燒死んだ女神を黄泉國まで尋つて行つたり、唾を吐いても、杖を投げても、眼を洗つても、鼻を洗つても、神樣が產れたり、雉が神樣の使になつたりしても不思議はないのである。殊に彦火々出見の尊が、兄の釣鈎を失つて夫れを海中へ探りに行つた時、海神から釣鈎を探して貰つた上、海神の娘豊玉姫と結婚した話の如きは、神話であるから怪しむに足りないのである。

玉依姫直ちに風波を冒して來て海邊に到る。產時に及んで請うて曰く、妾の產む時、幸にこれを看る勿れと、天孫猶忍ぶ能はずして、竊に往いてこれを覘ふ。豊玉姫產むに方りて化して龍となる。甚だしくこれを慙ぢ……草を以て兒をつゝみ、これを海邊に棄て、海途を閉ぢてたゞちに去る。

といふのは、神武天皇の御父、彦波瀲武鸕草葺不合尊の產れ給うた時の記事である。

隔たる時代は僅かであるが、神武天皇の皇后媛蹈鞴五十鈴媛命が、皇子神渟名川耳の尊を產み奉つた時、姿を蛇に變じて海中に入つたといふ記事は、日本の歴史上に其の存在を許されないのである。

日本人は日本の歴史を讀む。そして自己の祖先である彦火々出見尊の妃、玉依姫が大蛇であつたといふ事は少しも信じないでゐる。立派に國史にそれが書かれてある。しかも其の國史日本書紀は、一品舍人親王、太朝臣安麻呂が元正天皇の勅を奉じてこれを

撰したものである。或書物には玉依姫が大きな蛇となつて海を泳いでゐる挿繪までしてある。けれども日本人の誰一人これに異議を挾むものが無い。それは此の日本書紀初卷が神話であるからである。

神代と人代との間に一線が劃ぜられるとき、神話と歴史との區別が生じる。そして歴史は正確なる事實の記錄でなければならないのであるから、神話と歴史とは全く其の性質を異にする。けれども宗教味を帶びた神話の感化といふものは容易に其の根據を失はないで、いつまでも〱歴史眼に纒はつて行く。即ち原始時代から智識時代に入つても、まだ、神話を全く捨て去るに忍びないのである。だから神武天皇といふ人皇に入つても、まだ八咫烏が道案內をしたり、金色の靈鵄が弓弭に止つたりする。それから段々と近代になるにつけ神話の分子が無くなるかといふにさうではない。正史といはれる歴史にでも、鵯越を馬に乘つて飛んだり、天狗の舞を見たりする。しかしさすがに正史の體面上、あんまりな事は書かれないので、稗史といふものがあつて、思ふ存分神話の分子を混和する。夫れによると源義經は牛若丸時代に鞍馬山で天狗から劍法を學んだり、源爲朝は一本の矢で大きな軍艦を沈めたり、平清盛は西に沈まんとする太陽を扇で招返したりさへする。これは吾々人間が平凡な日常生活の記錄に滿足しないで異常な世界を憧憬する證據である。此の傾向は今日と雖も尙消えないでゐる。日清戰爭、日露戰爭の頃にも軍艦の檣に止つた鷹を捕へて靈鷹であり瑞徵であると云つた事がある。近くは攝政宮殿下が和歌山市へ御幸啓になられた時にも、其の御宿所の庭に鷹が宿つてゐたのを休徵嘉瑞だとして新聞に特筆してあつた。これらは神武天皇時代の八咫烏、金色の靈鵄と同じ神話であつて、其間には寸毫の變化が無いのである。日清戰爭當時には日本中の神社の神馬や木馬が皆な戰爭に參加してゐたと眞面目に信ずるものがあつた。

斯の如く神話から歴史、歴史から稗史と、人間に關する物語が變遷した時、それにあき足らない人々が文學的な小說を產ましめたのである。だから藝術としての小說は、神話の發達したものといふも差支がないであらう。

四

以上述べ來つた如く、人類の元始的時代には、作者の知れない神話があつて、其時代の人達に科學と歴史と宗教とを與へたのである。

人間の幼年時代は、人の一生に於ける元始野蠻の時代である。だから民族の原始時代に神話を有するごとく、個人の幼年時代には彼らの「童話」を有するのである＝此の童話を或時代では昔噺と云ひ、或時代ではお伽噺と云つた＝幼兒の爲には其の童話は彼等の科學であり、世界歴史であり、宗教なのである。

神話の感化が何萬年經つても其の民族に深い感化を與へてゐるやうに、如何に幼兒の智識が進歩し發達して、大人になつても、幼年時代に與へられた童話の感化は決して其の個人の精神から全然除き去る事は出來ないものである。是に於て個人の幼年期に與ふる所の童話の性質を撰擇しなければならない必要が起つて來る

隨つて童話教育とでもいふべきものが、兒童藝術教育の一部となつて眞面目に研究せられる時代が來たのである。

兒童藝術教育の一部として童謠、童話の研究され初めたのは最近の事であつて、明治の末年大正の初年までは、童話といふ言葉すらなく、「お伽ばなし」といふ言葉が、教育者の間に極めて輕く取扱はれてゐたのであつた。だから「お伽ばなし」といふものは教育の一部とも認められてゐなかつた。

教育の一部と認めないばかりか、これを落語の類と一緒にして「おとぎばなし」と誤り言ふ人すらあつた。それが少しく進んで、これを教育の一手段に利用して教訓談にしようとした人達は、單にお伽噺といふ事を愧ぢるやうに、「面白くて爲になる話」と註解した。殊に小學校長の職にある人達が、お伽噺の講演者を兒童に紹介する時など、必ず此の言葉を遣つたものである。成程お伽噺は兒童に對して面白くもあり爲にもなる話に相違ない。しかし若しも、「面白い話」といふだけであつて「爲になる話」といふ言葉を避けるとしたら教育者は夫れを好まないのであつた。しかし夫れも聽て理解され、單に「お伽噺ばなし」としても教育の一部に其の座を與へるやうになつて來た。そして、今までの神話思想の分子を多量に含むお伽噺から、更に童心藝術とでもいふべき兒童文藝の一として產れ出でたのが「童話」である。即ち「童話」といふのは、新しき現代の兒童に適應して產れ出でた新しい「神話」なのである。

所がこゝに注意すべき一事がある。神話といふものが原始時代に適する歴史であり宗教である如く、童話といふものは、幼年兒に適する歴史であり宗教であり科學であるが、民族の智識が進歩するに從つて、神話時代から歴史時代に入るやうに、幼兒もいつしか童話を輕蔑して事實の記錄である歴史談を要求するやうになる。これは早熟な子供は尋常五六年頃に、もう其の時代に達する此時教師や父兄の注意を怠るなら、徒らに殺伐を事とする武勇談に走つてしまふ。そして其の結果は、杜撰な講談物を最上の讀物とし、低級な物語類を至上の藝術だと思ふやうになる。だから、童話を兒童藝術の一部だとするなら、童話時代を脫した少年少女に對して「少年少女文學」といふものを與へる必要がある。そして智識時代に入つた彼等を純眞に敎へ導いて行かねばならない筈である。

以上述べ來つた所を總括するなら、

元始時代——智識時代——道德宗教時代——神話時代——歴
史時代——稗史小說時代——お伽噺し——實錄——武勇傳——
——童話——少年少女文學——純文藝

といふ順序になるのである。

唄の碑除幕式

‖大島初渡航‖

須藤鐘一

今どき御神火の大島でもあるまいと、たかをくくつてゐたが、先頃、大島開發會といふ名義で招待を受けた。今度三原山の麓に、例の長田幹彦作「島の娘」の唄の碑が建てられ、八月三日その除幕式を擧行されるにつき參列してくれとの事だ。後援が講談社とあるから文壇方面からも相當參加者があるだらうと、一つはそれを樂しみにして行く事にした。私のやうなものくさは、こんな機會でも利用しなくては一生大島くんだりまで出かけるやうな事はないであらう。

さて二日の夜となつた。プログラム通り、八時、靈岸島の船着場へ行つて見ると、もうそこらぢう乘船客で一ぱいだ。まだ後から〱と圓タクや徒歩でやつて來る。カーキー服の青年團員が提灯をふつて交通整理をしてゐる騷ぎである。

○

最初に私が群集の中から見出したのは川路柳虹氏だつた。

「やア暫く。」と挨拶すると、

「あなたも行きますか。あすこに伊福部君も來てゐますよ。」と指さしてくれた。

なるほど、彼方の人波にもまれながら伊福部隆氏が百田宗治氏夫妻と話してゐる。近よつて二言三言話してゐるところへ、

「やアー」と鷹揚に聲をかけながら現れたのは、ハンチングにニツカーと氣取つたスタイルの永田龍雄氏。

「唄の碑の除幕式なら長田君や勝太郎が眞先に驅けつけねばをさまらんでせう。」

「然しあの人たちは行かないでせう。」

「それは物足らんですね。」

そのうち雨がぽつ〳〵降つて來た。

ふと入口のところに朝鮮人のやうな服裝の婦人がしやがんでゐるのを、よく見ると生田花世さんであつた。近づいて久濶を叙すると、お連れの婦人を紹介された。それは醫學博士竹內茂代女史だつた。

暗い横丁から四五人づれが驅けこんだ。見ると加能作次郎、江口渙、谷崎精二、白鳥省吾、大木雄三の諸氏。

「おゝ、隨分久しぶりですね。君とは二十年ぶりだな。」と江口氏。

「そんなに會はなかつたですかねえ。」と、私も感慨ぶかく、相變らず精悍らしい氏の面貌を見まはす。

「君、淺田江村氏がなくなつたね。」と加能氏。

「さうですつてね。自分名義の死亡通知が來たので驚かされた。齋藤綠雨式だね。」

話しながら、ふと彼方を見ると、毬栗頭の宮原晃一郎氏が中村星湖氏と立話しをしてゐる。そこから二三間離れて生田葵、林和、生田蝶介諸氏が話してゐる。高田義一郎博士、松內アナウンサーなどの顔も見うけた。

大分あちこちに知つた顔があるので氣づよくなつた。外には盛んに雨が降つてゐる。

時間つぶしに、船着場の隣にある葭簀張りの氷水屋へ行つて見た。そこには小野政方氏がゐた。二人でアイスコーヒーを飲んでゐるところへ、雨に洋服をびつしより濡らしながら宮地嘉六氏が飛び込んで來た。

「やア暫くですね。」

「あ、今しがた須藤さんかと思つておじぎした人があつたですよ。あなたにとてもよく似てゐるんで……。」と宮地氏。

「さうですか、そんなに有りふれた面ですかなア。」と私は苦笑した。

○

みんなぞろ〳〵と船に乘り込む。初め千人位招待の豫定だつたが、少し減つて七百名ばかりだといふ。

船は橘丸で、千八百噸ばかり、東京灣汽船のうちで最新最大のものだ。午後十一時をうつとやつと出帆した。甲板ではラヂオが氣ぜはしくしやべり出した。オリンピツクの實況放送である。

私は船底の室へおりて横になつた。觀音崎を出はづれたらしく、大分搖れるやうだ。いつしか私は眠つてしまつた。

眼がさめた時は、三日の午前四時過ぎ。室を飛び出して見ると、黑々とした曉闇の大島が眼前に近く横たはつてゐる。初め、元村に着く筈の船が、波の高いため、こ

ゝ岡田の港につくのだといふ。

はしけに搖られて一同が上陸した時、夜はすつかり明け放れた。急坂をバスの發着所まで登つて、足下を見おろすと、曙光に目ざめた沖の景色が何とも云へずすが〳〵しい。

そこから元村まで一里二十丁ばかり。單調な山中の小徑である。バスは小石につまづいて幾度かはねつかへつた。三四十分かゝつて、兎に角元村の三原館につき、朝食にありついた。

少憩の後、再びバスに乘つて三原山に向つた。途中、鬱蒼たる雜木の梢が、又しても窓硝子を叩くのだつた。太い椿の木も兩側に茂つてゐたが、今は季節はづれで、赤い花の爛漫たる風情を見ることの出來ないのは遺憾だつた。

バスを降りて、愈々砂山を登り出す頃から濃霧が濛々としてあたりを包んでしまつた。レールが濡れた爲め、滑走機も出せないといふので、急な砂山を十町ばかり、えつちやらおつちやら登り出した。霧は益々濃くなり、雨のやうに帽子を打ち洋服を濡らす。上を見ても五六間先しか透かせない。

勾配は愈々急で、しかも砂地なので一尺上れば五寸はずる〳〵と滑つて後へ戻るのだ。足は疲れ、息は苦しくなる。その間に若い連中は、どん〳〵追ひ越して行く。それが又癪にさはるので、こちらも更に勇を鼓して登る。……その苦しさは一通りでなかつたが、やつと霧の中に鳥居を見出した。そこは外輪山のふちで、茶屋があり、サイダーやビールも賣つてゐる。

○

御神火の噴火口まで行くには、そこから又大分ある。五六町沙漠を行つたところから急峻な山を登らねばならぬといふ。此の時、馬の口綱をとつた若者が近づいて、

「旦那、馬に乘つて下さい。」と勸める。

「火口まで幾らだ?」

「一圓ですが、之れからまだ〳〵遠くて大變ですからお安いものです。」などと、中々勸誘がうまい。

そこで私は馬上の人となつた。——といふと甚だ勇ましいやうだが、實は此の年になるまで、まだ一度も馬に乘つた經驗がないのだ。

馬はおとなしく、よく肥えた白毛であるが、こちらはおつかなびつくりで躰をちゞこめ、小さくなつて一生懸命手綱につかまつてゐる始末。

馬子の若者は、微笑しながら容赦なく馬の尻をひッぱたき、

「旦那、そんなに固くならんで、ゆつくりして馬の動

くまゝに躰をまかせておいて下さい。おとなしい馬だから大丈夫です。」といふ。

少し行くと私もだん〳〵馴れて來た。然し、道は爪先上りになるし、幅は二尺ぐらゐしかない。壁のやうに面を掠めてそゝり立つ砂山の中腹を、斜めに襷でもかけたやうに一條の小徑が通じてゐるのだ。右手は見上ぐるばかりの絶壁、左手は千仭の斷崖である。一歩すべると山の麓まで何十米か、馬諸共に轉げ落ちねばならぬ。

道は段々急になり、しかも大小の石塊が一面に轉がつてゐるので、馬はコト〳〵とそれを踏み外したり、蹴飛ばしたりする。その都度馬上の勇士は冷々しながら手綱にしがみつく。

やつと火口茶屋までついて一服。そこから磊々たる火山岩の間をおりて行つて、噴烟の烈しい臭ひに顔をしかめながら、火口の近くまで行つて見た。案內者は、之れまで飛び込んだ人の數が記錄に殘つてゐるものだけ千七百名ばかりある事や、內部の模樣などを詳しく說明してくれた。周圍四町あるといふ火口には二三本の鐵條網が引きめぐらしてあるだけだ。之れならいつでも飛びこめさうだ。長居をしては變な氣持にならぬとも限らぬので早々に火口茶屋まで引つかへした。

馬子が待つてゐて、乘馬をすゝめる。さつき所謂スリルの快感に味をしめた私。つい又馬に跨つた。が、今度は降るので、さつきとはまるで勝手がちがふ。どうかすると馬の頭越しに前へつんのめりさうになる。ゴツ〳〵した石コロ道にさしかゝつた時は、思はず、しまつた降りて歩かうと悲鳴をあげた程だつた。が、馬子は知らん顔をして馬の尻を叩きながらずん〳〵降りて行く。

私は飛んだ那須與市で、馬上に思はず眼をつぶり運を天にまかせ、たゞ手綱をぎゆつと握つて息をつめてゐるのだつた。

然し、幸ひに事なく、沙漠のところまで戻つて來た。すると急に元氣を恢復し、「馬上ゆたか」とでも云ふべきポーズをとる事が出來、左手に手綱、右手に帽子をふりながら凱旋將軍の意氣で、徒歩の登山者を見おろすのだつた。

○

鳥居の茶屋まで歸つた時、俄かに颯々たる曉風が出て霧は見る〳〵晴れわたつた。山上の眺め、脚下の展望、一時に開けてまるで別世界の感じがする。

私が馬からおりた頃、加能、江口、谷崎、生田の諸氏は之れから登つて來ると、非常な元氣で出かけて行く。見はるかす山の中腹には、一條の線を描いて白百合でも點綴したやうに白衣の登山者が絡繹とつゞいてゐる。一

方、眼をかへして山下を俯瞰すると、そこには大洋をバックにした雄大なパノラマが展開し、海岸近き綠地をふち取るのは、岩礁に碎け散る白浪の花だ。漠々たる土用雲を搔き分けて、ぬつと中空に英姿を現はしたのは富士山ではないか。

空が晴れたので、滑走機も動き出した。それに乘ると一瀉千里の勢で麓におりた。そこには紅白の幔幕を張りめぐらして唄の碑、餘興の舞臺が設けてあるし、テント張りのテーブルの上には酒肴の用意もとゝのひ、我等一行を歡待すべき準備がすつかり出來てゐた。

餘興には態々東京から呼び寄せた藝妓連の踊り、島のあんこの哀調を帶びた唄と手踊などがあり、我々は熱い山腹の日に照らされつゝ、ビールの滿を引いた。加能、江口、谷崎などの酒豪連は、こゝでも一團となつて盛んにメートルをあげてゐた。

午後一時、除幕式を終つて、再び元村の旅館に引上げた。風呂に入つて氣がつくと、さつきの乘馬で私はお臀の皮を剝がして、シヤツに血がベツトリにじんでゐるのには驚いた。(此の傷、歸京後五日、未だ癒えないのでまゐつた。)

さて風通しのよい二階に上ると、昨夜來の疲れが出て見物もそこのけ、みなぐう〳〵と一眠り。午後四時半には、橘丸に乘り込んだ。五時、碇を上げて、船が動き出すと、見送りのタンク船が舷に沿うて沖へ〳〵と漕いで出る。その船には、宿でちよつと馴染になつたあんこが三四人、手をふつて別れを惜しむのであつた。

絣の着物、黑のふちをとつた前掛、黑髮を無ざうさに束ね、藍模樣の手拭を頬卷のやうな獨特のかぶり方をした其の姿。寫眞で見て想像してゐたよりも、はるかに魅力があつて深い印象をうけた。こちらからはテープを投げるものがある。帽子をふり、聲をかけるものがある。あんこたちは白い齒を見せ、愛らしい眼を輝やかして、我が一行を見送つてくれるのだつた。

登山口に轡ひかへて乘れといふ馬子は若者馬は白毛ぞ
三原山ふもとに建てる石碑(いしぶみ)は娘十六戀のいしぶみ
元村を船は出で行く見おくりのアンコは小手をふりつゝ呼ばう

—(終)—

乳幼兒便祕の

大部分は胃腸障碍に原因して居り、病狀が目立たずに進行するので下痢以上に危險です
而し強制的な浣腸や下劑は厄介な習慣や恐ろしい衰弱が伴ひます
こんな場合榮養を整へつゝ自然な便通をつけるマルツ汁エキスを與へるのが最も有効安全な療法として各醫科大學病院等で旺んに應用されて居ります

詳しい說明書見本は御申越次第進呈

通じが付て丈夫になる

マルツ汁エキス

定價（大 五〇〇瓦 一、九〇 小 一二〇瓦 七〇）

全國藥店食料品店にあります
但し粗惡なニセモノあり和光堂製と御指定を乞ふ

東京市神田區猿樂町九 株式會社 和光堂 大阪市東區南久太郎町

愛と教育（二）

賀川豊彦

教育に依る社會改造

教育社會主義を主張するポール・ナトルプは、眞の世界改造は政治的改造にもよらず、只一つ教育的改造によつて爲されねばならぬと云つてゐるが、私はそれに同意するものである。教育が形式に止まる間はかうした理想の實現を要望することは無理であらうが、人間性の本質から湧き出る生命藝術を教育の本質と考へるならば、私は教育に社會改造の多くを望んでよいと思ふ。

近世に於ける自然科學は、人間生活を根本的に變革したが、それを敎へる普通教育に依つて民衆は目醒めて來た。近世に於けるデモクラシーは、この普通教育の發達を度外視して考へることは出來ない。卽ち近世民主々義の發達は知識革命と教育革命によつて齎せられたと考へても差支へないのである。若しも民主々義がたゞ政治と經濟のみによつて基礎づけられたものだとするならば、それはデモクラシーの本質には觸れない。何故なら、それは人間の魂を出發點としてゐないからである。

私は社會の改造が、今日の表面的なる普通教育より、更に內質的教育社會主義に移り、凡ての勞働者がその求むる教育を受け得るやうにしなければならぬと思ふ。かうしてこそ始めて眞の理想的社會が實現し得るので、たゞ政治や經濟のみに社會の改造を待つてゐる間は、魂は胸の底で嘆く外はない。

眞の創作的教育

私が貧民窟で苦勞した經驗によれば、白痴、低能、發狂、變質、不具、癈疾、疾病者を以て充たされてゐる今日の荒んだ貧民窟を救濟するには、たゞ政治と經濟のみでは駄目だと思ふ。又今日のやうに「心の傷」を無暗に兒童に與へるやうな貧民窟のある間は、とても立派な第二の國民を作ることは不可能である。私は十二歳以上の

貧民を救ふことには殆んど絶望してゐる。所謂勞働者階級であるならば、組合を作つて自ら解放する工夫をつけることが出來よう。然し他人に依囑して辛うじて生活してゐる、生理的に又心理的に不具者である貧民は、到底本質的に救濟することは出來ない。それで私は貧民を無くする工夫は、十二歳以下の子供を顧みることであると思つてゐる。卽ち彼等に眞の創作的教育を與へ、彼等が將來十分自立して生活し得るのみならず、彼等の中より優れた才能を有つものゝ現はれ來るやうに工夫することが、眞に貧民を救ふ道であると考へる。

かう云つた意味に於て、私はこれからの社會運動の基調を教育社會主義の上に置きたく思ふ。それによつて私は魂が權威の前に屈せず、愛の互助の精神によつて無產者階級を解放し、自然科學及び人文科學によつて過去の迷妄から釋き放たれ、常に理想に生き、パンと暴力とを度外視して新しい改造を夢みる優れた社會を建設することが出來ると思ふ。

教育改造の本質は 人間性の發見にあり

尙最後に私は教育改造の本質について述べる。

總ての改造問題は、歸する處人間性の問題である。人間性を改造するには、進化の力に俟つより外はない。進化の理法を實際に應用した一方面に教育がある。教育は人間性の學習力を應用して出來上つた或る心理的現象である。それは外部的勞力や、經濟的勢力でどうにもならないものである。たゞ人間の本性を呼び出して刺戟に感應せしめるだけである。從つて教育の改造と云ふものも、人間性そのものゝ本質的要求からなされるものであつて、いくら外部的にいろ〳〵な刺戟を與へても何にもならない。

教育改造の本質は、人間性の發見と云ふことにある。これを外にしては教育運動に何等の權威もあるものではない。

人間は何時でも教育されるものではない。內側から或物が湧いて來るときにのみ教育が出來る。それで七歳頃から二十四歳頃までは、人間の心が最も沸き立つ頃であるから、敎へることが非常に易い。三十を過ぎると人間は固まつて了つて敎へ難い。民衆を教育する場合に於ても同樣である。民衆が固定して居る場合には敎へることが出來ない。民衆が內側から沸き立つて成長せんとして居るときに初めて敎へることが出來る。

それで敎へんとする者は、敎へられ得る者として常に成長して居るものであらねばならぬ。これを教育のデモクラシーと云ふ。今日までの教育者は、總てを決定的に見て、教師は必ず弟子より偉いものとして居た。その間に成長の法則のあることを知らない。然し、教育の本質と云ふものは、成長と云ふものを無視しては有り得ないのであるから、教師が常に生徒より偉いと考へるのは誤謬である。教師自らが成長しつゝあつてこそ、成長しつゝある兒童と民衆の指導者たり得るのであつて、これ等を或固定した型に入れんとすることは、教育の本質に背くことである。

人間を上進せしめる工夫

さきに述べた樣に教育は人間性の改造にある。人間性の改造は進化の力による。進化する力を型に入れることは出來ない。それで紋切型の教育をせんとするものは、教育そのものゝ本質を無視して、進化を妨害するものと云はねばならない。教育は一つの口火である。それは發明と發見とを補助する爲に、今迄人間社會が持つて居た智慧を刺戟として與へるのである。それ以上に或物を加へた場合には、教育が其目的を達した時である。

自然科學の教育にしても、文化科學の教育にしても、其本質は同じことである。人間をより善き位置にまで上進せしめる工夫である。

で、教師の本分は生徒の發達を妨害しないと云ふことを、その第一の使命とせねばならない。中世紀に於ける教育法は、學生を教師の標準で縛つて了つた。そして若き血から流れ出る發明と發見の口火をむしり取つて了つた。それでルッソーは自然に還れと叫んだ。ルッソーの自然に還れと云ふ意味は、誤れる束縛を取り去れと云ふことである。誤れる束縛をとり去れと云ふルッソーの忠告は間違つて居らない。たゞこの場合に注意す可きことは、束縛を取つてしまふことゝ、發明の行程に移ると云ふことゝは全然別個の問題である。自然に還ると云ふことは、過去の誤れる教育の形式から解放せらるゝと云ふことを暗示してゐることであつて、それは少しも發明の世界を暗示してはゐない。この意味に於て、教育はたゞ自然に還ることを敎へるのみならず、人間性を基礎とする發明の世界を暗示せねばならぬ。卽ちそれは何時も理想主義的であらねばならぬ。たゞ自然に還ると云ふことゝ人間らしい人間性を發見すると云ふことゝは、その間に大分著しい相違がある。我々の進む可き道は、過去の誤れる形式を打破すると共に、常に新しい事業を發見する事であらねばならぬ。

教師は永遠の保姆である

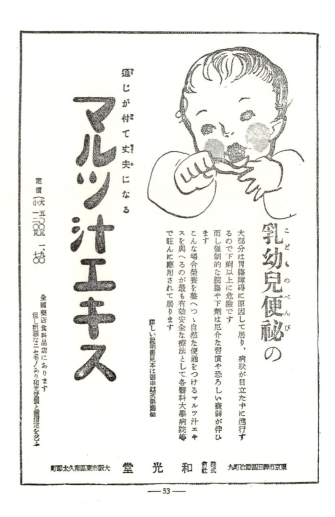

この人間性を發見する爲に邪魔になつて居る種々の虚

偽な社會形式は、根本的に改革せねばならぬ。教育と云ふものがたゞ現存する社會をそのまゝ肯定して、それを保持して行くことを教へることであるならば、現存する社會組織を必ずしも否定する必要はないのであるけれども、今日より更に進んだ社會を造らんとするならば、今日のまゝの教育で滿足することは出來ないのである。

然し或人達が、社會組織や社會境遇を改造すれば、それで教育が改造せられると思ふのは、大きな間違ひである。社會境遇は外部的のものであつて、內質的な人間性そのものではない。それで、もしも唯物史觀のみで、教育の本質を闡明し得ると思ふならば大きな誤謬である。教育の本質は常に發生的であり、心理的であり、倫理的であり、眞の意味に於て宗教的であらねばならぬ。それは生命藝術そのものである。

こんなに考へてくると、教育の改造は、强ひられた改造であつてはならない。それは內側から湧き溢れてくる愛と生命の清水を堰き止めないやうにすれば善いのである。そして教師はこの掘拔き井戸の番人であると思つて居りさへすれば善いのである。

今日までの教育家の誤謬は、自分が先生であると思つてゐたことである。自分は先生では無くして、永遠の保姆であると考へて居れば善いのである。デモクラシーの道は均等でもなければ、たゞ自由と云ふことだけでもない。それは成長すると云ふことである。後から來る人が先にある人と同じく成長し、更にそれより以上に成長し得ると云ふところに、平等思想の徹底したものがある。自由と云つても、內容の無い自由ではなんの役にも立たない。それは成長の自由であらねばならぬ。成長の無い自由程危險なものは無い。

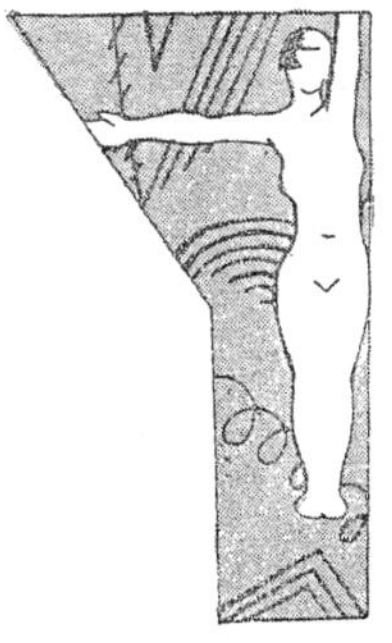

成長による平等成長による自由は、たゞ教育の過程を通じてのみ達成し得るのである。此の意味に於て我等は眞の社會改造が、愛による教育改造によつてのみなされるものであることを信じなければならぬ。

・教師の職分は保姆の役目である。それは永遠に成長する人類の手引をせねばならぬ。永遠の手引は愛そのものであらねばならぬ。愛は永遠の教師である。そして愛による教育は社會改造の根本的基礎をなすものである。

母と子

文學博士　下田次郎

一、子の養育

一

「我れは今日神に型どられ、天使に似通へる子を我が腕に抱く、我が心は感謝に充ち、我が心臟は母の愛もて顫ふ。我が美しの子を見守る時、我が眼は新しく湧く喜びにうるむ。オ、貴き者よ、我れは淚を通して、我れを待つ大なる課業を見る。我が幸多き空は上に擴がり、生の義務はいや高く、大きく橫はる。大悲の天よ、日々の縺れより、我れに正しき路を見出さしめ、我が子を安全に人たるやう導き玉へ。かくてあらゆる榮えは、君のものたるべし」とは、若き婦人が始めて母となりし時の喜びと覺悟とを歌つたものであります。

如何にせば、最も良く我がこの小き命に仕へ得るかと若く不慣なる母が、心を碎く樣ほど、感動すべきものはありません。父母が始めての子を交互に搖籃で寢かし付けやうとした時、男は女に向つて、お前の半分を搖すれ自分の半分は泣かしておくからと、云つたといふ話があります。母はすべてを幼兒に捧げるのであります。

閨に泣聲のするを目の覺めたる合圖と定め、手がしこくも抱き起して裏の畠に尿やりて、乳房あてがへば、すは〳〵と吸ひながら、胸板のあたりを打ちたゝきて、にこ〳〵笑顏をつくるに、母は長々胎內の苦も、日々の襁褓の穢らしきも、ほと〳〵忘れて、衣のうら玉を得たるやうに撫でさすりて、一人喜ぶ有樣なりけらし。

蚤の跡數へながらに添乳哉　　一茶

「生身には餌食あり。乳房といふ天道の御扶持方」、(近松)で、「母おやが、乳ぶさをふくめると、赤兒が舌を以て、その乳房をまいて、乳を吸ひます。この乳首を舌でまかねば、吸はれぬといふことは、何者が分別したぞ。ナント奇妙なものではございませぬか。」(鳩翁道話)

赤兒は母の乳で養ふのが、通例一番好いのであります。母であれば胎兒を養ふと、乳吞兒を養ふとは唯身體の內外の相違で、同じ母體の材料で養ふのであるから、最も自然で、その移り行きに無理がありません。又乳の成分や濃さも、子の成長につれて、都合よく變化して行きます、經には「母乳猶甘露の泉の如し、長養時に及んで曾て竭ることなし」といひ、又母乳の三德として、寒暑同味の德、尊卑同一の德、轉苦吐甘の德を擧げて居ります。人工榮養ではなか〳〵さうは行きません。牛乳とすればその性質が變つたり、濃すぎたり、淡すぎたりして、どうしても直接母の胸から甘露の泉を吞むやうには參らぬのであります。

うなゐ子がすがる乳房や世の中の
　めぐみの露のはじめなるらん

然るに世には乳が出ながら、子には吞まさないで、乳母に任せて居る母があるのは、何たる料簡でありませう乳を哺ます母ほど婦人として神々しいものはないと思ひます。

「母が母乳の與ふる幸福を一度知つたならば、その幸福を奪はれるために、乳母を雇ふなどゝは一時も考へぬであらう。從つて已み難き故障のため、我が子に哺乳させられぬといふは、情ない事である。哺乳は通例母の體質を弱めないで却つてこれを强めるものである。或人は子に哺乳せしめる母は一層眞の母であるのみならずそのため二重の報を受ける。即ち哺乳すれば、子がよく育ち、喜ぶと共に母も丈夫になる。丈夫な子を丈夫に生んだ女ほど丈夫な女はないと言つた。若し動物の母が、哺乳せしめなければ、どれほど多數の兒は死んだであらう。實に不自然な事である。しかし、それは乳の出る好い胸をもちながら、子に全く哺乳せしめぬか、少しばかり哺乳せしめる健康な婦人よりも、一層不自然であるとはいへない。姙娠して九ケ月子を胎內に宿し、その終りに子を生む程の體力ある婦人は通例子に哺乳さすだけの體力はある。哺乳は病氣ではなく、健康な働きであるから、一般に健康には

最も有利である。哺乳できるのにせしめぬのは、母に對して甚だ殘酷で、最も不自然である。」(シヤバッス)それで母の乳が出ぬ場合、出ても良くない場合母が弱かつたり、性質の良くない病氣をもつた場合、脚氣などの外は、母が哺乳さすに限ります、已むを得ぬ場合には良い乳母を雇ひ乳母の雇へぬ場合には最後に人工榮養法を取るのであります。乳の出る法、乳母の選び方扱ひ方等については、拙著「胎教」に於て述べましたから、こゝには略します。

要するに母の乳に代へる何物もありません。胸に湧く母乳に飽く子ほど、仕合せな子はありません。

二

また生れた子が弱いといつて、決して絕望してはいけません。弱い子でえらくなり、長生した人も少くありません。佛國の文豪ビクトル・ユーゴーは出生當時を語つて「自分は母の外、すべての人より見放された程弱く生れ、首は脆き葦の如く垂れ、明日の命も覺束なく、寢床は同時に棺桶であつた」と云つて居ります。その命を母の丹精で取留められ、遂に世界の文豪となり、八十四才の長壽を保ちました。その母の乳に育てられ、母の愛に人となつた事を、彼れは詩に於て深く感謝して居ります彼れが小說に於て、母を描くに深甚なる感激を以てせるは、偶然ではありません。たとひ生んだ子は弱くとも、子を養ふの用意と丹精とに於ては、我れは、母親の第一と、あはれな母もなれぬことはありますまい。「親の守りで子がうれしい」といふことがありますが、親に代るべき守りも、お附きもありません。先日東北地方を旅行した時素肌の背に子を負ふて、上から襦袢と着物で暖めて居る母を諸所で見ました。斯うまでして、母親に保護される子はありがたい事だと感じたことであります。どうか幼兒の養育は、母親自らがするやうに致し度いものであります。子の世話をせぬのが、母親の見えでもなく、品位を上ぐるものでもありません。「私は結婚して四年になります。その時から、人の妻として、又母として、すべてが夢であり、驚異であります。私は夜半に眼が覺めますと、傍に乳吞子が起きて居て、ランプの光に二つの輝いた黑い眼が私をじつと見て居る事があります。あゝこの眼は元來私の眼である、母の魂から分れ出た魂の有てる眼であるから」と言つて居る母もあります。眼も身體も魂も、我がものである幼兒を指環さへ放さぬ母が、どうして放すことが出來ませう。

以下子供の養育について重な事を簡單に述べませう。

十三、子の養育 その二

一

睡眠「半分は枕に分ける五十年」など云ひますが、赤兒は大方眠つて居ります。「寢る子は育つ」ので、眠りが不安で、よく起きるのはいけません。「よく寢れば寢るとてのぞく枕蚊帳」母の心配は、子の寢たときでも休みません。しかし搖つて起して見ないでもよい。安らかに寢るだけは寢せておきます。客が見えて、出產の喜びを言はれても、抱いたり、取り合つたりして、赤兒の安靜を妨げてはいけません。赤兒は大人の玩具物ではありません。

やゝ長じても、子供は十分眠らせるがよい。睡眠不足は、神經衰弱や、種々の病氣の元になります。「人の夜な〳〵ねいり、氣しづまれるは、ひねもすのいたはりをやすめ、あすのうごきをなせるしわざの力の本となれり。若し夜よくいねざれば今日のいたわりをやすめがたく、明日のはたらき力なきがごとし」と、貝原益軒はいひました。「睡眠は天然の最良の保姆」と、西諺にもあります。睡眠の絕えざる不足は、饑餓よりも一層早く害を起します。眠りの足らぬほど情けないものはありません。空樽にもたれて垣根に眠る小僧も可哀さうではありませんか。

子供は夜は早く寢かすがよい。大人の樂しみに刺戟されて、長く起きて居る子は憐れなものであります。我が暫しの樂しみのために、乳吞子や二三才の子を寄席や芝居に連れて行つて苦しめて居る母もあります。舞臺の千松が可哀さうだと泣いて居る母親は芝居ではなく本當に我が子を棧敷で虐待して居るのに氣が付かぬのでせうか。母の樂しい子の苦しい最中を他所の子はやす〳〵と蒲團の上で寢て居ますぞ。眞に子の世話をする氣ならば、中々出歩いて遊んでゐる暇などあるものではありません。子供をもちながら、退屈を感ずる女は卑しむべし。」（ジヤン・ポール）

夕食後小い兒はサツサと寢かすがよい。十二三才の子でも九時よりおそくならぬやう、その代り朝は自ら早く起きるやうになります。朝起きの習慣は、一生に積れば健康と仕事の上に非常な利益となります。しかし眠るだけ眠らさずに無理に早く起すのもよくありません。「朝寢の息子掃き殘し」もいけないが、寢てゐる子を突然搖り起すのもよくありません。モンテーンといふ佛國の有名な敎育家の父は子の小い時、音樂の響きで子の眠りを覺させたといひます。眠りを不意に驚かすことは心身共に有害であります。

婦人の勞働とその保護

一

女工の退職手當に關する解釋について、女工に有利に決定したことは賀すべきことだ。すなはち先に議會を通過した退職積立金及び退職手當法の施行準備のために特別委員會を設け審議中であつたが、その結果女子勞働者が結婚する時は、自己の都合による退職とせずに退職手當を支給することに決定したのである。この決定のもつ意義は、金錢的であるよりもむしろ主義的であるといつていゝであらう。なぜならば、我國の女子勞働者の實收は紡績に於ても一日七十二錢といふから、退職手當を最低の百分の二とすると、一ケ年つとめて手にする退職手當は四圓五六十錢、三ケ年働いての額は十五圓未滿である。この人々にとつては、それでも少い額ではないにしても、金錢的には依然として大問題ともいふことが出來ないからである。

二

この問題がかく解決したについては我等は相互の互讓妥協を多とするものである。理論からいへば兩方に理由がある。內務省側の主張は「女子勞働者の結婚による退職は自己の都合でなくやむを得ざる都合によるものと解釋すべきものである」といふに對し、主として之に反對したところの全產聯は「元來退職金は退職後の生活安定を同時とするものであるから、結婚の爲めの退職の如く、生活安定を得るためと見るべきものに對しては、これを支給する必要なし」といふのである。この議論は純理としてはいづれをいづれともいふことが出來ないのであつて、結婚退職は「自己の都合」とも見ることが出來るし、また「やむを得ざる都合」とも見ることであらう。

三

法律が出來て居つて、現在問題になつたのは、その法律の實際的解釋である。故に全產聯と、內務省が自己の正しいと信ずるところを主張するのに、少しも遠慮のないことである。しかしかくの如き社會立法は常に弱い者、生活的安定のない者に對

する保護を目的とするものである以上は、可能範圍において頼りないものに有利に解釋さるべきは當然でなくてはならぬ。特に女子勞働者は、男子勞働者の八十四萬人に對し、實に七十三萬人に及んでゐるのであるから、この約半數が折角の法律のよ何等の恩典がないとあつては、何のための法律であるか譯が分らなくなる。今回の婦人勞働者に對する勝利は甚だ喜ぶべきことである。

四

この決定は喜ぶべきであるが、しかし乍らその內容を見れば婦人勞働者が、如何に惠まれざる位置にあるかを知ることが出來るのであらう。この七八十萬の女子勞働群は、朝早く、夜遲くまで働いて、手にし得るところが、一日平均七十二三錢にすぎぬといふのである。しかも三ケ年の退職手當が十五圓內外だといふのである。これが相當に問題になつたといふ一事が、婦人勞働者に對する保護が如何に薄いかを物語るものでなくてはならぬ。今や婦人勞働者の進出は驚くべきものである。この時に當つて、退職手當が少しばかり手にはひる程度で滿足してゐたのでは、それは國家社會として當然の任務をつくしたといふことが出來ぬ。

五

近頃は地方と都會を問はず、電車、乘合自動車の運轉手等は漸次婦人がとつて代つて居る。これは勞働問題としても大きな問題であつて、勞働者が今少し結束し、勞働組合が有力な國ならば必ず男子勞働者から一應の抗議が出るところである。なぜならばこの婦人勞働者の進出は、勞働市場の汎濫を意味し、從つてそれだけ給金待遇の低下を意味するからである。だがそれとは別に國家として、婦人勞働者が多くなるに從つて、これに對する保護が講ぜられなくてはならぬ。婦人は將來の母である以上はこれに擁護の手が加へられるのは當然だ。一番いゝことは婦人が勞働市場に出でないことだが、生活上さういふわけにはいかぬ。そこでこれに出來るだけの國家的、法律的保護が加へられなくてはならぬ。第一には勞働時間の問題である。第二には勞働種類及制限を加へることである。第三は病氣其の他に對する考慮である。第四は特殊なる休養設備である。かうした問題に關する立法は今日絕對に必要であつて、延引することを許さないのである。

病床より白名氏を悼む

村島歸之

伊藤悌二様

『青波』の御文章を拜見、老兄と白名氏のタイアップによつて、赤ん坊審査會の今日の盛大を齎らされた功勞を沁々感じさせられました。全國津々浦々に至るまで審査會の普及を見るに至つたのは全く御兩兄の（特に大兄の）お力で、後年兒童愛護運動史を編む者は必ずその芳名を特記すべきだと思ひます。「白名氏を偲ぶ會」の御企てを新聞で見乍ら病臥の身で參列が叶はず、床の中でいろ〳〵と思ひ出に耽つてゐました。本當に惜しい人でした。小生も『青波』の事を前以て知つて居りましたら白名氏を大兄から御紹介されたこと、コドモ研究會のこと、泉布觀の櫻花の下で大兄と小生の二人を寫眞にとつてくれられた事、審査會のこと（大阪每日新聞社のそれは全く御兩兄の御指導によつたものなること）『わが子の歷史』のことなどいろ〳〵書く事がありましたのに殘念でした。

此頃、身邊に不幸が多く、病床の人種には餘計寂しさが感ぜられます。

病氣引籠り二年の間に澤山の友人を喪ひました。兒童問題關係だけでも楠嵜崇氏（氏の死去は小生の重態の時で、家人は當時知らせませんでした）橋詰葭子氏（せみ郎氏末女、風水害託兒所の協力者）白名氏など、その內、楠、白名兩氏共に大兄の御紹介で御懇意に願つてゐたのに惜しい事です。

老兄、近頃お歌の方は如何。一つ短冊を書いて下さいませんか。小生も病臥以來歌に興味を持ち、大分作りました、友人の歌を書いて貰はうと思つてゐます、是非お願ひします。審査會でお忙しい事でせう。此間の明治ミルクとのタイアップの廣告は大變目立ち結構でした。日本における最初のものだといふ事を強調したかつたですね（ジヤーナリストは直ぐそんな事を考へます）開拓者としての苦心と共に名譽をも保持しなけりや嘘です。野崎ドクトルが近所なので始終見えます。小生も大分元氣になりました。まだ戶外一步も出ませんけれど。短冊是非お願ひします。薄手のを封入しました、こどもの歌を書いて頂けたら此上の幸ひはありません。

子供達の世界もこれでは地獄だ！

悲惨なこの統計よ

神田駿河台の日本兒童社會學會では、昭和九年十一月一日から十年十月卅一日まで一ヶ年間の新聞紙上(東朝)に掲載された子供(二十歳まで)に關する各種の問題を丹念に拔萃して統計的に分類表を作つたが、それによると轢殺が八十九で一番多く、次は家出七十七名、自殺六十五名、母子心中五十四名、交通傷害五十三名、溺死四十五名、過失死四十一名、私刑三十一名、自殺未遂二十九名、心中二十七名、他殺二十二名、暗殺計畫二十一名及び捨子四十九名。

といつた順になつてゐる。これについて調査に當つた會長尾高豊作氏は次の如く語つた。

この統計で見ると、轢殺は一歳から五歳までが多いが、これは大半は母親の不注意から招いて居る、それが六歳から八歳頃までの被害原因になると通學の途上或は遊び場を持たない子供で殆ど全部が自動車による過失です。家出は幼兒期には少なく、十四五歳から次第に増し、男よりも女に多いがこれはこの年頃の女性の心身の轉換期から生ずるのであらう。自殺はさすがに十三歳までは一人もないが、十四歳以上になつてだん〳〵増加し十九、廿歳が斷然多い。これは女よりも男に多いがこれは女は思ひつめて自省心を失ひ勝ちではあるが、いざ決行となると逡巡するのであらう。

問題の母子心中は幼兒期が道連れにされ易く、男の子より女の子が多い。また季節的に見ると、轢殺は浮立つ三四月頃と、人の心のだらける八月頃に多いが、これは氣候が身體や精神に影響してゐる證左と云へよう。家出も氣候の關係で五、六月に多い。

九月にも多いが、これは夏休みも明け、いよ〳〵學校が始まるにつけて、怠けてゐた子供が俄に成績を氣にし出したり、急に學業をつゞけて神經を焦立たせたりすることが原因になつてゐる、中等學校の生徒に最も多い。

自殺は三月と七月に多いが、これも心のゆるみからであらう。

なほ母子心中は三月と九月に多く、年の瀬を越せないと云ふ所謂生活苦がこの原因かと思はれさうであるが、實際的にはそれは案外少なく、却つて九月頃に多いといふことは、矢張りムシヤクシヤした母親の、家庭的心理狀態によるものと見られる。

東京優良兒母の會趣旨

◇偉大なる母性愛「女は弱し、されど母は強し」

「幼兒を抱ける母親の愛ほど見る目に淨らかなものはなく、多くの子に取りかこまれたる母親ほど敬愛を感ぜしむるものはない」、とゲーテは申しました。斯樣に世の中に母の愛ほど大きなものはなく、又母の惠ほど貴いものはありません。母の慈悲、母の大愛は、神の大愛に等しく、母は實に偉大な母性愛の保持者であります。申す迄もなく女性は一面に於いては、優しく、體力的にも弱い者でありますが、一度び母となり、こどもを哺育するに當つては實に何物にも劣らない強い力を持つものであります。

「女は弱し、されど母は強し」、と云ふ諺がありますが如く、母は實に偉大な母性愛を發揮し、こどもを強く、賢く善良に哺育する事によつて、この世の中は眞に明るくなり、美しくなり、さうして吾々人生に勇氣と希望とを湧き上らせ、家は整ひ、國は榮え、人生最大の幸福を與へ實に母は社會的にも偉大な存在であります。

◇母は民族發展の基礎で、こどもは原動力であります

斯樣に母は、社會的にも重大な關係がありますので、一國の將來を支配するこどもを、銘々の家庭にあつて健全に育成しなければならぬ重大な使命を持ち、また民族發展の基礎であります。こどもは其の原動力であります から世の中の一切の問題は、こどもを中心として企圖せねばならないのであります。

母がこどもを健全に育成養護する爲には、實に眞劍な精神力を持つものでありまして、これは自然的母性愛の發露であり、母としての本能であります。況んやこどもは母の懷にあつて天眞爛漫に生長する事より外に何んの希望も持たないのであります。さうして母親を絶對的に信頼して居るのであります。勿論母親の行動に對する善惡の判斷力は無く、唯母のなすがまゝを眞似て生長するのでありますが故に、母はこどもを愛すると云ふ事にも周到な注意と正しき努力が必要なのであります。或るこどもは富豪の家庭に生れて何不自由なく成長し、或るこどもは經濟的に惠れない家庭に生れるのも決して少くないのであります。然し乍ら、母親としての資格は何人にありても變りは無く、寧ろ苦しい生活の中にあつて、こどもをよりよく教育し、よりよく指導するために、あらゆる苦鬪される母の姿ほど世に美しいものはないのであります。

◇母は育兒智識を認識し、正しき努力が必要です

こどもを健全に育成するには、先づ母親の健康とこれに携はるゝ人々の育兒智識と云ふ事に重大な關係があります事は、今更申すまでもなく、母や周圍の者がこどもの育成と云ふ事を辨へず、而かもこどもを私有視して虐待したり、或は、玩弄視する事によつて、著しくこどもの生長發達を阻害し、惹いては體質や精神上に及ぼす影響も可なり大きなものであります。或は亦、母體に榮養上の缺陷がありますと、子供に直接影響して之れ又こどもの發育を阻害するは勿論、抵抗力は弱り虚弱な體質を創る原因となり、遂ひには生命線をも脅かすのでありま す。これ等は全く、母として、正しき努力が足りない結果から來るのでありまして、遂ひには今日の如く、國民全體が劣弱になりつゝある事を、如實に物語るものでありまして、誠に國家將來のため、寒心に絶へない次第であります。

◇壯丁の體質低下は、國防上重大問題です

今や世界の文運は刻々と進展し、久遠の理想は東洋の平和否全人類の平和を絶叫して止まないのでありま す。

この秋に當り、我が國民の體質が年一年と低下の傾向を辿り、殊に國家の中堅層となるべき壯丁の體質體格が著しく、低下しつゝあります事實は、過般陸軍省に於いて、徴兵檢査の結果、丙丁種該當者のパーセンテージを發表されましたが、これによると大正十一年より大正十五年迄は、壯丁者千人に對し、二百五十人（二割五分）でありましたものが昭和二年より同七年に至るまでの平均率は、實に三百五十人に増し（三割五分）、十年度には更らに四百五十人（四割五分）に激増しつゝあるのでありまして、不合格者卽ち兵役免除者が壯丁の約半數に近い數字を示して居るのであります。殊に注目すべきは結核性疾患の激増で、日露戰役當時は百人に對し二人の割合でありましたが、現在では二十人に增率し、最近滿洲より傷病兵として內地に送還される九〇パーセントは結核性患者であると云ふに至つては、實に戰慄すべき健康國難狀態にあるではありませんか、將亦我國民の死亡率は、世界の列強中首位にあり、平均壽命も列強中最低位であります。殊に歐洲諸國に於ける國民の死亡率は漸次減少に向ひつゝありますに反し、我國に於いては寧ろ增加の傾向を辿りつゝあるのであります。此の原因の主なるものは、實に乳幼兒の消化器病と、青年の呼吸器病による死亡が最も高率を示して居るのであります。

然るに我國の醫療醫術は優に先進國に劣らない迄の發達を遂げて居ると云ふに拘はらず、諸種の疾病がなほ廣く蔓延し益々國民の體質が劣弱となりつゝあります事は甚だ遺憾とする所で、畢竟國民全般が保健衛生思想に乏しき缺陷から來るのであると云はなければなりません、これは我國現下非常時局に於ける國防上の見地から申しましても由々しき問題でありまして、洵に昭和の御代の一大痛恨事であります。

◇醒めて起たねばならぬ超非常時です

今や我日本は、世界の岐路に立ち健康國難の危機に遭遇し、一刻も猶豫すべき秋ではありません。醒めて起たねばならぬ超非常時に直面し、國を擧げて反省自覺せねばならぬ秋であります。

此秋に於いて、吾々は、二十年三十年後の次の國家を護らねばならぬ第二國民たる乳幼兒を如何にして育成すべきかと云ふ事に、先づ眼を轉ずべきは蓋し當然の事であります。

◇健康國難打開は乳幼兒を愛護し、優良兒の育成にあります

最近各方面に於いて、こどもや母性の保健問題が益々重要視される樣になりました事は、誠に慶ぶべき傾向であります。一面に於いては、醫療施設を擴充して健康不安を打開せんとして居りますが、勿論これ等の施設も結構の事でありますが、而し單なる衛生施設のみにて萬全を期することは不可能であります。我等の緊急事は、國民の生活樣式を改善し、保健衛生思想の普及徹底を期し人間一生の基礎たる乳兒期に於いて、榮養の充實を圖り、自然に根本體質の强化を圖る事が、最も重要なる事であると思ふのであります。さうして、母體の保健と育兒に携はるゝ人々の育兒智識の涵養と相俟つて、互に肉體を養護し、明朗なる精神を全國民に實現し、常に如何なる境遇にも勝ち得る丈けの靈肉一致の抵抗力を養ひ置く事が最も肝要であります。茲に於て始めて眞の人生最大の幸福が得られるのであります。

◇優良兒育成を奬勵のため、東京優良兒母の會の活動

吾等は如上の見地より、微力をも揣らず同志相寄り相

圖り、先に東京優良兒母の會を組織し、江湖の識者諸賢と協力一致して、次代の國家を護らねばならぬ第二國民たる乳幼兒の愛護を主唱して優良兒育成を奬勵せんが爲めには、それ〴〵斯道の大家に委囑して育兒科學の相談に應じ、全國民的健康確保のため諸般の運動を遂行持續し、育兒科學の一大體系を樹立し、その成績は貴重なる文献として、各方面に之を提供し、聊か吾が國民の福祉增進のため貢献せんと努力しつゝあるのであります。

◇本會の本願は、靈肉一致の救濟事業です

本會創設の動機は斷じて、眼前の打算から出發したものではありません。靈肉一致の救濟事業として、同胞兄弟の前に一切を捧げ、常に我國傳統の中心生命を堅持し、將來の日本に備ふる乳幼兒の健康確保のため、將亦國民保健運動の根本問題を解決せんがためには國家的總動員を行ひ、躍進日本の中堅層たる全母性と相呼應して、至高至大なる母性愛の發揮に努め、全乳幼兒と共に健に伸び、皇國日本の爲めに一層の奮起と自覺とを誓つて止まない次第であります。

幸ひ本會の趣旨に贊同せられ、奮つて御參加あらん事を切に希望致します。

東京優良兒母の會

本會の事業概要

一、優良兒育成に關する研究並に調査

優良兒育成を奬勵し、虚弱兒不良兒等の發育狀態を調査し、育兒上の參考資料を蒐集して、我國育兒科學の一大體系を樹立し、國民健康の基礎たる乳幼兒並に母親の健康確保をはかるを目的とす。

一、保健衛生思想の普及

全國民的健康確保を圖らんがため、ポスター、パンフレット等を頒布し、乳幼兒愛護運動を爲し、保健衛生思想の普及徹底をはかるを目的とす。

一、健康の相談

各地の各科專門醫師を委囑し、一般健康及疾病に關する相談に應じ、殊に母親及乳幼兒の保健衛生に注意し或は姙娠の場合は、產前產後の參考となるべき事を助言し、治療を要すべき者には特に便宜を圖る事。

一、育兒の相談

育兒に關する參考資料を蒐集し、母親及之に携はるゝ人々に育兒智識の涵養に努め、乳幼兒の體質强化を圖るを目的とし、左の如き相談に應ずるものとす。

1、育兒の榮養母乳人工榮養による育兒法

2、乳幼兒の平均發育狀態

3、乳幼兒の死亡狀態

4、產前產後の母親の保健衛生問題

5、四季の育兒衛生智識

6、虚弱兒の導き方

7、誕生より入學までの育兒法

8、學校に於ける兒童衛生問題

9、小兒の運動及趣味等による敎化指導

10、惡癖矯正敎化に就いて

11、外國人と日本人の乳幼兒育兒法の比較

12、乳幼兒を抱へて働くには、如何にしたらよいか

13、盲者啞者等の將來に關する相談

14、私生兒の生れたる時の處置

15、其他育兒上參考となるべき事項

一、敎育相談

兒童の幼稚園又は上級學校に入學に際し其の選擇、科目の選擇、職業の選擇、成績に關する問題、又は母親及育兒に携はるゝ人々の修養敎化等に關する相談に應じ、特に便宜を圖るを目的とす。

一、法律相談

民事、刑事、商事其他一般法律に關する問題を專門家に委囑して、其の相談に應じ、特別便宜を圖るを目的とす。

一、人事相談

日常生活に起る種々雜多の人事問題、及宗敎思想問題等の相談に應じ、特別便宜を圖るを目的とす。

一、修養講演會

斯界の權威者に委囑して、育兒保健衛生、修養に關する講演會開催を目的とす。

一、講習會、展覽會、娛樂會

育兒、保健、衛生に關する講習會、展覽會、娛樂會等を隨時開催し、其の智識啓發に努むるを目的とす。

一、母の向上座談會

各地支部、或は、聯合母の會を催し、必要に應じ講師等を派遣する事ある可し。

一、雜誌並に圖書發行

機關誌を當分春秋二回發行し會員の聯絡を緊密にし、或は育兒科學並に保健衛生に必要なるパンフレットを發行し、實費頒布をなす。

一、育兒カード頒布

各會員家庭へ育兒カードを頒布し、育兒上必要なる記事を記入し、毎年、之を蒐集して育兒科學の參考資料とする事。

一、日本兒童愛護聯盟主催乳幼兒審査會後援

同會を後援し本會員中乳幼兒審査會に參加せんとする

ものには優先權を與へ特別便宜を圖り、優良兒選出に努めて優良兒育成を奬勵し、兒童の福祉增進を圖るを目的とす。

一、其他一般國民の健康確保に必要なる事業を爲すを目的とす。

東京優良兒母の會入會手續

一、入會申込＝本會へ入會せんとする者は、入會申込書に記名捺印して本會宛御出し下さい。

一、資　　格＝本會の趣旨に贊成するものは男女何人たりとも入會する事を得。

但し左の會費を納付する事。

一、正　會　員＝毎年額金壹圓也を納付したる者。

一、特別會員＝毎年額金參圓也を納付したる者。

一、名譽會員＝一時に金拾圓以上の金品を寄附したる者並に本會に特に功勞ありたる者

但し理事會の決議を經たる者。

一、會員の特典＝本會の各種相談部利用に際し特別便宜取扱。

本會主催講演會、無料聽講講習會、展覽會娛樂會、修養會等、會費無料或は割引。雜誌圖書の割引特價購入。

一、日本兒童愛護聯盟主催の乳幼兒審査會に參加せんとする者には優先權を與へ特別便宜取扱。

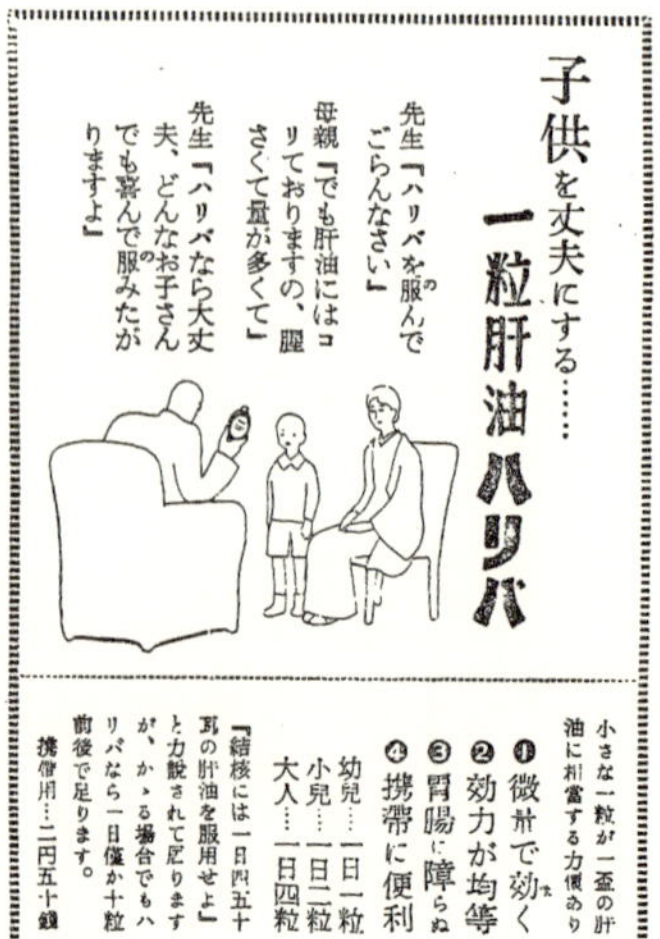

疫痢の豫防

醫學博士　佐野寅一

疫痢は眞夏よりも却て暑くなりかけ及び涼しくなりかけ、即ち時候の變目に多いもので、これからが恰度疫痢に對し最も注意を要する季節である。夫故に今日は之が豫防に就て一般に心掛くべき事柄を申上げる事にする。

◆先づ第一に疫痢を注射や內服で積極的に豫防する事が出來るかの問題である、御承知の通り疫痢豫防のワクチン注射液は旣に十數年前より製造發賣せられてゐるが、其効果は頗る疑はしい、加之時には發熱、下痢等相當烈しい副作用の起ることもあるので、今日之を使用する醫師は餘り多くない、又近來傳染病の經口的免疫即ち內服で豫防する方法の硏究が盛になり、疫痢豫防の內服ワクチンも出來て、旣に茲四、五年各都市では殆ど强制的に之が服用を奬勵してゐる。然し其効果も亦實際上には宣傳する程に香しくなく、毎年之を服用したものが可なり多數疫痢に罹り、其內死亡するものも尠くない狀況である。

如斯疫痢豫防の注射や內服は今日の所其効果頗る不確實なもので、是等をしても決して安心と云ふわけに行かず、ヤハリしない時と同樣に疫痢に對しビク〳〵してゐなければならぬのである。

◆然らば疫痢を完全に豫防するにはどうしたならばよいか云ふ迄もなく、最も安全な方法としては疫痢の流行しない土地へ轉地することである。乍然轉地は種々の事情で何れの家庭でも容易く出來るものでないから、結局之は單に理想論であつて實行困難である。加之交通文化の發達に伴ひ、疫痢は最早や地方的のものでなく全國的

に擴つてゐる、夫故に今日では何處へ行つても五十歩百歩で、疫痢の心配のないやうな土地は殆どない。

乃ち現今疫痢を完全に豫防することは事實上全く不可能で、結局疫痢の豫防は之に罹らぬやう常に注意する外はない事になる。

◆所で疫痢に罹らぬ爲めにはどうするか、之には何よりも先づ病原菌を避けねばならぬ、然し苟も疫痢の流行地で而かも子供のある家庭で、過去數年間に一度も疫痢の出た事のないやうな家は殆どない。從つてかゝる地方では疫痢の病原菌は到る所に散在してゐるものと見做さねばならぬ、且つ黴菌は肉眼で見えぬから、之を絶對に避ける事は寧ろ不可能と云ふべきである。

所が幸ひな事に疫痢の病原菌は口から入るもの故、飲食物に充分の注意を拂つて居れば、割合によく之を避け得らるゝものである、加之疫痢は通常病原菌の外に何か誘因が働かなければ發病しないから、此點からも疫痢は寧ろ豫防し易い疾患である。

乃ち疫痢豫防の要領は一方に假令病原菌が體内に浸入しても、直に之を死滅せしむるか、或は其繁殖を防止せしむるだけの胃腸抵抗力を持つてゐる事と、他方に其病原菌に乘ぜらるべき動機卽ち誘因を避ける事とである、而し胃腸の抵抗力は一朝一夕に出來るものでなく、日常保健衛生に留意して體力の養成に努めねばならぬ、從つて疫痢流行時に於ける豫防法には發病の動機となる誘因を避ける事が最も必要となるのである。

◆扨疫痢發病の誘因となるものに種々あるが、其主なるものは次のやうな事である。

(一)腹部冷却 少し暖い夜被衾を脱ぐのは子供の常であるが、暑くなると寢衣迄も捲つて腹部を裸出してゐるのも稀でない、これでは夜半殊に夜明になり急に氣溫が降れば、寢冷するのは當然である、此寢冷が疫痢の主なる誘因であることは旣に充分御承知のことであるが、毎日の事となると兎角忘れ勝ちになるものである、夫れで子供には平常必ず腹卷腹掛をする習慣をつけ、倘ほ就床の時は屹度其上に薄い毛布か、大きなタオルのやうなものを卷付け、帶紐で縛つて寢るやうにするのが良いのである。

又寢冷と同じ意味で子供が夜更したり、多量に冷い飲料水を呑んだり、長く海水に浸つたりするのは何れも腹部冷却の原因となるから、疫痢の豫防上注意すべきである。

(二)心身の過勞 子供に活動や芝居を見せて過度に精神を刺戟したり、或は過激なる運動例へばお祭でお獅子を擔ぎ廻らせたり、炎天で水撒の手傳ひをさせたり大人と一緒に何時迄も水泳させたりして、身體を過勞させるときは所謂「暑氣當り」「時候當り」を起し、疫痢の誘因となるものである、夫故に子供の心身を勞する事は唯だ興に乘じてするがまゝに任せず、子供の體力を考へて充分の手加減をしなければならぬ。

此意味から近頃流行するやうに子供を一日だけ海水浴場などへ伴れて行き、終日子供の心身を疲勞せしめ、其上種々變つた飲食物を多量に與へたりするのは態々疫痢の誘因を作るやうなもので餘り感心出來ない事である。

(三)過飲過食 腐敗した飲食物、不潔な飲 食物 或は不消化な食物が疫痢の誘因となる事は勿論であるが、假令新鮮な消化し易い飲食物でも暴飲暴食すれば胃腸を害し疫痢病原菌の乘ずる所となるのは說明する迄もない、卽ち七夕祭やお盆の後に疫痢が多いのを見ても解る事實である。

然し疫痢を恐れて餘りに喧しく飲食物を制限し過ぎると子供の榮養を害し却つて胃腸の抵抗力を弱くし、或は他所に行つて種々のものを貰つて食べたりする危險がある、相當教養ある奥さんで宅では飲食物には特に注意し絶對に悪いものは食べさせないと威張つてゐても、子供の發育榮養の方面の注意が御留守であつたり、又宅の子供に限つて他所で物を貰つて食べるやうな事は絶對にないと頑張つてゐても、實際浣腸して見ると知らない果物の種子が出たり、小豆の皮が出たり或は香物が其儘出たりして、非常に赤面せらるゝ方も尠くない。夫故に家庭では平素から充分信用の置ける種々の飲食物を子供が相當に滿足するだけ與へて、胃腸を訓練し抵抗力を養ふと同時に他所で物を貰つて食べぬ習慣をつけるのも疫痢の豫防上必要な事柄である。

かく疫痢の誘因を數へ上げればいくらもあるが、少し注意すれば誰れにでも容易に解る事であるから、之位にして止めて置く。

要之疫痢の豫防には注射や內服でする方法もあるが、之さへやつて置けば先づ安心と云ふ程度に効くものはない、夫故に疫痢流行時には豫防の注射や內服をしたものでも、しないものと同樣疫痢に罹らぬ用意が必要である夫れには日常身體殊に胃腸を健全にして置く事と、發病の誘因を作らぬ事とが肝要である(昭和十一年九月一日稿)

血族同士の結婚を恐れるな

優生結婚相談所 池見猛

血族結婚で惱んでゐるものは實際多い、われ〳〵の取扱つてゐる例を見ても、昔から親戚同士の結婚は聾啞とか、不具者とか色盲、精神病にかゝりやすい子供が生れはしないか、といつて心配してゐる人が澤山あります、そしてこれが先入主で、よい遺傳素質のもの同士の結婚も、そのため破綻の悲劇に導かれてゐるといつた狀態です、事實その通りかどうか、まづ不具者――畸形について見ますと、多くの場合これは優生に遺傳しますが、その遺傳の仕方は親から子――孫と直接に傳はつて行くので從つてその家庭に畸形があつてもその本人が不具でなければ多くの場合血族結婚をしたからといつて、その子に不具者が出來るとは考へられません、つぎに聾啞についてですが、これはある場合は優生に遺傳し、ある場合は劣性に遺傳することが考へられてゐますので、聾啞の家系のもの同士の結婚は、血族であるとないに拘らず控へた方がよいと考へられます、また血族者で血液型の同じなものが結婚すると、その血液が濃厚になつて啞が生れてくる、といつて心配する人も隨分あるやうですが、さういつたことは、學問的にも全然考へられてゐないばかりでなく、同じ血液型であることが、重病などに萬一なつた場合、輸血が行はれるので非常に都合がよいと思ひます、さういつたやうに血族結婚は、その家系に、すなはち祖父母、父母、兄弟、姉妹、叔父母等の關係において精神的にも身體的にも缺陷者がない場合は、差支へないではないかと考へます、むろんこの血族結婚は、避けられゝば、なるべく避けた方がよいのはいふまでもないのですが今日のやうに男も女もともに結婚難時代に血族結婚を一概に悪いものとして否定する結果は却つて、悪い遺傳素質のものと結婚する危險も起り得るので遺傳學から見て特別の缺陷のない場合はよいではないか、さう私は考へてゐる次第です。

子供の喧嘩 裁き方が大切

成城高校教授 細井次郎氏談

こどもの社會には喧嘩がよく起ります、これに對して一部の間で、こどもの喧嘩はやるだけやらせて置くと自然に何時の間にかなくなるのでとめる必要がない、また喧嘩のあとは大人と違つて、かへつて親しくなることがしば〳〵あるといふことをいつてゐるものがあります、これは一面たしかに眞理です、卽ち性格の陽氣な外向きの子供の場合では、喧嘩の結果がどうなつてもくよ〳〵しない。

それによつて新しい經驗を加へたことになるので、社會的經驗が豐富になつたといふ見方も出て來ますが、しかしこれは外向性の性格のこどもについてであつてこれと反對な内向きのこどもはさう簡單に濟ますわけには行きません、かういふこどもは身體が弱いとか獨りつ子であるとか、末つ子といつたやうな境遇上からも來ますがそのまゝ荒い社會に放り出して、保護を加へないで置きますと、經驗を豐富にさせずにかへつて恐怖の原因もつくり、後からくるもつと豐富な社會生活を營むときの邪魔になることゝなるので内向きのこどもの喧嘩には、相當注意を加へてその跡始末をしてやる必要があるわけです、原因をたづねて見ましても外向きのこどもは行き當りばつたりの事が多いので、深く物を考へて行動を決定しない、單純で自分のしたいことをさせない、持ちたいものを持たせないといつたことで直ぐ喧嘩をする、ところが内向きのこどもは絶えず自分の存在を主とするため、相當苦しんでゐる、喧嘩について自己の存在といふことが深いところにある、例へば保姆が自己以外の一人の、こどもばかりを可愛がつてゐる、それが原因で何等かの機會に喧嘩になるといつたやうに、外向きのこどもの單純に比して複雜である。

したがつて喧嘩に對しては周圍の人が考へてもつとも公平な合理的な處理をすることが必要となつて來ます、事實内向性のこどもは合理的な處理を非常に望んでゐるのです、こゝのところが分つてゐないと、こどもの喧嘩はうまく裁けないのみならず、かへつて禍ひをあとに殘すことになります、小學校の生徒には友達との間に順應し難いのがまゝありますが、それらの中には幼兒時代の喧嘩の經驗が非常に臆病にさせてゐるものも少くありません、さういふ次第でこどもの喧嘩――特に内向性の性格をもつてゐるこどもには周圍のものが十分考へてその處理をしなければなりません。

初秋の生活（後記）

☉大阪に於ける審査會の準備が大方出來たので、八月三十日、豫定のやうに中學時代の恩師津田先生の御病氣を岐阜の長良川畔に御見舞申上ぐ、日増全快に赴かれつゝあるので嬉しかつた、令夫人の御案内で崇福寺に信長の墓を參拜し、繪のやうな鵜飼の篝火も見る事が出來た、そして夜の十時の列車で東京に向つたが、それは雷雨を孕んだ暑苦しい晩であつた。

☉九月一日、海軍省に高津中將、保科大佐松永少佐を御訪れし、夜は西牧氏と永井柳太郎先生邸にて先生から二時間程興味盡きざる自叙傳を窺ふ事が出來た、四日は三越に先代左團次展を觀、上野にて二科展、院展、青龍社展等を觀たので、疲勞も忘れて了つた、五日は久々にて義兄宅を柿木坂に訪れて一泊した、八日、永井先生御揮毫の聯盟の標語が出來たので頂きに赴いた、九日、三越にて北田專務に御目にかゝつた處「益々御隆盛で」と云つて喜んで下した、去る大正十三年專務は大阪三越支店長時代に始めて審査會が三越に開催されたので今昔の感に堪えぬと云ふ御面持であつた。

☉其の夜は審査委員會を双葉に開催、中鉢、富田、山田、柿本、岡田の五博士、陸軍省の園田一等軍醫が出席され種々熱議をなし審査上に關する意見の交換があつた、どうしても話しは國民將來の保健問題に落ちゆくのは愛國の至情ほとばしる所以ではあるまいか、十日午後二時より高島屋に於て第四回海國赤ちやん寫眞大會の審査委員會に出席、倉橋惣三先生、中鉢博士、吉村壽伯小野教授等立合の上年齢別に優秀なるものを選出した。

☉十三日の櫻號にて深夜芦屋に歸宅、十四日大阪三越にて審査會に關する打合せをし十七日は大阪帝大醫學部の法醫學教室に中田博士を、眼科々長室に中村博士を、齒科々長室に弓倉博士を御訪れし、四年の學生總代にも遭つて種々御願ひし、十八日は市役所前にて、加々美前市長の靈柩を御見送りした、十九日、再び三越にて審査委員會を開催し、廣島、西、石野、大野諸先生等列席の上、協議をこらした、二十二日、藤原市保健部長に面會して審査會の準備完成の御報告をし、會長坂間市長御臨場の件を御賴みして、法醫學教室に大村博士を訪ふた。

☉本年は兒童必需優良品展覽會も併せて開催するので、各方面との打合せも頗る多忙である、聯盟が過去十六年間の事業の寫眞を會場に陳列して一般來會者に展覽する事に決定したので、必ずや場内に光彩を放つだらうと信ずる、三越の堤、杉本、小野三氏が連日に涉り、然も防空演習を差し控へてる前後にあつて我が審査會のために渾身の努力をされるのは忝ない事である

本誌定價　一册金參拾錢　郵税壹錢
半年分六册　金壹圓六拾錢　郵税共
一年分十二册　金參　圓　郵税共
誌代郵税は一切前金の事
前金切の場合は發送中止
郵券代用は一割增のこと
昭和十一年九月廿八日印刷
昭和十一年十月　一日發行（毎月一回一日發行）
兵庫縣兵庫郡精道村芦屋
發行兼編輯人　伊藤悌二
印刷人　木下正人
大阪市西淀川區海老江上二丁目三七番地
印刷所　木下印刷合資會社
電話福島⑮（一五三四番
二四二六番
大阪市北區天神橋筋六丁目
大阪市立北市民館内
發行所　大阪兒童愛護聯盟
電話堀川㉟（〇〇〇一番
〇〇〇二番
振替大阪五六七六三番

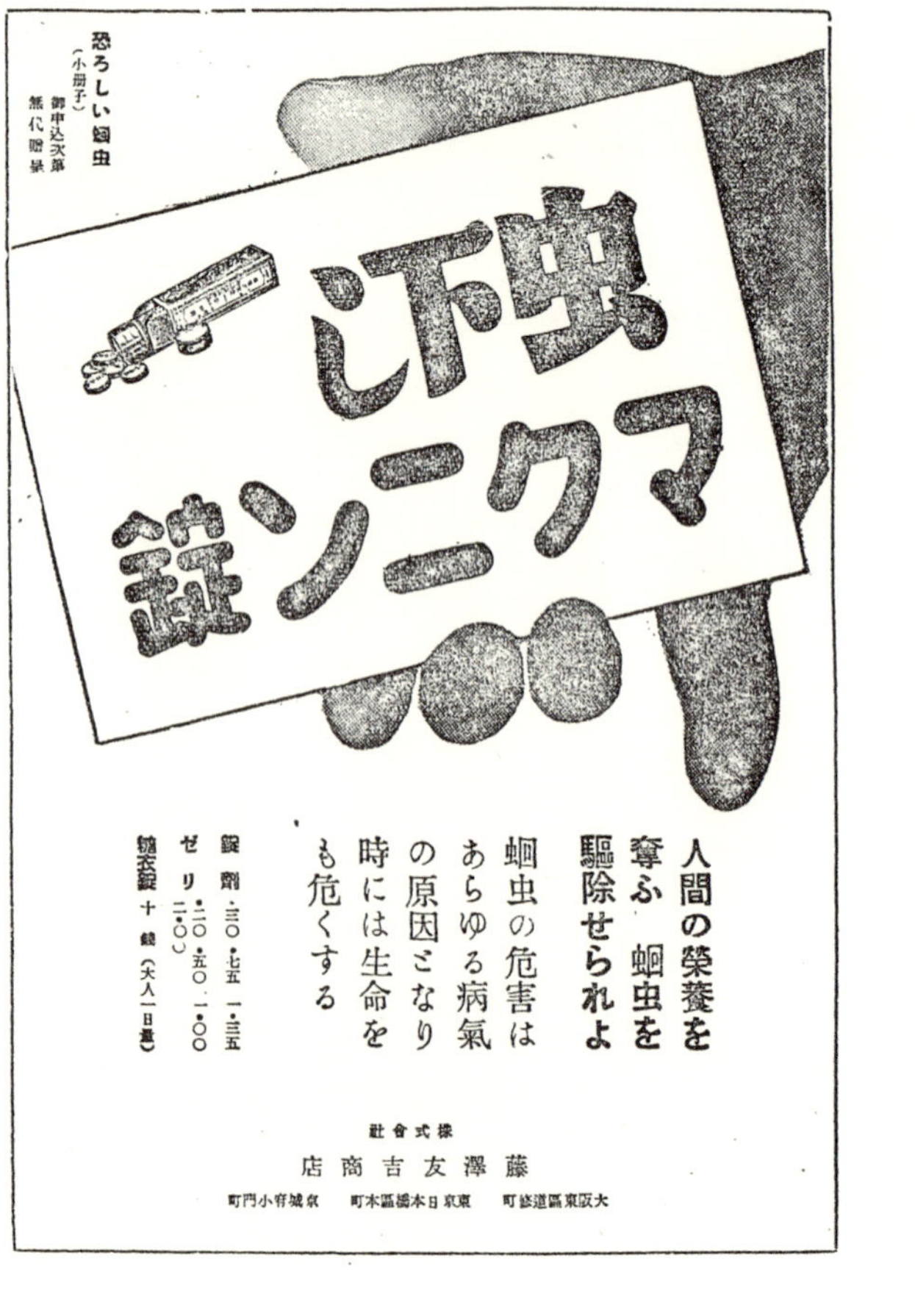

子供の世紀 第十四卷 第十號 大正十三年[illegible]月二十日第三種郵便物認可 昭和十[illegible]年九月二十八日印刷納本 毎月一回一日發行

【定價金參拾錢】

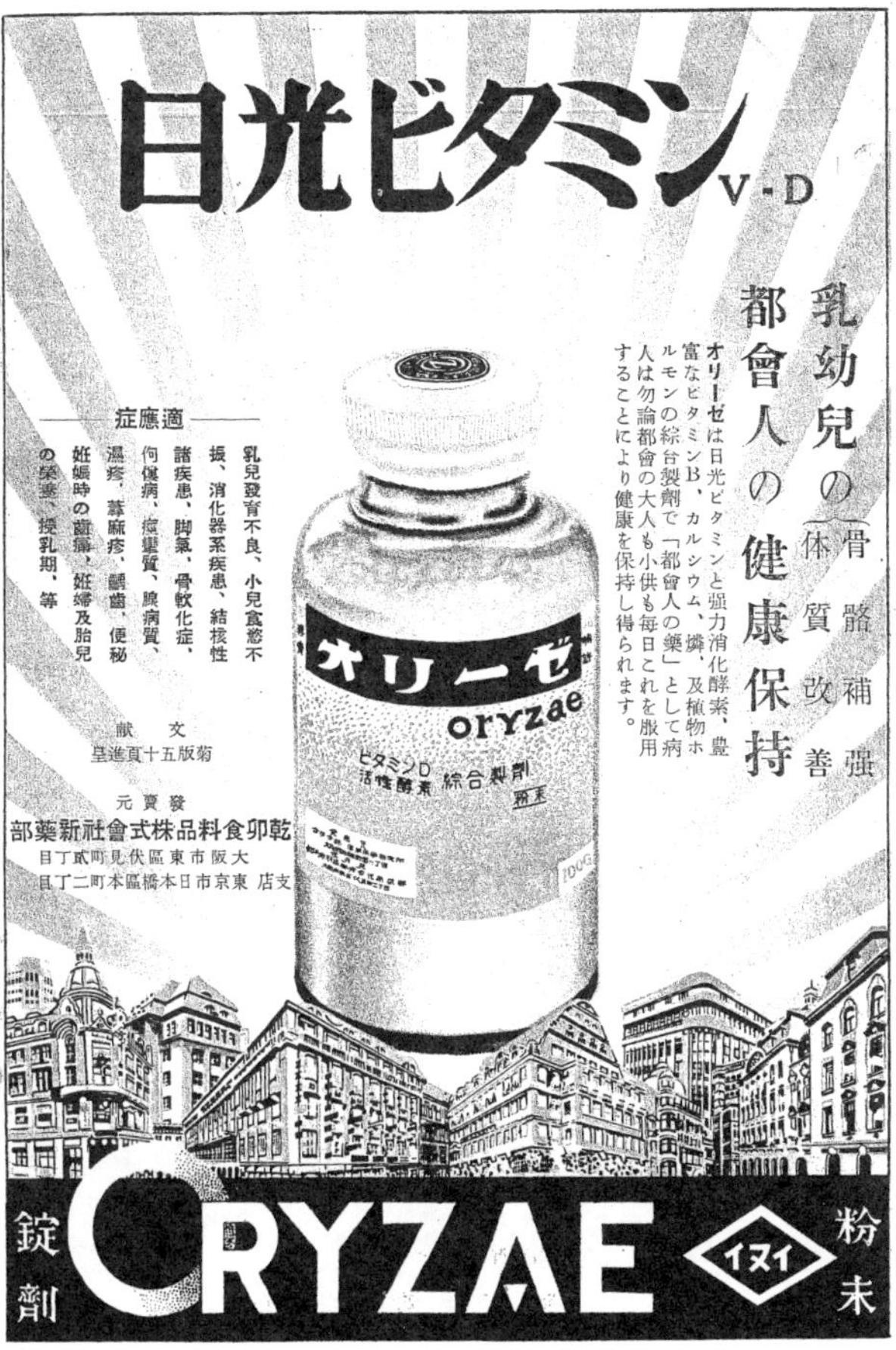

基礎鞏固　經營眞摯

創立　明治四拾四年

日本徴兵

コドモの保險

入營・嫁入準備　出世・教育資金

子を持つ親心

可愛い子供の爲に何程かづゝの貯金をしてやらうと考へるのは、凡ての親としての至情で、男子ならば適齡迄、女子ならば嫁入迄と誰しも心掛ける所ですが、さて實行はなかなか困難です。

最良の實行方法

徴兵保險、生存保險のコドモ保險は此需用を充たす最良の施設で、一度御加入になれば知らず識らずの間に愛兒の爲に必要な資金が積立てらるゝことになります。

日本徴兵保險株式會社

本社　東京市麹町區内山下町一ノ一

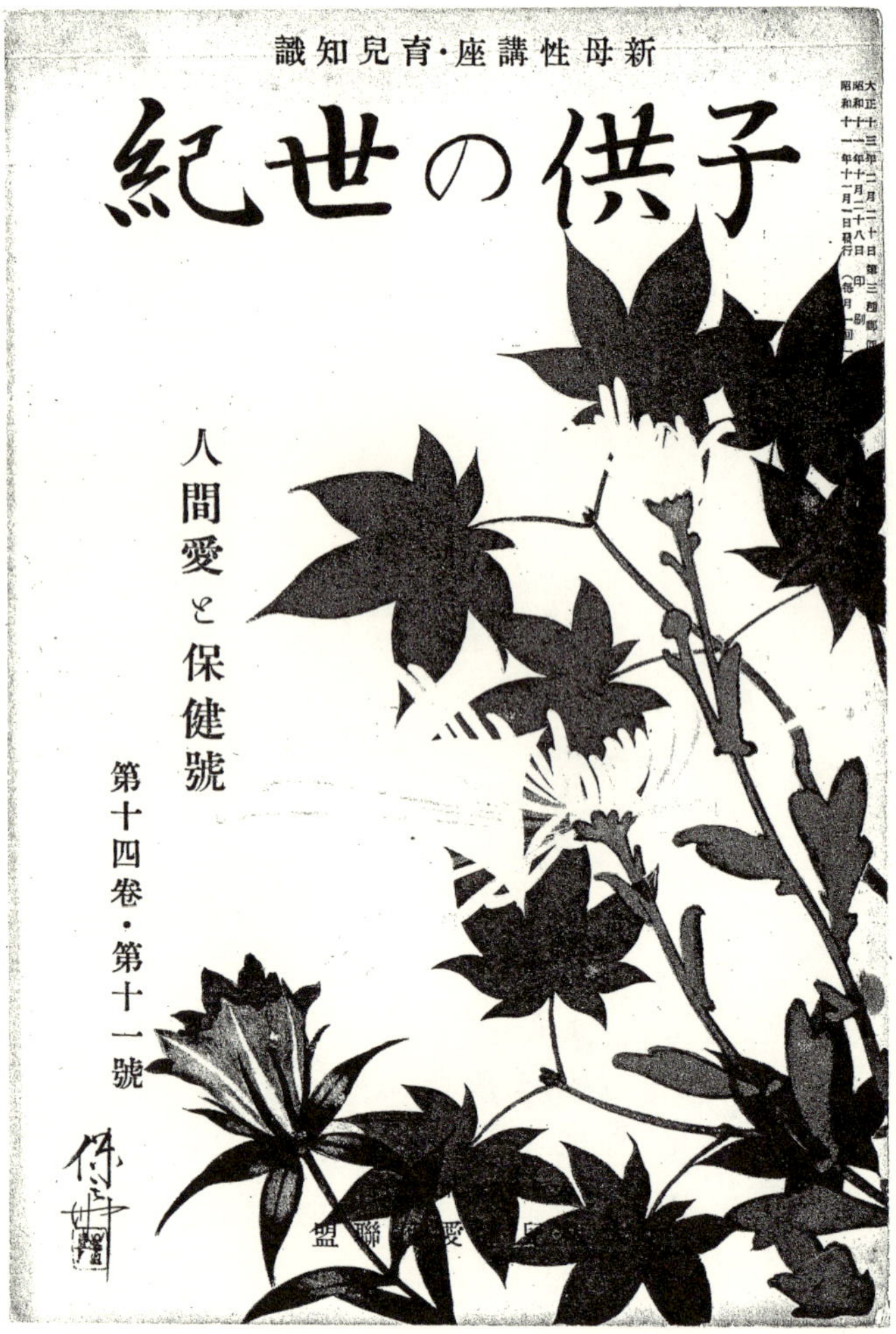

『子供の世紀』（第十四卷第十一號）人間愛と保健號

目次

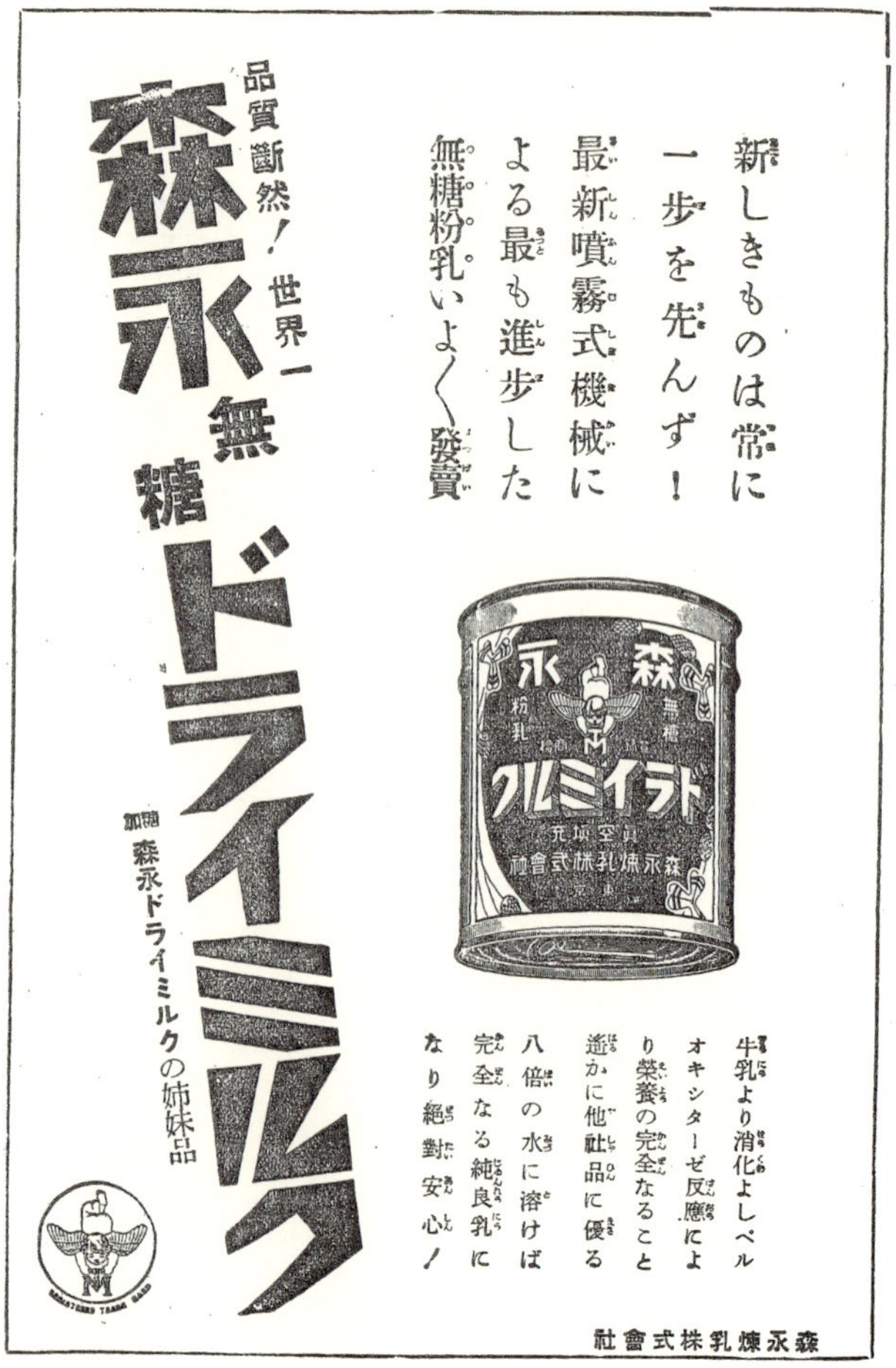

敎育結婚保險
徵兵保險
東京 第一徵兵 銀座

製創見發 醫學博士太繩壽郎氏 醫學博士青山敬二氏 醫學博士有馬頼吉氏
許特賣專 蘭愛・陀奈加・米・英・日
アーオー
結核免疫新劑
AO治療豫防成績(全國醫家より得たる報告に基く)
文獻並ニ試品贈呈
各號一管入五管入發賣
著効 不変 輕快 全治
適應症
潛伏結核。輕症。中症肺結核。腺結核諸症。外科的結核諸症。泌尿生殖器結核。皮膚結核 肋膜炎。腹膜炎ノ恢復期發病豫防的接種即チ豫防的治療。屢々感冒ニ罹ル所謂健康人。
肺結核輕症
肺結核中等症
69.7%
24.8%
44.2%
41.6%
32.1%
發賣元 須美商店 大阪市東區北濱四丁目
製造所 有馬研究所

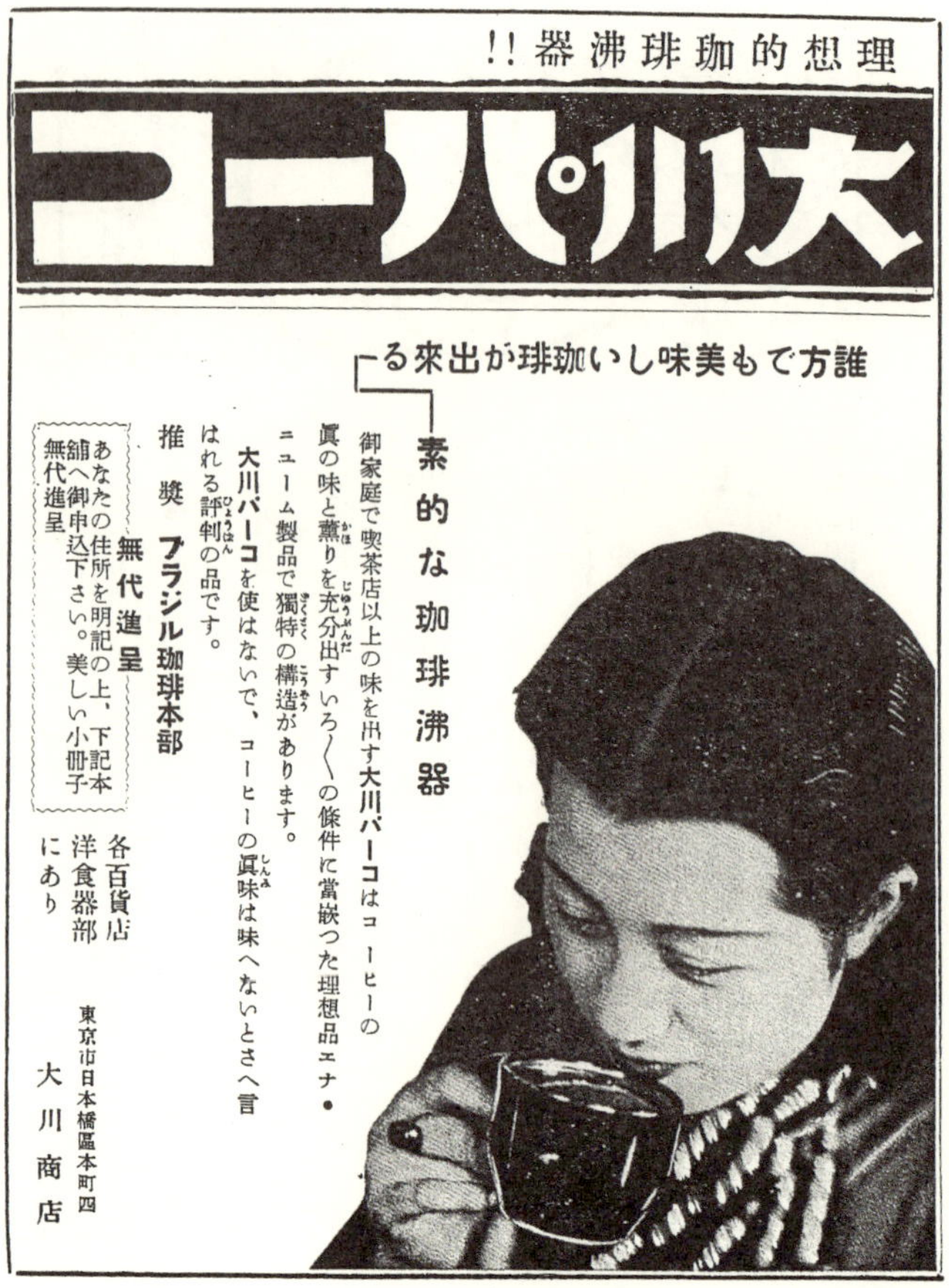

坂間大阪市長の前に
誇らしげな双生兒、三つ兒の親たち

（上） 坂間大阪市長（中央）の祝福をうくる三つ兒とその兩親（前號參照）市長に向つて右は藤原大阪市保健部長、左は中田庶務課長、左端は三つ兒のお母さん。

（下） 健康な双生兒を生んだ誇らしげなお母さん。左端は日本徵兵保險株式會大阪支部長野中鐵氏。

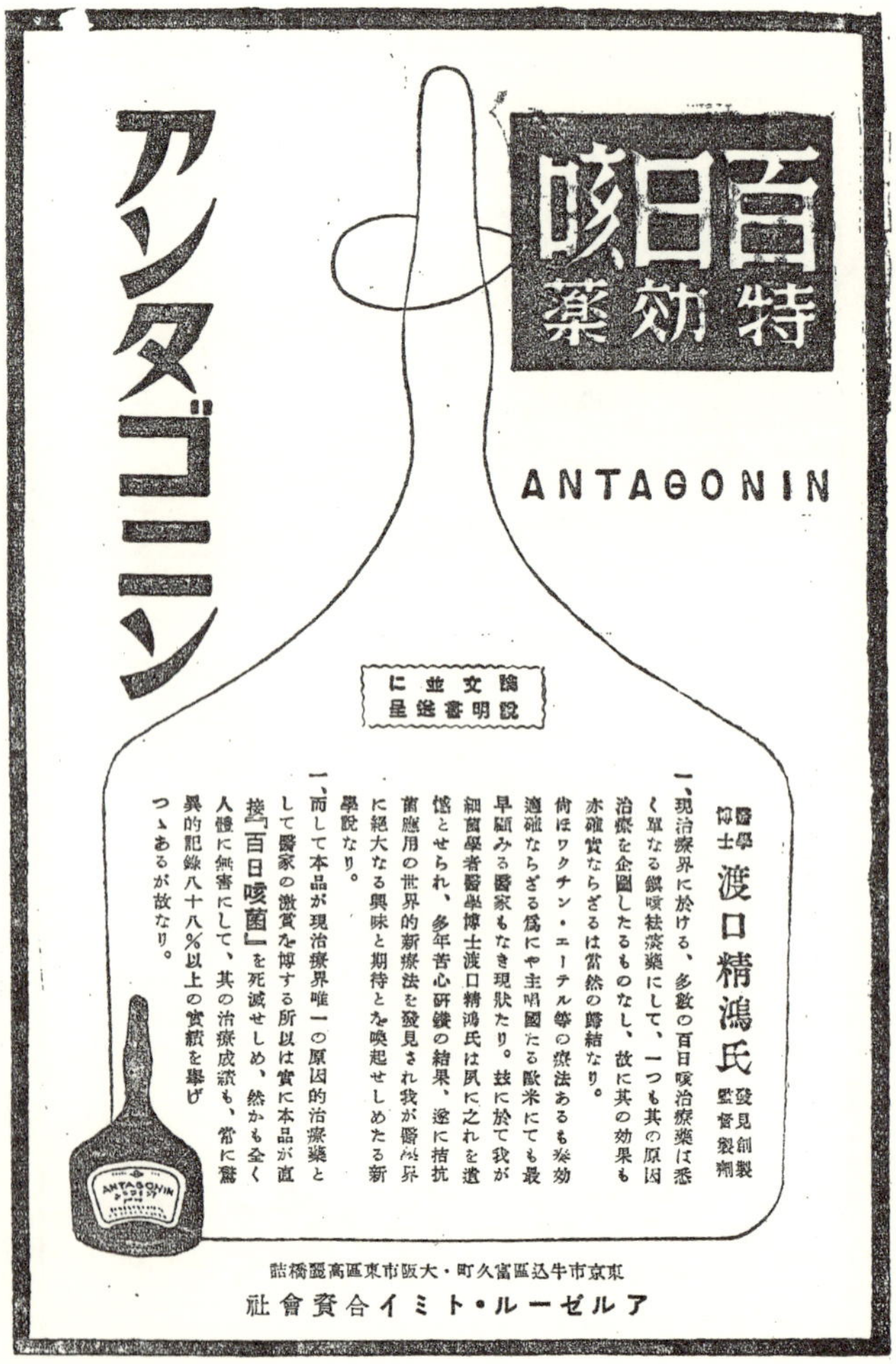

マルツ汁エキス
通じが付て丈夫になる
乳幼兒便祕の
大部分は胃腸障碍に原因して居り、病状が目立たずに進行するので下痢以上に危險です
而し強制的な浣腸や下劑は厄介な習慣や恐ろしい衰弱が伴ひます
こんな場合榮養を鑒へつゝ自然な便通をつけるマルツ汁エキスを與へるのが最も有効安全な療法として各醫科大學病院等で旺んに應用されて居ります
詳しい說明書見本は御申越次第進呈
定價（大 五〇〇瓦 一、九〇）（小 一〇〇瓦 七〇）
全國藥店食料品店にあります
但し類似なニセモノあり和光堂製と御指定を乞ふ
株式會社 和光堂
大阪市東區南久太郎町

よわい子供に
補血強壮 ポリタミン
血色のわるい、榮養不良の子
食慾すゝまず、胃腸の弱い子
疲勞し易く、屢々熱を出す子
かうした腺病質の子供には、消化の煩ある強壮劑はムダも多く胃腸を害する恐れもある。ポリタミンは消化の要らぬ榮養原アミノ酸であるから、そのまゝ血肉成分となつて体重を増し或は食慾をすゝめ、或は感冒や結核に對する抵抗力を強くする。
冊子「弱い子をもつ親達へ」無代送呈
小瓶（一圓五五）
中瓶（二圓五〇）
大瓶（四圓五〇）
全國藥店にあり
發賣元
株式會社 武田長兵衛商店
大阪市東區道修町

33-1267(O)

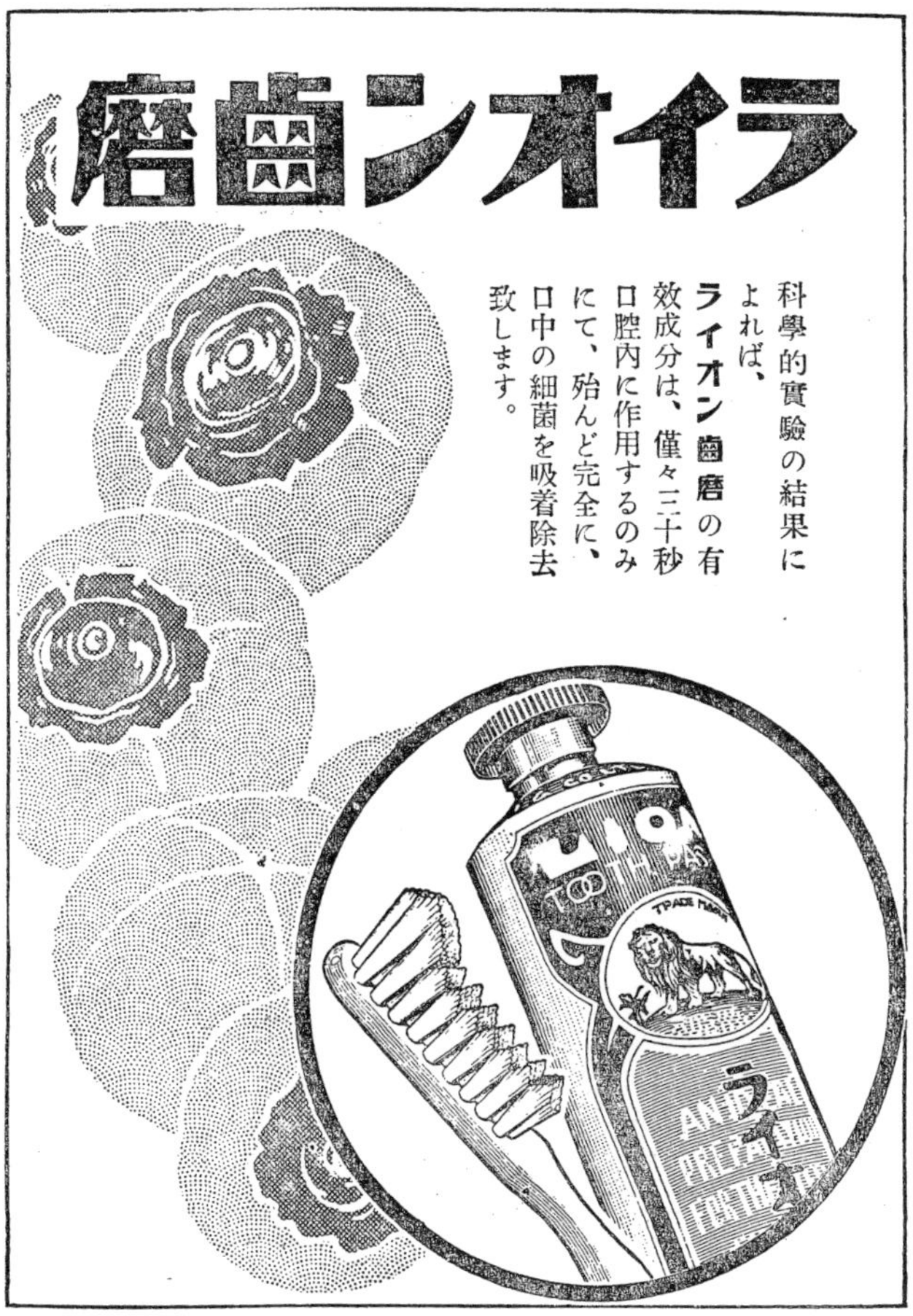
ライオン歯磨
科學的實驗の結果によれば、ライオン歯磨の有効成分は、僅々三十秒口腔内に作用するのみにて、殆んど完全に、口中の細菌を吸着除去致します。

お買物は皆様の髙島屋へ
お子様用品は五階に取り揃へ…
毎土・日曜日…お子様デー
東京日本橋
髙島屋

熱誠溢るゝ審査委員の奮闘

大阪市立市民病院小兒科長
谷口清一博士の榮養狀態審査

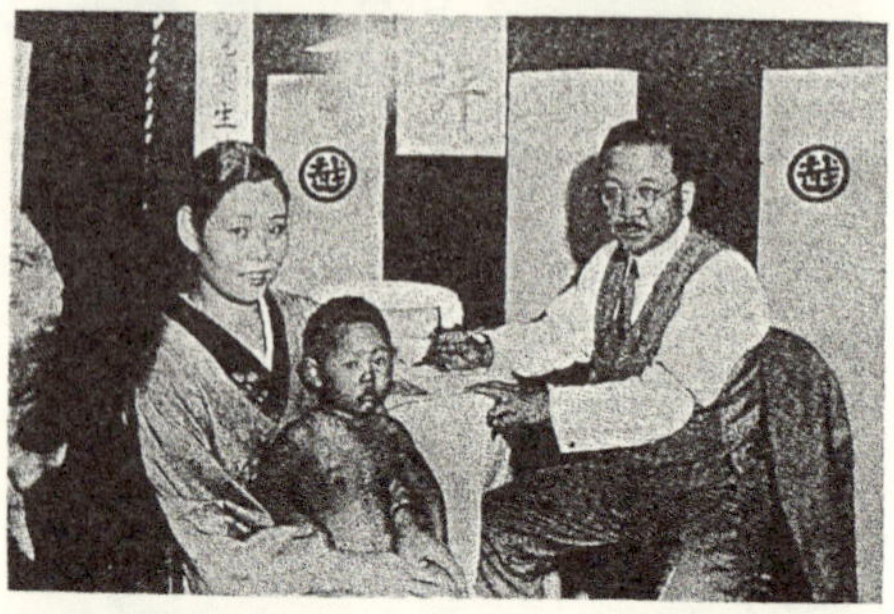

大阪市立堀川乳兒院長
生地憲博士の總評

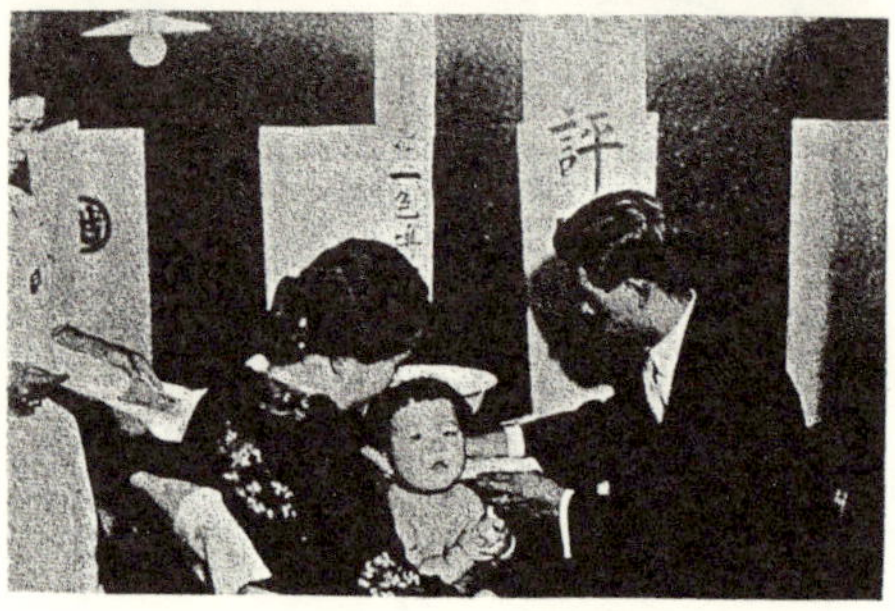

大阪帝國大學醫學部小兒科
一色博士の總評

靖國神社に審査決定の御禮參り

去る六月施行の全東京乳幼兒審査會に於て審査したる五千人の成績も、中鉢、富田、山田、柿本、岡田五博士により愼重審査の結果、無事終了を見たので、十月八日伊藤理事長は靖國神社に御禮參りなし、神門前にて記念の撮影をした、因みに神門は第一徴兵保險株式會社の寄贈にかゝり、工費十五萬圓にて阿里山の神木を使用したとの事である。

蓄膿症 扁桃腺 の新治療法!!
鼻と腦との關係は薄い骨一枚を隔てゝゐるに過ぎません。匂ひの刺激が頭に及ぼす影響の强い事は、此の點からでも頷かれる譯です。鼻の病氣は元來寢てる程の事もないのでナニ鼻位ひと簡單に考へて居りますが輕い鼻病が遂には記憶力減退、神經衰弱の樣な症狀を起す事は稀ではありません、それには最近著しくその眞價を認められたユーカリ吸入療法をお奬め致します。恐るべき鼻病の新療法と云ふ小册子無代呈上、
本紙で見たむね明記の上御申込下さい。
定價 一鼻喉兩用二圓・一圓五十錢。鼻專用 一最小型一圓各種共ユーカリ油添付
東京市日本橋區本町四
大川式吸入器本舗
大川ユーカリ吸入器

第十四回全大阪赤ん坊審査會の奉仕者

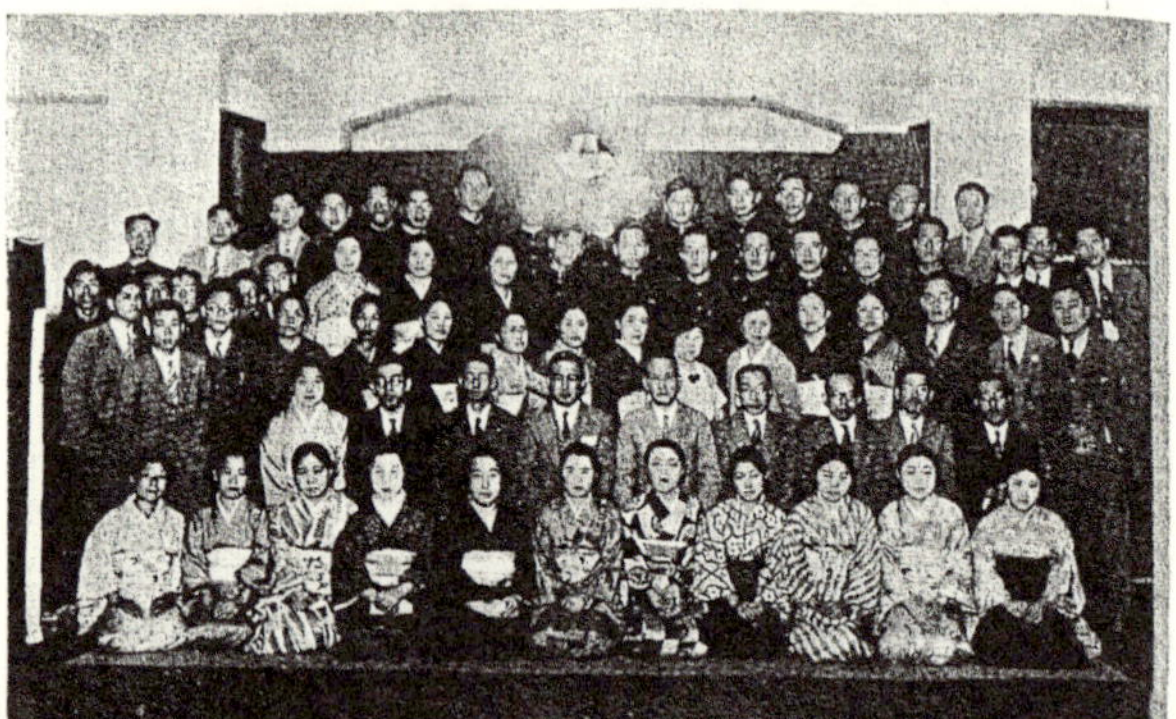

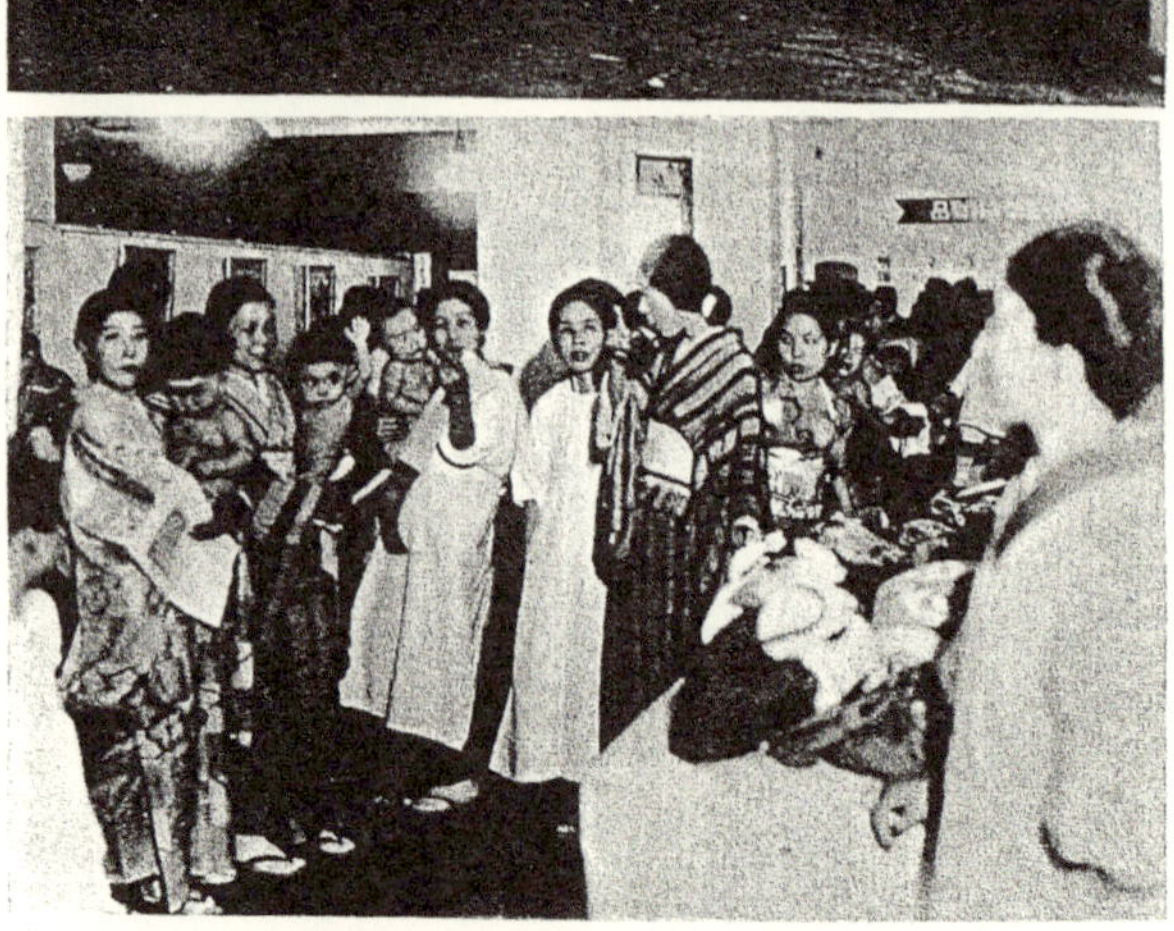

（上）四日間に渉り無事審査會が終りを告げたので、九月二十七日奉仕者一同は記念の撮影をした、前列は市聯合婦人會員、後列は大阪帝大學生諸君、中列には岩井、金子二博士、桑野教授も居られる。
（下）體重身長の部の前の脫衣所に於ける市聯合婦人會員市產婆會員の奉仕ぶり。

麗人へ贈る
マツサカヤの
今秋冬を飾る婦人服
晝のドレスは現實的に
スポーテイに、新鮮に
女性のモダンな美の輝くモード
夜のドレスは夢幻的に
ロマンテイツクに、やはらかに
女性の優雅な美の輝くモード
（寫眞はアンサンブル、スーツを着た、ＴＳＳＫの江戸川蘭子さん）
松坂屋
大阪日本橋

パトローゲン

稻垣乙丙博士創製
鈴木梅太郎博士完成

監製 東京帝國大學農學部構内 財團法人 糧食研究會
製造 明治製菓株式會社

半ポンド入 壹圓貳拾錢
一ポンド入 貳圓貳拾錢
三ポンド入 五圓五拾錢

日本乳幼兒の身體に最も適合せる
超母乳代用榮養素配合粉乳
パトローゲンを選ばれよ

パトローゲンの
三大特性

一、乳幼兒發育に必要なるヴイタミンAの適量を決定し純正粉乳を配合せる爲脂肪過多による胃腸障害の憂なく體力の旺盛と抵抗力の增加顯著なり。
二、可溶性デキストリンの給源「ココイド」は酵母によるヴイタミンBの參加により消化吸收同化の三作用を最も有効に完結し迅速なる發育を促進す。
三、酵母に紫外線を照射せしめヴイタミンDを化生し特に添加せるマツカラム鹽中鈣、石灰と作用し齒牙骨格の形成を容易且つ强靱ならしむ。

申越次第說明書進呈　東京・京橋　明治製菓株式會社

全東京乳幼兒審査會

總裁平生文部大臣の祝辭

思ふに國民の健康はその基礎を乳幼兒の時代に求むべく此の期に於て保育愛護の完璧を期するは國民保健の根底を培ふものであります

日本兒童愛護聯盟は夙にこゝに着目し每年東京大阪に於て數千の乳幼兒を審査し發育健康の優秀兒を審査表彰し以て育兒思想の啓發に資するところあるは洵に有意義の企と申すべきであります

今や國を擧げて國民體位向上の要切なるの秋來會者一同に於かれては今後一層愛兒の養育に意を注ぎ以て健全なる次代國民の育成に努められんことを一言以て祝辭と致します

昭和十一年十月二十五日

日本兒童愛護聯盟主催
第八回全東京乳幼兒審査會總裁
文部大臣 平生釟三郎

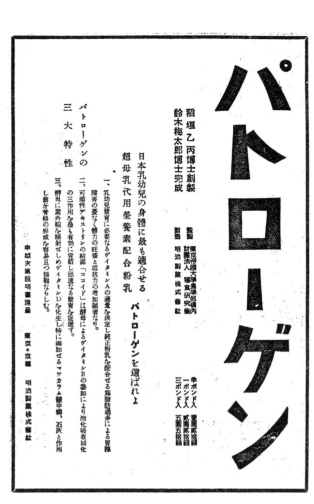

怖ろしい惡性ヂフテリアの話

山形市立病院濟生館小兒科醫長
醫學博士 宇留野勝彌

ヂフテリアは馬脾風などといつて昔から我が國にもあつて恐ろしい傳染病の一ッに算へられて居ましたが、ベーリング北里氏によつて一度治療血清が發見せられてからは、百發百中殆んど癒らないヂフテリアが失くなつたかの如くに簡單に治療せらるゝやうになつたことは皆さんも御存じのことゝ思ひます。ヂフテリアといへば、すぐ血清注射といふことは素人の方でも知つて居る位に一般的になりました。ところが茲に非常に厄介な惡性ヂフテリアと呼ばれて居る一種類がありまして、これはこの神藥とも稱すべき血清をどんなにたくさん注射しても、その他どんな色々の手當を加へても救ふことの出來ぬといふほど恐ろしい病型なのであります。

最近諸外國ならびに我國にこのたちのわるい惡性ヂフテリアが大變多くなつて來まして、可愛らしい幼兒の生命を頻りに脅かして居ますので小兒科の學者はじめ醫學者が一心不亂に研究して治療方法に手を盡して居りますが未だ良法が發見せられず困つて居ります。今のところ最良の救助は一日、半日でも早くヂフテリアであることを診斷して血清注射はじめ其他の手段を講ずることにあると云ふ議論に一致して居ますので、これはどうしても家庭の人がふだんから子供の健康狀態をよく見守つて居て若しも怪しいやうな場合一刻も早く醫者のところに馳せつけることが最も肝要なわけでありますから、私は次に少しばかり惡性ヂフテリアについてのお話をして見たいと思ひます。

◇惡性ヂフテリアの病狀

先づヂフテリアと云ふ傳染病は、ヂフテリア桿菌といふ一種の黴菌が粘膜にくつついて炎症をおこすもので眼の結膜、鼻の粘膜、咽頭や喉頭の粘膜に發病することが最も多いものです。御承知のとほり發病すると熱が出てゴホン〳〵と丁度犬が吠えるやうな咳嗽が出て、鼻なら鼻血が出たり、咽喉なら物を嚥下する時痛みを感じたり喉が狹くなつて呼吸が苦しくなつて來たり色々の症狀を呈しますが、非常に特異とするのは義膜と呼ぶ白い厚い膜樣のものが生じて來ることです。この惡性ヂフテリアといふのは黴菌の排泄する毒素が心臟と血行器に作用して生命を危ふくする特別の場合なのでありますが、その心臟や血管などの犯される模樣が必ずしも一樣でありませんから學者によつて二つに分けたりして居ります。少し學術的に亘りますが一寸分けて見ますと、

（一）早期循環障碍

これは發病して第二日から第九日位に現れ、次第々々に惡化する傾向、局所症狀卽ち咽頭などに義膜がひどくついて居て顯著であり、熱は一般に高く、嘔吐は稀にしかなく、腹の痛みも稀で、肝臟は大きくなり、脈は數多く、心臟の音が高調脈搏が結代する卽ち不規則になる。しかし血壓は普通、それに心臟の傳導路症狀稀、電氣心働圖には變りなく、心臟の擴張なしといつたやうな條件があります。

（二）後期循環障碍

この方は發病第七日から三十日位つまり大變遲く現はれることもあり、突然急激に襲來して來る、局所の所見は恢復して咽頭など義膜もとれて綺麗になつて居る、熱はない、必らず嘔吐があり、必らず腹痛があり、肝臟も常に肥大して居り、脈搏は速脈時には徐脈、心音は軟弱必らず脈搏の結代がある、だん〳〵に血壓が低下する、心臟の傳導路症狀しば〳〵あり、電氣心働圖に異常があり、甚だ屢々心臟の擴張があるといつたやうな症狀です。

ところで一般狀態はどうかといひますと、意識は最後まで明瞭で死の瞬間まで周圍の人に話かけたり返事をしたりして居りますので、死を豫知して居る吾々醫者や兩親はたまらなく可憐に思はれてならぬものであります。勿論顏貌は平靜、無慾狀態、重くなれば苦惱、呻吟、不安狀になることもあります。前述の後期循環障害の前兆としまして動作不活潑、不機嫌が來ることがありますから注意して、若しヂフテリアの經過中後でそんなことが見えたらすぐ醫師の指示を仰ぐやうにする必要があります。

熱は早期循環障害の時だけです。咽頭の義膜は擴がつて大きくついて居れば口を開けて見れば素人でも見られますが、普通は醫者にかゝつて初めて發見されるものであります。惡性ヂフテリアの時にはこの義膜が扁桃腺の全表面から軟口蓋（ノドボトケの邊）一帶にひろがつて而も灰色、煤色を帶びていやな口臭を放ちます。それにこれは是非知つておく要がありますが、淋巴腺腫脹及び

淋巴性浮腫と申して下顎の部分兩耳下あたりにかけて水氣が生じ腫れあがつて首が太くなつたやうな樣子になります。咽頭もはれるし外から氣道も壓迫されるので容貌は口を半分開けて呼吸をし、やゝ鼾聲（いびき）を帶びるやうになるものです。

尙ヂフテリアの經過中に食慾がさつぱり出ないとか、嘔吐するとか、腹痛或は胸內苦悶（むねがくるしい）といふやうなことを訴へる時には惡性ヂフテリアの症候であるまいかといふ見當で以て手當をしないと大失敗に陷ることがまゝあります。

尙一つ大切なのは出血性ヂフテリアとも呼んで居ますが、非常に出血し易い場合がありましてこれは殆んど皆惡性を帶びて居ります。例へば蚊に刺された位の小さなものから掌大位のものまで大小色々ありますが、皮膚に溢血斑が生じまして見ると丁度物に當つた時出來る紫のあざのやうなものです。又鼻血が出て止まらなくなることなどもあります。かゝる出血性のヂフテリアは死亡率が百パアセントとすら云はれて居るほどの最も怖ろしい型であります。

× × ×

要するにヂフテリアの時には咽頭の義膜の樣子、病人の一般狀態、首の邊の腫れ具合、食慾、腹痛、嘔吐、出血などの樣子をよく見守つて萬々遺漏のないやうに注意すべきが親の務めといはねばなりません。

◇惡性ヂフテリアの療法

或る學者が最近ヂフテリアの死亡率の高い理由として四項をあげて居りますが（一）診斷の遲延すること、（二）血清の製造と管理が怠慢となつたこと、（三）血清の注射量が不充分なこと、（四）或る程度はその時その時の流行するヂフテリアの病原菌の毒性の關係する事などです。

どうして惡性ヂフテリアが死亡率が高いかといふとつまりヂフテリアの毒素が心臟を惡くするからで、又豫後の良し惡しに何が關係するかといふと（一）幼兒が一番死ぬ、（二）心筋炎が早く來るほど惡い、（三）早く充分の血清を注射するほどよろし、（四）腎臟炎、氣管支炎又は懸壅垂（ノドボトケ）の痲痺あるものは惡し、（五）出血性は惡し、（六）血壓の次第に下るは惡し、（七）ひどく脈の少なくなるのは惡し、（八）義膜の暗灰色、黑褐色のは惡し（九）肝臟をおすと痛むとか、嘔吐が頻りに來るは不良、（一〇）肺結核や黴毒を合併して居るのは不良、

それですから治療法はこの豫後の良否の原因を目標に方針をきめねばならぬ譯です。卽ち出來るだけ早く病氣を發見して充分量の血清を注射することが何よりも一番大切なことです。尤も血清注射の方法にも靜脈內にさすとか、連鎖狀球菌血清とまぜてさすとか、非常に大量をさすとか、種々樣々のやりかたがありますが、これは主治醫の考へに委ねてやつて貰ふ外ない譯ですから詳述は略します。

尙室は濕度を留意して乾燥しないやうに、又絕對安靜を守らしめること、それで大小便は必らず病室內でやらせること、食物は少量で滋養價の多い消化のよいものをとることなどが大切であります。血清以外の注射劑にも輸血葡萄糖インシユリン注射、ホルモン（甲狀腺及腦下垂體）注射、ヴイタミン（B及C）注射など推奬する學者がありますが、これも醫者のやる範圍に屬しますので省略いたします。

EBIOS
食べて肥つて
丈夫になつて
病氣知らずの
元氣な子供！
これは
エビオス忘れずに
いつも食後に
服ませたお蔭
食慾、消化、便通と
お腹の工合を整へて
食べた食事をみんな
血肉に送り込む
エビオス錠の中には夥しく豐富にヴイタミンB複合體が含まれて居ります。
この成分は一名發育促進ヴイタミンと呼ばれるほどで發育の遲れた子たちにこれを與へますと、何でも美味しく頂くやうになり、蒼白かつた顏色が再び子供特有のリンゴのやうな血色をとりもどします。
エビオス錠
三〇〇錠 一円六十錢

新時代の育兒讀本

生れてからの一年（三）

大阪帝大醫學部小兒科講師
醫學博士 前田伊三次郎

乳兒の發育

乳兒の身體發育は主に體重及身長によつて評價することが出來る。こゝに本邦乳兒の各月齡における體重、身長、胸圍および頭圍について、東京帝大調査の標準値標を掲げ參考に供することゝする。

體重、身長、胸圍及び頭圍の月齡標準値

月齡	身長 男	身長 女	胸圍 男	胸圍 女	頭圍 男	頭圍 女	體重 男	體重 女
1	56.5	55.5	36.3	36.0	36.9	36.5	4.07	3.80
2	59.0	58.3	38.6	38.4	38.6	18.5	4.82	4.60
3	60.7	59.6	39.6	38.6	39.4	38.7	5.47	5.31
4	61.8	60.8	41.3	40.2	40.5	39.7	6.05	5.77
5	63.0	62.6	41.9	41.1	41.4	41.0	6.59	6.18
6	64.3	63.9	42.5	41.6	42.3	41.3	7.07	6.50
7	65.7	65.3	43.0	42.0	42.8	42.0	7.50	7.06
8	67.2	67.0	43.5	42.3	43.5	42.3	7.85	7.30
9	68.8	68.4	44.0	42.9	44.0	42.8	8.21	7.77
10	70.4	69.8	44.3	43.3	44.3	43.3	8.49	8.06
11	72.2	71.7	44.3	43.8	44.3	43.8	8.74	8.35
12	73.5	72.9	45.7	44.4	45.4	44.1	9.00	8.50

【註】——身長、胸圍、頭圍はセンチメートル、體重はキログラム

身長及び體重の累月增加表

體重 男	體重 女	身長 男	身長 女
1030	930	7.4	6.8
750	800	2.5	2.8
650	710	1.7	1.3
580	460	1.1	1.2
540	410	1.2	1.8
480	320	1.3	1.3
430	360	1.4	1.4
380	240	1.5	1.7
330	270	1.6	1.4
280	290	1.6	1.4
250	290	1.8	1.9
260	150	1.3	1.2

月齢
新生兒—1ケ月
1ケ月—2〃
2〃—3〃
3〃—4〃
4〃—5〃
5〃—6〃
6〃—7〃
7〃—8〃
8〃—9〃
9〃—10〃
10〃—11〃
11〃—12〃

【註】身長センチメートル、體重グラム

乳兒期に於ては生後半年で、分娩時の體重の約二倍となり、滿一ケ年で約三倍となる。滿一ケ月、滿一年までの月齢相當の平均體重は、次の公式から容易に知ることが出來る。

3,000+30×月齢(28−月齢)=グラム

例へば六ケ月兒の標準體重を得るには

3,000+30×6(28−6)=6,960グラム

の如し。

この標準體重と乳兒の實際の體重と比較して、その發育狀態が普通であるかどうかを知ることが出來る。大顖門(おどりこ)は生後十二ケ月乃至十五ケ月位で閉塞する。齒は六、七ケ月頃から生え、初めは下二本の門齒、八ケ月——十二ケ月までに上四本、下二本の門齒の發生を見るのが普通であるが、中には、何等病的でなく、十ケ月頃まで齒牙の發生を見ない事もある。

精神機能　第一ケ月、初生兒と大した相違はないが、四週ごろになると眼球運動が光線または運動に隨伴する▽第二ケ月　上機嫌の時は喃語を始め、二ケ月の終り頃には微笑する。頭を少し持ち上げ漸く其位置に保持することが出來る。▽第三ケ月　頭を固定する事が出來、ある目的のために、手足を動かす。物を指で摑みまたは持たうとする。▽第四、五ケ月　意思を有し物を把持する。支へて坐らす時は、頭を直つすぐに支へることが出來自由に動かし得る。▽第六ケ月　獨りで坐り始め寢返りをする。支へて立たせば、兩脚を突張り自分で立たうとする。發語漸く習得するに至る。また眞似をし始める。▽第七—九ケ月　言語及び身振を理解し這ひ始める。物によつて起立するに至る。▽第十—十二ケ月　支持してやれば歩行を試みる。單語を理解し次第に完全になる。すでに獨りで立ち一年の終り頃には歩行を覺え、感情身振複雜となり、意義ある言葉を發するに至る。

便　健康母乳榮養兒は一日に一—二回、多くて三回黃色軟膏便を排するも、時には帶綠色、白色の顆粒を混ずる軟便を見る事がある。人工榮養兒は多くは便秘の傾向あるも、概ね一日に一回、時に二回、帶黃色灰白の水分の少い比較的硬い便を排するを普通とする。若し綠色を帶び顆粒を混じた軟便または水樣便、粘液便を洩らし、其の回數が增加する時は、消化不良の病的便であるから油斷は出來ぬ。人工榮養兒の下痢は一般に危險なものとして速かに適當な治療を加へる必要がある。

排尿量　一ケ月乃至五ケ月では、一日に四〇〇乃至五〇〇グラムを六ケ月より一年の終り頃までは五〇〇——六〇〇グラムを普通とする。

呼吸　一ケ月より十二ケ月までの乳兒は、約四〇—三五位。

脈搏數　一四〇—一三〇—一二〇位一年の終りには一一〇位を普通とする。何れも安靜時において測定した一分間の數である。

睡眠時間　二十時—より十八時間まで生後二、三ケ月の頃は哺乳後二十分乃至三十分、五ケ月頃は約一時間覺醒しその他の時間は睡眠するを普通とする。月を累ねるに從つて睡眠時間を短縮し、一年の終り頃には夜間睡眠のほか午前、午後の二回に數時間の睡眠をとるに過ぎぬ。健康兒の睡眠狀態は安靜であるが、神經質の乳兒は睡眠時間も短くかつ淺く僅かな音響にも容易に目を醒すものである。

體溫　健康乳兒にあつては腋下測定で卅七度以下である。時には卅七度を超過する場合があるが、卅七度以上の體溫は一般に有熱と考へてよい。

看護の注意

乳兒の健全な發育を期待するには、榮養上の誤謬なき樣注意するは勿論、榮養以外の看護上の誤謬なきことに依つて初めて達し得られるのである。乳兒には新鮮な空氣と十分な日光は、特に發育上肝要なものであるに拘はらず、世人の多くは只食餌にのみ重きを置いて、一向これを顧みない嫌がある。恐るべき結核の感染は大多數乳兒期にあり且不潔な空氣、不十分な日光は、結核菌の存在に好條件を與へることを思へば、可及的事情の許す限り日光と清潔な空氣の恩澤に浴せしむるように努めねばならぬ。殊に日光はヴイタミンDを作り、骨の發育を完全に、佝僂病を豫防し、且つ新陳代謝を促進し、榮養を高め、發育に好影響を及ぼすほか强い殺菌力を持つてゐる。

着衣は保溫の目的を達すれば足るものであるから乳兒が汗ばまぬ程度の薄着が健康上良い。なほ運動を妨げない自由な輕いものに心懸けねばならぬ。夏は腹當のみで裸體を可とする。襁褓は注意して大小便で汚染すれば直に取り換へ、生後半年頃より、時々大小便を容器にさす習慣をつけ、なるべく襁褓を濕さぬように努めることは長じて寢小便の惡習を豫防するに非常なよい助けとなる。夜尿症の原因は、多くは乳幼兒期に親の不精、怠慢により、しつけの惡い結果である。

乳兒の健康と完全な發育には、適當にして合理的な榮養を第一として新鮮なる空氣、十分な日光が必要なほかに體の大部分をなしてゐる筋肉の運動も亦重要な一要素である事を忘れてはならぬ。こゝに一々その運動方法を述べたいが、紙面の都合で遺憾乍ら省略する。

人工榮養兒の榮養障害　人工榮養兒の榮養障害について詳しいことは餘りに專門的に過ぎ、且つ紙面も許さぬから主にその原因について極く簡單に述べるに止めて置く。榮養障害の主な症狀は吐乳、下痢等の胃腸症狀のほかに、體重增加の減少、あるひは停止、更に進んで減少があり種々な傳染病に對する抵抗が減弱するため、これ等の疾患に犯され易くなる。かような胃腸及び發育の障害抵抗力の低下は種々な原因から起り、決して單一ではない。以前は主に人乳と牛乳との種類相違に基くものと考へ卽ちその本質的原因を、牛乳の蛋白あるひは脂肪または乳精等の相違に基くものと說明を試みたが、今日ではこれを全く否定は出來ないが、この說明では首肯出來ない事實が澤山あつて未だ解決してゐない狀態である。

その本質的原因は兎も角も、榮養の誤謬、傳染病、體質異狀その他看護上の誤り等は直接または間接、榮養障害の原因或は誘因となる。榮養上の誤謬については食餌の過剩或は不足、榮養素配分の不適當(例へば含水炭素の過不足ヴイタミンの缺乏等)腐敗せる食餌等が考へられる。その中榮養過剩及び腐敗は嚴重に觀察すると、實際上比較的少い原因で、その多くは榮養不足に因するもので、殊に胃腸症狀が輙く或は殆どなくして、たゞ發育の不良なものゝ多くはこれである。例へば三分の一牛乳の如き稀釋過度の榮養を長く續けてゐる場合は、その適例である。かような場合は、同時に種々なヴイタミン及鹽類のあるもの(鐵分)も不足である。熱量から計算して十分な榮養量でも、榮養素の配合が不合理であると、缺乏症として種々な障害が起つて來る。例へば含水炭素(糖分或は穀粉)等を加へないで、牛乳をそのまゝ長く與へてゐると、牛乳榮養障害と言ふ含水炭素不足の障害が現れ、蒼白にして筋肉の發育惡く、體重は增加せぬ。又粉乳、煉乳あるひは長く煮沸した牛乳をもつて、長期間に亘つて榮養してゐると、ヴイタミンC缺乏症として乳兒の壞血症が起る(半年以後の乳兒)。また牛乳卽ち蛋白脂肪に乏しい榮養、例へば重湯または、乳粉等主に含水炭素のみの場合は穀粉榮養障害が起り、全身に浮腫が現れ、また非常に瘦せ、化膿性の皮膚病や病氣にかゝり易くなる。なほこの場合は、ヴイタミンAの不足によつて目の角膜結膜の乾燥症を起し、遂に失明することさへある。以上のような著明な症狀が現れないまでも缺乏症は常に潛伏性の狀態にあつて抵抗力を減ぜしめるものである。

人工榮養兒は母乳榮養兒に比べて、遙に罹患率も死亡率も多いといふことは、以上の如き榮養上の誤謬が起り易いことが先づ第一の原因であり、なほ母乳には、母體より移行して種々な適當なホルモン及び免疫物質が存在してゐることも看過出來ない一つの因子である。

次に傳染病(最も多いのは感冒)體質異常が關係することは、人乳榮養兒の場合と同樣である。看護上の誤りの中には、餘り溫かくし過ぎること、反對に冷却することもその一つであるが、乳兒の環境の不衞生的であることも大いに關係を有するものである。原因については述べたいことはなほ際限なくあるが、これ位に止め最後に下痢と便秘について少しく述べることにしよう。

下痢　下痢は乳兒には年長兒および大人よりも僅かな原因で容易に起り、且つ多いものであり、特に人工榮養兒には危險なものであるから、時期を失せぬよう專門醫の治療を必要とするが、簡單な下痢は、食餌の加減によつて、進行を防ぐことが出來る。下痢の場合は、先づ第一に脂肪を減ずること、次で蛋白分の多い含水炭素の少いもの、特に含水炭素は醱酵を起し難いものを選ぶことである。含水炭素中醱酵を起し易いものは、第一に乳糖でマルツ汁も下痢を起し易い。次で蔗糖である。起し難いものは滋養糖、澱粉殊に重湯である。それ故下痢の治療食餌としては、先づ脂肪乳の薄めたものに適當の滋養糖及び重湯を加へたもの(但し重湯はこの場合三ケ月以上の乳兒)。最も安全な食餌は牛酪乳を適當に稀釋して與へることであるが、何れも治療の始めは少量から始め、漸次增量すると同時に濃度も高める。この牛酪乳は下痢を增惡する脂肪及び乳糖に乏しく、下痢に抑制的に作用する蛋白に富み且胃の消化に適當な酸度を持つてゐる點でこの場合好んで用ひられるものである。其他治療當初には、一時的榮養として林檎汁(二倍又は三倍に薄める)もよい。

便秘　便秘は下痢のように危險なものではない。殊に人工榮養兒の多くは、便秘の傾向があるものであるが、數日以上に亘つて自然便を見ない時は、排便の必要がある。かような場合は、マルツ汁越幾斯(一〇パーセントのもの)を一日二、三回、排便なき時は一回に一〇—三〇グラムを哺乳直前に與へるか人工榮養兒なれば他の糖の代りにこれを三パーセント乃至五パーセント加へるもよい。下痢を起すようなれば、減ずるか中止すればよい。なほ果汁、野菜スープ等も年長兒には試みてよい。グリセリン浣腸はなるべく避けたがよいが、止むを得ぬ場合は、一週間二回に止めるがよい。

乳幼兒の疾病と手當

乳兒脚氣　吐乳に初まり泣き聲が力なくかすれて來ると共に浮腫が出來る。手當てとしては母乳を續けながら母子共に脚氣の治療を受けることで餘程重症でない限り母乳を排する必要はない。

榮養障害　消化不良の場合は下痢、嘔吐、微熱を見るが母乳兒はその回數を少く規則正しくするだけでよい。

幼兒ならば消化し易い脫脂乳、重湯、半熟の卵黃等の食餌療法による食餌性中毒に原因するものは、發熱と共に水樣の惡臭便があり粘液を混へるからすぐ醫師の手當をまたねばならない。

疫痢　元氣だつたのが急にぐつたりと物憂げになり、三十八度前後の高熱と共に脈搏が早くなり腹部がやゝ膨れる。一刻も早く醫師を招くと共に家庭側としては、多過ぎる位のヒマシ油と浣腸に依つて完全に腸の掃除を行ふことである。

腸炎　室內は六十度前後に暖め濕度も五十五度位に保ち、頭部を冷やし胸に三、四時間毎に溫濕布を施す。溫濕布は二パーセントの硼酸水、又は一パーセンの食鹽と一パーセントの重曹を用ひた重曹食鹽水を使用すればよい。このほか一日數回の吸入を行ひ醫師の命に從ふのである。

百日咳　傳染率の高い病氣で二週間目頃から咳きはじめ、次第に發作が劇しく顏面が腫れ鼻血や脫腸を起したりする。重症の場合は、通風のよい六十度位の部屋におき食物を消化し易いものを少量づつ與へ、なるべく發作の刺戟にならぬ樣注意する、吸入も必要。

腦膜炎　症狀は一定でないが頭痛と共に意識の障害が起り發熱をみる。最初は元氣がなく、睡眠を多くとり倦怠の情を呈す。醫師の指圖に從つて天運をまつほかない。

ヂフテリア　突發的に四十度近くの發熱を見、扁桃腺が腫れて咽喉が赤く、次第にそれが白くなつて來たらヂフテリア血清療法を行ひ、安靜に臥床させ流動性の食物を與へ食後は必ず含嗽させて口腔內を清潔にする。

痲疹　合併症を起し易いから十分注意し冬は室內の溫度を六十度位にし、夏はむしろ風の直接當らない涼しい部屋が適當である。なるべく水分を多量に與へ、牛酪、重湯、肉スープ等を與へる。

子供の中から酒・煙草のまぬ決心を起させよ

醫學博士　岡田道一

(一) 未成年者禁酒禁煙の根本精神

我國の法律では未成年者は酒、煙草を用ひる事は出來ないのであるが、間違つた考へから子供に味淋だとか白酒だとか葡萄酒だとか飮ませる家庭がある。又惡戲にしろ子供に煙草を喫ませて喜ぶ親がある。以つての外だと言はなくてはならない。

修學中腦の痲痺を來らす酒、煙草を用ふる必要はどの點から考へても無い事で、その嚴重なる親又は教師の監督の下に育つた子供は一生酒、煙草をのまない樣になる者だ。これと反對に一本でも一杯でも用ひて興味を覺えたら一生涯廢める事が出來ない。殊に煙草の如きは、手の慄え胸の締めつけられる樣な病氣になつても倒れる迄廢める事が出來ない。其兩者の差異を考へると非常に大きいものがあるから、悠りと酒、煙草に就いて考へても損の無い問題である。

(二) 未だ喫煙の慣習に染まぬ人々に

喫煙は決して大なる樂しみではない。多くの人々が喫煙の習慣から遁れることの出來ないのは、此處に偉大なる愉悅を得てゐるわけでは無く、只多くは意志弱くして惰性にその身を委ねてゐるのであるから、未だ喫煙の慣習に染まぬ人々は決して之に近づかぬことを要する。禁斷の花園の果物は色が美しく見えるが、その味は決して甘美ではない。然も一度その味を知ればその境地より脫却するには偉大なる意志を要するに拘はらず、煙草は人の意志を薄弱にし更に第二、第三へのより惡い慣習に走らしめる虞れがある。物事は第一步が大切であることを忘れてはならない。

(三) 飮酒喫煙は一種の疾病なり

已に魔藥として醉ふ事が中毒、煙を出す事が中毒卽ち病氣であると分つたら、已れの病氣を治せないことはあるまい。それを魔藥の力に引寄せられて、うまいから飮む、喫ふ、害はあるから止めやうと思ふが、意志が弱くて止められぬでは、病氣卽ち習慣性の被害が意志以上に大きいから、これではいつ迄たつても止める時は無く永久に救はれない狀態にある。

先づ吾等はこの世から醫藥以外阿片、モルヒネ、酒、タバコを除き去りたいといふ事が最大の念願である。現に酒、タバコを用ひてゐる人に斯く云ふ事は無駄な話にきまつてゐる位、その中毒はひどいもので、これは如何なる醫者も匙を投げるのである。であるからこの治療は駄目だと諦める。それよりも私は酒、タバコの中毒にかからない豫防策として少年少女が成年に達してもこれをのまない決心を起させるために大いに說き度い、これは豫防に勝るものである。かくて今日の少年少女が成人して、未來の國民をつくる未來の日本をして酒、タバコのない樂土としたい、もしさうなれば、如何にこの世の民は幸ではあるまいか。

トルストイ曰く『酒と煙草を習慣性に用ふることを撲滅する事が人類の歷史に一新紀元を劃する事である。』

(四) 魔藥としての酒、タバコに就ての反感

私が酒、タバコを魔藥の中へ入れたのに就て、もしこの何れか一つにでも執着のある醫師なら必ず擧を擧げてそんな馬鹿なことゝ反對して且つ私の不學をそしるものがあるであらう。そのそしりは甘んじて受けても、どうしても酒、タバコを魔藥として、その用ふることを中毒作用として解決する處に眞の解決がある事を信じるものである。

世の中に阿片のみを害として、酒、タバコを許したり酒のみを害として止めて、タバコは止められないと、すぱ〳〵喫ふなど、どうしてもその眞意が分らない。

よく煙草屋さんに聞くと酒をのむことを非難されてゐる。又私が現にニコチン・アルコールの害を述べたところ、それに應じて立ち上つた紳士、煙草は間違ひなく害毒があるが、酒は抑々大古からあり、又榮養ありといふ醫學博士もあるから酒は害ないと滔々と述べた。その人はだれだときくと、菊正宗東京支店長であつた。

卽ち煙草を賣る人は酒を惡しとし、酒を賣る人は煙草を惡しとし、泥のなすり合をして、得々としてゐる。これも兩者とも同じ魔藥であることを知らないからでもある。

(五) 酒に對する誤解

酒に對する誤解として世人は往々醫師すらもこんな事を云ふのである。

(1) 酒を榮養食品なりとする說。
已に萬國アルコール會議や萬國醫師大會で、アルコールは人體中に入りて榮養の効全く缺けると云ふ事を發表し決議して居る。

(2) 酒は消化を助ける藥品なりと云ふ說。
一時の刺戟のためであるがその結果胃を荒し終には慢性の胃潰瘍になる。

(3) 酒のみを以て貧民唯一の娛樂物なり。貧民から酒を除けば何等の娛樂がなくなるだらうと云ふ說。
論より證據一度これを貧民に禁じて御覽、他に樂しみが澤山現はれるであらう。

(4) アルコールの與へる陶醉感は肉體的にも精神的にも快感を與へ、又恍惚となるため飮酒後は能率が上り頓智に富み仕事を巧みにやるやうになると云ふ說。

以上のやうな事はどれも實驗して、酒のんで仕事の能率が上るかどうか、却つて下ることを數字上に示してゐるのであるから、反對論者はピシヤコンである。昔から間違つた勇氣であるが陣中でも淸酒又は衞生酒などのんだ事は今日誤りである事が分つた。

(六) 煙草に對する誤解

(1) タバコを喫めば空腹をとめる故一種の食物であるとの說。
これは藥物學の大家阿部勝馬博士によれば煙草の中のニコチンは口腔粘膜を刺戟すると、饑餓時に於て胃に起る收縮（饑餓收縮）を反射的に止めるためであると說明されてゐるから、ニコチンの作用で、それが食物になる譯でも何んでもない。

(2) 筋肉勞働はタバコを喫めば一層よく耐へられるやうになるとの說。
これは氣分轉換によるのであらうと思ふ。パルメン氏によれば卷煙草を喫ふことによつて、最初一時的には筋肉働作量は增加するが、比較的速かに疲勞を起すので、筋肉働作の全量は增加しないものであると實驗してゐる。

(3) よい考へが浮ぶから腦の榮養になるとの說。
これは煙草には一種の妄想を起す作用があるので、つまりタバコ性精神病になる前提である。

(4) ある種の快感あるとの說。
血壓を一時に高めるから腦の血液循環がよくなり精神機能が亢進されるに過ぎない。卽ち快感には害が

小兒科
高洲病院
大阪兒童愛護聯盟理事
院長　醫學博士　肥爪貫三郎
顧問　醫學博士　高洲謙一郎
大阪市南區北桃谷町三五
（市電上本町二丁目交叉點西）
電話東一一三一・五八五三・五九一三番

伴ふ。

(5)　殺菌劑なりと云ふ說。

コレラ流行時には此說を以て煙草を廣めたが、それは多少の殺菌力はあらうが、しかし口を嗽げばなくなる樣な黴菌に對して効があるといふのみである。

(6)　糖分を出すから强壯劑になるといふ說。

糖を出すから酸性になるのでこれが惡い、糖は必ずしも榮養ではない、これは害のある事が多い。糖を出すことは事實であらうが、その事實を知りつゝ糖尿病者がタバコを喫ふのは愚者といはれてもさし支へない。

(7)　御恩賜のタバコに就て

何はともあれ恐れ多くも煙草の御恩賜品があるからとて、これで勇氣を出せといふ意味ではない、只慰勞の意であらうと拜察する。

西曆一八七〇年に行はれた普佛戰爭に於てフランス軍が敗れたのは、ナポレオンがタバコ好きでフランス兵が煙草を餘り陣中で喫ひ過ぎたためだといはれてゐる。

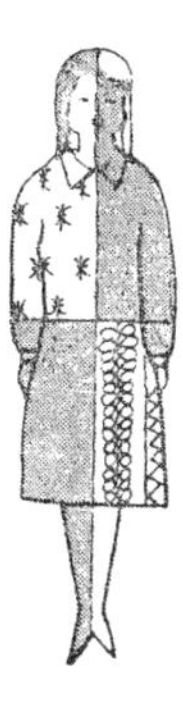

子供と少しも違はぬ年寄りの心理

東京高校橘教授の研究

こどもはあらゆる場合がすべて自分本位である、こころが老人もこの點は同樣で自己中心主義――惡くいへば利己主義であるといふ老人心理に關する研究が、東京府立高校の橘覺勝教授によつて行はれてゐます、同教授にこのお話をきく。

◇

これは老人心理に關する一般研究中の一部分で、六十歲以上の男女約七千八百人について行つたものですが、老人の自己中心主義は、宗教的、道德的方面を見た場合この傾向が一層よく分ります。

例へば宗教的方面で、未來觀念の死後はどうなるかといふ場合は發現形式を見ると、非常に若い靑年は超越的の考へ方をもち、宇宙の太靈と合一するとか、或はその人は死んでも行蹟は社會的に不滅だといふ風に考へますが、老人になると主我的な考へ方が多くなり、死ぬと自分ば極樂へ行くとか、阿彌陀樣の傍へ行くといつた傾向が多く靈魂不滅などといふことを老人は考へません、道德的な方面を見てもこれと同じやうに、自己本位の傾向が見られます。

犯罪においてもこれを見ることが出來ます。老人の犯罪を見ると、賭博、富籤が他の年齡よりもまた他の犯罪―竊盜に比べて非常に多い。たとへばある年の賭博、富籤が三十歲未滿のもの、六、六九一人に對し、六十歲臺では四、八七五人といつたやうに減少率が極めて少い。一方竊盜を見ますと、三十歲未滿で二、〇一七人が六十歲臺になると一一七人に減少してゐます。老人がかやうに賭博や富籤などの特異な犯罪に多いのは、とりも直さずその心理が自己中心主義になつてゐるからだと見てよろしいでせう。私は老人心理の研究上、辭世も澤山集めて見ましたが、この辭世を通じて見た場合もさういつた傾向を看取する事が出來ます。

年齡的に區別して見ると、高年者の辭世は自分本位で、社會國家を考へたものがほとんどない。なぜ老人になると自己本位、自己中心主義になつてくるのか、子供についてビューラー、ピアゼーなどのいつてることには、こどもは精神發育の不十分から、自分のものと他人のもの、自分と社會とがはつきり分れてゐない。したがつてこども――幼兒は、自分本位である。それが靑年期に入つてはつきりと分れてくるが、老人期に入ると今度は社會、他人といふものがあまり相手にしてはくれなくなる。そこで自分と他人といふものがはつきり分れ、さういふ所から自己本位のものになるのではなからうか。したがつて理論的にも、こどもの場合と老人の場合の自己本位は差別がつくものと考へられます。

―親の慈愛の金字塔―

御出産の御祝品に絶好

出産から小學校入學まで、六年間の生ひ立ちを細かに綴りゆく美しい本

四六倍版撲造紙八四頁
色クロース金模樣裝幀
各頁極彩畫畫飾畫揮毫
優雅堅牢な保存用箱入

大阪こども研究會編
わが子の歷史
杉浦非水先生裝幀・有名畫畫家十先生各頁着彩飾畫

定價一冊　三円
◇地方送料　内地四十五錢　台滿鮮七十五錢　◇荷造料十六錢

慈愛深き親達の手で、この美しい本に可愛いお子樣の生ひ立ちを細かく御記入になつて、成人の後お子樣へ贈られることは、何と意義深い事で御座いませう。

大阪市高麗橋　三越　圖書部
振替口座大阪三〇三番

愛と藝術

賀川豊彦

生命のない處に藝術はない

生命の表現するところに藝術がある。生命なくして藝術は無い。

生命は自己內容の爲めに常に新しき價値を造る。刻々の價値が喜びであり、目的である。

その總勘定がまた生命そのものゝ自在への步み寄りとなる。

人間の藝術には恐ろしく多くの約束がある。それは恰も感覺經濟が五官とその他の感覺に諂ぶる如く、感覺藝術もまた五官と他の感覺に引きづられて行くのである。眼の爲めに、彫刻、繪畫、建築の樣式が生れ、耳の爲めに詩と音樂が生れ、筋肉の爲めに、舞踊が產れた。そして觀念の發達すると共に、演劇と、小說と、自然に對する好愛が生れた。

私はこれらの局部的藝術は、私の常に考へてゐる生命藝術に比較して、あまりに貧弱なものと考へてゐる。主觀藝術ですら――小說、詩の如きものですら、綜合的生命藝術に較べるなら、その强さに於て比較にならない。

生命藝術の內容に就ては、既に私はこの書の至るところで說明して來た。先づ科學は、私に取つての大きな藝術である。それは生命の生產であり、創作であり、主觀藝術の至上なるものであり、その頂點に客觀の眞實性を結び附けてゐるものである。科學は生命藝術の中の最も花々しいものである。

經濟も生命藝術であることは既に說いた。たゞ徒らなる機械的多量生產は藝術ではないが、生命の爲めの創作と生產は最も優れたる藝術である。

藝術に於けるバセドス病患者

道徳が生命藝術であることを理解しない低能なる局部藝術家は、頗る多いことであらう。然し、人間が美しくある爲めには、梅毒と、淋病と、不潔から遠ざからなければならない。酒と賣淫と腦梅毒の藝術が、何の藝術になり得るであらうか？

酒に狂うた發狂者が、ほろ醉ひ機嫌で歌ひ舞ふ藝術に何の陶醉があらうぞ！人間の不具者、藝術に於けるバセドス病患者――大きな飛び出した眼を持ち、色彩と輪廓の爲めに、魂と生命を蹂躪し、三越と帝劇を凡てのものゝ上に尊重する、口より眼の大きくなつた感覺藝術の啓示に、何の權威があらうぞ。そこに陶醉のあることを、私は拒みはしない。局部麻醉は勿論可能である。

然し、腦梅毒とアルコールの藝術を、藝術と呼ばねばならぬ事は、實に悲しきことである。それは藝術の成りそこねだ。精神病者の天國だ。酒の上の囈語だ。鼻のかけた巴里のごろつきの藝術だ。

生命藝術は、生命の上に美を刻む工夫である。生命の上に美を刻む工夫には自ら守る可き藝術的法則がある。それを道徳と云ふのである。

光榮ある藝術としての道徳

生命を至醇ならしむる爲めに、戀愛が發生する。戀愛を何人が人間藝術だと云はないであらうか？

戀愛は生命の創作である。それは最上なるものに對する陶醉である。それ故に、或人は凡ての局部藝術は戀愛の爲めに生れたとまで考へる。

戀愛ほど、明瞭に生命藝術の何ものであるかを啓示するものはない。戀愛の前には、凡ての局部藝術が吸收せられて了ふ。それほど戀愛は、眞劍に若き生命の努力を要求する。それ自身が目的であり、それ自身が幸福であり、それ自身が、生の目的を完成してゐる如く思はしむるものは、戀愛以外にはない。

戀愛は今日迄、道徳より迫害を受けて來た。所謂義理と人情を對立せしめた日本の民衆感情は、戀愛を不義なものとし、義理の反對に立つものとした。然し之は生存競爭の爲めに戀愛が極度に壓迫せられてゐた時のことであり、生命の自由と藝術が全く許されず、爭闘の外に何の目的も無かつた時のことである。そんな時には生命そのものが呪はしいものである。それは常に外部的の脅迫のために、生命の内側から湧いて出る生命藝術としての道徳――卽ち戀愛、社會愛、人間愛を基礎とする光榮ある藝術としての道徳を認め得ないのである。

濁りなき生命はそれ自身の喜びである

然し道徳と云ふものは眞に內部的なものである。內部的なるものゝ歩みはそれ自身目的であつて自己が決定し自己が創作する。自己が自己の爲めに決定し、自己の內側に更に新しき自己を創作するものを愛と云ふ。戀愛にしても聖愛にしても、全くこの內側の自己滿足と、自己內容の創造である。それ自身が目的である。

戀愛は完全なる生命藝術である。

然し、生命藝術が、戀愛で止まると思へば、それは大きな誤謬である。

「生命」は戀愛をしないでも、それ自身が最もうれしき藝術なのだ。之を理解しない人がある。必ずしも戀愛が加はらないでも、凡ての古代藝術を見ても知られる如く混濁なき生命はそれ自身が大きな喜びなのだ。アマゾン河畔の鳥の群が、敵に追つ驅けられても、他に飛び移れば早や苦痛を忘れて舞うてゐる如くに、生命はそれ自身が大きな躍動なのだ。飛行機で空中高く三千尺昇ると、歌が自ら口から漏れ、笑みが自然に出てくるさうだが、人間の生命に取つても之は同樣である可きものなのだ。

この生命禮讃は、古代に於て「宗敎」と云ふ名で現れて來た。この宗敎と稱する生命禮讃の前で最初の凡ての感覺的局部藝術が生れた。最初の歌は讃美歌であつた。最初の繪畫は宗敎畫であつた。最初の音樂も、最初の演劇も、最初の彫刻も……神と偶像の前で、神と偶像の爲めに生れたのだ。

つまり「祭」とは、生命の表現を感覺的局部藝術の凡てで行つた、神への禮讃であつたのだ。

ショペンハウエルの藝術觀

藝術は客觀性を强くすればする程、その約束と條件が面倒になる。建築、彫刻、音樂、演劇のやうに民衆一般に理解せられねばならぬものは、それぞれの感覺心理の諸法則に從はねばならぬと共に、群衆心理をも考へに入れねばならぬ。

然し、それだけまた普遍的生命に近くなるわけで、人間生命のはけ口をそこに求むるより外に道が無いものだから、全人藝術としての宗敎を考へつゝも、それは、局部藝術の綜合となるより外に仕方がなくなるのである。

ショペンハウエルやハアトマンなどは、藝術に對して妙な考へを持つてゐて、「救はれない人生」を假りにも救つてくれるのは美であるから、藝術は救の一種であり、その陶醉は宗敎的であると云ふやうな意味のことを云つてゐる。

これは隨分面白い云ひかたゞが、人生と藝術の本體が分離してゐるものだと考へるから、かうした矛盾が起るので、「救はれない人生」の畑に、「假りにも救ふ可き藝術の根」がどうして生えたのだらうか？全人的ではなくとも局部的に、ショペンハウエルの所謂、彼の至高の藝術である音樂に何故陶醉の要素が發見せらるゝのであらうか？

それは生命ではないか？生命の中に猶僅かでも救はる可き要素が殘つてゐるのではいか？局部が全體の一部分であることを、彼は忘れてゐたのだ。

藝術は救に對する禮讃である

太古、人間がまだ彼自身の內に充ちてゐる生命の躍動に敏感であつた時には、彼は生命と藝術の區別を知らなかつた。藝術は生命躍動の一部分であつた。宗敎はその全體であつた。その根底であつた。

人間の成長が局部に偏し、所謂近代文明を見るに至つて、眼と耳と口と鼻とが分離せる如く、宗敎と藝術も分離し、善と美も分離することになつた。

そして、美專門の人々が、たゞ感覺に訴ふる爲めに、色々のものを彫刻し、畫き、歌ふことになつた。然し美の內容が、益々成長して、內側に內側にと滑り込むやうになると共に、美の範圍が擴大して、生命の凡てが藝術的對象となることになつた。卽ち多くの觀念藝術――詩小說、音樂の或物、自然に對する或見方などになると、それは全く、宗敎そのものとなつた。

又、われらは綜合藝術と云つたやうなものでなくて、生命の單一なるもの﹅各部を擔當したものとしての、感覺及觀念藝術を見る時期が來た。

卽ち、救なき人生に猶少しでも美要素――否、美を探し當て得る要素、卽ち主觀的に云へば、美しくなり得る要素が殘つてゐるなら、藝術を含む生命そのものは、救そのものであると考へられ得るのである。そして藝術そのものが宗敎であり、救に對する禮讃そのものとなるのである。

敎育も生命藝術に對する理解を最もよく含んだ分派である。生命藝術に於て道德が建築であり、戀愛が繪畫であり、宗敎が音樂でありとすれば敎育は彫刻である。

敎育ほど面白い彫刻は無い。その素材は兒童である。その鑿は敎育者である。それは愛を以つて精神とする。何と云ふ幽玄なる時間（タイムス）彫刻（カルプチユア）であらう。靈は靈より、魂は魂より傳はり、神の呼吸が土塊の裏に生命として燃え上る。

感覺的局部藝術より觀念藝術へ

今、我等は感覺的局部藝術の時代から、漸く、觀念藝術に目醒めつゝある。未來派も、キュビストも、後期印象派も、凡ての畫がそこを目ざしつゝある。それは感覺より、より高い主觀に目醒めんとしてゐるのだ。それは客觀の符號――色、輪廓を借りて內側に起る生命の躍動を外部に傳へんとする努力である。感覺以上の生命を更に感覺に投影せんとする努力である。

それは植物に、動物に、無生物、並に、人間の顏に、眞夜中の泥溝に、生命の神秘の動きつゝあることを聞かんとする努力である。失はれたる生物と、無生物との聯絡を、感覺以上の觀念力によつて取返さんとする努力である。神に近き觀念と稱する新しき感覺を以つて、客觀の醜きものを、美によりて鑄變へんとする努力である。

かうした力强き新しき藝術は、カンバスや土塊より飛び拔けて來て、肉塊の上に新しきスタンプを押さないではおかぬ。

かうして、古き形の局部藝術は、生命藝術を外部に傳へる符號となり、與へられた方程式の配列となる。それだけでは何の意味も無い。音譜が、たゞ一つの觀念の符號である如く、繪畫も、小說も、建築も、否、凡ての在來の局部藝術が、それ自らの目的と共に、それ以上を意味することゝなる。

「それ自らの目的と、それ以上の意味」は、生命ある藝術に於て始めて與へられる。それ自らに止まるものは成長しない。それ以上の意味あるものは成長する。

成長するものを生命と云ふ。

生命ある藝術は、それ自らの目的と、それ以上の意味を持つ。戀愛に於て之が最もよく見られる。戀愛はそれ自身が目的であり、またそれ以上の目的卽ち種族生命の保續と云ふ使命を持たせられてゐる。

「藝術の爲めの藝術の價値」

世では「藝術の爲めの藝術」と云ふ。私はそれに就て少しも反對しない。眼の爲めの光と云ふことが少しも間違つたことでない如くに、約束と條件によつて、眼の爲めの美の創作と云ふことは喜ぶべきことである。

然し、更に一歩前に進むことによつて、私は、さうした局部的美が、生命全體の美とどんな關係があるかと云ふことを知らねばならぬ。美人の爲めに道德を犧牲にすると云ふ。それは眼の爲めに耳を犧牲にすると云ふことゝ善く似てゐる。私はそのことに就て少しも反對はしない。局部的に、相對的に見て、私はその態度に反對すべき何等の理由を見ない。

然し、眼だけの美の外に、全人の美の大きなものが橫たはつて居る。善に美の要素が無いと云ふのが、第一間違つた判斷なのだ。善は常に美の爲めにある可き筈なのだ。美に贊成出來ない者がありとすれば、局部的な美が美の實在そのもの〻根底を危くする或るものをそこに持つてゐるからなのである。

美の起原

そこで、私は美の起原と、その發生の理由に就て考へねばならぬ。

善と眞の起原に就ては、比較的容易に考へ得られる。然し美に就ては、さう簡單にその起原を知ることは出來ない。何故に美があるか？

功利的に美の起原を說かんとするものがある。例へば雌雄淘汰による進化を說明せんとするものは、凡て美は色慾の爲めに發生したと說く。

絕對の立場より、美を說かんとするものがある。それによれば、美は絕對價値の据えたる穴に相對が嵌まり込むことであると云ふ。美だけが絕對で、善と眞だけが何故相對であらねばならぬのであらうか？實際、美は善や眞と違つて、より多く客觀的の制限と條件によつて縛られてゐる。條件と制限によつて縛られてゐると云ふことは、絕對性がそこに秘められてゐるかの如く考へられる理由である。然し美だけが絕對で殘る理由は無い。絕對として殘るものは、生命だけである。美も生命の推移によつて相對的に變化するものである。

然し、何故に生命の內容に美を据えたかと人が問ふならば、私はそれが生命の本質であると答へるより外仕方が無い。生命はそれほど面白いものなのである、生命そのものが美なのである。生命はそれ自らの爲めに、生き甲斐あるものとして、形式價値としての美を備へ附けてゐるのである。絕對價値とは、それ自らの內容を自らの爲めに具へる力持つものを云ふ。絕對價値に於ては、醜は美に鑄變へられる。で、全能者には、凡てが我等の美と稱するものと同じ價値あるものである。

此處が、相對の世界に於て、美だけが絕對に近い性質を持たされて居る理由である。それだけで、十分生き甲斐があるのである。それだけで、十分生き甲斐のあるところに局部價値が發生し、この斷片的局部價値をモザイツク的に全人に宛て嵌めたものが、美的生活とも云ひ得るものである。此處に「藝術の爲めの藝術」が生れる。それだけで生き甲斐がある故に、功利的に性慾の道具に使はれる。

生命そのものが美である

然し、美の本質は、生命それ自身の獨自性を相對の世界に顯したものにしか過ぎぬ。それは絕對への遠道の、所々の一里塚に、花を撒いてくれたやうなものである。

生命それ自身は生き甲斐あるものなのだ。それは美しく戀しきものなのだ。それに釣られて、生き延びて行く中に、知らず〳〵生命の自由に這入る仕組みになつてゐるのだ。進化論の敎へる雌雄淘汰說はこれである。

進化論は美を雌雄淘汰の道具と見る。然し美は凡て淘汰の爲めに發生したものではない。美が淘汰の前に有つたから、淘汰に美が利用せられるやうになつたことは事實である。雌雄淘汰の場合に於ては、殊にさうしたことが云ひ得られる。美は淘汰の前にあつた。

美は生命そのもの〻內容にひつ付いてゐる。「生命」はそこまで生物を引上げんが爲めに、淘汰作用を用ゐて美をも自由に享樂し得る自在の境地に導かんと努力してゐる。

「生命」そのものが美なのである。美と生命が遊離して見えるのは、相對的生命に於てさうなのであつて、相對の世界に於て、實在と價値とが分離して居るかの如く見えるのと同樣である。

美と愛

美は自我の確立なきものには、凡て客觀の形で與へられ、自我の確立したるものには內部的創作とし與へられる。即ち、美もまた善と同樣に、客觀の世界より、主觀の世界へと流入する。それが美の進化の形式である。それは愛の進化と並行する。否、生命藝術に於ては、愛そのものが藝術內容である。

愛が何故與へられたかを聞けば、美が何故與へられたかがわかる。愛は生命の內容である。愛の無い生命はない。たゞそれが相對の世界に於て分離して見えるのである。生命はそれ自身が目的であり、目的を完成してもまだ生命が殘る。それ自身が目的であるものを愛と云ふ。即ち美と愛とは同一質のものである。美は客觀的に見た形であり、愛はそれを主觀的に見た姿である。

愛の無いところには何の藝術も無い。愛は絕對の生命を啓示する。絕對の生命の啓示されるところに、絕對の美が啓示せられる。美に到るたゞ一つの途は、愛の外にない。愛の繩梯子を登れ！その頂上に神が坐つてゐる。

健康に惠まれた私の家庭

中央大學敎授
法學博士 岩田新

岩田博士

小生が『錠劑わかもと』を知り初めたのは兩三年前のことで、親戚のある若い女が胃腸病で惱んでゐたのが、『錠劑わかもと』といふ藥をのんで大層良くなつたといふ話を聽いた時でした。その後宅の子供が腹をこはしたので、ふとその話しを思ひ出して試しに子供に服ませたら偉効を奏しました。この子供は赤ん坊の時に腸をこはして學校へ上るまで大へんに弱かつたので、胃腸藥の選擇にはどれ程苦しんだか知れませんでしたが、學校へ行くやうになつてから丈夫になり、暫く藥のことも忘れてをりましたところ、ちよつとした不注意から昨年海水浴で冷えたのが因で大ごとにならうとしたのを、全く『錠劑わかもと』で助かりました。

それ以來『錠劑わかもと』は拙宅の常備藥となつてゐましたが、本年二月から小生自身に公務上の災難がふりかゝつてまゐり、心勞と甚だしい不規則な生活のためにひどく健康を害し、春の末には胃潰瘍かと思はれる惡い徵候が現れましたので、早速『錠劑わかもと』を服用しましたところ、ずん〳〵回復して最早惡い徵候は全くなくなりました。

右の『錠劑わかもと』は、二十五日分一圓六十錢、八十三日分五圓の廉價で東京市芝區芝公園大門內際、わかもと本舖榮養と育兒の會（振替東京一七〇〇番）の發賣で全國有名藥店にて目下景品附賣り出し中です。

保健の原理究明

慈惠醫大
醫學博士 石川光昭

社會を構成する各層の人々が、健全な心身を保持し、壽康を享受することは、個人の幸福を求むるためにも、國家の繁榮を圖るためにも、頗る重要なる意義をもつ。これは自明の事實であり古今を貫く眞理である。

しかるに、死亡率や、平均命數や、傳染病發生などが冷やかに語つてゐるところによれば、わが國においては他の文明諸國におけるよりも、民衆が疾病の禍害を蒙ること多く、保健衞生の事象はいはゆる躍進日本の姿に暗影を投じてゐるのである。

かかる望ましからぬ狀態は何によつて結果されてゐるのであるか。もとよりその理由をなすものは多々あるけれども、その主なるものとしては、國民各自が保健の原理を理解し實行することに注ぐ努力の足らざること、立法行政の衝に當る爲政家、社會を指導する立場にある識者などが保健問題の國家的社會的重要性を認識せざること、醫家の多くが純學術的の研究や患者の診療にのみ專念して、保健知識の普及と衞生文化の建設とに熱意を有する者の尠きこと等を數へることができると思ふ。

輓近、或は廣義國防の見地に立脚する衞生省設置の提唱に關聯し或は醫療組織の論議に關聯して、保健問題に對する社會の關心が異常に高められてきてゐるのは甚だ喜ばしき現象である。この關心を凝結して、健康日本の建設を意圖する方策を樹立するには先づ、現代の醫學の指示する保健の原理が理解されねばならぬ。けだし、保健方策の核心は保健の原理を社會的に適用することに存するからである。

然らば、保健の原理の要點は何であるか。私の見るところによれば、それは(一)惡質遺傳の除去(二)環境の衞生化(三)疾病の豫防(四)適正なる治療(五)身心の鍛錬などである。

惡質遺傳の除去

第一の要點である惡質遺傳の除去は、原則として、他の動物や植物におけると同樣に、人間においても良きものは良きものから生れる故に遺傳する疾病や畸形を出來得る限り避けて、望ましき素質を求むることを意圖するのである。

廣い意味において解釋すれば親から子に傳へられる疾病には二

つの種類がある。その一つは病毒に原因する傳染性の病氣であり他の一つはいはゆる遺傳的疾患である。この遺傳的傳染病として重要なるものは黴毒であり、母體の黴毒が子宮内の胎兒に傳染してゆくことは屢ば見られるところである。かくして生ずる先天黴毒は死産や乳兒死亡や後年現るゝ障害を招來して個人及び社會に禍害を及ぼすものである。他の種類のものは眞の意味においての遺傳的疾患であり、生殖細胞を通じて兩親または祖先の特性が子孫に傳へられることによつて生ずるものである。これに屬するものには多指、兎唇のごとき畸形や、色盲、早發性痴呆、癲癇その他の疾病がある。

かやうな惡質の遺傳は、遺傳の徑路を斷つことによつて、換言すれば、かゝる素質を有するものが子孫を生産するのを阻止することによつて減少せしめることができる。しかし、放任して彼等の自制心を持つのみでは目的を達することは不可能であり、社會に害毒を及ぼす疾病の遺傳に對しては强制的防止を施す必要がある。こゝに法律をもつて、或は結婚を制限し、或は生殖を斷絶することの待望される所以がある。この生殖を斷絶する處置は斷種Sterilization と呼ばれ、古くは北米合衆國の諸州が、近くはナチス治下のドイツがそれの强制を合法化してゐる。

遺傳は、かやうな望ましからぬ作用を營むとともに他の一面においては、優秀なる智能や特殊の天分を社會に存續せしむる役割を演ずる。この事實に出發して、社會の構成分子のうちの望ましきものを増し、望ましからぬものを減じ、もつて社會の生物學的文化的向上を圖らんとするのが、民族衛生或は優生運動の目的である。この分野の學的進展とその所産の應用とが、社會の健康化に寄與するところも尠くあるまいと想はれる。

環境の衛生化

第二の要點である環境の衛生化は、産れた小さき生命を健全に發育せしめ、かつ、完全に發育せる個體を强健なる狀態に保持することを主眼とする。幼き人間が健かに伸長するには、温かき母のこゝろ缺くるところなき榮養、新鮮なる空氣、輝く日光を必要とする。既に成長せる者の健康を保持するためには、榮養、住居活動、休養などに關する衛生學的條件が充たされねばならぬ。即ち、第一の要點が内的因子の優化を意圖するのに對して、これは外的條件の合理化を企圖するのである。

周知のごとく、わが國における乳兒死亡率は頗る高く、他の文明國に見ることの出來ない多産多死の現象を呈起せしめてゐる。工場にも、農村にも、不良なる生活條件に禍されて肉體を蝕まれつつある靑年男女が多數にある。わが國の當面しつゝある最も重大なる社會病であるところの結核病のごときは、生活條件の不適が、その發生の主因の一つをなすものである。それゆゑに、乳兒及び母性、勞働者などに對する指導保護は、大に進展さるべきである。

なほ環境の衛生化を考察するに際しては、それと社會的經濟的條件との緊密なる關係が是認されねばならぬ。休養も、榮養も、住居も、歸するところは經濟の問題であることが多く、貧窮なる人々においては、衛生學の敎ふるところを實現せんとしても經濟

がそれを不可能ならしめるのが常である。從つて、生活の安定は保健の見地においても甚大なる意義をもつのみならず、逆に、疾病は稀ならず個人の經濟を破壞して貧因ならしめる。故に、保健は生活を安定せしむる一つの方策ともなる。すなはち、保健と生活安定とは、多くの人々においては不離の關係を保つものである。近時、國防の見地においてだけでなく生活安定の問題に關聯して保健問題の重視せらるる傾向の現れたのは當然であると思ふ。

疾病の豫防

第三の要點である疾病の豫防には、二つの要道があるその一つは、心臓病や腎臓病のごとく個體自らに生ずる疾病を防止する道であり、他の一つは痘瘡、腸チフス、花柳病のごとく病毒が外より浸入するによつて生ずる疾病を防止する道である。

自らに發生する疾病を防止するには、攝生を守り、過勞を避けていはゆる衛生的生活を營むことが肝要である。もとより、かくすればとて生活現象の必然的結果として來る老廢衰弱に因る病變を永へに防止することは不可能であり、生老病死は依然として人間の辿るべき運命である。たゞ、それは各器管を正常の狀態に保ち生理的機能を營ましむるのに役立つのである。

適切なる治療(上)

素質と環境に惠まれ、保健に留意して日常生活を送る人も、時には不可抗の疾患に犯され、多くの人は屢々疾病に惱まされるのが常である。こゝに第四の要點である適正なる治療の必要が生ずる。

適正なる治療とは、速に良心的なる醫師を訪づれ正確なる診斷のもとに、質においても量においても現代醫學の知見に照らして妥當なる治療を受けることを意味する。それゆえに、適正なる治療を社會の全員が受けるには、醫療費の負擔に大なる苦痛を感ぜざること、科學的素養の十分なる醫師が多數に存在すること、必要なる設備を有する醫療機關が分布すること等を必要とする。しかるに、現狀においては、健康保險の適用も受けず、救療制度によつて保護されず、醫療費の負擔にも堪へぬ人人が多數にある。醫師や醫療機關は、その數は必ずしも不足してゐないのにも拘らず、その分布が著しく不平均なるために、醫師の存在せぬ町村が尠くない。そして醫師は醫業難を語り、患者は受療難を訴へ、在來の醫療制度は動搖しつゝあるのである。

醫療組織の問題は、世界各國の苦慮し攻究しつゝある社會問題であり、アメリカにおいては社會各方面の權威者より成る委員會が五ヶ年の歳月と百萬弗の費用とをもつて調査檢討したのであるが。

適切なる治療(下)

醫療組織の問題は、世界各國未だ何れの國においても滿足なる解結は與へられてゐない。たゞ、諸國を通じて個人的醫療より集團的醫療への傾向が認められる。いづくに到達するにせよ、この問題は複雜なる因子を包含するゆゑに急速に解決することは不可能であると考へられるけれどもわが現下の狀態は、醫療の各方面

に渉る改善と調節とを要求してゐると思ふ。醫師も生活に脅かさるることなく社會の大衆も大なる苦痛なくして適正なる醫療を受け得るに至ることは、人道的觀點において望ましいのみならず、社會保健の見地においても切望されるのである。

心身の鍛錬

最後の要點である心身の鍛錬は、體力の增進を目標するものである。中庸を失はざる各個人に適する程度の鍛錬が、心身の機能を整調し增進するに役立つことは、昔から知られてゐるところであり、今日においてもその意義は變らないのである。體育を尊重すべき所以はこゝにある。

近時、わが國にスポーツ熱の勃興してきてゐるのは喜ばしい現象である。たゞ競技に墮する運動はやゝもすれば身體を過勞せしめて有害なることが理解され、また、盛んに運動を試みることそれ自身は傳染病や寄生蟲病の防止に對して直接的なる效果を殆んど及ぼさないことが了解されねばならぬ。

お父様のお土産は……なんと
冬の保健剤(マスコツト)
粒肝油ハリバ

「ねエ、お母様。お隣のススムちゃん、ハリバ服んでるの。甘い肝油だつて。おうちにもある?」
「エヽ、丁度お父様に買つてきて戴いたのがありますよ」
「やア、小さい粒なんだな。――あ、ほんとに甘いや、」
「これを一日たつた一粒が二粒でよいし、臭くないから樂に服めますよ。」

(お母様どうしの會話。)
「大分、かぜが流行つてきましたけど、お宅のもうちのも大變な元氣でこの分だとこの冬はかぜ知らずで過せさうですね」
「みんなハリバのお蔭ですわ。とても服みよくて、子供達が自分から喜んで服んで呉れるんで世話なしですわ。實は私も一緒に戴いてるんですけど、そのせいか今年は寒くなつてもとても元氣です」
「姙娠中母親が服むことに是非必要だといひますし、乳兒にも乳首につけて服ますと大變いゝさうですね。それにひゞやしもやけなども防ぐさうですが、道理で私もどんなに水仕事をしても、艶々してゐてこの通り今年はまだ手先きが荒れませんの」

以上の諸點はいづれも相關的のものであり、その一つのみを如何に進展せしめても、社會を健康化し、民族の活力を保持することはできない。それらを包含し綜合せる基礎に立つ保健國策が企畫せられ實行せられればならないのである。

日本學校衛生の特色

大阪帝國大學醫學部講師
醫學博士 竹村一

現在、日本に於ける學校衛生の潮流を觀るに、凡そ次の二つの傾向を認める事が出來る。

其一つは學校衛生なるものは「敎育的としての存在」であると主張するものと、他の一つは「敎育としての存在」であると主張する者とである。

「敎育的としての存在」であると認むるものは、學校衛生は一面敎育的であると同時に又他面醫學的であると主張し、「敎育としての存在」であると認むる者は、學校衛生は敎育衛生であつて、敎育そのものゝ領域の中に包含さるべきものであると主張するのである。

此二樣の見解の相違は、抑も何に依つて起るかと考ふるに恐らくは「學校衛生」の發端に對する見解の相違に基くものに非らざるやと思ふ。

前者の見解に從へば、學校衛生の最初は敎育者の仲間に生れなくして、敎育者以外の者即醫學者の方面より批判的に敎育の實際を眺めて助言的に起つたものであつて敎育者側は何等其敎育の實際より必要を感じたのではなくむしろ五月蠅きものとし、敎育者は敎育者としての使命の存するありとし、學校衛生に對して何等關心を持たなかつたのである。其故學校衛生は醫者が中心として起つた爲に、今日に於ても一面尙醫學的存在であると主張するのである。

後者の見解に從へば次の如くに述べておる、即いつの時代に於ても敎育者がこどもを日々實際に取扱ふ上に於てよりよき完全なる心身の發達を冀はない、殊に衛生學が各經濟單位を異にする社會的集團毎に其研究に對してより效果的な要求を受理し、各種の分枝衛生學を現出した時代に於て、此處に敎育者は其實際上に已むに熄まれない愛心の發露があり、醫學としての學校衛生學を敎育の圈内に取入れ其結果ここに敎育的に非ずして敎育として學校衛生が生れたのである。當時の敎育者は著書に其要求を明示せざりしかは知られども明かに其心にはこども達の心身のよりよき發

達の實際的方法を要求しておつたことと思ふ。面倒なこと、五月蠅きこととは思はざりしならん。かの精神陶冶を重視し、科學的教育學を樹立したるヘルバルトの流をくむ殿將ラインは、其ヘルバルト派の教育中に「養護」の一節を附加した點を以て考へても、恐らくは當時の教育者は決して學校衛生の教育としての仕事を疏んじた態度はなく、むしろ大に希望し要求したではなかつたかと主張するのである。

之を圖に示せば次の如くである。

醫者 → 助言又は批判 → 教育者

教育者 → 要求 → 醫者
醫者 → 指導 → 教育者

此兩者の見解の相違は今日の學校衛生をして重大なる岐路に立たしめたのである、即學校衛生は醫學的、教育的であると主張する者は學校衛生は校醫と教師と對等の立場に於て行ふ衛生であると思ひ、學校衛生は教育であると主張するものは、學校衛生は教師が主體としてこどもに働きかける教育であり、校醫は教師を指導するものであり且又教師の補佐であると認めるのである。之を圖に示せば

校醫
教師
――こどもに對する

校醫 → 教師 ← 衛生婦
教師――こどもに對する

となる。

却説

余が茲に言はんとする所は、日本學校衛生の建設である。抑も學校衛生學と學校衛生とは其意義を異にし、其領域を異にするものである。

學校衛生學は醫學としての衛生學の分枝科學であり、其故何處迄も「學としての存在」であるといふ事は何人も認むる所であらう。自然科學としての「學としての存在」である以上は眞理の探究としての科學である、そこには少しの規範もなく又當爲に對する高揚もなければ、陶冶もなく、指導もないのであつて唯單なる一個の學的存在である。此學校衛生學の存在は、教育者の好惡に對しては何の關心もなく唯科學的探究の對象として、教育領域に於ける「こども」を取扱つたのに過ぎない迄である。

然るに學校衛生と云へば「學としての存在」に非ずして一つの「仕事としての存在」である、即教育といふ仕事の一方面としての存在である、其故に學校衛生の本質より論ずれば學校衛生の理念も方法も教育としての理念並に方法と同一であらねばならぬ、換言

すれば他の教育諸相と同一軌道上にあるべきものである。醫學的存在でなくして「教育としての存在」「教育といふ仕事としての存在」であるとするならば、教育の理念が生命哲學の流れを歩めば學校衛生の理念も亦同じ流れに棹さゝればならぬ、教育の方法たるや生活指導であるとするならば、學校衛生の方法も亦生活指導でなければならぬ、かく考ふるならば學校衛生は「學としての存在」に非ずして一の「教育としての存在」「仕事としての存在」である事が肯定さるゝことと思ふ。

現今健康教育なる言葉を濫用する人々があるが、眞の健康教育は之等の意義を認識したる上に於て教育の各科に各相に教育としての學校衛生の擴充さるべきものとして用ひらるべき文字ではなからうか。

かく論じ來つて吾國の國民教育に就て考ふるに、小學校令第一條は

小學校ハ兒童身體ノ發達ニ留意シテ道德教育及國民教育ノ基礎並ニ其生活ニ必須ナル普通ノ智識技能ヲ授クルヲ以テ本旨トス

と明記されてある。

思ふに此「兒童身體ノ發達ニ留意シテ」と云ふ此「シテ」は

道德教育
國民教育

の兩者に關聯したる「シテ」であつて、同時に醫學的教育的存在としての「シテ」には非ずして教育としての「シテ」であると解釋したい。

換言すれば道德教育を施す場合も、國民としての智識、技能を授けらるゝ場合も、學校といふ特定の環境におかれたる場合はいづれの場合を問はず教育の各相に學校衛生――即身體發達に留意し、其健康の增進に其の健康の維持に、其健康の恢復に留意し乍ら教育さるべきものであると明示されておると思ふ。

此教育一元こそ日本に於ける學校衛生の特色ではなからうか。

教育は集合ではない、全體としての存在であるべきものである。學校衛生學は醫學であるとも、學校衛生といふ仕事は明に教師の行ふべき教育としての仕事である。其責任たるや教師それ自身に負ふべきものである。勿論校醫の指導を受くるべきであり同時に自身に於て學校衛生學の研究は肝要なる教養であることは言を俟たないことである。

教師は學校に於てこどもに對して心理學を取扱つてゐるのではない、倫理學を取扱つてゐるのではない、教育學を取扱つてゐるのではない、こどもに對して、心理學、倫理學、教育學、學校衛生學の教ゆる處の仕事をこどもに對して教育として全體の上に立つて取扱つてゐるのである。「學の研究」ではなくして「仕事としての教育」を行つておるのである。

日本學校衛生の特色は此教育としての存在に於て特徵があり、教育一元に於てこそ日本の小學校令は重要性があると思ふ。

學校醫の職務規程をみても、學校醫衛生婦の職務に關する申合せを見ても明かに吾國の學校衛生は學校長其人に責任を負はしめてゐる一項を考ふる時に、余は本邦學校衛生の特色はこの「教育としての存在」にありと思ふものである。

今や本邦に於ける學校衛生は再檢討を要する時期に遭遇しておる。

教育に於て方法主義の限界に到達し、其本質檢討に還元せんとする時に學校衛生も亦如何にすべきかの前に、如何にあるべきかを更に其前提として學校衛生は如何にあるかの本質檢討が緊急事項である。

教育が自覺の上に立てられ、内よりの教育として指導さるゝ時に學校衛生も亦同じ教育の領域にありと肯定さるゝならば、其理念に於て、其方法に於て新しき酒は新しき革袋に入れらるる必要はなきかと思ふものである。

兎まれ日本の學校衛生は「教育としての存在」である事が唯一の特色である。

昭和聖代に於ける第二の國民の健康を双肩に荷ふ教育諸兄姉に切望してやまざることは、「學校衛生は教師のなさねばならぬ責務である」といふ認識を持ち、自らの健康は自ら守られねばならぬといふ道德意識の上に立つたる人間をつくる爲に、健康に對する價値認識を自ら高めつゝ行く態度即心がまへの人間をつくる爲に健康に對する知は、知の爲の知に非ずして知は行の爲の知である爲に、眞の意義に於ける健康教育――教育としての學校衛生――が建設されん事である。

日の丸の國旗のもとに愛すべきこども達を教養する教師諸兄姉!!

余が切に念願してやまない事は昭和十一年に於て此日本學校衛生の特色である「教育としの存在」がより鮮明に、より確實に日本國土に樹立されんことである。

◎參照論文二三について

一、大西學校衛生官著「教育的學校衛生に就て」（兒童養護資料）
一、篠原督學官著「全體的といふこと」（教育學研究）
一、仝「方法主義の限界」（教育學研究）
一、仝「增補批判的教育學の問題」
一、拙著「教育としての學校衛生」（學童の保健）

子供を丈夫にする……
一粒肝油ハリバ

先生『ハリバを服んでごらんなさい』
母親『でも肝油にはこりておりますの、腥さくて量が多くて』
先生『ハリバなら大丈夫、どんなお子さんでも喜んで服みたがりますよ』

小さな一粒が一盃の肝油に相當する力價あり
❶微量で効く
❷効力が均等
❸胃腸に障らぬ
❹携帯に便利
幼兒……一日一粒
小兒……一日二粒
大人……一日四粒
『結核には一日四五十瓦の肝油を服用せよ』と力說されて居りますが、かゝる場合でもハリバなら一日僅か十粒前後で足ります。
携帶用…二円五十錢

秋の心

納　秀子

一すぢに走る心ぞいかづちも止め得べきや君を戀ひぬれ
何事もなかりしごときひとみしてきみを眺むるわれなりしかな
世の掟かなしき妻のわが心など時々のあつき息すや
よし生きて甲斐なきものと思ふ日は君もかなしきまぼろしのごと
大空の蒼き高さよいたづらにおもひ重ねてある我の憂し
山峽の午後の日ざしの水の瀨に落ちて光りのたぎりあふるゝ
黑髮は風ふくまゝになびかせよ梳くまも惜しみたゞ寢ねてあり
山の雲いつしか水と合さりてひとりある夜の窓にさわげり
何がなしに聲ある川の瀨と同じわが思ひわぶる心の言葉
山の瀨にわきてたぎらふ思ひ水泡ともなりて消えゆくや戀

頬にさやる黒髪よりも艶めきて人の聲さへなつかしき宵

何としてもなる様にしかならぬなりとはしりつゝも生くべきや我

山雲の往來はげしみひとゝきも同じき人をわれに見せ得ず

あまりにも愛くしき子のきみゆゑにあるを忘れし我が心かな

なやましさ悲しさつらさうれしさを一丸として秋風にあり

しのびよる心二つの相逢はずたゞにつめたき秋風の家

しのびあふ瞳のうちのなつかしき色に咲きたる撫子もよし

わが想ひしろがねの皿にあかくと盛られて人にさゝげられけり

十の指月にかざせば靑玉の朗たきものにみえし秋なり

土にしめばたゞ一つなるしづくなり涙は妖しにくきものかな

ましぐらに車をかりて行くところ逢ふべきものゝあらざりにけり

夏の日のむれあがる心いまもいまも冷へずながれずわが胸にあり

別るべきときありつゝもいやせちに日も夜もあらず戀ひわたるかな

血止の話

醫學博士　川上　漸

怪我をして血が出ても、指でおさへたり、布片をまいておいたりすると、ちよつとの間にとまつてしまひます。それは皆さんよく御存じの事ですね。もしも、一度出だした血液がとまらなかつたらどうなるでせうか。ちよつと針の尖で指を指しても、躓いて膝の皮をすりむいても、私たちは死なゝければなりません。血液は大へん大切なものであつて、全體の三分の一だけ失ふと命が危くなります。全體の二分の一——半分ですね——失ふと必ず死んでしまひます。

人間の「生活る機能」といふものは——眼に塵のはいつたときに涙の出ることでも、身體の精力の盡きかけたときに、お腹がすくことでも——すべて追々に「自然」から授つたものであります。

私の考へでは、出だした血液が容易く止まるといふ機能は、よほど早く人間へ授かつたものだらうと思はれます何故かと申しますならば、人間はとつくの大昔に亡びて、根絶やしになつたに相違ないからであります。さうではありませんか。ちよつと枯草の葉で指を傷めて血を出したくらゐでも、もうその人は死んでしまふんですものね。出血はどうして止まるものか、これを知つてゐる方は、少いだらうと思ひます。

血液の流れ出て來るのを見てをりますと、おひくにかたまつて糊のやうになつてまゐります。それが創口をふさぎますので、出血がとまります。これは血液が乾くのではなくて、自然とかたまるのです。人間が「自然」から

授つた「生活る機能」によつて、血液が自然とかたまるのです。

皆さんの中で、血液を顯微鏡でごらんになつた方がありますか？　血液を顯微鏡で檢べてゐると決して赤インキのやうな液ではなくて、いろくの物のまじつたものであることがわかります。血球と申しましてね、まん丸い球があつて、それが血漿といふ汁とまじつてをります。血球の内の大部分は小さい赤い球ですが、赤くなくて形の大きい球もあります。赤い方を赤血球、赤くない方を白血球と申します。血漿の中には奇妙なものが、含まれてをります。血球の内にも不思議なものがはいつてをります。この奇妙なものと不思議なものとが一緒になると、寒天のやうになります。けれども、血球が破壞されないうちはその不思議なものが血漿の中へ混ることができませんから血液は決してかたまりません。

血の管の内面は滑かですから、血液の管の内に居りましても、白血球はこはれません。血は決して かたまりません。

怪我をして血液の出ますのは血の管が破れるからであります。創口や皮膚が滑かでないために、白血球がすれてこはれて、その内から不思議なものが出て來て、血漿の中へまじりこみます。そこで、血漿の内の奇妙なものと一緒になつて、寒天のやうに固まります。赤血球も混りますので、赤い糊のやうになります。赤い糊で創口が塗りふさがれて、血液がとまるのであります。血液が湧き出てなかく止まらぬことがありますが、あれは血液の出て來る割合よりも、白血球から出る不思議なもの〻分量が少いからであります。

大昔でも負傷といふことはありました。血液がたくさん出ては惡いものだといふことは、大昔の人でも知つて居りました。それでいろくの血止め法を發見いたしました。日本の國では、昔から傳はつた血止法が二通りあります。一つは血止草といふ草の葉を採んで創口につけるのです。これは血止草の内に血の管を收縮ませる成分が含まれて居りますので、湧き出る血液がへつてその間にかたまつた血液が創口を塗り塞ぐ、それで血が止まるのです。

もう一つは刻煙草の粉、蜘蛛の巣、袂の隅の塵なんどを創口へあてゝおさへつけるのです。これは血液の内の白血球をこはれやすくして、その内にある不思議な物をたくさんに血漿の中へまじり込ますのであります。何れの方法でも普通の大きさの創口ならば、出血は止まります。昔の人たちは決して出血の止る學理を知つてをつたのではありませんが、いろくの事柄を考へ合せてこんな方法を發明したのであります。私は平生、昔の人は偉いものだと思つて感心してをります。

しかし血止草はどこにでもあるものではありませんから、血止草のない處で、怪我をした時には、それを用ひることが出來ません。また日蔭の土に生えてをるものですから、注意して用ひないと、土や黴菌を一緒に創口へ塗り込むことがあつて、危險であります。二番目の方法は、黴菌がはいりますので、後から創口の化膿ことがあります卷煙草を吸つて貰つて、その新しい灰を創口に落すか、または、炭火の上に蔽うてゐる白い灰を創口へ載せて、その上から布片で卷いておくのが一番都合がよい。新しい灰ほどよく消毒されたものはありません。また細い粉ですから、湧き出る血液の中に白血球が早く壞れて血液が容易くかたまります。出血の止まることは確かであります。

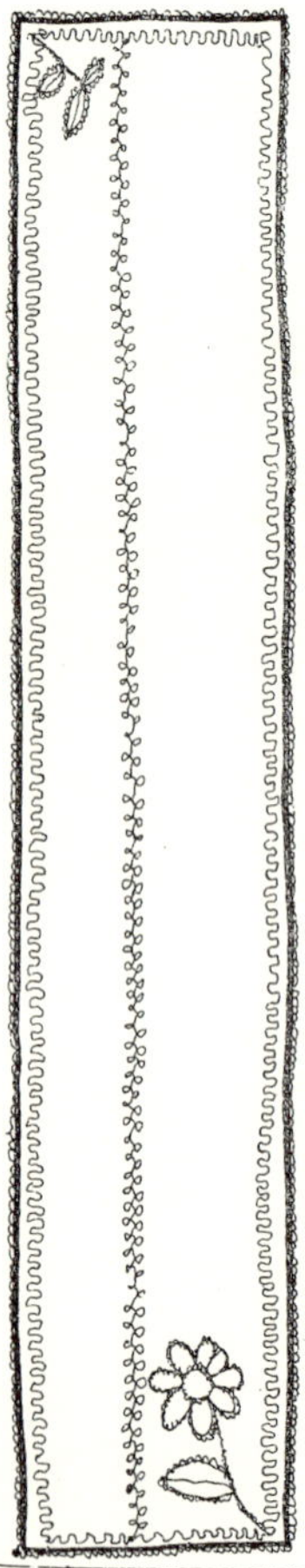

流感・肺炎・百日咳等・特効

吸入藥 カシピロン

合理的吸入療法と其効果ある理由

本品は上圖の如く普通の吸入器で之を吸入して呼吸器直接に作用す、芳香爽快にして、毫も副作用なし

一、せきの出る神經に作用して咳を止め、又痰を溶解して容易く袪痰の効を奏す。

一、心臓を强め抗病力を增進し且つ肺炎、氣管支炎等の炎症を治する効ありて全快を早む。

一、解熱作用あり、即ち體熱中樞を刺戟して發熱を抑制し又殺菌力あり。

適應症

感冒、肺炎、氣管支炎等の急性病は勿論麻疹、百日咳等の小兒獨特の病に特効あり又肺結核、喘息等の鎭咳、袪痰に適應す

前第四師團軍醫部長 英陸軍々醫監
大阪市民病院小兒科長 谷口醫學博士
福井縣十字病院長 大野醫學博士
大阪府立保健館前館長 上村醫學博士
大阪醫科大學前教授 辰己醫學博士
實驗 推奬

全國藥店にあり

定價 六十錢・一圓・二圓等

醜悪なる模倣、類似品あり 御注意を乞ふ

大阪市東區平野町

道修藥學研究所

日本赤十字社病院 慶應大學病院御用

テツヅール

吉本醫學博士 簡野醫學博士推奬

藥學博士 石津利作先生創製

幼兒の榮養と母體の保健

お茶を禁ぜぬ便利の鐵劑

體内造血器管を皷舞し其機能を旺盛ならしめ純血を豐富に新生し潑剌たる活力を附與す。故に

貧血の人、虚弱の人、病後の人、不眠症の人、神經衰弱の人、産婦、夏期に衰弱する人、肉體及精神過勞に適し又、登山、旅行、運動競技、試驗前後は常備、携帶の要あり。

愛兒の爲に

今迄小兒に適する鐵劑がなかつたが本品によりて初めて理想が現實したとは小兒科醫の言明である。

發育が遲れたり、虚弱であり、血色肉付わるく、夜尿をしたり、病後の小兒等弱き愛兒の榮養は美味で飲みよきテツヅールの服用に依り効果に直に母親の慈眼に映ずべし。

四週間分金貳圓八十錢 八週間分金四圓五十錢

各藥店 三越 松屋 松坂屋 にあり

發賣元 東京日本橋區本町三丁目 里村三治商店

關西代理店 大阪市道修町一 キリン商會

増量斷行 器械設備の完成と共に定價は元の儘にて二週間分を四週分に増量して非常に御徳用になりました

柿二題

醫學博士 竹村一

○親心

あまきあり澁きもありて世の親の
心に似たる柿ぞおかしき

昨年の秋のある日、彈愛子先生からこんな和歌を書いて送つて下さつたが、私の宅にはこどもが澤山あるからでもあらうが作者の心持には何ともいへぬ妙味がある。

無理に理屈ばらなくて然もよく云ひあらはした親心、そこに少からずうがつた妙味がある。

親心といふものには甘い時もある、澁い時もある、この變化相は、こどもから見た時の親心である、親から見た場合には一つの愛心であるが、こどもに反應する時には甘くもなつたり、澁くもなつたり、愛の變化相が起つて來る。

甘いと思つてかぢつてみた柿は澁かつたり、澁いと思つて、口へ入れてみると存外甘かつたりする時がある、今日は無條件で Yes と云つてくれると思つて、父親にせがんでみると案外うまく Yes とゆかないで No と出て來ることもある、この事件はとても、むつかしくて聞入れてはくれまいと思つてそつと母親に取次をたのんだ處が、思つたより早く通過して Yes といふ回答が頂けたこともある、私が少年時代の思ひ出をたどつてみるとこの和歌の心持がよくわかる、柿が出だして來ると私はこの和歌を出して壁にかけて獨り感想を深くするのである。

甘きあり、澁きもありてこそ親心である、その時をゑて甘、その處をゑて澁、千變萬化の愛の變化相こそこどもを育てゝゆく時の親心の上手な表現ではあるまいか。

○良ちやん

毎年秋になると靜岡の田舍から柿が數十個とゞく。今年も頃日送つて下さつた、私はそれを「良ちやんの柿」と云つてゐる。

良ちやんは某高等學校の二年生であつた。中學校時代

からの秀才で、高等學校も何の苦もなしにパスした、然るにどうした事かふと身體に倦怠を覺える樣になつた。

良ちやんは近くのお醫者さんに診察をしてもらつた。このお醫者さんは到つて患者を大切にし、患者の心持を損ずることを極度に避けられるお醫者さんであつた。

診察の結果は「神經衰弱」といふことであつた。一ケ月たつても「神經衰弱」、二ケ月たつても「神經衰弱」、三ケ月たつても「神經衰弱」……とうとう一ケ年を經ても依然「神經衰弱」であつた。

最後に某病院に診察を乞ふた時は呼吸器を大分やられてゐた。

其後私が良ちやんの友人になる機會が出來たので、鬪病法を敎へた。

良ちやんは頭腦の明晰なだけに、すぐ自分の病狀について、良い理解をもつた。

鬪病法を喜んで實行した。案外に結果はよくて熱も下るし、元氣も出て來たし、見る見る内に健康を恢復した再び學窓の生活を初めた。其時良ちやんは「これは僕の田舍の柿です」と云つて持つて來てくれた。後でお母さんのお話をきくと、「この柿は良が自分で植えて、とてもすきな柿ですよ」といふことであつた。

處が突然、良ちやんは學窓に通ふ樣になつて間もなく盲腸炎を起して、再び立つことが出來なくなつて、「私を私を」と友人としての私を慕ひ乍ら感謝され乍ら病院のベットの上で永久の眠についた。

良ちやんはもしも身體があんなに衰弱してゐなかつたなら、手術も出來たゞらうに、と思ふと、初めからの良ちやん對醫者、との交錯にもつと何とか良い方法もなかつたかと思ふものである。

今年も亦「良ちやんの柿を」と云つてお母さんが持つて來て下さつた。

私は獨り書齋で思ふことは、醫療といふことは何か、醫者對患者は只單なる診療だらうか、そこには「健康への敎育」といふことがなからうか、時には患者の心持を損じても、苦き杯を與へて健康へ敎育するべきことが必要ではなからうか等と……獨り考へてみた。

柿が食卓に出て來ると、私はこんなことを思ひつゞけて、醫者の畑から見る社會相のいろいろなことを考へてみた。

郷土に聞く（一）

ツカダキタロウ

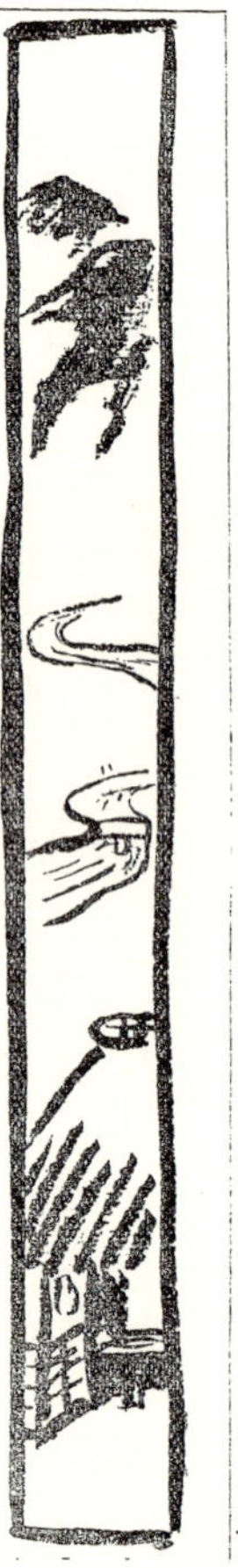

和歌山縣伊都郡學文路村は、高野領の中應其上人の自領として一千石。

清水千石組と稱して、行人方の支配下にあつたのですが、重なる高野の悪政に、義民戸谷新右衞門、江戸の社寺奉行所へ、嘆願書を以て訴へ出た爲め、遂に高野内を取調べ、隠税を全廢して仁政を行ふの誓書を出さしめるに至つたので、諸民は塗炭の苦しみより救はれたのですが、興山寺の彼を憎む事甚だしく、遂に捕へて、一言の訊問をなさずして、極悪重大犯人として「奥院永追放」（石子詰）に處したのです。これが、學文路村民の誇りとする義民「戸谷新右衞門」その人であります。

◎カムロの地

石童丸の傳説、苅萱堂に有名なる此地學文路の地は、東は戀野村（中將姫の舊蹟地）西は九度山町（眞田幸村閑居の地）の中間にあり、高野山參詣の要路として昔古より有名な土地であります。

カムロの地、昔は「禿」と綴る。

高野一山の僧數多く、道德堅固なる高僧のみとは限らず、然し乍らさすがに聖地は遠慮して、高野の山の麓、神谷推出の方面に進出するもの尠からず、此地「禿」を置き、頗る隆盛せしを以て、此名ありと傳ふ。

後に、菅原家緣故の天満神社の梅林に梅匂ひ、「香室」と書きしとも言ふ。後世、高野の僧、京師に往復して學を勉むもの多く、學びに通ふ要路となりしを以て、「學文路」と改稱し、今日に至ると村人は語るのであります。

◎高野の桝

幕府より京桝使用を令達されし後も、紀州藩はその命に從はずして、讃岐桝を使用してゐたもので、當時他國に於ては「紀州桝三勺ふとり」と稱へてゐたもので、これは公然の秘密であつた樣で、高野山領の民はこれ丈け多く納米せしものであります。

古　升	方五寸	深さ二寸五分
讃岐升（大）	方四寸八分	深さ二寸九分弱
〃　（小）	方四寸六分	深さ二寸六分強
京　升	方四寸九分	深さ二寸七分

この表の示す通りであります。

然も興山寺に於ては、前記賛岐桝の使用のみでなく、公米一石に付二升宛は、差口米と稱へて、公然と算盤の上で收めしめ尚其の上に、又見米と言つて年貢米を收める時に米三升と、片荷毎に凡そ二合或は三合づゝ、庫男といふのが、廛取形の器を左手に持ち右手にてかき込み、一日に五、六俵、或は多い時は十俵も餘計に取つたと云ふことであります。

それが年と共に加はり、通常の讃岐桝の他に、別製桝をつくり、甚だしきは桝のふちに松膠を夥しくぬりつけ、

その上を糠で塗りかくして、桝のふちを高くして、二三千粒をかすめ取る等過當に貪り取ること、數年でありました。

◎石子詰

行人方寺領の職掌を見ますに、特に「支配」の下に清水代官を置き、その下に「胡亂方兼大庄屋」を置き、更にその下に「村庄屋」あり、又その下に「垣内總代」、その下に百姓といふ如くにして、清水千石組を支配してゐたのです。

そしてその當時の刑罰としては、極く輕いもので、「叱」「庄屋預り」「村方預り」「たゝき」などあり、少し重くなると「除帳」（人別帳から名前を拔いて無宿者とする事）「村方追放」などがあり、一般に「村方追放」以上の刑は本山に於て申渡すことになつてゐたさうで、其の刑名には「惣寺領内追放」「半髪剃り落し追放」（頭髪半分を剃り落し、青松葉を束にしく、其の跡をつゝき朱を澁いで寺領内を追放する刑）「萬丈轉がし」（不動坂の谷底へ突き落す）「奥院永追放」（石子詰）等があつた樣です。

義民戸谷新右衞門はこの重刑に處せられて、東谷新坊に命じて高野の奥、玉川の上流に深き坑を穿ち、生きながら埋められ、今も蛇柳のほとりに、その英靈が宿つてゐるのであります。

◎丁田の墓碑

新右衞門、江戸へ上るに先だち、自ら戸谷家累代の石碑をつくり、自らの法號までを列記し、裏には「享保四亥年十一月戸谷新右衞門」と彫りつけ、之を後庭の藪の中に埋めて、死後の計をなして、ひたすら時機の到るを待ちしと傳ふ石碑は、風化作用を受けて碑文等明瞭ならざるも、今も戸谷家に管理され、昭和八年、和歌山縣史蹟に指定されてゐます。

小説 傳記

高橋是清（十四）

小杉健太郎

株屋になつて大損

東京英語學校の教官をしながら、和喜次は手に餘るほどの飜譯を引き受け、收入は可なり豊かになつた。

その後、廢校になつてゐた共立學校を、かれは鈴木知雄などと協力して復興せしめ、以つて開成學校の豫備校たらしめた。これが實に今日の開成中學校の前身である。

かうして和喜次は諸校に教鞭をとるかたはら、飜譯に精を出して四五千圓の貯金が出來たので、

「これを資本に三萬圓にする方法はあるまいか。三萬圓あれば一割の利子でも、三十人の書生が養へる。學資がないために有望な青年でも學問のできないものが澤山ある。これは國家の損失だ。こんな青年に學費を補助してやりたい。」自分にしろ、末松謙澄にしろ――さうした苦しい體驗を痛感してゐる和喜次は、こんな貧書生を見るにつけても、他人事とは思へなかつたのである。

そこで、その貯金を殆ど全部人に托して相場をやつた所が、美事に失敗して丸損。

（これはひとつ相場といふものを研究して見よう。研究するには、自分で仲買店を經營するに限る）

かう考へた和喜次は、横田といふ友人と二人で、共同出資の仲買店を蠣殼町一丁目に開いたのである。すると、これが又不幸に二千圓ばかり缺損を生じたので、開店してから四ケ月目で、廢業するの已むなきに到つた。

友人達は、これを非常に氣の毒がつた。殊に、文部省の首腦部は、かつての大阪英語學校長事件の眞相があとで解つて見れば却つて和喜次に對して好感をもち、再び文部省入りをすゝめたので、かれも喜んで本省に舞ひ戻り、地方學務局勤務御用掛を仰せつけられたのである。この前後に、かれは名も是清と改めてゐ

た。ゆえに筆者もこれから彼のことを是清と呼ぶことにする。

特許の先祖

「おい高橋。」

案内も乞はず、ふいに入つて來たのは山岡次郎であつた。この男は以前是清とふたりでよく遊び廻つたものだが、この頃は彼もすつかり納つて、藏前の工業學校教授兼農商務省技師といふ厳めしい肩書をもつてゐた。

「山岡か、暫く見えなかつたな。忙しいか。」

「うむ、大したこともないが——時に、君にひとつ相談があるんだ。どうだい、文部省の仕事は面白いか。」

「うむ、僕の畑だからな。」

「その畑のことで相談があるんだよ。君、文部省をやめて、農商務省へ入つてくれないか。」

「何だい、藪から棒に——」

「いや實はね、今度、新設された農商務省の所管事務として、發明專賣、商標登錄保護のことが規定されてゐるんだが、何しろ新しい仕事だから、誰も、この事務に當る適任者がない。所が君はかつてその必要を提唱してゐたぢやないか。だから、僕は君を極力推薦したんだ。つまり君の畑ぢやないか。」

「おい山岡、もう少し詳しく說明してくれ。」

「うむ。」

かつて是清が、發明專賣、商標登錄法について調べたのは、モーレー博士の一言に刺戟されたからである。博士の一言といふのは、

「日本人は大變器用で、すぐ外國品を眞似たり、商品を盜用したりして模造品を舶來品のやうに賣出してゐるが、外國人も內地人も共に迷惑であらう。しかしこれを取締る法律はないやうだ。米國では發明、商標、版權の三つは、智能的財産といつて財産中でも、一番大切なものとしてゐる。だから、日本でも發明及び商標は版權と共に保護せねばならない。」

といふのであつた。

これを聞いた是清は成程と感じ、モーレー博士に反問したが、博士はその方の專門家ではないから、詳しい事はしらなかつた。そこで彼は大英百科辭典や雜誌などを漁つて、苦心をしながら其の法律を調べて見ると、ます〳〵その必要が解つたので、日本にも是非實現しなければならない所以を力說したことがある。時は明治七八年頃であつた。

それを山岡も知つてゐたので、かれは農商務省大輔品川彌二郎に、高橋是清を最適任者として推薦し、もう既に大臣の內諾を得てゐるといふことであつた。

勿論、是清も大いに興味を感じてゐることだから、早速承諾した。

農商務省へ入つて見ると、どうしたわけか、多分省內のやむを得ない事情によるのであらうが、かれは雇といふ辭令をうけとつたのである。文部省では御用掛りだつたのに、今度は雇となり下つたのだから、山岡は非常に氣の毒がつた。

「高橋、すまんな。こんな筈ぢやなかつたんだが……一體どう

したと云ふんだらう。」

「いや、いゝさ地位は問題ぢやない。僕の生命は、今度の新しい仕事だよ。」

さう云つて、是清は官等の高下などに構はず、二三の下僚を使つて熱心に事務を執り始めた。まづ商標登錄規則から作製することにして、隨分苦心を舐めながら、やうやく參事院會議に提案するまでに進んだのは、着手してから實に二年有半であつた。

參事院を無事通過して商標條例が發布せられると、工務局の商標登錄所が創設せられて、是清が初代の所長に任命されたのである。

その頃農商務省書記官前田正名から、是清に一寸來てくれと給仕が呼びに來た。實は前田書記官は變り者だとは聞いてゐたが、まだ〳〵親しく口を利いた事もないので、是清は不審を抱きながら、書記官の部屋へ行つた。

「やあ高橋君、まあ掛けてくれ給へ。君のことを森有禮さんから聞いたもんだからね。それで話でもしたいと思つて來て貰つたわけなんだが……」

「さうですか、森先生も最近、また歐米出張から歸つて來られたさうですね。」

「さう、また日本の文明も一層向上するでせう。先生の御歸朝で……文明と云へば、君がいま熱心にやつてゐる仕事も、確にわが文明の進歩に、大きな貢獻だね。」

「いや、恐縮です。」

と、是清は流石に顔を赧くした。

「全くさ。ここに君が御用掛から平雇となり下つてまで、この新事務にたづさはつたといふ熱意には、僕は、ひそかに敬服してゐたんだ。偉い！實に偉い！官吏たるものは、みなその心懸けがなくちやいかん。」

前田が心から激賞するので、是清は照れながらも、ふつと相手の言葉に疑問を抱いた。

「僕の場合は、やむを得ない事情があるためですが、讃められると恐縮です。がそれは兎に角、官吏も人間である以上は、みなにそんな犧牲を要求するのは無理でせう。」

「犧牲——いや、君はまだ若いやうだ。」

俄に前田の調子が鋭くなつて、グツと上半身を机の上にのりだした。

「いゝかね。國家は自己を離れて別にあるものではない。自己と國家とは一つのものである。國家が繁榮すれば、自分もまた……」

「その反對に、自分が榮えれば國家も榮えるといふ具合に……」

「高橋君、待ち給へ。さう區別することが既に邪道である。歐米の國家はいざ知らず、日本に於ては君臣一如だ。觀音様と信者とは一體になつてこそ本當の信仰だ。國家と個人とが別なものと考へてはいけない。國家と人民が一體になつてこそ、云ふに云はれん微妙な働きが生れて來るのではないか。僕はさう思ふ。斷じて、さう信ずる。」

思はずトンと前田は机を打つた。

「わかりました。僕が間違つてゐたやうです。」

是清はかう云つて、自然に頭が下つた。彼はハタと悟る所があつた。今迄の自分の考へは間違つてゐた。まして、後藤常の思想に大なる誤謬がある事は尚更ハッキリして來た。前田は偉大なる精神家だ！氣がつくと、是清の人生觀、處世觀がガラリと變つて了つた。

この時から、彼は前田に私淑するやうになつた。そして、後には前田に力を貸して興業意見書といふ日本產業振興の基礎をなす尨大編纂に着手したが、それは後の事である。

さて、物語は少し横道に外れたが、商標登錄部長となつた是清は、更に調査の歩を進めて、發明專賣規則の作成にとりかかつた。やうやく成案を得たので、例の參事院會議へかけると、何しろ日本ではまだ發明の審査に當るものもないだらうといふので、異論百出危く審議中止になりさうな形成になつた。

そこで、是清は森有禮の屋敷へ行つて、會議の顚末をのべ、

「幸ひ、先生は參事院議官をしてゐらつしやるから、どうか案が通過するやうに御盡力願ひます。」

と頼むと、

「よし」

と、大きく頷いた。有禮は參事院議官ではあつたが、滅多に會議には出なかつたのだけれど、その次の會議に特に出席して、

「かゝるよい法律をやらうといふものがある以上は、心配せずやらしたらよいと自分は思ふ。多少の缺點があれば、後に訂正すればよいではありませんか。」

と、有禮は滔々と力說した。そのお蔭で案は無事に通過した。これを今度は更に元老院へ廻附した。

元老院會議でも、いろ〳〵の反對論がでたけれど、結局、是清の燃えるやうな熱のある答辯に動かされて、ついに無修正で通過したのであつた。そして明治十八年四月、專賣特許條例が發布せられると共に、專賣特許所が設けられて、その第一次の所長が是清が兼務を命ぜられたのである。

すると、これは始めて實施する面倒な法律だといふので、尚その完璧を期するために、是清は歐米先進國の該制度調査のため海外へ出張を命ぜられたのであつた。

痩せたいと望む人々に どうすれば痩せるか

醫學博士　岡田道一

痩せた人が肥り度いと云ふ熱望もさりながら、肥つてゐる人が痩せたいと云ふ希望は却々熱烈なものがあります殊に婦人の中年以後の人達の痩せたい希望は、誠に涙ぐましいばかりです。こんな人はどうすれば痩せられるか、比較的効果があると思はれる方法を概述して見ませう。

（一）喫煙　先づ第一が煙草を喫むこと、これは神經を痲痺させ延いては胃腸の作用を鈍らせるのと、一方にはニコチンの害毒の爲めに胃酸過多、消化不良を來すもので痩せる効果は百パーセント、然しニコチンの害毒の恐ろしい事を思へば、殊に婦人には勸めたくありません。

だから無害衛生的な方法と云ふと矢張り食物で加減することゝ過度な運動をするより外はありません。

（二）酒　食物上の注意としてはアルコール分は絶對に避けること、酒を飲むとアルコールが體內の脂肪分の代りに燃えるため、益々餘剩の脂肪分が沈着して、肥滿します。

（三）甘いもの　次ぎに甘いものは出來るだけ取らない事、甘いものを食べ過ぎると、肝臟や腎臟を害してその働きを鈍らせ、血液中の水分を多くさせ、所謂水ぶくれの原因になります。

（四）減食　現在のところ確實に痩せられると云ふ藥もありませんから此様な方法で食物に注意するより外ないが、出來得れば減食を勸めたいと思ひます。これなら身體にも惡くないし効果は頗る大きい。朝飯を止めて二食主義とするのが一番簡單な方法です。

（五）運動　次ぎは過度の運動によつて痩せる方法です。只脂肪肥りの人が無暗に運動すると心臟を惡くする惧がありますから、注意しないといけません。だが一寸過度かなと思はれる位に運動をしないと効果はないから。

この點がむづかしい。散歩とか登山夏ならば水泳などは最も効果があります。殊に低く横に肥つた婦人などは金棒にぶら下つて懸垂運動をやると比較的効果があるやうです。

以上は普通一般の健康體の肥滿者について話したのですが、病的に肥つた人はこんなことをやつても効果がないばかりか、逆に害がありますから、呉々も注意しないといけません。更年期の婦人の肥滿はその一例で、これは卵巢の働きを停止してホルモン過多となり、全身の神經系統の作用が鈍つて新陳代謝が阻害されるから起るので、これ等は一應婦人科醫に相談して實行なさるのが良いでせう。

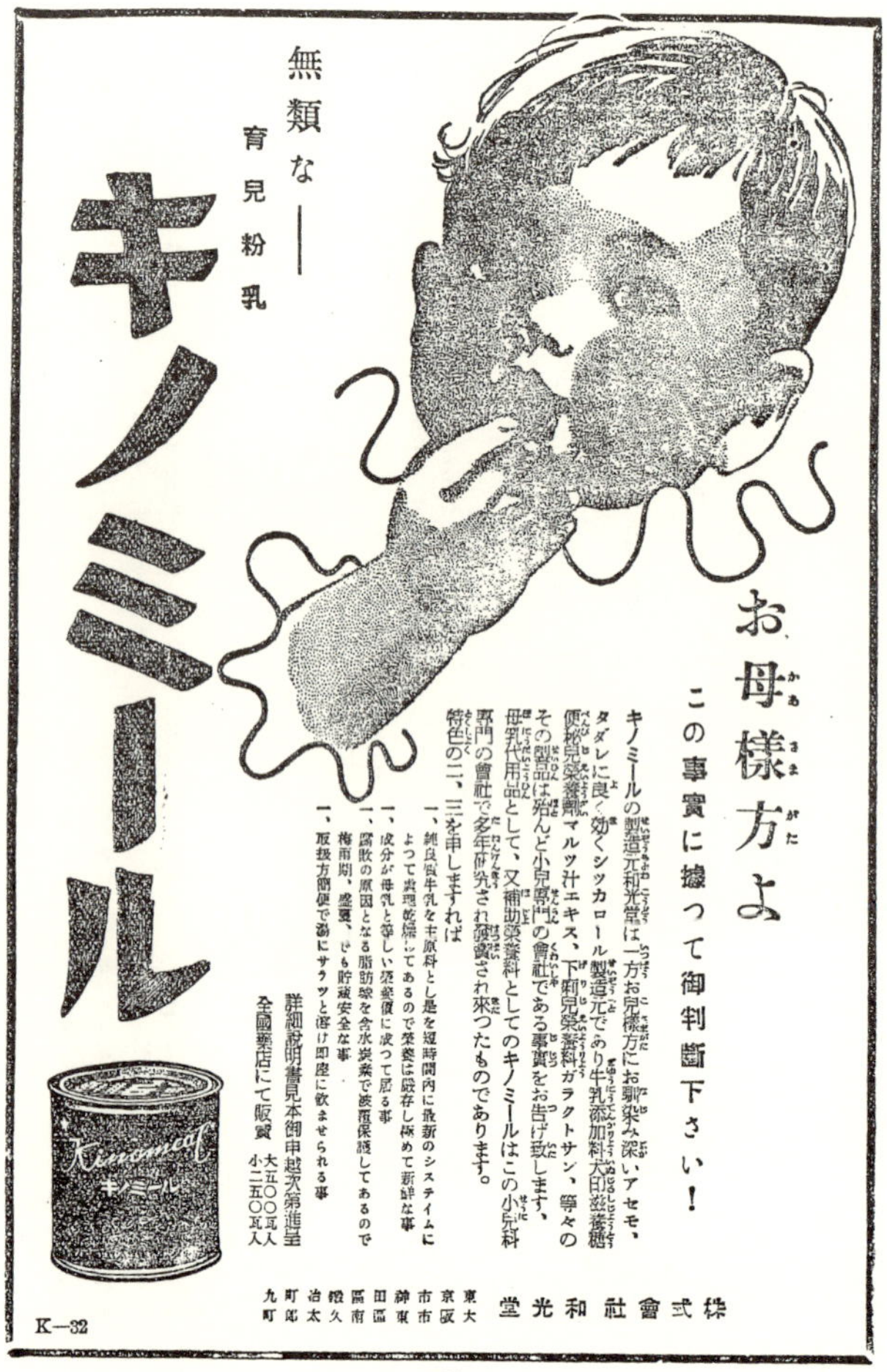

母性の知識（二）

醫學博士　生地　憲

母乳を禁止せねばならぬ場合

母親に害となる場合

母親の重き「ヒステリー」症、糖尿病、重き腎臓炎、心臓病、たちの悪い腫瘍、バセドー氏病などの時には乳を禁じます。

赤ん坊の害となる場合

母親の急性傳染病殊に腸チブス、猖紅熱、丹毒「ヂフテリー」等の場合には赤ん坊に感染する恐れがありますから直ぐになさねばなりませぬ。

また母親に精神病や癲癇などがある時は、赤ん坊にあぶないから乳を禁じます。母親の脚氣の場合は後に詳しく述べます。

母子共に害となる場合

母親の結核、母親の慢性熱病等には靜かに療養する必要があるために乳を禁じます。

乳兒脚氣（ちのみごの脚氣）

母親に脚氣があれば必ず其の子供にも乳兒脚氣を起すものと信じて居る人が今でも澤山ありますが、脚氣ある母の乳がいつでも乳兒脚氣を起すものとは定まつて居ませぬ。母親に脚氣があつても其の乳を飲んで居る赤ん坊には何等の異常も起らない場合が澤山あります。斯様な場合には母親の乳を止める必要は少しもないのです。若し乳兒脚氣の疑がある場合でも、母親の乳を半分に減らして前述の混合榮養法にするか又は母親に脚氣の養生を守らしめ、同時に脚氣に對する藥品の内服及び注射等に依つて授乳を續けても赤ん坊には何等の害がない事が多いのです。又此の場合母親が醫師の治療を受けて快方に向ひ次第母乳のみにもどしてよいのです。それ故母親に脚氣に似た模様があつて乳をどうすればよいかと云ふ場合には必ず先づ専門の醫師について赤ん坊の方に變つた事があるかどうかを充分に診て貰ひ其の上にて指圖を受けるがよろしい、決して輕々しく素人判斷で乳を禁じてはいけませぬ。

乳兒脚氣の場合の養ひ方

前述の様に乳兒脚氣の診斷は輕々しくつけられぬものです。それ故乳兒脚氣の赤ん坊の養ひ方なども必ず専門醫師の指圖によらねばなりませぬが大體の定めは左の如くであります。

（一）　母親が産前から又は産後に脚氣に罹つたとしても産後直に乳を斷める必要はありませぬ。赤ん坊に變つたことの無い限り普通の如く飲ませてよいのです。若し乳兒脚氣の疑がある場合には母乳を半分にへらして牛乳其の他の榮養品を以て補ひ前述の混合榮養にすればよいのです。

（二）　乳兒脚氣になつたり又は赤ん坊が胃腸を損じた場合には乳をへらすなり又は乳を斷めて先づ醫療を受け母子共に其の病氣が快方に向ふたならば漸次に母乳を飲ませる量を増すことを忘れてはなりませぬ。

（三）　一般に乳兒脚氣ではそれが非常に重い場合の外はたとへ青い便位があつてもきびしく乳を斷める必要なく一日に二三回牛乳又は「ネッスルミルクフード」を混用して行けば輕快することが多いのです。

脚氣の素人診斷の間違

（一）　母親に脚氣がある場合には必ず其の子供にも乳兒脚氣を起すものだと信じ赤ん坊には何等變つたこともないのに乳を斷めて牛乳やミルクで育てゝ居る人。

（二）　母親が産前や産後に足が腫れたとか輕い「シビレ」の氣味があつたとかで直ぐ脚氣だと信じ赤ん坊に飲ませない人。

（三）　赤ん坊が青い便を出したり乳を溢したり下痢をしたりすると直ぐ乳兒脚氣だと信じて乳を斷めた人。

以上は素人に一番多い間違であります。其の結果は生れて間もない赤ん坊に天から與へられた母親の乳をやめて外の物で育てやうとするのであるから、多くは早かれ遲かれ消化不良症を起して骨と皮とになり遂に一命を奪はれるものが多いのです。此の事實は乳兒脚氣を免れてもそれ以上に恐ろしい消化不良症の來るのを考へない無法なやり方であります。

第一の場合に乳を斷める必要のないことは前述の通りであります。次に母親が産前産後に脚氣に似た病氣を起すことはしばしばであるが、大部分はお産がすみ次第床離れする時期には全治するか或は非常にかるくなるのであります。又乳兒脚氣の起るのは多くは生後一―二箇月以後で生れて直ぐに乳兒脚氣を起すやうなことは極く稀であります。それ故にたとへ母親に脚氣があつても生後二三十日間は乳を斷める必要はないのであります。

第三の赤ん坊に青便や、下痢や、溢乳などがあるのは必ずしも乳兒脚氣の時ばかりではなく、母乳を飲み過ぎたり又は其の他の原因で消化不良症に罹つて居る場合にも同様に乳兒脚氣に似た症狀を起すことがあります。

離乳の時期

離乳期が若し暑い盛夏の候であらばこれを秋まで延期するがよろしい。又離乳は乳兒のとくに健全な時期を撰んで極く徐々に、離乳を完全に終るまでには少くとも三週間以上をかけねばならぬ。離乳は生れてから幾月位から始めるかと云ふことは國々によりて多少の相違はあります。小兒の發育の模様によつても手加減をせねばなりませぬ。歐洲では離乳を始める時期を六箇月の終りとしてゐます。それは其の頃になると赤ん坊の體の目方が増さない様になり大便の量が減少して褐色の便を漏らす様になります。これを離乳の時期と見做して居るのです。

わが日本の習慣では百二十日を「喰初」として居るが實際にはそれよりも遲く二年、三年或は五、六年間も乳を飲ませる方があります。斯様な習慣は今日迄は一般にさして子供に害を及ぼすものとは考へられなかつたのですが、斯様に長い間母親の乳或は牛乳のみで養はるゝ小兒は其の身體及び精神兩方面に發育上一定の故障を起すものであります。其大體を申しますと次の様であります。

身體の異常

（一）　一般的

イ、貧血（顔色が蒼白くなります）

ロ、身體の目方が増しませぬ

ハ、筋肉が軟らかく引きしまりませぬ

ニ、歩く時期が遲れます

（二）　發育異常

イ、胸の圍りが狹くて頭の圍りが大きくなります

ロ、頭の骨が四角張つて來ます

ハ、胸廓の形が西洋の梨に似た胴になります
ニ、おどりこの閉ぢる時期が遲れます
ホ、齒の生える時期が遲れます
（三） 血の變化、血色素が減り赤血球に變化が起ります

精神の異常

（一） 神經過敏（癇癪が高くなり物事に恐れます）
（二） 智力の發育が遲れる

以上の樣な結果を來すのでありますから赤ん坊の發育の模樣を考へて適當な時期に離乳を實行することは育兒衞生上非常に肝要なことであります。日本の乳兒に於ては生れてから七、八箇月の頃卽ち齒の生え初め頃からだん〳〵初めて滿一年にて完全に離乳するのが一番よいのであります。

離乳の方法

離乳の方法といたしましては、一度に母乳を廢める樣なことは特別の事情のない限りはやつてはいけません。注意しながら徐々に母乳を減じ、其の不足を牛乳、菓子類、小兒粉類（ミルクフード、乳粉等）重湯、粥等で補ふのであつて、先づ二、三箇月內外で大體乳を離す樣にして、遲くとも滿一箇年までには完全に離乳するのが通例であります。

離乳の方法としましては大體次の三通りの方法があります。

第一の方法　昔よりの離乳方法でありまして、菓子類や、牛乳の換りに味を付けた重湯約百瓦を（味は少量の食鹽、砂糖、醬油、味の素或は輕い「出し類」等で付ける）哺乳前或は後に與へ漸次母乳を減じつゝ薄粥より全粥に移すのであります。離乳完了後の食事回數は粥食四回が普通であります。

第二の方法　先づ週餘の間、一日二回牛乳と重湯等分のものに、角砂糖一個を加へたもの約百瓦（二分の一牛乳）を哺乳前に與へ、其の不足を母乳で補ひ大便等に異狀がなければ漸次、濃厚にして、回數及び量を增し、遂には稀釋せない牛乳に換へ、一方では母乳を減じつゝ重湯或は薄粥を初め、牛乳も減じ粥に換へ漸次全粥に移し離乳するのであつて、離乳完了時の食事回數は普通粥食三回及び牛乳一回となつて居ります。

第三の方法　哺乳前或は後に少量の菓子類卽ち「ボーロ」、「ウエファース」或は良い「ビスケット」等の消化し易い菓子を與へながら、漸次母乳を減じ薄粥に移すのであつて、離乳完了時の食事回數は粥四回と致します

以上の樣にして行けば離乳を初めてから第二週乃至第三週目頃よりは、野菜或は鳥肉の「スープ」脂肪分の少ない魚肉の煮汁等を粥と共に與へ、其の外「ケーキブライ」「カルルス煎餅」「すり餠」の樣にした「ホーレン草」裏濾した芋類、豆腐「ヤキフ」梨、林檎等の果物汁（一回一乃至二茶匙宛）或は煮た果物或は人參等も與へ一年以後になれば半熟にした卵黃、牛肉の「スープ」等も與へてよろしい、間食として餡氣のない菓子類も與へて差支ない。

離乳期には始めて食べる食物が多くて、胃腸を損ふ事が少なくないから、何時母乳の必要があるかも知れないので、此の點は始めより充分注意して、母乳分泌の餘り早く止まらない樣にしなければなりませぬ。總じて離乳期にあるものは申すまでもない事でありますが、離乳完了後も尙當分の間は、榮養上に或は育兒上に、乳離時代と同じ樣に周密な注意を必要とする事は申すまでもない次第であります。

最後に第二法に依ります離乳期榮養の仕方を表にしたものを附け加へて、御參考に供します。

附記　百八十瓦は一合に相當す
二分の一牛乳は牛乳一分と稀釋液一分の割合にせるもの
三分の二牛乳は牛乳二分と稀釋液一分の割合にせるもの
四分の三牛乳は牛乳三分と稀釋液一分の割合にせるもの

離乳期榮養の標準表

年齡	時期＼食事時間	午前六時	午前十時	午後二時	午後六時	午後十時
七箇月	離乳準備期	人乳	人乳	人乳	人乳	人乳
八箇月	第一期（約一週間）	二分の一牛乳百瓦後人乳	同	同	二分の一牛乳百瓦後人乳	同
	第二期（同上）	三分の二牛乳百瓦後人乳	同	同	三分の二牛乳百瓦後人乳	同
	第三期（同上）	四分の三牛乳百瓦後人乳	重湯百瓦後人乳	重湯百瓦後人乳	四分の三牛乳百瓦後人乳	同
	第四期（同上）	全牛乳百瓦後人乳	重湯百五十瓦後人乳	同	全牛乳百瓦後人乳	少量の菓子後人乳
九箇月	第一期（約二週間）	全牛乳百三十瓦後人乳	三分粥五勺後人乳	重湯百十五瓦後人乳	全牛乳百三十瓦後人乳	同
	第二期（同上）	同	同	三分粥五勺後人乳	全牛乳百八十瓦のみ	同
十箇月	第一期（同上）	全牛乳百五十瓦後人乳	同	同	三分粥五勺後全牛乳	同
	第二期（同上）	同	五分粥五勺後人乳	同	五分粥五勺後全牛乳	同　漸減
十一箇月	第一期（同上）	全牛乳百八十瓦後人乳漸減	同	五分粥五勺後人乳	同	同
	第二期（同上）	同	七分粥七勺後人乳漸減	同	七分粥七勺後全牛乳漸減	同
十二箇月	第一期（同上）	同	七分粥一合後人乳漸減	七分粥一合後人乳漸減	七分粥一合後全牛乳漸減	同
	第二期（同上）	全牛乳二百瓦のみ	全粥一合後人乳全廢	全粥一合後人乳全廢	全粥一合後全牛乳全廢	同　全廢
十五箇月まで	離乳後　第一期	全牛乳百八十瓦のみ	全粥一合以上	全粥一合以上	全粥一合以上	同
十八箇月まで	第二期	同	全粥一合五勺まで	全粥一合五勺まで	全粥一合五勺まで	同
備考	乳兒の體質強弱等により實施上には多少の手加減を要す、重湯の味附けさしては一〇％乃至一二％の割合に滋養糖或は水飴を加へるか角砂糖なれば一個弱（重湯百瓦に對し）を加ふればよし或は種々の「ダシ」類にて味を附けてもよし、一箇年以上の副食物さしては卵黃、脂肪少き魚類、少量の鳥、牛肉の挽肉、百合根、馬鈴薯等を消化し易く成丈墟氣を少なくし適當に調理して與へる、又牛乳の代りにネッスルミルクフードを用ひてよし。					

離乳後の食物と其の榮養上の注意

離乳後は主食である米食以外に、色々な副食物が又榮養上に重大な意義を持つて居ることは、今更申すまでもない事で、これ迄母乳のみを以て榮養されてゐた子供にとりまして、離乳と云ふ事は其の一生涯中に唯一度しかない榮養上の革命であります。殊に子供の胃腸にとつて消化の上に、或は嗜好の上に、總て無經驗な食物でありますから、副食物の種類の撰擇や調理の良否と云ふ事が子供の保健上に大きな影響を及ぼすものであることが判ります。（以下次號）

蒲團の手入れを始めませう
綿の入れ方に御注意

安東てい氏談

蒲團綿の入れ方といふものは、簡單のやうに見えますがなか〳〵こつのあるもので、それを無暗に入れますと、直ぐ綿が片寄つたり切れたりして蒲團の用をしなくなつてしまひます。一般に蒲團に使用される綿は、俗に蒲團綿と稱される天津綿のことで、質からいふと白いのが上等、赤綿の方が惡いものです。

このほか繭の上皮をとつた絹綿がありますが、これには純粹の絹綿とパンヤをまぜたものがあります。別に天津綿にパンヤをまぜたものもあります。縫ひあげた蒲團皮なり洗濯したものに綿を入れる際、まづ注意すべきは綿のたてとよこです。布と同じやうに綿もたては裂けやすいので必ずたてとよこを交互に合せて使ふやうにします。かうするとこどもなどが相當亂暴な着方をしても、眞ん中から裂けて蒲團皮ばかりになるといふことがありません。

蒲團綿を入れる時には、着物の場合と違つて眞綿は使はないのが原則です眞綿を使ひますと、このため中の綿が締めつけられて固くなるからです。普通にはみな眞綿を使ひますが、さういふ譯でこれは使用しない方がよろしいと思ひます。綿を入れるのには敷蒲團と掛蒲團とがそれ〳〵用途が違ふやうに、入れ方も自然違はなければなりません。

敷蒲團の方は身體がまんなかに長く橫はるので、身體のあたるところを厚くする。さうして置いても、少したつと眞ん中が凹んで來るものです。も一つは頭の行く方と足の行く方とでは頭の行く方を厚くする。これが敷蒲團の要領です。つぎに掛蒲團の方は眞ん中は割合に薄くして置いて四方を厚くする。かうしますとひとりでに押へつけたやうになつて非常にあたゝかいものです。

なほ綿を重ねて蒲團皮に合せるときは、隅を對角線に二センチばかり切つて落しますと、入れた場合隅の綿が重なり合はないので大變都合がよい。綿を入れたあとはとぢをしますが、とぢ糸が強すぎると布を食ひ切るので、矢鱈に強い糸を使ふのは考へものです。また縫ひ目のあるものはその縫ひ目をとぢるやうにすると、布が食ひ切られないのでよい。また布の切れやすいメリンスなどの場合は、普通のとぢ方をせずに上下に小さい布をあてゝ、それ

でとめて置くと丈夫でもあるしまた裝飾にもなります。とぢる針目は昔からの習慣で、五・七・九といつたやうに日本では奇數がよろこばれますが、この數で一列をとぢて行きます。一枚の蒲團に對する綿は普通三の蒲團の敷蒲團でしたら八十匁付けを二十枚內外、五つの掛蒲團でしたら十七枚內外を入れます。敷蒲團の方が小さいけれど多いのは早く薄くなるからです。夜着は東京では中夜着ですがこの方は十三、四枚入れます、打ち返し綿を使ふにはこれだけではかたくなり過ぎるので、半分ぐらゐまでは新綿をまぜる必要があります、また赤綿と白綿の双方を使ふときは赤を白で包むやうにする絹綿はかたくなり易いので掛蒲團に利用しますが、木綿綿にパンヤをまぜたものは敷蒲團にも使ひます。

登録商標
ギンザトップ二十番

【特長】
一、最上原料を特殊技術により製せらるゝ本品は、彼の高價なフイツシユスキン（魚皮）以上に喝采を博して居ります。
二、感觸が柔かで滑らかで抵抗尠く、使用者自らがその使用に氣付かぬほどであります。
三、それでゐて他の厚手のサツクよりも遙かに丈夫で數回の使用に耐へます。
四、形態も微妙な技術に成功し殆んど萬人向に出來て居りますから、使用中亂暴があつても何等そうの心配がありません。
五、各個につき送氣檢査耐力試驗がしてありますから、疵物や孔アキがなく絕對責任の保險證付嚴選品であります

産兒調節とコンドーム
性病豫防にコンドーム
感じを妨げず…………
薄く……柔かく………
それで丈夫な
最高級コンドーム!!!
ゴム製品の目醒ましい發達の所產としてサツクもギンザトツプの如き完璧品が生れました！

—定價—
◎ギンザトツプ二十番
▲C品（透明）一打 一・〇〇 半打 一・一〇
▲B品（眞珠色）一・五〇 ・八〇
▲A品（櫻色）一・〇〇 ・五五
組合せ（一箇宛）〇・四五（携帶用ケース入）
C品（三箇入）〇・六〇（同 ）

—送料—
內地一錢、市內六錢、（代金引換は切手廿錢前送願ひます）新領土四十二錢、代引四十七錢
見本品御入用の方は小爲替五十錢又は三錢切手十七枚封入お申越下さればABC三種セル容器入をお送りいたします

東京市銀座西一丁目七番地
島津藥局
ギンザトツプ本舖
電話京橋六五二六番
振替東京四二四八九番

感心せぬ四種の母親

細井次郎

「子を見るの明親に如かず」と云ふが必ずしも當らない。子の賢愚について親はよく見そこなつて居る。こゝに四種の母親がある。

一、子供を見縊る母

子供といふものはもつと出來るものだと定めて高い要求をしてそれが出來ないのは馬鹿だと定めてゐる母。幼兒を躾けるにも成人のお作法をそのまゝに口喧しく命令してやらせる。これは知識教養の高い父母の子供によくある型。かうやると子供は何でも命令されなければ動かなくなる。自信を失つてしまつて人の顏色を窺ふやうな動作になる。なんとなく力ないこそ〲した子供、自分を駄目だと思つて居る子はかうして出來てゆく。

二、何もさせない母

子供は何も出來ないものだと定めて何もさせない母。子供に何をさせるのも可哀さう、何をするのを見て居てもまどろこくて待てない、いろ〲の理由から子供に何もさせないでしまふ母も隨分多い。所が子供はかなりのことをするものである。することによつて進歩もし、自分を統制してゆくことを覺えるもの何もさせられない結果は、これまた何もしたくないやうな自墮落な性格、いつまでも子供つぽい動作を殘してこれが成人になつてから社會の敗殘者になる因となつてしまふ。

三、天才と思込む母

自分の子供は天才だと思ひ込んでしまふ母がある。云ふこと、なすこと、他人から見ればそれほどでないのに、母はすつかりこれを天才の言動だと斷定してしまふ例は敢て日本だけでない。アメリカのある兒童相談所へ從姉妹同士の母親が、各々その男兒J・B及びJ・Sといふのを携へてやつて來てメンタルテストをして呉れと賴んだ。この二人の母親はお互に子供自慢の擧句、どちらが秀才かを診て貰はうといふことになつた譯。さすがにJ・Bは年齡四歲四ケ月、J・Sは四歲九

ケ月、この五ケ月の差があるので素人には絕對的にはどちらが秀才だといふことは自信を持ちかねたので、では專門家にといふのでかうなつた次第。所でJ・Bの母はJ・Sのよりは一層猛烈に自信があつて、診斷室まで入つて來て滔々とわが子の怜悧をほめ上げ、わが子に教へ込んで置いた詩を暗誦させたり奮鬪これ努めた。漸く宥めてその母に室外に出て貰つてのテストの結果はどうであつたか。

この子はテストの質問をいつも氣をまはして答へたりしてマゴ〲して居たが、その結果は、口で答へる問題の多いビネーシモンテストでは精神年齡三年六ケ月、智能指數八十一、動作を用ひることの多いメリル・パーマー・テストでは三年十一ケ月、これが天才の正體であつた。

×

一方J・SはJ・Bよりよほど見かけは利口振らない子供であつたが、なか〲素直なテストの受け振り想像力の豐富な所を示して、ビネーでは精神年齡六年〇ケ月、智能指數一二六といふ秀才振りであつたが、メリル・パーマーでは動作の缺陷が多くて四年五ケ月といふ成績であつた。

ところで困つたのは相談所員、J・Bの母に何と話したらよいかといふことになつた。しかし結局さう云つた意味を話した結果は、J・Sの母は、それからも相談所へ來て、この缺陷を救濟する方法についての協力を乞ひ、遂に半年後の再檢査のときには著しい進歩を示すに至つたが、J・Bの母は、この時再檢査への出頭を拒んで、そしてかう放言した。

「私はメンタルテストなんか信用しない！」

と。このJ・Bがどんな子になつたか、大抵は察せられる。

四、劣等視する母

自分の家の子は劣等だと定めて居る母、これも相當に多い。神經質な子、內向性の子、かういふ子供で相當な力があるのに、他人の前に出ると出せなくなつて、劣等の烙印を母からまで押されてしまふのは實際になか〲多い。威勢のよいものと比較されたり、無理に云はされたり、失敗を嗤はれたりすると、かういふ性格の子供にはこの悲運が見舞ふ。しかし大きな見損ひのある場合がある。

×

これもアメリカの話で、孤兒院に收容されて居る一人の瘦せて眼は窪み、鼻のとがつた蒼ざめた三年十一ケ月の幼女（L・A）が、智能缺陷兒らしいからとて相談所に連れて來られた。なるほどこの子は診斷室に入つても椅子に元氣なく倚つて、机の上にあるテストの玩具のやうなものにも何一つ自分で手をつけようとしない。係員に命ぜられなければしない。ところがこの子は

最優良純ゴム製
育兒の知識として!!
イージーおしめは權威ある諸先生さお母樣方から育兒衛生上の最良品として、御好評を博し、各方面にお愛用を忝くして居ります。
優良國產金牌受領
醫學博士 岡田道一先生推奬
洗濯簡單
運動自在
保溫衛生
全國藥店にあり

純ゴム特製		
大形（三・四才用）	小形（二・三才用）	嬰兒用（一・二才用）
金一圓	金九十錢	金八十錢

內地送料拾錢

イージーおしめ

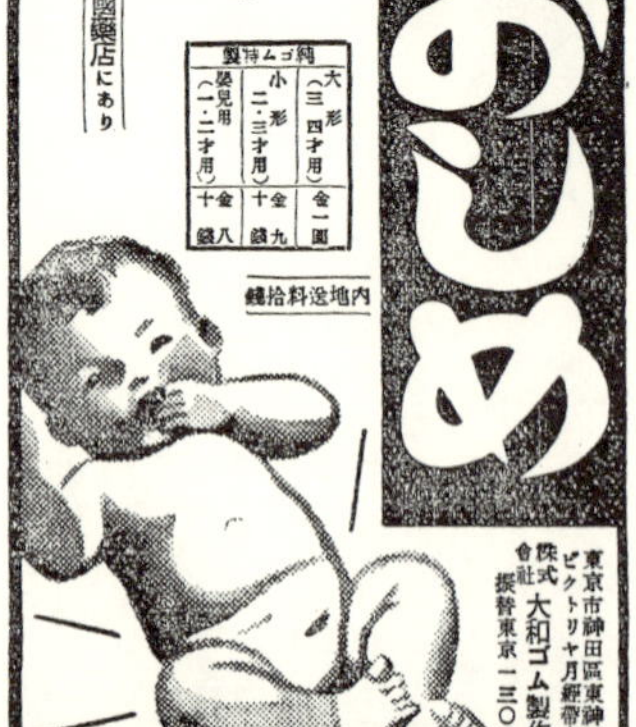

東京市神田區東神田一
ビクトリヤ月經帶本舖
株式會社 大和ゴム製作所
振替東京一三〇〇二

姿体を美しくする
ビクトリヤ
ズロース付月經帶
星號（高級品）¥2.00
銀星號（普及品）¥1.50

話をすることこそしないが、させることは何でもよく出來る。積木を組み上げる時間も、ボタン掛けの時間もなか〲どうして智能缺陷兒どころではない。遂にメリル・パーマー・テストで四年六ケ月といふ優秀振りを發揮して居る。一番閉口して引下がつたのはこの子を馬鹿だと決めて引張つて來た孤兒院の先生。私共はこゝで子供を正しく知ることの必要を感ずる。

×

日本には殘念なことに、かういふときのために役立つ兒童相談所が出來て居ない。この建設は家庭教育の進歩のために是非とも必要なことだと考へて居る。醫者からは病名を聞かねば滿足しない母が、子供の精神上の故障を發見するのを恐れるのは意味のないことではないか。

母と子

文學博士　下田次郎

十三、子の養育…その二

（二）

日光と空氣と水　この三つのものは、天然が生き物に無代價で供給する、最も貴い生活の材料であります。植物でも日に當るのと、蔭で育つたのとは、勢ひが違ひます。子供は日當りの好い室で育てたいものであります。稀に人の來る客間に日を當てゝ家族が北側で暮してゐるのは間違ひであります。座敷の盆栽は育つたが、子供の顏の青いことゝ言はれるやうではいけません。皮膚を適度に日光に曝らすも藥であります。

食事は一日三度でありますが、空氣は寢ても起きても絶えず呼吸して居ります。從つて清潔で新鮮な空氣の中に生活することは、子供の發育上特に大切であります。埃だらけの汚い空氣の中に、泥鮒のやうに喘いで居るほどの不養生はありません。新鮮な空氣を宿す肺臟は、色から鮮紅であります。成るべく樹木の多い空氣の清い所で、子は育てたいものであります。

又人の身體の大部分は水でありますから、なるべく清潔な水を呑んで生きるがよい。水は百藥の長で、ブースの養生法にも、水を呑めとあります。小さい時からアルコールの入つた水は勿論、茶やコーヒーを呑まさないで清水を呑む習慣をつけたいものであります。英米の良い家庭では、食事には清水を飲んで居ります。水飲み百姓

である國民は、頼もしい國民であります。また大人が煙草や酒をのめば、子供が眞似をするやうになります。眞に子を思ふ親は、子の爲に煙草や酒を止めるか少くも節したいものであります。

食物　嬰兒の理想の食物は母乳でありますが、それも十箇月から一年位で離乳し、重湯、粥と追々進んで輕いものから始めて、普通の食物を取ることにします。さうなれば、食物の選り好みなく、何でも食べる習慣をつけることが大切であります。食物に好き嫌ひの多いのは榮養上からも面白からず、先きで困るやうになります。また餘り強い刺戟物を取らしてはいけません。古人は十の内三分の飢をおぶべしなどいつて居りますが、やはり自然の要求するだけは、十分に食物を與へるが好いと思ひます。間食も時を決めて、適度に質の良い物を與へるのは差支ありません。しかし子の機嫌を取り、我儘を增長させるために、無闇に菓子を與へるのはいけません。又他所の子供に猥りに菓子などを與へてはいけません。子供の腹具合も分らず、萬一疫痢にでもなつたならば、申譯がありません。それで他所の子に菓子を與へればもつて歸すことにし、こちらも戻つて親に見せて、それから食べるなら食べさすがよい。果物も熟したのを、適當に取るのは良い。又小兒では食物の攝取と共に、その排泄に注意し、これによつて食物の加減をするを要します。時には灌腸したり減食したりすることもありませう。

（三）

衣服　はいつも寛つたりした物を着せ、胸部などを壓せぬやうにし、皮膚と衣服の間に空氣の通ふ餘裕のあるやうにしたい。小さくなつた着物をいつまでも着せると窮屈で、身體の發育を害します。又衣服は運動が敏活に出來るやうにありたい。服地は出來るなら、毛織物が一番良いと思ひます。餘り厚着はいけないが、薄すぎるのも無益に熱を消失して成長を妨げます。

衣服の改良は在來の風習もあること故、容易でないがせめて子供だけには、寛つたりして、十分に運動の出來るものを着せたいのであります。

これからは費用や、便利や、身體發育の點から云へば何といつても子供の服裝は洋服に限ると思ひます。

たのもしやつんつるてんの初袷　　一茶

運動　小兒は元氣が充實して活動性に富んで居りますから、運動は十分にさすがよい。小兒が遊びを好むのは

自然であるから害のない限りは、好むまゝに遊ばすがよいのであります。「小兒の遊びを好むは常の情なり。道に害なき藝ならば、强がちに抑へかゞめて、その氣を屈せしむべからず」（益軒）　昔は女の子はおとなしくせねばいけないといつて、小さい時から唯室内に靜坐せしめたのは間違ひであります。小さい時から「天氣よき時は折々外に出して、風日にあたらしむべし。斯の如くすれば、膚堅く血氣强くなりて風寒に感ぜず、風日に當らざれば膚もろくして、風寒に感じ易く煩ひ多し」（益軒）子供は風の子ともいひます。丈夫な子を生み、又十分に働けるやう、女子も小さい時から筋骨を鍊へておかねばなりません。

清潔　小兒の身體は常に清潔にし、湯にも度々入れるがよい。湯ぶとりとも云ふほどであります。やゝ長ずれば冷水摩擦も結構であります。衣服や蒲團も常に清潔であり度い。あかつきばかり憂きものはなし。その他器具や居間等も、清潔を要します。清潔は傳染病の大敵であります。日光は殺菌力があるから、不斷衣下衣等は時々洗濯するは勿論、蒲團、器具、疊等も時々天日に曝らすがよい。湯屋の湯槽の中で、子供の口を洗つたりするのは論外として、腐つたお水を戴いたり、人の撫で廻した木像を撫でて、その手を顏に磨り附けるなど、見てゐてもぞつとします。外出して歸れば、必ず顏と手を洗ふのは良い習慣であります。又身體衣服等の清潔は、精神の清潔と關係がありますから、この點からいつても、外を清潔にすることは大切であります。

子供は小さい時から、餘り甘やかし過ぎてはいけません。「婦人及び無學の俗人は、小兒を愛する道を知らず姑息のみにして、唯甘きものを多く食はせ、よききぬを暖かに着せ、恣に育つるをのみ、その子を愛すると思へり。これ人の子をそこなうわざなることを知らず。」（益軒）小さい時から漸次寒暑風雨に堪え、粗食薄衣に慣れるやうにしたいものであります。それも程度もので、極端に走つては害があります。子供の體質を顧みねばなりません。膝へ寢た子と思はれぬ角力取り

國民性と童話

沖野岩三郎

一

遠く神話時代から吾々の血液に流れ込んでゐる國民性といふものは、國々によつて異ふ筈である。隨つて其の國民の間に産れたお伽噺乃至童話といふものにも其の國民性の色が濃いか淡いか染めつけられてゐなければならない。

進化の途上にある人類は、或る時期まで自分の國民性を絶對に善いものだと信じてゐる。此の時代に偶々自己の國民性の缺點を知つて、其の反省を國民に促す者があつたなら、其の先覺者は必ず國民から忌み嫌はれる。そこでありのまゝの國民性を至上のものとして、それを國粹として保存しようとする者が愛國者であつて、其の缺點を指摘して更に向上發展させやうとするものは非愛國者となる。甚だしきは逆賊非國民の名を冠らせられる。

此の國粹思想は何れの國民にもなければならぬ思想であるが、保守の墻を作つて自分を固く閉ぢ込める結果、國民を無反省にする恐れがある。しかしもう今は其の境界線を踏み越えて、各自眼を見開いて自己の國民性が、如何なる程度まで到達してゐるかを見、知る事が出來る時代まで進化して居る。隨つて彼我の長所と短所を相補ふべき聰明さをもつてゐる。だから吾々は先づ他國の缺點を知る前に自國の缺點を知らなければならない。自國の缺點を知つた時夫れと同じ缺點が他國にある事を知つて安心してはならない。「だつて、夫れは英國にも米國にもある缺點ではないか」といふやうな言葉が、度々自己内省者の上に投げられる事がある。其の言葉はいつも自己の缺點を強いて長所として放置する弊に陷る。

「日本魂」といふ言葉の意味を、これまでは勇氣、活潑忠君愛國といふ方面にのみ解釋して來た。そして其の「日本魂」は完全無缺なものだと思つてゐた。しかしそ

れは自己反省を悪事だと思はれる時代の考へ方であつて今日の日本人のもつ日本魂は、日本人の生活全體といふ事であつて、卽ち「國民性」である。

國民性であるなら、其の國民性は必ずしも完全無缺だといへない。卽ち改良す可き幾多の缺點を含んでゐるものだといふ事は明白である。

國民性に缺點短所がありとするなら、それは現代の國民のみが其の責を負ふ可きではない。遠く神話時代から其の缺點の根源を有してゐるのであつて、其の當時には夫れが最善の事であつたのが、歲月を經るに從つて、缺點となつて來たのである。

先づ吾々は、現代の日本人が如何なる物を最も好んで讀み、最も喜んで聞き、熱狂して觀るといふ事を考察する必要がある。

先づ我國史日本書紀を一通り讀んでみる。第一に伊弉諾の尊は天の瓊子を提げて天の浮橋に其の勇姿を現はす威風堂々の槪がある。その御子に素盞尊がある。生れながらにして勇悍で國內の人民を多く夭折せしめ、靑山を枯山と變ぜしめる程であつた。長じて八握の髥を有するに到るも天下を治めやうとはせず、常に啼泣恚恨ばかりしてゐた。後に姉君天照太神を苦めた罰として、髮を拔かれ手足の爪を引拔かれる。

此の素盞尊は高天原を去つて出雲に行く。そして八岐の大蛇を退治する。これが日本に於ける「退治征伐物語」の起源である。其の退治方は敵に八醞の酒を飮ませて、醉ひつぶれて睡つてゐる所を十握の劍で斬つたのである。嚴密に言へば欺し討である此の欺し討といふ事は敵を斃すに手段方法を擇ばないといふ事になつて、ずつと後世まで其の行爲が續いてゐる。

神武天皇が八十梟師を國見の丘に破つた時、其の餘黨殲滅の策を道臣命に勅せられた。そこで道臣命は忍坂の邑に大室を作つて、盛んに宴饗を設けて餘黨を招待した。そして盛大な宴饗を設け、徑ま〻に醉はしめて置いて、

忍坂の大むろに、人、澤に入り居りとも、人さはに來入り居りとも、みづ〱しく、めのこらが頭推井、石推井もち、うちてしやまん、

といふ歌を合圖に、猛卒達は頭推井、石推井の劍を拔いて、來賓を鏖殺したのである。

景行天皇が日向の高尾の行在所においでになつた時、熊襲を征伐することを郡鄕にお謀りになつた。そして、「少く軍を興すは賊を滅すに堪へず、多く兵を動かすは百姓の害なり。鋒刄の威を藉らずして坐ながら其の國を平げん」策を臣下にお求め給ふた。其の時一臣は熊襲梟師の二女、市乾鹿文、市鹿文を欺いて幕下に入れ、陽にこれを寵じ、二女をして父を殺さしむる方策を献じた。天皇其の策を容れ給ふて、二女を近側に侍らせた。遂に市乾鹿文を家に歸らしめ、醇酒を父梟師に飮ませて、梟師の醉ひ眠つた時を見計らつて密に父の弓弦を斷ち切つて置いて從兵に父を殺さしめた。それは十二年十一月の事であつたが、二十七年の冬になつて、熊襲が再び叛いた時、皇子小碓命が征伐の大命を蒙つて、美濃尾張の弓の名人を率ゐて行つた。併し尋常の勝負では勝算覺束なしとでも思つたか、素盞尊、神武の故智を學んで、自ら童女の姿に化け、梟師取石鹿文に酒を飮ましめ、其の醉ひつぶれたのを見すまして、隱しもつたる劍を拔いて其の胸を刺した。

「いましは誰ぞや?」

「吾はこれ大足彥天皇の子なり。」

「吾はこれ國中の强力なるものなり、こ〻を以て當時の諸人、吾の威力に勝らず、吾に從はざるものなし。吾多くの武力に遇ふ。未だ皇子の如き者あらず。こ〻を以て賤しき奴の陋しき口を以て尊號を奉らん。若しゆるし給はんや。」

「ゆるす!」

「自今以後皇子を號して、日本武皇子と稱すべし。」

斯うした會話から小碓皇子は「日本武」の尊といふ樣になつた。日本の歷史に於ける「日本武」といふ文字の起源は此所であつて「日本武士道」の起源もこ〻に始まるのである。

其の後當時の新思想を代表する佛教信者の蘇我の入鹿と保守思想を代表する中臣の鎌足との衝突が起つた。一面蘇我家と藤原家との勢力爭ひでもある。

時は六月一日、三韓進調の日である。所は大極殿中で至尊は三韓の表文を聽しめし給ふのである。大臣入鹿も無論君側に侍し奉つた。此時弓矢を携へ、長槍を取る人達が殿側に隱れて大臣の生命を窺つて居ようとは。神ならぬ身の入鹿には知れよう筈がなかつた。

入鹿は家來に劍を持たせて殿中に入らうとした。鎌足は入鹿に劍を持たせては都合が惡いので、俳優をやつて方便つて其の劍を解かしめて置いた。そして山田麻呂が表文を讀み始めた時、突如として入鹿は至尊の前で、頭と肩とを斬られた。次いで脚を斬られた。

入鹿は轉びながら「臣罪を知らず、乞ふ審知め給へ。」と哀願した。

天皇は非常に驚き給うて、「作す所を知らず、何の事やある?」と中大兄に御下問なされた。中大兄は入鹿が日の御稠を傾けんとする逆賊である事を奏上した。卽ち

日本の神話を信ぜずして、印度の神話を信じた入鹿が、神祇伯である國粹黨の鎌足に殺されたのである。入鹿は殺されたばかりでなく庭上に引き出されて、蓆と障子とを其上に載せたま〻で豪雨の中に曝されたのである。如何に入鹿に大罪があらうとも、餘りに慘酷なやり方であり、且つ玉座の前で斯うした事が演じられた事に對して同じ神話の感化を受けた吾々日本人は些かの批判を下さうとしないのである。酒を飮ませて醉ひつぶれさせて置いて、不意討を食はせるのも、娘を欺いて父を殺させるのも、劍を解かせて置いて、儀式に參列してゐる人を不意に斬りつけるのも、それは欺し討に相違ないが、日本歷史を讀むもの、誰も、日本人である限り、それを欺し討だとは思はない。甚だしきは欺し討といふやうな言葉をつかふ事が不敬でもあるかのやうに思はれる。

けれども人文の發達するに從つて、其の欺し討を愧ぢるやうになつた。それは人間が道德時代に入つて來た證據である。

平の忠盛が鳥羽上皇に寵せられてゐるのを嫉んだ連中が、豊明節會のどさくさまぎれに、彼を闇討にしようとしてゐるのを能く知つてゐる忠盛は、憶する所なく木刀に銀を塗つたのを挾んで昇殿した。

八幡太郎義家は賊の降將安部宗任を隨へて、夜中唯一人車の中で眠つてゐた。元より義家は宗任が心中に報復を企て〻ゐる事を知つてゐたのであらう。けれども平然として眠つてゐるのを見て、寢首を搔かなかつた所に宗任が武士としてもつ立派な心を證現したのである。

どさくさ紛れに自分の氣に入らない者を殺したり、欺し討をしたり、寢首を搔いたりする事が武士の恥辱だといふやうになつたのは、やがて實力の競爭を意味するのである。寬治の役に金澤の柵を攻めた時、淸原勢の健兒龜次と、源家の强者鬼武者とが兩軍監視の下に、一騎打をしたなどは其の實例の一である。

淸原勢が使を新羅三郎義光に送つて、柵中に臨まれん事を要望して來た時、義光は平氣で敵陣に行かうとした。腰の秀方が義光に代つて行つたが敵は彼を殺さなかつた。

保元の亂に爲朝が夜襲の献策をした時、賴長はこれを鄙人私鬪の事であるとして斥け、平治の亂に惡源太義平が平淸盛父子が僅か五十人を率ゐて熊野に詣でたのを、安部野に要擊しようとした時も、信賴はこれを許さなかつた。其時淸盛は急使を受けて一旦四國へ逃げようと言つた。けれども重盛は其の不可を說いて死を決して京都へ歸つた。

此の信賴と重盛との話を讀む時吾々の心に、明かに武士道に關する批判の混亂がある事を知る。卽ち爲朝が夜襲を献策した時、信賴がこれを斥けた其の處置に憤慨がある。僅か五十人の小勢を數千の軍勢で鏖殺しようとした義平の建議を否んだ信賴の措置に對しても憤慨を抱く。卽ちこ〻では、「信賴の拒否が無かつたなら、うまく行つたのに。」といふ齒痒さがある。卽ち不意討をしてもよいといふ氣分がある。けれども他の一方には、それは男らしくないと言ふ氣持もあつて、重盛の意氣を重んじ尊敬する。

爾來、武士道といふものは、欺し討を卑怯だとするやうになつた。けれどもそうした武士道の一面には、欺し討を是認したい心持も充分に殘つてゐたそれは今日まで續いてゐる。後には欺し討と言はないで「智謀」「軍略」と云つた。今日でも「詐欺師」と「軍士」とは同一の代名詞である。

曾我五郎十郎が、工藤祐經を幕中に殺す時、寢首を搔くは武士の恥辱だといふので、枕を蹴つて眼を覺して置いて殺したと言つて賞讚するかと思へば、源の賴光が大江山の酒顚童子を殺すに、神變鬼毒酒を飮ませて醉ひつぶれさすことを是認する。

足利の與黨が、新田義興を矢口の渡で欺し討にしたり松永久秀が將軍義輝の普請の出來上らないのを付込んで攻寄せたり、赤松滿祐が御馳走最中に將軍義敎を殺したりした事は、卑怯千萬な事だとせられる。けれども織田信長が佐久間信盛の諫言を用ひずに、不意に叡山根本中堂以下二十一寺を燒いて、八百の僧徒を殺した亂暴を左程排斥しない。

戰國時代に主人を殺したものは、ひとり明智光秀ばかりではない。けれども高野山に登ると光秀の墓石は、主を殺した天罰で龜裂が生じてゐる。しかし大阪城の城濠を埋めさせて後に戰爭をしかけた德川家康を左程咎めない。つまり新しく發達した武士道と古い神話とが混淆してゐるのである。

昔噺お伽噺もやはり、此の混亂時代に彷徨してゐた。八岐の大蛇を始めとして、欺し討の手段を避けないものがある。勝々山の如きも狸を土舟に乘せるといふのが興味の中心になる。猿と海月の話は海月が猿に龍宮を見せてやるといふ噓と、猿が生肝を樹の枝にひつかけて置いてあると言ふ噓とが話の中心である。

成敗を天に一任して、因果應報に待つ花咲爺や瘤取りは、勸善懲惡談として、無數な例話を作つた。猿蟹合戰は憐れな子蟹に對する友人達の同情が集まつて復讐に行くので、子蟹が大將にもならず、出世もしない、實に平等ない〻話である。それから桃太郎のやうに、單なる威

武を海外に輝かす話もある。桃太郎は生れながらの御曹子である。強い大將である。しかし猿と、犬と雉子と彼の間に、主從の懸隔がない家へ歸つたあとでは、猿も犬も雉子も、桃太郎との關係がなくなつて、各自勝手に野に山に歸つて行つたやうに思はれる。所が一寸法師になると、もうお姬樣と彼とは深い主從の關係がある。一寸法師の働きは忠義の働きである。そしてその働きの結果としての報酬がある。

そこで退治話と復讐との二種になる。退治話の元祖は八岐の大蛇で、これは妖怪退治山賊退治となつて武勇傳の最後まで續く、宮本武藏でも岩見重太郎でも、荒木又右衞門でも、苟も武勇の名あるものは、必ず一度は何物かを退治に出なければ治まらない。

復讐談は猿蟹合戰のやうな、蟹、栗、昆布、鋏、臼といふやうに、多數が一致して猿の不義を懲すといふやうな制裁的なものから、遂には自分の親の仇を討つ、主人の仇を討つといふ話になる。蟹の子の爲めに栗や臼が應援に出たと同じく、人間の復讐にも助太刀が許された。

斯うして日本の話は、子供も大人も皆な一つになつて武勇傳復讐談を好むやうになつてしまつた。

明治の中年から巖谷小波氏がお伽噺、昔噺を日本の子供達に讀ませる事に非常な力を致された。これは日本の教育史上特筆大書すべき事件である。巖谷氏のお伽噺が明治の子供にどれだけ潤ひを與へた事だか、それは童話時代の今日から顧みて、はつきり解る事である。若し巖谷氏のあの運動が無かつたなら、當時の日本の子供は、依然として武勇傳のみを讀んでゐたのである。それ以前の子供は、漢文くづしの武勇傳と共に、八百屋お七だのお染久松だのといふものを讀んでゐたのである。

浮れ節から浪花節に、稗史小說から講談に、名前は違つてゐるが、今日に到るまで、大人子供を通じて武勇傳の渴仰者は實に夥しいものである。

今日では武勇傳と云へば、直ぐ復讐談だと早合點していゝ事になる。卽ち退治話と仇討話とが一つになつたのである。眼にて眼を償ひ、齒にて齒を償ふといふ仕返しが、まだ今日の日本では正義だと信じられてゐる。講談でも讀物でも芝居でも、復讐といふ事は何らの批判なしに是認されるばかりか賞讃されるのである。遂には夫れが度を超へて、血刀を揮つて成るべく多くを殺傷する殺伐をさへ歡迎せられるやうになつてゐる。

大正十三年三月の調査によると、日本中の新聞は五千四百七十九種である。其の中の日刊新聞が七百八十二種に達する。大阪朝日、大阪每日の大新聞を始め、凡そ百種の有名な新聞と共に、全體を平均五千部宛の發行部數と

しても、每日の發行部數は三百九十萬に達する。實際はそれ以上であらう。

これだけの日刊新聞のどれを見ても、必ずそれには武勇傳が載つてゐる。卽ち復讐談である。此外に發刊される雜誌で、復讐談を揭載してゐるものがやはり三百萬を下らないであらう。

每日々々日本の家庭には、これだけの復讐談武勇傳が搬入される。尙ほ夫れに飽き足らないで講釋に浪花節に芝居に、復讐談武勇傳をあさる。これは大人ばかりでなく、子供の讀ものにまで同じ傾向がある。殊に近頃の流行は大抵傳奕打の喧嘩話である。

斯うした武勇傳が日本人に歡迎される原因は何であるかといふにそれは「復讐」といふ事と「正義」といふ事を一つにして考へてゐるからである。若しも「かたき討」といふ武勇傳を今日の思想に照して批判する者があつたら、甚だ不都合千萬なやうに思はれるに相違ない。しかし仇を討つといふ事は今日の法律で禁じられてゐる。法律が禁じてゐるものを奬勵するといふ矛盾は何所から來るのであるかといふに、それは神話時代から昔噺、お伽噺、稗史小說時代の感化が國民の頭に深く殘つてゐるからである。勿論復讐談を歷史の一部として說くことに何の不都合はない。しかしこれを以て民心作興の方法にしたり、子供の教育資料にしようとするに到つては考へなければならない事である。

復讐談の中で赤穗義士談が一番民衆に氣受がよい。殿中松の廊下で、高位高官の吉良義央を斬つたといふことは、當時の法律に照して切腹の申渡しは至當である。裏面にどんな經緯があらうと、切腹の申渡を受ける事が、武士の面目である。

もうこれだけ言つても武勇傳黨は眼に角立てゝ直ぐ非國民だと叫びかける。かたきを討つといふ場合には討たれる者はいつも惡者になる。復讐事件に對して、それが果して正當であつたかどうかといふ疑問は挾む餘地を與へられない。

もう今は、昔噺、お伽噺の時代でない。童話の時代である。古い傳統的の精神から餘程脫け出た時代である。假りに五、六歲の子供が赤穗義士團を今の時代の出來事として話ししてくれといつた時吾々はどうすればよいかといふ大きな問題にぶつゝかる。（以下次號）

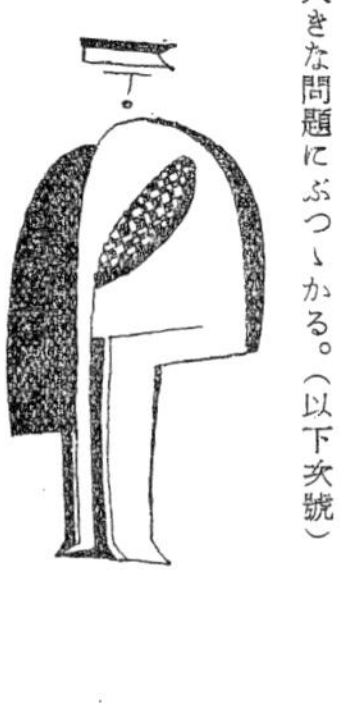

街頭醫學

遲れては大へん 赤ちやんの離乳

赤ちやんが段々大きくなり六七ケ月にもなつてくると、たとへ母親のお乳が張り切りあり餘つてゐる狀態にあつても、母乳だけを與へてゐると子供は顏色惡く、段々瘦せてきます。これはその頃になると乳汁中の子供の身體を構成する成分が不足を告げてくるからで、從つてこれを補ふためには母乳以外の新しい食餌を與へ始めればなりません。卽ち一定の時期にはどうしても離乳を開始せねばなりません。

都會と田舍の別

ところで、この離乳の時期は都會殊に東京や大阪等の大都會の赤ン坊と田舍の赤ン坊とでは非常に違つてきます。淸淨な空氣と素朴な人情とに惠まれた環境の中に住む田園の主婦たちの乳の出は勿論一般に旺盛で、その成分も亦よく從つて相當長い間に亘つての授乳も可能ですが大都會に住む婦人たちは、離乳を必要とする時期の來るまでに既にお乳が不足を來してゐるのが一般で、ですから都會では田舍の子供よりどうしても早く離乳させればならぬのです。若し離乳期に達してゐるのに相變らずお乳だけを與へてゐると、子供は皮膚の色惡く、目方は減つてゆき、すべての點において緊張味を失ひ、グニヤグニヤとなり機嫌惡く、便秘するか又は便の回數が多くなります、卽ち乳兒は完全な榮養障害の狀態に陷つてゆきます。

離乳する時期は

では都會の子供は何ケ月を以て離乳の時期とすべきでせうか多くの經驗上

體重が七千グラムに達してゐる子供であれば生後六ケ月から離乳を始めるのを最善とします。

この離乳は醫者の指導があるならどんな季節に始めても構はないのですが、家庭で安全に行ひうる點からすれば、秋風の立つこれからの時期が一年中で最も好適で、夏の間のやうに消化不良を起す心配がありません。

母乳に代る食餌

母乳に代る新しい食餌としてはひいたお米、パン粉、オートミール、白パン等のお粥が選ばれますがこれらの詳細に就いては直接醫者の指導をうけられるべきでありませう。

重湯はいけない

たゞこれまでのやうに重湯の離乳を始めるのは絕對的に間違ひです、重湯は濃いものでも二一四カロリーの熱量を發するにすぎず、母乳の七〇カロリーに比べて一割以下です。かやうに薄い榮養の重湯で既に母乳の不足を嘆じてゐる大きな赤ン坊をどうして養ひきれるでせうか、子供は益す榮養狀態を害はれてゆくばかりです。

お粥もいけない

と云つていきなりお米の粥を與へるのもよくありません、たとへ一時間二時間とグツ／＼よく煮たものでも、離乳期の赤ン坊の胃腸には大きすぎる負擔で當然消化不良を起しますから。

（醫學博士太田孝之氏）

寢つきの惡い子は丈夫に育たない

幼兒の智能や身體の健全な發育には、睡眠が非常な影響をもつことはいふまでもありませんあなたの愛兒をしてすや／＼と安らかな眠りをさらせるには寢入ばなの寢つきをよくさせることが何より大切です。子供の寢つきをよくするには

眠りの條件

（一）輕い疲勞の狀態におく
（二）興奮をさける
（三）暗い靜かな部屋におく
（四）添寢添乳をせず、なるべく一人で寢かせる
（五）夕食を與へてから或る程度まで食物が消化されてゐること

等の必要缺くべからざる條件であることは、これ迄いろ／＼の學者によつて正しくも主張されてゐる所です、ところで私はこの中の二つの條件添寢の有無と寢室の光りの有無に就て約五百人の生後六ケ月以上滿七歲までの中流階級の子供につき調べてみましたのでその結果をお知らせしませう。

添寢の有無

先づ添寢の有無ですが、日本の子供にはこれが非常に多いの

です、添寢の害としては醫學的にみていろ／＼擧げることが出來ませうが子供の睡眠を妨げる點からいへば側に寢てゐるものが一寸でも動くと子供はまた初めから繰返して眠りに入られねばならず、かくて寢つきが遲くなる結果は睡眠時間が少くなつたり、朝寢坊の習慣をつくることになります。

さて私達の調査では、滿二歲までの子供で添寢するものは八三％－八九％、二歲以上は段々減つて滿四歲では約四七％卽ち全體の半分が添寢してをり、四歲以上になるとはじめて大部分（七五％）が添寢しない狀態になつてゐます。また現在添寢してゐない大きな子供に就て調べてみると、一番早く添寢を止めたもので生後二ケ月、一番遲いもので六歲二ケ月、九〇％近くは滿四歲まで添寢してゐます。また添寢でなくても、五歲半までは殆ど全部の子供が側に誰かついてないと眠れぬといふ惡癖をもつてゐます。これは日本の家庭生活の習慣によつてかうなつたのでせうが、併し添寢の害は前述のやうに明かなことですから、また添寢は生後間もなくの習慣でこれなしで濟ませる事立派に出來るのですから、世のお母さんたちはこの點十分心さるべきでせう。

寢室の光り

次に子供が寢つくとき電燈の光りなしで眠れるかどうかですが面白いことには滿二歲までの赤ん坊は、大多數光なしの暗い部屋で眠つてゐるのに反し、二歲以上になると光りなしでは眠れぬといふものが大分增えてきてゐます、併しこれは年齡と大した關係が認められず、親の躾け方いかんによることが察せられます、睡眠の際光りがあると無意識の中に神經を刺戟して十分の睡眠を妨げるのですから、暗い部屋に寢かせるやうにすべきであります。（愛育會兒童相談所山下俊郎氏）

おやつは子供には榮養上必要なもの

學校が終つて元氣な子供達は歸つて來ると、早々カバンを放り出してお母さんにおねだりするのがおやつです、この間食は子供達にとつては極めて大事なもので、大人では一日に三回の食事で充分足り、時には職業や生活狀態によつて

二食　主義を適當とする場合さへありますが、小兒期には三度の主食だけでは榮養を攝るには不充分で子供がおねだりする前にお母さんがこれを與へ榮養をこれによつて補ふ必要があります、勿論舌の慾求にまかせて徒食するのではありません、乳兒期の初期では食事の回數は通常三時間每に與へて一日八回を普通としますが、月齡の進むに從つて夜半の一回を廢して七回とし、更に夜間の一回を止めて六回とし、それから離乳期幼兒期になるものでそれからも一日三回の

主食　以外に午前中一回、午後に一回と時と量を定めて間食を與へる必要があるのです、間食は惡いものと定めて大事な榮養を補給しないお母さんは、この徒食と間食を混同したものです。

◆

間食に用ひるよい食物としては幼兒期の初めには牛乳、粉ミルク、ビスケツト、ウエフアース、衞生ボール、馬鈴薯の裏漉などが適當で、パン類もジヤムまたはバタをつけて與へるのも結構で、次で

輕い　塩煎餅、粟煎餅、カルルス煎餅、カステーラ、果物などを與へ滿二年以後になるとだん／＼と菓子の種類を廣くし、牛皮、おこし、ホツトケーキ、スヰートポテト、ラスク、五家寶、プツディング、パイなども與へてよく時には餅菓子類も食べさせても差支へありません。

◇

間食についても主食物と同樣に暑い間は一層注意が必要で疫痢とか赤痢を起しやすい駄菓子あんこ玉、ミカン水、いも羊かん、シユークリームなどは避けたいものです、西洋菓子はよく吟味して

新鮮　なものを選ばればいけません、一般に豆類はよく子供の腸カタルの誘因となつてゐるのを見ますが甘栗なども食べ過ぎるのは禁物です、塩煎餅を街の子供は好んで食べますが、これは幼兒には胃を損ふ傾きがあ

りますし、又密豆も間食としては不適當なものです。飴類は割合幼い時から食べさせてよいもので乳兒でもあまり便秘する時には飴を牛乳に入れて用ひる位で粟の水飴などはよく病人の見舞として贈られ間食としてもよいものです、しかし腸カタルの子供　などにお見舞にもらつたものを食べさせる事は腸内の醱酵を高めていけません、あんこも同樣です。（醫學博士田村均氏）

骨骼が丈夫だと近視眼にならぬ

近視は一種の文明病といはれ年々夥しく増加の傾向があり、今日わが國では二百萬近い小學兒童と大學生の半數までが近視眼者であるとされてゐます。

種々な近視の原因

近視の原因としては文明とともに眼を虐待するいろ／＼の條件が殖えてきたことが第一に擧げられます、即ち室内にあつて苛酷な近業に從事することが多いのに反し、戸外生活をもつ機會が段々少くなつてきたこと、殊に都會では動搖する電車やバス内での讀書やその他眼に對し刺戟となり不攝生となることが多いといふことが近視をつくる有力な原因であります。また近視の原因として遺傳的關係のあることも學者によつて認められてゐることです。

近視と眼球の奥行

一體われ／＼の眼が正しく物を見るためには、眼球の奥行即ち眼軸の長さが二四・三九mmであることが標準で、これが正視眼であり眼軸の長さがこれより短いときは遠視長くなると即ち近視となります、この眼軸が長くなるのは、物を見るのに姿勢惡く近づけてみたり、一生懸命試驗勉强に夢中になつたりすることによつて眼球の運動を司る筋肉が壓迫され弛緩してさうなるのであります。

近視と膜の厚み

ところが大して勉强もせず、ブラブラ常に遊んでゐるやうな學生が近視となることも多いものです、この場合は眼球の表面に眼球を包んでゐる膜に鞏膜といふのがあります、所謂白眼に相當するものです、眼球を包んでゐる鞏膜が弱く薄いと眼軸が長くなり易い、即ち近視となり易いのです、いはゆる明眸と呼ばれる人の眼はこの鞏膜がうすく内部の色素がすかして見えるため蒼く妖しくも蠱惑的に見えるのです。

鞏膜と骨骼の發達

ところでこの鞏膜の强さ弱さは骨骼の發達と正比例してゐます、鞏膜の丈夫な人ほど骨骼の發育もよく、鞏膜の薄く弱いやうな人は骨骼も細く弱く、屢々骨折を起し易い人です。だから明眸皓齒といふ言葉が屢々美人薄命と同意に用ひられるのもこゝらに原因を孕んでゐるのです。

さてかく鞏膜の弱さが近視の原因の一つであることが判り、また鞏膜が骨骼の發育と比例してゐることが理解された以上、近視を防ぎまたその度を進めないためには骨を丈夫にすることが何より大切であることがお解りでせう。骨を丈夫にするにはどうしたらいゝか、既に御存じのやうに戸外で紫外線を浴びての運動を行ふこと、小魚の骨やその他カルシウムに富んだ食品乃至藥劑をとること等でありま す。（紫外線が體内にビタミンDに相當するものを造り骨骼を丈夫にすることは既に皆さまの常識となつてゐませう）日一日と秋爽の氣こく、漸く燈火親しむべき好季節となつたこの頃、正しい視力を保つためにはかうした知識をもたれることが大切と思ひます。（聖路加病院眼科醫博坂原愛治氏）

蜘蛛の巣の効くいぼは傳染するか

疣と云つてもいろ／＼種類がある。普通は手足の指に、小は粟粒大から大は豆粒大の凸起が出來て

灰白色　を呈し、表面がガサガサに割れてゐるものを醫學上「尋常性疣贅」と云ひ、これはなかなか治り難い。初めは一つでもだんだん數の殖える時もある。主に子供とか若い人に出來るが、何が原因かはつきりしてゐない。

傳染するといふ說もあるし、疣は自由に皮膚に植ゑ付けられると云ふ說もあるが、放置

しておいても自然に治ることもあり疣の殖えるのはどうもこの病氣の持前らしい。何しろ病源が分らないのだから豫防法もないが、大きな疣は髮の毛とか絹糸のやうなもので根元をしばつておくと疣の方へ血液が行かなくなつて自然取れるものである蜘蛛の糸でしばつて取れたと云ふのも同じ理由であらう。

醫藥としては發煙硝酸があるが、これは專門家でないと使ふのに危險である。皮癬などのやうにさうやたらにウツることもないが、澤山出來たら醫者に診せることである。

廿歳前後の若い男女の主として顔に、一見斑點のやうな粟粒大の疣が出來る時がある。形は平たい圓形又は少し角ばつてゐて色は皮膚と殆んど同色で觸ると柔かい。これは突然出來てどし／＼殖えることのあるもので醫學上「青年性扁平疣贅」といつてゐる。レントゲンをかけるとよく効くが、これは專門醫にかゝるより外はない。

また五十歳以上の年寄にのみ出來る疣がある。大豆大とか蠶豆大のものが多く、扁平で一見しみのやうであつたり、カサカサしてゐたり、反對に油を塗つたやうにニチャニチャしてゐることもある。主に首筋、脊中、胸に出來てこれも原因は分らないが「老人性扁平疣贅」といつてゐる。しかしこの

老人　の疣は、癌に變化することがよくあるから、疣が固いやうな時は、早速醫者に診せることが肝要である。また子供に小さな疣のやうなものが、ボツ／＼と澤山出來ることがある。色は皮膚と同色だつたり、乳白色とか、赤つぽくそして蠟のやうに光り、そのボツ／＼の中央が凸んで柔かいもので、體中どこへでも廿位密生して出來る。

これは「傳染性軟屬腫」と云ふもので、自然に治ることもあるが、くづれて他の黴菌が入り、治り難くなることもある。治すには、疣をよく消毒して指先で押すと、中央の凹んだところから白いものがツルリと出て來るから、そのあとへヨードチンキを塗つておけば直ぐ治る。（慈惠醫大皮膚科部長醫學博士渡邊一郎氏）

喫煙亡國　二億九千萬圓空費するな!!

保健上にも經濟的にも百害あつて一利なく、恐る可きはニコチンの慢性中毒である、本書はそれ等の害及び趣味としてのタバコに關する調査、名家の感想を網羅す。讀め!男も女も、又諸君の部下の全部へ諸君のサービスとして之を贈れ!この廣告御覽の方でその旨御書き添への方は、何部にても又何個にても送料無料として御送り致します。

身體に及ぼす **煙草の害毒**　一部金十錢 送料二錢

醫學博士 **岡田道一著及創製**

禁煙水（タバコ嫌ひになる含嗽劑）　一個一圓 送料十錢

申込所　東京市豐島區長崎仲町一ノ二七九〇　**子ども衞生社**

月刊雜誌「禁煙の日本」一年分送料共 一圓廿錢

電話落合長崎三〇四七　振替東京七五四四三

編輯後記

⊡毎日のやうに印刷所の矢島氏より編輯後記の督促を受けるのであるが、仕事から仕事へと追ひ立てられるめまぐるしい昨今の生活は、斯んな小篇さへ認めさせて呉れぬ事を恨みとする、何はともあれ本年度に於ける二大事業――東京と大阪に於ける審査會――が無事に結了したので、漸く胸を撫で下すと共に、亦來年度のプランに取りかゝらればならない。

⊡既報の通り大阪の審査會は九月二十七日に終りを告げたので、二十八、九日の兩日は府の大谷社會課長、市の藤原保健部長大阪帝大の小兒科、齒科、眼科、法醫學各教室等を訪れて御禮を申のべ、三十日は市民病院に谷口、今泉、西三博士を訪れて美術館に名寶展を觀る。此の日は何たる幸な日であらう、岸内閣總理大臣秘書官殿より「曩に御依賴の廣田首相揮毫の件御繁多中の處寸暇を得漸く御認願別紙御送り申上候間御査收被下度云々」てふ御書面を拜受したのである。

⊡過ぐる炎熱やくが如き盛夏の極めて繁忙なる最中に、然も東京ホテル生活の朝夕に再三校正をした『聯盟創設滿十五年記念全日本兒童愛護運動寫眞帳』も漸く眼鼻がつき、十月三日に序文も書き終へたので、印刷の完成を見た。アート・ペーパー百頁、四六倍版の誠に堂々たる雄篇が出來上つたのである、茲に改めて出版の爲め御盡力を願つた各位に御禮を申上ぐる次第である。

⊡四日は午後九時半大阪發で上京のため旅の準備で多忙だつた、然し日曜のため一家總動員で「母親たちのメンタルテスト」の書類を整理して貰つたので、重荷を下した、印刷、編輯、出版等に關する矢島氏との打ち合せは、いつも驛構内の騷々しい中で二三十分の寸暇を利用してなさればならないのである。

⊡今回の上京の目的は第八回全東京乳幼兒審査會表彰式施行のためで、表彰さるゝ者が例年より多數のため、二十五日（午前十時、午後一時、同三時）と三十日と前後四回にとり行ふ事に決定した、五日早朝東京に着くと直ぐ、出迎えられた矢形、矢野二氏と諸般の協議をなし、午後は海軍省にて保科大佐、松永少佐に面會、六日は東京病院にて戸川、柿本二博士に面會、七日は聯盟係員一同並奉仕者の慰安會を兩國双葉に於て催し、八日は靖國神社に御禮參りをなし、九日は高島屋貴賓室にて木村、柳生井上三氏と協議をなし、十日は文部省にて岩原課長に面會、十一日は松田前文相邸を訪問、十四日は母の會宣言書作成、十五日永井柳太郎先生を訪問、十六日燕號にて大阪に歸り四日間滯在して編輯の事務をとり二十日夜行にて東上、それより表彰式の準備に忙殺され親類廻りも出來ぬ有樣である。

本誌定價　一冊金參拾錢　郵稅壹錢
半年分六冊　金壹圓六拾錢　郵稅共
一年分十二冊　金參圓　郵稅共
誌代郵稅は一切前金の事
前金切の場合は發送中止
郵券代用は一割增のこと

昭和十一年十月廿八日印刷（每月一回一日發行）
昭和十一年十一月一日發行

兵庫縣兵庫郡精道村芦屋
發行兼編輯人　伊藤悌二
印刷人　木下正人
大阪市西淀川區海老江上二丁目三七番地
印刷所　木下印刷合資會社
電話福島(45)一五三四番 二四二六番

大阪市北區天神橋筋六丁目
大阪市立北市民館內
發行所　大阪兒童愛護聯盟
電話堀川(35)〇〇〇一番 〇〇〇二番
振替大阪五六七六三番

子供の世紀 第十四卷 第十一號
大正十三年二月二十日第三種郵便物認可
昭和十一年十月二十八日印刷納本 毎月一回一日發行
【定價金參拾錢】

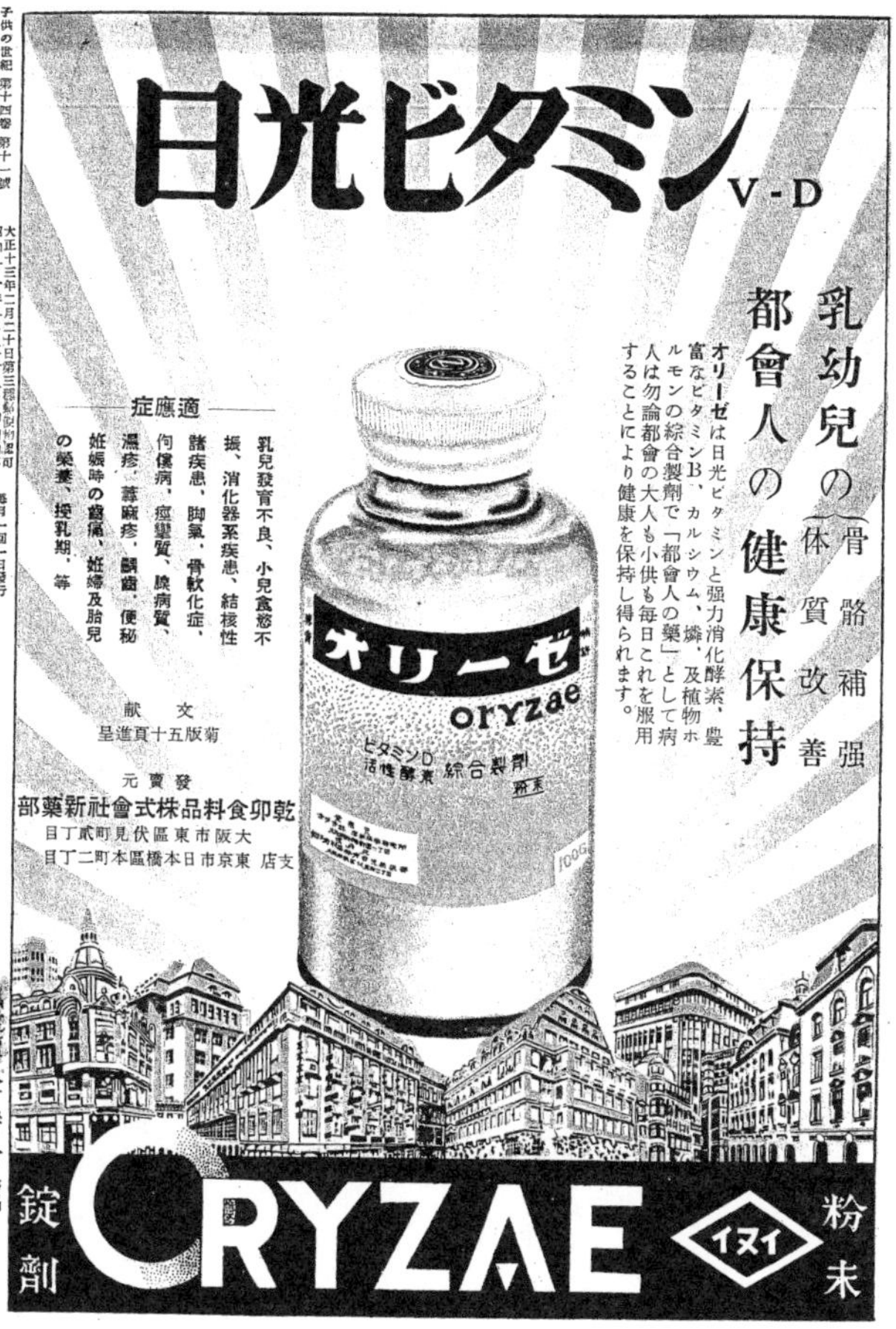

基礎鞏固　經營眞摯

創立　明治四拾四年

コドモの保険

日本徴兵

入營・嫁入　準備

出世・教育　資金

子を持つ親心

可愛い子供の爲に何程かづゝの貯金をしてやらうと考へるのは、凡ての親としての至情で、男子ならば適齢迄、女子ならば嫁入迄と誰しも心掛ける所ですが、さて實行はなかなか困難です。

最良の實行方法

徴兵保險、生存保險のコドモ保險は此需用を充たす最良の施設で、一度御加入になれば知らず識らずの間に愛兒の爲に必要な資金が積立てらるゝことになります。

日本徴兵保險株式會社

本社　東京市麹町區内山下町一ノ一

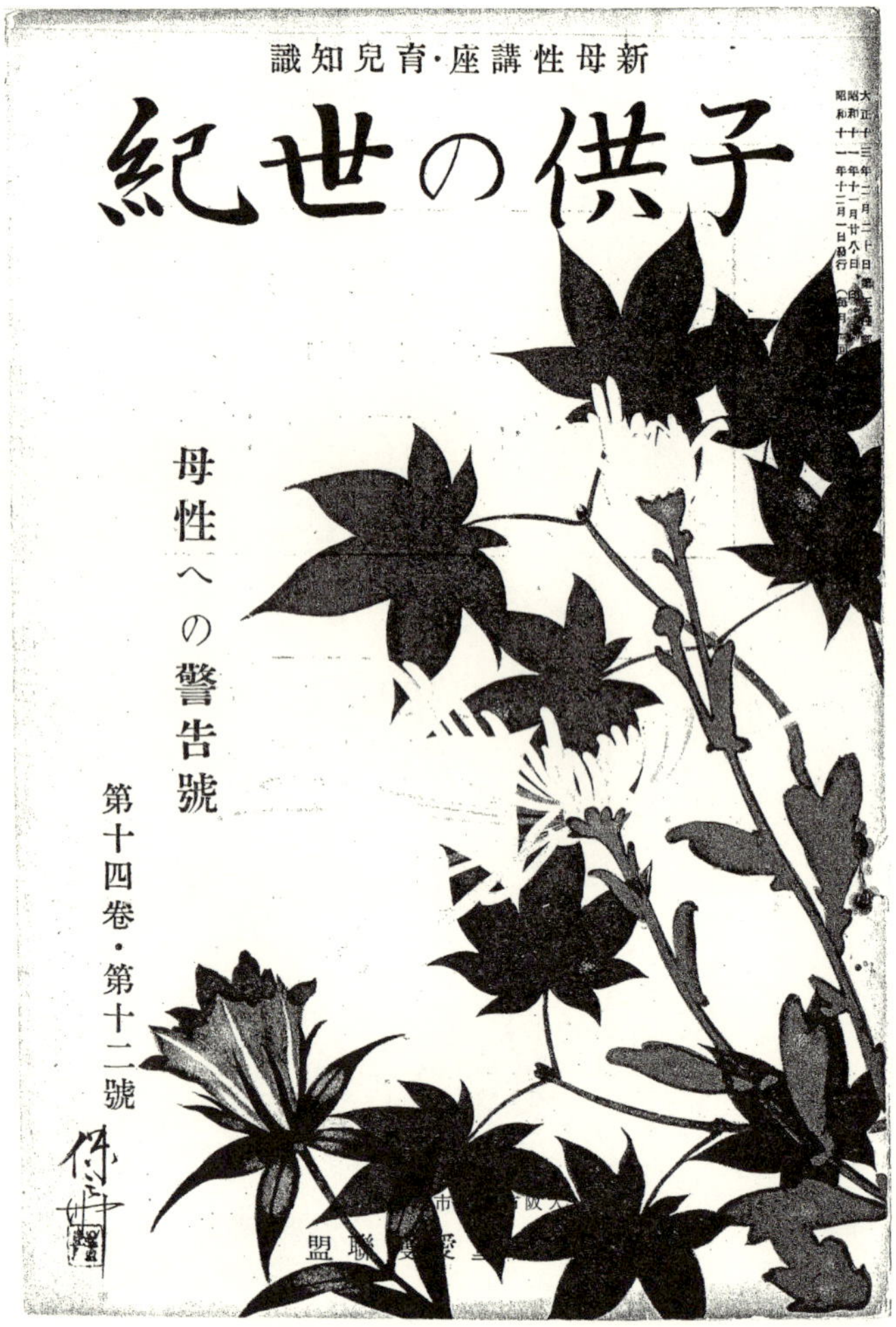

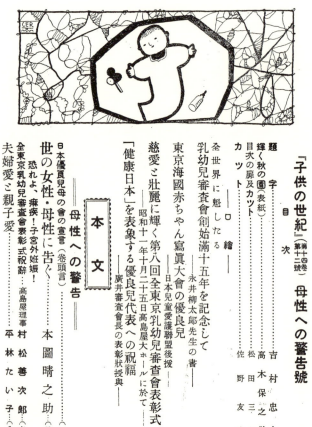

『子供の世紀』（第十四巻第十二號）母性への警告號

目次

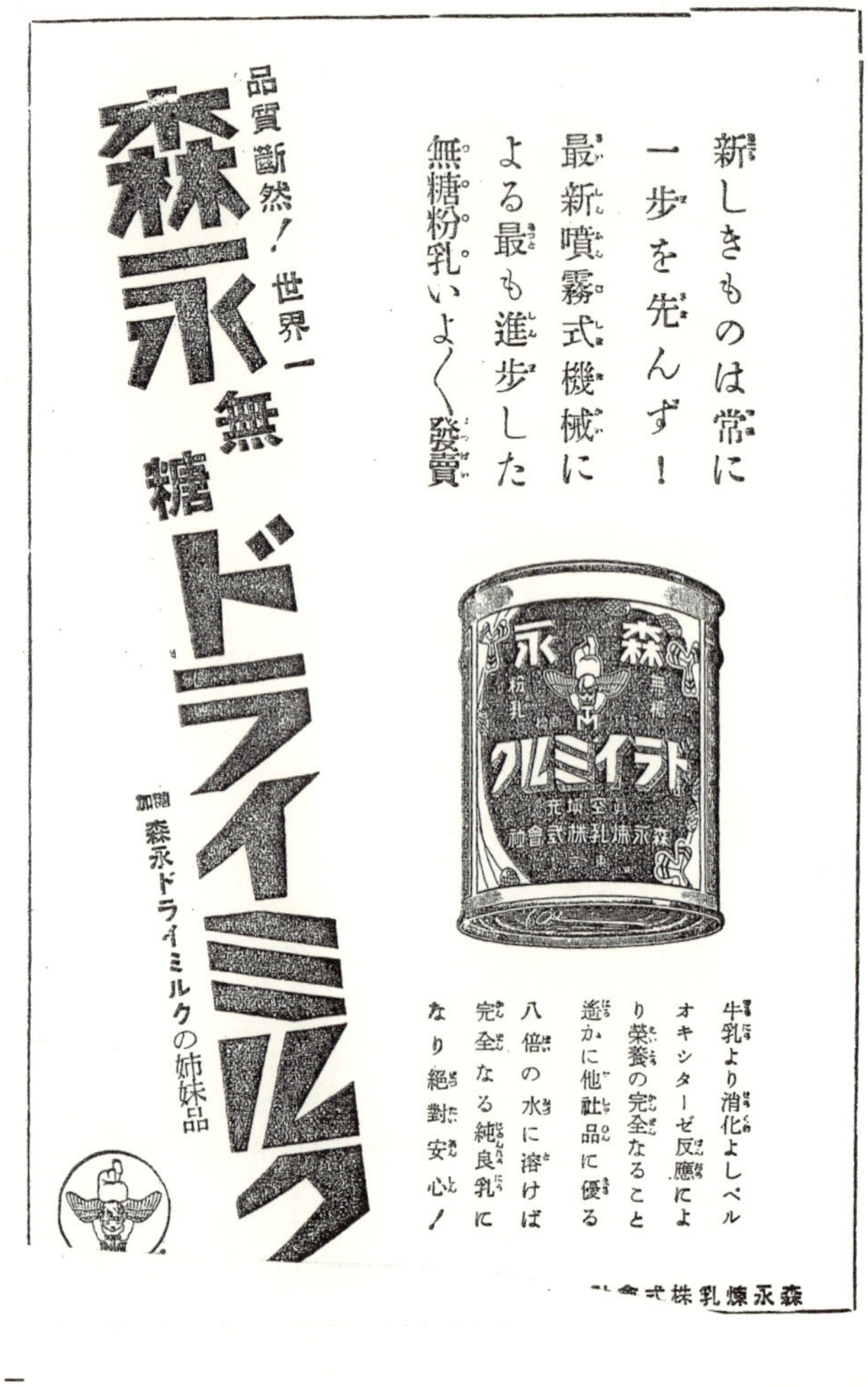

育兒知識

主婦の敎養

家庭衞生

街頭醫學

銀峯錦野

理想的珈琲沸器!!
大川パーコー
誰方でも美味しい珈琲が出來る
素的な珈琲沸器
御家庭で喫茶店以上の味を出す大川パーコはコーヒーの眞の味と薫りを充分出すいろ〳〵の條件に當嵌つた理想品エナ・ニユーム製品で獨特の構造があります。
大川パーコを使はないで、コーヒーの眞味は味へないとさへ言はれる評判の品です。
推奨 ブラジル珈琲本部
無代進呈
あなたの住所を明記の上、下記本舗へ御申込下さい。美しい小册子無代進呈
各百貨店 洋食器部 にあり
東京市日本橋區本町四
大川商店

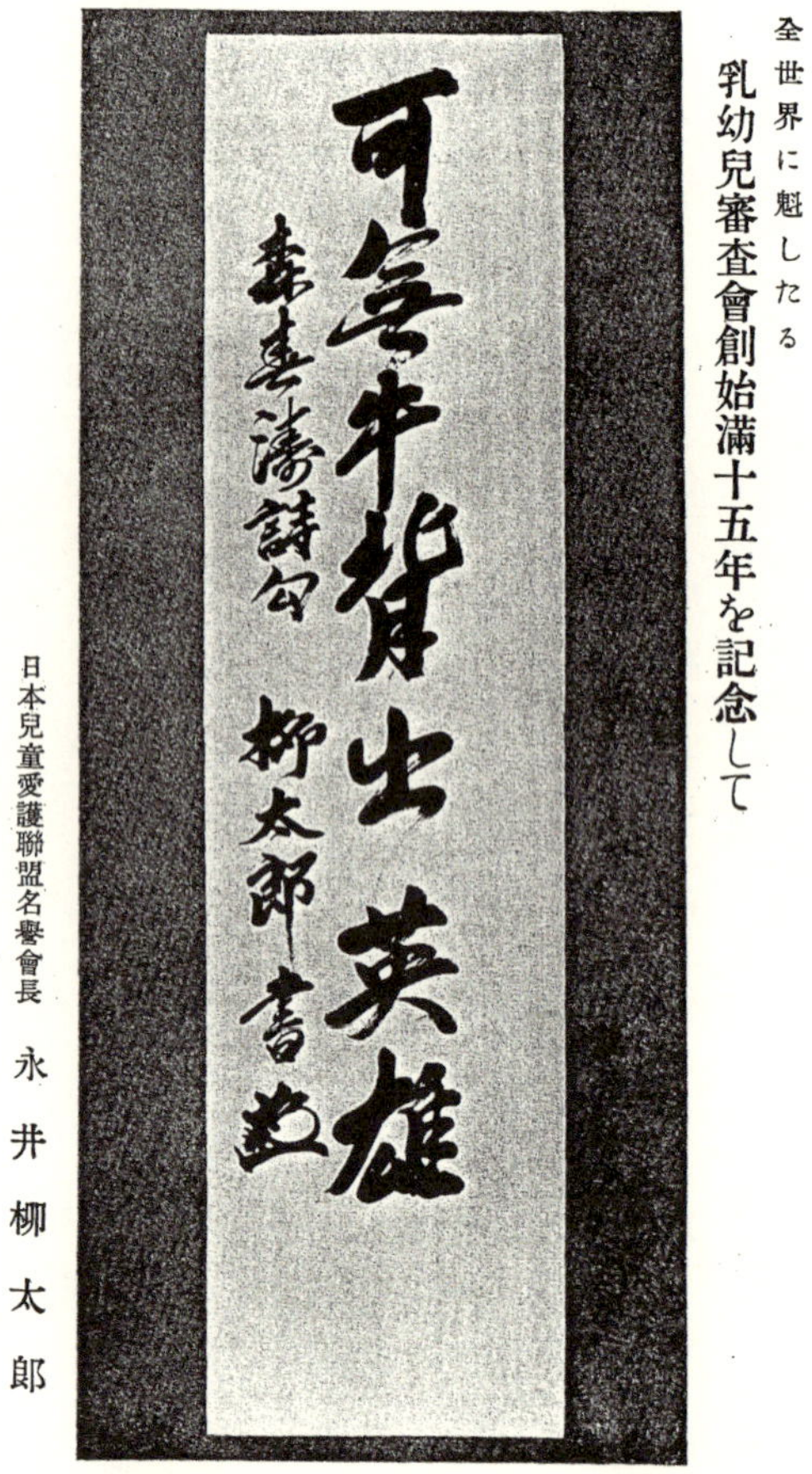
全世界に魁したる
乳幼児審査會創始満十五年を記念して
可愛子背出英雄
柳太郎書
日本児童愛護聯盟名譽會長
永井柳太郎

よわい子供に
補血 強壮
ポリタミン
血色のわるい、榮養不良の子
食慾すゝまず、胃腸の弱い子
疲勞し易く、屢々熱を出す子
かうした腺病質の子供には、消化の煩ある強壮劑はムダも多く胃腸を害する恐れもある。ポリタミンは消化の要らぬ榮養原アミノ酸であるから、そのまゝ血肉成分となつて体重を増し或は食慾をすゝめ、或は感冒や結核に對する抵抗力を強くする。
小瓶 中瓶 大瓶
全國藥店にあり
發賣元
株式會社 武田長兵衛商店
大阪市東區道修町
36.-1267(O)

明治(赤罐)コナミルク
◆國産噴霧式粉乳の先驅◆
明治 コナミルク
母乳代用に最適
用ひ方簡便
値段も低廉
半ポンド入・壹罐
五拾錢(内地)
コナミルク専用
明治(廣口)哺乳器
定價二十五錢(内地)
・全國藥店にて販賣・
東京・京橋
明治製菓株式會社

良き講義錄の選擇は成功の近道！

待望の講義錄愈々刊行。受驗界の絶對權威。内容の完備卓越。通信敎育のスピード化。速に入會を斷行せよ。輝く合格入學の榮冠は諸君の頭上に輝かん。

御送金は必ず振替の事 振替用紙は最寄郵便局にあり。

師範學校第二部入學試驗準備講義錄
幼年學校入學試驗準備講義錄
□國語 東京府青山師範學校敎諭 池田正俊先生
□算術 東京府豊島師範學校敎諭 龍崎寅雄先生
□地理 東京府第七中學校敎諭 内藤堯先生
□歷史 東京府青山師範學校敎諭 松村安一先生
□理科 物理化學 東京府豊島師範學校敎諭 高橋常吉先生
博物 東京府青山師範學校敎諭 德田省三先生
□幼年學校敎官の課外講演・受驗上の注意・試驗問題答解・其他内容豐富充實
各五回卒業
十月下旬創刊
毎回各約二百頁
二回分前納貳圓
兩講義錄共前に同じ
入會金各金壹圓
此際入會金免除
東京市牛込區藥王寺町二〇
電話牛込三六一一番
振替番號東京六六八三二二番
準備教育會

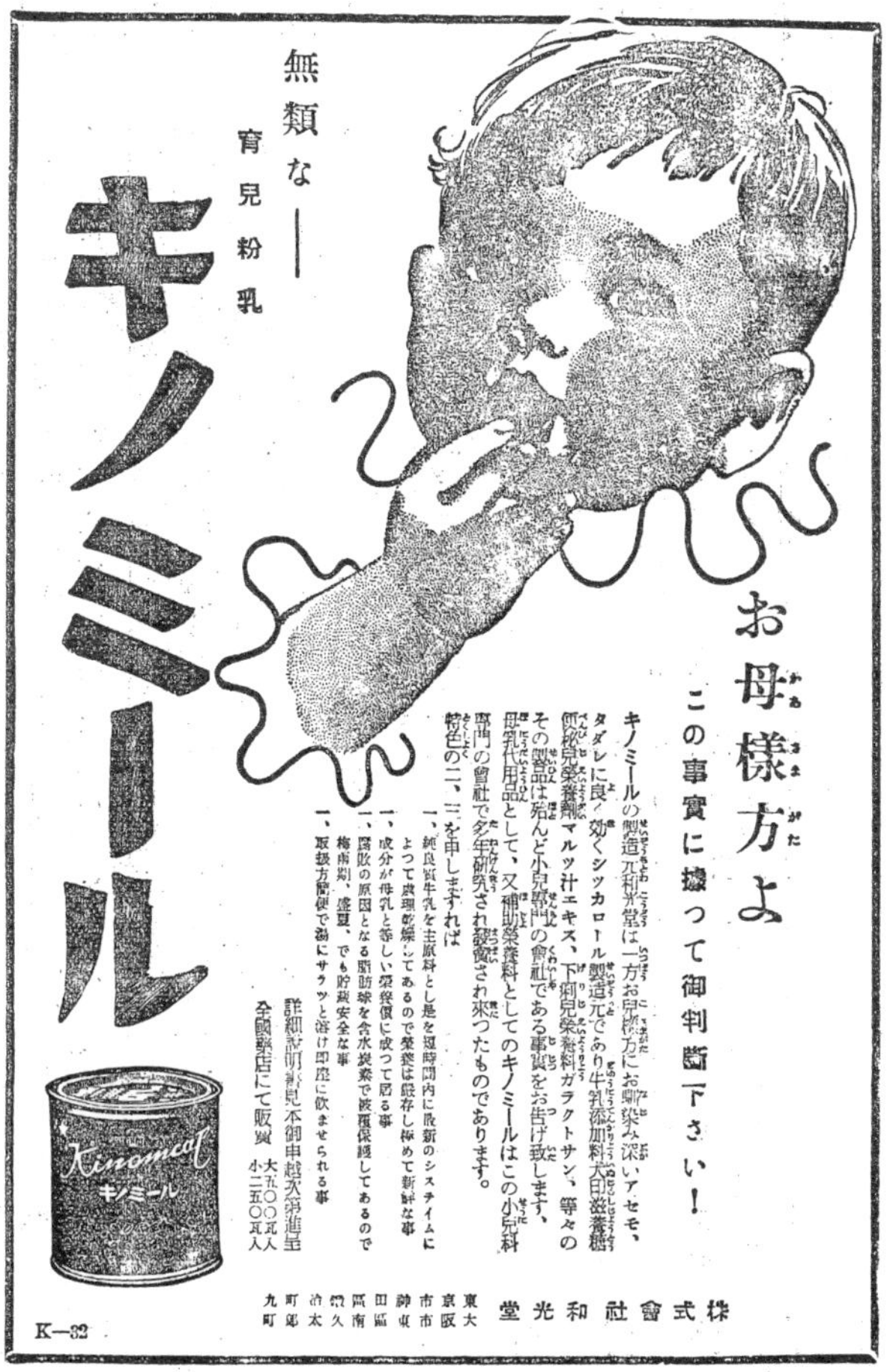

無類な――
育兒粉乳
キノミール
お母様方よ
この事實に據って御判斷下さい！
キノミールの製造元和光堂は一方お兒様方にお馴染み深いアセモ、タダレに良く効くシッカロール製造元であり牛乳添加料犬印滋養糖、便秘兒榮養劑マルツ汁エキス、下痢兒榮養料ガラクトサン、等々のその製品は殆んど小兒專門の會社である事實をお告げ致します、母乳代用品として、又補助榮養料としてのキノミールはこの小兒科專門の會社で多年研究され發賣され來つたものであります。
特色の二、三を申しますれば
一、純良質牛乳を主原料とし是を短時間内に最新のシスチイムによつて真空乾燥してあるので榮養は保存し極めて新鮮な事
一、成分が母乳と等しい榮養價に成つて居る事
一、腐敗の原因となる脂肪球を含水炭素で被覆保護してあるので梅雨期、盛夏、でも貯藏安全な事
一、取扱方簡便で湯にサラッと溶け即座に飲ませられる事
詳細説明書見本御申越次第進呈
全國藥店にて販賣 大五〇〇瓦入 小二五〇瓦入
Kinomeal キノミール
株式會社和光堂
東京市神田區鍛冶町九
大阪市東區南久太郎町
K—32

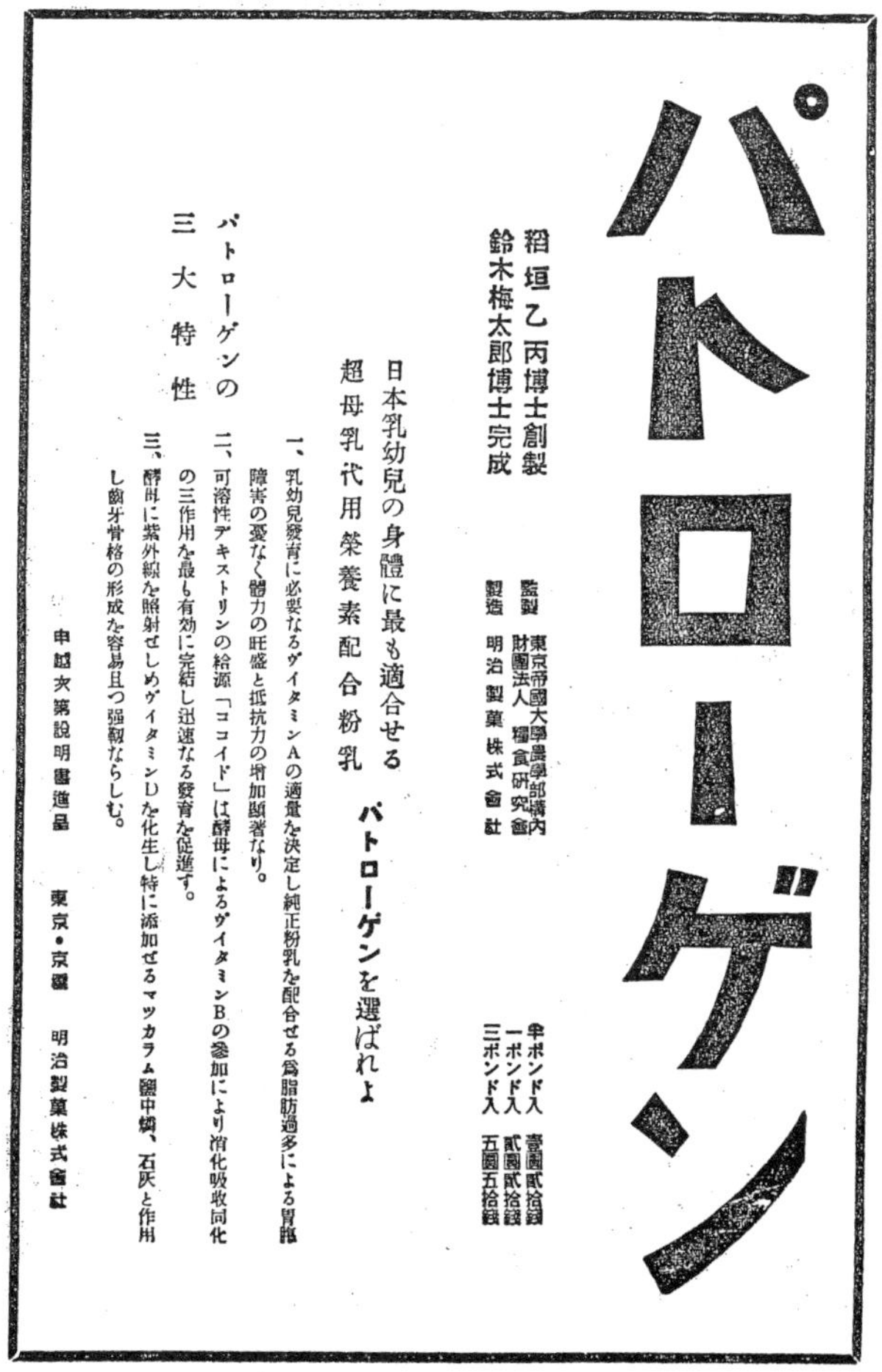

パトローゲン
稻垣乙丙博士創製
鈴木梅太郎博士完成
監製 東京帝國大學農學部構内 財團法人 糧食研究會
製造 明治製菓株式會社
日本乳幼兒の身體に最も適合せる
超母乳代用榮養素配合粉乳
パトローゲンを選ばれよ
パトローゲンの三大特性
一、乳幼兒發育に必要なるヴイタミンAの適量を決定し純正粉乳を配合せる爲脂肪過多による胃腸障害の憂なく體力の旺盛と抵抗力の増加顯著なり。
二、可溶性デキストリンの給源「ココイド」は酵母によるヴイタミンBの參加により消化吸收同化の三作用を最も有効に完結し迅速なる發育を促進す。
三、酵母に紫外線を照射せしめヴイタミンDを化生し特に添加せるマッカラム鹽中鐵、石灰と作用し齒牙骨格の形成を容易且つ强靱ならしむ。
半ポンド入 壹圓貳拾錢
一ポンド入 貳圓貳拾錢
三ポンド入 五圓五拾錢
申越次第説明書進呈
東京・京橋 明治製菓株式會社

ライオン齒磨
科學的實驗の結果によれば、ライオン齒磨の有效成分は、僅々三十秒口腔内に作用するのみにて、殆んど完全に、口中の細菌を吸着除去致します。
TRADE MARK
ライオン

慈愛と壯麗に輝く第八回全東京乳幼兒審査會表彰式

（上）　十二月二十五日東京高島屋に於て最優良兒、優良兒 612名、佳良兒（A）538名、同（B）（C）604名の表彰式は午前午後三回に渉りて施行され、例年にもまして盛況を極めた、圖は本會總裁平生文部大臣代理大西學校衞生官の祝辭代讀で、當日は陸軍省の園田軍醫も臨席された。中央の扁額は永野海軍大臣が特に本聯盟のために揮毫されたものである。

（下）　司會者伊藤理事の開會の挨拶、背後の油繪は東京優良兒母の會より永井名譽會長に贈呈せるもの向つて左より大西衞生官、小瀨高島屋支配人、廣井會長、天野雉彥氏、柴垣高島屋支配人。

輝かしい海國赤ちやん寫眞大會の優良兒

── 其の二 ──

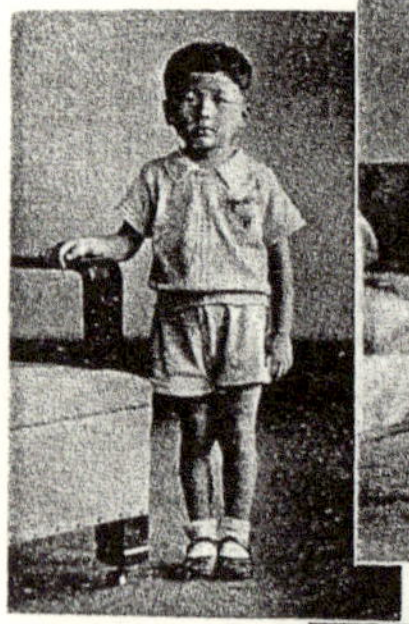

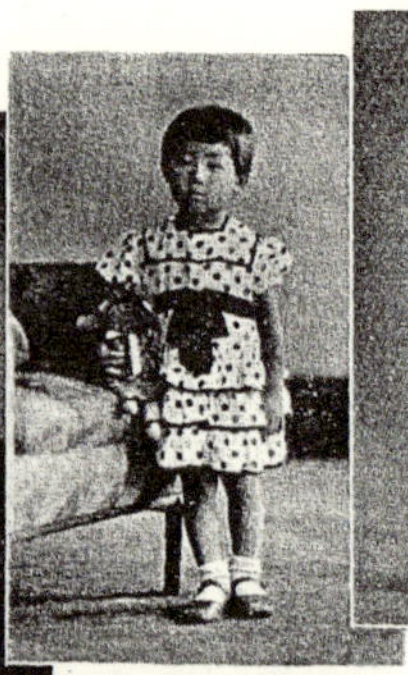

（上）佐藤一行君（蒲田）
（下）田村章君（目黒）

（上）杉野憲司君（澁谷）
（下）西村佳子さん（赤坂）

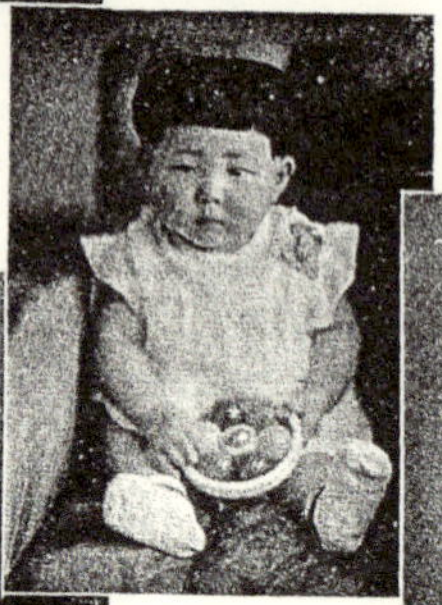

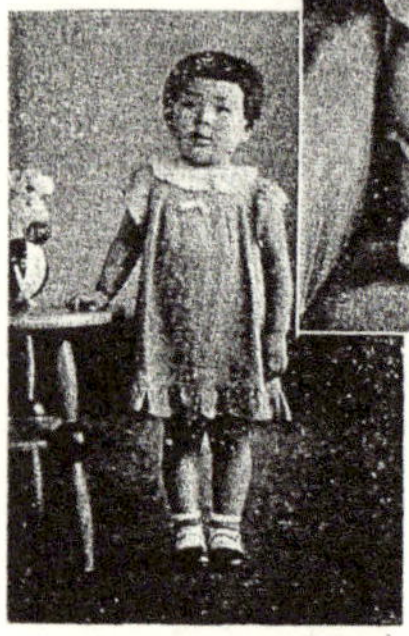

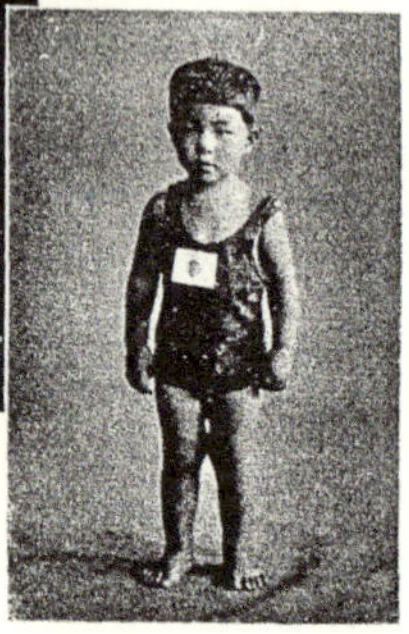

（上）杉野幸子さん（澁谷）
（下）宮木淑江さん（葛飾）

主催　東京高島屋
後援　日本聯盟兒童愛護聯盟

蓄膿症
扁桃腺
の新治療法!!
鼻と腦との關係は薄い骨一枚を隔てゝゐるに過ぎません。匂ひの刺激が頭に及ぼす影響の强い事は、此の點からでも頷かれる譯です。鼻の病氣は元來寢てる程の事もないのでナニ鼻位ひと簡單に考へて居りますが輕い鼻病が遂には記憶力減退、神經衰弱の樣な症狀を起す事は稀ではありません、それには最近著しくその眞價を認められたユーカリ吸入療法をお奬め致します。恐るべき鼻病の新療法と云ふ小册子無代呈上、本紙で見たむね明記の上御申込下さい。
定價（鼻喉兩用二圓・一圓五十錢。鼻專用最小型一圓各種共ユーカリ油添付
東京市日本橋區本町四
大川式吸入器本舖
大川ユーカリ吸入器

「健康日本」を表象する優良兒代表への祝福

（上）　去る六月下旬五日間に渉りて審査した乳幼兒は、合計5.862名であつて、圖は十月二十五日の表彰式に招待された優良兒と佳良兒1.754名の代表、小野寺康臣君と石坂敏子さんがお母さんに抱かれ、廣井會長より表彰狀を授與されるところである。

（下）　童話と趣味講演の權威天野雉彥先生は、高島屋八階大ホールに溢るゝ計りの會衆に向つて、興味津々たる祝辭を三回に渉つて演べられ、表彰された親たちをいやが上にも喜ばせた。（後ろは中央社會事業協會の高島氏）

全國醫學界の推奨を得たる
完全な榮養食料品

お醫者がスヽメル滋養のお菓子

乳菓 カルケット

大人…元氣增進　產婦…榮養補充
小兒…發育旺盛　病後…疲勞回復

本品の特徴は
人體に必要なる**カルシウム**分を有効に配劑す
（衛生試驗所證明）

健康の御家庭は一家に一罐必らず御常備あれ。

澱粉、脂肪、蛋白質の外特に健康に必要なる**カルシウム**分を有効に配劑し、砂糖による害を除き、一家の健康を保つ完全食料品として、**カルケツト**を常用せらるる事は、賢明なる現代の主婦の御役目であり、又お菓子の選擇に滿點といふべきであります。

美麗　包裝　各種

御家庭用	角罐	二、二五〇瓦
御進物用	大平罐	七五〇瓦
同	中平罐	五〇〇瓦
同	小平罐	三七〇瓦

◇外に散步遠足用丸棒包（十錢）有り

東京 大阪　中央製菓株式會社

飲ませ易いヒマシ油

ヒマオール

ヒマシ油を必要とする凡ての場合に
用量はヒマシ油に準じて可なり………

厭ふべきヒマシ油臭を去り、芳香と甘味を附し、外觀は美麗なる淡桃色となして小兒にも之が服用を容易ならしめたるものなり…………

30瓦入	￥ .15
500瓦入	￥ 1.30

三 SANKYO 共

東京・室町
三共株式會社

昭和十一年　**子供の世紀**　十二月號

日本優良兒母の會宣言

家の寶、國の礎である子供を、尊い慈愛と正しい育兒知識とによりて最も强く、賢く、且つ善良に育て上げねばならぬ事の必要は今更申上ぐる迄も御座いません。

日本兒童愛護聯盟は、右の見地に立ち、去る大正十年全國に魁け、「愛せよ、敬せよ、强く育てよ」の標語を旗印として、全日本の諸團體に呼びかけ、爾來各般に涉る事業と運動を持續して參りました。中にも本聯盟創案の乳幼兒審査會は、我が國に於て意義ある年中行事となり、世の母性に膾炙し、年々表彰される優良兒は、萬を以つて增加しつゝあるのであります。

此の輝く名譽と光榮は、親達の私有すべきではなく、亦一時的の誇りとして終らしめたく無いのであります。殊に多事多端なる世界の趨勢と超非常時の我が國の現狀に鑑み、將來の日本に備ふるには、第二國民となるべき乳幼兒の强健な身體と、健全な智能より外に無いと存じます。

此の點より見るも、優良兒としての榮譽を持續する事は、親の責任であり、將亦國家に對する義務であります。其の爲めには先天的なる善き遺傳を守ると共に、後天的なる體質の改善を圖らねばなりません。次に環境の感化の必要も生じて來るのでありますが、審査會に於て表彰されたる優良兒の母たる人々は卒先して母の會に入會され、一致團結して確固たる基礎を築き上げ、廣く世の親達に對しても健康非常時を稱導し、眞の兒童愛護の精神に則り、正しい育兒法によりて、次の時代を形成する愛兒の將來に全靈全身を打ち込まれ、健全なる國民を育て上げ、明朗なる家庭と、躍進日本の將來をして益々光輝あらしめたいと存じます。

— 1 —

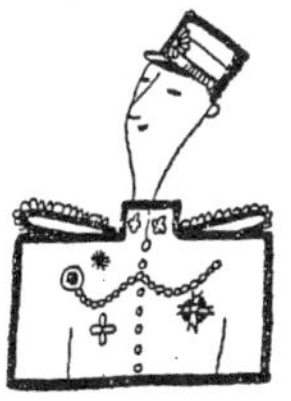

世の女性・母性に告ぐ

恐れよ、淋疾！子宮外姙娠！

本圖晴之助

□

「子供の世紀」にこんな事を書くとエレンケイに叱られるかも知れませんが、子供を產むのは親であつて見れば、其親である男性なり女性なりに就いて書くことも强ち無理ではなからうと思ひます。其意味からして、伊藤主幹から依賴を受けたのを好機緣となし、實際に昨今ぶつかつた當面の問題に就いて、一つ書かして戴きませう。

そもそも、神の前には男性も女性も一切平等であると說かれてゐる宗敎でさへ、善良なるアダムを誑かした罪の深いものはエバであつたではないですか。慈悲救濟を旨とする佛敎に於いてさへ、靈域を穢すものとして、女人禁制の制札を建てゝ、葷酒山門に入るを許さずと云ふ制札と一緒に、女性の出入を杜絕したのではないですか。況んや黃金と劍とによつて支配されつゝある現實社會に於いて、女性が如何にせち辛い運命のもとに置かれつゝあるかは、賢明なる讀者諸君はよく先刻御承知のことでありませう。しかも撓んだ竹には、いつかは雪をばはね返す時が來ます。ルネーサンスの春風に芽ぐんだ人間の自由な思想が、藝術に、哲學に、科學に、そのなすべき所をなして、十九世紀の初頭に於いて終に政治生活の上にまで其威力を現顯して來たことは當然なる歸結でありませう。さればにや、新大陸の獨立となり、佛蘭西革命の烽火となり、今や女性解放の機運が渦卷くやうになつて、けなげにも、女性は終に男性と對立して、男性への職業戰線へまで侵入するやうになつて來た事は、世の推移であらうけれども、其處まで自覺された事は、私は滿腹の誠意を披瀝して世の多くの女性の方々に對して、感謝と同情とを捧げるに吝なる者ではありませぬ。大文豪ヴイクト

— 2 —

ルユーゴーをして「十九世紀は女性の世紀」なりと叫ばしめたのは強ち女性に向つて煽動した言葉ではありますまい。況んや、時は既に二十世紀である。女性の運動が益々其色彩の濃厚になつて來たことは、是亦當然でありませう。

しかしながら、女性問題の最後のしかも正當なる解決は、矢張り、女性自らに負された問題であります。女性と云ふこの偉大なる魅力が、眞に自己の偉大なるを自覺し、偉大なる使命に向つてうごき、人間生活に若し過誤錯覺があるならば、其過誤錯覺を是正し、空虚があれば、その空虚を充たし、男性といふ他の半球と相寄り相扶けてこそ、完全圓滿なる社會生活が出來るのでありませう。さう努力することによつて、始めてその正しい解決が期待されるでありませう。況んや、女性には女性自身に負はされた一つの天職があります。故に先づ以て、「汝自身を知る」ことが必要であります。私は此意味に於いて、此小篇をわが最愛なる女性に捧ぐる所以であります。

□

獨逸の文豪シルラーが申しました。「たとひ、哲學者が何んと言はうとも、當分の內は、戀と飢とが浮世には續くであらう」と。寔にその通りでありませう。否、當分どころではなく、未來永劫に之ればかりは終末はありますまい。しかし、戀が永遠に存在すればする程、進化されねばなりますまい、美化され、理想化されねばなりますまい。斷じて盲目であつてはなりますまい。「戀は盲目なり」と云ふ囈語は此世から除かねばなりますまい。純眞であることは望ましいが盲目であることは絕對に避けねばなりません。

由來、戀てふことも、結局は、自己の生存と、種屬の保續との二大使命に含まれた一因子一過程に過ぎないのでありますから、此二大使命を果す上から見ても、純眞且つ高潔であらねばなりますまい。況んや、種屬を永遠に保續することは、生物の義務でもあり、生物の天分であります。而して戀は、その一過程、一段階に過ぎませぬ。戀の結果は、肉體の接觸によつて始めて本當の戀と言はれるでありませう。肉體の接觸なくして、戀の成立は恐らく認められますまい。戀の終局が肉體の接觸にありとすれば、それは生殖作用であります。生殖作用を營むとすれば、當然子は生まれ孫は生まれねばなりません。よし、子を生み孫を生むことをきらつて、單なる肉體の接觸作用のみを營むとしても、男性の細胞が女性の體內に轉移することを拒むことは不自然でもあり、それでは、完全なる戀の滿足は得られますまい。故に完全なる無缺なる戀を營むにしても、益々純潔であらねばなりますまい。本論執筆の趣旨は玆から出發するのであります。

□

以上大分序論らしい書き方が長く續いて恐縮でありますが、愈々具體的の事實談に移ります。私は二十五年間學校衞生と、十五年間產婆學とを研究しつゝ來つた關係上、或る日、一人の女性しかも未婚の女性がおとづれました。無論、智知の人でもあり、戀を滿喫しつゝある明るい聰明な賢婦人でもあります。專門醫を訪問すれば、必ず女性の最も大切なる或る物を見らるゝ杞憂からでせう。先づ以て私の意見を叩かれたことは、本人の告白によつて明かであります。以下某女性との問答の體裁を避けて短刀直入世の女性の御參考になるやうに書いて見ませう。

そもそも、姙娠とは、受胎した卵が、子宮腔內に根をおろして發育して行くのを申しますが、どうかすると、此卵が子宮腔の中迄遂しないで、その外で根をおろし發育することがあります。卵の根をおろす事を醫語では着床と申します。着床が前記第二の場合を子宮外姙娠或は喇叭管姙娠とも申します。

普通受胎した卵は、喇叭管を通つて子宮腔の方へ來て子宮腔內に根を下ろす卽ち着床するのが順序であります。けれども喇叭管に故障があると、子宮腔に着床することが出來ないで、喇叭管に着床すると云ふ變態が起ります。それ故、喇叭管姙娠と云ふのであります。

姙娠すれば月經は十ケ月停止するのが普通正常であります。然るに一、二ケ月月經が閉止した後、或は正調であつた月經が少し遲れた後、突然劇烈な下腹痛が起り、顏色が蒼白となり、又之れと前後して子宮出血があり、しかも、熱のない場合は子宮外姙娠の中絕と考へてよいのであります。其時は絕對に安靜を保ち、頭部を低くし、下腹部には氷嚢をおき、急いで醫師を招くことであります。

一般に男性と接觸して長く姙娠しなかつた女性や、終產の後長く姙娠しなかつた女性に多い。之れは喇叭管に故障のあることを示して居るからであります。

何等原因のない時に、或は便所に行つた時、或は入浴、劇動、交接の後に突然激烈なる下腹痛が起ります。或は卒倒してしまう事さへあります。此突然の下腹痛が多くは左か右かに偏してゐて、一回だけの事もあれば、數日數週の間に數回反復して起ることがあります。

此疼痛は喇叭管姙娠の中絕を意味するもので、卵が喇叭管を破るか、或は壁から剝離したものであります。その結果卵の周圍にある血管が破裂して、こゝに出血を起すのであります。但し之れは腹腔內の出來事であるから、血液は外へは流出しない、甚しいときは、腹腔內に血液が一杯になる事さへあります。斯うなると、顏色は急に蒼白になり、手足は冷えて、冷汗がながれ、脈は頻小となり、時には脈がふれない程になります。又惡心や嘔吐を伴ふのもある。之れは絕對安靜にすると、自然に止血して漸次恢復に向ひますが、稀には其のまゝ鬼籍にはいることもあります。

子宮外姙娠では、手術的療法をとる醫師と、手術をしない醫師がありますが、成るべく早期に開腹手術をやつて姙娠した喇叭管を除去する方がよいのであります。

□

以上は何れの成書にも書いてある事で、私は其れを受け賣りしたのに過ぎませぬ。以下私が特に讀者の注意を喚起せんと欲する重要なる點で、寧ろ本論の骨子は左の點にあるのであります。

以上述べたやうな恐るべき子宮外姙娠は、決して神の惡戲ではないのでありまして、多くは、男性の責任であります卽ち男性が完全に淋疾を治癒して置かなかつた結果であります。多くの男性は一旦淋疾に犯されると、病氣に就いてはなかなか巧者になり、自己の尿を硝子瓶にとり、光線に照らして見て、浮游物がなければ全治したものと自分できめて居ります。勿論何等の自覺もありませぬ。斯うして七八年間も過し、さて前記の女性との戀愛關係に入り、遂に彼の女性をして子宮外姙娠てふ恐るべき結果に迄行きついたのであります。

換言すれば子宮外姙娠の殆んど全部は、淋疾の結果であると云ふても過言ではありませぬ。それ故、結婚若しくは性生活に入るに先だち、男性の尿の檢査或は血液檢査をして貰つてから、始めて性生活に入るやうにしたならば、子のためにも、將た自分のためにも萬全であります。

淋疾の夫婦間では、全く子がないか、或は精々一人子である場合が多いのであります。偶々姙娠すれば、子宮外姙娠といふ恐ろしい結果を見るのであります。

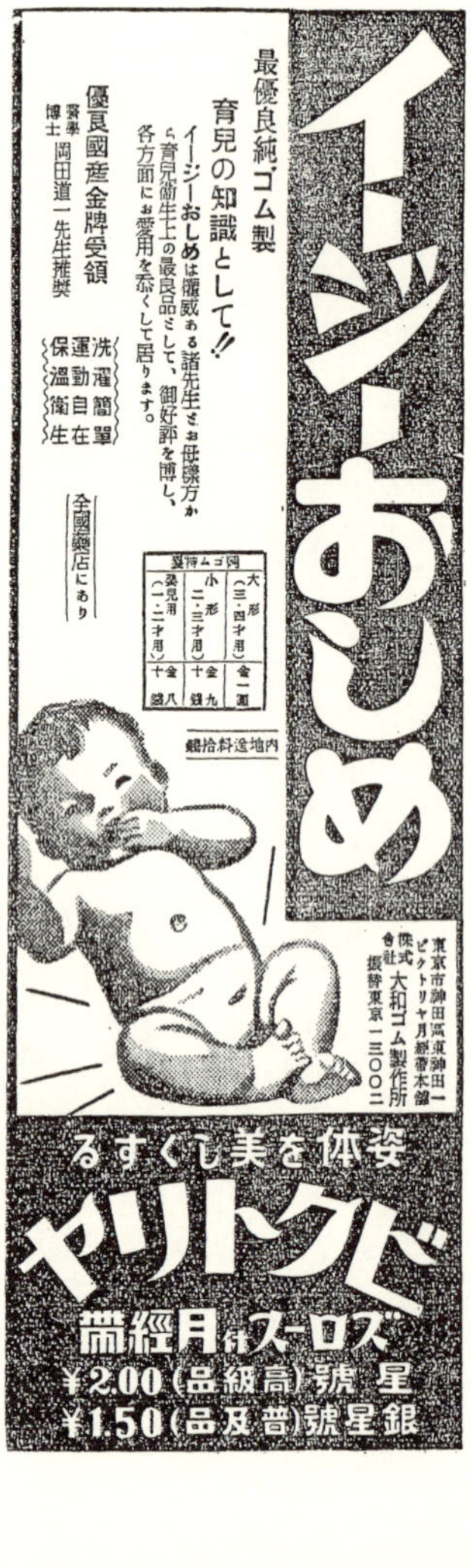

子の無い夫婦間の四十五パーセントは淋疾に罹つて居り、又石女（うまずめ）の半數は、淋疾であります。日本には、約二三千萬組以上の夫婦がありませう、その約一割が子なしとすれば、それは約二三百萬組に上り、其約半數卽ち百萬組から百五十萬組は、夫婦の一方か或は兩方かゞ淋疾に罹つて居ることになります。

かりに、幸に子宮外姙娠をせずして完全に子が生れたとしても、其のまゝでは、淋菌が初生兒の眼の中にはいると、兩眼が腫れ塞がつて、膿汁が出て、終には失明します。之れが卽ち俗に云ふ風眼、膿漏眼であります。それ故に產婆は生れたての赤ん坊に、クレーデ氏の二パーセント硝酸銀液點眼法を施して、淋疾のあるなしに拘らず、豫防法としてホンの只一滴を點下致します。

以上で私の述べんと欲する要點は、克明に述べつくした積りであります。聊か記述の順序が、龍頭蛇尾でありますが其の要點は能く判つた事と思ひます。要するに、世の青年男女はお互に純潔を守つて、無垢の宮殿を蟲に喰はせぬやうに、若し誤つて病菌がはいつたならば、終極までも完全に治癒する迄療治し、愈々更めて夫婦生活に入る前には、豫め健康證明書の交換に迄進まれん事を念願して此稿を終ります。

第八回全東京乳幼兒審査會表彰式祝辭

本日は本年六月、日本兒童愛護聯盟御主催の下に當會場で行はれました、第八回全東京赤ちやん審査會にお出でを戴きました約六千名の多數のお子樣の中から體格、智能共に優秀なお子樣方のお目出度い表彰式でございまして、當高島屋を代表いたしまして心からお喜びを申上げる次第でございます。

殊に今回は內務省、文部省、拓務省の外陸海軍兩省の御後援を新に得られ、「二十年後の日本」に備へる爲めの赤ちやん審査會でありまして、從來に增してより一層意義が深められた事と存じます。この意義ある審査會に於て、優秀なる賞をお受け遊ばした本日お集りのお子樣方は、今後益々御健かに御成育遊ばして、二十年後には立派な日本國民として國家のためにお盡しになることゝ堅く信じて疑ひませぬ。

さだめしこの御立派なお子樣をお生み、お育て遊ばします御兩親樣の御滿足は一しほのことゝ存じまして、重ねてお喜び申上げます次第であります。

茲に簡單ながら高島屋を代表いたしましてお祝ひの言葉を申上げます。

昭和十一年十月廿五日

株式會社高島屋
取締役理事　村松善次郎

夫婦愛と親子愛

平林たい子

夫婦が愛慾行爲に耽つてゐる間に子供が怪我をして跛足になるといふ戯曲は、イプセンの「小さきアイヨルフ」だつたと思ふ。それとこれとは大分趣きがちがつてはゐるけれども、昔活動辯士として鳴らしたある喜劇役者が、次ぎ次ぎと妻を取換へる生活に耽つてゐるあひだに、死別した最初の妻の遺した娘が冷い家庭の空氣に堪へられずに家出し、途中金がなくなつて、「職を與へて下さい」と警察に泣き込んだといふ記事が出てゐた。

「小さきアイヨルフ」の場合は、理性を缺いた夫婦愛の過失であるが、此場合は、親としての子を愛する愛そのものゝ缺乏が考へられる。小さい時、よそに預けてあつたため顔も知らなかつたといふことも一因であらうし、忙しいため子供にかまつてゐられなかつたといふこともまた別の一因ではあらうけれども、すべての父親がさういふ場合冷淡だとは限らない。

子供は、目に見えない夫婦愛の現實的な姿である。夫婦は子供の中に自分達の結び目を見るであらう。特に父親の子供に對する愛にはこゝから生れてゐるものが多いかも知れない。とすれば、假にこの俳優に死別した最初の妻に對する愛の追憶があつたなら、その遺子に對する態度はずつと異つたものだつたらう。この娘の不幸の第一歩は母親に死別したことであつたが、不幸の第二歩は父親のその亡き母親に對する對し方にあつたといはねばなるまい。

講談などでよむと、昔は子供を繼母に託するに忍びないといふ理由から後妻をめとることを拒む父親も少なくなかつたらしいが、もつと突き込んだ心理の底には、亡妻に對する强い追慕と父性愛との一致があつたと思ふ。勿論私は、今の社會で、そんなことを奬勵しようと思ふ心は毛頭ないけれども、純粹な夫婦愛のない所には、また犧牲的な親の愛も少ないのだといふ一事だけは、十分考慮さるべき問題として、心に銘じたことを告白する。

―親の慈愛の金字塔―

御出產の御祝品に絕好

出產から小學校入學まで、六年間の生ひ立ちを細かに綴りゆく美しい本

四六倍版摸造紙八四頁
色クロース金摸樣裝幀
各頁極彩童畫飾畫揮毫
優雅堅牢な保存用箱入

大阪こども研究會編

わが子の歷史

杉浦非水先生裝幀・有名童畫家十先生各頁著彩飾畫

定價一册　三円

◇地方送料 内地四十五錢 台滿鮮七十五錢　◇荷造費十六錢

慈愛深き親達の手で、この美しい本に可愛いお子樣の生ひ立ちを細かく御記入になつて、成人の後お子樣へ贈られることは、何と意義深い事で御座いませう。

大阪市高麗橋　三越　圖書部
振替口座大阪三〇三番

子供の躾け方

岸邊福雄

いたづらや遊びに餘り干渉せぬこと

これは私の幼稚園での例ですが――子供さん達の言葉については「コン畜生」とか「馬鹿野郎」の二つだけは絕對に止めるやうにしてゐます、怒つてゞもない、おさへつけてゞもない、理由は話さない、たゞ「いやな言葉だからお止めなさいね」と丁寧にいひ聞かせるのです、それでもまたいひ出したら「御免なさい」とあやまらせる、そのあやまらせ方も相手にといふ譯でもなければ、大きい人々にといふ譯でもなくその言葉が惡いからといふやうに……かうしてゐる中、いつの間にかこれ等の言葉も使はなくなつてくるものです。それにまた「コン畜生」「馬鹿野郎」の言葉につきものゝ荒つぽい態度、たとへば右手を振りあげるやうな粗野な動作もなくなつて來ます。

※

次に子供さん達のいたづらこれについてもあまり干渉しない、たゞお友達に迷惑をかけるやうなことだけは「あゝいふことをすると、ほかの人々がいやがるでせう」と親切にいひ聞かせて止めるやうにします、するとまたいつの間にかおとなしい平和な子供さんになつてしまひます。いまからすく〱伸びて行かうとする小さい芽は抑へつけてはいけません、また、無理に引張つてはいけません。

※

一般に小さい子供の伸びて行く時代には、破壞時代と建設時代の二つがあります。この破壞時代にも二つあつて一つは三歲位までの子供さん達のよくやる包紙や帶封などを破つて喜ぶことこれは好奇心から行ふものですが、もう一つは六歲位になつてもまだ同じ事をする、しかしこれは中の物を見たいとか、食べたいといふのではなく、中の物を知りたいといふ求智心からなのです、そしてこの求智心の時代は物をこはすのが面白くてたまらないのです玩具に對して子供さん達は「こはすために下さい」と心中で要求してゐるかも知れません、それで玩具は高價な精巧な必要はない、いろ〱の物を與へてこはさせて見ることです。

※

この破壞時代が過ぎると十歲前後で今度はこはした物を組立てるといふやうに建設時代になります、私がアメリカに行つたとき、この時代の玩具にふさはしい小さい時計があつた、これはこはしては組立てる子供さん達の時計で、子供さん達はうれしさうに遊んでゐる、あまり面白いのでお土產に求めて歸り、方々へお贈りしたがどこのお子さんもこはさなかつた、これは我國ではこはしたりしてはいけないものと小さい時から頭にこびりついてゐるため、これではいけません、伸びようとする子供さん達の玩具は是非かういふものでなくてはいけません。

※

また子供さん達は繪をかくのを喜ぶ何が何だかわからないやうな繪をかくしかしそれでいゝのです、子供の見る眼と大人のそれとは違ふ、從つてその表現も違ふ譯です。

それを大人の眼で「かうかけ、あゝかけ」といふのは誤りで「何をかいてもいゝ」といふやうにして、その自然にかいた繪の中から面白いものを探し出し伸ばしてやるやうにします、紙は大きい程よく、クレオンは太い程よいまた出來るだけ簡單なもので結構、水繪具で錐を與へなさい、そして思ふ存分に子供さん達の心が伸び〳〵するやうな繪をかゝせることが大切です。

※

いたづら、遊び、繪を描く、繪本を見る……可愛い子供さん達を伸び行くやうに導くには成功を急いではいけません。成功を急いではかへつて子供さん達をおさへつけることになります。いつも「頑張れ！」ではいけない「ねばれ！」を敎へなければなりません。百メートル位の短距離なら「頑張れ！」で勝つことが出來ますが、五千メートル一萬メートルの長距離では駄目、最後の勝利は「ねばれ！」の力です。

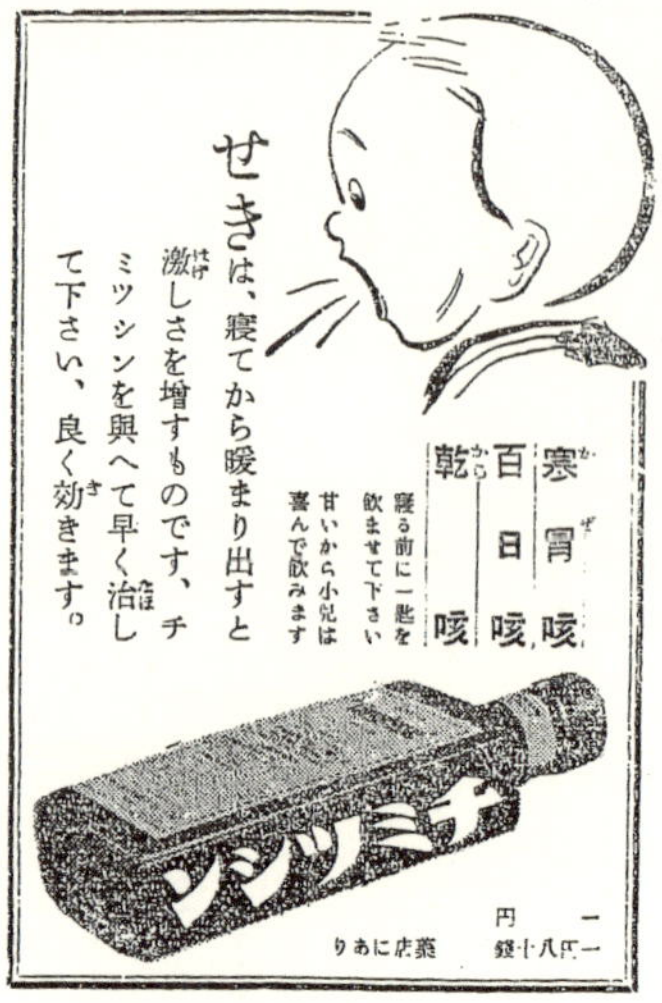

一輪の山茶花

納　秀子

一輪の山茶花をさす黑き壺心に置きて相見ざる人
廣き部屋灯かゝげ吾入ればものの怪じみてうす風の吹き
戶のすき間もれて心にいたき風あわれ今年も十二月なり
耳たぶにうすき紅さし山茶花はたよりなき人今日もまつらむか
目のくまにうす紅いろのなみだがほいとしきひとを山茶花にみろ
火ともえて形なきものの心地よしやなまじ生き身のあはれなるわれ
十二月いとまじまじと殘りなき曆に似たるわが戀心
戀ふるものあらずたゞおもふよしあしの人のさだめはゆるし給へや
ぢつとして眼ふさげは湯のたぎる音にもまして切なる心よ
ひそやかに香きく夜なりしかはあれ愛しきものをわすれかねつゝ

かの笛よいづくのものの泪にもまして身をきる逢はされはにや
相見ねばあふにましなり別るるのつらさなければなどゝいふひと
身をゆすりたゞさめざめとゆるゝ髮師走十日もわれひとりなり
煩惱の女人なりこのくろかみはほのほとなりて君をやかむとす
よき年をむかへよといふ幼な言きゝあきてわれ十二月なり
燭とりてわが姿をばうつしみる師走十日のさびしさの果
ふるるもの君も吾をもやきつくしあなやとすぐる戀慕のくるま
何がなしに急がるる足君に逢ふためにはあらず十二月なり
いと厚き頁をくれば紅き花に針をさしたる今日の心は
その次の頁にしるくまざまざと痛きガラスの刺のさゝれり
一片のあかき花なりしくろづみて頁のうらに息づきてあり
あぢきなし戀しうらめしなどゝいふ文字をかくたびおろかしき歌
走せよりぬ頬を合せぬ泪しぬ日の本なれど久に逢へれば

母性の知識（三）

醫學博士　生地　憲

離乳後の食物と其の榮養上の注意

以下項を追ふて、離乳期後の榮養品の調理法及び、其の榮養上の注意を述べて、御參考に供する次第であります。

重湯及粥の製法

重湯　白米五勺に、水一〇〇〇瓦（五合五勺）を加へ、三十分間煮沸して、上澄約五〇〇瓦をとりこれに少量の食鹽を加味して用ひます。

二分粥　白米二勺に水一〇〇〇瓦を加へ、一時間半煮沸致します

三分粥　白米三勺に水一〇〇〇瓦を加へ、一時間半煮沸致します

五分粥　白米五勺に水一〇〇〇瓦を加へ、一時間半煮沸致します

七分粥　白米七勺に水一〇〇〇瓦を加へ、一時間半煮沸致します

全　粥　白米一合に水一〇〇〇瓦を加へ、一時間半煮沸致します

粥を造る際に注意せねばならぬ事は、吹きこぼさない樣に燒け附かぬ樣にすることであります。

穀粉煮汁

種々の穀粉を微溫湯にて攪拌しまして、水を加へ十分乃至二十分間煮沸して作るのであります。米汁は四箇月以後の小兒の牛乳稀釋液として用ひられ、普通二乃至四%の濃さのものを用ひます。重湯に較べて含水炭素及び

植物性蛋白に富むで居ります。

スープ類

細かく碎いた鷄肉又は牛肉四〇瓦（十匁）に、水二〇〇瓦を加へ時々攪拌して約二時間冷所に置いて後、約半量になるまで煮て冷して後、其の濾液を取り、これに食鹽牛瓦を加へて作ります。然し子供に與へる際には野菜類等と共に煮て作つた「スープ」の方がよい。鳥類の「スープ」や、脂肪分の少ない魚肉の煮汁は一年以前に與へてもよいが、牛肉の「スープ」は一年以後に與へる樣にして一年以内には與へない方がよろしい。

ケーキブライ

「ビスケット」や「ソーダケーキ」、「衞生ボーロ」等を細かく碎いて熱湯で粥狀と致しまして、これに牛乳を加へて與へます。

鷄卵

通常一箇年以内の子供には鷄卵は與へない方がよろしい。それは往々下痢を起したり、時には鷄卵に對して特異質をもつて居るものがあるから、充分注意しなければなりません。中には比較的早期に與へる人もあるが先づ一年以後に與へるのが間違ひのないやりかたであります最初は卵黄三分の一個乃至二分の一個を半熟或は茶碗蒸として粥と共に與へ、漸次増量して一日二個位で止め二年頃よりは卵白も共に與へてもよろしい。

肉類

一年乃至二年頃より與へてもよい、最初は脂肪分の少ない新鮮な魚肉を與へ、漸次鳥、牛乳等を消化し易い様に、挽肉にした物を與へ、魚肉を生で食べることは色々な危險があるから、新鮮な物の外は煮るか燒き、刺身ならば一度煮沸湯を通じて與へ、魚類は一般に小魚の方が纖維が細かくて消化し易いから、幼い小兒には小魚の方がよろしい。然し小骨の多い魚は避けねばなりませぬ。

野菜類

野菜は植物纖維が多いため不消化の物が多いが、若い新鮮なものは、比較的纖維が少なく柔かく消化も左程しにくゝない上、身體の發育並に生活になくてはならない色々な「ビタミン」を澤山含んで居りますから、適當に調理して小兒に與へることは必要なことで、普通與へてもよいものは馬鈴薯、里芋、甘藷、百合根其の外南瓜、冬瓜、菠薐草、人參等であります。

然しながら小兒に豆類は餘りよくない、それは皮が非常に不消化であるから、胃腸の弱い子供には皮を取つてやる樣にし、植物原料より製した豆腐、「やきふ」類は與

へても差支へありませぬ。

果物類

夏季秋季の候に、よく疫痢の原因となることが多いけれども、これは未熟な果物をよく嚙まずに或は熟し過ぎた腐りかゝつたものを食べたとか、或は過食等が原因となつて居るので、良く熟した新鮮な果物なれば、適當な分量を與へ、食べ方に注意し、且よく嚙み碎くことを敎へ、又滓は吐き出させる樣にさへすれば、左程害のあるものではないが、子供は食物に向つては飽くことを知らないもので、遂過食に傾き食べ方に注意しても一時的で直ぐ忘れてしまふから果物は母親が充分監督して與へなければいけませぬ。

殊に李、「はらんきょ」、西瓜、眞桑瓜、玉蜀黍類、柿（澁い）等は與へない方がよい、これが夏季や秋季に多い小兒の急性胃腸加答兒や疫痢の原因となることが多いから氣を付けねばなりませぬ。

間食に就ての注意（菓子類）

衞生ビスケット、衞生ボーロ、ウエファース、カルルス煎餅、上等のカルヤキ等は離乳時期に與へてもよい、菊の露、鹽煎餅、「カステーラ」等は一年乃至二年頃より與へてもよいが、饅頭や其の他餡入りの菓子等は與へない方がよろしい。

間食は注意して與へれば害がないのみならず空腹を緩和して、食事の際暴食の危險を防ぐことになるから、一定の時間例へば午後の三時頃に適當な分量を與へ決して滿腹する程與へない樣にすることが必要で、殊に夏季の如きは自然夜更しをなすことが多い爲、夜遲く間食する癖がある、これが屢々小兒の急性胃腸加答兒の原因となることが多い、殊に時候の變り目の五、六月や九、十月の候は朝晩の氣候が甚だしいために、餘程注意しないと小兒に最も恐ろしい疫痢に罹り易くなります。

水（飲料水）

子供の飲料水としては、決して生水を與へてはいけませぬ。殊に夏季は口渴の爲水を欲しがるから適當に水を與へる事は必要なことでありますが、母親が充分注意しなければ、兎角子供は飲み過ぎるものであります。殊に赤ん坊の過飲（卽ち水分供給の過剩）は心臟に重い負擔を掛けるのみならず、身體の病氣に對する抵抗力を減ずるから、餘り飲過ぎをさせてはいけませぬ。

赤痢や腸チブス等の傳染病は、不良な生水より感染することが多いから、水は一度煮沸したものを飲ませる習慣を付けるがよい。普通家庭でよく子供に飲ませて居る麥湯や、番茶の冷したものは醱酵し易いから、前日のものは決して飲まさぬ樣に心掛けねば危險であります。（完）

學童養護劑としてのわかもとの服用成績

本年十二月一日現在に於て、全國一千五百四十九校の虚弱兒童一萬八千八百七十四名に、わかもとを服用せしめた處、次の如く文部省制定の標準體重增加率を遙かに突破する好成績を得ました。これは虚弱兒童に對する短期間の榮養增進成績としては誠に驚異すべきものであつて「わかもと」が最高の藥用ヘーフェ菌劑の特長たる細胞原形質賦活作用により、食慾、消化、吸收、便通等の胃腸機能を振興し全身の榮養を高める結果であります。先づ

一月間服用兒童

三、五四三名によつて見ますと、標準體重にほゞ到達せるもの

尋一（男）二九九名　（女）二六三名
尋二（男）二七七名　（女）二五一名
尋三（男）三三九名　（女）三三九名
尋五（男）一八一名　（女）　一〇名
高一（男）一五二名　（女）一〇七名
計　二、二〇七名

にして全體の六十一パーセントは立派に健康を恢復してゐるのであります。次に

三月間服用兒童

三、〇八九名によつて見ますと、標準體重を突破せるものは

尋一（男）二五四名　（女）二一七名
尋二（男）二二六名　（女）二一三名
尋三（男）三二四名　（女）一九三名
尋四（男）一〇四名　（女）一九三名
尋五（男）一七七名　（女）二八一名
高一（男）　七八名　（女）　六九名
計　二千四百四十二名

にして全體の八十パーセントに達し、標準に到達せざるものは、六百四十七名卽ち二十パーセントの僅少でありました。而して服用後の健康狀況を報告により見るに、先づ食慾が著しく增進し、血色よくなり元氣になり、寢汗かゝず、偏食矯正された等總じて缺席が少くなり、學業成績向上した事が判明しました。

以上の樣な成績から、「わかもと」が、虚弱兒童養護劑として、如何に適當してゐるかゞ實證されたわけであります。

右の「わかもと」は東京市芝公園わかもと本舖榮養と育兒の會から、錠劑と粉末の二種が發賣されてをります。

子供さん達は果ものがおすき

だが與へ方に注意なさい

醫學博士　中鉢不二郎

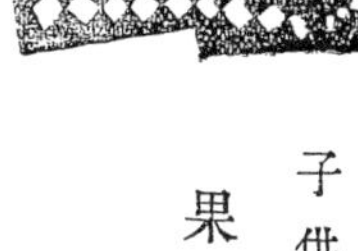

人工榮養兒、離乳期以後にぜひ欲しいその成分

新鮮な果物は果糖、ビタミン、無機物などの補給をするために最もよいものであることは今更云ふまでもありません、殊に人工榮養兒離乳期以後の兒童にはぜひ必要で近頃は乳幼兒の時代にも果汁として盛んに用ひるやうになりました。いつの場合でも同じですがことに子供に與へる果物は新鮮で清潔傷なく味のよいものでなければなりません、そしてこれを生のまゝ與へる時と加熱調理して與へる場合とがありますから果物の調理とその與へ方についてお話いたしませう。

まづ第一に果汁ですが、これには季節のもので葡萄、リンゴ、梨等があります。葡萄は汁をしぼる前にこれを清潔にすることが手數であるために上手に取り扱はぬと汁と共に芥や細菌などが入り易いから注意して、軸のついてゐるところの完全なものをよつて少しむいてから絞り、リンゴ、梨はおろし金でおろしてガーゼで包んで絞り濾します、これ等は離乳期から二年頃までの小兒、特に人工榮養兒には四ケ月目位から用ひます。又果汁はプデング、ゼリー等の幼兒の食物にかけて調味するのもよい方法です。

次に果物のおろしとしてリンゴ、梨が用ひられます、リンゴのおろしを作る時は皮をむき薄い食鹽水につけてからおろしますと變色することがなく氣持よく食べられます、此は丈夫な子供なら十ケ月位遲くて一年位から食べさせます、梨はよく注意が必要で、西洋梨は店にあるものは少し早めに木から取つて貯藏する内に熟すものですから適當な時期は二三日しかないので乳幼兒に與へるためにはこの時期を選ばなくてはなりません。日本梨はつぶつぶの塊があるのでこれが消化されず、下痢を起すことがありますから注意すべきですが、又幼兒の便秘を調節するには効果のあるものです、その他コンポートと云つて果物に砂糖を加へて煮たものも一年以後には分量を注意すれば

與へてよいものです。

調理法は果實（リンゴ、梨、李等）三〇瓦、砂糖一三瓦、水少々を加へて煮て五〇瓦位にします、最後に生のまゝ與へる場合を申しますとリンゴが一番多く用ひられ、二年も過ぎれば生のまゝで大抵大丈夫です、たゞ注意することはくれぐ〜も新鮮なものでなければなりません、新しく、味のよい傷のないもので、これは誰しもわかりきつて居るやうで、實際にはしくじつてゐる例が少くありません、梨はおろしの時に注意しましたが、むづかしいのはバナナで、よく熟した傷のないものは案外消化もよく榮養部もあるものですがよく熟したものは敢て傷がつき易く、皮を透して中まで傷のあるものは勿論肉には何等傷がなくても皮をむく時に皮に播殖してゐる細菌を中につけるやうなことが往々あり、これがために消化器傳染病にかゝり易いからくれぐ〜も注意が肝要です。

いちじくも取りたての新鮮なものはよく、柿は非常に子供が好みますが消化はあまりよくないもので三、四歳以下の子供には與へない方が安全でせう葡萄はあのぬるりとしたところを食べなければ汁だけはよく、アレキサンダーの種類などは普通のものよりはよいが、やはり三、四歳迄は感心出來ません。そして最後にご注意申上げ度いのは決して過食をさせないと云ふことです。

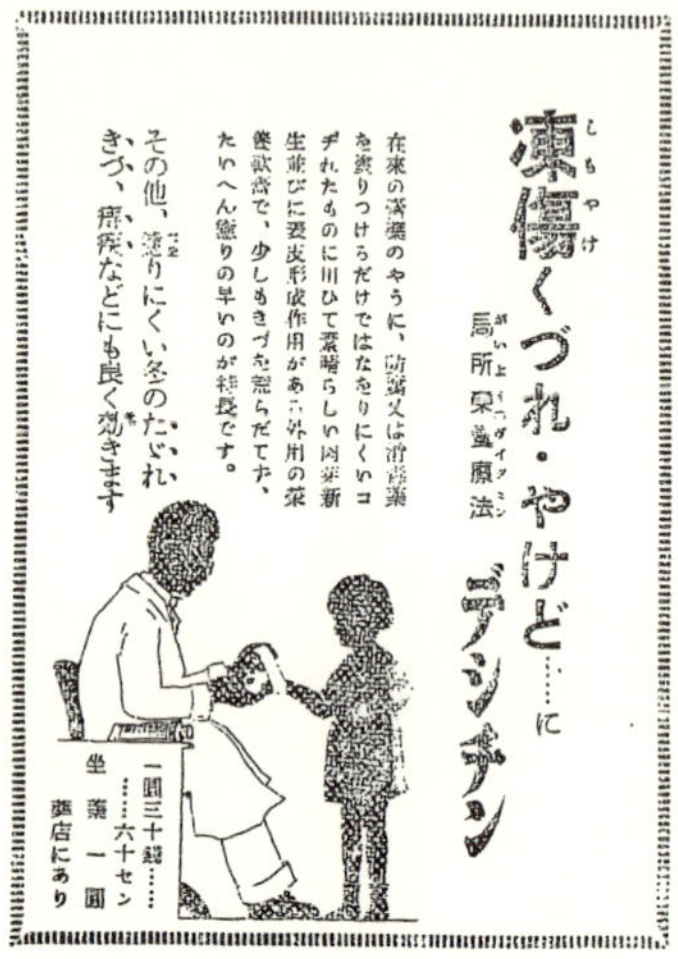

失明の原因は親の因果

帝大眼科醫學博士　瀬戸絆

輝ける太陽も囀る小鳥の姿も、五彩に咲き誇る草花も、すべて己が眼にうつすことの叶はぬ哀れな盲者たちの悲しさに就ては私達は十分に思ひやることが出來ますが、併しなぜ盲目となるのか、なぜ盲者が生れるのかの原因に就ては案外知ることが少ないのではありますまいか。嘗て當教室で全國の盲者千五百十四名に就て失明の原因調査を行つた結果は

生まれ付き眼の見えぬものが二二・四五%を占めてゐました、この先天性盲者の中、先天性畸形六・八〇%角膜實質炎六・四五%、色素性網膜脈絡膜萎縮三・九〇%、先天性白內症一・九一%、先天性弱視〇・六四%、網膜黄斑部萎縮〇・〇九%、牛眼二・六四%で

これら生まれ付き盲者の凡てが所謂親の報いが子に現れたところの遺傳關係によるものか、または親の黴毒に原因してゐるのです。從つて私達が愛する子孫に悲慘な生まれ乍らの盲者をつくり出すまいと思ふならば、かやうな遺傳性の眼疾者との結婚を避け、また呪ふべき黴毒に感染しないやう身を愼み不幸にしてこれに冒されたならば速かに徹底的驅黴療法をうけることであります。これらの先天性盲目を除いた他は、殆ど後天性と思はれるものでこの中には

視神經萎縮二九%（黴毒に冒され不徹底な治療のまゝ放置することにより起ります）角膜軟化症一五・二九%、（生れて九歳までの間に最も起り易く、これは赤ん坊を母乳及び牛乳以外の重湯、葛湯、コンデンス・ミルク等で育てるとき、ビタミンの不足によつて起るもので、この場合肝油の一、二滴を加へることにより免れることが出來ます）膿漏眼八・五五%（これは俗にいふ風眼で、赤ん坊は母體の痳疾により成人は自己の痳疾によつて罹ります）トラコーマ七・〇〇%（トラコーマは治りにくい病氣ですが早いうち治療すれば立派に治ります）

以上によつて、どうして盲目となるかの原因が大體ながらお判りのことゝ思ひます、この世の中から不幸な盲者をなくするにはこのやうな原因を除くことに私達は協力しなければなりません。

小兒の腦膜炎の話

山形市立病院濟生館小兒科醫長
醫學博士　宇留野勝彌

我が國乳兒死亡に關する內務省の統計を見ますと一年間に腦膜炎で死ぬ乳兒が一萬二千六百人あまり居りまして、病氣別の多い方から第五位になつて居ります。これを見ても如何に小兒が腦膜炎のために苦しめられ、壽命を奪はれて居るか分るでせう。

御承知のとほり腦膜炎は非常に悪い病氣で、罹れば大抵は助からないもので、稀に助かつたにしても低腦兒になつたり、聾や啞になつたりするのが多いのです。しかし素人がふだん思ひ込んで居るやうに腦膜炎必らずしも不治の病ではない、又全治するにしても必らずしも後遺症、即ち不具者になるものとは限らないのです。後に述べますが流行性腦脊髓膜炎のやうな重い病氣でも完全になほる場合が相當にありますし、まして況んや漿液性腦膜炎、メニンギスムスなどの病型であれば跡かたもなくきれいに癒つてしまふものであります。又たちの悪い腦膜炎であつても早期に診斷を確定して治療するなり、腦膜炎をひきおこし易い病氣、例へば百日咳の重症になつたやうな場合などには腦膜炎に進まないやうに豫防を講じなければなりません。そうすれば不幸を見ずにすますことが出來ることもある譯であります。從つて小兒腦膜炎の概念を腦裡に入れておくことは賢明な母性が心掛けることであらうと思ふのであります。

腦膜炎の分類

分類する方法は色々ありますが病原菌の差別に從つて云ふ場合は學術的で、例へば結核菌でおこる結核性腦膜炎、ワイクゼルバウム氏流行性腦脊髓膜炎菌によつておこる流行性腦脊髓膜炎、肺炎菌によつておこる肺炎菌性腦膜炎などと區別するものがあります。

又脊髓から試驗的に液を採つて見て溷濁して居るか、清澄であるかによつて區別することもありますが、これは臨床的に診斷をつける場合で例へば化膿性腦膜炎とか

漿液性腦膜炎などと呼んで居ります。尙又同一原因による腦膜炎であつても個々の症例により、或は同一人の腦膜炎でも病氣の經過の前後によつて脊髓液の樣子が變つて來ることもまゝありまして診斷に苦しむ場合がないでもありません。たとへば結核性腦膜炎などは時折最後の死までいくら脊髓液を調べてみても結核菌が證明されずに終つたり、化膿性であるべき流行性腦脊髓膜炎の脊髓液が病氣の前半期、時に最後まで案外溷濁して居なかつたりする場合もありますが、そんな場合は一般の經過、臨床的の所見から診斷することを餘儀なくされる譯であります。

腦膜炎の症狀

腦壓症狀が主であります。

腦髓と脊髓の間隙には生理的に液がたまつて居て、新しく液が出てくる一方、他方には古い液が運び去られる仕組になつて居ります。ところが腦膜炎になれば出てくる液量が増し、逆に流出する液量が減じますから次第々々に溜るのが増して來る譯です。從つてこの腦漿髓液の増加により壓力が高まり大切な腦髓と脊髓を壓迫し、刺戟症狀を現はすやうになつて來るのであります。この壓力の増加にも徐々の場合と急激の場合がある譯ですが何れにしても極度に壓力が高まると、今度は痲痺症狀を呈して來るやうになります。

腦壓症狀で早期に來るのは嘔吐、頭痛、眩暈（めまひ）などですが、乳兒は頭痛、眩暈など自ら發語出來ませんから只不機嫌に啼泣するだけであります。先づ多少とも熱があり嘔氣なく突如としてガブッと勢ひよく乳を吐き、どこか痛さうに啼泣するやうであれば乳兒腦膜炎の初期でないかと疑はねばなりません。物心のついた幼兒であれば頭が痛いと泣き出しますのでこれが診斷の大切な寄りところになります。

少し進めば視力の障碍、攣縮と强直（手足がぴく〜したりピンと硬くこはばつたり）、意識障碍、呼吸の不整脈搏の變化（多く脈は少ない）、痙攣、皮膚血管の變化による皮膚の變色、體溫の變化などが現はれて來ます。

非常に過敏になつて來て一寸の物音に驚いて身體を震はしたり、啼泣したり、眼付が變つて來て玩具や母親の顔を見てもそれに見向きもしないやうなことが乳兒腦膜炎の大切な症狀になります。ことに身體を縮めて硬くしてふろえて居たり、突然痙攣をおこしたりするやうになれば診斷は略確定する譯ですが、かゝる場合前頭部の大顖門（おどりこ）は膨隆して手をあてると脈と一致してピク〜と鼓動が伴つて分ります。これは腦壓の高かつた

立派な證據で、若しこの時脊髓液を注射器で採り去るとおどりこは柔く、凹んでしまいます。

又よく皮膚が急に赤味をさしたり、蒼白になつたり、蕁痲疹のやうな發疹が出來たりします。診察の際指で皮膚に字を書くとそのとほりポツと赤く現はれたりもします。

幼兒であれば病勢が進めば口がきかなくなり、昏睡狀態になり、眼は開いて居ても遠方をボンヤリ見て居るやうな眼付をしたり、ひどいやぶにらみになつたり、黑眼を上方に釣つてしまつたりします。四指は無意識に動かし、よく指で鼻や口邊をいぢくり廻したり、物を摑まんとする樣子をしたり而も同じことを始終くりかへしてやつて居ります。

熱は多く昇り降りがはげしくありますが死の直前には急に四〇度近く上つて、脈が數へられぬほどになることがよくあります。

腦膜炎の確かな診斷

まづ熱が出て、嘔吐、頭痛、不機嫌がつゞいて醫者が診て顏貌(殊に眼付き)の樣子怪しく、首を曲げてお辭儀をさせやうとすると曲らない、足の運動が自由にならぬ等のことが揃へば先づ腦膜炎の診斷が凡そつけ得ることになります。そこで注射針のやうな器械で脊髓から液を採つて醫師は檢査をする譯ですが、若し噴出するやうに出るなら液が生理的以上に多くなつて居る證據であり、若し又液が少しでも溷濁して居るのが肉眼で分るほどなら相違なく腦膜炎と診斷つけられる譯であります。それを顯微鏡で詳しく檢査すれば、黴菌を發見出來るし、又血球の存在する狀態によつてどんな種類の腦膜炎であるか判斷がつけられたりもします。若し一回の採液檢査で結核菌が發見出來たやうな時はその瞬間もう致命的の殘念な宣告を下さざるを得ない立場に立つやうになつたりもします。御承知でせうが結核性腦膜炎は百パーセントの死亡率ですから。

腰椎穿刺について

一八九年にクヰンケ氏が發見した方法で丁度腰の脊骨のところに中身のある注射針のやうなものを刺入して中身を拔けば液が流れ出て來るのです。この液は健康人でも出てくるものですが決して濁つては居りません。腦膜炎であれば出方も烈しく又色調やら濃度やらも變つて來ます。從つてこの試驗は前述の如く腦膜炎の最後的決定を與へる診斷方法として必要缺く可からざる試驗でありますす。漫然と診察だけで腦膜炎と診斷つけたり、この試驗を行はずして何病か分らぬと診斷に迷ふ醫師があつたとすれば當然その人の無責任を叫ばずには居られません。一寸慘酷のやうな操作かしれませんが決して腰椎穿刺を行つたがため病勢を惡化させるといふやうなことはないばかりか、これをやつて液を除去すれば頭痛、嘔吐叫喚、不眠、痙攣などの腦壓亢進による諸症候は一時ではあるが緩解されるものでありますから、自然有効な一つの治療手段ともなる譯であります。

腦膜炎の種類

結核性腦膜炎　これは幼兒と少年期に割に多く、外見腺病質の虛弱兒、現に結核に罹つて居るものに來るのが大多數ですが時として非常に健康さうに見える發育、榮養のよい子供に突然やつて來ることもあり油斷が出來ません。

身體の抵抗力を弱はらすやうなこと、例へば過激な運動、風邪、或は身體の免疫體の減少する場合例へば痲疹百日咳、肺炎の後などは餘程要心せねばなりません。

御承知のとほりこの病氣は多く徐々に發病して頭痛、微熱、食慾不振、嘔吐などでやつて來ますがいくら早期に診斷がついたところで治療法がないのですから實に悲慘な病氣といはねばなりません。若し癒つたとしたらそれは結核性ではなかつたに相違ないとまで極言されて居ます。

流行性腦脊髓膜炎　これは案外幼兒にも來ることがあります、法定傳染病ですから屆出る義務があり、恐れられて居るものですが、その割に傳染力は强くはありません。噴嚔(くさめ)、咳嗽などにより鼻、咽頭分泌物に黴菌が居て傳染すると云はれて居ります。腰椎穿刺をして液を檢査すれば大抵ワイクゼルバウム氏の双球菌といふ病原菌を發見することが出來ます。

この病氣の病型には變つたのがあつて遷延型といつて輕快しても全快せず數ケ月に亘るものなどがあり、不全型といつて液も透明で病原菌も仲々見付からない場合もあり、哺乳兒型といつて專ら消化不良の如き胃腸症狀が主に現はれて來ることなどもあります。よく世間に腦膜炎をやつて聾、啞、失明になつたものなど居ますが、あれは大方はこの種の腦膜炎にかゝつたものなのです。

從つて此腦膜炎は全治が可能であり、聾啞などになるものもあるが、同時にあとかたなく立派に普通の人間なみに全治成人して居るものも相當多く居るのですから出來る限りの手當を怠つてはなりません。主に液を採つては藥液、殊に血淸を注射して治療して居ります。

化膿性腦膜炎　大きな外傷をしたとか、中耳炎になつたとか、敗血症、肺炎、丹毒、百日咳、インフルエンザになつたりした場合に合併症としておこつて來ます。從つて何れの場合でも腦膜炎たけでなく外に重篤な病氣があるのですから大抵は豫後不良であります。

小兒科
高洲病院
大阪兒童愛護聯盟理事
院長　醫學博士　肥爪貫三郎
顧問　醫學博士　高洲謙一郎
大阪市南區北桃谷町三五
(市電上本町二丁目交叉點西)
電話東一一三一・五八五三・五九一三番

最近無菌性化膿性腦膜炎と名付けられ、液をいくら檢査しても病原菌の證明の出來ないものがあり、私なども幾度となく經驗して苦心をしたことがありますが、こんなのであれば病勢が輕いと全快するのも少なくありません。

漿液性腦膜炎及びメニンギスムス　二つの名稱を並べましたが何れも同じやうなもので腦膜炎の時の症狀を呈するが、液を檢査すると單に健康な人の液がやゝ增加して居る程度の變化しかない場合を云ふのであります。

原因として痲疹、百日咳、流感、ヂフテリア、肺炎、膀胱カタル、腸炎、流行性耳下腺炎、チフス、中耳炎、リウマチス、などの時にもあり、又蛔虫などでおこつたり、種痘をやつたあとに來ること、アルコール、ニコチン中毒で來ることなどもあると云はれて居ります。

この漿液性のものは一般に輕く全治するのが最も多數あり、癒れば聾啞などの厄介な後遺症をおこすものも割に少ないものですから、これも極力治療に努めなければなりません。尙ほこの外に梅毒性腦膜炎、所謂腦膜炎と呼ぶ鉛中毒の腦膜炎もありますが紙數の關係上割愛いたします。

夫を幸福にする妻

岡本かの子

「夫を幸福にすることが出來ないから」といふ遺書を書いて、「結婚後一ケ年目に自殺を圖つた新妻がある。眞にさうなら、近頃いぢらしい心根である。平常から憂鬱症だつたといふから、陰氣な性分がさぞ夫には面白くなからうと氣を揉み過ぎた結果の行動とも取れるが、ひとの家の夫婦間の交情などゝいふものは、端では判らない微妙な事情があるのだから直ぐこれに就いて言ふ事は差控へる。しかし夫と妻の幸福といふことは相當考ふべき問題で、而も夫を幸福にする爲めに妻が心を碎くことは妻を幸福にする爲めに夫が心を碎くべきと必ず相對性を帶びるものであつて、決して一方的であり得ないといふ結論を前提とし、この機會にこの問題を考へてみよう。

夫婦間が完全なる幸福に一致する場合は、夫婦進化の極致であつて、それは單に空想上にのみ見られる現象である。若しこれを現實の上に見る場合は、「進まざるは退くなり」の人文の法則通り、その認識には何かしらの欺瞞か妥協が含まれてゐる譯である。つまり甘い夫婦になつて停滯してゐるのである。批判と向上の正しき認識の眼をもつ夫と妻ならばまた互に愛があればあるほど互の不完全な點を親身になつて發見し、單なる甘い幸福には浸れない筈である愛なるが故に恕しつゝ、しかし又、愛なるが故に叱り矯めて行く。この矛盾性の上を根氣よく嚙み味ひ、鋤き返して行くアダムとイヴこそ眞に幸福の途を行く夫と妻の姿である。だから智慧の木の實は、アダムばかりが食べさせられるものでなく、イヴもともに食べて現實には付きものゝ澁い眼も共に開き、その現實を克服して行くべきである。

斯樣に夫婦間の幸福なるものは、かなり一般に概念するものと遊つてゐるやうに思ふ。必ずしも明朗でも快樂でもあり得ない。だから、やゝともすれば甘い上ずつたことの概念を付帶し易い幸福といふことは先づ二の次として、夫と妻は常に切磋琢磨する。この質實感を胸に置くと、却つて幸福の滋味はゆくりなく浸潤むものと思ふ。夫をしてこの協同作業に振り向けしめることが、妻に必要な第一工作である。

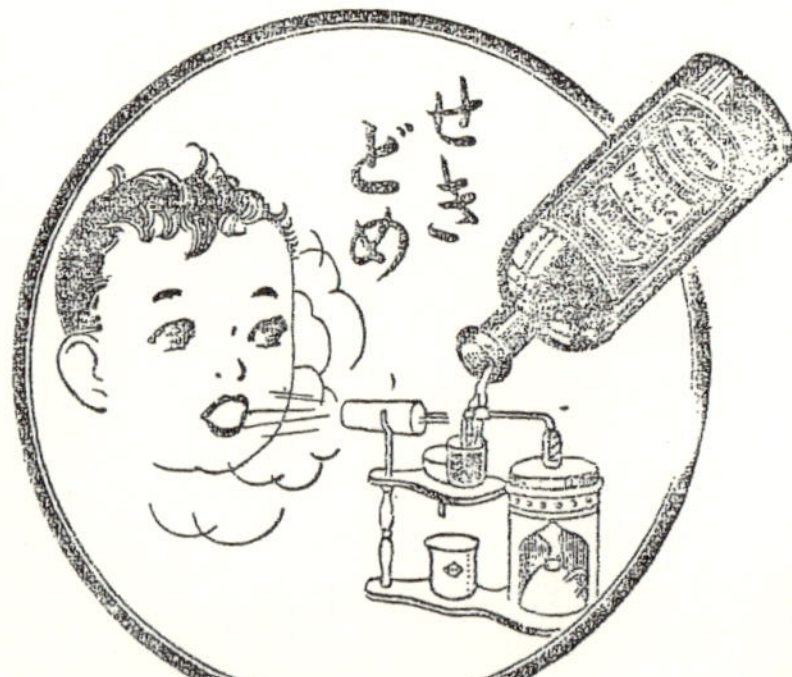

流感・肺炎・百日咳等・特効

吸入藥 カシピロン

合理的吸入療法と其効果ある理由

本品は上圖の如く普通の吸入器で之を吸入して呼吸器直接に作用す、芳香爽快にして、毫も副作用なし

一、せきの出る神經に作用して咳を止め、又痰を溶解して容易く祛痰の効を奏す。

一、心臟を强め抗病力を增進し且つ肺炎、氣管支炎等の炎症を治する効ありて全快を早む。

一、解熱作用あり、卽ち溫熱中樞を刺戟して發熱を抑制し又殺菌力あり。

適應症　感冒、肺炎、氣管支炎等の急性病は勿論麻疹、百日咳等の小兒獨特の病に特効あり又肺結核、喘息等の鎭咳、祛痰に適應す

前第四師團軍醫部長　美陸軍々醫監
大阪市民病院小兒科長　谷口醫學博士　實驗
福井縣立十字病院長　大野醫學博士
大阪府立保嬰館前館長　上村醫學博士　推奬
大阪醫科大學前敎授　辰己醫學博士

全國藥店にあり

定價　六十錢・一圓・二圓等
御注意を乞ふ　類似なる譏做、類似品あり

大阪市東區平野町
道修藥學研究所

日本赤十字社病院　慶應大學病院御用

テツヅール

吉本醫學博士　簡野醫學博士推奬
藥學博士　石津利作先生創製

幼兒の榮養と母體の保健

お茶を禁ぜぬ便利の鐵劑

體內造血器管を皷舞し其機能を旺盛ならしめ純血を豊富に新生し潑溂たる活力を附與す。故に

貧血の人、虛弱の人、病後の人、不眠症の人、神經衰弱の人、產婦、夏期に衰弱する人、肉體及精神過勞に適し又、登山、旅行、運動競技、試驗前後は常備、携帶の要あり。

愛兒の爲に

今迄小兒に適する鐵劑がなかつたが本品によりて初めて理想が現實したとは小兒科醫の言明である。

發育が遲れたり、虛弱であり、血色肉付わるく、夜尿をしたり、病後の小兒等弱き愛兒の榮養は美味で飲みよき**テツヅール**の服用に依り効果に直に母親の慈眼に映ずべし。

四週間分金貳圓八十錢　八週間分金四圓五十錢

東京日本橋區本町三丁目
發賣元　里村三治商店

各藥店
三越
松屋
松坂屋
にあり

大阪市道修町一
關西代理店　キリン商會

增量斷行　器械設備の完成と共に定價は元の儘にて二週間分を四週分に增量して非常に御德用になりました

慢性傳染病

京都帝國大學醫學部
小兒科看護婦長　高橋ミチ子

一、結核

世の中の多くの人は結核なる病氣は主に大人を犯す病氣であつて、小兒には稀である樣に考へて居る者が多いが、實際に於ては、小兒にも極めて多數の結核患者のあるものである。

結核病は結核菌と云ふ病原菌によつて惹起せられ、此結核菌は結核性の病變ある所に多數に存在する。殊に傳染の原因として重きをなしてゐるものは肺結核患者の喀痰である。

此の肺結核患者の喀痰の中には極めて多數の結核菌が存在し、患者の咳嗽に際し、唾液又は痰の飛沫と共に飛散し、又肺結核患者が痰を街路に吐き捨てると、喀痰は乾燥し、之が踏まれて粉末となり、風のために塵芥と共に四方に飛散するもので、之が健康人の呼吸器內に侵入する時は茲に傳染が起る。又食器によつて該病の傳染し得る事は世人のよく知つて居る事である。

小兒が結核に傳染するのも多くは前に述べた徑路によるものである。胎兒が母體內で傳染するとか又は分娩時に傳染する事などは殆んどない。何れも分娩後結核菌の侵入を受けて傳染するものである。結核菌が體內へ侵入すれば、嚴密な意味から云へば、結核に傳染したのである。しかし結核菌の侵入を受けたからとて必ずしも結核病に罹るべきものと定つて居ない。人間には結核病に罹り易い體質を有するものと、比較的結核病に罹り難い體質を有するものとがある。前者に結核菌が侵入すれば容易に結核病に罹るに反し、後者にあつては結核菌の侵入

があるに拘らず往々結核病を起さない事がある。一家族が結核の爲に犯される樣な事は吾々の屢々耳にする所であるが、此等は結核菌が一家に瀰漫して居る事も主なる原因であるが又一方には一家族はその顏貌の相似るが如く、その體質も互によく似る、故に家族の一人が結核に罹る樣な場合は、その家族のものは、何れも結核に侵される樣な事が起るのである。結核に罹つて居る小兒の家族に就て尋ねるに、多くの場合父母、祖父母、叔父、叔母等に結核に罹つたものゝある事を認むる事が多い。それ故に近親のものに結核病者のある人は特に衞生に注意しなければならぬ。

結核は年齡と一定の關係がある。卽ち乳兒には結核は比較的少く、五、六歳頃から漸次罹患數が增加し、春季發動期以後に至り罹患數は俄かに增加する。若し乳兒が本病に犯される時は抵抗が增加し、春季發動期以後に至り罹患數は俄加する。若し乳兒が本病に犯される時は、抵抗力が弱い爲に、豫後は多く不良である。幼兒及び學齡兒童にあつては豫後は比較的よい。

旣に述べた通り結核菌が人體內に侵入しても結核の病狀を示さない事が屢々ある。是はその結核菌に對する抵抗力が强いために、結核菌が勢を逞しうする事が出來ず、結核菌は或は死滅し或は組織の防禦作用によりて一定の所に閉ぢ込められ、繁殖し得ないが故である。故に若しかゝる人が一定の條件によつて抵抗力が減退する樣な事がありとせんか、結核菌はよくその虛に乘じて勢を得茲に結核病を勃發する樣な事がある。百日咳、痲疹、猩紅熱その他の病氣があつて結核病を誘發する事の屢々あるは之が爲である。

結核は種々の形になつて現はれるのであるが、初期に於ては特別の局部的症狀を示さず、漸次一般狀態が惡くなるものである。

、、、結核初期の症狀、、、　何等特別の原因もなく、又何等特別の自覺的症狀もなく、顏色が漸次蒼白となり、元氣がなくなつて、外出遊戲を好まず、每日午後になると、三十七度五、六分の發熱があり、而も午前中は無熱であると云ふ樣な事が多い。稀には三十八度以上の高熱を出す樣な事もある。又顏色は一般に蒼白なるに拘らず頰の所だけが潮紅して居る事が屢々ある。斯樣な輕度の熱が往來と同時に每夜盜汗の出る事が多い。

例外として全く健康であつた小兒が突然高熱を發し恰

も腸「チブス」の樣に十日以上にも亘つて高熱が續き而も元氣食慾などが、比較的佳良であると云ふ樣な事もあるかゝる場合にも多く盜汗を伴ふものである。

初期結核の處置　初期結核は比較的全治し易いものである。それ故に若し前に述べた樣な症狀が現はれた場合には直に診察を受け、醫療並びに看護に全力を盡さねばならぬ。若し之を等閑に附する時は往々挽回すべからざる重態に陷る事がある。

一に看護二に藥と云ふ樣な言葉は初期結核の場合に最も適應せる言葉であると思ふ。即ち本症は主として看護衛生の注意によつて全治し得るものである。而して結核の初期に於て看護者の第一に心得べき事は、患者の抵抗力を高めるのにある。發病當時にあつては成るべく安靜を守らしめ普通食の外鷄卵牛乳などの滋養品を充分取らしめる。十日或は二十日を經過せるも依然として熱があり、而も熱が高くなく、三十七度五六分位あつて、自覺的には何等の症狀がないと云ふ樣な場合には、過激な運動は絶對に禁止し、なるべく屋外で適度の運動を取らしめ、學齡兒童にあつては過激な運動をしない樣にして通學せしめるがよい。但し家庭に於ける豫習復習などをなるべく中止し、小兒の氣儘に放擲してなるべく屋外で適當の運動を取らしめる樣にする方がよい。然し子供が豫習とか復習などを懸念し心配する樣な場合は一時休學せしめた方がよい。

登校せしめて適當の遊戯を行はせると自然食慾も亢進し、身體の抵抗力が增加するもので之によつてよい結果を來すものである。之に反して、若し子供が病氣であるからと云つて無闇に子供を可愛がり、子供の好むが儘に間食を與へるが如きは、食慾の不振を招きために小兒の抵抗力を減退せしめ、却つて病を助長せしめるものであるから之に對しては充分の注意を要する。若し間食を與へるならば午後に一回だけ位與へ、その他の時間には何物をも與へない樣にしなければならぬ。殊に夜に入つて間食を與へる事は最も惡いものと心得ねばならぬ。

食物はなるべく滋養になるべきものを選んで與へる事が必要である。一體初期結核の小兒は滋養品を嫌つて茶漬の樣な淡白な食物を喜ぶ事が多いのであるが、茶漬だけ與へて置く事は宜しくない。小兒の好みに從つて滋養品を色々に料理して、なるべく食慾の進む樣にして與へる事が必要である。殊に牛乳は出來るだけ多く飮ませる

樣に周圍から促さなければならぬ。

居室は成るべく溫暖であつて日當りのよい部屋を選擇すべきである。運動はなるべく空氣の新鮮な所を選ばねばならぬ、故に都會などにあつては、暖かい時期を選んで郊外散歩をなさしめるのがよい。家庭の事情が許せば一時轉地する事は最も望ましい事である。

若し盜汗が甚だしい爲に小兒が安眠し得ない樣な場合には、總論の部で述べた處の盜汗に對する處置を取らねばならぬ。

以上の樣な初期結核の症狀が長く續いてゐる中に一定の所に結核性の變化が現はれて來る樣な事がある。以下色々の結核症狀に就て說明して見よう。

イ、腺結核　それは小兒に最も多い。所々の淋巴腺が結核菌に依つて犯さるゝものであつて、頸部淋巴腺、氣管支淋巴腺、腸間膜淋巴腺などは最も屢々之に罹るものである。

頸腺結核は比較的多い、小兒には屢々頸部淋巴腺の腫脹を見る。大きさは色々であつて、小なるは米粒大乃至豆大から大なるは蠶豆大に達する事がある。しかし之等は何れも結核性であると定つて居ない、顏に屢々、發疹が出來るとか、咽頭加答兒を屢々病むとか齒が惡いとか又は中耳炎に罹つて居る事等が原因となる。又屢々頸腺結核がその原因となる事もある。故に若し頸部淋巴腺が腫れて居る事に氣付いた場合には一應醫師の診察を受ける事が安全である。

頸腺結核の特徴なる點は多數の淋巴腺が小豆大乃至豌豆大に腫れ、而も之等が、相合し相連なつて、腫塊を形成し、頸の上部に始まり漸次下方に進むのである。

頸腺結核が段々大きくなり、軟化し、化膿して遂に皮膚を破つて膿を分泌する樣な事がある、後には瘻管といつて小さい孔を貽し、之から絶えず膿を分泌する樣な事がある。此分泌中には多數の結核菌を含んで居るのであるから、その取扱ひに注意しなければならぬ。

處置　頸部淋巴腺の腫脹を見た場合には一應醫師の診察を受けるのがよい、若しそれが頸腺結核と定つた時は醫療を受けるのは勿論、一般衛生に注意すべきである。

頸腺結核に對してはX光線療法の奏効する事がある、又醫師が必要と認めた場合には手術を受けるのがよい。斯樣な場合には手術を拒んだりすると、後に色々の故障が起る事がある。（續く）

學校でも……家庭でも……　肝油が重要視されるのは視力や齒牙骨骼を補强するに何より必要な許りでなく、まだ芽生え期にあるか弱い兒童の皮膚や粘膜を丈夫にして、外部からいろ〳〵の病菌が附着しても、これに感染されないやう、病氣に對する防禦力を强めるからです。

粘膜は病菌の防禦壁　皮膚については說明を要しませんが、粘膜といふのは、唇から始つて、口や鼻、のど、肺、胃、腸などの內部を包む、薄紅い無毛の皮膜で、これは病菌が組織內に喰入らぬやう、城壁の役目をつとめ、この膜を丈夫にする目的に、ヴイタミンAとD、乃ち肝油が一ばん良いからであります。

寒冒菌結核菌が喰入る　體內に、ヴイタミンADが不足しますと、この粘膜の分泌が減り、乾燥して小さな龜裂ができ、傷がついて絶好な病菌培養所となり、こゝへ寒冒菌や肺炎菌結核菌などが附着すると洗除されないで、すぐそれに感染して病菌が組織內に喰入ることゝなります。

榮養にも故障が起る　以上は呼吸器粘膜の場合ですが、胃や腸の粘膜も同樣で、これが破れ易くなると消化機能が鈍り、榮養分の吸收が惡くなるばかりでなく、下痢したり、蛔虫が湧いたり、淋巴腺が腫脹して、瘦せます。こんな故障を排除して體力を丈夫にし、發育を良くするにはいつも肝油の適用が讃へられます。

虛弱な兒童に……ハリバが良い！

かぜや、肺炎、結核にかゝらぬやう體力を强め、發育を良くする

肝油に對する認識が一變　昔は肝油が効くのは油そのものであると考へられて居りましたが、榮養學上の研究で、實際はその中に含まれるヴイタミンAとDとであることが闡明されました。その結果として少量の油の中に多量のヴイタミンADを含んだ極めて高級な肝油が、續々と相次いで研究され、肝油に對するこれまでの觀念が一變され、ヴイタミンAD含量の稀い肝油を多量に用ふるよりは、含量の濃い『質の良い肝油』を少量用ふる時代となりました。

微量で効く糖衣の小粒　一粒肝油ハリバは、その最も代表的なもので、これまでの肝油に比べて……

① 百倍以上もの大量ヴイタミンADを天然に含有する聖魚などの高級肝油を給源とし…

② 毎粒一盃の肝油に相當するやう、効力に不同がないやう、AD力價を科學的に正確に測定してあり………

③ 未だ他に全く類例を見ない、專賣特許の方法で、柔かい油塊のまゝ、硬い糖衣で閉密してあり……

④ 惡臭がなく、微粒で大量の肝油と同一の効果があり、服用し易く、醫藥兩界から多大の賞讃と支持とを博して居ります。

大事な愛し子の叱り方を注意せよ

坂内ミツ

子供に對しては先づその子供の性質を正しく觀察する必要があります。氣の小さい子供、呑氣な子供、神經質な子供、眞面目に何んでもまともに受ける子供、何んでも茶化すやうな子供、家庭では自分の子供を叱る時に衝動的に叱るやうな場合が多く、惡いことにはかうした場合に、女の人は色々な不平のはけ道がない爲に子供にあたるやうな叱り方をしますが、このやうな叱り方は有害であるから愼んで頂きたい叱る時には嚴肅な氣持で叱ることが必要ですが、時としては子供の氣持を暗くさせないために、輕く諧謔を交へて叱るやうな試みも望ましいと思ひますこれは或る嚴格な奥樣の例ですが、幼稚園に通ふ子供さんが、何んの氣なしに小さなチョークをポケットに入れて行つたのを家庭で發見し、盜癖が出來たら大變とばかりに驚いて學校に謝罪に來たが

かうした態度は正しいのには相違ないですけれど、子供が物を欲する氣持は大人が推察するやうな不純な氣持での行爲と限らないから

要は子供の過失についてはそれを繰返させないやうにすればよく、自然に善導するやうにして欲しいです。若いお母樣達の中には叱ることよりも理窟で言つてやる方が合理的だと考へる方がありますが、それは効果はあまり無いやうです、子供は單純で所謂子供つぽい野蠻なところがあるから、くど〳〵した叱り方よりも端的に率直な叱り方の方が良いやうです。そして叱る時は熱誠こめて眞心で叱つて下さい。子供は感受性が强く大人よりも寧ろ鋭敏に心の動きを感受するから、他人の前でお義理に叱るといふやうな叱り方は禁物です。私達は次のやうな場合に子供を叱ることにしてをります。

▼第一には行つては惡いと禁ぜられてゐることを惡いと判つてをりながらやつた場合

▼第二には自分の行爲は別に惡いことではないとしても他人に迷惑を及ぼす場合

▼第三には人の尻馬に乘つて過誤を侵す場合等です

幼い時から他の人がしたから私もしたといふやうな不見識な態度を無くさせ子供に自分で自分を尊重して行けるやうな精神をうち込むことが母親としては大切な務めだと思ひます。それには普段はつまらないことをくど〳〵叱らないやうにして効果のある叱り方をするやうにして下さい。

國民性と童話（二）

沖野岩三郎

一城の主といへば今の知事である。だから淺野長矩は兵庫縣知事である。或る年の地方長官會議に上京した、淺野知事が、勅使接待といふ大役を内務大臣から命ぜられた。所が淺野知事はその典籍禮法を知らないので、式部官吉良義央に教を乞ふて、「田舎の知事は、其れ程の事を知らないのか。」といつて冷笑されたのを憤り、神聖なる宮内省の廊下で吉良式部官を斬つた。さあ大騷ぎになつて、兎に角淺野知事を芝の田村旅館へ自動車で送つて、嚴重に監視してゐる中、知事は切腹して死んだ。

この事が新聞號外で報道された時、勿論淺野知事に對する同情は大變なものであらうが、宮内省の廊下で、式部官を斬つたと言ふ事に對しては、免職即ち城明け渡しも、當然の事であり、自殺したのも自責の念の強きを示めす至當の事だといふに相違ない。然るに其の話を聞いた兵庫縣廳の屬官達が縣廳の會議室に集まつて評定した結果、大石警察部長は部下の巡査四十七人を率ゐて、大正十四年十二月十四日の夜、窃かに本所なる吉良式部官邸に踏み込み、物置の中に逃げ込んで隠れてゐる吉良義央を引きづり出して斬り殺したとしたなら、其の大石警察部長の行爲を果して忠臣義士の鑑として讃美するであらうか。

知事、式部官、警察部長、巡査、大正十四年、兵庫縣廳といへば、其れが正義でも忠義でもなくなり、城主、上野介、家老、家來元祿十四年、赤穂城内といへば、それが實に歎稱措ざる美談となるのは何故であらうか。

現代の人が行へば悪いが、昔の人だからよいといふ理窟は何と説明すればよいか。それはその話が神話に近くお伽噺に近いからであると説明することが出來る。其れ

を聞いて無條件に喜ぶ人達の頭が、まだ神話時代の頭であるのだといふことの證明である。

どこの芝居を見ても、殺し場の多いのには閉口する。戀愛ものゝ芝居は青少年に觀せてはならないといふ教育者も、人殺しをする芝居を見てはならないとは云はない。蛙一匹踏潰しても哀れに思ふ筈の人間が舞臺の上で十人二十人を斬殺して血みどろになつて斃れる所を拍手喝采して觀るといふ矛盾には少しも氣がつかない。この殺場の多い芝居でなければ見物が少いのは日本の現狀である。如何に苦心して見ても、殺場の少い西洋劇は當分日本人には見られない。何々劇團といふものが產れて高尚な芝居をして見ても、入場者が少いといふので、やがては殺人劇になつてしまふ。人を集めて人殺しの稽古をするやうな芝居がどんなに流行しても、それに對して何の議論もない國民である。

世界の出來事として、大正十二年九月一日の大震災程甚だしい慘害はなからう。被服廠跡の無縁佛だけが六萬四百二十人ではなかつたか。その上に多くの〱死骸が全市に横たはつて居た。竹槍で突かれ刀で斬られた死體も多かつた。取り返へしのつかない恐ろしい事件が行はれた。

其の恐ろしかつた大慘事の後で、餘震がまだ時々人心を驚かす頃、日比谷公園に、「罹災者慰安劇」といふのがあつた。それは多分東京市の主催であつたと思ふ。あれだけ死人の屍を見せつけられた罹災者、斬られたり刺殺されたりした死體を見せつけられた罹災者、其の罹災者を慰め安んずる爲めの慰安劇は何といふ藝題であつたか、曰く「高田の馬場十七人斬り」であつた。或俳優は態々關西から鐵兜を持つて來て武勇振りを見せた。

人の心が血に惽え、殺傷の悲慘事に狂ひかけてゐる時其の人達を慰める爲に、やつぱり一度に十七人も斬殺すといふ芝居を見せるといふ心理は、到底日本で育つた日本人でなければ諒解出來ない事である。

あの震災當時の騷ぎで、人間の心がサヽラのやうに荒んでゐる所へ、毎日々々の讀物で殺人復讐を教へ、到る所の劇場で殺人劇を見せた結果は、日本人の頭に何を注ぎ込んだであらうか。

學校、公園、圖書館、劇場等は、人を教育する所である。學校でどんなに堅苦しい事を教へようが、圖書館にどんな良書ばかり陳列しようが、あの面白い芝居で非教育的な事を見せられたらもう夫れ切りである。何所の小路へ入つてみても、五、六人の子供が遊んでゐる所には、もう戰爭ごつこがある。それも日露戰爭とか歐洲戰爭とかのある頃は、鐵砲のうち合であつたが、近來は時代を

更に逆上して、だんびら思想になつてゐる。

教育者や爲政者は、斯うした時代の空氣に留意するなら、何とかして此の蠻力鼓吹を抑壓する方法を講じなければならない筈である。

どんなに良い活動寫眞を見ても、芝居を見せても見物が來なければ夫れまでゞある。活動寫眞館主でも劇場主でも、それは元々教育を目的としてゐるのではない。營利を目的としてゐるのであるから、強いて流行らない流育物をやつて自ら損失を招く必要はないのである。

そこで、唯だ見物の意を迎へて、見物の喜びさうなものを見せ演じる。しかも日本の劇場には大人と子供との區別がない。何處の劇場へ行つても、子供が入つてゐる。そして親達は、寒心に堪へない劇を平氣で見せてゐる。

こゝに於て兒童教育の一部として、兒童に劇を見る力を與へる教育の必要が起つて來る。つまり兒童に對して劇を解する鑑賞力を與へるのである。

これは至難な事であり、且つ突飛な事のやうに思はれるであらうが、決して至難でも突飛でもない。兒童教育の一部として童謡がある。童話がある。童謡踊りがある。隨つて童話劇といふものがあつていゝ筈である。

教育と思はしからぬ芝居があるといふ事は教育者の誰もが認めてゐる事であらう。然るに夫れを改良しようとする精神がなくて、唯だ芝居を見てはならないと叱るだけでは何の効果もあらう筈はない。然らば教育者が、學校で兒童藝術の一として何故童話劇といふものを指導してやらないのであるか、そんな事は教育者のなすべき事ではないと言ふ人々は、學校を退いた子達が近所近隣の子供達を集めて、棒ちぎれを振りかざして演じてゐるあの演劇を見るがよい。

大正十三年八月八日、内務省に於て開會した地方長官會議で發表された、文部大臣岡田良平氏の學校劇禁止の要領は、

「明治四十二年本省は學校開催の開演會記念會又は運動會等に於て、生徒にして往々演劇興行に類するものを演ずるの弊あるに顧み、風紀上之を禁止すべき旨の訓令を發せり、然るに近年に至りて學校劇なるものゝ流行漸く盛んならんとするの傾向あるが如し。兒童に劇的本能の存するは之を認むべく、又家庭娯樂等の際に、之が自然の發動を見るは必ずしも咎むべきに非ずと雖も、特に學校に於て脂粉を施し假裝をなして、劇的動作を演ぜしめ公衆の觀覽に供する如きは、質實剛健の民風を作興するの途にあらざるは論を待たず、當局者の深く思を致さん事を望む所なり。」云々といふのである。つまり、脂粉を

施し、假裝をなし、劇的動作を公衆に見せるのは、質實剛健の民風を作興する所以でないといふのである。勿論斯うした訓示をなすに至つた原因は多々あるのであらうから、強ち夫れを分らず屋だといつて攻撃する必要はない。

又た質實剛健の民風を作興し得る學校劇ならよいのであるか、脂粉を施さなければ演じてもよいのであるか、などゝ言葉尻を拾はうとはしない。しかしこゝにいふ所の童話劇といふのは、そんな意味のものではない。假裝せずとも、脂粉を施さずとも公衆に見せずともよいのである。兒童に下らない芝居を下らないと知らせる方法はやはり兒童に純眞ないゝ芝居を見せ或は演じさせれば夫れでよいのである。

サラコオン、ブライアント女史の著、物語教授法は岸邊福雄氏の手で飜譯されてゐる、其の最後に、ロード島のプロビデンス學校で、エラ・スウイニー孃が、物語を演劇的に復寫した面白い實例を陳べて、「物語と劇との行はれる學校の兒童は、驚くべき程朗讀に巧みで、注意深く、そして表情の一般的能力が私の訪問した他の學校よりも良かつたのである。私は物語の特殊的用途を享樂と能力發展の兩途の爲に推奬せんとするものである。特に表情力を擴大するに與つて力あるものである。物語を繰返して物語れ、影繪を以て物語を説明せよ。重ねて言ふ物語を劇化せよ。」と言つてゐる。

日本ではまだ其處まで進まずともいゝ。あの恐るべき殺人劇を忌み嫌ふ程度の優しみを、子供の心に起させれば夫れで十分である。

日本現代の童話のもつ一つの使命は、お伽噺流の武勇傳から一歩踏み出した人道的の思想を子供の頭に注ぎ込む事である。人間が人間を殺す事の恐るべき事であるといふ思想から、進んで美しい愛の境地に子供を導く事である。

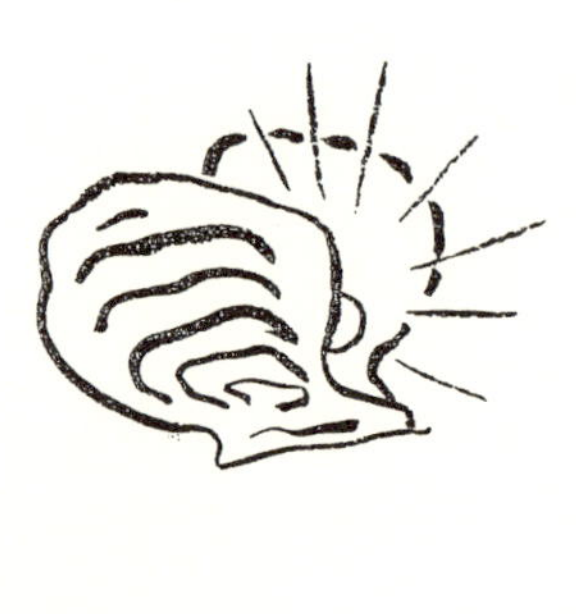

烏羽玉

山中歌津秋

五月愛兒寧(四才)を亡へる親あり即ち詠める

うつそみの親のあやまち子を死なせ泣くらむ外にすべもあらざり
松つゞく丘邊の高みさびしけど寧をのこぞやすいましませ
今日よりは高き丘邊ゆ目守りませ親はらからのゐます街空
晩春の夜更ひそ〳〵送らるゝいとも小さき柩をおもふ
烏羽玉の夜をひそやかに麥穗さやり君が柩に隨ふこゝろ
小さけど寧君はも今日よりは神とし生くる尊きくらゐ
鯉幟泳ぐ碧空君が眼にうつらぬかなしをのこ寧よ
逝きしやなをの子寧よ大君のしこの御楯とたてましものを
どこからか寧が玩具持つて來て笑ひ出しさうな氣がしてならない
いつも水遊びをしてゐた八ッ手の葉蔭からワッというて出て來さうな寧

壽命が非常にみじかい 近ごろの普通住宅

どうすれば防げるか?

この頃の普通住宅は、建築としての壽命が非常に短かい。特に貸家で二—三年で腐朽するといふ極端なものさへあります。住宅を建てる場合の第一要件が住み心地のよい衞生的な家にあることはいふまでもないとして耐朽力の點も大いに考慮して建築すべきです。これは單に住宅經濟の上ばかりでなく、わが國のやうな颱風や地震の多いところでは、これがために思はざる危險をかもす場合が少くないからです。腐らない家——次はこの建て方に就ての早大敎授十代田三郎氏のお話です。

木造建築は構造と保存の方法さへよければ奈良法隆寺のやうに千年以上も殘つて行くが、逆に構造が不完全の場合は二、三年でその生命がなくなつてしまひます。建物の保存に對して、最も影響を與へるのは木材の腐朽と白蟻の害が一番大です。このうち腐朽の一番の敵は水分で、したがつて一年中でもつとも濕氣の多い九月と六月は腐朽が非常に促進します。

在來の和風建築は割合腐朽を防ぐのに都合よく出來てゐるが、歐洲の建築法が輸入されて以來、やゝもすると屋根から雨漏りがし、軒の出が少いため壁に雨が吹きかけて水分を受けるとか床下の通風が惡いため乾燥不十分になり、ことに木骨コンクリートのやうな構造の建物では、とかく雨漏りがしやすく壁の中の柱もセメントモルタルで包まれてゐて、壁からしみ込んだ水分が乾燥しない。それで二—三年もたつと大切な木骨が腐つた例がいくらもあります。この場合は腐朽した場所が外から見えぬだけ地震や風の害を受けた場合危險が一層大きい。

水分は木の表面からはあまり吸はないが、小口からはかなり吸ひ上げる。そのためで、そこに腐朽菌が繁殖して腐朽することになるのです。しかし直接水分がなくとも濕氣が九十パーセントの場合には床下や壁の中など雨水が直接かゝらないところでもむれて腐ります。そこで腐朽を防ぐには軒の出を多くして雨のかゝらぬやうにし、屋根も形を簡單にして雨水の漏らぬやう壁からは横降りの雨がしみ込まぬやうにする。また床下は地盤からあがる濕氣がこもらぬやうに構造を吹き拔けとし、柱は乾燥させる意味で、土臺を外へ現して置く、もし洋風の塗壁で木材が包まれてゐるときは、壁の中の換氣が出來るやうにして常に濕氣がたまらぬやうにするとよい。

これと共に一方では、木材の種類も腐朽に相當の關係があるので、腐り難い木材を選ぶべきです。實驗の結果を見ますと、これではヒノキ、ヒバが一番腐り難い。ことにヒバはほとんど腐朽しないというてい〻。ヒノキも赤身の部分は耐朽力が强い。クリは腐朽し難いものとして土臺などに使はれてゐるが、ヒノキ、ヒバより腐りやすい。もつとも弱いのはツガである。さういふものに防腐劑を塗ると一層効果が大です。一番安くて効果のあるのは、クレオソートで、白蟻の豫防にもよい。ペンキや澁もよいが直接腐朽菌を殺す力はない。

かべについては、木の下見張りは下見板の隙から風がぬけるのでよいが、普通の塗り壁は、水がしみ込むので、その上に耐水塗料を施す、また床下をコンクリートにする場合は必ずその上に防濕塗のアスファルトとか防水劑のモルタル等をぬるコンクリートだけでは濕氣を吸ひ上げるからです。そして通風をよくして置く、さういつたやうな構造上に注意を加へると住宅の耐朽力はずつと増して來ます。

小波翁と先代菊五郎

高尾亮雄

巖谷小波と五代目菊五郎、どちらもチヤキ〳〵の江戸ッ子で、歯切れが好い、もうだん〳〵こういふ純粋な東京人は沒くなつてきて、今さらに懐かしいものがある。正月早々故人になつた人の話も、どうかと思ふけれど、長夜の茶話のつもりで二人の相似た逸話を書いてみる。

先づ、ヅッと先きに逝つた五代目はイキでイナセで通つた名優、日常の出來事を何んでも芝居掛りにして了ふのが好きであつた。苦しい病中でも口だけでは洒落をいつて頗る呑氣なところが嬉しい、ある時、その五代目が柳嶋の某料亭で倒れて、病症は腦溢血だといふので、釣り臺に乘せて自宅へ送られたのであるが、あとで少し病氣が快くなつた頃、息子の梅幸への物語に——

「ナア榮や、俺が柳嶋で倒れた時、只の釣り臺に乘せられて家に歸つたのは氣が利かなかつたネ、あの柳嶋の前の川が昔の隱亡堀ぢやアねえか、隱亡堀といへば誰れでも「四谷怪談」を思ひ出すだらう、そこで俺の體を戸板に乘せてくれさへすれば、さしづめ家の藝の戸板返しになつたものを。それとも同じ釣り臺で運ぶなら紺看板の法被に後ろ鉢卷で額へ大きな紙熨斗を挿んで、俺の體を成田屋(團十郎)に渡

してくれゝば、幡隨院長兵衞の家の場へ水野の仲間が運ばれるといふ洒落が利いて、どつちにしても芝居氣があつてよかつたものを、惜しい事をしてしまつたよ」

と何かにつけて、これだ。さて巖谷小波が病臥中、傍にゐる息子の榮三に、「わしは忠臣藏」の獨り芝居をやつてゐるョ、それ判官の切腹、勘平の腹切りと二度まで腸の手術をやつたんだからね」とは實に以て痛快な洒落である。病院の向ふの家で誰れかの「サンタルチア」の歌を耳にしながら、こちらも腹の手術で「慘たる血を」だとは奇想天外、その他、病中吟に他人から見ると悲壯な句があるが、本人は頗る達觀したもので全く虛無の境にをられるのだから驚く。

やがて我が腹や裂かれん時鳥
咳すればひゞく傷所や時鳥
二時間に及ぶ手術や明け易き
この夏や我が腸も土用干
傷ながら抱へる臍やはたゝ神

序に申上げる、昨年本誌を借りてお願ひした小波記念碑建設寄附金の儀、豫定のやうな申込みすくなく、とう〳〵昨年建設の豫定がおくれてしまひました。本年は是非ともと存じてをります、今からでも決して遲くはないのですから、何分ともよろしく懇願いたします。

主婦の心得

食料品を買ふ場合 計量に御注意

食料品を買ふ場合、その「計量」に注意することは家庭經濟から見て必要なことです、計量出來るものなら必ず量目で買ふこと、たとへば百匁二十五錢の鷄卵二百匁では約十二個ありますが同じ大きさのもの一個當りで買ふと五錢につきます、そこで忽ち二個の差が出て來るといふもの、都會ではお米はほとんどキロで買ひますが、農村、漁村ではまだ升目で賣買されてゐます、お米はその質によつて大變目方に差がありますから是非量目にしたいものです、次に包裝のものは量目が表記されてゐるものを選ぶことです、これは多人數の家庭では特に大切なことで、これだけの容量があれば大丈夫だらうと思つてうつかり容器の外觀を信用して買ふと二重底だつたりして不足を來します。量目が表記されてあれば頭數で割つていくつ買へばいゝといふことが直ぐわかります。

次に配達されるものは必ず檢量する習慣をつけることです。ふだん檢量しないでゐてそのうちに「この頃少し量が減つたやうだ」と思つても急に檢量するのは先方に對して惡いと思ひ、結局不愉快な思ひをこらへなければならなくなります、また檢量は買入れの際ばかりでなく、屑屋へいろんなものを拂下げるときも面倒くさがらず一應計つて見ることが大切です。

食鹽の選擇に就て

專賣局中央研究所技師 鈴木寛氏

食鹽といへば、一日もなくては過せない重要なものですが、その割にその品質や味の選擇に對し一般の家庭では無關心のやうに見うけられます、例へば專賣局では五六年前から「精製鹽」と稱して眞白い純粹度の高い高級食鹽を賣出してゐるのに拘らず、これを利用されてゐる家庭は極めて少ないやうです、一般に皆さんが五錢買ひ十錢買ひされるあの鹽は、食鹽の生命とする鹽化ナトリウムの含有度が低くまた製鹽方法の不十分のためニガリを含んでゐるので味が惡く、鹹味が劣り、苦味が舌に殘ります、その上吸濕性が強いので買つた儘の新聞紙包みでおかうものなら溶けて流れ出して了ひます、また小壜で賣られてゐるいはゆる卓上鹽は食鹽を燒いて防濕性を與へたもので品質は相當いゝものですが、經濟的にお損です。

之に反し「精製鹽」は鹽化ナトリウム含有度九七%で、一般に賣られてゐるものゝ八〇%に比し一〇%も純粹度が高く、たゞ防濕包裝費の點で下級鹽よりいくらかお高くはつきますが（一キロ包十二錢、二キロ包廿錢）その代り鹹味が強いので普通の鹽の一〇に對し八の量を用ひればよくまたニガリが全く含まれてゐないので、すべての調理に用ひて味がよいのです。

火事の原因は大半失火で主婦の手落ちから

警視廳消防部長 重田忠保氏談

あまり有難くない火事季節といふ奴がそろ〳〵やつて來ました、こゝ數年來の東京市内の火事の統計數を見ますと消防機關の完備、道路がよくなつた事等のため大火が少くなり損害は逐年減つて居りますが件數は反對に增加して居ります、そしてこの中の三八パーセントは失火で、これは多く主婦の責任に歸すべきものだといふのですから主婦たるものこの際一考せざるを得ない譯です。

火事の原因　東京市内の火事原因の五大項目としては（一）油類の引火（ガソリン、揮發油は火事の原因の大將です）平均一年一七七件（二）漏電（三）放火（四）タバコの吸ひ殼（五）煙突でその他はグッと少くなつて火鉢、こたつ、たき火等ですが全國的には農家が多いため「燃え殘りの灰」がトップを占めます。

火事の豫防　（一）油類…揮發油類の側には絕對に火を寄せつけないことまた油氣の多い臺所には常にバケツに砂を入れて備へ發火の際にはすぐこれで消すやうにして下さい。（二）漏電…無理に電力を使はぬことたとへば盜電をしたり、太いヒューズを用ひないやうに（三）煙突…煙突が屋根に接するところには必ずブリキ板で熱の直接當らぬやうに遮ること、側に塀や樹のある場合も同じです、常に掃除を怠らぬこと、注意して壞れた箇所は直ぐ修繕すること、それから最近流行の金剛煙突（石綿で作つたもの）を過信せぬこと、危險率はブリキと大して變りはありません。（四）煙草の火…燃やした灰これ等の捨場所に注意すること、風の吹いた日は特に（五）こたつ、火鉢…入れつぱなしにして寢ないこと、火鉢にはブリキのふたを作ることもよいと思ひます

失火後の注意　兎に角「あわてないこと」は絕對的條件ですが、常々から火事に對する突差の處置を考へておかねばなりません、たとへば油類から燃え上つた時は砂、灰、ふとんをかける漏電だと思つたら早く電氣のスウヰッチを切る――常々から元のスヰッチのあり場所を調べておいて下さい、火事の起つた途端は、二三杯のバケツの水で消える場合が多いのですからたゞあわてゝ呆然立すくんでしまふやうなことのないやうに。

火事に對する平常時の訓練　各區々に「家庭防火婦人會」といふのを作つていたゞきたい、既に足立、小石川、瀧野川、下谷、神田區等には出來てゐます「會員の家から火事を出すやうでは……」といふ意識を持つだけでも非常な違ひです、地震學の大家今村博士の家庭では常に「防火座談會」といふのを催して子供から女中に至るまで皆集まつて種々の見地から同家の防火の設備に關して論じ合ふこれ等は實に理想的でどうか各家庭でもこの會を催すやうにしていたゞきたいと思ひます。

今年生れの赤ちゃんに つらい寒さのおとづれ

湯たんぽ、入浴や暖い着物でか弱い身體をいたはること

今年生れの赤ちゃんを持つてゐられる若いお母樣は、その赤ちゃんにとつて初めての冬がさぞ御心配でせう、寒い風、冷たい雨、積る雪……弱い小さな肉體のために恐ろしい「冬」に善處して頂きませう、これはその心得の一般です。

赤《あか》ちゃんの着物《きもの》をかへる場合《ばあひ》にはその着物《きもの》やおしめ、寢具《しんぐ》をあらかじめあたゝめておいて下《くだ》さい。寒《さむ》い日《ひ》は湯《ゆ》たんぽを入《い》れておかねばなりませんが、特《とく》に早産兒《さうさんじ》は充分《じうぶん》にあたゝかくしてやらねば可哀《かあい》さうです、そして嚴冬《げんとう》ともなれば胸側《むねがは》にもう一つ入《い》れますが、火《くわ》傷《せう》をしないやうに氣《き》をつけなければいけません。

被服《ひふく》は柔《やわら》かい木綿《もめん》かまたはガーゼを肌着《はだぎ》とし毛《け》織物《おりもの》は直接《ちよくせつ》柔《やわら》かい皮膚《ひふ》に當《あて》ない方《はう》がよろしいです。おしめはさらし木綿《もめん》が一番《ばん》よく、一日《にち》二十回前後《かいぜんご》の排尿《はいねう》がありますから注意《ちうい》して乾燥《かんさう》したあたゝかいおしめと取換《とりか》へてやり假《か》りにも皮膚《ひふ》のびらんするやうなことのないやうにして上《あ》げて下《くだ》さい。

頭部《とうぶ》にフケが出來《でき》た時《とき》はオレーフ油《ゆ》を塗《ぬ》つて一日位《にちぐらゐ》そのまゝにしておいてから丁寧《ていねい》に拭《ふ》き石鹼《せきけん》で洗《あら》つて下《くだ》さい、口内《こうない》は特《とく》に不潔《ふけつ》になつてゐる時《とき》に限《かぎ》り柔《やわら》かいガーゼをしめして輕《かる》く拭《ふ》いて頂《いたゞ》きませう、あまりしば〳〵口《くち》の中《なか》を拭《ふ》き廻《まは》すのはかへつてよくありません、局部《きよくぶ》や股《もゝ》のあたりはよごれやすい所《ところ》ですから柔《やわら》かく清拭《せいふ》して亞鉛華澱粉《あえんくわでんぷん》、シツカロールなどを撒布《さんぷ》しておくこと、若《も》し不注意《ふちうい》で皮膚《ひふ》がびらんした時《とき》は、オレーフ油《ゆ》や亞鉛華《あえんくわ》オレーフ油《ゆ》をぬつて下《くだ》さい。

入浴《にふよく》は毎日《まいにち》させます、浴溫《よくをん》は攝氏《せつし》四十度《ど》前後《ぜんご》とし、五分乃至《ふんないし》十五分位《ふんぐらゐ》入れて下《くだ》さい、そして浴後《よくご》はかわいた柔《やわら》かいタオルのあたゝめたもので全身《ぜんしん》をよく拭《ふ》き、頸《くび》、腋窩《わきのした》、股《また》などの皺襞部《すうへきぶ》は水部《すゐぶん》の殘《のこ》りやすい個所《かしよ》ですから殊《こと》に注意《ちうい》深《ふか》く拭取《ふきと》り、亞鉛華澱粉《あえんくわでんぷん》または亞鉛《あえん》華《くわ》と滑石《くわつせき》を等分《とうぶん》にまぜたものを撒布《さんぷ》して下《くだ》さい、そして顏《かほ》は、別《べつ》の容器《ようき》に清《せい》潔《けつ》な微溫湯《ぬるゆ》を入《い》れてガーゼで洗《あら》つて上《あ》げるのです。

（醫學博士千葉俊夫氏談）

乳幼児便秘の

大部分は胃腸障碍に原因して居り、病狀が目立たずに進行するので下痢以上に危險です
而し强制的な脘腸や下劑は厄介な習慣や恐ろしい衰弱が伴ひます
こんな場合榮養を整へつゝ自然な便通をつけるマルツ汁エキスを與へるのが最も有効安全な療法として各醫科大學病院等で旺んに應用されて居ります

詳しい説明書見本は御申越次第進呈

通じが付て丈夫になる

マルツ汁エキス

定價（大 五〇〇瓦 一、九〇）（小 二〇〇瓦 七〇）

全國藥店食料品店にあります
但し粗惡な二セモノあり和光堂製と御指定を乞ふ

東京市神田區鍛治町九　株式會社　和光堂　大阪市東區南久太郎町

母と子

文學博士　下田次郎

一四　子の敎育（その一）

一

母は子といふ原始の狀態にある靈體を、依託せられた人であつて、この靈ややがて人生の壯嚴なる舞臺に於て遂行すべき貴き任務を持つて居る者であります。「生命は使命なり。生命の他の定義はすべて誤なり。」とマジニは云ひました。子は唯親のものではありません。子は子のものであり、國家、社會のものであり、又全世界のものであります。子は一個獨自の人格を有すべき貴き人の芽であります。マリアはその子を拜みました。釋迦は生れて直ちに七足步み、右の手を上げて天を指し、左の手を下げて地を指し、天上天下唯我獨尊と獅子吼をしたといひます。赤子の泣聲は自我主張の獅子吼ではありませんか。子を親の私有物視するは間違ひであります。「我等は最大の尊敬を子供に致さざるべからず。」とローマの敎育家は叫びました。スパルタ人は、敵から人質として五十人の子供を要求された時、子供は遣らないで、その代りに百人の優れた大人を送りました。「スパルタ人の思慮は正大なり。」（ジヤン・ポール）

「婦人を神聖ならしむべく、子は與へらる。」子を守るときの母の思ひは、氣高いものであります。子が生れて、初めて抱かれ、養はれ、敎へられるの外、外の人ではなく母であるといふことは、人間の祝福であります。心ある母は自己が託せられたる責任の餘り重きに、一度びは我が無力を悲しみ次では雄々しき決心を起さずには居ら

れますまい。或母はその日記に出產の事を記して、「我れは一つの靈なる若き命の母なり。神よ、罪人なる我れを惠み給へ」といつて居ります。或夫人は、初めて兒を生んで以來子供のために、少くも日に一時間づつは、靜かに考へることに、決心しました。その時刻になれば、子供の性質、生先、正しき敎へ方等に思を凝しました。そして招待、訪問の時がこれとかち合へば、何でも搆はず「もう先約があります」と答へるのでした。母の務は神聖であります。これを放つて置いて、爲すべきより大切なる務はない筈であります。

二

母の役目を果たす最初の要件は無慾なり。これは我れより生れ、我が爲に生れたる子なりと言ふ勿れ。これは人なり、世界の最善のために、世界に生れたる子なりと云ふべし。この子より何が出來上るかと嬰兒を搖籃の上より覗きて、心配らしき期待に於て、地は問ふなり、天は問ふなり、地獄は問ふなり、その答は敎育といふ人間の神的活動、就中、母の敎育如何に由る。」（ミシユレー）敎育は精神的出產であります。多くの動物の如く、子を產むばかりで、母の役目は濟むものではありません。母の最も大切な役目は出產の後に控へて居るのであります。

「人の子は敎へずとも、人になると思ふてござるのは、大まちがひ、たとへば米麥をまけば、米麥が出來るに違ひはなけれども、肥しを入れ、草を取り、さま〲に手いれをせねば實がいらぬ。人の子もそれと同じ事で、生み離しにして、敎へもせず、捨そだちに育て上げて、人らしい人にならぬと、小言いふのは、無理なものではござりませぬか。」（續鳩翁道話）

アメリカ大陸で、或時夕立に雨の二滴が岩の上に接近して、一滴は稍東に、一滴は稍西に落ちましたが、漸次遠ざかつて數日の後にはその一滴は、大西洋に入り、他の一滴は太平洋に入つて、大陸の中ほどの隔りになつたといふ話があります。「兩家各々子を生めり。提孩にしては、巧は相如けり。漸く長じて聚つて嬉戲す。同隊の魚に殊ならず。年十二、三に至つては頭角稍相疎なり。」二十歲にして一層隔り、三十歲にして一は龍、一は猪、一は馬前の卒となり、一は公相となる。これ何によつて爾るか。學ぶと學ばざるとに因ると、韓退之は云ひました。私は

更にこれを根本に溯つて、母の敎育如何に因ると言ひたいのであります。

或畫家は、自分の見た一番可愛らしい子供の顏を畫きました。それから最も惡相な顏を畫いてこれと比べて見ようと思ひました。他年彼れは死刑の宣告を受けた最も惡相な罪人を見ましたから檢べて見ると、何ぞ圖らん、この惡漢は先の愛らしい兒と、同人であつたといひます。これに就て或人は、「生活の思慮ある觀察家は斯る事の在り得ることを容易に承認す。これに反し、母の訓練宜しきを得て、子を過失より救ひ、その長所を發達せしめたるが爲に、生來凡人なりしも、優れたる人物となりし者少なからず」といひました。

以下子の敎へ方について注意すべき重なる事を概略述べませう。

三

子に對する態度　前にも述べたやうに子供は第一自由が存在の理由と價値とを有つて居るものであり、又天地のものであり、人類のものであり、國家社會のものであつて、決して唯親の私有すべきものではありません。それ故小さい時から、子供は相當に尊重すべく、決して玩弄物扱ひにしてはいけません。

「人間の性情は、小兒も大人も異ならぬと云ふことが、餘り認められて居りません。多くの人は自分を律する標準を、小兒には例外として除きます。成人に對してすれば、無禮、不親切、不義理、不正直に當り、もし露はれゝば、世の排擊を受けるやうな仕打を、小兒に對しては平氣でやつて居ります。

己れの好む所は人にも施すべしとは、良い律法であります。誰でも人中で自分の缺陷探しをされては、嬉しくはありません。面相や、體や、格好や、性癖を話の種に使はれては耐りません。それに年長者が勝手に權力を振舞はして、小兒にこんな無禮、不親切を働くのは、取りも直さず、この律法を破るものであります。

しかしそれが、世間有り勝ちとは情けないことです。成人は嘲笑に對しては甚しく神經過敏で、腹を立て悔しがります。しかるに成人は小兒が人中でよく愚弄します。人々は笑ひ出す。可愛さうに小兒は羞ぢて泣きさうになる。するとまた膨面るとか、何とか云つて叱ります。成人仲間では感情を害さぬやうにと、非常

に氣に掛けながら、小兒には、感情がないかのやうに少しも心に留めないではありませんか。他の學校の手に餘つた小兒が何時も此處では成功するといふ評判の好い學校で、或夫人が、先生にその祕訣を尋ねますと先生は女の方でありましたが「もし私に祕訣と申すやうなものがあるとすれば、唯子供を丁寧に扱ふことで御座いませう。私は私の友人に對するやうに、子供に丁寧に致しますから、子供も私に向つては誠に能く禮儀を守つて居ります」と答へました。」（スミス）

來客があると愛想振りに、子供を前に置いて自分の恥とは知らず、よくその惡口をいふ親があります。如何に子供でも好い氣持はしません。第一己れを輕んずるやうになります。子の缺陷は、子だけに告げて、戒むべきであります。又如何に謙遜するといつても、我が子を愚息、愚女などゝいふのは、如何かと思ひます。況んや豚兒とは酷い。豚兒の親も變なものであります。西洋では決してそんな事は云ひません。兎に角、子供の人格を尊重し相當の待遇を與へて、早くからその自重心を起さしめることが大切であります。

登録商標

ギンザトップ二十番

產兒調節とコンドーム

性病豫防にコンドーム
感じを妨げず………
薄く……柔かく………
それで丈夫な
最高級コンドーム!!!

ゴム製品の目醒ましい發達の所產としてサックもギンザトップの如き完璧品が生れました！

—定價—

◎ギンザトップ二十番

	一打	半打
▲C品（透明）	二・〇〇	一・一〇
▲B品（眞珠色）	一・五〇	・八〇
▲A品（鐵色）	一・〇〇	・五五
組合せ（一箇宛）	〇・四五（携帶用ケース入）	
C品（三箇入）	〇・六〇（同　〇　）	

—送料—

内地十錢、市内六錢、（代金引換は切手廿錢前送願ひます）新領土四十二錢、代引四十七錢

見本品御入用の方は小爲替五十錢又は三錢切手十七枚封入お申越下さればABC三種セル容器入をお送りいたします

【特長】

一、最上原料を特殊技術により製せらるゝ本品は、彼の高價なフイッシュスキン（魚皮）以上に喝采を博して居ります。

二、感觸が柔かで滑らかで抵抗尠く、使用者自らがその使用に氣付かぬほどであります。

三、それでゐて他の厚手のサツクよりも遙かに丈夫で數回の使用に耐へます。

四、形態も微妙な技術に成功し殆んど萬人向に出來て居りますから、使用中亂暴があつても何等そゝうの心配がありません。

五、各個につき送氣檢査耐力試驗がしてありますから、疵物や孔アキがなく絕對責任の保證附嚴選品であります

東京市銀座西一丁目七番地
島津藥局
ギンザトップ本舗
電話京橋六五二六番
振替東京四二四八九番

百日咳の家庭衞生

醫學博士　中鉢不二郎

百日咳は皆樣御承知の如く小兒傳染病の一つでありまして、其死亡率は我が國に於ては赤痢、疫痢に次ぎ、痲疹ヂフテリーよりは遙かに高く、東京などでは數年前の統計によりますと、痲疹やヂフテリーの約二倍以上にも上ります處の、誠に警戒を要すべき病氣であります。只今も東京市内には、彼處此處に相當多くの流行を見て居ります。百日咳の流行は、人口が多く、交通が烈しく、便利である處は、一年中何處かにありまして、其流行區域が少しづゝ移動して居るのであります。又一方にはボツ〳〵散在してあるのであります。然し地方の小村落などに於きましては、誰か町や他村から此の病氣を持つて來ない限りは何年でも流行は起りませぬのでありますが、次第に交通が繁く成りますと、傳播の機會も多くなり、昔よりは頻繁に流行が來る感があります。此の意味から小兒が集る處 卽ち學校、幼稚園、及び婦人子供の雜踏する處などは此の病氣を媒介する處であります。一家庭で此の病氣を始めて持つて來る者は、多くは年上の方で遊びざかりの四、五歲か少し上の子供であります。そして兄弟姉妹や遊び友達に傳染さすことに成ります。其感染の仕方は咳をかけられたり、唾でよごされたものから百日咳菌を口や鼻の中に取り入れることによるのであります。然し同じく此病氣にかゝりましても輕い重いの差

のありますことは小兒の體質と年齡とに寄るものゝ樣に思はれるのであります。神經質の小兒や喘息氣味のある小兒、風をひくと氣管支加答兒に成り易い小兒は重くなり勝であり、二年以下の乳幼兒は重くなり勝であります。そして此の小さな乳幼兒が死亡も多いのであります。咳は後に引く樣に迄成らなく共、時々發作的に出て其時に顏を赤くする樣なれば多くは百日咳でありまして、兄弟姉妹に傳染する危險があります。殊に年少の者程重くなり易いのでありますから、二年以下の小さい者が居りましたら、特別危險であります。時々母親が感染して强い咳をして居るのを見受けます。稀には父親が同じ樣な咳をして居る事があります。大人殊に男は出歩きますので痙攣性の續け樣の强い咳をして居る人がありましたら、小兒に對して注意を要します。此の樣なわけでありますので、百日咳と診斷され又は其疑ひがあれば、幼稚園へ行く事などは絕對に止め、近所の健康な子供と遊ぶ事も遠慮したいと思ひます。時々デパートや電車の中などで何の用意もなしに、此の咳をして居る子供を見受けますが、公衆衞生上注意し度い事と思ひます。此の病氣の子供の人中への外出にはマスクをする位ひの注意をせねばならないと思ひます。

子供が百日咳になりまして、母親の心配になります事は、咳が夜に强く出て寢られない事と、咳の發作の時の苦しさを見て居ること、時に咳と一緒に食べたものを返食してしまう事、一般に食慾が減じて、次第に瘠せて弱向きの子供程ひどいと言ふ樣な事であります、又特に二年以下の小さい小兒などは此の外下痢や痙攣なども來る事があり、之は大分重症の徵であります。其他色々餘病も發する事があります。一般に百日咳にかゝつて居つて熱が出て來たならば何か特別な事が起つた餘病と思ひ醫師の注意のもとに手當てを必要と致します。

此の樣な病氣の子供の看病には母親が最も苦心なさるのであります。醫者と致しましても之に對し特別の名案もないのでありますが、幾分お役に立つ事を次に申し上げたいと思ひます。

一、咳の發作の時は、臥て居れば横向きにし、起きて居る時は少しこゞみ勝ちにして脊を平手で幾分咳に合して輕くたゝいてやるか、さすつてやると幾分樂の樣に思はれます。一方には他方の手で紙か巾で口や鼻の前を少しはなして蔽ひ唾の飛ばぬ樣にし、痰や鼻汁など出たら手

早く拭取つてやる樣に致します。紙はすて、巾は洗ふ、痰が切れると咳が止みますが其後泣くと又出るので、小兒を慰める事と息休めとに湯水や、薄い砂糖水などを少々靜かに與へると具合ひがよい。夜は出來るだけ寢苦しくなく目覺めない樣注意すると咳が少いのであります。咳の時に返食しました際は少し落付いてから年齡に應じて消化のよい食物を補ひに與へることはよい事であります、そうでないと絕食したと同じ結果となります。

又此病氣は食慾が減じますので、兎角水物やさつぱりとした不消化のものを好み易く成る處から、返食する事も多くなることが有ります。故に榮養が惡く成りますから食物として望ましいものは、消化し易く、比較的早く胃を通過し、容積が小さくて各種の榮養分の多いものであります。御飯は割合ひに出易い、パン類は出ない樣であります。若し返食が幾回もある時は一回の食物量を少なくして、回數を增して與へねばなりません。食物の種類に就ては年齡によつて異りますが、乳などは二、三歲迄は一度に多く與へると、流動物なる爲かへつて返食し易い事があります。同じ榮養價なればプディング・パンにバタなどの方が容積が少なくてよいこともあります。

咳の發作は他人の咳を聞いても誘發されるものでありますから精神的影響が頗る大でありますので、成るべく咳の事を忘れて遊ぶ樣に、氣分よく導いてやることが發作を少くする方法であります。塵や煙のある空氣は之をさける樣に、夜は熟睡出來る樣に、風邪をひかぬ樣注意すべきであります。下痢や痙攣があれば醫者の指揮に待つべきである事は言ふ迄もありません。稀に衂血がありますが、其時は其血の出る方の鼻にかるく綿を入れ、其側だけを指で壓して居ると一時止りますから、それから醫者に診てもらひます。

一、次に百日咳の治療に就ては、確實な一つの治療法と言ふものが未だなか〳〵發見されませんので醫者も困難して居ります。百日咳の藥、百日咳のおまじない、お守り、お灸など非常に澤山あることによつてもわかるのであります。マラリヤの藥にキニーネがある樣によく効く藥があれば、外の色々の療法は出來ないのが普通であります。そこで此治療法は今の處 藥 とワクチンと氣象、光線其他の理學的療法と此外に精神療法などを病氣の程度、子供の體質、病氣の時期、家庭の狀況などに應じて適當に連絡應用して其目的を達して居ります。又前述し

ました榮養方法なども大切な事柄であります。又色々餘病を併發する事がありますので、之に就ては場合々々によつて醫者の指揮に待つべきものであります。何れ近い將來に於てよりよい治療法も工夫される事と思ひますが今の處は種々考慮して適當な方法で醫者の指揮を待つて治療すべきであります。

百日咳が幸ひに障りなく順調に治りましても、其後風邪をひいた時には又幾分發作的の咳をする事があり勝であります。此期間は人により異ひますが半年から一年位はある樣であります。又病後一般に體が弱り、發育も遲れます、之は小さな小兒程目立つてわかります、それ故何か惡い機會がありますと色々の病氣にかゝり易く、一度結核などに犯されますと病勢が進行し易くなる事が屢々あります。そこで丈夫で輕くすんだ小兒は別として多くは體重が減ずるものでありますから、其體重の恢復を目標として充分保護しなければなりません。卽ち他の傳染病に罹らぬ樣、榮養に注意すること、清淨な空氣、適度の日光浴などの注意が主眼であります。尚此際通學運動等にて特に疲れや發熱等があれば、肉體的にも精神的にも無理にならぬ樣にせねばなりません。若し之等の養護がうまく出來なかつた場合には往々後に弱い子供となる事があります。殊に肺炎などを併發したものにあつては半年乃至一年以上の特別養護期間を必要と致します。

百日咳は以上述べ來りました如く、並々ならぬ大病でありますにも拘らず、一般の親御さん達はあまり恐がらない樣に見受けられます。赤痢、ヂフテリー、チプス、などに比較して恐がり方が少な過ぎる感がありますのは色々理由もありませうが、私達が見ますとむしろ不思議に思ふ位ひであります。其二三の理由と思はるゝものゝ中に、大きな小兒には比較的輕症であること、今一つは中には一度は罹らねばならぬものゝ樣に思つて居る人があるなども理由の一つかと思はれますが、之などは大變な間違ひであります、痲疹の樣にたとひ子供の時に罹らなくとも、機會がありさへすれば老人に成つても傳染すると云ふ病氣とは異りまして、此病氣は子供の時代に免れゝば特殊の體質の人以外は十二、三歲以後は罹らずにすむものであります。現に私なども百日咳に罹つた事のない一人であります。

それでは如何にして之を豫防したらよいかと申しますと、積極的に確實な方法は今日未だないのであります。

然し比較的效果がある樣だと思はれて居る、たやすい方法としてワクチン注射がありますが、チプスに於けるが如き證明はないのであります。それで百日咳の豫防は今日の處どうしてもお母樣方の衞生思想を高める事によつて共一致協力により病氣の傳播をふせぐ事が一番大切だと思ひます。

そこで自分の子供が百日咳と診斷され又は疑はしいと言ふ場合には、若し乳兒が居れば之に近づけぬ樣、出來得べくは室か家かを別にする樣、他の家の子供と遊ばせぬ樣、學校や幼稚園は休ませる樣にしたいのであります。聞く處によると隣りの子は百日咳の樣だがいつもの樣に家へ遊びに來る、之を斷れば隣りの奧さんに惡いし家の子供に傳染しては困るし、と進退谷まつて相談に來られた方もあるのであります。之などはどうしてもお母樣の衞生思想の向上を急務とすることを敎ゆるものであります。此病氣は痲疹などゝ共に法定傳染病でありませんので屆け出や强制的に隔離と言ふことはありませんけれ共小兒殊に乳兒に取つては誠に恐ろしい死亡率の高い子供を弱くする病氣でありますから、各家庭に於きましては自發的に其流行を防ぎ、健康な子供をつくる事に御協力願ひ度いと切に希望する次第であります。

東洋一の保健島、大島
活火山の大標本、三原山
三原山
御神火茶屋

筋肉の扉

醫學博士　川上漸

食べ物はどこへ行くでせうか？とおたづねしたならば、皆樣は「人を馬鹿にしてゐるよ」と仰しやるだらうと思ひます。それはお腹にはいつて行くにきまつてゐますね。お腹の胃といふ囊の中へ納まるにきまつてますわね。胃からどこへ行くと思はれますか？腸！さうです。十二指腸、空腸、廻腸、盲腸、上行結腸、下行結腸、S字狀結腸直腸なんぞを通つて——外界へ出ます。空廻と廻腸とを一つにして小腸といふてもよろしうございます。また盲腸からS字狀結腸までを大腸とも申します。

胃といふ處は食物を消毒したり、よくかきまぜたり、軟化膨脹さしたり、揉みつぶしたり、消化れ難いやうに化合さつたものを分解したり、いろ〳〵の官能を致します。食物は胃の中でいろ〳〵の作用をうけて、それから腸の方へ行くのですが、胃が廣い處で——と申しましてもおわかりにくいだらうと思ひますが、おほよそ、皆樣の兩方の手を貝殼のやうにつけ合せた位の大きさのものであります。けれ共、小腸は皆樣の人指指位の太さの長い管でありますから、食物が胃から小腸へまゐりますにはちよつと手間がかゝります。皆樣はどなたもお賢いのですから、

「さうよ、漏斗の水が流れ落ちるやうなあんばいになるんだ」と合點なさるだらうと思ひます。さうです。皆樣のお考へは正しいのです。大人の方でもやつぱりさうお考へになることゝ私は存じます。

然しね、皆さん！私はもう一段皆樣を賢くして上げたいと思ふのです。食物が胃から腸の方へ漏斗の水が流れ落ちるやうになつて入つてまゐりますのでは、食物が程よく胃の作用を受けることが出來ません。ほんたうの事を申しますと、食物は一時間よりもいゝ、もつと長く胃の中に滯つてをります。

「そんならどうしてそんなに長く胃の中に滯つてるの？」とおたづねになるでせうね。さあ私はその事をお話いたしたいのです。

胃と小腸との間に、幽門輪といふ筋肉の輪があります。その輪がひろがると、胃の中の食物が小腸の中へ入つて行きます。その輪がしまると、食物は胃に滯ります。この輪の開いたり閉ぢたりするには規則があつて、閉ぢてから暫く時間がたつと、急にぱつと開きます。開くのはちよつとの間で、またすぐ閉ぢて了ふのです。食物にある藥をまぜて、人に食はせて、それでX光線でその人のお腹を照しながらに見てをりますと、地圖に描いてある鐵道線路のやうに、途切れ〳〵になつた食物の陰影が照准板に映つて見えます。これはちやうど皆樣が式場へでもお入りになるときに、先生達が皆さんを何十人づつかに仕切つて御案内なさるのと似てをります。

小腸は食物を消化して滋養分を吸ひとる處でありますから、急にたくさんの食物が胃から入つて行つては困りますから、自然とこんな裝置になつてゐるのであります。

胃病になりますと、消毒のよくできてをらぬ食物、よく擦り混ぜてない食物、消化の用意の整はない食物が、十二指腸を通つて、小腸へ入りますから　小腸の役目がうまく行きませぬ。滋養分が取れませぬから體が衰へます。

せつかく食べた食物は何の役にもたゝずに、大腸へ入つて大便になつてしまひます。大腸の內容は、起始部の方のものは、粗製の大便、末の方のものは出來上つた大便であります。――出來上つた大便なんかおかしいでせう。でも大便にはなか〱出來のよし惡しがあります。小腸の官能がよく出來て、大腸へ來る材料が程よいものであれば、大便もなか〱上等に出來上ります。滋養分の吸ひとれない食物が、小腸の中にあつて、出來の惡い大便が大腸の中に滯つて居りますと、體の障害になりますので、これはなか〱うまい事になつてをります。どんなかと申しますと、下痢――お腹下しね、お腹下しが始まります。それは障害になるものを體の外に捨てようとする全身の作用であります。下痢といふことは大切の作用であります。

胃も小腸も健全であつて、程よいものが大腸へまわりますと、そこで內容物は追々と水を吸ひとられて固いものになります。――あんなに固いものにね。小腸と大腸との境の處に筋肉の扉があつて、大腸の方へ開くやうになつてをります。この扉の官能と作用で、穢いものが小腸へ後戻りをせぬやうになつてをります。お醫者さんは、病人を診るときに、檢査の爲めに肛門から大腸の內へ空氣を吹きこむことがありますが、この扉を越して空氣が小腸へ入ることは決してありません。

口から大腸の末までを消化管と申しますが、消化管も部分々々によつて官能が別々で作用もそれ〲違ひますが、いちがいに消化管の傳染病と申しましても、病氣によつてその宿る部分がちがひます。夏流行する吐血病は胃に、疫痢とチフスは小腸に宿ります。赤痢は大腸の病氣であります。皆さんの消化管は皆さんのお體を養ふ滋養分の取り入れ場でありますが、そのいろ〱の部分へいろ〱の恐ろしい病氣が宿つて、皆さんの命を頂戴しようとしてゐるのですからね、一生懸命ご用心なさいよ。

街頭醫學

赤ちゃんの便と健康

赤ん坊の生後第一回目の自然排泄は多くは生後十時間以內に行はれるものとされてゐるが、私の調査によると出生後一時間乃至五時間に第一胎便を排泄するのが最も多く、次が生後五時間乃至十時間のもので、廿時間以上のものは極めて稀である。便の色は胎便と思はれる黑褐色のものが黃色又は綠色となるのは、生後凡一週間を經過してからで、その排泄回數は一晝夜に普通二回乃至四回であるが、哺乳量が多い時は排泄回數が多くなり、回數の多い時は顆粒や粘液を混ぜ、綠色を呈し、水分に富む便になりがちである。時としては性狀の良い便が少量宛一日六回乃至十回も排泄することがあるが、これは虛弱兒は括約筋の力が弱いため、便が幾度かに分割されて排泄される結果とみられてゐる。便の性狀は母乳榮養、人工榮養によつて相違があり、母乳榮養の乳便の色調は黃金色軟膏狀であるといはれるが必ずしもさうと限つたわけでなく、水分に富み粘液顆粒を混ぜ一見消化不良を思はせるやうな場合が相當多い。一般には褐色或は綠色を呈するものが多いがこれは排泄時には黃色を呈してゐても排泄後時間を過ぎると綠色に變ることがあるからであるこの綠色への變化はビリルビンが酸化によつてビルベルヂンに變化するためで、赤ん坊の必ずしも特有な現象ではない。

健康な人工榮養兒の乳便は顆粒や粘液が混ざる點では母乳榮養の時よりも多く、その臭は母乳榮養の酸性芳香性と比較すると多少腐敗臭を呈してゐる。斯の如く赤ん坊の便は母乳榮養の時にも、人工榮養の時にも、良く發育してゐる場合でも粘液や顆粒が混ざり、一見消化不良のやうな便を呈することがあるが、そのことだけを別に心配する必要はない。

注意は寧ろその發育狀態、特に體重の增減に重點を置くべきである。（赤十字社產院乳兒部押田草子氏談）

牛乳で子供を育てる時の注意

母乳の中にはビタミンCが多い、特に初乳には澤山含んでゐます、牛乳はこれに比べるとずつと少い、殊に市中で販賣してゐる普通の牛乳には非常に少い母乳には百グラム中に四・五ミリグラム位ありますが、普通の販賣牛乳には百グラム中に〇・一ミリグラム位、ひどいのはゼロのものもあります、粉ミルクはこれよりも多く、大體百グラム中に〇・四から一・四ミリグラム位入つてゐます。

この點からいふと、生の普通牛乳より粉ミルクの方がよい、かういふCの不足してゐる牛乳で、乳兒を育てると、一つには壞血病をひき起し、一つには發育障害を起し、また貧血を起す場合もあります、Cの不足はさういふいろ〱の障害を來すので、人工榮養の場合は必ずCを別に補充する必要があります。

一番いゝのは夏ミカン、オレンヂ、レモンなどの汁です、用ひ方は果汁に適當な砂糖を加へて牛乳とは別に與へる、牛乳中に入れるとかたまつてしまひます。

レモン汁を例にとると、この百グラム中には五〇ミリグラム位あるが、乳兒には一日に一〇ミリグラム位あればよいので、これを一日に一―二回分けて與へます。（日本醫大教授醫學博士平澤精藏氏談）

異食癖の子供は必ず神經質

異食癖といふのがあります、お子さん方に多いのですが炭や生米、紙、壁土、綿、木の葉、甚だしくは瀬戸物、こん虫、アルコール、石油、ガソリン等をガブ好んで食べる、ガソリンをガブ〱のまれては大抵の親御さんも驚きますが、炭や壁土位は害にならないので、子供の體が本能的に要求するものとしてよくほつたらかしておく親達がありますが、しかしこれは大間違ひです。異食する子供さん達は必ず特異質で極言すれば一種の精神病なのですから、早く矯正しないと益々その病氣を助長して取返しのつかぬことになりますから呉々も御注意下さい。

異食癖の子供は必ず神經質です、疲れやすく飽きつぽく、好き嫌ひが多くて非常な內辨慶です、異食癖を矯正するのにはどうしてもこの(一)神經質を癒すことゝも一つ(二)偏食を止めさせることが大切です、偏食が昂じて異食となる場合が多いからです。

一、神經質の矯正法

從來神經質は本質的のものゝ如くいはれてゐましたが、最近の研究では後天的のもの、即ち子供の環境及び教育に支配されるといふことがはつきりしました。たとへば親達があまり潔癖で神經質に子供を育てたり、女中や書生が變質者だつたりすることによつてなるのです。

こはい話し等をして子供に恐怖觀念を起させる、刺戟性のものを食べさせること等は勿論いけませんがそれよりも親自身の潔癖性を癒すことが第一です、即ち一日の中に五、六度も手を洗はしたりちよつとチヤブ臺の上に落ちた御飯を拾つて食べたからといつて叱責したりしないやうにして下さい、子供の自由な本能に干渉し過ぎると子供は自身をなくすと同時に神經質になります、子供の能力を過信したり、親自身の虛榮を滿たすために無理な勉強を強ひることはもとよりです。

神經質の子供さんは多く天才的なもので教育次第で非常に優秀にも、非常に惡くもなるのですから親達の責任は重大なものといへるでせう。

二、偏食の矯正法

極幼年時代に食物の何たるかを解せずに灰や炭を食べる子供がありますが、これは病的の異食ではありません、が放つておくと神經質になり、または偏食となつていよ〱病的な異食癖ともなります、この偏食即ち食物の好き嫌ひの多い子供の癖を直すのは「これを食べろ」と強制せずに料理法をかへて食べさせるやうにすればよいのです、即ち肉が嫌ひな子供には挽肉を少し野菜にまぜて食べさせるといふ風にします。（醫學博士靑木義作氏談）

坊やに可哀さうな霜燒とひゞの豫防

冬も闌になつてゐます、木枯の風に「ひび」や「あかぎれ」または霜燒に惱む季節がやつて來ます、今のうちからその豫防法を知ることが必要です。

ひび、あかぎれ は皮膚の水分が急激に蒸發するために表皮の龜裂を起すのですから、冬の乾燥した風に肌をさらすことは禁物です、殊に皮膚がぬれてゐる時は一層危險ですから充分その水氣を拭ひ去ることが必要です、また外出に際して顏や手足に水氣の多く含まれてゐるクリーム類を塗ることはいけません、むしろ白粉のやうなパウダアを用ひます。

霜燒の原因は 寒氣のために體の末梢である手足の指趾、耳や鼻などの皮膚の血行障害を起すためで初めは皮膚の鬱血ですが次第に水ぼうを作り崩れて來ます、その原因は植物性神經の異常による體質性の場合が多いのですが、貧血の人、心臟病の人にも起りやすい。

霜燒の豫防法 は前記の成因から考へて先づ皮膚の血行障害を防ぐ事に注意します、このためには毎日入浴すること、また毎日ラヂオ體操や皮膚のマッサージや冷水摩擦を行ふこと、また手袋や靴下、足袋などの窮屈なものを用ひないやうにします。寒い日の外出から歸つた時直ぐ手足を火氣であたゝめる前に手で充分冷た手足を摩擦する事が必要です、毎年霜燒けにかゝる人は平素肝油とかえう度（海草類）または鐵劑を服用して體の強壯に留意することも必要ですコンブ茶（えう度を含む）を永く飲用して霜燒けを防いだよい人もあります。（醫學博士寺田廉氏談）

密柑の榮養

密柑といへば先づあの甘ずつぱい汁を考へます、あの汁の成分のうち、大部分は水ですが、約十パーセントの含水炭素、約半パーセントの灰分と、それから約〇・一五パーセントの遊離酸等が含まれてゐるために、あの獨特の味があるのです、密は酸化酵素とか、アミラーゼとかエステラールとかいふ大切な消化酵素を持つてゐますし、ビタミンAとBとは僅かですが、Cを多量に持つてゐます、

そればかりではありません、皮にもリモネーとかチトラールとかいふ揮發性の油を含んでゐて藥用に使はれます。發汗藥としては皮を充分に陰干しておいて、風邪の時、煎じて飲みますこれは健胃劑にもなります吐き氣のある時は古い皮とシヤウがを一緒に煎じて飲みます、てんぷらなどを食べ過ぎて、お腹をこはした時や、魚類にあたつた時にも皮を煎じて飲むといゝさうです、皮を袋に入れて風呂の中に入れておくと、體があたゝまりますし、火にくべれば惡臭消しになります「蜜柑チンキ（蜜柑エッセンス）を作るには新しい皮をこまかく刻み水を割つてない良質のアルコールに漬けて四、五ケ月おいておきます、七色唐辛子にも皮が入つてゐますがあの獨特の風味が食慾を增進させます。本草綱目にも「蜜柑は胃中の熱を利し、桑湯を止め、小便を通じ、脾肺を冷す」と記してありますが、袋にこまかい纖維があるので便通を整へる効果があるのです。（東京市衞生試驗所高木和男氏）

風邪よけの食物

風邪よけになる食物にはどんなものがいゝか先づ必要なのはビタミンAです、ビタミンAは細菌に對する抗力が強く、殊に呼吸器の上部（鼻、喉、肺尖）及び腸の中の黴菌に對する抵抗力を强めます。ビタミンAを含む食物で代表的なのは肝油です、肝油はタラやハリバツトの肝臟からとりますから肝臟にはビタミンAがあるので從つてやきとりのもつなど風邪よけには馬鹿になりません。

○

卵黃、バタにもビタミンAは多量含まれます、野菜の赤色のもの（たとへば人參等）にはカロチンが含まれ、このカロチンは身體の中でビタミンAに變ります、野菜の靑い部分にはクロロヒールが含まれ、これにはカロチンとビタミンAとがまじつてゐます。

○

次に體をあたゝめて風邪をなほす食物は何かといふと、これには普通ミカンや梅干を熱湯に混じて飲みます。ミカン、梅干には利尿劑と共に發汗劑が入つてゐる。卵酒か風邪に効くのは酒そのものにサルチル酸即ちアスピリンが入つてゐて解熱劑となる上に卵の蛋白質がアルコールの毒を消す効力を有してゐるからです。

○

たゞ注意すべきはこれ等身體をあたゝめた場合は發汗が伴ひますから後で體を冷さないやうに、冷せば風邪がなほ惡くなることは風呂へ入つた時と同樣です。（榮養研究所杉本好一博士）

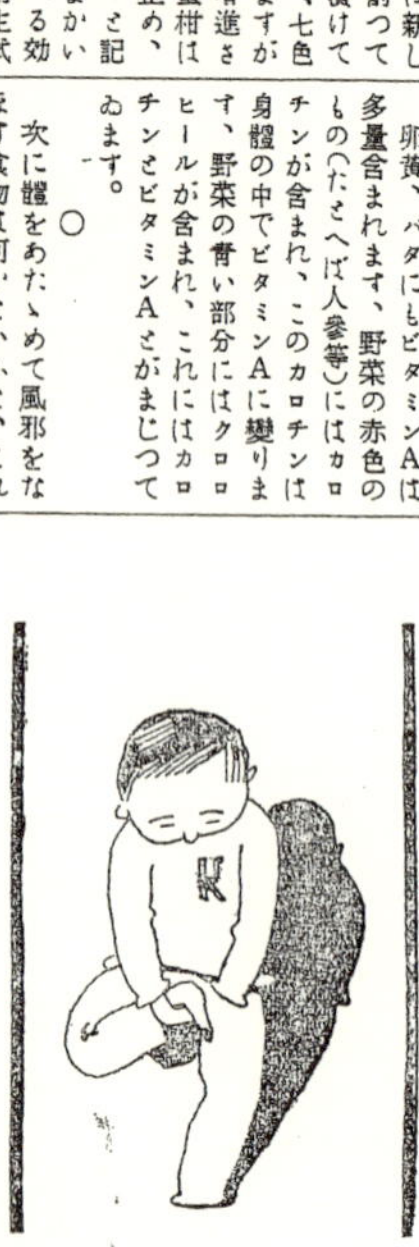

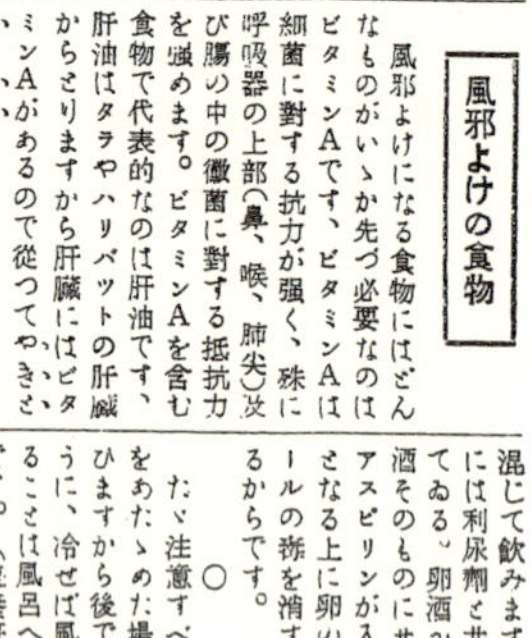

旅に拾ふ題二つ

醫學博士　竹村一

○「敬」といふ字

熊本縣から招かれて、木下東作先生のお伴をして山鹿尋常高等小學校へ講演行脚に出かけた。

山鹿校と云へば熊本縣下でも有數の模範校である、或は日本に於ても稀に見る良い學校、氣品の高い氣持のよい學校であると云つても敢て過言ではなからう。

校長西阪良臧先生と云へば、熊本縣視學を十數年も勤められたといふ篤學、溫厚、然も其思索の深くして、實行の確かなる尊い教育者である。

西日本の學校衞生の實際方面を參觀したいと思ふ人は必ずこの學校へは一度足を入れねばなるまい。

木下先生の私との歡迎會が、詩の町、湯の町である山鹿の一角に催された時、來會者の方々から木下先生に十數枚の揮毫を需められた。

先生は一つ一つ縱に、橫に、其健筆を墨せられた、「强、健、敏」といふのもあつた「克食克働而克眠」といふのもあつた。色紙にお書きになつたものゝ中には「忍」「喝」等の字もあつた。

求めらるゝまゝに、先生は嫌な顏も、嫌な言葉もお出しにならず、一つ、一つ悅んで筆を運んでゐられた。

西阪校長も一つお願ひしたいと云つて出て來られて、然も字についての注文をされた。それは「敬」といふ字であつた。

木下先生は、急に、持つておられた筆を下に置かれて暫く默つて考へておられた。

西阪校長は「敬」の字は、私の學校の標語です、教育は「愛」だけでは駄目です、「敬」がなくてはいけませんと附加へられた。

先生は、靜に、それに答へられて、

「嘗て、大阪每日新聞社長本山彥一さんは、何時、何處の席上ででも、揮毫を需めらるゝと、必ず、此の「敬」の字をお書きになりました、私は、或時、結婚席上で本山さんの「敬」の字をお書きになるのを拜見しました。そして本山さんは、夫婦の間にも愛は必要な事です、然し「敬」といふ事を忘れてはなりません、夫婦は「敬」して、而して「愛」すべきものであるとお話になりました。私は日本人の生活にはどうもこの「敬」といふことがかげてゐる樣に思はれます」と述べられた。

暫く一同は、靜思してゐた。

やがて先生の健筆が動いて見事な「敬」の字が書かれて、傍に木下東作とサインされた。西阪校長も「敬」の心持ちで「敬」の字を受取られた。本山社長のお話を追憶されつゝ木下先生の心の內に又本山社長に對する「敬」の心持で書かれた「敬」の字は、かくして永久に山鹿校に揭げられて、こども達の眼に、心に、生活に顯現されることであらう。

○親切といふこと

理窟を言へばどこ迄も反逆して負けぬ頑固な心も、親切といふ情にはほださるゝものである、漱石夏目博士の「草枕」の言葉ではないが、思はぬ人に親切をされるとき程感激さるゝものはない、わけて旅に於てはしみ〴〵と感銘させられる。

私が十月七日、靜岡縣に講演に行く爲に大阪驛を夜行で立つた。出發の時から少々、身體の具合が變であつたが、汽車に乘れば樂になるだらうと思つてゐた。

汽車が京都を過ぎて行くにつれて、心臟の調子が變になつて來た。嘗て數年前、軟い狹心症樣の發作に二度も會つた事が、一層、不安の心持になつて來た。愈々彥根をすぎて米原に來た頃はどうにも呼吸困難を伴ふて汽車に乘つてゐられなくなつた、萬事休す、道に米原驛に下車全く步行不可能となつた。時に午前二時十分頃。

深夜に、秋雨はしと〳〵と降りつゞいてゐる、伊吹の嵐は冷い。

靜坐。

やがて驛員が馳けつけて來てくれた、手荷物を持つてくれた、手をかしてくれた、やつとのことで驛を出た。驛前の宿まで案內してくれた、雨はしきりに降る。

驛前の宿の帳場に驛員は、幾度か「病人だから何處でもよいから早くねかせて上げて下さい」と懇願してくれた、その間の私の苦しかつたこと、今思ひ出しても竦然とする。

然し「滿員だから……」との一言に、どうしても休養を許してくれない、驛員は「そこの玄關の處でもよい」と云つてくれた、丁度そこへ巡査も來てくれて、又依賴してくれた、帳場は「どうしてもとめられません」と云ふ

私は、この宿の庭で呼吸が止るかと思つた。

驛員と巡査は、私を伴つてそこを出た。二三軒先の「ますや」といふ小さな旅館へつれて行つてくれた、雨はしきりと降る。

驛員と巡査と二人が、お互に宿を叩いて起してくれた直ぐに宿の主人は起きてくれた。

「病人だから、どこでもよい、ねかせて上げて下さい」と巡査がたのんでくれた。

「どうぞ、きたない家ですけど……」と主人が答へて、何くれと世話してくれた。

玄關を上つた直ぐの部屋で、やつと安住の地を得た、醫者を呼んでくれた、夜を徹して宿のおかみさんは起きてゐてくれた。脈搏と呼吸との狀態を考へ乍ら夜があけた。梅もどきの美しい庭に、しきりとふりそゝぐ秋雨を眺め乍ら正午すぎまで絕對安靜を守つた。

「旅に病んで夢は枯野をかけめぐる」と芭蕉は云つたが旅で病む程心淋しい、心細いものはない。

その時にうけた、見も知らぬ驛員や、巡査や、宿の夫婦の親切は、私が生命のある限り忘れる事の出來ない感銘の一つである。

理窟はどうでも云へる、理窟はどうにでも反抗が出來る、理窟は冷たい空氣の世界だ。

親切、親切、私達は、見も知らぬ人にでも恒に下座して奉仕したい事は親切といふことである、身を殺して仁に生くるのも亦親切といふことである。こゝに暖かい世界が見出さるゝであらう。

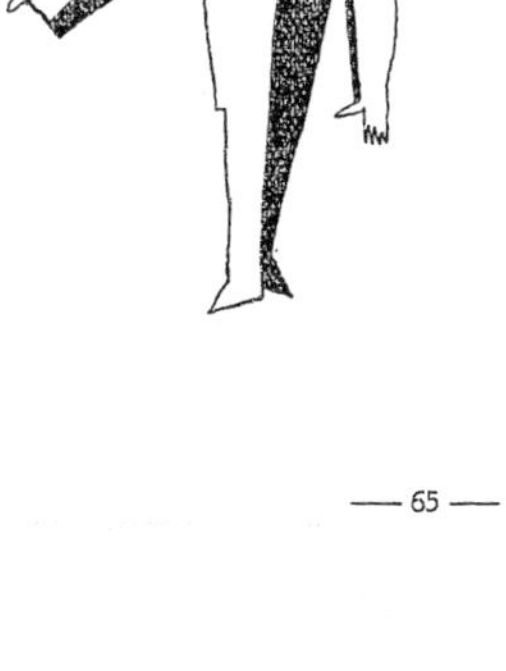

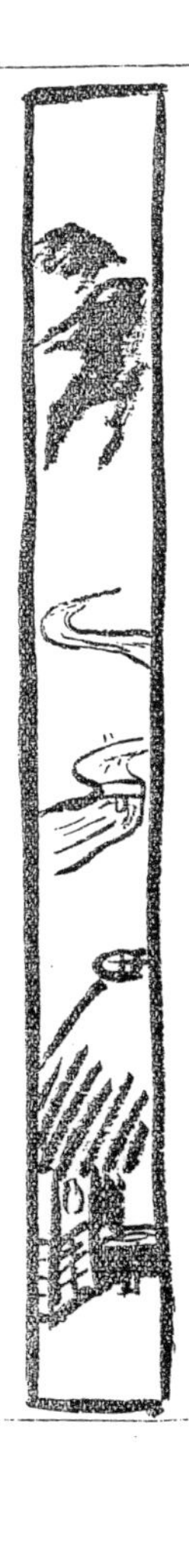

郷土に聞く（二）

ツカダキタロウ

◎泣き相撲

栃木縣上都賀郡北押原村に、「粉山生子神社」と云ふ育兒の神社があります。

この社前で、每年舊曆九月十九日に擧行される育兒神事が「泣き相撲」と稱されて、遠近より數千の親達が子供を連れて參加するの例になつてゐます。

北押原村は、日光線鹿沼町の南接村で、日光行きの東武電鐵樅山で下車すれば、神社は眼の前に見える距離で、北方の小丘の森がこの神事の擧行される場所であります。

「泣き相撲」は、その名の示す如く、赤ん坊を抱いて村の力士達が相撲もので、早く大聲に泣き出した方を勝として紅白の餅が賞に出る儀式で、昨年は千組、本年は二千組に近い取組があつたと聞いて、その繁昌ぶりを知る事が出來ます。

これは「育兒祈願」の一形式でこの泣き相撲に參加した子供は、無事に成長するとの事であり、殊に泣き勝つた赤ん坊は、將來有望と許されるのであります。

◎籾山生子神社

緣起は隨分古いのですが、一時寂れてゐたのを、鄕土の人達が復興して、昨年あたりより盛大に向ひつゝあるもので、早朝より生子神社の社前に土俵をつくり、櫓の上からは角力太鼓の音が近村に響き渡つて居ります。爺婆さては母親に背負はれた子供達（大抵誕生前後）のが續々と社前に集つて、神社の祭典（泣き相撲報告祭）のすむのを待つて居りますが、最もこの日珍らしい風景は、父親に背負はれた子供の多い事であります。

農村の事とて、交通に不便でもあり、遠方から育兒祈願に來る親達は、自轉車の便によらねばなりませんから、自然父親の出動となる譯で、洋服の上に赤ん坊を負ひ、ネンネコを着て赤いシゴキでくゝつた自轉車の行列は、世にも美ましい程嬉しい風景であります。

とかく疎遠がちの父親が、我が兒の爲めに一日業を休み、遙々と生子神社の籾山に集ふ事は、現在の育兒敎育に對して、頗る多くの敎訓を與えるものと信じます。

◎泣く兒は勝ち

土俵では、約十人許りの力士が、それも中年以上の村の力士達が、赤ん坊を抱いては次から次へと角力で行きますが、泣き兒あり、ベソをかく兒あり、騷ぐ兒あり、いろとりどりに土俵を取卷く親達を一喜一憂させてゐますが「泣く兒が勝ち」との意味に就いて、私は一つの發見をするのであります。

それは「泣く兒は育つ」と云ふ育兒諺であります。

赤ん坊が泣く事は、深呼吸の理想的の方法である事は、旣に子を持つ親の知る處であり「赤ん坊は泣かして育てよ」とは、古來よりの老人の言ひ傳えであります。

「赤ん坊を泣かさずに育てる」等と、舶來の育兒をやる人々の子供が、如何に弱いかを見れば判然しますが、今一つ考えさせられる事は、赤ん坊の身體檢査であります。赤ん坊の健康狀態は、赤ん坊の泣き聲により、明白に判る事は申す迄も無い事で、子供を泣かせれば、その泣き聲により我が兒の健康狀態を知り得るとの敎えが、この「泣き相撲」に含まれてゐる事であります。「泣く兒は育つ」事を忘れぬ爲め、育兒祈願と共にこの敎えを神事として後世にのこせし「籾山の祖先」は實に尊敬すべきの人達であります。

◎相撲體育

最近の體育の最も進んだ形式に於て、我が國の相撲が採用されて來た事は御承知の通りですが、千年以前より、この籾山の地では相撲が奬勵されてゐた事が、この「泣き相撲」により知る事が出來るのであります。そしてそれは、「泣き相撲」の力士達が、四十、五十の中老人とも申すべき人々であるによつても判りますが、名行司木村庄之助氏がこの村の出身者である事を知れば充分でありませう。

とまれ、籾山生子神社に行はれる「泣き相撲」は、斯くの如くにして、數千の育兒祈願と共に、祖先の育兒敎訓を敎えつゝ、每年舊曆九月十九日に、くり返えされて行くのであります。

「籾山」の名稱も旣に、飢饉の爲めに籾を貯えし地名なりと聞けば、鄕土の誇り如何ばかりかを察し得ませう。

傳記
小說

高橋是淸 （十五）

小杉健太郎

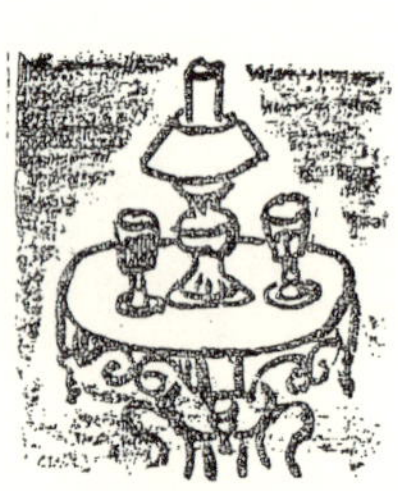

ダンスの稽古

いよ〳〵出發間際に、長くも宮中に參內、親しく　天皇陛下に拜謁を仰付けられ、感激し乍ら退下した是淸は間もなく橫濱出帆の汽船でアメリカへ向つたのである。時は三十二歲の晩秋であつた。

海路十五日。

思ひ出の金門灣に、乘船サン・パブロバ號が辷りこんだ。サン・フランシスコへ上陸すると、埠頭も、市街も、まるで樣子が變つてゐるのに彼は驚いた。

雲のヴエールをかけたやうな魔天樓が櫛比し、電車、自動車が眼まぐるしく馳せ違つてゐる。街も商店も、殆ど彼の記憶に殘つてゐるものはなかつた。

ふと、通りすがりの飾窓に映つた自分の姿を見て、是淸は微笑んで、

「街も變つたが、俺の樣子も變つたな。」

と、思はず呟いた。今は鼻下に鬚を蓄へ、シルク・ハットをかぶつてゐるが、二十年前には絹ゴロのフロックコートに、白金巾のズボン、板紙の帽子に絹繻子の女靴といふいでたちで、伊東の不恰好な海軍服と並んで、アメリカ人に帽子をはじかれても、それを彼等の好意の仕草と感じながら、キョロ〳〵と物珍しい街の光景を無中で眺め廻して行く――その滑稽な姿が眼先にちらついてきた。是淸は思はず苦笑を洩してしまつた。

その翌日の夜、日本領事館員の案內で、是淸はわざ〳〵オークランドへ行つて見た。水のやうな月光、休息してゐるこの田舍町を靜かに照らしてゐた。しかし、この町もやはり街貌がまるで一變してゐる。どこを探し廻つても、あの頃の記憶をよび醒してくれるものは一つもなかつた。それほど殷賑と都會色に塗りつぶされてゐた。

やつと一筋の川を見つけた是淸は、川傳に行くと、どうやら、ブラウン家の屋敷跡らしい所へ出て來た。そこは廣い砂利置き場になつてゐた。その砂利の山の中に、見覺えのある一本の大きな樫の木が黑々と聳えてゐる。

「あれだ！」

思はず獨語を云つた。

「は？何ですか」

と、領事館員がそばへ寄つて來た。

「いやなに、僕が子供の時住んでゐたのはこゝですよ。あの樫の木は二十年前と殆ど變りはありませんなあ！」

「はあさうであります。」

若い領事館員は何の感興もなささうな聲で、事務的のから返辭した。

しかし、是淸は棒をのんだ樣にそこに佇んで、暫く樫の木をヂッと見詰めてゐた。その眼の中には吸ひつけるやうな懷舊の色が一ぱいに湧き、頰は無量の想ひをこめて、月光に靑く輝いてゐた。

（あの頃、牛や馬をあの木につないで、毛の手入れをしてやつたんだ）

自由を束縛された少年――思へば、あの木の下で悲しい涙に暮れたこともある。苦しい想出しかなかつたけれども、それでも、今はあの樫の木が唯一の記念塔である。やはり懷しさで胸が詰つてくるのだつた。

「高橋さん、では、ボツ〳〵お伴いたしませうか。」

丁寧にいはれて、

「や、これは――じや、歸るとしませう。」

いつの間にか、こんな餘裕のある振舞が出來る身になつてゐることが、寧ろ、是淸には不思議な位に感じてきた。

是淸は、桑港からすぐにニューヨークへ行つた。そして辯護士で特許制度に練達のほまれ高いプリズンを訪問し、非常な厚意をうけて、意匠保護法やら發明品の特許審査方法につき、該博な蘊蓄を聞くことを得たのである。それからワシントンへ行つた。駐米公使は九鬼隆一、公使館員は赤羽四郎、齋藤實、その外二三人であつた。

是淸は赤羽の宿に同居しながら、每日アメリカ政府の特許院へ行つて、研究、指導をうけることが出來るやうになつた。殊に、書記長ヅリーは非常に親切な人で、何かと親切に指導してくれた。

特許院自由參入券の外に、外部局へも自由に出入りができるやうに取計つてくれた。かうしてだん〳〵研究してゐると、特許院の組織、制度、事務聯絡などが、迅速整然たるのに彼は驚嘆したのである。殊に、院長が用件を女秘書に口述すると、秘書はそれを速記してすぐにタイプライターで打つ。その珍らしさ、敏捷さに舌をまいて了つた。

事務方面の詳細なことは各局課の係員に訊かればならぬ。所が男は御し易いが、女はなか〳〵近づき難いので、是淸もいさゝかこれには困つた。いろ〳〵考へて見ると、ふと氣がついたのは、

「あなた、ダンスをおやりになつて？」

と時々、女課員に訊かれる事がある。

（さうだ、ひとつダンスを稽古して、お近づきになつてやらう。）

すぐさま彼はダニシングの學校を探がして、そこのシエルダンと云ふ校長に面會した。

「いかゞでせう。僕はダンスなんてやつたことがないんですが、僕でも、ダンスの稽古は出來ませうか。」

校長は答へるかはりに訊いた。

「あなた、歩けますか。」

「そりあ、この通り完全な足が二本ありますよ。」

「ぢや、踊れます。心配いりません。ハハ」

そこで、是清は毎日特許局へ行く前に出かけてはダンスを習つた。教授は校長夫婦とその娘、その外、社交界の夫人令孃、特許局の婦人書記も澤山くるので、そうした連中を相手に踊つてゐる中に、いつしか是清は婦人書記とも懇意になつた。

そのために、かれの調査は順調に捗つた。

アメリカで大きな收穫を得た是清は、直ちにイギリスのロンドンへ直行して、園田孝吉領事のもとに同居しながら英國政府の意匠登錄、發明專賣特許に關する制度施設を調査研究した。その間に、かれは自慢の隱し藝とする日本料理の腕をふるつて、在留日本人に時々御馳走したので、みなから非常に賞讃されて居た。

また、フランスの首都パリへ行くと、日本公使館書記官であつた原敬に伴はれて特許院を訪問し、かれの通辯で、いろ〳〵の目的の調査をすることを得たのである。そして、パリ滯在中、丁度谷農務大臣が歐米巡視の途中パリへ到着したので、是清は大臣に隨行してフランス大統領に謁見した。

それから、獨逸のベルリンへ行つた。ここには濱尾新、井上哲次郎などが留學してゐたので、かれは井上の下宿に間借りをする事になつた。そしてワグナーといふ獨逸人を通辯兼助手に傭つて特許局の訪問やら、英米で蒐集した材料の整理やらに忙しい日を送つてゐた。何しろ、歸朝の日も追々せまつて來たからである。

ベルリンでの調査も大體一段落ついたので、是清は井上や、關江島などといふ學生連中と一しよに或る夕方動物園へ行つた。そして園前のカフエーへ行つて、酒をのんでゐると、そこへ若い濃艷な獨逸婦人が入つてきた。

「來た〳〵、あれが支那公使の愛人だよ。」

と井上が低聲で是清に敎へた。

その女も、かれ等を見ると顔見知りと見えて、ニコ〳〵しながら側へ寄つてきて挨拶した。

「いよう！相變らず綺麗だね。それぢや×閣下の御寵愛が深まるのも無理はありませんよ。」

と關が冷かし始めた。

「全くですわ。」

女はニヤリと人を喰つた微笑を紅い唇に浮べた。

「時に、わが尊敬する淑女に紹介するがね。この人は、コレキヨ・タカハシといふわれ〳〵の友人だ。今度始めてベルリンへ來たんだから、何分よろしく賴むよ。」


「あらさう。」

女は始めて氣がついたやうに、ニツと笑ひながら手を出した。握手である。

暫く、その女を揶揄ひながら陽氣に飮んでゐたが、彼女は碧い眼樓で、是清のあほるやうな飮みつぷりや、訶な話しぶりを、それとなく觀察してゐた。突然、彼女は是清の腕をつかんで、

「あなた、わたしと一緒に行かない？」

と云つた。

「僕！僕一人か。」

「えゝさうよ。わたし、面白いところへ連れて行つてあげるわ。」

「君の面白いといふ所なんか、ゆかなくつたつて、わかつてゐるよ。」

是清は、相手にもしないで、グラスを上げだ。

「あんた卑怯だわ！わたしを恐いんでせう！日本人て、案外腰拔けね！」

「よう、よう！褄いぞ……おい高橋。あんなにいはれちや、敵に背後は見せられんよ。構ふことはない。行つてやれ〳〵。」

と、河島が唆しかけるやうに云つた。是清も、かなり醉つてゐるので、いさゝか棄鉢な調子で、

「よし、行つてやる！」

ふら〳〵と立ち上つた。

「あら、さう。賴母しいわね。」

片眼をつぶつて、ウインクしながら、女は彼の手を握りしめた。

その翌日の朝、是清はボンヤリと下宿へ戾つて來た。

「おい、どうした！」

井上が待ち構へてゐたやうに、薄笑ひを浮べながら、彼の全身を見廻した。

「いやア、どうも……」

と、是清は頭を掻いた。

「おい、昨夜の經過を報告しろよ。」

「そんなに攻めるな——ぷッふふふ。」

「あれ、いやな奴だな！こいつ！」

井上はどんと一つ、是清の脊中を強く叩いた。が、すぐ彼は愉快さうに笑ひ出した。

「高橋。それで君は立派に洋行者らしい經驗をつんだよ。何もかも調査が完了したといふわけだね。ハツハハハ。」

× × × ×

英、米、佛における特許制度の取調べも充分にできたので、是清は再びロンドンに渡り、そこから汽船に乘つて、殆んど一ケ年の長い海外旅行の終を告げた。ドウバア海峽の月は冲天に冴えてゐた。

十和田湖遊記

伊藤悌二

陸中の國所見

道はたに廣告塔の絶えて無きみちのくの旅すが〳〵しきかな
あてもなくはしる仔馬の桐の樹に頭うちつけはしやぐ海の邊
黃昏の丘に立ちたる黑き馬大海原をたゞに見つむる

啄木の故郷好摩を過ぎて

啄木を生みし好摩の里を過ぎ姬神山をしみ〴〵仰ぐ
春來なば鈴蘭も野に咲可くきに好摩の里は今日は紅葉す
繪の如き國を追はれし事もあらん今はや御神と共にゐますらん

蔦溫泉に大町桂月翁の墓を弔ふ

かさこそと落葉を浴びて小高き丘に桂月の墓わびしく立てる
木枯をきゝつゝ大人は山國の濁酒に醉へてありつるものを
その性を物語るごと自然石の墓に記せり土佐の生れと
悔えなげに眠り給へり桂月老は蔦のいで湯のかの山莊に
蔦の湯の龍頭の花に露おきて紫ふかくほた〳〵と落つ

奥入瀨の谿流

奥入瀨の瀧にかゝれる枯れし齒朶花かと計りあでに見しかな

夏の日に氷はむごと窓開き山の大氣をむさぼりつ吸ふ
奥入瀨の千兩の巖そのながめ萬兩と歌ふ秋田の乙女
奇しきは妖婦お松の過ぎし道昭和の大臣もよぎりしと云ふ
紅葉かげ鬼神お松のすみかべに五十鈴の川に似たる瀨をみる

八甲田山遠望

斑雪光る大嶺裾野の笹叢にそよぐ秋風身にしむあした
高野原八つの甲をならべたる八甲田山を友とおろがむ
高原に西行の歌を口吟む若き女の瞳のかゞやき
赤き實をつけたる樹々をうちならし輕き吹雪は夢のごとすぐ
高臺の熊笹の原雪に覆はれ嶺越しの風におのゝき止まず
とこしへにきこりとなりて此の山に埋れんかななめこ食へつ
そのかみの雪中行軍の物語り思ひ起すもげになつかしゝ
東北の健兒も吹雪に敗けしとぞ聲をからしてバス孃は說く
山腹の後藤軍曹の銅像は吹雪の中に輝きて建つ
高原のとゞ松原に吹雪して八甲田山寒々と建つ
かばふとの氣候にひとし夏來よと秋田娘は我れにすゝむる
高原のもやの村人島打ちて生計をたつときくバスの中

十和田湖

白樺の白き幹間に十和田湖の紺靑の面波に狂へり

十和田湖は太古さながら靜もりて神火の如き紅葉を映す
もりあがる湖いちめんの妖しさに見えぬ底邊にひかるゝ心地す
南祖坊鎭まる社をおろがまで赤き紅葉を友と愛でにき
南祖坊ほこらの下の鐵梯子身をくねらせており行く人あり
宣傳をはきちがへてか十和田湖は名もなき島の名まで云ふなり
赤き脚十和田の湖にうつしつゝ人をおびへつ鷭はなくかも
こゝまでは來つるかひあり瑠璃色の湖にむかへば心なごめり
龍頭の花紫にふかき頃休屋の里に休まで去れる
みちのくの乙女の如く龍頭は時雨にぬれて咲くは悲しも

十和田湖難船

狂風に機械損じて我が船は波に漾ひ岸に打ちつく
乘客の顏蒼ざめて物も云はずその運命を待つ如く見ゆ
ひとたびは船覆らんとおのゝきて我れ人共に顏をみあへる
死ぬために此處まで來しに非ずてふざれ言などを云ふ人もあり
紺碧の湖底にして南祖坊にめぐりあはぬを恨みとなせる
援け船曳き船は旣に來れども心たかぶり尙憤る
橫波は物凄きまでに我が船を手玉にとりて空にのしあぐ
風やゝに靜まり來ればガイド孃は平然として說明初む
船に醉へる人妻娘大男怒りて美景をふりむきもせじ

大湯溫泉滯在吟

爐邊に座し盲人の吹く尺八をきけば悲しも山時雨降る
盲人は妾をもちて七千のたくはひありと羨みつ聞く
小夜ふけて野末を渉る風の音を夢のごとくき山の宿かな
かく計り熟睡せんとはわれながら驚きにけり大湯の宿に
働きに疲れたるにはあらねども熟睡なさんと山莊に來ぬ
檜山の昔語りを聞く爐邊ゆ池邊の鷺鳥雨にぬれ見ゆ
爐をかこみ我れをかこみてお國自慢をよもすがらしぬみぞれ降り降る
鯉汁となめこと鷄は秋田邊のもてなしなるやかはりして食ふ
若人はいで湯の中に鹿角甚句を歌ふ宵なり山時雨ふる
六人の兒をうちならべ宿の主人は溫泉の效能我れに說くなり
カソリツクの主婦も微笑み神の惠も煩となればいかにせばやと
オリエ漢京子を産みし國なるに向座敷のをみな踊らじ
浩一路の墨繪さながら夕もやの中に浮べる大湯の山々
彼の聖人美女といねたるその室ゆ竿高く登る猿をみつむる
すゝき野の銀の穗先きはゆれゆれて來滿山はみぞれにくるゝ
九里の道見送りて來し樵太翁の甚句の節は忘れ得ぬかな
米代の流れに沿ふて下りつゝ聽きし甚句は谿間にひゞく
子等三人吾をまつらんと黑部峽を後の日にさき越路を急ぐ

編輯後記

⊡昭和十一年も餘すところ旬日を出でずして暮れやうとして居る、殊に本誌第十四卷最終號の編輯を終り感慨なき能はずである、何たる幸な事か、本年は各方面後援者の多大なる助勢によつて後世に遺すに足る東京と大阪に於ける二大事業を爲し、新しい記錄に更に一頁を加ふる事が出來た事を心から感謝して止まない。

⊡日夜心血をそゝいだ甲斐あつて、第八回全東京乳幼兒審査會の表彰式は、去る十月二十五日東京高島屋に於て、午前午後三回に渉りて擧行したのであるが、當日は本會總裁平生文部大臣、日本女子大學の生江敎授、中央社會事業協會の高島氏、天野雉彦氏、村松高島屋理事等各方面よりの祝辭を頂戴し、文部省の大西衞生官、陸軍省の園田軍醫等朝野諸名士の御臨席を仰ぎ實に盛況を極めた、記者は絆れて海軍省よりの神戸沖觀艦式拜觀の御招待を蒙つてゐたのであるが、表彰式のため其の光榮に浴する事の出來なかつたのは誠に殘念であるが然し致し方はない。

⊡尚、同三十日午前十時より、京橋明治ビル六階ホールに於て可良兒六〇一名の表彰式を永井名譽會長、廣井會長、富田博士黑須ドクトル、大明治の相馬、有嶋兩社長水野重役等御臨席のもとに執行し、高島屋に於ける時と同樣、東京優良兒母の會より永井柳太郎先生に肖像畵（西牧恭平畵伯揮毫）の贈呈式もあつた、先生は本聯盟の事業のため貢獻された功勞は筆舌に盡されないのである、當日は榮養に關する黑須ドクトルの特別講演があつて、一般母性を益する事大であつた。

⊡同夜十時二十分、上野發にて西牧畵伯と青森縣に向つた、仙臺邊で寢臺を離れたが、同行の銃獵に行く人々は松島で大方下車した、石川啄木の故鄕好摩の里は詩趣豊かで、列車のボーイは拙劣な東北訛で十和田湖の宣傳をするのは耳ざはりである、月の寒い波のうそぶく淺虫溫泉に三十一日は一泊し、十一月一日は朝の八時に青森から十和田湖行の省營バスに乘る、八甲田山麓の高原、蔦溫泉等を過ぎ奥入瀨の谿流に沿ふて十和田湖畔に出るのであるが、此の谿流こそは天下の絶景で廣田首相も北海道からの御歸りにこゝを絶讃されたと云ふが宜なる哉と思つた、二日、三日は大湯溫泉に滯在し、西牧氏は寫生を記者は書きものに多忙で散步する暇もなかつた、四日〇時半大館發の大阪行に乘り、二十時間乘り續けた。

⊡九日は長柄葬儀場に於ける生地博士御尊父の御葬式に參列した、禪味裕かなる御尊父は記者とよく話しがあつて、例の針中野に居られた時は御邪魔して博士の中學時代の御話など竊つたものである、十三日は三越にて然も二十六年ぶりにて德富健次郞令夫人に御目にかゝつた、「愛兒カレンダー」「愛兒叢書」發行と母の會の用件にて十八日の櫻號にて上京し、次の日は文展の招待展を觀た、二十七日の朝九時大阪に歸り十二月一日に施行されんとする大阪の表彰式の準備をなした。

本誌定價 一冊金參拾錢 郵稅壹錢
半年分六冊 金壹圓六拾錢 郵稅共
一年分十二冊 金參圓 郵稅共
誌代郵稅は一切前金の事
前金切の場合は發送中止
郵券代用は一割增のこと
昭和十一年十一月廿八日印刷（毎月一回
昭和十一年十二月一日發行　一日發行）
兵庫縣兵庫郡精道村芦屋
發行兼編輯人 伊藤悌二
印刷人 木下正人
大阪市西淀川區海老江上二丁目三七番地
印刷所 木下印刷合資會社
電話福島㊺一五三四番 二四二六番
大阪市北區天神橋筋六丁目
大阪市立北市民館內
發行所 大阪兒童愛護聯盟
電話堀川㉝〇〇〇一番 〇〇〇二番
振替大阪五六七六三番

子供の世紀 第十四巻 第十二號
大正十三年二月二十日第三種郵便物認可
昭和十一年十二月二十八日印刷納本 毎月一回一日發行
【定價金參拾錢】

基礎鞏固　經營眞摯

創立　明治四拾四年

コドモの保険

日本徴兵

入營・嫁入　準備

出世・教育　資金

子を持つ親心

可愛い子供の爲に何程かづゝの貯金をしてやらうと考へるのは、凡ての親としての至情で、男子ならば適齢迄、女子ならば嫁入迄と誰しも心掛ける所ですが、さて實行はなかなか困難です。

最良の實行方法

徴兵保險、生存保險のコドモ保險は此需用を充たす最良の施設で、一度御加入になれば知らず識らずの間に愛兒の爲に必要な資金が積立てらるゝことになります。

日本徴兵保險株式會社

本社　東京市麹町區内山下町一ノ一

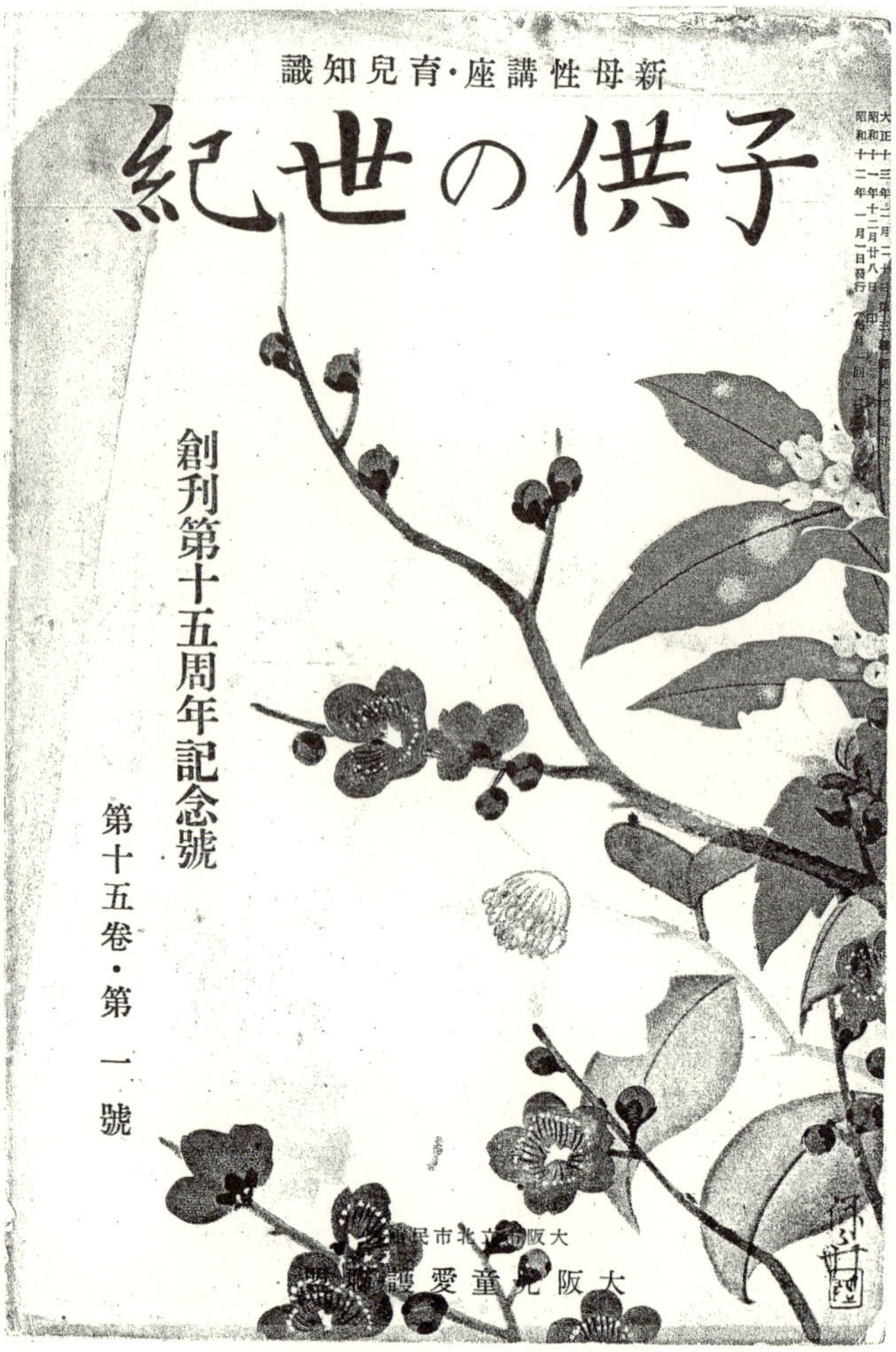

『子供の世紀』（第十五卷第一號）創刊第十五周年記念號

目次

品質斷然！世界一

森永無糖ドライミルク

新しきものは常に一歩を先んず！最新噴霧式機械による最も進歩した無糖粉乳いよ〳〵發賣

加糖森永ドライミルクの姉妹品

牛乳より消化よしペルオキシターゼ反應により榮養の完全なること遙かに他社品に優る

八倍の水に溶けば完全なる純良乳になり絶對安心！

森永煉乳株式會社

敵育結婚保險
徵兵保險
東京 第一徵兵 銀座

武田發賣品
よわり子供に
ポリタミン
微熱が續く
食慾がない
ね汗をかく
元氣がない
疲勞し易い
血色が惡い
こんな子は結核の警戒を要す！
子供時代の病弱は、將來の健康と頭腦の發達に障碍となるもので、殊に結核で斃れる人の大部分は、この時代に侵されるとまで言はれてゐます。それ故に上記のやうな子供は、速に强壯法を講ずべきです。
ポリタミンは、牛乳蛋白を原料として之を酵素消化したアミノ酸製劑です。
從つて……消化力の衰へた子にも、のむだけ榮養となつて體重を增し、元氣活潑にします。
その上、細胞を賦活して新陳代謝を盛んにし、抵抗力をつよめ、或は食慾をすゝめ、便通を整へ、かくて心身を眞に健全にします。
小瓶（一圓五五）
中瓶（二圓五〇）
大瓶（四圓五〇）
全國藥店にあり
發賣元 大阪市東區道修町 株式會社 武田長兵衛商店
（製造元 大阪 大五製藥株式會社）（關東代理店 東京 株式會社 小西新兵衛商店）

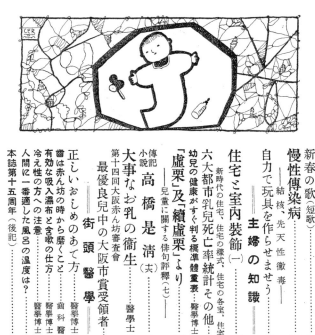

36—1755（○）

吉村・高木兩畫伯の名作

(上)　**吉村忠夫畫伯の「燈籠大臣」**(文展招待展) 驕る平家一門の榮華に眉をひそめて、心靜かに佛緣を希ひ、一族の若き女性たちを訓諭する平重盛、筆は典雅な土佐で、品位があり實に洗練されたところ、此の方面にては當代畫伯の右に出づるものはなからう、宜なる哉政府は御買上の榮をになはれた。

(下)　**高木保之助畫伯**　が舊臘東京三越に開催の、第二回三越日本畫展覽會に出品された「冬」である、獨特の波は群青色にぬりつぶされて纖細な線に活かされ、雌雄の「おしどり」はやがて來る春の前の魁をなしてゐる、共に新興倭繪の意義を云々するに足るものである。

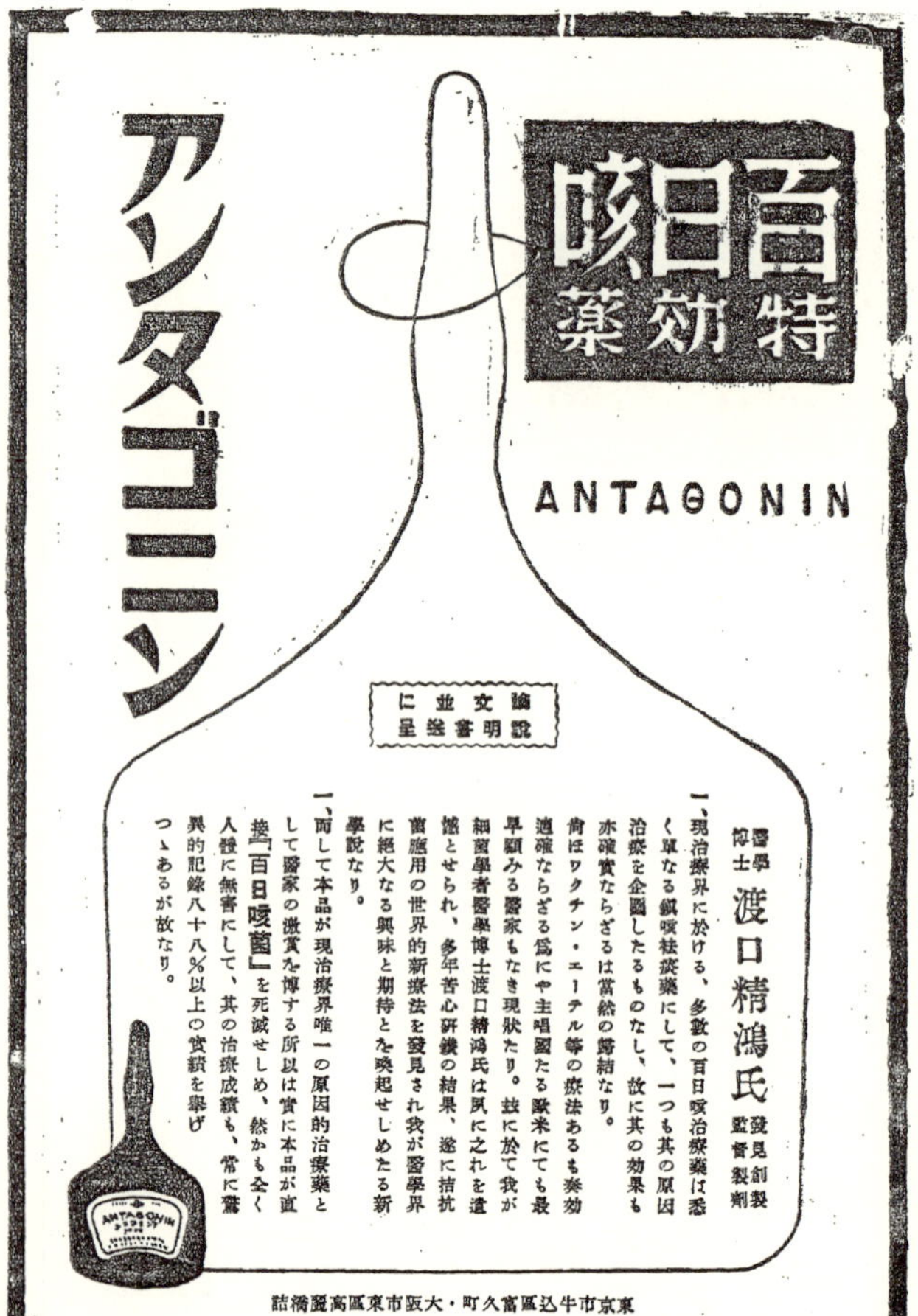

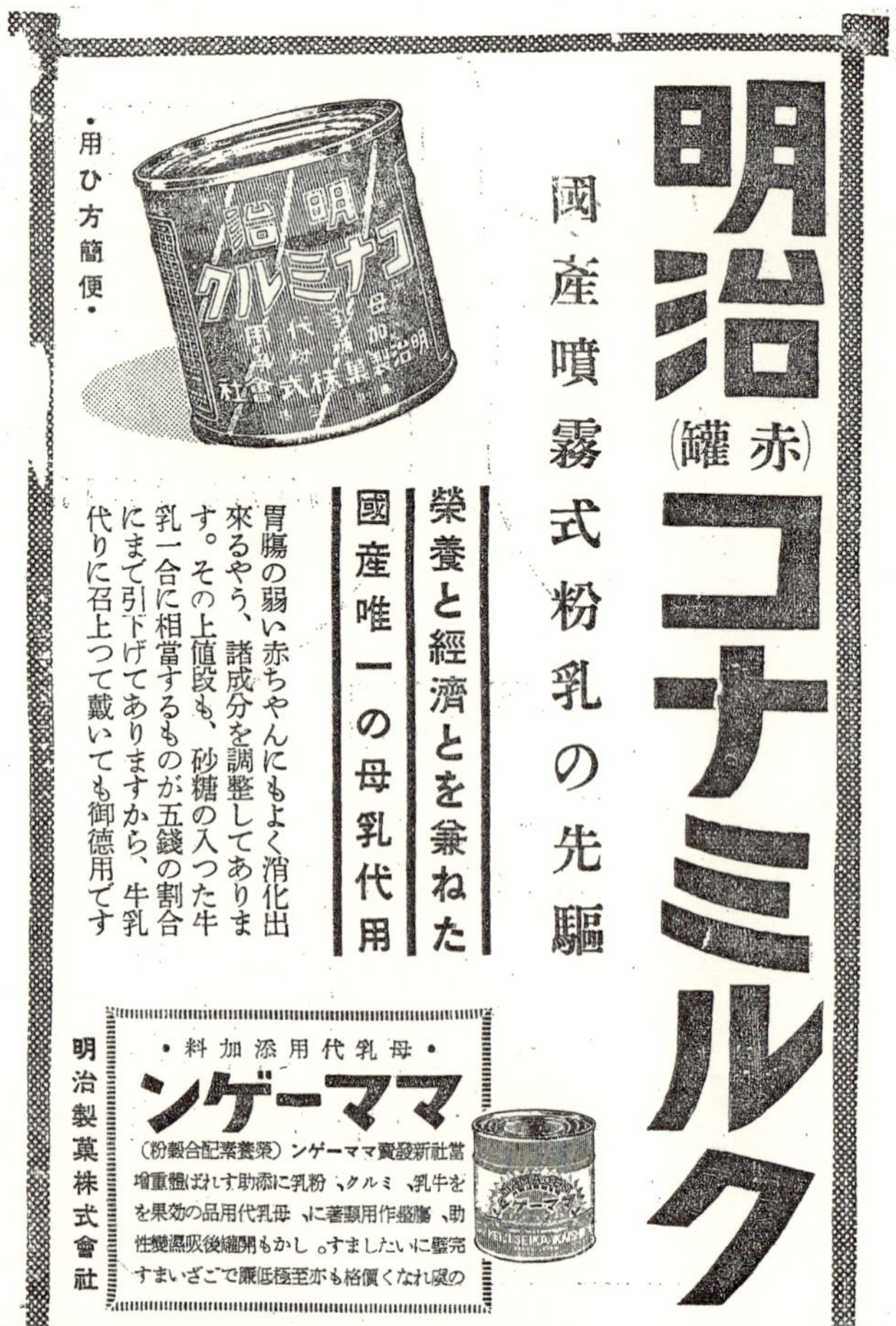

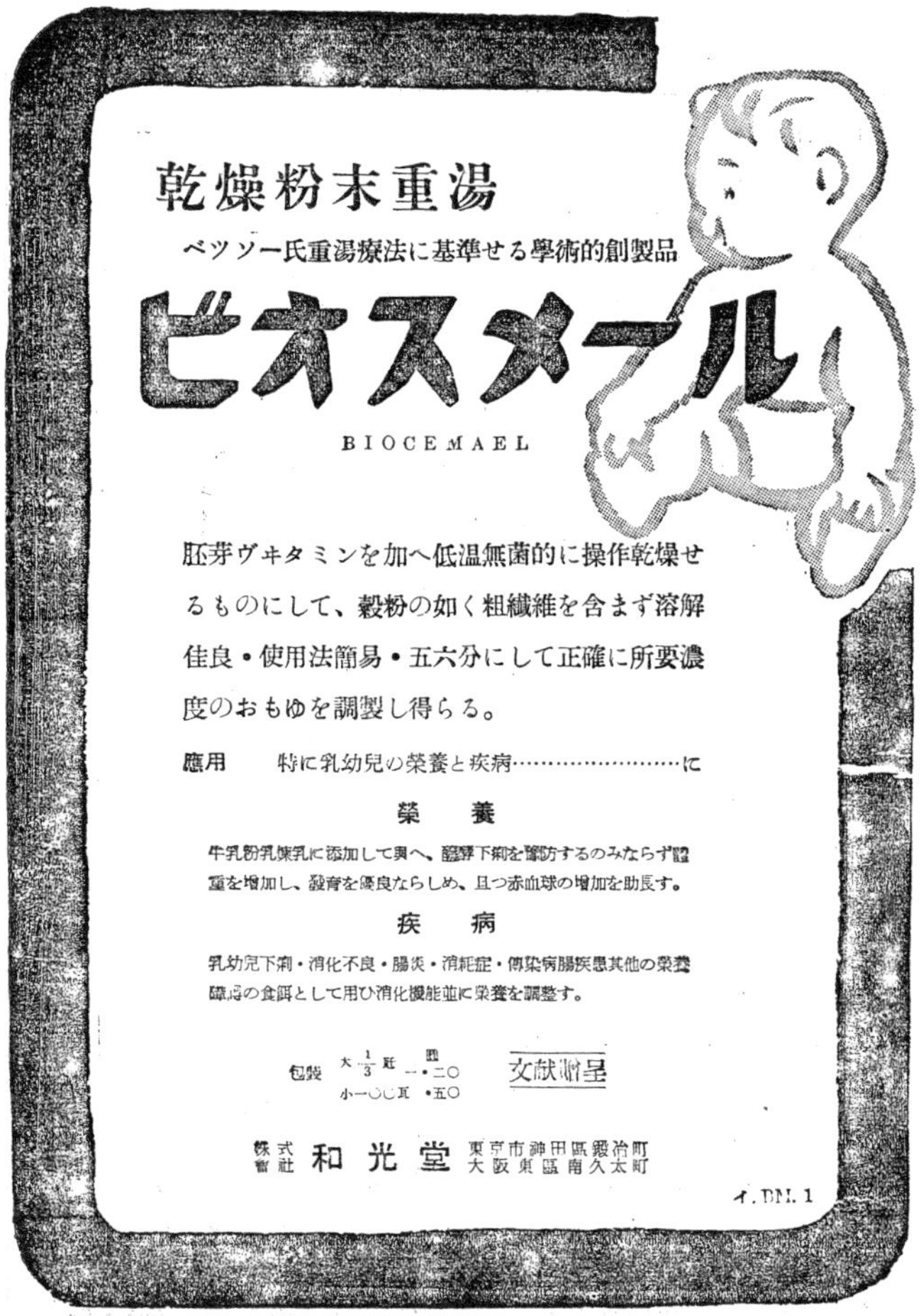
乾燥粉末重湯
ベツソー氏重湯療法に基準せる學術的創製品
ビオスメール
BIOCEMAEL
胚芽ヴキタミンを加へ低温無菌的に操作乾燥せるものにして、穀粉の如く粗纖維を含まず溶解佳良・使用法簡易・五六分にして正確に所要濃度のおもゆを調製し得らる。
應用　特に乳幼兒の榮養と疾病……………………に
榮　養
牛乳粉乳煉乳に添加して與へ、醱酵下痢を豫防するのみならず體重を增加し、發育を優良ならしめ、且つ赤血球の增加を助長す。
疾　病
乳幼兒下痢・消化不良・腸炎・消耗症・傳染病腸疾患其他の榮養障碍の食餌として用ひ消化機能並に榮養を調整す。
包裝　大 1/3 瓩 一・二〇　小一〇〇瓦 ・五〇
文献謹呈
株式會社 和光堂 東京市神田區鍛冶町 大阪東區南久太郎町
イ.BN.1

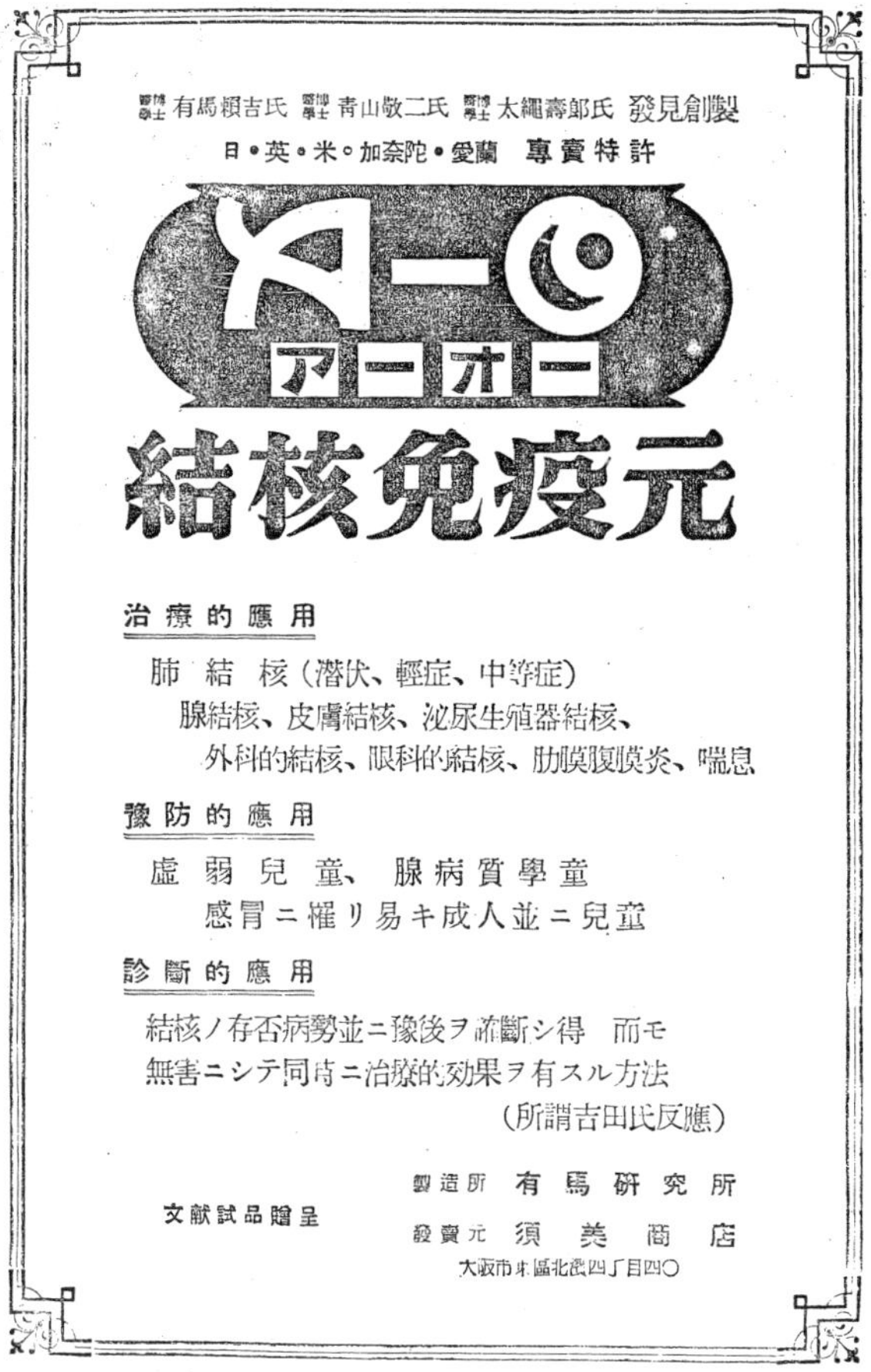
醫學博士 有馬頼吉氏 醫學博士 青山敬二氏 醫學博士 太繩壽郎氏 發見創製
日・英・米・加奈陀・愛蘭 專賣特許
アーオーロ
結核免疫元
治療的應用
肺結核（潜伏、輕症、中等症）
腺結核、皮膚結核、泌尿生殖器結核、
外科的結核、眼科的結核、肋膜腹膜炎、喘息
豫防的應用
虛弱兒童、腺病質學童
感冒ニ罹リ易キ成人並ニ兒童
診斷的應用
結核ノ存否病勢並ニ豫後ヲ診斷シ得　而モ
無害ニシテ同時ニ治療的効果ヲ有スル方法
（所謂吉田氏反應）
文献試品贈呈
製造所 有馬研究所
發賣元 須美商店
大阪市東區北濱四丁目四〇

ライオン歯磨
科學的實驗の結果によれば、ライオン歯磨の有效成分は、僅々三十秒口腔内に作用するのみにて、殆んど完全に、口中の細菌を吸着除去致します。
LION
TOOTH PASTE
TRADE MARK

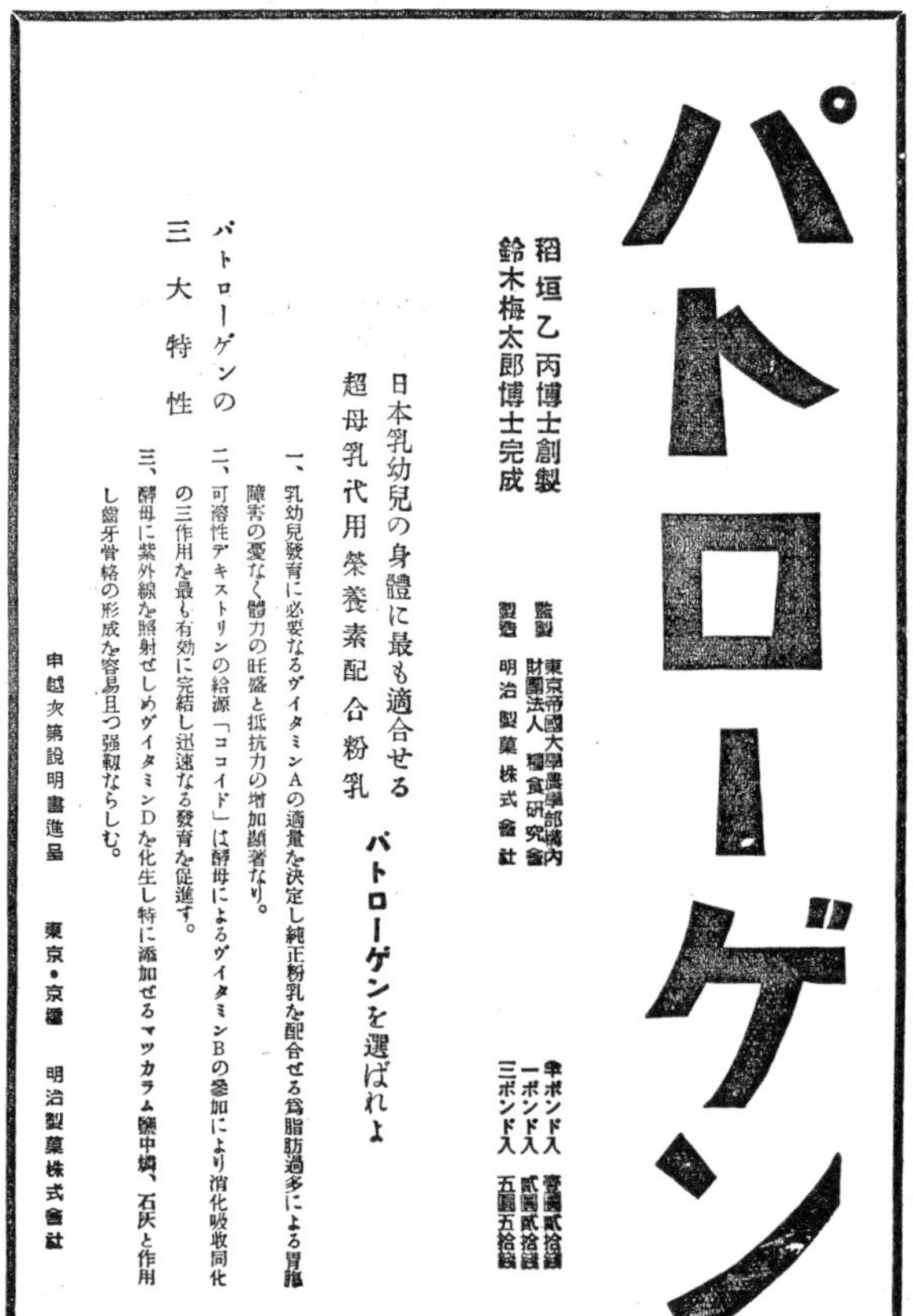
パトローゲン
稻垣乙丙博士創製
鈴木梅太郎博士完成
監製 東京帝國大學農學部構内 財團法人 糧食研究會
製造 明治製菓株式會社
半ポンド入 壹圓貳拾錢
一ポンド入 貳圓貳拾錢
三ポンド入 五圓五拾錢
日本乳幼兒の身體に最も適合せる
超母乳代用榮養素配合粉乳
パトローゲンを選ばれよ
パトローゲンの
三大特性
一、乳幼兒發育に必要なるヴイタミンAの適量を決定し純正粉乳を配合せる爲脂肪過多による胃腸障害の憂なく體力の旺盛と抵抗力の增加顯著なり。
二、可溶性デキストリンの給源「ココイド」は酵母によるヴイタミンBの參加により消化吸收同化の三作用を最も有効に完結し迅速なる發育を促進す。
三、酵母に紫外線を照射せしめヴイタミンDを化生し特に添加せるマツカラム鹽中燐、石灰と作用し齒牙骨格の形成を容易且つ强靭ならしむ。
申越次第說明書進呈
東京・京橋　明治製菓株式會社

光榮に輝く第十四回全大阪赤ん坊審査會表彰式

（上）　式場は壯麗を極め、坂間市長代理中井助役（前列右）余田博士、中田市保健部庶務課長、長部府社會事業主事、安井知事代理大谷社會課長（向つて右より）佐伯產婆會長等の御參列があつた、尙當日は曾つて本會に於て表彰された先輩たち——米澤史朗君（芦屋）三宅等子さん（南區）佐竹通靖君（北區）等も壇上から會衆に挨拶した。

（下）　十二月一日、午後一時より擧行の最優良兒 226 名の表彰式參列の光榮に充ちた附添の家族たち。

會長坂間市長代理中井助役最優良兒を表彰さる

（上）　十二月一日の表彰式は午前十時は 419 名の優良兒、午後一時は 226 名の最優良兒、午後三時は 627 名の佳良兒の分等三回に渉りいとも盛況を極めた——圖は最優良兒總代土方久雄君（曾根）山崎良子さん（豊中）がお母さんに抱かれ中井助役より表彰されんとする名譽ある光景である。

（下）　佳良兒代表坂橋忠彥君とその母君が、坂間會長代理中田課長から表彰されんとするところ、因みに優良兒の代表は浦西常義君、藤野雛子さんであつた。

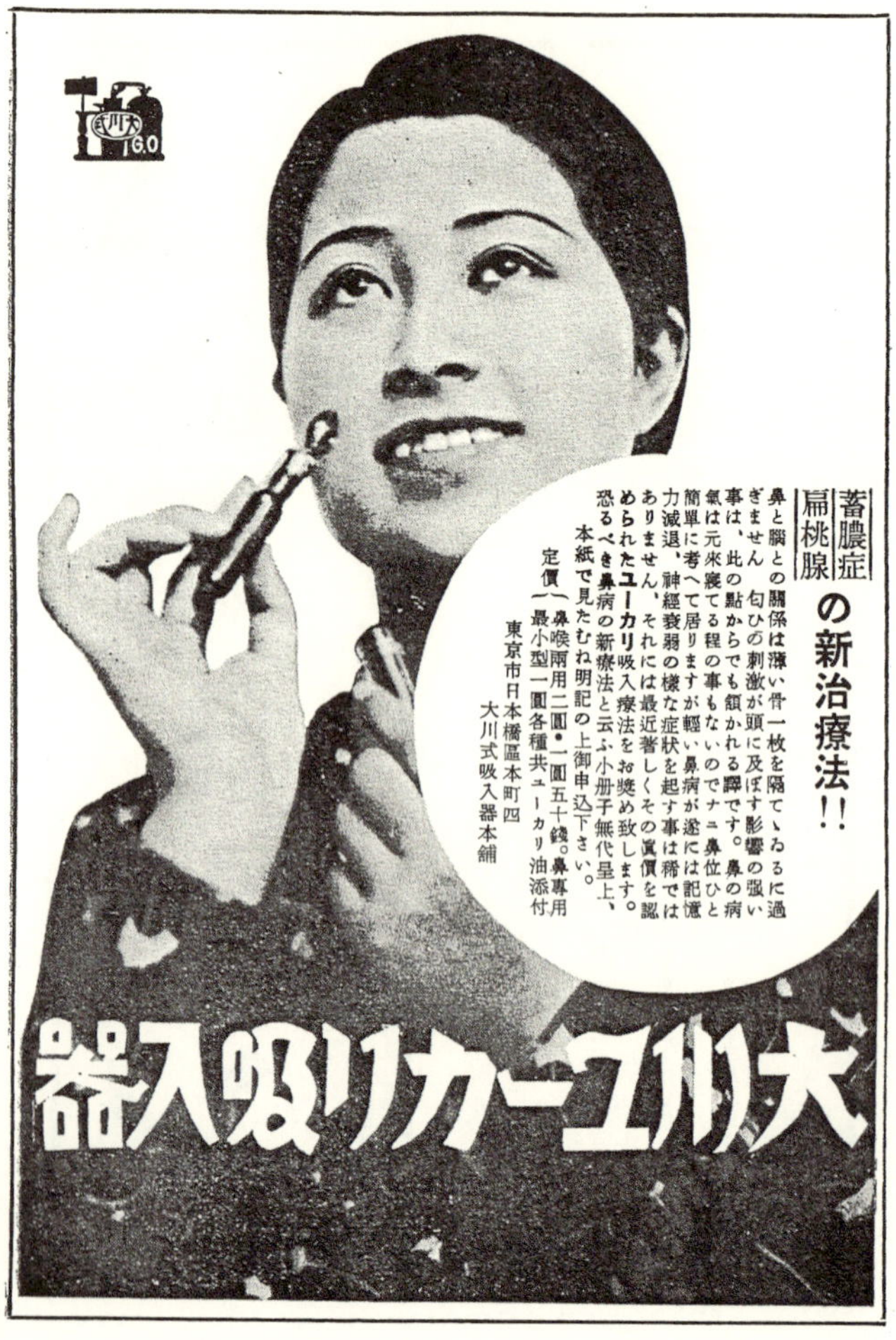
蓄膿症
扁桃腺
の新治療法!!
鼻と腦との關係は薄い骨一枚を隔てゝゐるに過ぎません　匂ひの刺激が頭に及ぼす影響の强い事は、此の點からでも頷かれる譯です。鼻の病氣は元來寢てる程の事もないのでナニ鼻位ひと簡單に考へて居りますが輕い鼻病が遂には記憶力減退、神經衰弱の樣な症狀を起す事は稀ではありません、それには最近著しくその眞價を認められたユーカリ吸入療法をお奬め致します。恐るべき鼻病の新療法と云ふ小册子無代呈上、
本紙で見たむね明記の上御申込下さい。
定價（鼻喉兩用二圓・一圓五十錢。鼻專用最小型一圓各種共ユーカリ油添付
東京市日本橋區本町四
大川式吸入器本舖
大川ユーカリ吸入器

朝野諸名家の祝福をうけた全東京乳幼兒審査會表彰式

（上）　旣報のやうに去る十月二十五日、東京高島屋に於て施行された表彰式には、平生文部大臣始め朝野諸名家の祝辭があつたが、圖は生江日本女子大學教授の祝辭をのべられるところ——向つて左より、廣井會長、陸軍省の園田軍醫、右端は柴垣高島屋支配人。

（下）　當日三回に亘る表彰式中の、午後三時よりの佳良兒の表彰式で、伊藤理事の式辭にて開會が宣せられるところ、壇上には吉村忠夫畫伯揮毫の光明皇后樣の懸軸、故松田元文相、永井名譽會長の書が揭げられ、會場は洵に壯嚴を極め、會衆は歡喜に充ち充ちた。

商標
理想的榮養料
高級滋養糖
デキストロプーア
〝愛兒への心盡し〟
乳兒への牛乳又は粉ミルクは適當に薄め「デキストロプーア」を加へて御與へ下さい。
本品は牛乳に含水炭素の不足を補ひカロリーを增します。しかも何等消化作用を要せず、胃腸管内で異状醗酵を起す虞れなく迅速に血液中に吸收されて、發育を著しく助けます。
見本及說明書送呈
全國藥店及百貨店にあり
DEXTROPUR
發賣元
日本穀産工業株式會社
大阪市北區中之島朝日ビル

世界に誇る
眼鏡肝油
眼鏡肝油
五〇〇瓦瓶入
二五〇瓦瓶入
五瓩罐入
メガネ肝油球
一〇〇粒瓶入
三〇〇粒瓶入
五〇〇粒瓶入
千粒瓶入
合資會社 伊藤千太郎商店
大阪道修町
このマーク
メガネ肝油球
肝油は「眼鏡」印に限ります
ホントウの肝油です

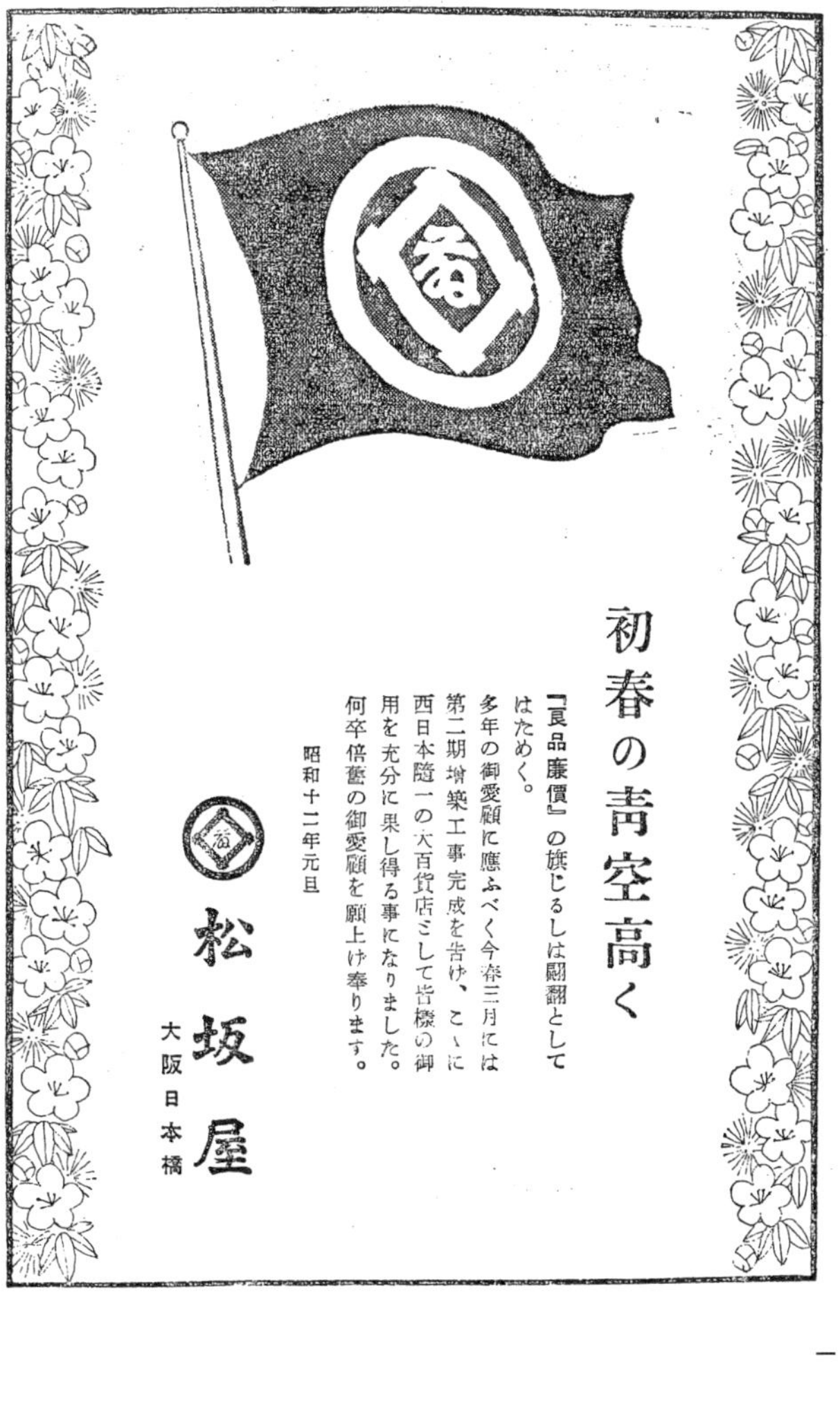

初春の青空高く
『良品廉價』の旗じるしは翩翻としてはためく。
多年の御愛顧に應ふべく今春三月には第二期增築工事完成を告げ、こゝに西日本隨一の大百貨店として皆様の御用を充分に果し得る事になりました。
何卒倍舊の御愛顧を願上げ奉ります。
昭和十二年元旦
松坂屋
大阪日本橋

新しき年を迎へ
近代生活に相應しき　鮮新潑剌
たる百貨の調達機關として、
愈々精進致して居ります
本年も相變らず御愛顧の程を
月曜休業
大丸
大阪心齋橋

昭和十二年　子供の世紀　一月號

昭和十二年を迎へて

魁堂　余田忠吾

地軸一轉、瑞祥の雲海にたなびきて蓬萊を照らし、萬里の薫風大地を吹いて來たる。
玆に昭和十二年を迎へ椒酒の杯を擧げて皇威の發揚を慶賀し、躍進日東帝國の萬歲を祈り奉る次第である。

野人籬落帶炊煙。　茅舍蕭條控井田。
早認寒梅洩春意。　一枝花發雪餘天。
野祠雲散雪餘殘。　華表分明到曉看。
說是太平多氣象。　村家炊煙不知寒。
大海無風欲曉天。　紅暾乍出照漪漣。
漁村一帶猶殘霧。　帆影依稀春似眠。

浮き雲のはれたるけさの富士のねに
　天津み空の初日照り添ふ。

田家雪

山中歌津秋

鄕里伊賀にて詠める十首

久にして歸りて寢ぬるふるさとの山國の冷え雪にならんか
隣家のくだかけの聲遠のきて雪に明けゆく村の靜けさ
新しき虔しみ心持ちて行く日の出に間ある雪の參道
あきらけく今年の初日昇り來て里の家居ぞ雪光りする
雪負へる里の家ごとはためける國旗（みはた）うれしき初日の出かな
乾倉（いぬゐぐら）のいらかおほひてひろがれる柿の枝每六つの花咲く
しろ〲と雪の裝ひに明け晴れし庭の靜けく南天燭の紅き
前庭に雪降りつめば小舍の牛ものいひたげな眼（まなこ）をおくる
雪の朝飼牛（うし）見に行けば反芻さへ止めてものいふ眼（まなこ）にあふも
はるか南、三國ケ岳に冬陽さしこゝ久米山の雪解けそむる

赤ん坊の不平

醫學博士　佐野寅一

お母さんに對する私共の希望を述べます、皆さん、私は赤ン坊であります、私共も一個の人間であります以上意志もあれば感情もあります、從つて私共にも決して不平がないわけではないが、唯だ大人のやうに露骨にそれを現はさない迄であります。過日私共も大人なみに忘年會を催しました所、其席上「私共の不平」と云ふ事に就て大に議論の花が咲きました、而して此私共の不平は隱忍して默つて居ては大人に通じないかも知れぬから、時には發表するのもよからうと云ふ意見も出ました。それで取り敢へず本誌を利用する事に致します。

一體私共の不平と申しましても種々あります、例へば兄さんがいたづらに私共の鼻を摘んだり、お隣の伯母さんが臭い口で私共へ頰摺をされたりするのは本當に癪に觸るのでありますが、お母さんのなさる事は何んでも別に癪に觸ると云ふ程の事はありません。然しお母さんのなさる凡てを私共が滿足してゐる譯ではありません、それだからお母さんはお前達が眞底から可愛いから、決してわるいやうにはしないと一概に恩に着せて頂いては私共の困る事もあります。夫故に私共が日頃持つ數々の不平の內、お母さんに對する二、三の不平を申上げます、どうか新年に際し私共のお母さんに對する希望と云ふ意味で聞いて頂き度いのであります。

一、私共を小包扱ひになさる

お母さんは私共を襁褓でグル〲と卷付け、其上を油紙かゴム布で包み、而して着物を幾枚も着せ、更に蒲團や毛布でくるみ紐で確かり結はへます、恰度千里も遠方へ送る小包も及ばぬ嚴重さであります。おかげで私共は

自由な運動が出來ないばかりか、呼吸さへ樂に出來やしない、これは寒い目をさせない親切とお小便を漏さぬ用心の爲めかも知れないが、今少し寛大に御願ひする工夫はありますまいか。

二、泣聲を聞分けて下さらない

私共は未だ言葉を習つてゐないから、私共の意志や感情を現はすのに泣き方や素振で致します。例へばお腹が空いた時は大きな聲で力を入れて泣く、そんな時にお乳を下されば直に泣くのを止めて、一生懸命にお乳を吸ひます。又お腹の痛む時は脚を腹の方へ引付けて痛さうに泣く、着物に刺や針などがあつて痛い時は其所に觸ると餘計に泣く、こんな時はお乳を貰つてもヤハリ痛いから又續けて泣きます。時には深呼吸の練習の爲めに呑氣さうに泣く事もあります。と云ふやうに私共は種々の泣き方を致しますから、泣くのは何時もお乳の請求だと早合點しないで、私共の泣き方と其時の態度とをよく注意して、其意味を穿き違へなさらないやうに御願ひ致します。

三、襁褓を度々取換へて下さらない

私共の一番不愉快に思ふのは襁褓が小便や大便で汚れた時であります、そんな時は何時も泣いてお知らせするのですが、お母さんは直ぐ襁褓を取換へないで大抵の場合お乳を下さいます、どうも心地が惡いから何度も續けて泣くのですが、とんと其意味が通じない事がありますお終ひには面倒臭いからもう默つて置く、さうすると體溫で蒸せ上つて油紙の間から異樣な臭氣が鼻をつくのであります。御蔭でお尻が小便や大便漬のやうになり、遂には糜爛してお猿のやうに眞赤になり、痛くて落着いて眠ることも出來ません。お母さんはお尻の爛れ位と一向平氣のやうですが、私共にとつては苦痛で堪へられません、こんな時はお化粧の暇に少し位手當をして下さつてもと怨めしく思ひます。どうかこんなにならないやう襁褓だけは汚れたら、直ぐ取換へて下さるやう御願ひ致します。

四、お乳の時間を決めて下さらない

お母さんはお乳の時間を決めないで、無暗に何度でも下さるから私共は一度に腹一杯飲むわけに參りません。それならば私共の方で適宜に加減して要らない時は飲まなければよいのであるが、さうも行かない、と云ふのは大體私共はお乳が至つて好きだから、遂ひ見れば欲しくなつて少し位はよからうと思つて飲む、又折角お母さんが下さるのを飲まないでは濟まないと云ふ義理もあり、若し飲まないで居つて欲しい時に下さらないと困ると云ふ心配もあつて飲む。そんなわけで遂ひ私共は胃腸を使ひ過ぎて、時々吐いたり下したりすることがあります。さうするとお母さんは心配して私共をお醫者の所へつれ

て行く、大抵のお醫者はお乳の時間などを聞かないで、いやな藥だけを吳れます、それでも不思議に藥を呑めば少しはよくなる、然し、藥の効力がなくなれば又惡くなる。それでどうしてもお乳の時間を決めなければ惡いと私共も充分悟つてはゐるが、胃腸がわるくなる程食ひしんぼうになつてはいよ／＼制限が出來ません。これは是非共お母さんの方で生れた時から嚴重に時間を決めて頂かねばなりません。

五、水分を餘り下さらない

私共はずん／＼發育せねばならないので、大人よりも新陳代謝が旺盛であります、且又體重に比して體の表面積が廣く、大人の二倍も三倍もあります。夫故に水分の排泄や發散が多いから、之を償ふ爲めに多量の水分を攝らねばならないのであります、云ひ換へればよく口が渴く、其度每に水が欲しいと泣くのでありますが、一向お母さまには通じないでやはりお乳を下さる、諺に「お乳を與へる母はあつてもお湯をのませる母はない」と云ふが全く其通りであります。

勿論お乳を飮めば一時は渴を醫すことも出來るが、どうも胃腸を損じて困ります。兎も角お乳の時間以外に泣くのは大抵口が渴いた時でありますから、そんな時は薄い番茶でも澤山下さるやうにお願ひ致します。

斯う云ふ事柄は何れも育兒書の第一課に出てゐるので皆さまも重々御承知のことのみであるが、餘り卑近なことである爲めに却てお忘れ勝ちになるのでないかと存じます、まだ／＼申上げ度い事も數々ありますが、お正月早々から不平でもないから之位で止めて置きます、暴言多謝。（昭和十一年十二月稿）

疳蟲と手當法

大阪帝大醫學部精神科內
大阪府立兒童指導相談所
醫學士 西川爲雄

德川三百年の治世下に最も發達したものに小兒の蟲封じの俗間樂と針とやいとがあります。

近代生活が複雜になるにつれ、智的生活の刺戟が小兒の世界まで影響して、餘儀なく小兒の肉體的基礎工事の必要な時代に餘分の力（エネルギー）まで智的發育に使用され、從つて頑强なる小兒肉體の工事不完全を免れぬ狀態でありますかくして、世に云ふ疳蟲なる小兒の數が激增して來たのであります。

疳蟲とは＝夜間泣き驚く夜驚症を始め、小兒ヒステリー、性格異常兒等の常に、小兒科に於て、立派に病兒と診斷せられるものを除いて、俗に、疳の高い小兒を指す事が多いのであり、此意味に於て筆を進める事にしませう。

疳蟲の起る原因　第一に考へる事は神經系統の亢奮し易き狀態にある事で、かゝる恐り易いむづかり易い小兒の精神狀態は、多くの場合、過度の肉體疲勞と精神的疲勞から來るものとであります。過度の肉體的の疲勞は兩親が小兒の興味を刺戟して無理な遠道させたり、遊技（ピアノ、舞踊等を敎へる）させたり、競爭心を刺戟して過度の運動をなす時に身體の疲勞恢復が充分に出來ずして、神經系統の疲勞を招き、刺戟に對し亢奮し易き狀態におかれついむづかり、怒りつぽくなつたりするのであります。

精神的疲勞はラヂオ其の他雜音による聽覺の異常刺戟より來る疲勞（此れはラヂオの騷音により乳兒の不眠症幼兒の體重減少を經驗せられる）ネオンサイン、交通機關の疾走、年齡に不適當なる繪本、玩具等より來る視覺の疲勞を原因として來る場合もあります。また無理解な兩親の躾によつて來る精神の亢奮狀態連續より來る場合もあります。繼母の子供に疳の高い子供のある事は此の間の事實を物語る悲劇であります。また、兩親の不和によつて子供が不眠症に落入り、私を訪づれられ、其の原因を指示して兩親が子供の爲めに、つとめて和合せられ愛兒がよく眠り、立派に治癒した、子は夫婦の鎹なる事

を如實に示した喜劇もあります。

ともあれ、子供の疳の高い事はその肉體が精神に不當の勞働を强ひられた場合に起り來るものであります。從つて、小兒の健康が疳蟲の起る原因に重大な關係を持つております。小兒の身體が健康であればある程、疳蟲が起つて來ぬのであります。

たゞ蛔蟲、殊に蟯蟲によつて起る場合が多いのでありますが、此の場合は夜間肛門の周圍に短細な灰白色糸狀の虫が出て居るので判斷でき、此の驅除は醫師の相談の下に行はれたいものであります。

疳蟲封じの妙藥は　針を刺戟療法として多少の効果を認められますが、第一の妙藥は、太陽と、平和なる靜かな山野、新鮮なる空氣と、ニコ／＼顏の家庭であります。

太陽と新鮮なる空氣は肉體强壯の母であり、疳蟲封じの父であります、田舍の小兒が都會の小兒に比し、惠まれたる健康によつて、食物や衣服の粗惡、蛔蟲の缺點を補ひて疳が靜かである原因であります。

平和なる靜かな山野は耳と目を休養せしめ、のび／＼した感じが肉體を包みて、神經を鎭靜せしめる特効藥であります。乳兒を百貨店につれ行き、明日は風邪と消化不良に苦しむ兩親は此の原因が乳兒の神經をいらだたしめたによる事を注意せられたいのであります。

ニコ／＼顏の家庭は子供の安息所であり疲勞の恢復も充分ならしめるものであります。

尙、都會の小兒では充分の榮養を攝取する爲に、雜魚の粉末、大根下し、新らしい果實をすゝめ、砂糖類を制限せられる事は結構であります。

最後に一筆加へたいのは離乳期にみる疳蟲で、長期の母乳による保育兒であります。これは、母乳のみによる保育より生ずるヴイタミンA、B、Cを初め、エネルギーの不足、胃腸の機械的刺戟の不充分によつて起るものでありなるべく、生後十ケ月で離乳し、一般食餌に移行せられる事で治癒致します。

冬は、小兒を家庭に閉ぢこめ易く、運動不足と厚着による肉體疲勞と尙、炭火、豆炭によつて起る身體の抵抗力減少となつて、一層小兒を疳高とせしめます。

皆樣は多なりとも金魚が水面に浮び出る樣に出來るだけ太陽下に遊ばしめ、輕快なる運動の出來る服裝にして肉體の疲勞を輕減し、大根下し、肝油を攝取して不足のエネルギーを補足せしめて、家內に於て豆炭、炭火を使用する事を制限して、今年の冬こそ小兒の疳蟲を封じて愛兒の健康を祈りませう、もし機會があれば乳兒の脚氣、消化不良、疾病恢復期等に現れる疳の蟲、小兒結核によつて認められる疳の高い場合、虛弱體質の神經亢奮等について誌しませう。

東北地方の子供（其一）

山形市立病院濟生館小兒科
醫學博士 宇留野勝彌

子供といつても玆にいふ子供は肉體上の、健康上の子供のことです。民族によつても子供は違ふ、都會と田舍によつても違ふし、生活階級によつても違ふ。私は今から東北地方のホンの一部の山形市を中心にした數郡下の市町村の子供について少々調べたところを述べて見たいと思ひます。

讀者の大多數は關西、而も大阪その他の大都市の方々ばかりでせうから、こんな邊鄙の山形の子供のことなどには興味が少いでせうけれど、東北といつても吾々日本の一部、而も非常時日本には最も重要な强い／＼軍隊を送りだして居る地方なのですから、決してよそごとゝ輕蔑していたゞかぬやうにお願ひします。尙又記述する私自身は小兒科專門の醫師ですから語るところは萬事皆育兒に關することがらで、皆さんの爲になることばかりかと思つて居るのですから。

◇殘念ながら發育がわるい

私自ら市町村に出張して診察し、身長、體重、胸圍、頭圍を計り、色々な事項を訊ねて調査し、統計をとつた子供が滿五歲未滿で男三千八百餘名、女三千四百餘名、合せて七千二百餘名に上るのです。これを年齡別にして平均を算出し、日本の發育標準に比較してみますと大變に劣つて居まして、若しもこれを大都會の赤ちやん審査會の成績に比較なんかしたらお話にならぬやうな不良發育です。

生れて一、二ケ月の赤ん坊は審査したのが少ないので判然と云ひ切る譯には行かないが、割に發育はよいのですが月がすゝむにつれて劣り具合が增してきて、最もひどく劣つて居るのが丁度生後一ケ年から一ケ年半の間なのです。そうして其後は又次第々々に發育も追付いてき

て満三年以上にもなれば身長こそやゝ劣るが、體重と胸圍は殆んど日本標準に近くなつて來ます。つまりこの時分に初めて田舎の子供としての特長のヅングリした、ドツシリした體型をそなへることになるらしいのです。

どうして誕生前後が最も劣るのであるかといふことを考へますと、先づ第一に離乳すべきのに離乳しないこと母乳の分泌がひどく悪くなること、つまり子供の榮養の如何が關係して居るものと思はれます。後にも述べるが田舎では次の子供が生れぬ限りは幾つになつても乳を吞ませて平氣に居ます。而も乳だけで間に合つてるのを誇りのやうにして居るのです。この誤つた考へを直ほさない限りは育兒がうまく行く譯はないと思つて居るので、私などは母の會、女子會などに出る度にくどいほど講話をして居るのですが、一朝一夕には矯正は六ケ敷いやうです。

何故満三年以上になるとシツカリした體になるか。これには前述の次の子が生れて來るので母乳を離れ、一人で飯を食べて成長することになるから攝れるだけの食糧をとられるから丈夫になつて來ると說明がされないことはありませんが、この外にもかよはい子供は二年未満に死んでしまつて比較的丈夫な素質のものだけが生存するといふことも考へなければならぬのです。或る學者は乳兒死亡率の多いことは、死亡するに至らないでフラ〳〵して生き延びて居る死にそこなひの病弱兒がそれだけ多く居ることを裏書して居ると云つて居りますが、全く一理ありと思ひますが、私は親しく田舎に在つて觀察して居ますと、弱い子供は死んでしまつて殘るものは割にシツカリした抵抗力も強いのが多いといふことも事實のやうに思はれてなりません。所謂人爲淘汰でない自然淘汰のやうなものです。

尚頭圍だけは不思議に日本標準に比して決して劣つては居りません。

◇三月生れの子は優れて居る

先づ一年十二ケ月の月別にして見ると一、二、三月生れといふのが特別に多い。これは寒國の山形ばかりの話でなく、以前に私が廣島で四千餘名についてとつた統計もそのとほりでした。丁度五、六月の陽氣のよい時節に懐姙するのは一寸考へても自然的でよいらしく思はれるのですが、この事實を推しても春に懐姙して一、二、三月に分娩するのが最も自然なのでせう。特に面白く思はれたのは三月に生れた乳幼兒に最も多く優秀兒が居て、最も少なく劣等兒が居ることです。これも或は偶然の仕業かもしれぬが廣島と山形との統計の結果がチヤンと一致

小兒科
高洲病院
大阪兒童愛護聯盟理事
院長　醫學博士　肥爪貫三郎
顧問　醫學博士　高洲謙一郎
大阪市南區北桃谷町三五
(市電上本町二丁目交叉點西)
電話東一一三一・五八五三・五九一三番

して居ます。よい子を生まうとする人はよろしく考ふべきことですネ。

◇産婆に診せない姙婦も居る

田舎では姙娠しても仲々産婆に診せたりしない。六千人の統計で第五月の岩田帯を締める時までに産婆にかゝつたのは四九パアセント、即ち丁度約半數位しか居ません。或る農村の六三三人を精細に調べたときに生れるまで一度も産婆に診せないといふのが二九人も居たのには一驚を喫しました。

これなども農村母性の無自覺の致すところで是非改良しなければならぬことゝ思つて居ます。姙娠早期に産婆に診せて、若し胎兒の位置異常でもあれば正しくして貰つて置かぬと産月近くに發見したのでは遲く、位置がなほらぬことにもなり、自然難産とか機械で出すとかいふことになるのです。

姙娠中産婆にもかゝらぬやうな母性は一事は萬事で、何事にも不注意、非衛生等の譯ですからよい子が出來る筈はなく、事實前記二九名の母から生れた乳幼兒の體をみると實に發育の不良なものばかりでした。(以下次號)

—親の慈愛の金字塔—
御出産の御祝品に絶好
出産から小學校入學まで、六年間の生ひ立ちを細かに綴りゆく美しい本

四六倍版摸造紙八四頁
色クロース金模様裝幀
各頁極彩童畫飾畫揮毫
優雅堅牢な保存用箱入
大阪こども研究會編
わが子の歷史
杉浦非水先生裝幀・有名童畫家十先生各頁着彩飾畫
定價一冊三円
◇地方送料 内地四十五錢 台滿鮮七十五錢　◇荷造料十六錢
慈愛深き親達の手で、この美しい本に可愛いお子樣の生ひ立ちを細かく御記入になつて、成人の後お子樣へ贈られることは、何と意義深い事で御座いませう。
大阪市高麗橋　三越　圖書部
振替口座大阪三〇三番

寝る子はよく育つ
安眠させるお母さんの心得
醫學博士　窪川經廣

「寝る子は育つ」子供さんと睡眠とは切つても切れない仲よしです、生れたての赤ちやんは二十四時間三、四歳で十二時間、小學校へ行くやうになつてからも最小限九時間の睡眠は一日の中どうしても必要なのです、これだけの睡眠を取らないと子供は直ぐ神經系統の衰弱から體内器官の調節を失して大事に至ることが多いので注意を要します。

この睡眠の深度の徑路は大抵一定してゐるもので先づ眠りついてから一時間後が最も深く徐々に淺くなり朝方また深くなつて次にやゝ急激に淺くなつてさめるのです、ですからお母さん方はこの睡眠の深度の徑路をよく心得て安眠から子供さんを奪はないやうに心掛くべきです、完全な眠りは體内の意識をつかさどる神經が全部休止するのですが、往々にして深い眠りが淺くなる過渡期に、ある神經だけが働いて夢となり更にこれが言語中樞を刺戟して寢言となり、更にある時は運動神經まで刺戟して夢遊病狀態となります、夢をよく見る子供はどうしても神經質で睡眠不足ですから、お母さんは特に注意せねばなりません、ではお子さん方をよく眠らすには——

1　戸外の騒音、家庭不和を避けること、劇場附近の子供さんには神經質が多い、「孟母三遷」はあながち教育の點ばかりではありません「おつ母さんまた越すのかと孟子いひ」なんて子供にいはれても驚いてはいけません。

2　部屋の溫度は自然のまゝでよろしい、夜火鉢やストーヴを焚かないで夜具で調節すべきです、但し弱い子供はガスを發しない電氣ストーヴで部屋の溫度を適當に保つことは必要です。

3　寢床のシワ、寢卷の帯のむすび目に注意して睡眠を妨げない事、寢卷は水分をよく吸收するタオルのパジヤマがよろしい、水分を吸收しないと風邪をひきます。

4　雜誌を讀みながら寢る習慣をつけぬ事、これは眼に悪いばかりでなく神經を刺戟して熟睡を妨げます。

5　電燈を消して眠るやうにやはり視神經を刺戟して眠りを妨げます、暗くなるのをこはがる子供さんには電氣に覆ひをして電燈を見えない所に置くこと。

6　寢室には夜花や植木鉢をおかないこと、植物は晝間は日光による同化作用を起して、炭酸ガスを吸收してよいのですが夜はその作用を休止する上に眞つ暗い中で花の影がかへつて子供の恐怖觀念を起さして、睡眠を妨げることがあります、達磨さん等こはい置物はなほいけません。

7　眠る前にコーヒー、紅茶等の刺戟物、水、食物等も睡眠中に休まうとする胃腸を酷使する事になりますから勿論避けねばなりません。

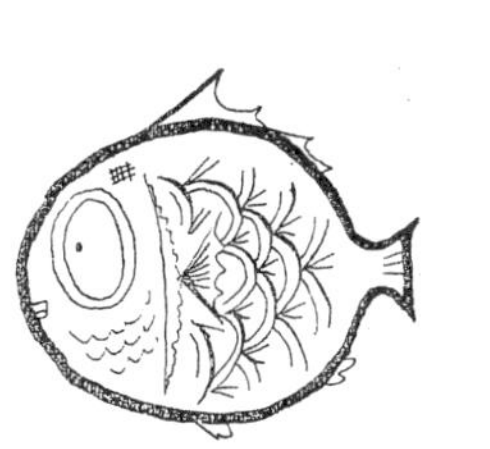

或時の子供五人

氏家壽子

時　昭和十一年十一月十五日
所　七五三祝の子供部室
主人側（三人兄妹）
　太　郎（一〇才）
　ミツコ（五　才）
　アキ子（三　才）
お　客（兄妹の從妹）
　ヤエコ（八　才）
　トシコ（七　才）

今日は美しいお天氣で澄み渡つた秋空には涯なき希望が秘められて居る樣に、輝きを以て居る。何處からかかすかに奏樂の音が聞えて來る樣にさへ思はれる。

この子供達の家は母同志姉妹で程近い所に住み、絶えず往き來して居るので從兄妹お互に大變な仲良しである。それぐ\の家で兄弟喧嘩などして居る最中でも、どちらかゞ訪問すれば俄然解消して、前にも增した融合狀態になるのを親達は一つの不思議として居る。

今日は日曜學校の終へたあと大部前からお樂しみになつて居た『七五三』のお祝をすると云ふのである。

一方に七才があり一方に五才と三才があるから恰度揃ふ。物知りの人が居て五ツは男の子の祝だからお孃さんのではありませんと聞かされて、ミツコは悄氣て居たが母親の考へは少し違つて居た。

省みれば彼の胎內十ケ月母は胎りし者に對して只の一日でも忘れ得たであらうか。たゞく\まさきく世に出でよ、健かに生ひ立てよと希へばこそ、身を愼み心を淨めのである。そして全く援けなき姿で生れ出たその時から數へれば五つとせ、暑さにつけ寒さにつけ心割かぬ日とてはないものを。一年經つさへ並々ならぬ心地がするのに、五年と云へば母にとつては大業とも云ひ度い。昔の人は良くこそ數へ上げられたもの、その男兒女兒何れを問はず三才、五才、七才、各々に考へれば危期がある。少なからぬ啓示が藏されて居る。今健康にして智惠も動きも相當にこの年を迎へたと云ふ事は、祝ふべし正に祝ふべし。天地の間に育てられつゝある汎く豊かなすべての生命の中に交つて、この母に委ね預けられた幼き者の生命も、今こゝに躍動して居るのを祝はずに居られるだらうか。世の約束はとまれかくまれ、慣習傳統の文律は如何にもあれ、恙なく五つになりました。有難うございますと石にも金にも刻み度い母の心である。今年一年生になつた八ツの子に對しても、三年になつた十の子に對しても同じく記念の年としたいとさへ思つて居る。

主人役兼常に指導者格——と云つてもこのリーダーは殘る全部の女の子達に不知不識の間に軍國主義を鼓吹して、皆必要以上に元氣な兵士？にしてしまひ、結局大將である自分が度々泣かされて皆に笑はれる始末ではあるが——である太郎の發案によつて、お好みの御馳走が並び食卓が開かれる。

「僕がお禱をして上げる。未だく\、皆お手々を組んで……。

『エス樣。今日は七五三のお祝をして下さつてどうも有難うございます。ヤエ子ちやん達も呼んで下さつて、日曜學校で良いお話を聞かせて下さつて有難いです。こんなに御馳走を頂いて有難う御座います。どうか食べられない人達にも、こんな御馳走でなくても良いですから上げて下さいませ。ではこれからみんなで頂きます。アーメン』

一同元氣よくアーメン、頂きまーすつと初まつた處、一瞬後れてアキコちやんのお祈りが初まる。たつた一人で目をくしやく\やり乍ら何事かしきりに祈つて居る。そばに居た人の耳には斯う聞えた。

「イターキイターキイターキイターキアーメン」

つまりお兄さんの最後の頂きますが頭に殘つたので、彼女はそれを繰り返した、とても熱心に何回となく曰く「頂き、頂き」である。此處で皆の口が盛に動いて居る間に五人の子供の性行を一寸簡單に述べたいと思ふ。似た者は一人も居ない。顏つきもそれぐ\特徵があり過ぎるから面白い。

◎太郎、瘠せ形でお菓子が好き。自家中毒症が常習で年に三回位家人を惱ませる。兩親待望の數年を經て初めて授かつた子であるから甘やかした爲となつて居るが長男の典型的なもので至極呑氣で泪もろい。調劑による精神年齡は級友中でも上の方であるが日常生活を見ると、五才の妹と同じ樣な場合が多い。時には妹にしてやられる。今は軍事研究で軍機の事なら家中の女共に教授して居て充分過誤なくやつてのける。親しみ易く友達多く澤山の人に可愛がられるし、學校の成績表は大變に良い。

◎ミツコ、まん圓い顏でまん圓い目、口許のしまつた肥つた小柄の、お人形さん然とした出來である。とても勝氣で赤ちやんの時から病氣らしい病氣もせず、めそく\泣いた事がない。動作は兄より敏捷で不可思議な理窟で人をアツと云はせる。

◎アキコ、眼の細い色の白い成長の後は面長になり相な傾向がある。頗る健康で三人兄妹の內最も手のかゝらない子供である。何か一つの音律を摑むと朝から晩まで身邊の事を即興詩みた樣にして音律にのせて、獨りで遊ぶ。至極呑氣でする事が何でも滑稽味を帶びる。手拭を見さへすれば直に一寸獨りで被つてしまふやうに。

◎ヤエコ、色白で線の細いやさしい子であるが、頗る甘へつ子に育てられた。身體が弱いし氣も弱いので直ぐ泣く。その代く嬉しい時や樂しい時は小鳥が囀づる樣に高い聲で絶えず話し乍ら遊ぶ。小さい子の世話をよくし從妹のアキコを可愛がる爲には自ら我慾を制して居る事がよくわかる。

◎トシコ、健康な肉づきのよい圓味を帶びた顏立ちの子驚くべき無口でめつたに物を言はない。聲を出さないでニコリと笑ふが遊びを傍觀して居る事もある。時には姉さんと喧嘩してその泣くのをじつと見て居る。云ふ事はコツクリと一つうなづいてよく守る。男の子がお友達になり易い。

五人の子供達は食物について好きだ嫌ひだと話しあつて居る。太郎は好きな物をどんく\食べて他のお皿を見渡す。「ミツコちやん、嫌ひなら食べてあげるよ。」等と云つて方々で斷られて居る。厚燒玉子である。ヤエ子はどれからどれにし樣かとしきりに見廻しては決心のついたのから口に運ぶ。一つ殘つたのを試みに「もういやなの？」と聞いたら周章て（あわて）お皿を抱へ世にも可憐な聲で「これ大好きなの。だから一番あとに殘して置くの」

トシコはだまつてモクく\と一皿づゝ平らげて行く。嫌々食べて居るのかと案じて「嫌だつたら殘して良いのよ」と助言すると「たべる」と靜かに仰せられる。そしてほんとうにきれいに征服する。ミツコは先づ見渡していきなり尋ねる事が振つて居る。「お代りありますか？」と、太郎橫に居て獨白「チヤツカリしてるねえ」。アキコは餘り皆が賑かなので少々あがつた形。お兄さんの方みて、お兄樣の食べた物を眞似して一と口、お姉さんの方みて同じ樣につゝつき、從姉が箸を指したら大いそぎで自分も蒲鉾に箸をつき指す。お汁を飲むとぢつと見て居て一口のみ下す。やがて何や彼やごたく\にのせてしまつた混雜のお皿に、お茶をかけて貰つて完全に一人別なコースに這入つてしまつた。

叔母さんのところから千歲飴が銘々に一袋づゝ屆く。子供達は散々庭で遊んだあと應接間に上つてこの袋を一つづゝ抱き上げる。當分は鶴だ、翁だと表繪の研究、やがて「皆開けろーッ」大將の號令一下、兵卒一同鬨の聲を放つて開けにかゝる。

大將は先づ範を示し口を止めてあつた金具をはづすと袋全部健在で食べた半分を又元の所に入れると云ふ譯。早速ヤエ子が之を見て、「どうやるの？どうやるの？」と聞いてあゝ斯うかとやつて見る。トシコは向ふ側の椅子にかけて足をぶらく\し乍ら見て居たがよく解らないらしい。やがてだまつて下りて來て、太郎やヤエコの手元をのぞき込み、元の椅子に戻つて一人でゴソく\はじめる。その內開ける。ミツコは旣に自分で引千切つて開けてしまつた。恐らく誰よく早く口に入れたであらう。所が開けてからお互に氣がついた。誰の袋が一番きれいかと云ふ事に。皺がよらず袋の口がもめないで初の通りの姿で居るかと云ふ事に。と私だと私だと興ずる內ミツコのはもみくちやで而も千切つてあるから分が惡い。ミツコはちやんと千切つた處を片手で揃へて摑み皆が見つけて何か云はうとする時早く、「ミツコちやんの袋だつてちやんと長いや。こうつながつてるもん」。

アキコはと見れば、彼女はこの袋の中に飴のある事を未だ御存知ない。開ける口のある事も御存知ない。皆の椅子の外側を袋振りく\唄つて步いて居る。「チヤンタクロースのおぢさんが——」と。

一體誰が一番だつたらうと、見物は暫時見とれてとみに評價をしかねた。

その內誰からともなく兎だ、猿だとお年の競演が始まる。「あたしはこわいのよ。降參しなさい。誰だつてまゐつちやうから。へビよ。ニユルく\く\」とヤエコが指を動かして皆の目の先に突出す。「僕は兎だ、飛ぶよ、ソラどいて與れ給へ。ピヨンく\く\」可なり猛烈な兎である。ほこりが立つので大きい人ににらまれる。「あたしはお猿だ、キヤツく\く\」

ミツコは首をかしげ目玉くる〳〵まわし乍ら、取つて置きの聲を出して椅子と椅子の間を飛び渡る。アキコは皆のして居る事がわからない。自分の配役は尚更わからない。後れ走せに飴を出して貰つて頂き乍ら、でも何とか動作しなければ悪いとでも思つたものか、メエ〳〵と覺えたての山羊の鳴聲みたいな擬音を出して、兎と猿の間をと云つた樣にその邊を飛んで居る。大きい子たちはそれを見て「アキちやんは何だつけ?」「え?お母樣?あつ犬なの」「おやあアキちやんはメエ〳〵鳴きするんぢやないことよ」「ワン〳〵つて云ふのよ」口々に助言が始まる。ワン〳〵やなんて呼んで上げる子も居る。今迄離れた處に居て、この四人の群にいきなり飛んで來たトシコ、片足上げて思ふ樣前に居た二人をドンと突き飛ばし二人がアツとよろけて居る暇に椅子に戻つておさまつて曰く「馬です」

なるほど馬だから蹴つたと云ふのか。

子供達よ。愛する五人の子たちよ。お身達が未生の國からこの世に送り出される時、神樣は一人々々祝福して秘めたる御言の葉を賜つたであらう。父達も母達も今日の健康な姿を見て神樣から頂いたものと、絶えざる御加護の偉大さとを深く信じ謝しまゐらせるものである。希くば汚れざれ、いよゝ強く、いよゝ賢く、いよゝ善良に生ひ立つてあれと願はれし、色に咲き匂へと禱りつゝこの筆を擱く。

――一一、一二、五――

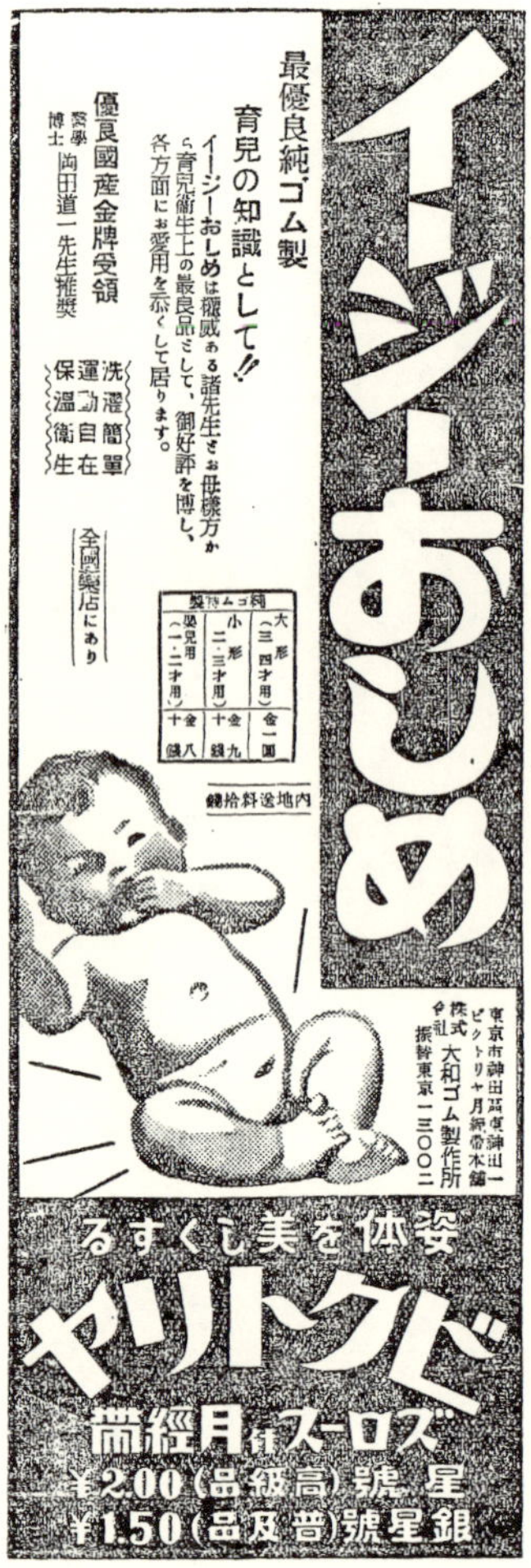

第十四回全大阪赤んぼ審査會表彰式

會長式辭

本日茲に第十四回あかんぼ審査會表彰式を擧行するに方りまして一言御挨拶を申上げます。

本審査會も年毎に隆盛に向ひまして、殊に本年は申込總數三千六百名の多數に達し、その成績も例年に比し著しく良好なるものがございましたことは、全く育兒智識が普及し實行されて居る證明に外ならないのでありまして、市民の體位低下の聲喧しい折柄、私達は非常に心强く感ずると同時に誠に御同慶に耐へません。

斯樣に乳幼兒が良好なる御發育を遂げられましたことは、天賦の體質によることは勿論でありますが、就中御兩親不斷の御注意と御努力の賜であると深く信じ滿腔の祝意を表する次第で御座います。

今般大阪市に於かれましては、本會が專ら乳幼兒保護に寄與しつゝある功績を嘉し、尚又益々育兒思想の普及啓發に資する意味から優良章を寄贈されました、本會は之を受けまして今回の審査會に於て優良兒の最優良と認定されました男女各十八名の御子達に御傳へすることに致しました、希くは皆樣に於かれましては本日のこの名譽を永く保持されまして、圓滿なる御發育に尚一層の御努力を致されむことを祈ります。

簡單で御座いますが御挨拶と致します。

昭和十一年十二月一日

第十四回全大阪赤んぼ審査會

會長 坂間棟治

第十四回全大阪赤ん坊審査會表彰式

祝辭

大阪兒童愛護聯盟並に大阪こども研究會聯合主催の下に、本日茲に第十四回赤んぼ審査會の表彰式を擧行せらるゝに當りまして、祝意を表するの機會を得ましたことは私の欣快に存ずる所であります、國民の保健は今日我が國に於きまして最も重要な問題でありまして、國民が一致協力して體質の向上を圖ることは刻下の急務であります。

然し乍ら國民の健康は乳幼兒期に於て其の健康を保全し、之が增進を圖らねば到底所期の効果を擧げ得ないことは言ふまでもありません。

大阪兒童愛護聯盟並に大阪こども研究會は夙に此の點に意を用ひ、市當局御協力の下に既に十餘年の長きに亘り乳幼兒の審査會を催し、優良兒を表彰せらるゝことは洵に邦家のために慶祝に堪えない次第であります。

本日表彰の榮譽を荷はれた赤ちやんの保護者各位は、何うか表彰の趣旨を體して今後益々健康に留意し、此の名譽を損ふことなく、心身共に優秀な次代の國民たらしめらるゝ樣切望して已みません。

聊か蕪辭を述べて御祝の詞と致します。

昭和十一年十二月一日

大阪府知事 安井英二

大阪市保健部保健月報

あかんぼ審査會優良兒表彰式

兒童愛護精神の鼓吹と育兒知識の普及とに少なからぬ貢献をしてゐる大阪市後援、大阪兒童愛護聯盟、大阪こども研究會共同主催の第十四回あかんぼ審査會は九月二十四、五、六の三日間大阪三越に於て華々しく行はれた。毎年行はるゝ興味深き有益な企劃の事とて審査申込は殺到して發表と同時に締切らざるを得なかつた程であつた。審査人員二千六百五人に對して專門諸博士擔任の下に嚴密なる審査を施したが、その結果最優良兒二二六人、優良兒四一九人、佳良兒六二七人、普通一、三三三人と發表された。

茲に於て十二月一日午前十時を期して東區高麗橋三越に於て最優良、優良、佳良兒一、二〇〇人に對して盛大なる表彰式を擧行して表彰狀並に銀メタルを贈呈するが其の最優良兒二二六人に對しては午後一時より審査會長大阪市長坂間棟治氏より表彰狀を、且特別なる最優良者三十六人に對しては保健部長藤原博士より大阪市寄贈の美麗なる銀メタルを夫れ〳〵授與して此の榮譽を顯彰する筈である。

審査成績は左の通り――。

第十四回あかんぼ審査會成績表(昭和十一年十一月)

年齡＼種別	最優良 男	最優良 女	優良 男	優良 女	佳良 男	佳良 女	普通 男	普通 女	計 男	計 女	計
二ケ月	三	—	四	四	二	一	八	二	一七	七	
三ケ月	六	二	一三	六	一一	一二	二一	一七	五一	三七	
四ケ月	一二	八	一九	一〇	二四	一七	六三	二三	一一八	五八	
五ケ月	一一	四	一八	一〇	三九	一二	七三	二六	一四〇	五二	
六ケ月	一一	一〇	一八	一三	三三	一七	七〇	三〇	一三二	七〇	
七ケ月	一八	一二	三一	二三	六三	二四	六四	四四	一七六	一〇三	
八ケ月	一四	一四	二二	二三	六三	二四	八九	三九	一八八	一〇〇	
九ケ月	一七	三	二〇	一二	二五	二七	一一四	五八	一七六	一〇〇	
十ケ月	四	一〇	一四	四	二四	二四	七六	四五	一一八	八三	
十一ケ月	八	五	二一	一〇	二〇	一四	七〇	四一	一一九	七〇	
一年	四	—	一五	三	一一	七	四六	二三	七六	三三	
一年一ケ月	五	六	九	九	一〇	八	五六	二七	八〇	五〇	
同二ケ月	五	三	一三	七	一三	九	二一	二〇	五一	三九	
同三ケ月	三	三	二	三	一〇	七	二〇	一〇	三五	二三	
同四ケ月	一	—	六	五	九	六	一三	六	二九	一七	
同五ケ月	二	一	二	四	二	四	六	三	一二	一二	
同六ケ月	一	一	六	三	八	六	一〇	一一	二五	二一	
同七ケ月	六	一	二	三	五	四	一三	五	二六	一三	
同八ケ月	一	一	四	二	九	四	一二	一〇	二六	一七	
同九ケ月	三	三	七	三	四	九	一〇	九	二四	二九	
同十ケ月	一	一	三	三	三	—	一〇	五	一七	九	
同十一ケ月	二	—	一	六	五	二	八	二	一六	一〇	
二年	一	—	三	一	五	二	三	一	一二	四	
計	一三八	八八	二五二	一六七	三八七	二四〇	八七六	四五七	一、六五三	九五二	
	二二六		四一九		六二七		一、三三三		二、六〇五		

病後の養生から平常の養生へ

前拓務參與官
衆議院議員　手代木隆吉

昨年の夏、家内が胃腸を傷めて病院へ一ケ月餘入院し、その退院に際して受持醫師から色々病後の養生法と共に「錠劑わかもと」の服用を奬められた。それからは醫師の奬めに從つて實に規則正しく服んでゐた樣だ。退院する時は非常に身體が衰弱して居つて、當分は元の身體にはなれまいと考へて居つたが、九月の末頃には殆んど健康を恢復したので、醫師も非常に感心した程だつた。その上病前の便秘も起らなくなつた。

家内はこれも「錠劑わかもと」服用のお蔭だとすつかり「錠劑わかもと」の禮讃者となり、自分や子供にも極力奬めた。自分は元來體が頑健で、若い時は風邪一つ引いた事はなかつたが、矢張年と共に時々疲れを覺えるやうになり、時には頭の重い事もあり、體の調子が思ふ樣でないこともある。ところが「錠劑わかもと」を服み始めてから實に元氣になつて、食は益々進み、最近の忙しさにも元氣一杯で、仕事が次から次へと面白い程片附いて行くやうになつた。

子供達も皆服んでゐる樣だが、そのせいか腹もこわさなければ風邪も引かず、至つて元氣で學業に勵んでゐる。

右御推奬の『錠劑わかもと』は、廿五日分一圓六十錢、八十三日分五圓で東京市芝公園わかもと本舗榮養と育兒の會（振替東京一七〇〇番）の發賣で全國各地藥店にて取次いでゐます。

生活と趣味　十二月號より

日本兒童愛護聯盟主催の

第八回全東京優良乳幼兒表彰式

秋も闌の十月二十五日、第八回全東京優良兒童表彰式が日本橋高島屋ホールで擧げられました。これは、平生文相を總裁とする日本兒童愛護聯盟の主催にかゝるものです。

この審査會は、畏くも東久邇宮妃殿下の御台臨を仰いで、過ぐる六月下旬、五日間に涉つて行はれたもので、その折五千八百六十二名の審査を終了いたしましたが、その審査によつて選ばれた光榮の最優良兒二百六十名、優良兒三百五十三名、佳良兒一千二百四十二名が、この度び晴れの表彰をされることになつたものです。

右表彰式の二十五日は、理事長伊藤悌二氏、外數十名士の臨席の下に、午前十時より午後にかけ兩三回に亘つて盛況裡に表彰授與を終りました。表彰された赤ちゃん軍の歡聲に、お母樣も大ニコ〳〵、大變な賑かさでした。

（生活と趣味之會發行、キャビネ寫眞二葉掲載）

社會事業彙報　十一月號より

東京赤ん坊審査會の成績發表

はしがき——敢て五人とは言はない——一人でもいゝから丈夫な赤ちゃん、桃太郎の樣に、見たからにポックリした「健康日本」を表象する赤ちゃんを殖やしたいと言ふ願ひから、日本兒童愛護聯盟では例年赤ちゃん審査會を開いて來たが、今年も平生文相を總裁に、永井前拓相を名譽會長として去る六月十三日からオール東京赤ちゃん審査會が高島屋で開かれた。

本年も五日間に亘つて滿二歳以下の健康乳幼兒が六千人近くも集まり、會場は各自一等を目指して進む赤ちゃんの明朗なスタヂウムと化したが、戰ひ終つて、十月二十五日（日曜日）左の如き審査成績の發表があり、表彰式が行はれた。

審査成績決定數

最優良兒	二六〇人	同（C）	三五四人
優良兒	三五二人	可良兒	六〇一人
佳良兒（A）	五三八人	普通兒	三二一〇人
同（B）	三五〇人	要注意兒	一九六人
計	五八六二人		

（財團法人中央社會事業協會發行）

流感・肺炎・百日咳等・特効

吸入藥 カシピロン

合理的吸入療法と其効果ある理由

本品は上圖の如く普通の吸入器で之を吸入して呼吸器直接に作用す、芳香爽快にして、毫も副作用なし

一、せきの出る神經に作用して咳を止め、又痰を溶解して容易く祛痰の効を奏す。

一、心臟を强め抵抗力を增進し且つ肺炎、氣管支炎等の炎症を治する効ありて全快を早む。

一、解熱作用あり、即ち温熱中樞を刺戟して發熱を抑制し又殺菌力あり。

適應症　感冒、肺炎、氣管支炎等の急性病は勿論麻疹、百日咳等の小兒獨特の病に特効あり又肺結核、喘息等の鎮咳、祛痰に適應す

前第四師團軍醫部長 陸軍々醫監
大阪市民病院小兒科長 谷口醫學博士
福井赤十字病院長 大野醫學博士
大阪府立保健館前館長 上村醫學博士
大阪醫科大學前教授 辰巳醫學博士
實驗 推奬

全國藥店にあり

定價 六十錢・一圓・二圓半

粗惡なる模倣、類似品あり 御注意を乞ふ

大阪市東區平野町
道修藥學研究所

日本赤十字社病院　慶應大學病院御用

テツゾール

吉本醫學博士　簡野醫學博士推奬

藥學博士　石津利作先生創製

幼兒の榮養と母體の保健

お茶を禁ぜぬ便利の鐵劑

體内造血器管を皷舞し其機能を旺盛ならしめ純血を豐富に新生し溌溂たる活力を附與す。故に

貧血の人、虚弱の人、病後の人、不眠症の人、神經衰弱の人、産婦、夏期に衰弱する人、肉體及精神過勞に適し又、登山、旅行、運動競技、試驗前後は常備、携帶の要あり。

愛兒の爲に

今迄小兒に適する鐵劑がなかつたが本品によりて初めて理想が現實したとは小兒科醫の言明である。

發育が遲れたり、虚弱であり、血色肉付わるく、夜尿をしたり、病後の小兒等弱き愛兒の榮養は美味で飲みよきテツゾールの服用に依り効果に直に母親の慈眼に映ずべし。

四週間分金貳圓八十錢　八週間分金四圓五十錢

各藥店
三越
松屋
松坂屋
にあり

東京日本橋區本町三丁目
發賣元　里村三治商店

大阪市道修町一
關西代理店　キリン商會

增量斷行　器械設備の完成と共に定價は元の儘にて二週間分を四週分に增量して非常に御德用になりました

東京の審査會に於ける

母親のメンタルテスト(一)

——出生順位、名前の由緒、名付主、出生記念——

伊藤悌二

第一問　このお子さんは何番目ですか

人員總數　一〇八八人　男六八〇人　女四〇八人

順位＼性別	男	女	男女
一番目	三三八	一九九	五三七
二番目	一八〇	一〇五	二八五
三番目	八〇	五五	一三五
四番目	四五	二四	六九
五番目	二〇	一六	三六
六番目	八	六	一四
七番目	三	二	五
八番目	三	〇	三
九番目	二	一	三
十一番目	一	〇	一
計	六八〇	四〇八	一〇八八

第三問　このお子さんのお名は何に因んでつけましたか

應答者總數一〇八八名　男六八〇名　女四〇八名

種別＼性別	男	女	男女	備考
姓名學	二八四	一四五	四二九	

種別＼性別	男	女	男女	備考
字義	七四	五七	一三一	◎御幸(幸福來る)◎仲良(ナカヨシ)(皆共に仲良になる樣)◎呈子(二女故他日他人に呈上するの意)
父の名に因み	六三	二	六五	
祖父の名に因み	三〇	八	三八	
呼び易く書き易い	一七	一六	三三	
祖先の名に因み	二三	四	二七	
祝祭日	八	一五	二三	◎治子(明治節)◎紀美子(紀元節)◎節子(天長節)
年號	三	八	一一	◎昭子(昭和)◎昭(昭和)◎和男(昭和)
出生年月日時	一一	九	二〇	◎登美子(十年三月九日に生る)◎日出子(日出に生る)◎十一郎(十一年生れ)◎彌榮(生れた月が彌生)
父と母の名	八	八	一六	
友人知人の名	九	二	一一	
漢書	七	三	一〇	
出生順位	六	四	一〇	◎初子(初子なる故)◎和子(第一子故)◎一雄◎一郎(第一子故)
祖父と父の名	九	〇	九	

種別＼性別	男	女	男女	備考
祖母の名	三	九	一二	
子供の兄姉の名	六	三	九	
出生地名	三	三	六	◎京子(東京で生れた)◎陸雄(ムツオ)(仙臺で生れた)
祖母と母の名	二	四	六	
母の名	二	四	六	
生れ季節	二	四	六	◎春子(春生れた故)◎菊子(秋生れし爲)◎芳春(春生れた爲)
政治家	四	〇	四	◎啓介(岡田啓介首相)◎實(齋藤實首相の名に因み)
父の職業	二	二	四	◎幹子(父が幹部候補生故)◎美敏(父が洋畫と圖案をやつてゐるので美術に縁ある爲)
軍神	二	二	四	◎乃武子(乃木大將、武士)◎典子(乃木大將自刄の日に生)◎周太(軍軍神橘中佐の名周太に因み)
祖父と祖母の名	〇	四	四	
軍人	三	〇	三	◎貞夫(荒木貞夫大將の樣な軍人にしたいと思ふ)
第二王子殿下御名に因み	三	〇	三	
論語	二	一	三	◎享子(享禮有二容色一)

種別＼性別	男	女	男女	備考
神社	一	二	三	◎明子(明治神宮)◎靖夫(靖國神社)
仲人	一	二	三	
聖人	〇	三	三	
賢夫人	〇	三	三	◎靜子(乃木靜子夫人に因み)◎靜枝(乃木靜子夫人の樣に貞節な人になる樣)
大學	二	〇	二	
古書	二	〇	二	
聖書	二	〇	二	
記念日	二	〇	二	
偉人	二	〇	二	◎博(伊藤博文)
歷史上の人物	一	一	二	
伯父の名	〇	二	二	
勅題に因み	〇	二	二	◎洋子
經文	〇	二	二	
志士	一	〇	一	
教育勅語	一	〇	一	
神社の額の題字	一	〇	一	

種別＼性別	男	女	男女	備考
宗教團體名	一	〇	一	◎道雄(ひとの道教團に入會し教を信仰して以來健康な子生れお產も輕かつた爲)
夢	〇	一	一	
國歌	〇	一	一	◎君子(君が代)
小說家	〇	一	一	◎美智子(橫子美智子)
舞踊家	〇	一	一	◎文子(矢野文子)
政黨の名	〇	一	一	◎民子(二月十六日衆議員議員選擧に際し民政黨が多數黨となる樣)
近所の健康兒の名に因み	〇	一	一	
由來なし	五八	三九	九七	
答なし	二一	二〇	四一	
計	六八〇	四〇八	一〇八八	

第四問　このお子さんのお名は誰がつけましたか

人員總數　一〇八八名　男六八〇名　女四〇八名

名付人＼性別	男	女	男女
父	三六四	二四五	六〇九
祖父	八一	三二	一一三

名付人＼性別	男	女	男女
父と母	三七	三二	六九
姓名學者	三二	一八	五〇
友人、知人	四五	四	四九
神主	二七	二〇	四七
伯父	一五	七	二二
叔父	一五	六	二一
名士	一二	九	二一
祖母	六	一〇	一六
母	五	七	一二
祖父と父	七	四	一一
祖母と父	七	三	一〇
仲人	三	六	九
父の主人	六	二	八
住職	五	〇	五
產婆	三	二	五
叔母	二	一	三
叔父と父	二	〇	二
教會主	二	〇	二
祖父と仲人	一	〇	一
父と伯父	一	〇	一
長男	一	〇	一
伯母	一	〇	一
合計	六八〇	四〇八	一〇八八

第五問　初めてのお子さんがお生れになつた時記念にどんなことをなさいましたか

人員總數　一〇八八名　男六八〇名　女四〇八名

種別		男	女	男女
貯金	郵便貯金	一一五	七七	一九二
	月掛貯金	二〇	一四	三四
	据置貯金	六	六	一二
	教育貯金	〇	五	五
	兒童貯金	〇	三	三
	育兒貯金	一	一	二
	不動貯金	〇	二	二
	日掛貯金	〇	一	一
	積立貯金	〇	一	一

勤儉貯金	〇	一	一
保險加入　徵兵保險	九一	〇	九一
出生保險	七	二五	三二
生命保險	一二	六	一八
簡易保險	九	五	一四
生存保險	三	七	一〇
嫁入保險	〇	七	七
結婚保險	三	〇	三
記念撮影	四〇	二七	六七
記念植樹	二五	一五	四〇
親戚、友人達を招き馳走をする	一六	一五	三一
記念品購入　時計を買ふ	九	二	一一
蓄音機を買ふ	三	一	四
債券を買ふ	三	〇	三
短刀を買ふ	三	〇	三
ミシンを買ふ	〇	一	一
指輪を買ふ	〇	一	一
重箱を買ふ	〇	一	一

犬を買ふ	〇	一	一
人形を買ふ	〇	一	一
銀行預金	四	九	一三
宮參りをする	五	四	九
增築、新築する	六	一	七
育兒日記をつけ初める	五	二	七
アルバム作製	三	二	五
神社へ奉納	四	〇	四
記念品配布	三	一	四
禁煙	二	一	三
ラヂオ設置	一	二	三
無盡に加入	〇	二	二
社會事業へ寄附	一	〇	一
俳句を作る	一	〇	一
論文發表	一	〇	一
早起勵行	一	〇	一
生毛で筆を造り記念とする	一	〇	一
著述計劃	〇	一	一

（第三十一頁へつゞく）

第十四回全大阪赤ん坊審査會表彰式

本社推薦の三ツ兒が　相變らず大人氣

赤ん坊表彰式行はる

去る九月三越において、大阪こども研究會、大阪兒童愛護聯盟共同主催の第十四回全大阪赤ん坊審査會が擧行され、その後原田濟生會、生地堀川乳兒院長、廣島今宮乳兒院長、谷口市民病院の各博士等によつて、考査中のところ、この程やうやく終了したので、一日午前十時から三越八階ホールで優良兒、午後一時より最優良兒、同三時より佳良兒の三回に分けて會長坂間市長代理中井第一助役臨席のもとに表彰式が擧行された。

當日の異彩は何んといつても、さきに本社保健部が表彰した南奈良男氏の三ツ子で、例の通りお父さんに良男君、お母さんに智男君、末の達男君は近所の奥さんに抱つこされて表彰場に乘り込んだことである。ソレ三ツ子だ！まあ可愛らしいなどと集まつて來る人のため、南夫妻一行に暫らくの間立往生を餘儀なゝされる始末、先月廿五日に二年目のお誕生を迎へたばかりの良男、智男、達男の三君は、この人だかりに驚き眼をみはつてはゐたものゝしかし元氣にニコ〳〵とこれで何回目かの表彰式に臨んだ。

因みに赤ん坊審査會、本年度受審兒數は三千名でその內發育最優良兒二六六名、優良兒五五三名、佳良兒八五五名、合計一六三四名で、入選兒が受審兒の過半數に達してゐる。然かも每年の統計上に現れる數字は向上を示しつゝあると云ふことである。（**大阪時事新報**）

晩酌が生む優良兒

禁酒家の子供は身體が弱い

赤ちゃん審査會の皮肉

大阪兒童愛護聯盟主催の第十四回全大阪赤ちゃん審査會表彰式は一日三越八階ホールで午前十時から三回にわ

たつて行はれた、盛裝のお母さん達がお自慢の第二世を抱いてホール一ぱいにつめかけ、去る九月審査會に參加した三千餘名のうちから選りすぐられた千六百三十四名が健康赤ちゃんとして表彰されたが、午後一時からの表彰式には中井市助役も列席、最優良兒男女三十六名には市長さんからの特別市賞を授與したが、例の旭區放出町市吏員南奈良男さんの三ツ子兄弟智男、達男、良男の三君は發育狀態ちよつとハンディキャップをつけて特待佳良兒として表彰、カナダの五ツ子ディオンヌ姉妹みたいな大へんな人氣だつた。

赤ちゃんの審査は發育、兩親の健康、家庭の狀態などから割り出したのだが、その結果、晩酌一、二合を適度にたしなむ父親の子が斷然强く優良兒の四十パーセントを占め、禁酒家の子は暴飮家なみに比較的弱い結論が生れたといふから皮肉な話だ。（**大阪朝日新聞**）

（第二十九頁よりつゞく）

準行する	〇	一	一
電話設置	〇	一	一
	二七六	一五五	四三一
計	六八〇	四〇八	一〇八八

新春の御喜びを申上げます

昭和十二年正月元旦

大阪兒童愛護聯盟

顧問　笠原道夫
顧問　酒井幹夫
顧問　高洲謙一郎
顧問　藤原九十郎
常任理事　志賀志那人
常任理事　余田忠吾
理事　山枡儀重
理事　大野內記
理事　生地憲
理事　高尾亮雄
理事　前田伊三次郎
理事　肥爪貫三郎
理事　橫田群三
理事　原田龍夫
理事　西川爲雄
主事　伊藤悌二

子供の世紀編輯部
愛兒叢書編輯部
赤ん坊審査會統計編輯部
外　一　同

聯盟創設滿十七年と『子供の世紀』第十五卷の發行を祝し

併せて昭和十二年の新春を賀し奉る（到着順）

小兒科專門
醫學博士
大野內記
大阪市南區南綿屋町
電話 南 三一八番

東京女子高等師範學校教授
倉橋惣三
東京市中野區中野町
千光前三〇三〇番地

有馬研究所長
醫學博士
有馬賴吉
大阪市西淀川區海老江
上一丁目三十七番地

町立岩國圖書館長
森本壽一
山口縣岩國町

報知新聞　販賣部長
岩崎英祐
東京市麴町區有樂町
一丁目十三番地
報知新聞社

小兒科專門
醫學博士
上村雄
西宮市今津字高潮
電話 西宮 一三四〇番

公衆衞生訪問婦協會
主任
保良せき
大阪市北區萬歲町四三番地
電話北七四九八番
公衆衞生訪問婦協會

日本貿易振興協會理事
木下乙市
東京市外狛江村和泉

助產婦
山本フク
大阪市東區上本町
一丁目二十一番地
電話 東 一二八二番

聯盟創設滿十七年と『子供の世紀』第十五巻の發行を祝し
併せて昭和十二年の新春を賀し奉る（到着順）

辯護士
堀川嘉夫
大阪市北區北森町
電話堀川局四四番

湖崎眼科醫院
醫學博士
湖崎清一
大阪市南區鰻谷仲之町四
（長堀橋南詰西入ル）

東洋幼稚園主
岸邊福雄
東京市神田區
神保町二丁目十番地

小兒科專門
醫學博士
松尾勇
大阪市西區西長堀
南通二丁目

大阪府立寢屋川
高等女學校教頭
今中楓溪
大阪府北河内郡樟葉村「若菜」主宰 若菜短歌會事務所
（大阪市外枚方局區楠葉）

大阪市聯合婦人會副會長
河井やゑ
大阪市東區森の宮
西の町五六〇番地

助産婦
竹田春子
大阪市東成區腹見町二二三
小路小學校前

大阪兒童愛護聯盟理事
衆議院議員
山枡儀重
東京市本郷區駒込
曙町二四ノ二

東京市丸ノ内丸ビル四六〇號
佐藤新興生活館
山下信義
靜岡縣田方郡函南村
佐藤生活館農村部

聯盟創設滿十七年と『子供の世紀』第十五巻の發行を祝し
併せて昭和十二年の新春を賀し奉る（到着順）

小兒科矢野醫院長
醫學博士
矢野雄
豊中市櫻塚七三
電話豊中二一〇三番

三越專務取締役
北田内藏司
東京市日本橋區室町
株式會社三越

小兒科專門
醫學博士
酒井幹夫
大阪市東區高麗橋
五丁目二十五番地

高洲病院長
醫學博士
肥爪貫三郎
大阪市南區北桃谷町三五
高洲病院

一、乳幼兒及姙産婦診療施設
二、乳幼兒保護施設
三、産院ノ施設
四、育兒知識普及施設
五、乳幼兒保健ニ關スル學術的研究
財團法人 育嬰協會
東京市淀橋區淀橋三七五番地
電話四谷一三五一番

北海道帝國大學醫學部
小兒科醫長
醫學博士
永井一夫
札幌市南二條
西十二丁目

榎並半平
宮城縣伊具郡金山町

助産婦
川端類
大阪市東成區鶴橋北ノ町
二丁目一三二番地
電話天王寺一三一五番

宮城縣入社
加藤清
東京淀橋西大久保三ノ一一八
電話四谷五三四九番

聯盟創設滿十七年と『子供の世紀』第十五巻の發行を祝し
併せて昭和十二年の新春を賀し奉る（到着順）

大阪市立刀根山病院長
醫學博士
太繩壽郎
阪急沿線曾根驛東

小兒科專門
醫學博士
志摩次郎
和歌山市屋形町四ノ三
電話五八六番

共同國産煉乳株式會社
常務取締役
佐藤清
兵庫縣淡路洲本
電話洲本三九六番
事務所 兵庫縣三原郡廣田村
電話廣田一六番

小兒科專門
醫學博士
青木市太郎
小樽市稻穗町
東七丁目二十五番地

衆議院議員
辯護士
大日本昭和聯盟理事長
守屋榮夫
住所 東京市瀧野川區西原町七〇四
（電話小石川一〇五一番）
事務所 東京市麴町區内山下町東洋ビル四階（電話銀座四六〇九番）

菅沼小兒科醫院長
醫學博士
菅沼巖雄
大阪市東成區舍利寺町
七十八番地

國司道輔
東京市目黑區
柿ノ木坂八九四

臺中州立圖書館長
細野浩三
臺中市櫻町二ノ二十一

中睦子
奈良縣五條町

聯盟創設滿十七年と『子供の世紀』第十五巻の發行を祝し
併せて昭和十二年の新春を賀し奉る（到着順）

小兒科專門
高橋新太郎
名古屋市東區
上竪杉町五ノ一

小兒科專門
醫學博士
横田群三
豊中市岡町停留所前

株式會社齊藤硫曹製造所
株式會社津田松助商店
山本商店
關西電機工業所
渡部正直
兵庫縣武庫郡精道村
打出中川原一九

武藤千世子
兵庫縣武庫郡
住吉觀音林

耳鼻科專門
醫學士
瀨谷子之吉
東京市本郷區
駒込林町四八

助産婦
三宅コタミ
大阪市南區炭屋町
電話南三〇五〇番

伊吹八重子
東京市世田谷區
三軒茶屋町四六

京城帝國大學醫學部小兒科醫長
醫學博士
土橋光太郎
京城府三坂通三番地

小兒科專門
醫師
廣瀨徹夫
青島鐵山路十號

聯盟創設滿十七年と『子供の世紀』第十五巻の發行を祝し
併せて昭和十二年の新春を賀し奉る（到着順）

小兒科專門 醫學博士 **多田克己** 名古屋市東區片端町三丁目八番地	文部省學校衛生官 **大西永次郎** 文部省體育課	宮城縣角田高等女學校長 **菊地勝之助** 宮城縣伊具郡角田町
醫師 **河野桃乃** 神奈川縣茅ヶ崎 南湖院	大阪市保健部長 醫學博士 **藤原九十郎** 大阪市住吉區山坂町四丁目	山形市立濟生館小兒科醫長 醫學博士 **宇留野勝彌** 山形市香澄町 小錦八番地
醫學博士 **岡田道一** 東京市豊島區長崎仲町一ノ二七九〇 子ども衛生社 電話落合長崎三〇四七番	小兒科專門 醫學博士 **佐野寅一** 名古屋市中區 春日町二五	大阪市立堀川乳兒院長 醫學博士 **生地憲** 大阪市東淀川區 十三東之町

創業のころ

伊藤悌二

神を賴りすべてを忍び唯一人此の丘までは來は來つれども
子よ父の誇りとなすは人よりの憐れみ受けし事なしと知れ
どん底にあひぎし時もはらからに賴らで父は鬪へ通せり
死せばとて泣き言云はじと少年の我れに誓へし事に活き來ぬ
我が使命營利事業と心得て集り來し人幾百なりし
信念と野望の別も辨へぬ友は今はや離れ去りしか
この事業創めし頃は人並の年越さいもなし得ざりけり
創業の苦難を共に味へし吾娘は十五の年にゆきたり
口癖に父の事業を助けんと吾娘の云へしを思ひ出づる日
年賀狀の整理などして手傳へし亡き娘の顔を夢に見し哉
晴れ衣さへ與へ得ざりし此の父をとがむるな子よ天上にありて
とめどなく涙は流る吾娘の歌東上の車中に歌へてあれば
朝飯に葱の味噌汁うちかけし少年の頃を思ふて旅立つ
今時の若人あはれ文句ならべ他人にたよる事のみ考ふ

家庭で教へる
母の讀本

一年生の教へ方

四六版美裝表紙 定價壹圓貳拾錢
二月上旬發賣 送料拾貳錢

大阪兒童愛護聯盟御推薦

世の多くの母親達にとりまして、すく〳〵と若芽のやうに伸び行く愛兒の成長を看成る情愛の深さ寛さは、到底筆舌に盡すべくもありません。勞はり、慈しみ、太陽のやうな愛の光を降り注いで、いとしい吾子の健全にして幸多き成育に寢食を忘れます。けれどもたゞ盲目的な愛情だけで、果してお子樣達はすこやかに育つものでせうか？

心ある世の多くのお母樣達よ！その豊かに溢れる情愛を整理いたしませう。本書は、正しい家庭學習の權威ある指導書であり、また母の學校、母の讀本でもあります。愛兒の正しい勉學の第一歩を心ゆく迄補導しませう。

愛兒のために。生きとし生ける者の母に課せられた、最大の責務を本書に據つて正しく遂行されんことを確信して、弊社は茲に此一書の犧牲的出版を敢行したのであります。

發行所 盛光社
大阪市西區島津町五番地
振替大阪四二一〇五番
電話(53)新町四四〇二番

母と子

文學博士 下田次郎

十四、子の教育 その一（續き）

四

初めが大事　家庭は子の最初の學校であり、母は子の最初の教師であります。西洋の諺に「一人の良き母は百人の學校教師に匹敵す」とあります。「三つ子の魂百まで」とか「いろはの筆勢百まで拔けぬ」とか「大人は赤子の心を失はず」とか云はれるにつけても、幼兒の魂を預る母が、子供の運命の極め主であることは、拒まれますまい。ナポレオンも、子供の未來の運命は、母が造るといひました。子の心は母の耕す野であります。良き種を播いて、他日美事な收穫を得しめるか、それとも荊蕀雜草の生ひたる荒野とするかは、一に母の耕し方如何にあります。

植えて見よ花の育たぬ里もなく
心からこそ身はいやしけれ

「幼少の者利發に候とて、立木のまゝに育て候へば成人の節氣隨我儘ものになり、多くは親の申事も聞かぬ者にて候。これを植木に譬へ候へば、初め二葉をかひ割候節は、人の產立と同じこと故、隨分養育いたし、最早一、二年もたち、枝葉多くなり候節添木致し直になり候樣に結立て、その内に惡しき枝は缺き取り、年々右の通りに手入れ致し候へば、成木の後直なる能き木に成り候。幼少の時は、育てさへ致せば能きと心得、我儘に致し置き、年頃になり急に意見致し候ても、我儘の惡しき枝ばかり茂り、本木は失せ候事故

直り不申候。」（家康）

五

我儘と嘘　物は始めが大事で、特に敎育に於て最もさうであります。子の愛に溺れて、我儘にしておけば仕舞には仕方のないものになります。「兩葉にして去らずんば斧柯を用ひんとす。」庭は常に植木屋が手入れをして、立派になつて居るが、座敷の上には、野育ちがのさばつて居る、不思議な家庭も少くはありません。

「婦人、または愚なる人は、子を育つる道を知らで、常に子をおごらしめ、氣隨なるを戒めざる故、その驕年長ずるに從ひて、いよ〳〵ます。凡夫は心暗くして子に迷ひ、愛に溺れて、その子の惡しき事を知らず。古歌に、「人の親の心はやみにあらねども、子を思ふ道に惑ぬるかな」とよめり。唐土の諺に「人その子の惡しきを知るなし」と云へるが如し。姑息の愛過ぐれば たとひ惡しき事を見つけても、ゆるして戒めず。凡そ人の親となる者は、我が子に增る寶なしと思へど、その子の惡しき方に移りて、後は身を失ふことをも、かねて辨へず、居ながら、その子の惡に陷るを見れども我が敎なくして、惡しくなりたる事をば知らで、唯子の幸なきのみと思へり。またその母は子の惡しき事を父に知らせず、常に子の過を蔽ひ隱すゆゑ、父はその子の惡しきを知らで、禁ぜしめざれば、惡終に長じて、一生不肖の子となり、或は家と身とを保たず、淺ましき事ならずや。程子の曰く「子の不肖なる故は、母そのあやまちをおほひて、父知らざるによれり」と云へるも宜なり。」（益軒）

「母親は息子の嘘を足してやり。」これが敎育上最もいけません。「嘘は盜人の始め」とも云ひます。敎へなき母親は、正しく子を仕付る法を知らないで、嘘を方便として子を嚇したり、すかしたりします。お蔭で母親は嘘が上手になります。子は子で、初はだまされて居たが、嘘にはどうしても尻尾が出ますから、終にはこれを覺つて、自分も劣らず嘘を言ひ、遂には子が勝つて、母親は勿體ないがだましよい」といふ仕方のない人間になります。

「或家でかういふ事がありました。それは母が或時子をつれて外へ出るに、父に使に行くといつて、家を出ました。そして花見に行きましたので、これからは、この子は學校に行くと言つて、遊びに行くやうな子に

なつたといひます。」（一女生徒の手記）

子ほど母に似るものはありません。子は母の生きた寫眞であります。善惡共に「この母にしてこの子あり」であります。孟子は隣家で肉を屠るのを見て、あれは何ぞと、母に問ふたところ、母は戲れに、汝に食はしむるためといひましたが、戲れにも詐りを敎ふるは、母の行ひにあらずと心付き、その肉を購つて食はしました。

幼き時より心、言葉に忠信を主として、僞なからしむべし。もし人をあざむき僞をいはば、嚴しく戒むべし。こなたよりも幼子を欺きて僞を敎ふべからず。こなたより僞れば小兒これを習ふものなり。かりそめにも僞を言はば、人にならずと思ふべく、心に僞と知りながら、心を欺くは、その罪いよ〳〵深し。」（益軒）

ワシントンが、小さい時、父の大切な木を切つて、咎められ、自分が切つたと自白したことは、有名な話でありますが、そのワシントンに嘘を言はぬやうに敎へた母のあるのを、忘れてはなりません。トルストイの家庭では嘘が大禁物で、子供が嘘を吐くと、少しも容赦しないで罰しました。それは子が後悔するまで、親が子を構ひつけなくするので、子には一番の制裁であつたといひます。或人が、トーマス・ブラウンに地獄でも眞實がありませうかと問ひましたら、ブラウンは鬼が嘘ばかり言つたら、地獄は破產するだらうと答へました。地獄さへ破產します。嘘つきの人間の末路は、哀れなものであります。

「第一いつはれること、次に氣隨にてほしいまゝなることを許すべからず。やんごとなき大家の子は、殊に早くいましめ、敎へざれば年長じては、勢强く位高くして、諫め難し。凡小兒のあしくなりぬるは、そのあしき事を許し、したがひほめて、その子の本性を害ふ故なり。或は暫く泣聲を止めんとて、欺きすかして姑息の愛をなす。その事誠ならざれば、則ちこれ僞を敎ふるなり。又戲れに、恐しき事どもを云ひ聞かせ、おどしいるれば、後に臆病の癖となる。武士の子は殊にこれを戒むべし。幽靈、ばけもの、怪しく誠なき物語、必ずいましめて聞かしむべからず。或は小兒の氣にさからひたるものをば、理を枉げて、小兒の非をそだて、そらうちなどすれば、驕慢の心出でくるものなり。父母の愛過ぐる故、あまえて父母を恐れず、子を

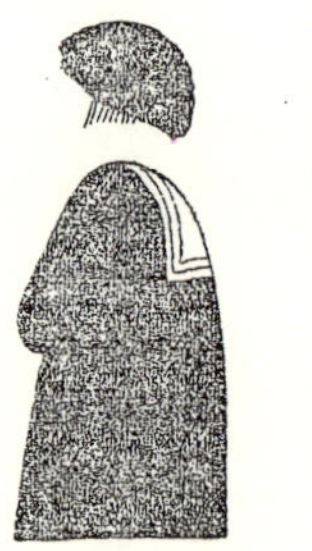

蔑にし、家人を苦しめ、よろづ恣にして人を侮る。戒むべき事を反りて進め、咎むべき事を却りて笑ひ、色々あしき事どもを見聞かせ、言ひ習はせ、しならはせてやうやく年長じ、智慧出で來る時に至つて、俄に始めて、戒むれども、その惡しき習はし年と共に長じ久しくならひこみて、本性も等しくなりにたれば、諫を用ひず、本性あしく生れつきたるとのみ思ふこと、いとおろかに、惑ひの深き事ならずや。」（益軒）

不良少年、不良少女を家庭から出すのも、一は母の育てに出るので、嘘、我儘の果であります。「任意になしおかれたる子は、その母を辱しむ」（箴言二九の一五）任意になしおきたる母は、その子を辱しむといつてよい。最も心すべき所であります。

登録商標

ギンザトップ二十番

産兒調節とコンドーム

性病豫防にコンドーム
感じを妨げず………
薄く……柔かく………
それで丈夫な
最高級コンドーム!!!
ゴム製品の目醒ましい發達の所產として、サックも品が生れました！
ギンザトツプの如き完璧品が生れました！

【特長】

一、最上原料を特殊技術により製せらるゝ本品は、彼の高價なフイツシユスキン（魚皮）以上に感染を薄して居ります。

二、感觸が柔かで滑らかで抵抗尠く、使用者自らがその使用に氣付かぬほどであります。

三、それでゐて他の厚手のサツクよりも遙かに丈夫で數回の使用に耐へます。

四、形態も微妙な技術に成功し殆んど萬人向に出來て居りますから、使用中亂暴があつても何等そうの心配がありません。

五、各個につき送氣檢査耐力試驗がしてありますから、疵物や孔アキがなく絕對責任の保證付嚴選品であります

—定價—

◎ギンザトツプ二十番

	一打	半打
▲C品（透明）	二・〇〇	一・一〇
▲B品（眞珠色）	一・五〇	・八〇
▲A品（褐色）	一・〇〇	・五五
組合せ（一函宛）	〇・四五（携帶用ケース入）	
C品（三函入）	〇・六〇（同	〇

—送料—

內地十錢、市內六錢、「代金引換は切手廿錢前送願ひます）新領土四十二錢、代引四十七錢

見本品御入用の方は小爲替五十錢又は三錢切手十七枚封入お申越下さればABC三種セル容器入をお送りいたします

東京市銀座西一丁目七番地
島津藥局
ギンザトツプ本舖
電話京橋六五二二六番
振替東京四二四八九番

まつ赤な海綿

醫學博士　川上　漸

胸の中は胸腔といふ大きな腔であります。まん中に縱隔竇といふものがあつて、大きな腔は、左と右との二つにわかれてをります。胸腔の中に肺臟がはいつてをります。胸腔の中へ肺臟のはいつてゐるやうすは、落花生の殼の中に實が入つてゐるやうな鹽梅ではなくて、酸漿の莢の中に、實が垂れさがつてゐるやうな工合になつてをります。わかり易く申しますと、胸腔の內壁と、肺臟の外側とが、ちよつと一個處で續いてゐるのです。胸腔の內壁と肺臟の外側とは、肋膜といふ薄い膜が貼りつけてあります。酸漿の實と莢との間には隙間がありますが、肺臟は胸腔の中へいつぱいになつて入つてをりますから、ちよつとも隙間はありません。ほんの少量の液体があつて、胸腔の內壁と肺臟の外側とが滑り合ふやうになつてをります。

どうも御苦勞さま、ちよつとひと休みしてくださいね！

京の五條の橋の上、だあいの男のべんけいが、
長い薙刀振り上げて、牛若めがけて切りかゝる。

歌つてごらん！

あれ！皆さん。そのお聲はどこから出ますの。口から出ると仰しやるの！私が花子さんのお耳へ唇をつけて、

「太郎さんが鼻袢たらしてますよ。」と申しますと、花子さんは太郎さんの顔を見て、ニコッと笑ふにきまつてます。でも太郎さんは知らずにすましてござるに違ひないです。ヒソ〳〵話をする時の聲は、どこから出て來ますの？

言葉は音の集つたもの、音は口と鼻との内でできます。音だけでは、離れてゐる人と話はできませぬ。音と聲が一緒にならなければ、他人とむかひあつてお話する事は出來ませぬ。皆さんが聲と仰しやるのは、ほんたうは音と聲のよつたものです。音は口と鼻の内でできますが、聲は咽喉でできるのです。

お疲れがなほりましたね。お話はまたちよつと、面倒になりますよ。皆さん、頸の前の方で、頤の下の處をさはつてごらんなさい！

硬くてちよつと飛び出た處がありませう！お祖父樣かお父樣かの頸を覗かせていたゞけばなほよくわかります。あそこが咽喉——聲の出來る場所であります。咽喉の下の方もさはつてみると、やはり硬くて棒のやうでせう！そんなに下の方まで押せば咳が出ます!!この棒のやうなものは一本の管で、氣管と申します。氣管は胸の中で二本にわかれて、一本づゝ左と右との肺臟へはいります。肺臟の内で細く〳〵枝分れいたします。細い枝を氣管支と申します。氣管支がもつと〳〵細くわかれて、その端に小さい〳〵丸い嚢がついてをります。皆さんは頭腦のよいお方ばかりですから、もうおわかりになつたこと〻思ひますが、肺臟といふものはね！氣管支の細梢と、そのさきについてゐる小さな丸い嚢との集まつたものです。ですから解剖して肺臟を取り出して、切つてみますと、ちやうど海綿のやうで、たゞ色が赤いだけ違ひます。表が肋膜でつゝんでありますから、赤い海綿と、薄い絹でつゝんだやうなものだとお考へになれば間違ひはありません。小さい嚢と嚢の間を、血液が通つてをりますから、肺臟はしめつてをります。そんなものが皆さんの胸の内に納つてゐるのです。

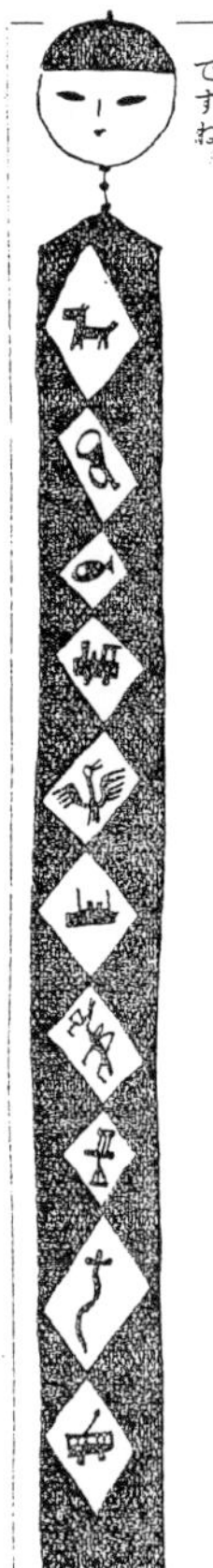

胸についてゐる筋肉の官能で、斜になつてゐる肋骨が釣り上がつて平にならうとすると、胸全體が大きくなつて胸の内の胸腔がひろがります。また胸腔とお腹の内との境に、横隔膜といふ笊を伏せたやうな形をした筋肉があつてそれが、官能をいたしますと、平たくなつて下へさがりますから、やはり胸腔が廣くなります。胸腔がひろがりますと、内に納つてゐる肺臟が呼びひろげられます。小さい丸い嚢が一つ〳〵大きくならうとするのであります。さうすると空氣が、喉頭をとほつて流れ込んで來ます。胸の筋肉の官能がゆるむと、肋骨は自分の重みで下へさがつて、もとのとほり斜になります。横隔膜の官能がゆるむと、またもとのやうに笊形になります。そのために胸腔が壓し縮められますから、肺臟も仕方なしに小さくなります。はいりこんだ空氣は壓し出されます。胸の筋肉の横隔膜の官能の具合ひで、空氣が肺臟へ出たり入つたりすることを呼吸と申します。

呼吸を早くしたり遲くしたり、また深くしたり淺くしたりすることは勝手にできますが、然し健康の上では長く續けることは苦しいものであります。あたりまへの時の呼吸の速さは、凡そきまつてゐるものであります。腦髓の内に呼吸の狀態を監督する中樞があつて、そこから神經が胸の筋肉や横隔膜をいろ〳〵に働かせます。中樞を流れてとほる血液の内に、炭酸瓦斯がたくさんになりますと、呼吸が速くなります。運動をすると血液の内の炭酸瓦斯が多くなりますから、呼吸が速くなりませう？深呼吸を二、三回しますと、自然に暫くの間呼吸が緩くなるのは、血液の内の炭酸瓦斯が少くなるからであります。

いち〳〵考へて空氣を吸ふたり出したりするのでは、面倒でたまりますまいが、人間の體は有難く出來てるものですね。

お調べなさい赤ちやんの榮養相

病氣をしてゐないからとて「丈夫」とは限らない

お宅の赤ちやんは丈夫ですかと聞かれゝば病氣でもしてゐない限り、どなたでも「ハイ丈夫です」と答へるにきまつてゐます、ところでこの場合何を標準にして赤ちやんが丈夫であることを知つてゐるか、たゞ病氣をしてゐないだけで、それのみで健康だといふことは實は出來ないのです。自分のところの赤ちやんが本當に丈夫で健康だといふことを知るには、體重と身長が標準と同じになつてゐるかを見るのが一番大事なのです。これを赤ちやんの榮養相といつてゐます、體重から申しますと、

男を例にとれば生れたばかりの赤ちやんは三キロ六十グラムですが、まる二ケ月で約二キロばかり増加して五キロ二百グラムとなりさらに五ケ月になるとまたこゝで二キロばかりふえて七キロ二百七十グラムとなり七ケ月で八キロ、滿一年のお誕生が來て約九キロになります、即ち一年たつて生れたときの三倍が標準です女の兒は之より少し低いですが大體この關係だと思つて頂けば結構ですかういふ風な標準體重を有してゐる赤ちやんは、榮養正調といつて、本當に健康なのです、しかし體重ばかり標準でも、蒼い顔をしてゐたりしてゐるのはよくない、赤ちやんといふくらゐであるから、顔色が赤くかたく太つてゐなくてはなりません、これに反して目方が少く、幾らか痩せてゐる、たゞ顔だけが普通に太つてゐて手足や胸が痩せてゐるのを、榮養失調症と申しますさらに顔まで痩せておぢいさんやおばあさんのやうなのを、消耗症或は榮養無調と申します、標準體重をもつてゐる赤ちやんは、非常に發育がよくすべての傳染性の病氣に對して非常に抵抗力が強いことを示します、これから流行性感冒がはやりますが、標準體重の赤ちやんは感冒を引きにくいし、かゝつても鼻かぜくらゐですませますが、榮養失調の狀態にある赤ちやんですと氣管枝カタルを起したり或は扁桃腺をやられて高熱を出すといふことになるし、まだ一番榮養狀態の惡い消耗症ですと、肺炎を起すといふことになります、消化不良の場合でも、一番怖ろしい中毒症にかゝる、體重が標準になつてゐることは、その赤ちやんの健康を語るだけでなく少い場合は不健康で、さういつた病氣にもかゝりやすいことになるのですから、お母さんは努めて赤ちやんの榮養狀態をよくして標準を保たせるやうにして欲しいものです。

（醫學博士泉田知武氏談）

新春の歌

納　秀　子

紫の大振袖のゆるるまに梅よりもまづわが心ちる
春なれや名札を出す爪さきも白玉に比し萬たけくおもふ
日の本のつつましきものと生れきていつとはしらず老ひにけるわれ
新春やまづ幼きがくれないの草履をはきて親に抱かれ
靑玉に富士のしろがねちりばめてうららに明けし春し大空
高らかに松のしげ葉の金にゆれ音するらむか新春のうた
あめつちの吾身にすぎしあてやかさ歌も得詠まず見とれてしばし
夕ぐれのさむざむとして髪に沁む霧にもにたり別れのことば
春の夜の闇の細道袖合せたゞにうれしく行くべかりけり
何かしら遠きことなり戸のひまに華やかに笑む春の人ありし

初春のうす紅いろの靄にまかれ逢ふも別るもさだかにあらず
近くありて遠く眺むる心あり春の翳こそ憂きものとおもふ
ふつとして中のふくらむ祝餠をかしくもあり憎らしくもあり
あらためてものの寂まる初春の第一に思ふいとしきものを
耳のそばにまだ乳の香をなつかしむ吾子も十一となりにけるかな
十一と十五の子あり母にして母たらむ吾の悲しき正月
大空に金の榮光地にありて母と子と笑みまづ年を迎ふ
泪さへあつしつめたし君にゆく心もそれに如くぞとおもふ
春光は都大路にあまねきぬ滿洲の野の君にもさこそ
人をのせて馬も凍らむスンガリーのほとりの君を傷む正月
彌榮の大和國民凍る風も雪ももののかはもののふの君
かけまくもかしこしおもふ國のため何か凍らむもののふの血は
除夜の鐘滿洲の野にもひびきたり新らしき年と新らしき國

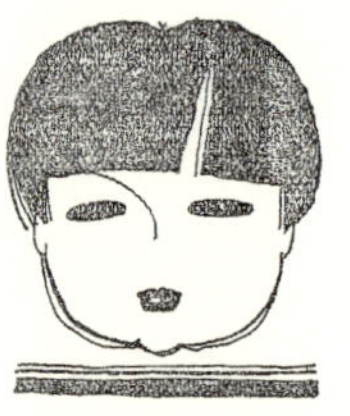

慢性傳染病

京都帝國大學醫學部
小兒科看護婦長　高橋ミチ子

一、結核（前號續き）

ロ、氣管枝腺結核　氣道に沿つて居る淋巴腺の結核であつて、外部からは全く見られない病氣である。此病氣は比較的多いのに拘らず生きて居る中に確かに氣管枝腺結核であると診斷のつくのは割合に少ない。初期の結核と見做されて居るもの丶中には此氣管枝腺結核が最も多い。

症候、初期結核に述べた樣な症候即ち發熱、盗汗、蒼白、羸瘦を來たす事が多いのであるが、之だけでは確かに氣管枝腺結核と云ふ事は出來ない。若し此の淋巴腺が大きくなり、氣道を壓迫する樣になつて初めて氣管枝腺結核である事が明になつて來る。斯樣な場合には一種の響のある咳嗽即ち實扶的里の時と同じ樣な犬吠樣咳嗽が出る。

處置　長い間發熱、盗汗等があつて顏色の蒼白、羸瘦などを作ひ、且つ犬吠樣咳嗽のある時には醫療を受けると同時に一般衞生に注意し身體の抵抗力を增進せしむる樣に努むる事が肝要で、若し之を等閑にすると後に肺結核などを惹き起すものである。

ハ、肺結核　乳兒又は幼兒に於いても肺結核がある、年の小さい者程急に病氣が進むもので、多くは死を招くものである。學齡以上の兒童にあつては慢性肺結核の症狀を呈し、大人の肺結核に類似して來る。即ち三十七、八度の熱往來がある。發熱、盗汗、蒼白などを伴ひ、咳嗽をも見るのである。

二、肋膜炎　小兒の肋膜炎は非常に多いもので、而もその大部分は結核性のものである。幼稚園時代以後の小兒に最も多い。之に二色の種類がある。一つは高い熱が十日或は二十日に亘つて續き顏色が蒼白となり、元氣がなくなり、呼吸困難などを伴ふもので、肋膜の間に液體の溜る病氣である。他の一つは多少の發熱があり、顏色が惡くなり、元氣に乏しく、盗汗を出だすもので、之は肋膜に液體は溜らないが、醫師が診察すると矢張り肋膜に變化を認むるものである。肋膜炎の時には胸の疼痛を感ずる事がある。

ホ、腹膜炎　腹膜炎も小兒に多く、而も大多數は結核性である。本病に罹ると、發熱、羸瘦、蒼白、盗汗などの外に腹部が膨滿し、所謂太鼓腹となり、且つ腹壁が緊張し、往々腹痛を訴へたり下痢を伴ふ樣な事がある。

處置　肺結核、肋膜炎、腹膜炎などは何れも醫療を怠つてはならない。その病氣の輕重とか、初期であるか否かなどによつて養生の方法に變りがあるから、一々醫師に就てその處置を相談しなければならぬ。要するに結核病は醫藥による外、食養生、運動の程度、その他一般衞生の注意によつて患者の抵抗を高める事が治療上大なる意義を有つて居るものであるから、一々醫師の指揮を受くべきである。

ヘ、結核性腦膜炎　大人にもあるけれども、小兒に見る事が遙かに多い。他の腦膜炎と同樣に發熱、頭痛、不安、四肢の震顫、齒切、痙攣等があつて數日乃至十數日の經過の後意識が混濁して、昏睡に陷り、遂には死を來たす病氣である。

處置　他の腦膜炎と同樣に安靜を旨とし、患者を刺戟する樣な直射光線や喧騷を避ける樣に心掛け、絕えず頭を冷やし、又頭痛の強い時には溫浴を施して、出來るだけ患者の苦痛を少くする樣にし、痙攣に對しては治療介助の部で述べた處置を取る。

ト、粟粒結核　之も往々小兒に見る病氣である。之は結核菌が一時に全身に彌蔓せるもので、以前から一個所に結核病のあつたものが、患者の抵抗の衰へた事などが原因となり、その周圍の防禦組織が破れた場合に起るものである。榮養不良、百日咳、麻疹、感冒などが誘因となつて粟粒結核を來たす事がある。

症候　突然高熱を發し、而もその熱が稽留、或は弛張して機嫌が不良となり、刺戟感受性が高まつて怒り易く

食慾も進まなくなる。多くは十數日内に病勢が益々險惡となり、呼吸困難、「チアノーゼ」四肢厥冷、昏睡などを起して死するものである。又屢々腦膜炎症狀が顯著となり結核性腦膜炎の名の下に死するものも多い。

處置　只だ安靜を旨とし、患者の苦痛を輕からしむる樣に注意する外には特別の處置はない。

二、先天性黴毒

黴毒に犯されると、その病毒はその一身に留まらずして、その害毒を子孫にも及ぼすものである、例へば今ある男子が黴毒に感染したと假定すると、その黴毒は先づ妻に感染して、ついでその妻から生れた子供に屢々先天性黴毒と云ふ病氣を起す。又時とすると父母に著名な黴毒がなかつたのに拘らず、その子供に先天性黴毒の現る丶樣な事がある。斯樣な場合は父母に黴毒の症狀が現はれなかつたにせよ、その父母は黴毒に犯されて居つた事は確である。

黴毒に感染して居るものは屢々死產、流產、早產などをする。それ故に外に何等原因と認むべき事なくして、數回死產、流產、早產などをしたものは黴毒の疑があるから、斯樣な場合にはその婦人或は夫は診察を受け黴毒の有無を確め、若し黴毒ありと決定したならば、夫婦は同時に治療を受け根本的に黴毒を全治せしめる事が必要で、若し之を怠る時は遂に健康な子供を得る事が出來ないのである。か丶る場合特に注意すべき事は夫婦は必ず同時に治療を受くべき事である。もし、夫婦の一人が治療を受け全治したとするも、相手の一方が治療を受けなければ、それから治癒したものへ感染する事がある。

先天性黴毒は胎兒黴毒、乳兒黴毒、及び遲發性黴毒の三つに大別する事が出來る。

イ、胎兒黴毒　之は母體内で胎兒が強い黴毒に犯された結果として、胎兒が滿期迄母體内に留まる事が出來ずして、遂に死產、流產、早產などを來たす。黴毒患者が屢々死產、流產、早產などを起すのは實に此理由に基くものである。

ロ、乳兒黴毒　之もその感染は母體内に於て行はる丶ものであるが、黴毒症狀が少し遲れて現はれるこの乳兒黴毒の症狀は生れた時已に現れて居る事もあるが、生後二、三ケ月にして現はる丶ものが最も多い。

症候　乳兒黴毒の症候としては色々あるが、必發にし

て且つ素人目にも最も解り易い症狀は鼻閉及び脫毛である。鼻閉は鼻加答兒の結果として鼻腔粘膜が腫脹して鼻が塞がり鼻呼吸の困難を起すもので、生後二、三ケ月目に現れる事が最も多い。而して此鼻閉は普通の鼻感冒と異つた性質を持つて居るもので、普通の鼻感冒ならば、突然起つて數日の後には恢復するものであるが、先天性黴毒による鼻閉は頑固であつて數ケ月に亘るも全治しない。脫毛も先天性黴毒の大多數に之を認める、普通健康な乳兒にあつては頭髮を多少引張るも容易に脫落するものではない。若し稀に脫毛があつたとしても一、二本に過ぎない。處が乳兒の黴毒にあつては脫毛が極めて容易であつて頭髮を掴んで引張る時は一時に數本の脫毛あるを認むるものである。著名なる場合にあつては脫けた頭髮が無數に枕に附着して居るのを認むる事がある。

尚ほ仔細に檢査すると以上二つの著明な症候の外に色々の變化を認める事が出來る。卽ち乳兒黴毒にあつては皮膚が肥厚するもので、顏面、手掌、足蹠などの皮膚が厚くなり、そのために皮膚が緊張して一種の光澤があり顏色などは帶黃蒼白色となる。又口の周圍に於ては屢々裂傷が出來たり皺襞が出來たりする樣な事が多い。又必然の症狀ではないが、乳兒黴毒の時にはよく發疹を認める。此皮膚發疹には色々の形がある。例へば天疱といつて大豆大乃至梅實大の水疱瘡であつて、內に膿樣の液體を含有して居るもの〻出來る事がある。此天疱瘡は全身に出來る事もあるが手掌又は足蹠に出來る事が一番多い之は數日にして破れ自然に治癒するものである。又斑紋狀の丘疹が出來る事もある。その大さは小豆大乃至一錢銅貨大であつて僅に隆起し、始めは紅色であるが時の進むに從つて褐色に變化し、後には暗黑色の癍の樣な瘢痕を貽すもので、その發生部位は一定してゐない。全身に出來る事もあるが、多くは顏面、頭部、四肢などに散在性に出來る事が多い。又肛門の周圍に米粒大乃至大豆大の疣の樣な丘疹が出來る事がある。

又時としては下肢又は上肢に著名の變化を呈する事がある。卽ち下肢又は上肢の骨の一部分が腫れ、而も運動に際しその部に强い疼痛を覺えるがために、乳兒はその四肢を全く動かさず、一見その四肢が痲痺して居る樣に見ゆる事がある。か〻る小兒は着物の着換へ、襁褓の交換の時などに烈しく泣くもので、保護者は容易にその變化に心付き得るものである。

八、遲發性先天性黴毒　之は小兒が七、八歲に達した時に初めて特有な黴毒症狀を呈するものである。その症狀が甚しくないために、往々周圍の注意を惹かずに濟む事が多い。

症候　最も特有なのは齒の形に變化ある事である。卽ち乳齒に替つて生えた永久齒の門齒が普通と異なり先端が凹字形に陷凹する外に齒と齒との間の間隙が廣く、又門齒の先端が鑿の樣に削り取られた樣な形を呈する事がある。齒の變形に次いで屢々現はる〻ものは、角膜炎及び難聽である。角膜炎とは一種の眼病であつて角膜に白い溷濁を現す。黴毒性耳聾は外耳に特別の變化なくして難聽になるものを云ふのである。

以上三つの重なる變化の外に皮膚及び粘膜に變化を見る事がある。卽ち皮膚に於ては所々に小豆大乃至豌豆大の硬い腫瘍が出來、之が容易に潰れて潰瘍になる。粘膜に於ては多く軟口蓋の粘膜に潰瘍が出來、之が段々深部に進んで屢々軟口蓋を貫いて孔を穿つ樣な事がある。

又時としては骨に變化を現す事がある。最も屢々此變化を現すのは脛骨であつて、脛骨を外部から觸れて見ると骨の表面に凹凸のある事が容易にわかる。

處置　以上述べた所の三種の先天性黴毒は何れも驅黴療法で全治し得るものであるから、疑はしい症狀を認めた時には診察並に治療を受くべきである。

茲に注意すべき事は、先天性黴毒は他に傳染して黴毒を起し得べき能力を有する事である。乳兒黴毒にあつてはその鼻汁、唾液等により、又遲發性黴毒にあつては潰瘍の分泌物などによつて黴毒を傳染し得る。從つて乳兒にあつては貰ひ乳に餘程注意しなければならぬ。卽ち先天性黴毒兒の母から他の健康兒が乳を貰ふ場合には、その健康兒に黴毒の感染する虞がある。又健康な乳兒の母が先天性黴毒兒に乳を與へる場合には、自分も、自分の兒にも黴毒が感染し得るものであるから、乳を貰ふ場合には双方が確かに黴毒のない事を確かめる事が必要である。

又乳兒が先天性黴毒に罹つて居る時には、その乳兒は必ず生母の乳を以て養ふべきものである。何となれば先天性黴毒兒を生んだ母は必ず黴毒に犯されて居るもので從つてその母體內には黴毒に對する免疫物質があり、之がその乳汁中に移行するものである。それ故に先天性黴毒兒は此免疫物質を含んだ所の乳を飮むことが必要な譯である。

驅黴療法　此目的には「サルバルサン」注射、灰白軟膏塗擦又は昇汞浴などを行ふものである。その方法などは治療介助の部に述べた通りである。

便秘性の乳幼兒に

マルツ汁エキス

MALT SOUP-EXTRACT

組成

マルツ汁エキスは易消化性麥芽糖を主成分とし、ヴキタミンB、Cを包含す、

應用

ケルレル教授が治療食餌として創案せるものにして人工榮養に於ける食餌成分の偏重に基因する乳兒榮養失調症（牛乳榮養障碍）常習便秘又は高度の羸瘦を伴ふ消耗症、或は慢性消化不良、發育不良等に應用し、消化機能を整正恢復して榮養を佳良ならしめ、よく自然的便通を催進せしむ

用法

人工榮養兒には食餌に添加し、母乳兒には適宜溫湯に溶解して與ふ、又發育不良體重增加不良の場合にはケルレル氏法に從つて使用し、或はビオスメールの適量を添加し用ふ。

包裝　500G　¥1.90　120G ¥.70

文獻贈呈

株式會社　和光堂　東京市神田區鍛冶町　大阪市東區南久太郞町

イ.M1

自力でおもちやを作らせませう

模倣や技術の向上よりも創造力を養ふのが第一

氏家壽子女史談

「見た！眞似してやらう！」――子供はいつもさう思つてゐます、子供達はいつも何かしたいのです、その子供に玩具を作らせることは子供を喜ばせるだけでなくやむにやまれぬ子供の「內なる炎」を正しく燃やし、創作の力を養ふことが出來ます、しかし子供が大人の作つた玩具を見て、それを眞似して作らうと考へても、實際において、子供はどうしたら自分の作つてるものが原型と似るかをあまり苦心しませんどうしたらそのもの〻「精神」「特徵」をつかまへることが出來るだらうと考へるだけです、ですから眞似て作つた筈のものが出來上つて見ると原型とはまるで違つた型――（精神、特徵ではありません）――のものであつたりします、けれども子供自身は「自分の手で作つた」といふことで充分滿足してゐます、その型が違つてゐることなど氣にしません、要は製作された玩具そのものよりも、それを製作する過程のうちに、大きな意義があるので、百の說明よりも一つの製作です。かういふ譯で、子供自身の手で玩具を作らせる場合に、父親なり母親なりが注意しなければならない點をあげて見ませう、第一は既製玩具をよく觀察させることです、早くいへば、作らせようと思ふ玩具をよく見させることです、第二は適當な道具と材料を與へることです、第三に作る方法は、先づ子供自身に考へさせ、困つた時以外はみだりに助言を與へぬことです、無暗に助言してゐては、製作の技術は上達しても推理力創造力を育て〻ゆくことにはなりません第四に製作を途中でやめさせないやうにすることです、そして第五に、出來上つた玩具はどんなに原型と違つたも

のであつてもてう笑しないことです。よく出來たら勿論ほめてやり、惡く出來ても、どこがまづかつたかを自省させるやうにして、どんな小さな子供の勞力にも大きい鞭撻と慰勞の言葉を惜んではいけません、そして最後に、作つた物はなるべく大切に永く保存させておくことです、要は玩具の中味が知りたくて、こはしてゐる時でも叱りつけないこと、作りたい物が判然とした らその製作慾の失はれないうちに、作れるやうな状態に子供をおいてやること、道具は子供が使ひよいものをそろへてやること、危險のない限り自由に考案させ、自由に工作させ、途中でやめてしまはないやうに氣をつけてやることです「おゝ、本當によく出來ました」──子供はこの父母の言葉に大滿足して、今度はもつと〳〵上手に作らうと思ふでせう。

受驗期の保健にハリバが良い！

健康の危險期　嚴寒期は健康が一ばん脅威され易い時期です。殊に受驗期を控へた學生だちは終日室内に閉ぢ籠り日光と運動の不足から疲勞が激しくなり、病氣に對する抵抗力が衰へかぜを引き易くなり、或はそれがコヂれて肺炎や、結核に移行し勝ちとなるものです。この大切な時期に病氣で寢込むことのないやう、いつも肝油が第一に選ばれます。

紫外線の缺乏　受驗中は室内に閉居する時間が多く大氣と太陽の光線から遠ざかるため、自然と紫外線の缺乏症を來します、その補給には、人工太陽燈照射や日光浴も良いが、それに劣らぬ効き目のある肝油の服用が一ばん簡單で効果的と言はれます、燐やカルシウムの吸收を助け、冬の病氣、特に感冒に對する抵抗力を強めるからです。

微量で効く！　たゞこれまでの肝油は腥さくて量が多くて服みにくかつたものですが、今は微量で効くハリバの時代です。小豆大の一粒が一瓲分の肝油に相當するAD力價があり、一日僅か三四粒、臭くなく胃腸に障らず、喜んで服めます。平素丈夫でない方は申すまでもなく健康な方でも、氣苦勞と過度の勉學から體力の低下を來し勝ちなこの重要期の保健のため、一粒肝油ハリバが廣く愛用される所以です。

住宅と室內裝飾（一）

三越住宅建築並家具裝飾部主任　角尾篤彥述
三越住宅建築部技師　工學士　岡田孝男述

目次

前篇　住宅

一、新時代の住宅　住宅はその中に住む家族の爲めに建てるものであるから、家族本位にすべきである。人に見せる爲めに殊さらに豪壯に構へることはよくないが、實用一點張の殺風景なものもよくない。「安價で、堅固で美しく、しかも便利で樂しく暮せる家」が要求される。

換言すれば

美　的──外觀及び室內裝飾をよくすること
健康的──通風、採光、給排水のよきこと
耐震耐火耐久的──構造法及び建築材料に注意すること
經濟的──工費が低廉であること
能率的──間取りや設備のよきこと

が要求される。現代の住宅は、これ等の諸條件が完備しなければ樂しく明るい氣持で暮せない。

二、住宅の樣式　住宅の樣式は世界の國々によつて國民性や氣候風土、建築材料が違ふので、種々の樣式が古來から根強く各々の國に發達して居る。

これ等の外國の住宅樣式を採つて日本で建築する場合には、特に氣候の相違に氣をつけねばならぬ。

日本では夏に濕氣が多いからムシ暑い、ムシ暑さを防

ぐには通風をよくする樣に窓を大きくしなければならぬ。窓の小さいイタリーやスペインの家をそのまゝ日本に建てゝはならぬのは勿論、ドイツやイギリスの冬を主とする家を、そのまゝ日本に建てゝはならぬ。

日本住宅は、古來からの經驗によつて、日本の氣候風土に適する樣に發達したものである。しかし同じ日本でも、昔と今とでは生活樣式が異なる。洋服を着て椅子にかけることが普通のことゝなつたから、在來通りの日本住宅では不便の點が多いから、近代生活に適する樣に、洋式も加味して改造しなければならぬ。

卽ち洋風住宅は日本の氣候に適する樣、日本住宅は近代生活に適する樣改造する要がある。

坐式がよいか椅子式がよいかは生活の如何によるが、大體坐式に於ては一つの室を居間、寢室、食事室、仕事室に兼用出來るから小規模の住宅に適するが、椅子式は居間、寢室、食事室等を別々にとらねばならぬので、大きな家でないと不便が多い。この中間をとつて坐式と椅子式を併用した住宅がある。例えば應接室と子供室を椅子式とし、居間、茶の間、女中室を坐式にする如きものである、和洋の二重生活ではあるが便利なことも多い。

三、住宅の各室

1. 家族用の室　居間、茶の間、子供室等
2. 來客用の室　客間應接室等
3. 仕事用の室　臺所浴室等
4. 使用人用の室　女中室下男室等
5. 格納用の室　押入倉庫
6. 通　　　路　廊下、ホール

居間は一家の中心をなす所で、家族のものが大部分の時間を、こゝで過ごすが故に、南面して、なるべく廣くとり、又押入や棚を多く取つけて、採光、通風共最上の考慮を拂はねばならぬ。居間は食堂と連絡し、若しくは食堂を兼ねてもよいが、なるべくは寢室としない方がよく、寢るのは居間と別な室にした方が便利でもあり、衞生的でもある。

客室はあまり使はない室であるから南面の必要はない。中流住宅では居間と隣接させて、居間の一部として使ふか、又は書齋と兼用するかせば便利である。近來では客の爲めに家の大切な部分を客室として取ることは次第になくなつて家族本位となり、居間が最もよい位置に廣く採られる樣になつた。客室を重要視する所の客本位は現代生活に反する。

子供室は日當りのよい東南か南におくべきで、露臺や葡萄棚をつけると一層効果的である。

寢室は東又は東南におけば朝日を受けて、氣持がよい

洋風住宅に於ては大抵二階にとる。

以上の室は大體の主要な部屋であるが、これ等が理想の位置に配列出來たならば、次は納戶、女中室、臺所、便所等をつける。卽ち、食堂の近くに臺所をとり、臺所に接して浴室洗面所を設け、且つ臺所から浴室の焚口が注視される樣にすると便利である。

臺所は、主婦の工場とも云ふべき所で、最も能率的に明るく、衞生的にしなければならぬ。廣いばかりが能でなく狹くとも設備をよくすれば便利に使へる。臺所の床は板張り、壁は白壁とし流し下の水のあたる所はタイル張りとする。天井は屋根裏の塵が落ちない樣に板張りか白漆喰塗りとする。窓は出來るだけ大きくし一部分に出窓を造つておけば洗つたものを乾すのによい。

床、壁、天井が出來れば次に流し、調理台、ガス台、戶棚、冷藏庫等の配置を考へる。中央をあけて壁際へこれ等を順序よく並べた方が働きやすい。流しは掃除のしやすい耐久性のものとして人造石製か白磁製がよい。調理台は七十五センチの高さとし、マナ板を置いた時に八〇センチ位になるのが使いやすい。ガス台は不燃性ので造る。ガスレンヂも便利でよい。

戶棚は食器入れと食品入れに分れる。食器入れはガラス戶、食品入れは一部網戶とし、何れも白エナメル塗りとすれば清潔に保てる。戶棚の高さは天井迄とし奥行は四十五センチ位が適當である。在來の台所にある奥行九十センチの押入は物の出し入れに不便で且つ奥の方が不潔になり勝ちだから奥行は四十五センチ位とし其代りに中の棚を多く取つけた方がよい。

台所の廣さは三十坪の家で三帖、五十坪の家で四帖半七十坪で六帖の廣さがあればよい。

以上は都市住宅の台所で水道とガスのある台所のことである。井戶水を用ひ薪を焚く田舍の台所ではやはり土間式の台所が便利である。大阪の市內では水道とガスを用ひながらなほ土間式の台所が多いが、これは前に述べた樣に床を張り天井を造つて新式にした方が合理的である。

四、住宅の間取り　敷地に對する住宅の廣さは理想としては敷地の三十五パーセント位がよい。卽ち百坪の敷地に對して三十五坪の家である。

家の大きさは家族の多少、職業等によつて異なるが、夫婦に子供二人位の家庭では三十坪から三十五坪位で十分である。

間取りの大體について云へば、各室が獨立して使はれ且つ各室の連絡が便利な樣に、しかも廊下などの無駄な所が少ない樣にすることが肝要である。各室を獨立させ

て且つ連絡をよくすると、廊下が多くなるものであるが廊下はなるべく少なくしなければならぬ。

この外、日光の都合よき取捨、即ち夏は日光の直射を受ける樣に窓を取ること、及び夏の通風をよくして、凉を取ることが大切である。關西地方では夏時西風が多いので西に窓をあける必要があるが、西をあけると西日が射入するので、その間の調節を場所によつて取捨しなければならぬ。

日當りの方から云へば、光線は南の光線を以つて最上とする故、居間、子供室、食堂等晝間使用する時間の長い室は南におき、玄關、納戸、浴室、便所など使用時間の短かいものを北におくがよい。

室の配置に關して、家相と云ふものがあるが、家相の中には不合理的のものが多いから全部を信じてはいけない。

以上は間取りの理想論であるが、實際は敷地も一樣でなく、家族の多少、職業等による生活の差異で一樣には行かない、間取りを考へる時必ず甲を生かして、乙を犠牲にし又丙を犠牲にして丁を生かす樣な事が起つて來る。かゝる時甲乙丙丁の各々の重要さを比較し家全體として最も効果ある樣に取捨すべきでこの大局に着目して取捨するのがむづかしい所である。(以下次號)

謹賀新年

昭和十二年正月元旦

日本兒童愛護聯盟
東京優良兒母の會

名譽會長　永井柳太郎
會長　伊藤悌二
幹事　矢形豐
同　平田文二
同　大島憲二
同　沖山斌基
同　矢野七郎

事務所
東京市日本橋區濱町二ノ一濱町ビル内
東京優良兒母の會
(電話茅場町(66)八〇〇五番)

統計抄

——本統計は大阪市保健部發行保健月報による——

○大阪市乳兒死亡率(出生100に付)

大正9年	22.80	昭和3年	13.95
同10年	23.53	同4年	15.94
同11年	23.51	同5年	12.79
同12年	20.65	同6年	14.97
同13年	18.83	同7年	11.92
同14年	15.76	同8年	13.43
昭和元年	15.75	同9年	13.14
同2年	17.85	同10年	11.80

(備考) 大阪市統計による

○六大都市乳兒死亡率(出生100に付)

年次	大阪市	東京市	京都市	名古屋市	神戸市	横濱市
大正元年	18.5	15.3	17.0	16.1	14.2	15.8
同2年	20.6	16.3	17.7	12.8	17.2	19.4
同3年	23.5	15.4	21.3	15.6	19.9	16.9
同4年	25.8	17.8	20.8	14.7	21.1	19.9
同5年	23.3	17.2	20.8	18.6	19.3	19.5
同6年	25.4	17.7	20.2	16.4	21.5	19.9
同7年	25.7	17.9	25.0	20.6	19.5	20.5
同8年	22.5	16.6	18.2	15.4	21.4	18.0
同9年	23.1	15.9	20.9	17.0	19.7	18.3
同10年	23.2	15.5	18.4	21.1	19.8	17.3
同11年	23.8	15.2	18.6	17.9	22.6	16.7
同12年	21.3	17.9	21.3	20.4	20.6	20.0
同13年	19.8	12.5	16.4	17.6	20.4	16.7
同14年	18.6	12.3	16.2	15.4	16.6	14.4
昭和元年	15.8	11.7	15.7	13.0	15.0	14.7
同2年	17.9	11.5	14.8	15.2	14.1	13.5
同3年	14.3	11.8	13.3	16.1	13.9	13.9
同4年	16.1	12.0	13.4	14.8	14.2	15.2
同5年	12.9	9.0	12.8	13.0	11.5	11.1
同6年	14.8	10.4	13.7	13.8	12.1	11.4

年次	大阪市	東京市	京都市	名古屋市	神戸市	横濱市
同7年	11.5	9.3	10.7	11.9	9.9	10.4
同8年	12.8	9.5	11.3	11.2	10.1	10.5
同9年	12.5	9.3	12.1	14.3	10.1	10.6

(備考) 衛生局年鑑による

○大阪市結核死亡調

年次	肺結核	人口萬對	其他の結核	人口萬對	全結核	人口萬對
大正13年	2,026	14.2	719	5.0	2,745	19.2
同14年	3,064	14.4	1,041	4.9	4,089	19.3
昭和元年	3,845	17.6	1,481	6.8	5,326	24.4
同2年	4,697	20.8	1,745	7.7	6,442	28.5
同3年	4,886	20.9	1,843	7.9	6,729	28.8
同4年	4,991	20.7	2,010	8.3	7,001	29.0
同5年	4,921	20.1	1,924	7.8	6,845	27.9
同6年	5,235	20.8	1,827	7.3	7,062	28.0
同7年	4,870	18.6	1,992	7.7	6,867	26.6
同8年	5,583	21.0	1,810	6.8	7,393	27.9
同9年	5,384	19.8	1,917	7.4	7,301	26.8
同10年	5,816	19.5	2,240	7.5	8,056	26.9

(備考) 大阪市統計に據る

○六大都市結核死亡率比較(人口1萬に付)

都市別	大阪市		東京市		京都市		名古屋市		神戸市		横濱市	
年次	全結核	肺結核	全結核	肺結核	全結核	肺結核	全結核	肺結核	全結核	肺結核	全結核	肺結核
昭和元年	24.12	17.60	21.46	15.21	23.49	18.69	19.22	13.91	28.86	20.93	24.81	18.46
同2年	26.26	19.60	26.45	15.45	28.43	19.32	21.56	16.04	29.34	22.15	26.18	19.59
同3年	25.52	18.61	19.79	13.75	27.94	19.06	21.07	15.85	28.43	21.62	28.01	21.00
同4年	26.13	18.75	19.34	13.34	26.58	18.49	20.43	15.05	28.79	21.81	30.13	22.82
同5年	25.25	18.31	21.31	15.09	26.28	18.34	20.24	14.78	28.22	21.65	25.81	18.18
同6年	25.80	19.45	22.21	15.61	26.38	19.32	20.27	15.36	34.66	21.82	24.90	18.79
同7年	24.64	18.54	11.82	8.63	26.55	19.77	20.22	15.25	29.77	22.34	23.57	17.93
同8年	25.99	19.18	24.30	17.84	28.24	20.52	22.65	17.11	29.48	22.00	26.25	19.56
同9年	26.82	19.35	20.38	15.88	23.27	16.47	19.87	14.93	28.99	19.14	22.76	18.15

(備考) 内閣の統計に據る

幼兒の健康がすぐ判る
標準體重表

乳幼兒の榮養がよいか惡いかを見るには結局肥り工合によるのが一番簡單で、またそれが大體において的確とされてゐますが、從來この標準とすべきものがわが國にはなかつたので、東京女子醫專教授磯田仙太郎博士が今度それをつくり過般の日本小兒科學會總會で發表されました。

乳幼兒のは日本で最初のもの

その標準作成の基礎となつたのは東京市設神田健康相談所で取扱つた一歳から四歳までの健康兒男九七一名、女七五一名の身長、體重を調べこの平均値をもとめて身長との關係を明かにしたもので、それによると年齢に拘らずこの身長のこどもでこの位の體重があれば榮養可良であり、したがつてそれ以下のこどもは榮養不良だといふことが一見明かに知ることができます。たとへば身長六〇センチのこどもでしたら、男の場合には五キロ八七〇が標準の肥り方であるといつた風になるのです、なほこの標準體重はその數字の下一〇パーセントまでを榮養中下とし、上一〇パーセントまでを榮養中上とし各その一〇パーセント以上、以下を榮養上、榮養下といふ風に分ける、たとへば身長六〇センチの標準體重五キロ八七〇の場合では、これより一〇パーセント以下の五キロ五八七までが榮養中下であり、標準以上六キロ一五三までが榮養中上のこどもだといふことになり、もつとも簡單に榮養狀態を知る方法として迎へられてゐます、つぎの數字がこの表です。

標準體重表

身長(センチ)	(男) 平均體重(キロ)	(女) 平均體重(キロ)
52	3.830	3.730
54	4.085	4.250
56	4.570	4.520
58	5.360	5.050
60	5.870	5.720
62	6.210	6.420
64	6.680	6.870
66	7.050	7.430
68	7.520	7.650
70	7.990	7.830
72	8.450	8.210
74	8.800	8.620
76	9.210	9.230
78	9.340	9.400
80	9.910	10.160
82	10.610	10.460
84	11.280	11.320
86	11.580	11.360
88	11.970	12.470

家庭的にも便利

磯田教授談

學齢兒童については體研の吉田博士が、また五、六歳の兒童については竹内博士が、また大人についても吉田博士の標準がありますが乳幼兒を年齢にかゝはらずその肥り工合によつて榮養狀態を見る方法がないのでこしらへて見たのですが、これは家庭的にも便利なものであると考へます。

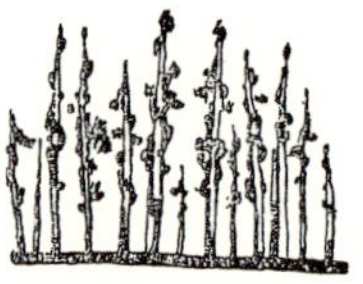

「虚栗」及「續虚栗」より

兒童に關する俳句評釋（七）

岡本松濱

雛若は桃壺の腹にやどりてか　擧白

王朝時代、幼い者の名を梅若、松若と云つた風に、凡て若の文字を用ひたこと、宮中女御の局を、或は桐壺と云ひ、藤壺と云つたこと、この二つを前提に置いて、雛の形のうるはしさと、優しさとから、雛を雛若と假に呼んで、それは桃の花の季節である處から、桃壺の腹にやどつて生れ出たものであらうと、斯くは戯れに云つたものである。

蓑着たる樵り子いつの花の虹　露宿

蓑を着て花の傍にでも立つてゐる樵夫の子を見て詠み出した句には相違ないが、「いつの花の虹」と云ふのが解しにくい。強ひて云へば、子供の蓑にまだ雨の雫が殘つてゐて、虹のやうに輝いて見えたので、斯く表現したものかとも思はれるし、或は子供がいかにも無邪氣で美しく見えたので、いつかの花の虹から生れ出たのでもあらうかと嘆美したとも見られぬこともないが、要するに斯うした句は作者の獨り合點に陷つて、讀者は眞意を捕捉するに苦しまねばならず、結局は不得要領に終る外はない。

五月雨けりな小田に鯉とるむら童　藤匂

小田のほとりで鯉を捕らうとして夢中になつてゐる村の童たちに、いつか五月雨が降つて來たのであるが、童

達はそれを知らぬもの丶如く、尙鯉捕りに懸命になつてゐるのである。「五月雨けりな」は「さみだりけり」を一層強く云はんためにこの一字を加へたまでのこと。

效二白氏之憐レ女題一

二星私ニ憾ムとなりの娘年十五　其角

前書は白氏の女を憐れむ詩に習つて作つた句である事を説明したもの。二星は七月七日天上に相會する牽牛、織女の二星である。七夕の夜、二星が隣の娘の年の若さを羨んだと云ふ句意ではあるが、實は二星に託して作者がさう云ふ感を持つたのである。それも故詩に效つて作つた句であるから、全くの空想であつて、事實は何もないのかも知れない。

田婦負レ子ヲ畚のうかれ心哉　卜尺

農家の妻が子を負うてゐる姿と、畚が交んでゐる形とを並べたまでのもので、深いこゝろはない。

憶フ老杜ヲ

髭風を吹いて暮秋歎ズルハ誰ガ子ゾ　芭蕉

其角の句と同じく、老杜の詩情を追想し、其の調を模して作つたもので、文字の組み立ては暮秋の哀愁を嘆じてゐる如くに出來上つてゐるが、單に詩の眞似をしたまでのことで、內容は大したものではない。

でんがくに寄ス狂句の法師雪の兒　李下

田樂に對して、狂句を好む法師と、雪中の兒童を配したまでのことで、之れも唯それだけの句と云ふの外はない。

以上「虚栗」の句は終りである。「虚栗」は其角の處女撰集であるが、この頃は芭蕉の句もまだ搖籃時代であつて壇林の俳風を脱し得ず、特に漢詩に心醉し、それを模する風が盛んであつたから、表現方式も凡て破調であり、內容も凡て空虚なものが多かつた。だから取り立てゝ云ふほどの句は乏しい。

次は「續虚栗」である。この邊になると、「虚栗」に比べて句がすつかり落ちついて、內容にも重みが加はつて來てゐる。

蓬萊に兒遣ひかゝる目出たさよ　山店

蓬萊は新年を祝する飾りものである。飾りものと云ふ

よりは、縁起ものであると云つた方がよからう。その蓬萊に、幼ないものがよち〳〵と這ひ寄つて行く、さうした姿にも、新年らしい目出たさ、朗らかさが感じられる。

總角が手に〳〵籠や薺つみ　野馬

總角はあげまきで、まだ元服をせず、額髪をふさ〳〵垂れてゐる少年である。その少年たちが、手に〳〵籠を提げて、薺を摘んでゐる光景を詠つたもので、いかにも長閑な土佐繪にでもありさうな美くしさである。

手をあげて兒立ち留ふ柳かな　魚兒

生れて一年そこ〳〵の子供が、そろ〳〵立ち上りたい衝動を持ち初めて、何でも目につくものを手掛りにして立たう〳〵とするのであるが、この場合は柳の幹に手をかけて立ち上る動作をしてゐるのである。春も次第に暖かになつて、柳が美くしい芽を出しかけた頃、幼兒と共に門前の春光にしたつてゐる親は、どうかして立ち上らうと、一生懸命に柳によりかゝつてゐる子供の姿を眺めてひとりほゝえんでゐるであらう。

いもうとのもとにて

世忘れに我酒かはん姪が雛　其角

妹の內を訪ひ寄つた作者が、折から姪のために雛を飾つてゐたので、自分も世間の苦勞を忘れかた〴〵姪のために雛を祝ふ心から、いくらかの酒でも買つて共に祝はうと云ふのである。「我酒かはん」と云ふ言葉の裏には、雛の祝ひで妹達の御馳走に預つてゐる場面が含まれてゐるやうである。

花を得て人に懷かるゝ產子哉　卜千

「花を得て」は花を見出し得て、或は花の下まで歩み來てと云ふ意味であらう。それまでは母の懷ろに抱かれて離れなかつた幼兒であるが、花を見出して休み處を得たために、母も心を落ちつけて我子を人の望むがまゝに其の手に抱かしめたのである。

花見にと母につれだつめくら兒　其角

物のあいろも分らぬ盲目の兒が、世間の子供と同じやうに、母に連れられて花見に出かけたのであるが、固より花は見える筈もなく、唯人の氣配に依つて、漸く花見の氣分をさとるだけである。花見に行つて花の見得られぬ盲目の子も哀れであるが、其のいぢらしさに、絕えず心を暗うして我子をいたはつてゐる母の心も又哀れである

豪宕な句を好む其角として珍らしい哀れな句である。

端午三七日にあたりければ

我歎かぶとうらやむわらべかな　其角

この三七日は其角の母の三七日である。自分は母を失つていまだ涙乾かず、歎きに閉されてゐるのに、今日は端午の日として、甲を見てそれをうらやむ童もあると、世の中の晴やかさにつけて、自分の心のまだしめやかにうち濕つてゐるのを悲しんだのであらう。

千衣渡

おちの人添寢ぞゆかし枕蚊屋　綾戸

お乳の人は相當身分ある人の乳母に對する敬語である。そのお乳の人が、子供を寢かさうとして、自分も共に添寢してゐる其の姿が、少しも取り亂した處はなく、如何にも前身の落ちつきぶりを思はすやうな點に、なつかし味を感じたのである。それで枕蚊屋さへも美くしく明るく感じられる。

人の子をほめて端し借るすゞみ哉　李下

門の外に床几を持ち出して、夫婦と子供とが涼んでゐる。其の子供の美くしさとか、おとなしさとかが話の種となり、いつの間か涼み床に腰をかけて、共に語り合つてゐる。さうした世相は昔も今も少しも變りはない。

子の泣いてしばし音やむ砧哉　山川

砧は衣を打つことである。いつでもやる事ではあるが秋の夜長には殊に農家に於て多く行はれる處から、俳句では之を秋の季として取扱つてゐる。この句の場合は、我が家でもなく、さりとて餘り遠い處でもなく、つい三軒向ふの家あたりで打つてゐる砧を聞き入つてゐたのであるが、其の途中急に子供の泣き聲がしたかと思ふと砧の音はひたと止んだと云ふので、凡そ其の家の狀態が想像される。何處となしに秋の夜の淋しさが感じられる。

童さへ捨てし徑のいぐち哉　覩水

本稿第三回に評釋した「茸狩や茸箒も兒は嬉し顏」といふ利合の句と正反對である。食用にならぬ「ゐぐち茸」を、幼な子は何も知らずに嬉しげに狩り取つたのと、物の用に立たぬことを、童さへ知つてゐて、捨てゝ顧みなかつたと云ふのと、兩つながら共にあり得る事實であり共に俳句として成り立つてゐる。

髪おきや門通る子も見られけり　景道

髪おきは七五三の祝ひであつて、男の子は袴着であり女の子は髪置である。我が家に髪おきの祝ひをする女の子がある場合、それを裝ひ立てゝ愛し眺めてゐる親心には、何氣なく門外を通る子供にさへ眼がとまつて、我が子と見比べる心持が起るのは人情の當然である。

漫成五倫の内　長幼有序

袴着は娘の子にもはかまかな　其角

前書には深い意味はなく、長幼有序と云ふ事を一句にしたことを説明したまでゞある。袴着は男の子の祝ひではあるが、男の子を祝ふと共に、女の子にも何かしてやり度く、袴でも着せて見たい心持になると云ふ親心の現はれであらう。

子を祝す

羽子板にはま矢を願ふ師走哉　露沾

子のために祝つたと云ふこと。羽子板はあるが、その上に破魔矢があればと願ふのも、亦た親心の一つである。

年々の悔

子を持たばいくつなるべきとしの暮　其角

若し自分に子供を持つてゐれば、今頃はもういくつになつてゐるであらうと、毎年年の暮になれば、子を持たぬ自分の淋しさがしみ〴〵と想はるゝのである。

以上「續虚栗」終り。

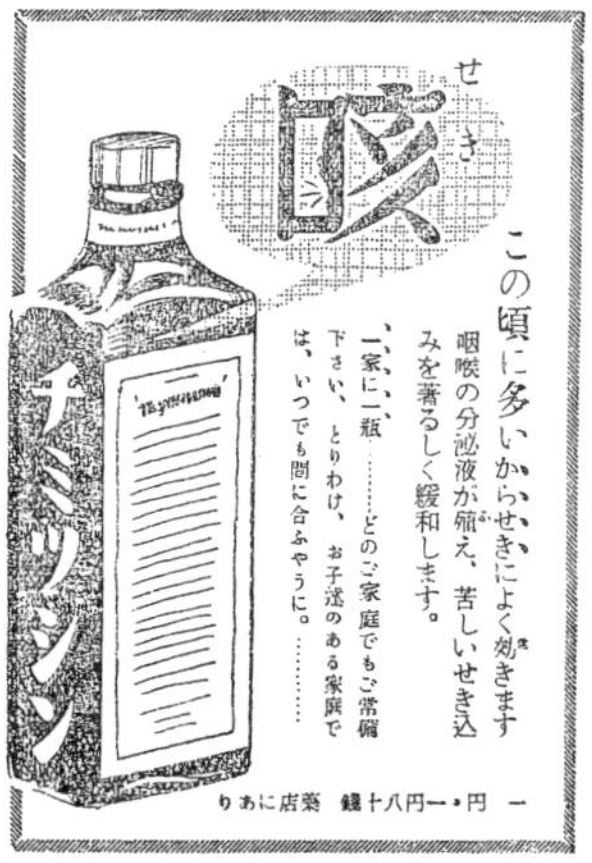

傳記小説

高橋是清（十六）

小杉健太郎

井上馨に認める

歸朝すると直ぐに是清は、商標條例、意匠條例、特許條例の原案をつくつて内閣へ提出した。處が、いろ〳〵な反對が出て、意外に審議期間が延びた。が、やうやく明治二十一年十二月、蘭法を廢して、新條例を發布せられるに至つたのである。

これより先、明治十九年に、專賣特許所及び商標登錄所を廢して、農商務省に專賣特許局といふ一局を置くことになつたが、是清は米國その他の國の制度に鑑みて、發明審査や登錄の手續を迅速にするには、ぜひとも特許局を獨立せしめねばならないと主張し、極力、これが實現に努めた結果、つひに二十年の十二月内閣直屬の特許局として獨立したのである。そして彼がその局長に任じられた。

つゞいて彼は特許局の内容を充實する爲に、せめて、アメリカ特許院の小型のものを新築しなければならんと考へた。そこでいろ〳〵計算して見ると十二萬はかゝる。その時幸ひ農商務省の剩餘金を八萬圓融通して貰ふことになつたがまだ四萬圓不足であつた。

かれは、早速大藏省へ出かけて行つて、大臣松方正義に面會してこのことをこん〳〵と陳情した。

「さう云ふ次第ですから、どうか四萬圓出して頂けますやうに、閣下の御配慮が願ひたうございます。」

「よろしい、さういふ有益な使途ならよろこんで四萬圓だしてやらう。」

と松方大臣は即座に快諾してくれた。

そこで完全な設計圖を作つて、時の農商務大臣井上馨にさし出すと、

「こんな大きなものを建てゝ、一體何年これをやる積りか。」

と井上大臣はブッキラ棒に訊いた。

「まづ二十年です。二十年たつて、これでも狹いといふ位にならねば日本の發明界の進出は心細いと云はねばなりませぬ。まあ早い話が田舎から東京見物に出てきたものが、淺草の觀音樣へお詣りした次は、特許局の發明品陳列室を見て行かうといふ位にしたいと思ひます。」

「ほう、これは大望ぢやのう。ハ、ハ、ハ。」

大臣も流石に笑ひ出だして、

「よからう。さういふ積りなら、大いにやつて見い。」

と判を捺した。

やがて堂々たる建築が築地の一角に聳えて東京市民の眼を驚かしたが、關東大震災の時潰れて了つた。

その頃は所謂鹿鳴時代で、政府はもとより、世を擧げて、歐米心醉の風潮に染まり、心あるものは囂々とこれを攻擊してゐた。この歐化主義も、實は條約改正を促進せしめるための政府の魂膽であつたのだ。

その頃、井上農商務大臣の秘書官齋藤修一郎が高橋局長の所へきて、

「大臣の命令だがね、外國から新しい機械を輸入しようと思つても日本人はすぐ模造するから困る。大量の注文ならば兎に角、一つや二つ位はなかなか賣つてくれない狀態だ。しかし、日本では最新式の外國機械を輸入して殖産を計らればならん時だから、その機械を始めて輸入したものは、專賣特許を與へるやうに法律を作つて保護してやれといはれるんだ。早速ひとつ立案してもらひたいね。」

と云ふ。

「いやそれについては、僕にも多少意見があるから、いづれ大臣が御登廳になつたら意見を申上げるよ。」

是清がかう云ふと、齋藤が烈しく手を振つた。

「それアいかん、大臣は性急だから君、兎に角、法案だけは拵へておかないといかんよ。」

それから四、五日して、また齋藤がやつて來た。

「君、大臣からやかましく催促があつたんだ。もう成案が出來たかね」

「いや、まだだよ。この間も云つた通り、これには僕も意見があるんだ。國家としてもかなり重大な事だからと思ふから、大臣が御出省の上、僕が意見を申しあげてから………」

「それア困つた。大臣は癇癪持ちだよ。」

「なんだつて構はん。法律案は作らうと思へば今直ぐにも出來る。その事を大臣にお傳へしてくれ給へ。」

「どうも、それは困つたな。」

と齋藤は、大臣の癇癪玉が破裂するのを眼に見るかのやうに、憂ひに沈んだ顏をして行つた。

二、三日すると、大臣登廳を知らせる木札が返つた。返つたかと思ふと、是清の卓上の呼鈴(ベル)がけたゝましく鳴つた。

是清が大臣室へ入つて行くと、

「出來とるか!」

いきなり井上大臣は嚙みつくやうに云つた。

「いえ、まだでございます。」

「なに、まだ——それはなぜか!」

大臣の眼の中にはキラ〳〵と燐のやうな光が動いた。今にも落雷しさうな形勢を見てとつたが、是清は少しも慌てずに、云ひ出した。

「御命令のことにつきましては、私が外國で調査中に感じたことがありますので、愚見を申上げて、その上閣下の御判斷を仰ぎたいと存じます。」

「……」

「わが國では、只今條約改正のことで大騷ぎをしてゐますが、ことに考へねばならんことは、今度の條約改正では日本側から外國に求むることは澤山ありますが、外國側から日本に要求して利益となることは殆んどありません。わづかに發明、商標、版權の保護ぐらゐなものですが、その商標、版權すらも、既に警察で保護してゐる今日、發明だけ一つ殘つてゐる有樣です。この發明まで保護してしまつては、外國人が要求することはなくなつてしまひます。つまり、外國側は條約改正によつて利益をうけることが皆無になるわけです。だから發明の保護だけは保留してをいて、條約改正の時に利用するのが得策だと私は思ひます。」

是清がかう說明してゐる間に、井上大臣の顏色はだん〳〵和いで、幾度も深く頷いた。

「なるほど。尤もぢや、もうその法律は止めにしてをけ!」

と云つて笑つた。

この時以來、是清は井上侯の知遇をうけて、東京農林學校長兼任を命ぜられたのである。

見込まれてペルー行き

精神家の前田正名は、その後農商務省を退めると、全く官途を去り、民間にあつてわが殖産興業のために盡瘁してゐたが、その前田が突然、フラリと是清の家を訪れて來た。

「高橋君!　國家の根本問題だぞ。」

「なんだい?」

是清は格別驚きもせずに訊いた。「國家の根本問題」は、前田の十八番(おはこ)である。かれはどんな小さい事でも國家本位に考へて「國家の將來」とか「國家の根本」とかよく云ふのが有名だつた。後に是清にもかうした口調や考へ方がうつツて來た程である。

「まづ事情をいふ前に、君に念を押しておくことがある。君はかつて(日本商人の海外發展は、文明國の大都市ばかり眼がけて行くけれど話はできず、習慣は知らず、資力は乏しいから至る所で輕蔑される。そんな文化の高い歐米諸國へ行くよりも、イスパニア語やポルトガル語の話される文化の低い國へ行くがよい。南米、中米等へ向つて市場を開拓するがいゝ)と云つてた

が、今でも、その主張に變りはないだらうね。」

「ないさ――だが、それがどうしたんだい。」

是清は、相手の物々しい調子に思はず眼を瞠つた。

「それを聞いて安心した。君に相談があるんだ。」

前田の話す所によると、かうである。

南米ペルーの中央銀行總裁で同地實業界の巨星たるオスカー・へーレンといふものからその使用人の井上といふ日本人を日本へ派遣して、素晴らしい話を持ちこんで來たのだ。

オスカー・へーレンと云ふ男はドイツ人で、明治二年頃東京へ來て、築地に豪奢な生活をしてゐたこともあつたが、その後ペルーへ行つて、パドロー大統領の姪を娶り、ついに今日の地位を築いた男で、もちろん信用の置ける人である。

元來、ペルーは鑛山國で鑛業は發達してゐるが農業は非常に不振である。そこで、今度へーレンが政府からペルー北部の廣大な土地を拂ひさげて、農場經營に着手することになつた。所が、ペルー土人は農業勞働に不適任であるから、へーレンが日本滯在中に、その勤勉と技能をよく承知してゐる日本農業移民を四百人ばかり送つて貰ひたいといふ。

しかし、へーレンはその代償としてペルーのカラワクラ銀山を日本人と共同經營してもよいと云ふ事である。井上はその銀鑛を見本に持つてきた。

そして、かねて知人である城山靜一の所へ、まづこの話をもちこんだ。城山は又それを前山梨縣令藤村紫朗のもとへ相談した。

ところが、丁度鑛山熱の盛なときであつたから、藤村は農業移民の話よりも鑛山の事に身が入つて、早速實業家の小野金六とも相談の上、井上のもつてきた銀鑛を、鑛山學界の權威巖谷立太郎博士にもつて行つて分析鑑定を依賴したのである。

分析の結果は飛上るやうな報告を得た。即ち、その鑛石はルビーシルヴァといつて殆んど純銀に近い貢鑛である。しかも原產地たるカラクラ銀山は、歐米の鑛山學界にも知られてゐる著名な山である――。

これを聞いた藤村等は、大變乘り氣になつて、

「そんなら、移民送附や農業經營よりも、銀山經營の方を、まづ計畫しようじやないか。」

といふことになつて、ひそかに同志を集めた。三浦梧樓、佐竹作太郎、古莊嘉門などいふ野心家が馳せ參じた。

しかし、今までの條件はみなよかつたが、肝腎の銀山を實地に踏査して見るまでは、全く安心はできなかつた。そこで、巖谷博士に賴んで、博士門下の鑛山技師田島晴雄學士をして、實地調査と大體の契約を締結させる爲に派遣することゝなつた。（續く）

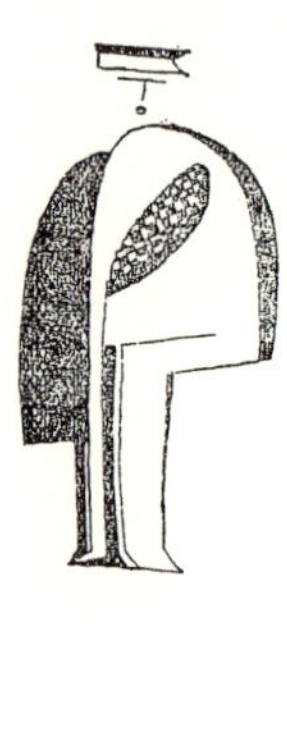

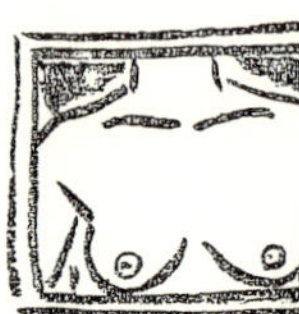

女性美の表象で 赤ちやんの生命線

大事なお乳の衛生

醫學士 小林種樹氏談

完全なお乳といふのを御存知ですか處女においては胸にふつくらと半圓を描いたお乳、これが美容上からいつても醫學上から見ても完全なお乳です、脂肪が多過ぎて大きくたれ下つてゐるお乳は醫學上無力性體質といつて內臟下垂を起し、おしやれな方は手術して脂肪を拔いたりして苦勞します、最も惡いのは小さく三角形をしてゐるお乳で、これは小兒性體質の瘦せた方に多く乳腺が發達してゐないため、姙娠してからお乳の出が惡い、洋裝をなさつても胸の邊が貧弱なので綿等をお入れになる、かういふ方にはホルモン注射をおすゝめします、お乳は女性美の表象として女性自身にも重大なものですが殊に赤ちやんにとつては生命線ですから一つお乳の衛生について研究して見ませう。

乳の出ない方 姙娠中、乳腺の發育がよくないと往々にして乳の出ない方があります、かういふ方は產後三日乃至四日以內に卵巢ホルモンの注射をします。約七〇%の效果があります。

乳が多過ぎる方 乳が多いのに排泄孔が不完全あるひはない方は炎症を起して乳腺炎を起す事があります、かういふ方は早く手術をして排泄孔を開けなくてはなりません、また赤ちやんが亡くなつたりした時は乳を冷すと同時にインテレニン・ホルモンを注射すると乳の出が止まります。

乳が途中で出なくなつた場合

お乳が途中で止まるのは授乳方法が惡い場合が最も多い、即ち授乳の際片方の乳が全く空にならないうちに他方の乳を飲ませるとだん〳〵乳腺が充分な働きをしなくなり、つひに乳の出が止まることになります、牛乳をしぼる場合でも同じ譯でお母さん方の第一注意すべきことです。

乳の裂傷 子供さんにかまれてお乳を傷つけると往々にして黴菌が入り乳腺炎を起します、よく傷ける方は皮膚が弱いからで、姙娠四、五ケ月頃から毎日一回お乳を硼酸水で洗ひアルコールで拭いて皮膚の鍛練をしておく必要があります。裂傷を起したらゴム製の乳頭保護器をあてゝ哺乳するか乳をコップにしぼつて飲ませます。

乳首のひつこんでる方 お乳バンドをきつくなさつて外へ出てゐるべき乳首が乳房の中へ入り込んでゐる方が澤山あります、そのまゝにしておくと折角いゝお乳でも赤ちやんが飲む事が出來ませんから吸角といふもので乳首を早く外へ吸ひ出しておかねばなりません。

第十四回大阪赤ん坊審査會

最優良兒中の大阪市賞受領者

男兒

土方久雄	豊能郡中豊島村福井四八
久保堯	港區八雲町三ノ一八
朝田俊孝	天王寺區眞法院町六七
木村昭藏	東成區東桃谷町三ノ三六四
武田信義	大正區難波島町二ノ五二
藏田卓	武庫郡芦屋毛賀金八七八
岡田穎二	港區四條通四ノ五一
杉山正夫	旭區新森小路中四ノ一五七
澁谷晋弘	尼崎市昭和南通三ノ三〇
景山齊郎	旭區北清水町八七七
上田昌男	浪速區元町五ノ四三〇
大塚裕晧	東區北新町二ノ二五
逢坂益弘	浪速區櫻川一ノ一〇六六
松尾和男	中河内郡布施町荒川二五三
小林英樹	北河内郡四條村字北條一七〇三
増田俊二	東淀川區木川西之町三ノ九
泉谷裕美	西成區粉濱中之町四ノ八
北井主計	中河内郡小阪町上小阪七七七

女兒

乾有香里	西宮市苦樂園口
山崎良子	豊中市本通
中町美千子	北區天満橋筋五ノ六八
佐野美智子	武庫郡住吉村字鴨子ヶ原一八五三
岡井正子	京都市伏見區納所東六番
南佳予子	此花區西島町二一二ノ一一
隅野嘉香	泉北郡神石村大字上石津一四三六
坂倉久美	住吉區山阪町一ノ一八
濱田章子	住吉區山之內町六
亥野正子	西區奥義町三一
今堀都	旭區生江町二七六
並川良子	旭區赤川町四
鶴見朝子	住吉區平野市町一三〇
南村以壽子	西淀川區姫島町五〇四
望月嘉子	中河内郡久寶寺村
清水孝恚	西區南堀江上通三ノ二五
福山靜江	東成區東桃谷町三
木田美和子	大正區鶴町二ノ五〇

街頭醫學

正しいおしめのあて方

おしめの目的は小便が外へ洩れぬやうにすることにあるのですが、そのために身體の自由を極端に束縛したり、特に足の運動の自由をさまたげたり、または內部で蒸れるやうなものであつてはなりません、これにはおしめの材料、おしめのさせ方に注意が必要です。

まづおしめのさせ方からいふと、普通には股に一つ折りかへしてはさみその上から冬ですと中を厚く、外を薄いものであて、さらにその上をゴム布で全面的に覆うてゐますが、もつと極端なものになると、これを何枚も何枚も重ねて覆ひ、しかもこれに古い毛糸の腰卷などを利用するのさへあります、そのために交換も思ふやうにできず、皮膚炎を起して糜爛してゐる赤ちやんを見る場合が非常に多い、それだけでなく、冬などは運動を阻害される結果、發育にも惡い影響を與へるのが常です。

そこで赤ちやんにはどういふおしめをさせたらよいかといふに、一番中にはお尻に二重にした三角布をあてゝ、その三角の一端を股の間にはさみ込み、双方に二つに分けて折り込ませ、その上を橫から交互に合せて腹を包み、さらにその上から普通の一枚の晒布のおしめで包む、つぎに身體の半面を覆ふくらゐのゴム布を後にあてゝ最後に一枚のネルで覆ひます、このネル及びその下の晒布の長さは足のかくれる程度であるから、大體足より五寸も長ければよい、この方法であてたおしめは、輕くて運動が自由で非常に都合がよい、夏でも冬でもこれが標準です、寒ければその上に着物を多くきせさへすればよいのです、つぎはおしめの汚れた場合ですが、これは直ぐとりかへるのが定法である、この習慣がつけば汚れた場合にはすぐ泣いて知らせます、さうして六ケ月後ぐらゐからは便器に排便させる習慣をつけてゆく、さうすれば大きくなつてからの寢小便も多少防げるやうになります。

また外出する場合には、一般におしめカバーが使はれますが、これは足の形を多少惡くする傾向があり一方中では蒸れるといふことになるのでおしめカバーの使用は外出の時だけに限つて家庭內での使用はしない方がよいのではないかと思ひます。（日本醫大教授醫學博士平澤精藏氏談）

齒は赤ン坊の時から磨くこと

一般の病氣には相當神經質な母親でも、事齒に關してはすこぶる無頓着な方が多いやうです子供の齒はいつ頃からみがく？――小學校へでも入つたら……など呑氣に構へてゐたら大間違ひ、乳齒が生えたら早速に齒をみがく心構へが必要です、乳齒はいづれは本當の齒に拔け變るのですが、口中を清淨にすることは常に大切なことで齒をみがくといふ事を習慣づける上においても更に必要なのです。

勿論赤ン坊は一人で齒はみがけませんから母親がガーゼに薄く齒磨をつけてみがいてやります、齒に殘つた齒磨は湯または水で丁寧にふきとつてやればよいのですが、齒磨の代用に食塩を用ひればそのまゝ飲み込んでも心配はありません。

やがて一人で口中のブク〳〵が出來るやうになつたら齒ブラシを使用させます、かうして幼い頃から齒をみがいて居れば、小學校に入つて虫齒に苦勞するやうな事は滅多になく、胃腸も丈夫に頭腦明せきになる事受合です。（齒科醫石木綱夫氏談）

有効な吸入濕布と含嗽の仕方

「過ぎたるは及ばざる如し」といふ格言は、感冒の手當――吸入や濕布や、うがひの場合にもそのまゝ使へます、それは藥液の濃度についてもいへますし、行ふ回數についてもいへます。

吸入 勿論感冒の種類や程度によつて違ひますから、一日に何回吸入すべしといふ公式的なことはいへませんが、先づ一日三、四回が適度でせう。よく一時間も間をおかずに幼兒へ吸入ばかりかけてゐる母親がありますが、抵抗力の弱い幼兒の喉の粘膜や、鼻孔の粘膜を無暗に

刺戟する結果、その粘膜の表面がはれ充血し、ひどいのは、ただれて呼吸困難になることも珍しくありません、そして藥液は濃過ぎても効果のないもので、普通に食鹽水や重曹水を用ひますが、それは百倍に薄めたものが最もよろしいのです、これより濃いものをしば〳〵使つたために、柔い幼兒の顔の皮膚がたゞれたなどゝいふこともあります、この食鹽や重曹の溶液に少量のグリセリンを入れることは粘膜をなめらかにし、効力の持續性を増すものです。

濕布　次に濕布もやはり過度にしば〳〵取換へるのはかへつてよろしくありません、プリスニッチ氏の罨法といつて體温と同じ暖かさにした硼酸水などの藥液で濕布した場合はその液がかはいてしまふまでは取換へる必要のないもので、カサ〳〵になるまで放置しておくのもいけないが、急いで取換へても意味のないものです、普通二、三時間は取換へる必要がありません、あまりしば〳〵着物をぬがしてかへつて感冒を重くしてしまふことがありますから、注意して下さい、ましてエキホスなどの特殊の藥を使つて濕布する場合は、それこそ取換へは一日に一回で澤山です、そのエキホスは人肌程度にあたゝめればよいので、温度の吸收が強いものですから、あまり熱くすると、何も知らない赤ちやんなどに可哀さうな思ひをさせねばなりません、これも氣をつけて下さい。

含嗽　うがひも吸入と同じです、藥液として食鹽水や重曹水や硼酸水を使ひますが、硼酸の場合に限り五十倍に薄めたものが適度です、あまり濃いものを使つたがために氣道の炎症がかへつてひどくなつたなどといふことのないやうに、藥の濃さといふことに充分の注意を拂つて頂きたいと思ひます。（田村弘隆博士談）

冷え性の方への注意

一口に冷え性で困るといつてもその原因はいろ〳〵で、第一に體質による場合もあるし、他の病氣主として婦人病に原因する場合もあるといつた工合ですが、ともかくも寒さに對する抵抗力が弱つてゐるのですからこの抵抗力を強くすれば冷え性でなくなるわけです、ですから原因を發見して、それが病氣によるものだつた場合はこれを治療するやうに、ともかくも原因を除くより他はありません。しかし、運動不足とか、子供の時から湯タンポなどを入れて寢る惡い習慣をつけたために寒さに對する抵抗力が弱つてゐる人も多いやうです。かうした冷え性の人は抵抗力を強くするために手足を摩擦するとか適度の運動をすることが何よりも肝腎です。冷えるからと云つていたづらに着物を重ねることは動作をにぶらせるだけで却て風を引いたり惡影響を及ぼすものです、次に食物も出來るだけ燃燒をよくするカロリーの多い脂肪とか含水炭素を多く攝るやうにつとめなければなりません。燃燒をよくするには脂肪が一番よいのですが、我々日本人は、一般に餘りに多量の脂肪を攝り過ぎると、とかく胃を害する傾向がありますから脂肪の方は加減して含水炭素の方を餘計に攝るやうに心がけることです。（因に含水炭素は米、メリケン粉、お菓子等をはじめとして葉を主としない野菜類に多量含んでゐる）

肉を主食とする外國人は昔から脂肪になれてゐて、胃を害するやうなことはないのですが、日本人は古くから米を主食としてゐる關係で脂肪に對する抵抗力が弱いわけです。そしてこの主食物の關係は體温にも影響して外國人の平温は日本人のそれよりも高く平均三十七度一二分になつてゐます。

要するに偏食しないやうに色々のものを食べると云ふことが大切です。

婦人の冷え性は大體四十歳以上の人に多いのですが、之はホルモン療法を行ふと効果があります。又寢る時湯タンポを入れる人はこれを止めないと益抵抗力が弱くなるばかりです。但し病人は別です、しかし寢つかれない程の冷性でしたら湯タンポで床を暖めておいてから寢るのも已むを得ませんが、それでもいよいよ寢る時には湯タンポは出すやうにしたいものです。殊に子供などを可愛さから、湯タ

ンポで暖かくした床に寢かすのは惡習慣のそも〳〵のはじまりで、冷たい寢卷に着更へさして冷たい床に寢せるやうに子供の時から習慣づけることが體力を作る上から云つても必要です。（戸田クニ子博士談）

人間に一番適した風呂の温度は？

夏、暑いとき一と風呂浴びて汗を流したあとの氣持のよさはいふまでもありませんが、これから寒くなつて身體の凍るやうな場合に適當の温度の風呂に入つた快さはまた格別です、この風呂の温度は民族、個人等でいろ〳〵の好みがあり、概して日本人は高温の入浴を好みますが普通健康體では攝氏四十三度が快適な風呂の温度とされてゐます。

しかし實際には風呂屋などの浴槽を見ると、攝氏四十五度ぐらゐになつてゐる場合が少なくありません、ほとんど全部がさうであるといつてよいでせう、殊に東京などではこの程度の熱い風呂を好むものが非常に多いが醫學上から見た場合、どの程度の温度のものが一番適當かといふと、神經痛や高血壓、中氣、神經質、ヒステリー等の興奮しやすいものには高温の風呂はよくありません、かういふ人達には攝氏卅八度から四十度の間で、それも長く浴槽の中に浸つてゐるのは避くべきです、つぎに高温浴の適當なのはどういふ人か、リウマチス、關節炎などの人で、比較的高い温度のに入つた方がよいのです、なぜ興奮しやすい人には低温浴がよく、リウマチス患者などには高温浴がよいかといふに、興奮しやすいものが高温浴をすると、血行をさかんに逆上しやすくなるが、低温浴だと逆に腦に對して鎭靜的、沈痛的に働いてくるからです。

一方リウマチスの患者では高温浴は血液の循環をさかんにして炎症から出た浸出物をとり去るためによいといふ風に説明されてゐます、なほずつと先へ行つて寒氣がひどくなりますと鹽湯が行はれますが、この場合の鹽の量は一人風呂を標準で申しますと、一升が適當です、これに用ふる鹽の質は結晶のあらいにがりの出るものでもさしつかへありません。

鹽湯は普通の淡水に比してどうしてあたゝかいかといふと、鹽の成分が皮膚面で結晶して一種の皮膜を形成するため、體温の蒸發がし難くなる結果で、そのため普通のお湯に比較して湯ざめがしないといふことになるのです。

したがつてカゼを引きやすい人、腺病質のもの、冷えになやむ婦人病の人などにはよいわけです、風呂からあがつた後の湯ざめを防ぐには浴槽から出るときに水をかぶつて皮膚を引きしめて置くとよい、あまりつめたい水は寒いので、日向水程度の水温のものが結構です、かぶるのがいやな方は水で一度身體全體を拭いて置く、かうすると湯ざめがしないのでひいては感冒の豫防にもなります。（温泉相談所矢島操氏談）

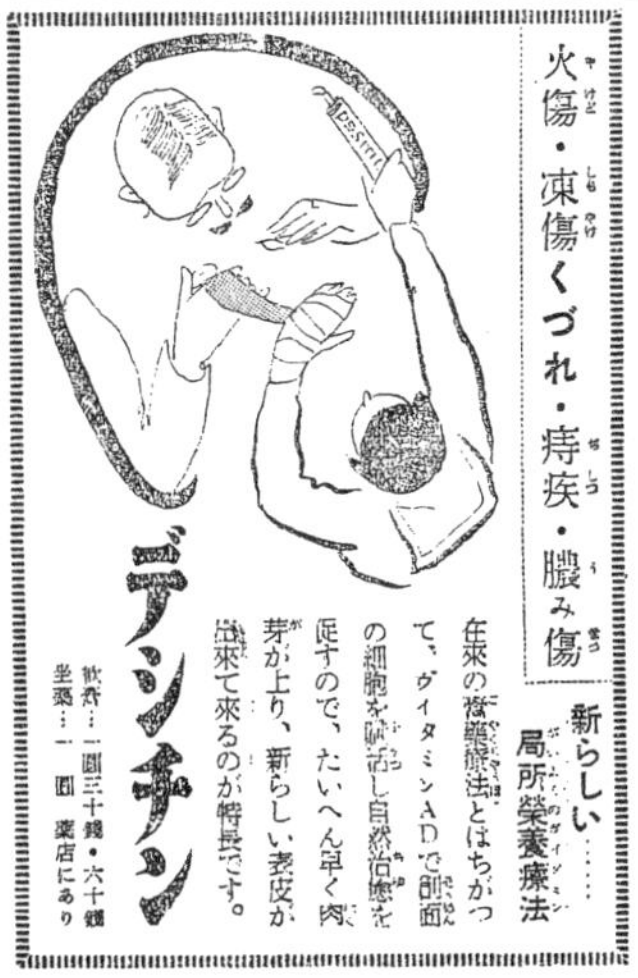

編輯後記

本誌第十五周年

◎瑞雲たなびき渡り、旭光四海に輝りかゞやく新春を迎ふる度毎に、我等は限りなき歡喜と希望とに充ち溢れ、「聯盟創設第十七周年」「審査會開始第十六周年」と、確信を以て新しい日記の第一頁に銘記する事が出來るのである、聯盟の芽生えた當時、誰れか今日の如き劃期的な全國的の大運動を敢行し得ると豫想した者があらうか、審査會の如き事業を創案した時も、無意義な同じ事を繰り返すに過ぎぬと嘲つた先輩や、天下の大新聞や、各府縣社會課關係の諸團體や「各都市の婦人團體までが、今日これを追隨模倣しないでは居れぬに至つたではないか、思へば實に不可思議千萬な事であり亦感慨無量な次第ではあるぞ。

◎聯盟が呱々の聲をあげた時、誰れも「子供の世紀」などの編輯發行を持續する事を企圖した者は役員中には一人も無かつた、然るに何事ぞ今年は本誌第十五周年の記念號を發行する運びとなつたではないか、十五と云へば昔なれば少年期におさらばをして元服する時代である、やはり分相應の覺悟と決心が必要である、顧みると誠に短い年月であるが、當人に取つて見れば相當の難關難路のあつた爲め長年月の感が切實なのである、本誌の經營は兎にも角にもこゝ迄は漕ぎつけたが、これから果して此の儘持續させて然る可きか否、我が日本の文化史に貢獻の出來る確信の失せた時は何時でも自分は城のあけ渡しを斷行する積りである。

◎「とう〳〵ものにしましたね」「遂にやりとげましたね」と云ふ意味深遠な挨拶を時々受ける事がある、世の常の人は慈悲は慈悲でも甚だ冷酷な慈悲を以て物事を注視して居る、茨の道を辿る幼な兒を見た時も、泳ぎを碌々知らぬ少年が水に溺れんとする現状を見た時も、なか〳〵どうして手を延ばさうとはしない、唯默して其の成行きを眺めて、さうして其の幼な兒が其の難路を切り抜けた時、其の少年が彼岸に泳ぎ着いた時、「遂にやりとげましたね」、との後ればせの御世辭しか與へて吳れないものである、此の世に斯うした慈悲ある事を記者は次に來る可き人々に御訓へ申上げたいのである、大言壯語や、出來ぬ相談や、空理空論は、明治維新當時の若者には必要だつたらうが、今の世の中では三文の價値もない。

◎本年度に於ける新事業の一つとして日本優良兒母の會の成長發達をはかりたい、我々の事業には手腕家も大人物も不必要なのだ、誠意に生きる人が必要である、物々しい後ろ楯は返つて邪魔臭い、それよりも眞心ある熱誠な援助者が必要なのである、軍需品の關係會社はインフレ景氣だと云つて喜び、物好きな喧嘩好きが世界は二つに別れて戰ふのだと狂人の浮言を口ばしつてゐる、不謹愼も甚だしい、我等は唯一路二十年後の日本の爲めのみに奮鬪したい。

本誌定價　一冊金參拾錢　郵稅壹錢
半年分六冊　金壹圓六拾錢　郵稅共
一年分十二冊　金參圓　郵稅共
誌代郵稅は一切前金の事
前金切の場合は發送中止
郵券代用は一割增のこと
昭和十一年十二月廿八日印刷（毎月一回）
昭和十二年一月一日發行（一日發行）
兵庫縣兵庫郡精道村芦屋
發行兼編輯人　伊藤悌二
大阪市西淀川區海老江上二丁目三七番地
印刷人　木下正人
印刷所　木下印刷合資會社
電話福島㊺（一五三四番／二四二六番）
大阪市北區天神橋筋六丁目
大阪市立北市民館内
發行所　大阪兒童愛護聯盟
電話堀川㉟（〇〇〇一番／〇〇〇二番）
振替大阪五六七六三番

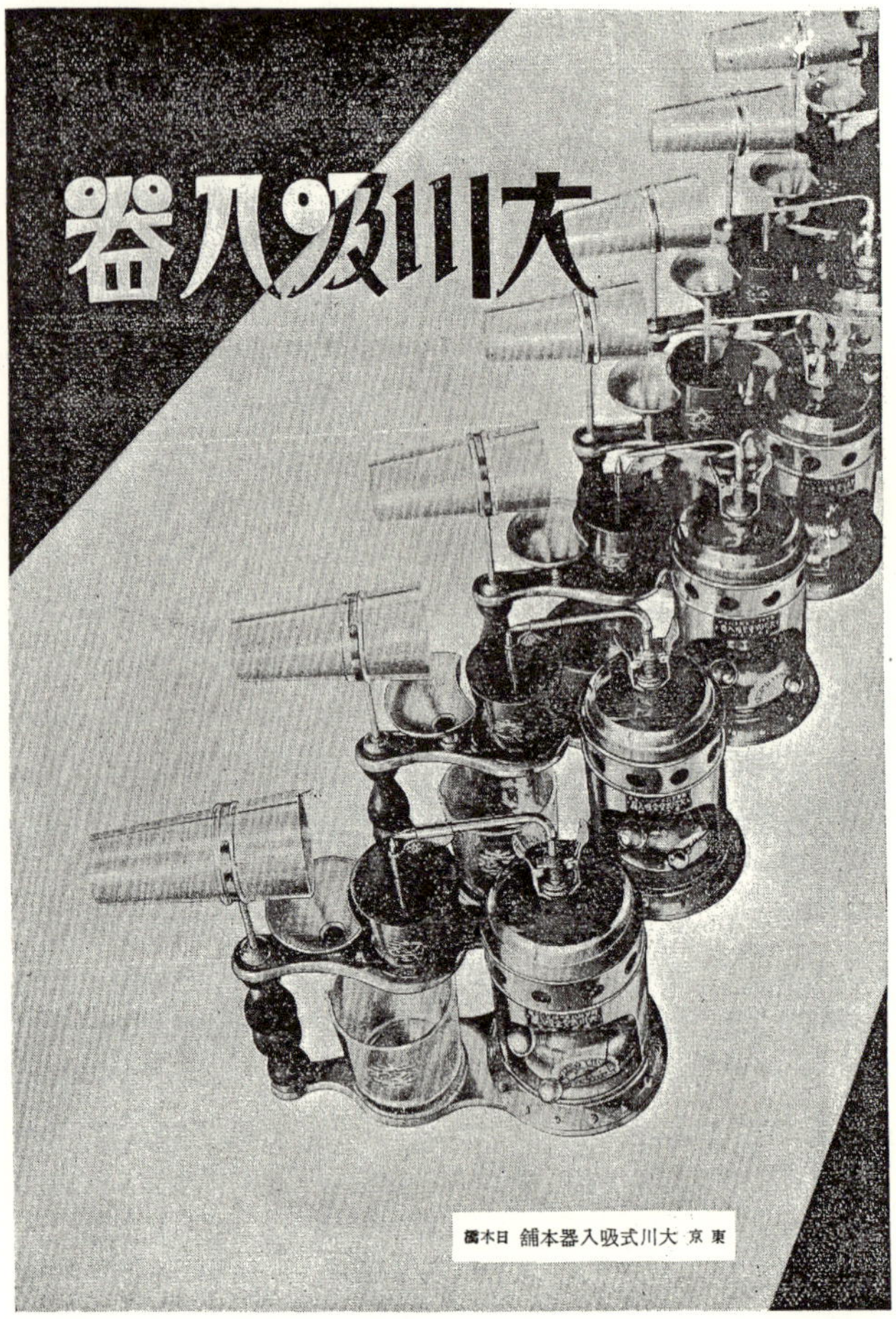

子供の世紀 第十五卷 第一號
大正十三年二月二十日第三種郵便物認可
昭和十一年十二月二十八日印刷納本 毎月一回一日發行
【定價金參拾錢】

基礎鞏固　經營眞摯

創立　明治四拾四年

コドモの保險　日本徵兵

入營・嫁入　準備

出世・教育　資金

子を持つ親心

可愛い子供の爲に何程かづゝの貯金をしてやらうと考へるのは、凡ての親としての至情で、男子ならば適齢迄、女子ならば嫁入迄と誰しも心掛ける所ですが、さて實行はなかなか困難です。

最良の實行方法

徵兵保險、生存保險のコドモ保險は此需用を充たす最良の施設で、一度御加入になれば知らず識らずの間に愛兒の爲に必要な資金が積立てらるゝことになります。

日本徵兵保險株式會社

本社　東京市麴町區内山下町一ノ一

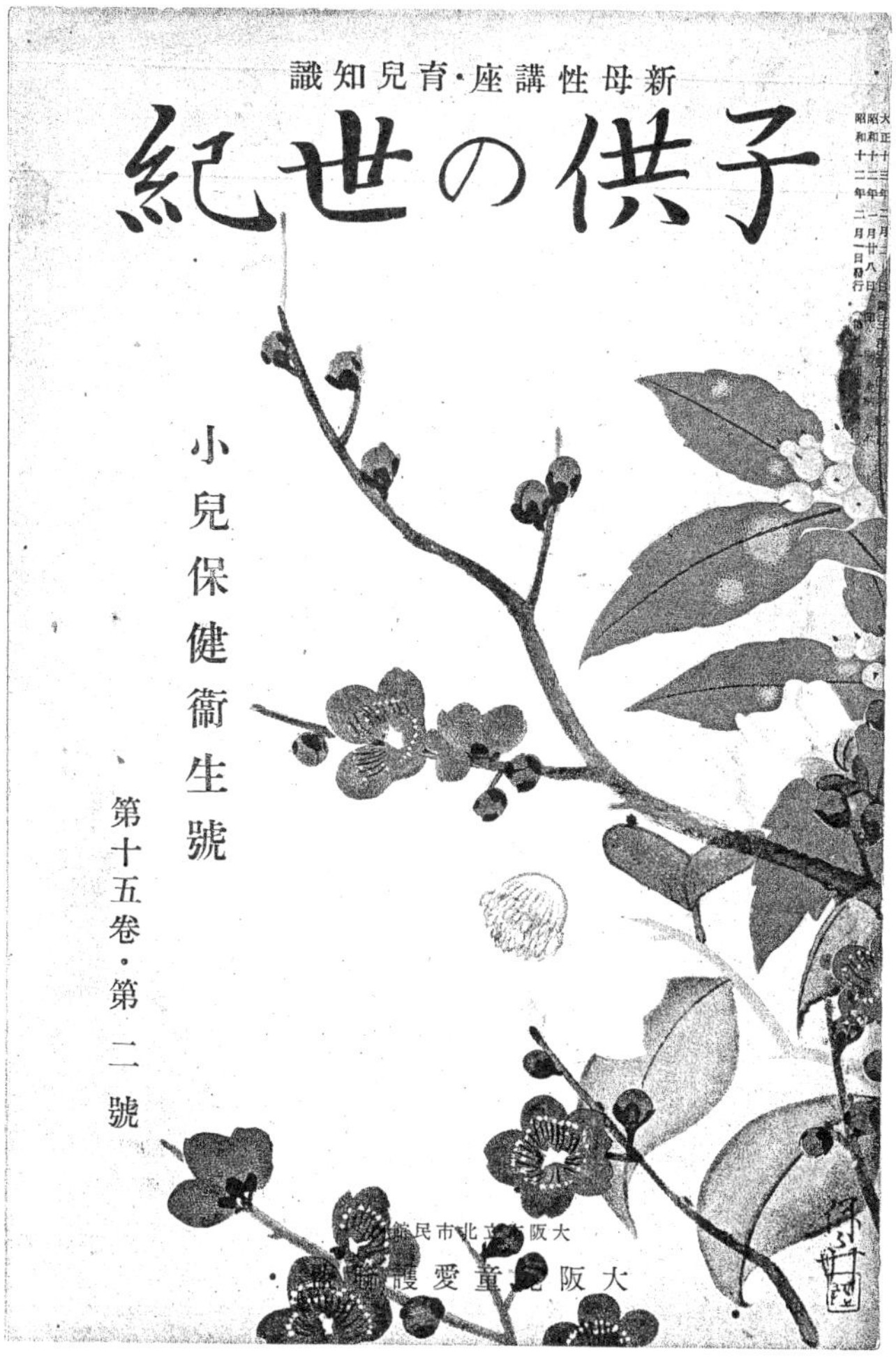

『子供の世紀』(第十五卷第二號) 小兒保健衞生號

目次

森永
無糖ドライミルク
世界的優良粉乳
科學は實證す
一、酵素及ヴイタミンの含有量第一位
一、市販粉乳中脂肪量最も多く百瓦のカロリー五二〇、八の豐富
一、水にも湯にも容易に溶け使用極めて簡便
一、生乳よりも安全にして消化良し
森永
ドライミルク
森永煉乳株式會社

醫學博士 有馬頼吉氏 醫學博士 青山敬二氏 醫學博士 太繩壽郎氏 發見創製

日・英・米・加奈陀・愛蘭 專賣特許

アーオー

結核免疫元

治療的應用

肺結核(潜伏、輕症、中等症)
腺結核、皮膚結核、泌尿生殖器結核、
外科的結核、眼科的結核、肋膜腹膜炎、喘息

豫防的應用

虛弱兒童、腺病質學童
感冒ニ罹リ易キ成人並ニ兒童

診斷的應用

結核ノ存否病勢並ニ豫後ヲ確斷シ得 而モ
無害ニシテ同時ニ治療的効果ヲ有スル方法
(所謂吉田氏反應)

文献試品贈呈

製造所 有馬研究所
發賣元 須美商店
大阪市東區北濱四丁目四〇

永井聯盟名譽會長の表彰式告辭

永井幹事長の名案
(東京日日新聞より)

民政黨の永井幹事長、優良兒表彰會に臨んで一場の講話をなすため登壇したが、何しろ自慢の優良兒揃ひのこととて頗る元氣良く、「ワーワーギヤア〳〵」と大變な騒ぎ、獅吼には慣れてゐる幹事長も、この赤ちやんの合唱にはしばし呆然たる有樣だつたが一策を案出して、昔話に一休と山法師が吠ゆる犬を鎭める競爭をした話がある、山法師が法螺貝を吹き立てると犬はます〳〵猛つたが、一休が握り飯を與へると犬は忽ち啼きやんで勝利を得たさいふことだ、私はこゝでいくら大聲を立てゝもこれぢや駄目だからお母さん方は皆赤ちやんにお乳を與へて下さい、と提議すると喧騒は忽ち靜かになりチユー〳〵と乳を吸ふ音ばかりとなつたので、幹事長やつと得意の辯を揮ふことが出來たさうな。

寫眞向つて左より 富田幸藏博士、相馬明治商店社長、廣井審査會長——懸圖は吉村畵伯揮毫の『光明皇后御影』

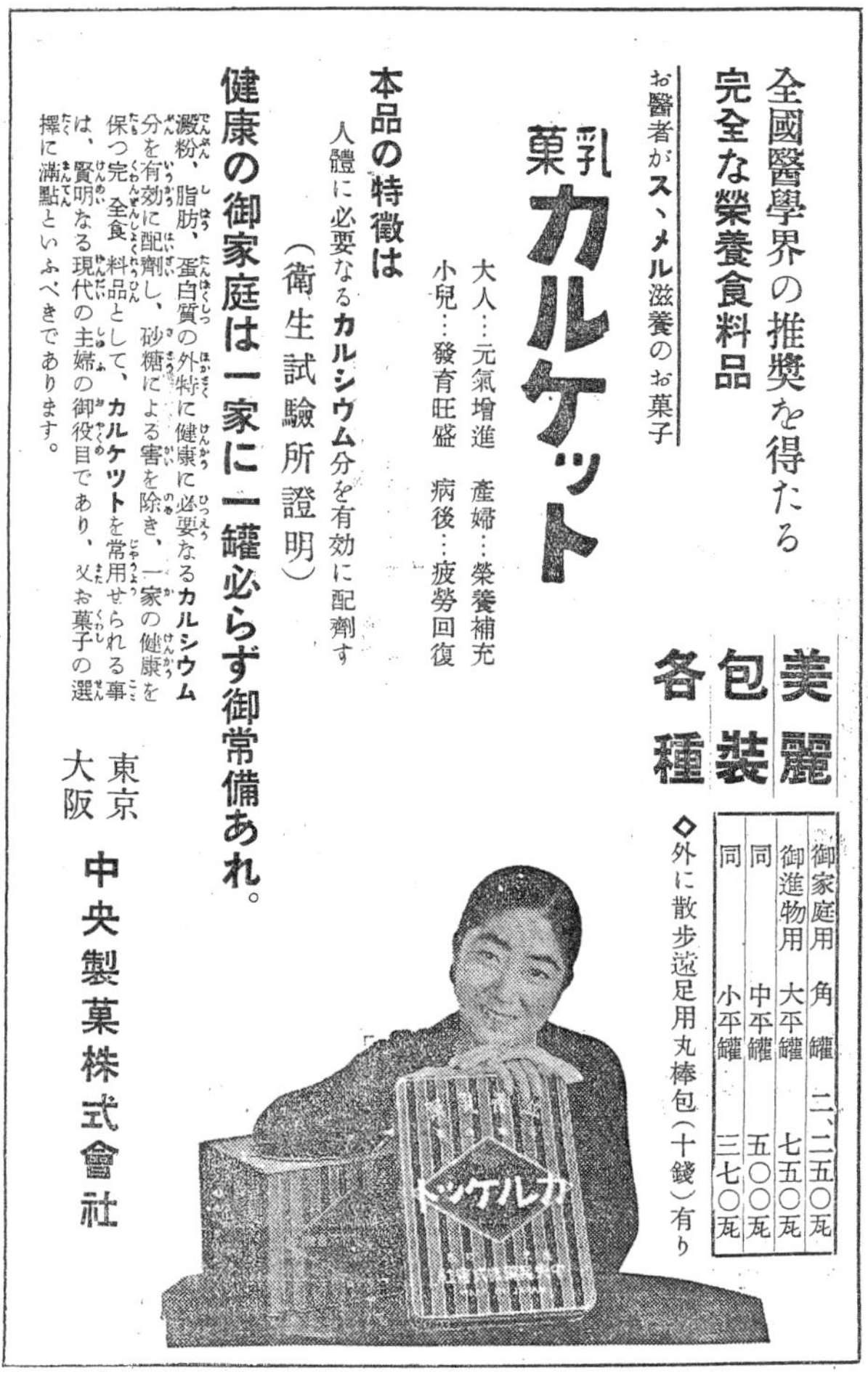

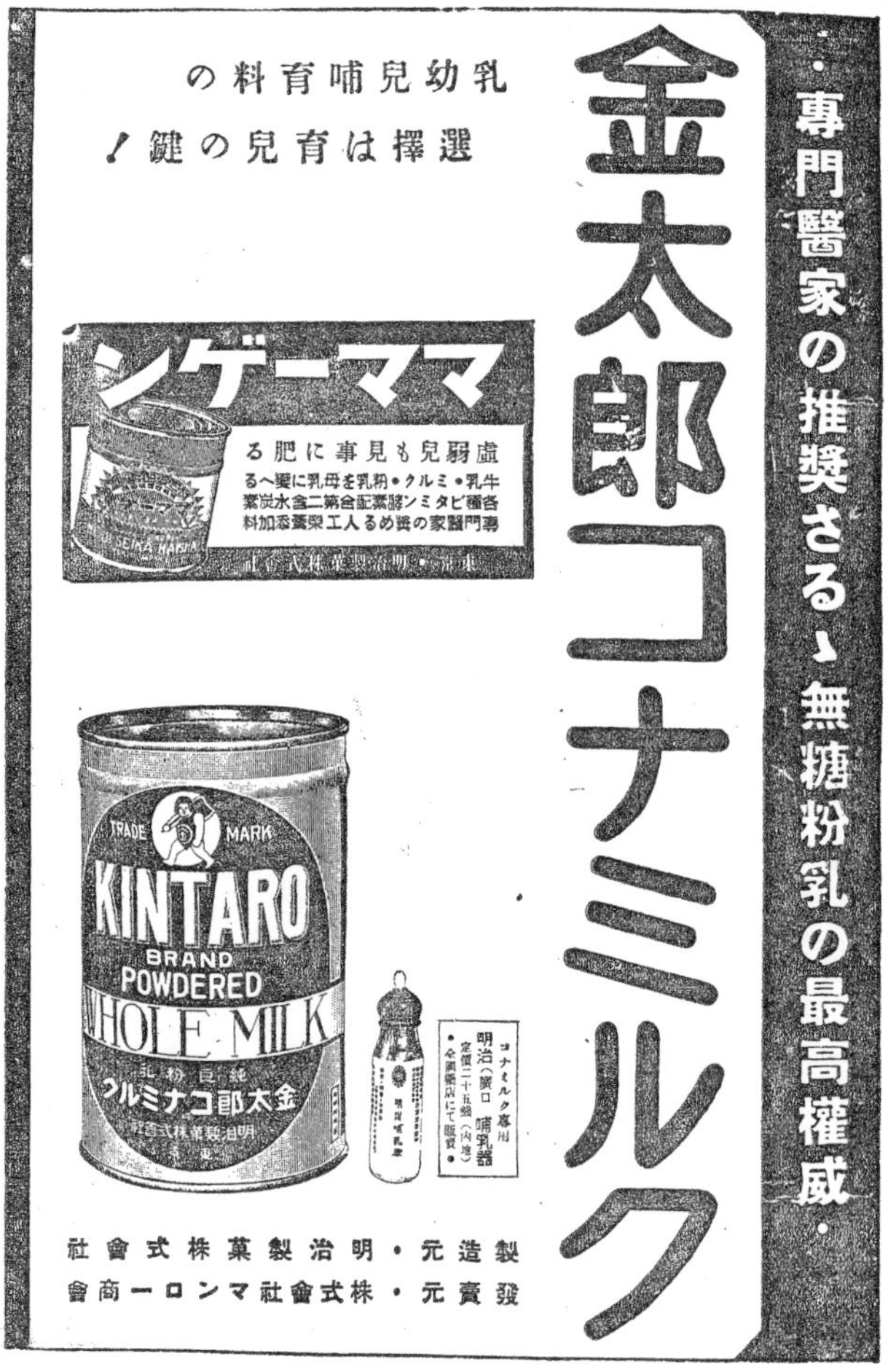

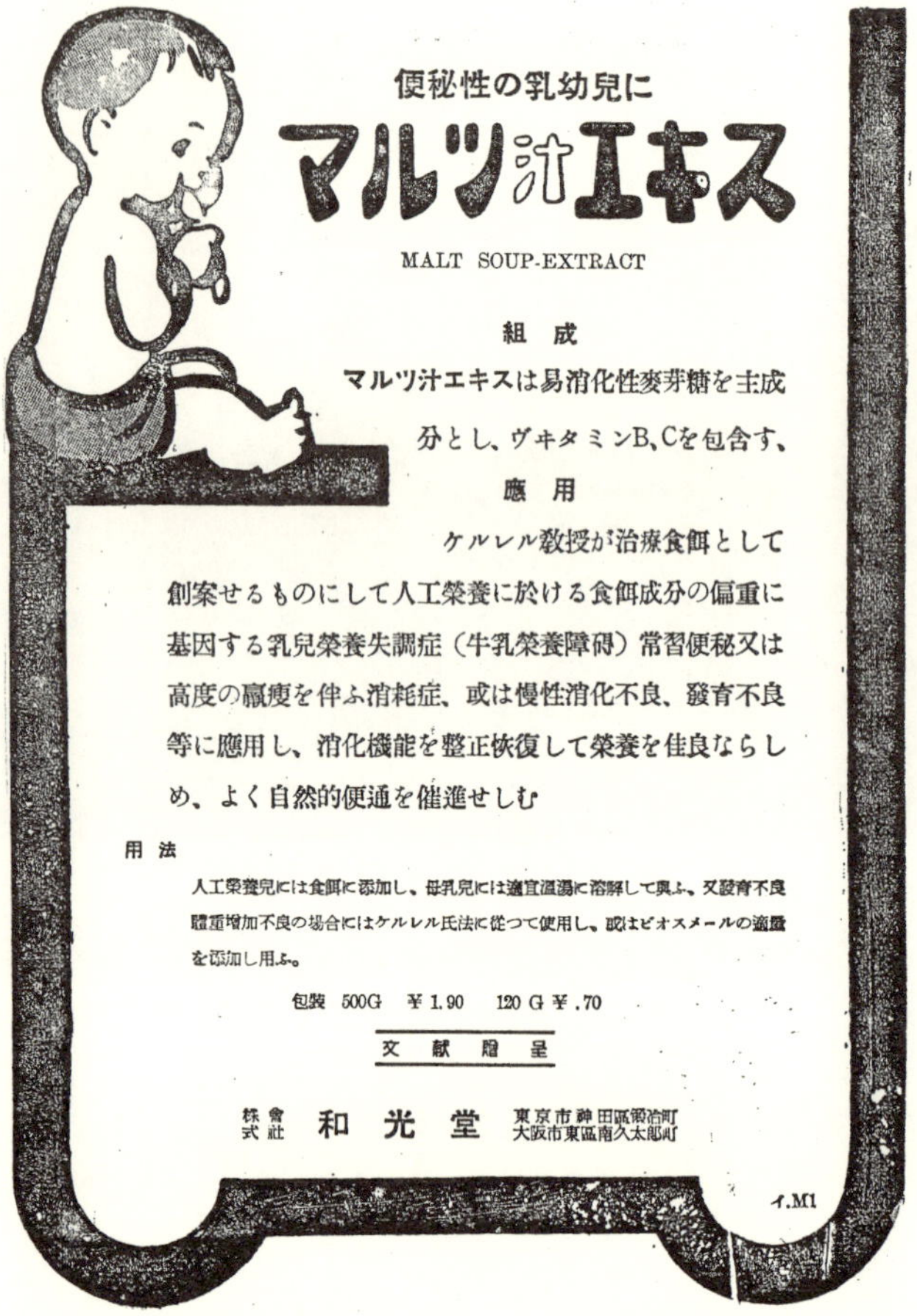
便秘性の乳幼兒に
マルツ汁エキス
MALT SOUP-EXTRACT
組成
マルツ汁エキスは易消化性麥芽糖を主成分とし、ヴキタミンB、Cを包含す、
應用
ケルレル教授が治療食餌として創案せるものにして人工榮養に於ける食餌成分の偏重に基因する乳兒榮養失調症（牛乳榮養障碍）常習便秘又は高度の羸痩を伴ふ消耗症、或は慢性消化不良、發育不良等に應用し、消化機能を整正恢復して榮養を佳良ならしめ、よく自然的便通を催進せしむ
用法
人工榮養兒には食餌に添加し、母乳兒には適宜温湯に溶解して與ふ、又發育不良體重増加不良の場合にはケルレル氏法に從つて使用し、或はビオスメールの適量を添加し用ふ。
包裝 500G ￥1.90 120G ￥.70
文獻贈呈
株式會社 和光堂 東京市神田區鍛冶町 大阪市東區南久太郎町
イ.M1

武田發賣品
よわり子供に
ポリタミン
微熱が續く
食慾がない
ね汗をかく
元氣がない
疲勞し易い
血色が惡い
こんな子は結核の警戒を要す！
子供時代の病弱は、將來の健康と頭腦の發達に障碍となるもので、殊に結核で斃れる人の大部分は、この時代に侵されるとまで言はれてゐます。それ故に上記のやうな子供は、速に强壯法を講すべきです。
ポリタミンは、牛乳蛋白を原料として之を酵素消化したアミノ酸製劑です。
從つて……消化力の衰へた子にも、のむだけ榮養となつて体重を増し、元氣活潑にします。
その上、細胞を賦活して新陳代謝を盛んにし、抵抗力をつよめ、或は食慾をすゝめ、便通を整へ、かくて心身を眞に健全にします。
小瓶（一圓五五）
中瓶（二圓五〇）
大瓶（三圓五〇）
全國藥店にあり
發賣元 大阪市東區道修町 株式會社 武田長兵衛商店
（製造元 大阪 大五製藥株式合社）（東京 代理店 株式會社 小西新兵衛商店）
36—17ッ5(O)

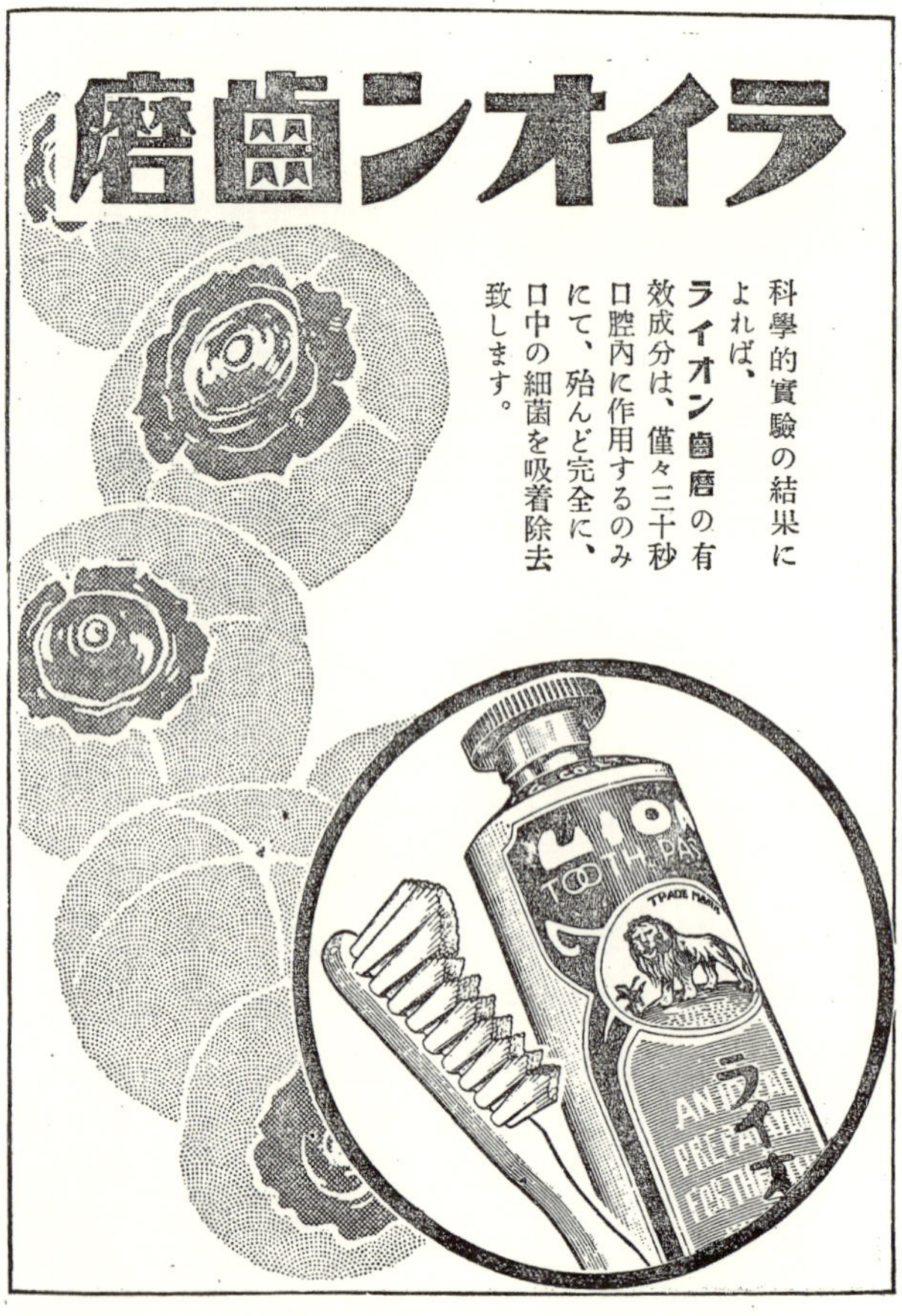
ライオン歯磨
科學的實驗の結果によれば、ライオン歯磨の有效成分は、僅々三十秒口腔内に作用するのみにて、殆んど完全に、口中の細菌を吸着除去致します。
LION
TOOTH PASTE
TRADE MARK

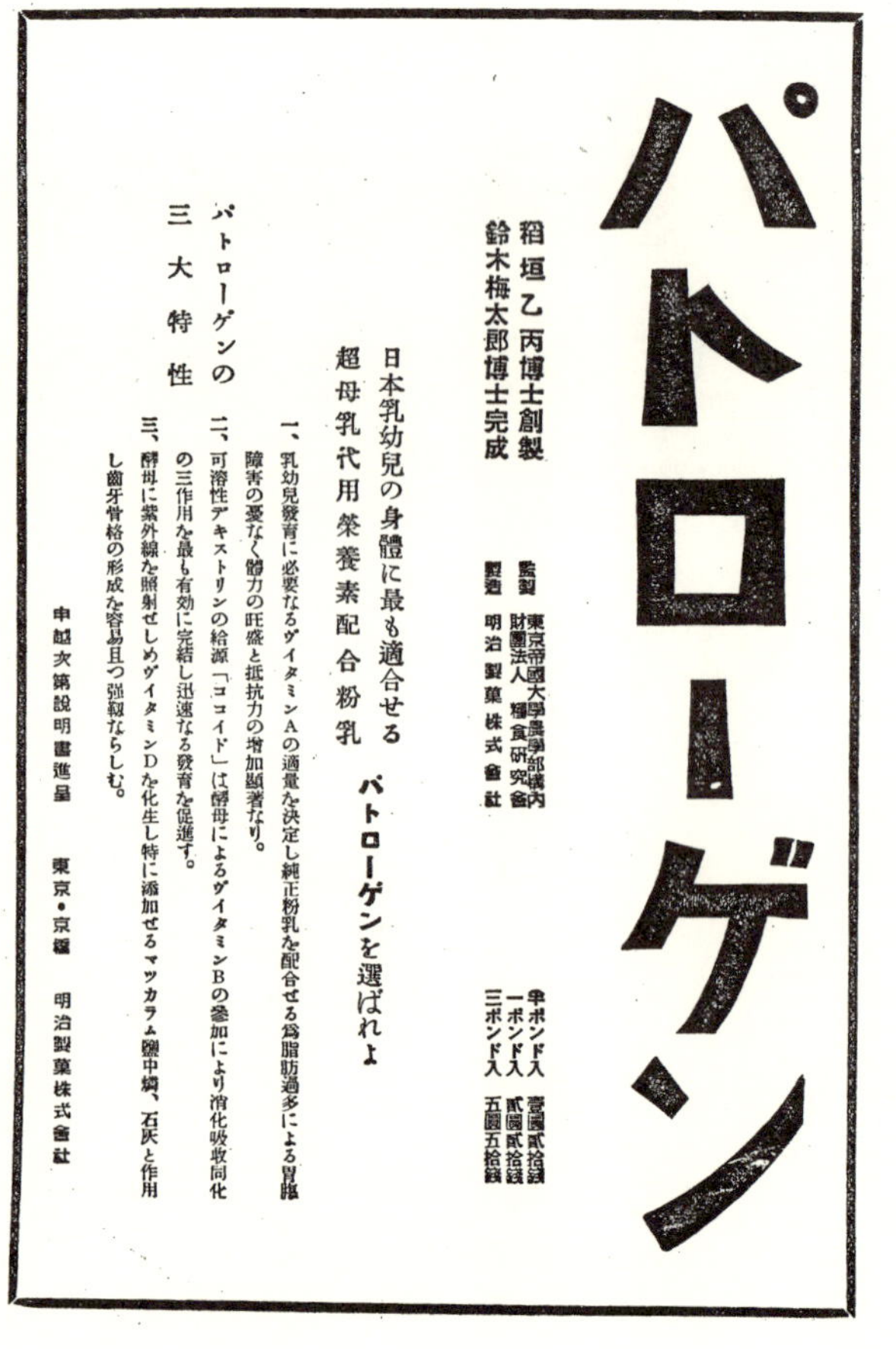
パトローゲン
稻垣乙丙博士創製
鈴木梅太郎博士完成
監製 東京帝國大學農學部構内 財團法人 糧食研究會
製造 明治製菓株式會社
日本乳幼兒の身體に最も適合せる
超母乳代用榮養素配合粉乳
パトローゲンを選ばれよ
パトローゲンの
三大特性
一、乳幼兒發育に必要なるヴイタミンAの適量を決定し純正粉乳を配合せる爲脂肪過多による胃腸障害の憂なく體力の旺盛と抵抗力の増加顯著なり。
二、可溶性デキストリンの給源「ココイド」は酵母によるヴイタミンBの參加により消化吸收同化の三作用を最も有効に完結し迅速なる發育を促進す。
三、酵母に紫外線を照射せしめヴイタミンDを化生し特に添加せるマツカラム鹽中燐、石灰と作用し歯牙骨格の形成を容易且つ强靭ならしむ。
半ポンド入 壹圓貳拾錢
一ポンド入 貳圓貳拾錢
三ポンド入 五圓五拾錢
申越次第説明書進呈
東京・京橋 明治製菓株式會社

童心は躍る

昭和十一年文部省美術展覽會出品
雪のあした（上）　佐藤勝輔氏作
朝　　（下）　岡崎白信氏作

福島縣勝常寺の國寶

光仁佛の藝術的にして代表的なものは關西では室生寺、關東にては勝常寺にのこされて居る國寶の數々の佛像にかぎられてゐる。

（上）藥師脇侍　日光菩薩
（下）觀音堂安置　雨降地藏

蓄膿症
扁桃腺 の新治療法!!
鼻と腦との關係は薄い骨一枚を隔てゝゐるに過ぎません。匂ひの刺激が頭に及ぼす影響の強い事は、此の點からでも頷かれる譯です。鼻の病氣は元來寢てる程の事もないのでナニ鼻位ひと簡單に考へて居りますが輕い鼻病が遂には記憶力減退、神經衰弱の樣な症狀を起す事は稀ではありません、それには最近著しくその眞價を認められたユーカリ吸入療法をお奬め致します。
恐るべき鼻病の新療法と云ふ小册子無代呈上、
本紙で見たむね明記の上御申込下さい。
定價（鼻喉兩用二圓・一圓五十錢。鼻專用
　　（最小型一圓各種共ユーカリ油添付
東京市日本橋區本町四
大川式吸入器本舗
大川ユーカリ吸入器

優良兒の將來・畫報（其の一）

伊藤春世さん（上）
昭和六年十一月十七日、兵庫縣武庫郡芦屋に出生、滿五歲誕生を記念して撮影。

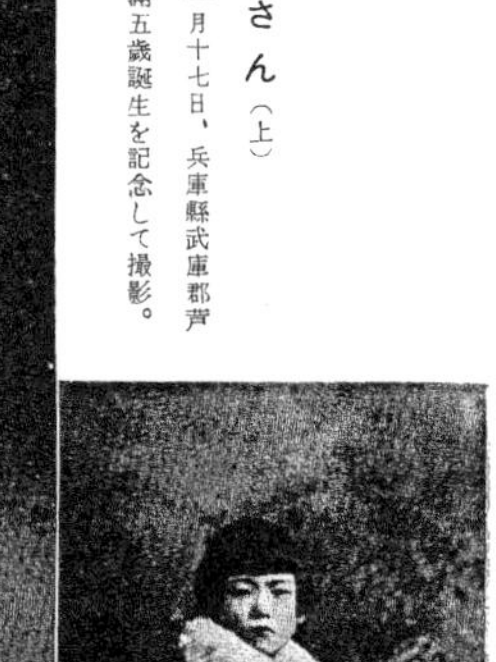

尾形絹子さん（下）は
昭和六年一月二十一日、東京市初音町に生れ、本聯盟主催の全東京乳幼兒審査會にて昭和七年、八年の二回に渉り最優良兒として表彰され、現に健康なる發育成長をとげてゐます、母君は尾形陽子さんです。

商標
理想的榮養料
高級滋養糖
デキストロプーア
〝愛兒への心盡し〟
乳兒への牛乳又は粉ミルクは適當に薄め「デキストロプーア」を加へて御與へ下さい。
本品は牛乳に含水炭素の不足を補ひカロリーを增します。しかも何等消化作用を要せず、胃腸管内で異状醱酵を起す虞れなく迅速に血液中に吸收されて、發育を著しく助けます。
見本及說明書送呈
全國藥店及百貨店にあり
DEXTROPUR
發賣元
日本穀產工業株式會社
大阪市北區中之島朝日ビル

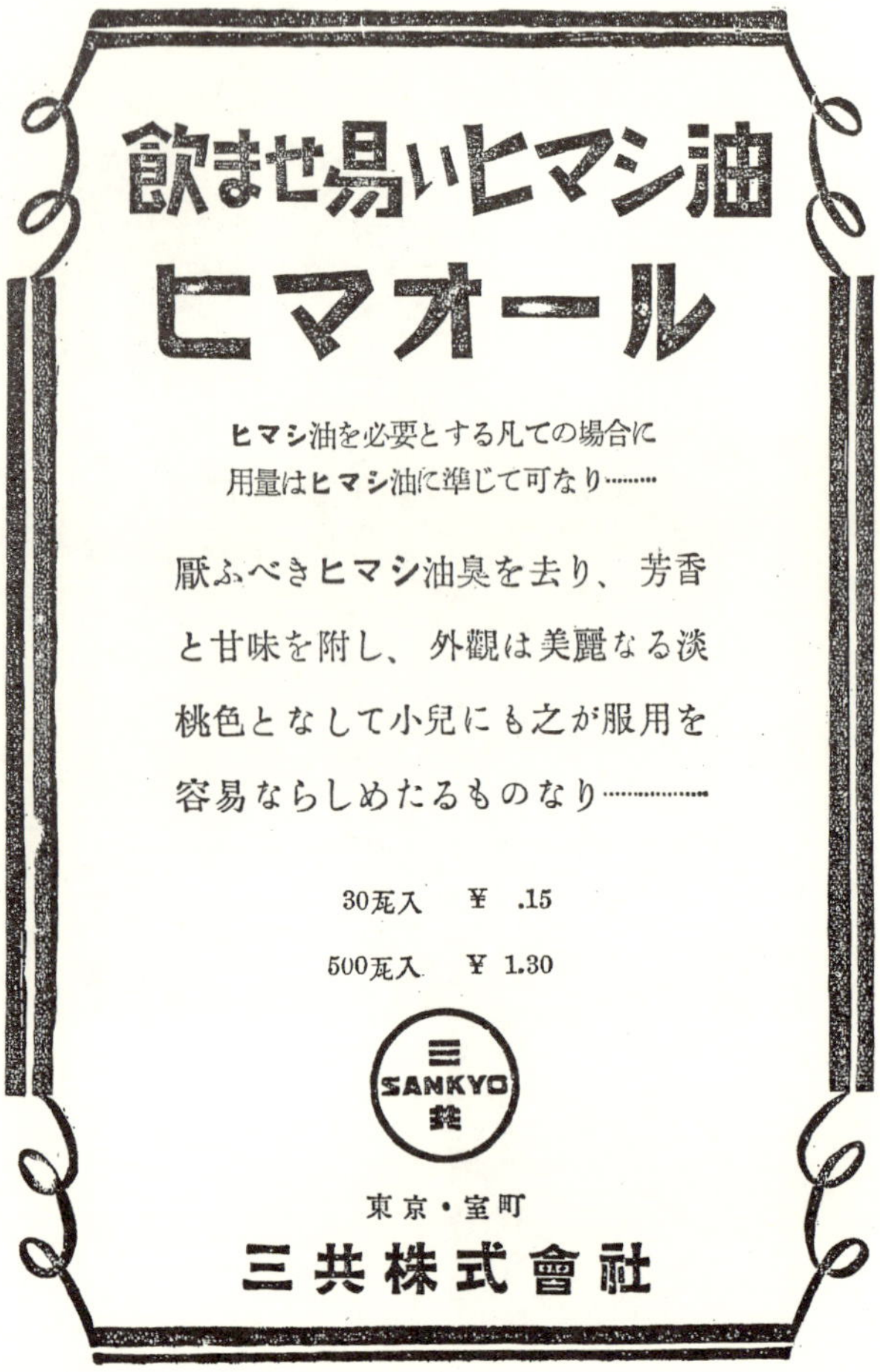

飲ませ易いヒマシ油
ヒマオール
ヒマシ油を必要とする凡ての場合に
用量はヒマシ油に準じて可なり……
厭ふべきヒマシ油臭を去り、芳香と甘味を附し、外觀は美麗なる淡桃色となして小兒にも之が服用を容易ならしめたるものなり……
30瓦入　¥ .15
500瓦入　¥ 1.30
SANKYO
東京・室町
三共株式會社

全日本優良兒母の會の躍進（巻頭言）

本聯盟を母體とする全日本優良兒母の會新年大會は、新春早々大阪（中旬）と東京（下旬）に於て既報のやうにいとも盛大に擧行された。大阪（會場、三越）にては廣島英夫、大野內記二博士の育兒知識に關し、西村理學博士の「蝕れたる童心」、「文明に溺れる親」の題下にいづれも有益にして感銘深き講演があり、新年の會らしく映畫、こま廻し等の餘興があつて興を添へ、一日を樂しく塑別して過す事が出來た。

尙東京（會場、高島屋）にては富田幸藏博士の「離乳期の間食に就き」、本會講師天野雄彥氏の「中村仲藏出世物語」等敎訓と感激に充ちた講演に引續き、淺野兒童劇學校の兒童劇と舞踊それから奇術等もあつて集まつた千五百名を超ゆる健康兒の母子を彌が上にも喜ばせたのであつた、來會者の中には一家より三人の優良兒を出して居るのも珍らしくなく、いかにもなごやかな家族的な會合であつた。

從來の婦人團體の中には國防上に奉仕するもの、趣味を以て集まるもの、思想研究を目的とするもの、職業婦人の親睦を主眼とするもの等多種多樣で、いづれも國家社會の進展上有意義なるものである。本會も過去十數年間優良兒を表彰して、兒童の福祉增進と、非常時の國民保健問題に貢献して來たのであるが、その健康兒をして心身共に益々强壯に、最も優秀なる第二國民として、將來國家有用の材たらしむるためには、どうしても徹底した育兒知識普及と眞面目なる兩親の再敎育の必要なる所以を悟り、兼ねて優良兒母の會の創設をみたのであるが、本年度に於ては一層內容の充實をはかり、實生活に根を下したる最も堅實な團體の結成をはかりたい念願に燃えて居るのである。

名作曲家の列傳（一）

ヨハン・セバステアン・バッハ　Johaun Sebastian Bach

東北學院敎授　秋保孝藏

數ふれば二百五十年前、獨逸のチウリンゲンの大森林に近き片田舍のアイゼンナツハで近代音樂の祖ヨハン・セバステアン・バツハが呱々の聲を擧げたのは一六八五年である、彼が生れた低い屋根の粗朮な家は今も尙ほ殘つてゐて、偉人の面影を偲ばせる。

彼の家系からは數名の音樂家が出てゐる、父ヨハン・アンブロシアス・バツハもアイゼンナツハの一敎會のオルガニストであつた。セバステアンが幼少の折から音樂に對して異常な趣味を有つてゐたことは極めて自然なことゝいはねばならぬ。父からヴアイオリンを習つて、まだそれが大した進步も見ないうちに兩親共死んでしまつた、それで彼は十四歲年上の兄の許に引き取られた。兄のクリストフは隣の町で相當の音樂家であつた。併し弟に對しては決して親切な保護者ではなかつた。兄は羅甸語、唱歌、その他普通の學科を修めるやうに彼を學校へ送つた。平凡な兄はその弟の才能を充分認むることが出來なかつた。

音樂に對して異常な天分を有つてゐた少年セバステアンは、兄の敎へる音樂を悉く暗記した。そしてもつと進んだものを學びたかつた。兄はその頃著名な音樂家であるバツクステヒウドやフロウベルゲルの作を收めてある樂譜集を有つてゐた。彼はそれを一目なりとも見たかつた。併し兄はそれを本箱の中に嚴重にしまひ込んで、彼に見せようともしなかつた。懇願は徒らに兄の怒を買ふだけであつた。

彼は兄の不親切を憤つた。何とかしてその樂譜集を見たいものだと思つた。或る月の明るい夜、家人が寢鎭まつた後で、靜かに兄の書齋に忍び込んだ。書箱の中にその樂譜集を發見した時、彼の胸は躍つた。その書箱には堅い格子戸がはまつてゐて、小さい手をさし入れても取り出すことが困難であつた。格子戸の棒を一本一本曲げてるうちに、一本の弱いのがあつた。彼は力一杯、それを押し曲げ、やつとのことで取り出した。うれしさの餘り、彼はそれを小さい胸に抱きしめて自分の室に走つて歸つた。机を窓際に引寄せ、ペンと五線紙とを取り出し月光の下で、一生懸命寫し始めた。それからいつも月明の夜を擇んではかうして努力すること六ケ月に及んだ。遂に全部を寫し終つた或る夜のこと、彼の希望は見事に達せられたので滿足の餘り、机の上に廣げてゐた樂譜も寫し取つた大切なノートをも、片附けるのを忘れて床の中にもぐり込んでしまつた。この忘却こそ、彼に取つて非常な災厄となつた。兄は、眞夜中弟の室で、たゞならぬ物音のするのに氣付き、何事であらうと起上つた。弟の室に入るや否や、目にとまつたのが、机の上に開いたまゝになつてゐる樂譜であつた。冷酷なる兄は、弟の非常な努力に對して、少しの同情もなく、樂譜もノートも掴み去つて、弟の見出せない所に隱してしまつた。鈍感な兄は、少年セバステアンが、苦心努力して寫し取つた美しい樂譜を悉く諳じてゐたことを、恐らく知らなかつたらう。

十五歳の折、彼は兄の家を去つて、リネブルヒに聖ミカエル教會が經營してゐるラテン學校に入つた。間もなく、彼はソプラノ音聲の持主であることを認められ、教會の合唱隊の一員に選ばれた。その後間もなく、彼は不幸にもその朗かな音聲を傷めたので、ヴアイオリンとクレイヴヰア(ピアノの前身)の方に廻された。その頃から彼は優れた音樂家の研究につとめ、オルガンを彈くことに熱心努力した。しかもその努力は白熱的であつた。赤貧洗ふが如き境遇にありながら、音樂の研究には聊も勇氣を失はなかつた。

當時、高名のオルガニストでラインケンといふ人があつた。この人が「獨逸音樂の樂園」と稱せられたハンブルグの聖カサリン教會で、オルガンを演奏するといふことを聞き込んで、バツハの若い心は躍つた。彼はじつとしてゐることが出來なかつた。リネブルヒからハンブルグまでは二十五哩ばかりの路程である。熱心な若い音樂家に取つては、これ位の路程は、何の苦痛にも値しなかつた。ハンブルグに着いて、その演奏を聽いた時、道中の疲勞はすべて消え失せて、滿足と喜悦に胸は一杯であつた。宿泊料と旅費とを少しでも持ち合はしてゐる時は

躊躇なく聽きに行つたものだ。

或る時豫定より長く滯在したので、懷中無一文になつた。彼は一片の麵麭をも口にしないでリネブルヒまで歸らねばならなかつた。ふと鯡を燒いてゐる旅舍の前に通りかゝつた。鯡の旨さうな香が鼻を衝くので、堪らなくなつて思はず窓から中を覗かうとした。その途端に上部の窓から鯡の頭を二つ投出したものがある。彼は喜んでそれを拾ひ上げ空腹を充たさうとしたが、驚いたことには、雀つて食はうとすると、不思議にも鯡の頭の中からデンマルクの貨幣が一つづつ出て來た。これを見た彼はしばし呆然としてゐたが、その貨幣の一つを以て、その旅舍で食事をし、他の一つを、次回の旅行にと貯へて置いた。

三年ばかり過ぎてから、彼はヨハン・エルンスト公の音樂隊のヴアイオリニストとなつた。併しこは一時的の地位であつたので、更に機會が來るのを待つてゐた。彼の將來の希望はオルガニストになることであつた。

アルンシユタツトといふ古い町に、一つの新しい教會堂が出來て、其處に新しいオルガンが据ゑられることになつた。教會では適當なオルガニストを求めてゐた折だつたので、若いバツハは之を志願した。教會の人々は、彼の演奏を聽いて、いよ〳〵彼を雇ふことにした。一七〇三年八月十四日、彼は初めて獨立せる地位に立つことが出來、多少餘裕ある生活が送れるやうになつた。この時彼は齡十八歳であつた。その頃、時間にも餘裕が出來たので、それまで餘り力を傾けなかつた作曲の方面にも、熱心に研究を始めた。作曲の研究は全く獨習で、誰の指導をも受けなかつた。彼はヴアイオリンの司伴樂をピアノの曲に作り換へ、その曲のうちに、自己の思想や感情を發表した。彼は時々深更までその方に沒頭した。

アルンシユタツトの教會では、彼は初めから稱讃の的となつた。音樂に對して燃え易い彼の氣質は、時々教會の音樂を亂すのであつた。オルガンに向ふと、自分が會衆の歌を指導してゐることをば忘れてしまつて、感興の向ふまゝに彈き出すので、會衆は歌ふのをやめて、沈默の稱讃のうちに聽き惚れる外はなかつたといふ。この事は教會の中にも多少議論があつた、併し彼の優れたる技能に免じて、問題となる程にも至らなかつた。

或る年のクリスマスの頃、アルンシユタツトから五十哩もあるリユベツクのマリエン教會で、當時第一流のオルガニストであつたバツクステヒウドが演奏すると云ふ噂を聞いて、彼は一ケ月の休暇を乞ひ、徒歩でリユベツクに向つた。一ケ月の豫定が三ケ月に延びた。彼は音樂に魂を奪はれてしまつて、歸るのを忘れたのである。懷

中に金がなくなつたので、初めて歸らねばならぬことに氣が付いた。教會には勿論多少の悶着は起つたが、彼の伎倆に對する信頼が厚かつたので、事なく濟んだ。

彼の名聲は近傍の町々に喧傳された。彼はアルンシユタツトで滿足しなくなつて、もつと廣い舞臺を望むやうになつた。間もなく彼はミユルハウゼンに移つて、聖ブラシウスのオルガニストになつた。此處で從妹と想思の仲となり、一七〇七年十月十七日、彼女と結婚した。

この地に留ること僅かに一年、彼はヴァイマールのヴヰルヘルム・エルンスト公の招きに應じて、御前演奏をやつた。公はその優れた技能を賞し、彼を宮廷のオルガニストに採用した。今や漸く餘裕ある生活が出來るやうになつたので、作曲にも大いに力を注ぐことが出來た。彼は幾多の傑作を出し、當時並ぶもののなき大音樂家となつたのである。

或る時彼は友人に向ひ、自分は今、如何なる六ケ敷い曲でも卽座に間違ひなく彈くことが可能(でき)ると誇つた。間もなく、その友人は彼を招いて、その言を試みようとした。バツハが友人の家を訪ねると、ピアノの上に三、四の樂譜があつた。その一つを取つて見ると、短いものではあるが、六ケ敷いものであつた。主人が朝食の準備をしてゐる間に、彼はその一曲を試奏して見た。中途まで無難であつたが、それから先きに彼は少なからず窮した。友人が入つて來た時に、彼は嘆息して言つた、『君の言ふ通りだ。何人でも卽座に、しかも完全に、何もかも彈けるものではない。そんなことはとても駄目だ』と。

一七一四年、公は彼に宮廷樂隊長の椅子を與へた。彼は諸所を旅行して音樂の指導に盡した。演奏家として、作曲家として益々その名聲を擧げた。旅行中ドレスデンに立寄つたことがある。恰度フランスの演奏家ジョン・マルシヤンが此地で、演奏するといふので、非常な期待と人氣とを集めてゐた。彼は佛國ヴエルセイユ宮廷のオルガニストで、同國では名高い演奏家であつた。此地の或る人々は、佛國人に演奏家としての優者の地位を奪はれるのを遺憾に思ひ、バツハと立ち合ひ演奏をさせようといふことになつて、兩者に交涉した。何れも快諾したので、日を定めて愈々開催することになつた。王を初め高貴の人々が皆集つて、どんな素晴しい競演が始まるかと手に汗を握つて待つてゐた。バツハは約束通り入場した。演奏の準備は成つた。併し、マルシヤンはいくら待つてもやつて來ない。暫くして聽衆は、彼が竊に此地を逃亡したことを知つた。

一七一七年、彼はアンハルト・ケテンの小レオポルドの音樂教師となつた。ケテンでは幸福な、多忙な日を送

つた。公と旅行中、彼の妻が亡くなつた。傷しい打擊であつた。四年後、再婚した。アンナ・マグダレナ・ヴヰルケンスは音樂家の妻たるに相應しい婦人であつた。バツハは彼女の爲に幾多の舞踏の曲を作つた。その中には今日尙ほ名高いものが澤山ある。又妻や子供等の爲に、物した音樂研究上の著書も少くない。

バツハはもつと廣い活動の舞臺を望んでゐた。そして遂にその望を實現する秋が來た。彼はライプチヒに於ける聖トマス及び聖ニコラス兩教會の音樂指導者として招聘され、兼ねてニコラス學校の教師となつた。死ぬまで此地位に留つて、二十七年間、此處で力作を續けた。彼は比類稀なる勢力家で、演奏せぬ折には曲を作り、或は子弟を教育した。聖マタイとか、聖ヨハネとか、口短調の彌撒(みさ)曲とかの名曲は、皆この時期に成つたのである。百年後メンデルソーンの心を動かし、ベルリンで、名ある演奏をなさしめたのは、この聖マタイの曲である。

バツハは勢力家であつたけれども、一方靜かな生活を好んだ。單純は彼の特質であつた。彼は宗教的で、その作品は高尙にして敬虔な感情を高めるのに力あるものである。次の事實は、彼の性格の一端を物語つてゐる。彼の第三子エンマヌエルはフレデリツク大王の音樂員であつた。大王は度々、その子息を通じて彼の父を招いた。併しバツハは、作曲に多忙な故を以て、王の招きに無頓着であつた。王は彼の演奏を聽きたいので、彼に來廷を命じた。流石の彼も王の命令には背く譯にもゆかなかつた。王は彼の登朝したことを知るや、旅行着のまゝでゐる彼の手を取らんばかりにして廷內に引き入れた。バツハはいろ〳〵な演奏を試みた。王は手を拍つて叫んだ、『バツハだけだ！バツハだけだ！』王はその夜の感興を終生忘れることが出來なかつたといふ。

力作の頂上に達して、詩人ミルトンは失明した。樂聖ベートーヴエンは聽覺を失つた。わがバツハも亦視覺を失つたのである。こは自己の作曲と、古人の傑作を手寫することゝに過度の努力をしたからである。彼は失明したが、その爲に決して研究を怠らなかつた。遂に最後の日は來た。一七五〇年七月二十八日、彼は急に此世を去つた。彼はライプチヒの聖ヨハネ教會の墓地に、永久に眠つてゐる。彼の肉體は滅びた。併し彼の靈魂は、今尙ほ生きてゐる。音樂を解し、音樂を口にする人々の胸には、彼の生きた靈が永くその高鳴りを續けるであらう。

『人生は短し、藝術は永し』
(ロングフエロー)

忘れられた教育（一）

ツカダキタロウ

◎敬稱敬語の教育

或る日或る町の或る高等女學校で、「將來母性として心得べき事ども」と云ふ話をした後、女教員達の希望で、座談會が開かれて、「育兒問題と諺」に就いて懇談した事があります。

女學校に於ける生徒への講演後、數時間に亘り熱心に話し合ひましたが、談たま〳〵「敬稱敬語」の問題にうつりいろ〳〵と經驗や希望が續出しました。

私は教育家出身でないので、この「敬稱敬語」に關して、現在如何なる教育が施されてゐるか知りませんが、「言葉の亂れ」が「世の亂れ」となる事を信じてゐる私には、重大なる關係がありますので、傍にゐた友人の小學校訓導にたづねたのでした。

「一たい、師範學校では、この重要な問題、即ち、敬稱敬語に關しては、どの程度に教えてゐますか」とね。

處が、私の友人達は、顏を見合せ乍ら答えて曰く。

「僕等は、師範學校時代には、敬稱敬語に關して、特に敎はつた事はない樣な氣がする」

これは三人が三人とも口を揃えて云ふのですから、間違が無さゝうです。私は、これは由々しき問題だと思ひましたので、歸神後友人の校長達に尋ねて見ますと、矢張り同じ樣な答を得たのです。

中には、

「僕は敬稱敬語は、師範學校では學ばなかつたが、軍隊で教育されたのでいさゝか知つてゐるよ」とね。

現在ほど、言葉の亂れてゐる時代は、恐らく我が國の歷史にその比を見ざる處であらうと思はれる事は、我が國の歷史にない不祥事が續出するので判りますが、特に敬稱敬語の忘れられてゐる今日ほど甚だしきはありますまい。如何に世界に誇る義務教育就學率を有してゐても、人間として最も大切な敬稱敬語の教育が施されて居らぬならば、長上尊敬の念の起らざるは當然であります。

斯くの如く考えて來る時に、國民教育の中でこの敬稱敬語の教育ほど大切なものは無いのでありますが、これが現在の教育に忘れられてゐる理由は、教師達の養成機關たる「師範教育」に於て忘れられてあるからであります。が然し、これは「忘れられた教育」中最も大なる缺陷であると共に、國民教育中最も殘念な事と思ひます。

處が此處に面白い事は、席にゐた女教員達はこぞつて

「私達は女學校で敬稱敬語は習ひましたから知つてゐます」

と申され、係の國語の教師も、これを證明された事です。

此點に關する限り、我國では女學校教育は、遙かに師範學校の教育を凌駕してゐると評し得ませう。

とまれ、如何に敬稱敬語が亂れてゐるかに就いて、よく世間で申される例を一、二申しますと、「天皇さま」と「陛下殿」であります。

御存じの通り「天皇」なる敬稱は、至尊に對する敬稱でありまして、「樣」なる敬稱は、我々普通に用ひる程度のものであります。折角、至尊に對する敬稱を用ひてゐ乍ら、これに普通敬語を加えて「天皇さま」と申す事は、不敬であります。

と同樣に、將官に用ひる敬稱「閣下」に對して、それ以下の人々に用ひる處の普通敬稱「殿」を添える事は、これも無禮であります。これは軍隊でやかましく教えられる由であります。

敬稱の正しからぬ處に尊敬の念わかず敬語の用ひられざる處に、敬意の心起らざるは當然であります。

今日の如く敬稱亂れ、敬語の忘れられた時代に於て、長上を敬はず、師表を尊ばざるは明々白々でありませう。

斯くの如く考えて來る時に、何度申しても遺憾な事は、「師範教育に忘れられた敬稱敬語」であり、「義務教育から除外されてゐる敬稱敬語」であります。教育の改善が、制度の改變や、年限の延長により行はれる事も結構ではありますが、斯かる缺陷を補ふ「内容充實」の點に於ても考慮される事を切望して止みません。

然も此問題は、家庭に於て、一層痛切に感じる事多大であります。

我が兒を愛するが故に、自ら敬稱を棄て、敬語を遠ざけて喜んでゐる、世の「新しき父母」達に、特に反省を御注意申したいのです。

敬稱敬語なき家庭に於て、「子は親を尊敬せざる」に至る事を知つてほしいのであります。

吳々も、忘れてはならぬ教育問題は、「敬稱敬語」教育でありませう。

かゝる母子

神近市子

近代日本が生んだ最も偉大な人の一人である野口英世博士のことが、今度愈よ尋常四年の修身教科書に採用されるさうです。大正四年、博士が功成り名遂げて帰の歸朝をされた時、仕事で何度も面接の機會を得たことがあつたので、私は當時の寫眞を新聞紙上に發見して、その時のことをいろいろ思ひ出しました。

博士は所謂學者らしいポーズや氣取りを何にも持たない人のやうでした。率直で誰にも親切でいつ迄も、「田舍者」の情熱と精神とを持つた人らしく思はれました。その時は、長い勞苦にやつれた生涯の末に、輝かしい子の晴れの歸朝を見、幸福に包まれたやうな母君を、自分の名譽を分つ爲めに東京に連れて來て、心ゆくばかりの孝養の短い期間を過されてゐました。文化や都會が何であるのか少しも知らないらしい母君を少しも恥ぢるところなく、これに溺れるやうな愛情を示し、母君の喜びに喜び、小さな子供のやうにはしゃいで母君を人々に紹介して居られました。母と子とはその短い期間に互ひの愛情を傾けつくして、それからは遂に相會ふ機會なく、相亞いでこの世を去られたのです。相愛の情濃かであつたのは決して不思議ではありません。

傳記によると、野口博士の家は貧しくて、博士は僅かにその才を惜しまれて、他人の援助によつて高等小學に進み、更に東京の血脇氏の援助によつて後日の大を爲す機會を與へられたやうです。この間に、浮浪に近い夫を抱へ、一子をして志を爲さしめた母君の努力と犧牲とも、決して小さなものではなかつただらうと思ひます。

博士は、その後濕熱地のあの恐ろしい病氣である黃熱病の血淸療法を完成しようとして、アフリカでその病氣の犧牲となられました。多數の人の安全と幸福とを脅かす敵ととり組んで死ぬといふことは、近代的な意味に於ける英雄の行爲です。この意味で博士が世界の感謝と學界の榮譽とをもつて酬はれてゐるのは當然であります、此種の英雄的行動が其自覺なくして爲された場合にも與へられる感謝に變りはないと同じやうに、その自覺なしにかゝる子を世界に與へた母も亦、其榮譽と感謝とを分ち受けるべきものとおもひます。

年齢によつて考へねばならぬお菓子のやり方

醫學博士 中鉢不二郎

こどもとお菓子といふと、誰でも大變關係のあることはいはず語らずのうちに承知してゐます、これはお菓子がこどもの間食として多く用ひられてゐるからです、このお菓子をこどもの間食として見た場合、大變悪いといふ人もあり、一方ではよいといふものもありいろ〳〵ですが、こどもの年齢と用ふるお菓子の種類によつて悪い場合もあればよい場合もあるものと考へられます、それにはどういふ用ひ方をしたらよいだらうか。

◇

一般のお菓子を大別しますと榮養的のものと趣味嗜好的のもの丶二つになります、榮養的のお菓子と含水炭素を主にして大體いろ〳〵の成分を含んでゐるもの丶趣味嗜好的のお菓子とは糖分を主に色彩等が加はり、中には包紙箱などにも意匠をこらして、こどもの趣味嗜好に投じてゐるものといふことになります、そこでこれをどういふ風に用ふるかといふに、假りに生後七、八ケ月から二歳臺までを離乳期時代とすると、この時代には榮養的のお菓子を用ふるのが本當です、離乳期時代といふのは、お粥や重湯くづ湯などを主にするのですが、これにお菜の與へ方が悪いと、とかく偏食になりやすい時代で、そのために發育を害し病氣にかゝりやすい體質としがちである、といつて鷄肉とかスープ野菜を與へるとお腹をこはすこともあるので大變こまりますが、この場合ビスケットとかカステラのやうなお菓子を與へると、この中には蛋白もあれば脂肪もあり、ビタミンも或る程度までは含んでゐるのでお菜の不足を補ふことが出來ます。

從つてこの時代のお菓子は榮養的の物を主として用ひ趣味嗜好的のお菓子はほとんど必要ありません、種類としてはビスケット、カステラ、或はパンを土臺にしたものを基準とする、この時代にかういふものを與へることは、下痢を起させぬので、その方面からも工合のよいものです、したがつてこの時代のお菓子といふものは後の時代にくらべて立派な食料です、神經質のこどもはその頃になると、育て方、遺傳的の性質で分りますが、さつぱりしたものをほしがりお菓子にしても趣味的の匂ひや味の强烈なものを慾求して、榮養的のものは食べなくなるが、そんなこどもに欲するがまゝにハツカ入りのお菓子やチョコレートなどを與へるのは考へ物です。

しかし蜂蜜は大變よい、蜂のあつめた花の種類でいろ〳〵の種類があるがこどもには香りの高いものは適しません、それにはゲンゲからとつたものを最良とされてゐます。砂糖は澤山やると發育を害しますが調味料として使用する程度なら何らさしつかへありません、つぎに滿二歳以上三―四歳くらゐまでにも主として榮養的のお菓子を與へます、これに幾分趣味的のチョコレート、ドロップ一つくらゐをやるのはよい、特に食後にこの一つ二つを與へると氣分を爽快にして滿足感をこどもに與へ、ひいてはこれが消化を助けることになります、これは大人の場合でも同じです、しかしまた榮養的の必要のある場合もないわけでありません。

それは食事の分量があまり進まぬとき、これを補足する意味で與へるときです、つぎの時代の幼兒の終りから學齢には蛋白、脂肪といつたものは他の食品でとるので本當の間食の場合は幾分榮養的のものを用ふるが、その他では榮養的のものは必要なく、ラクガン、オコシといつたものが主とされてよい事になります。

× × ×

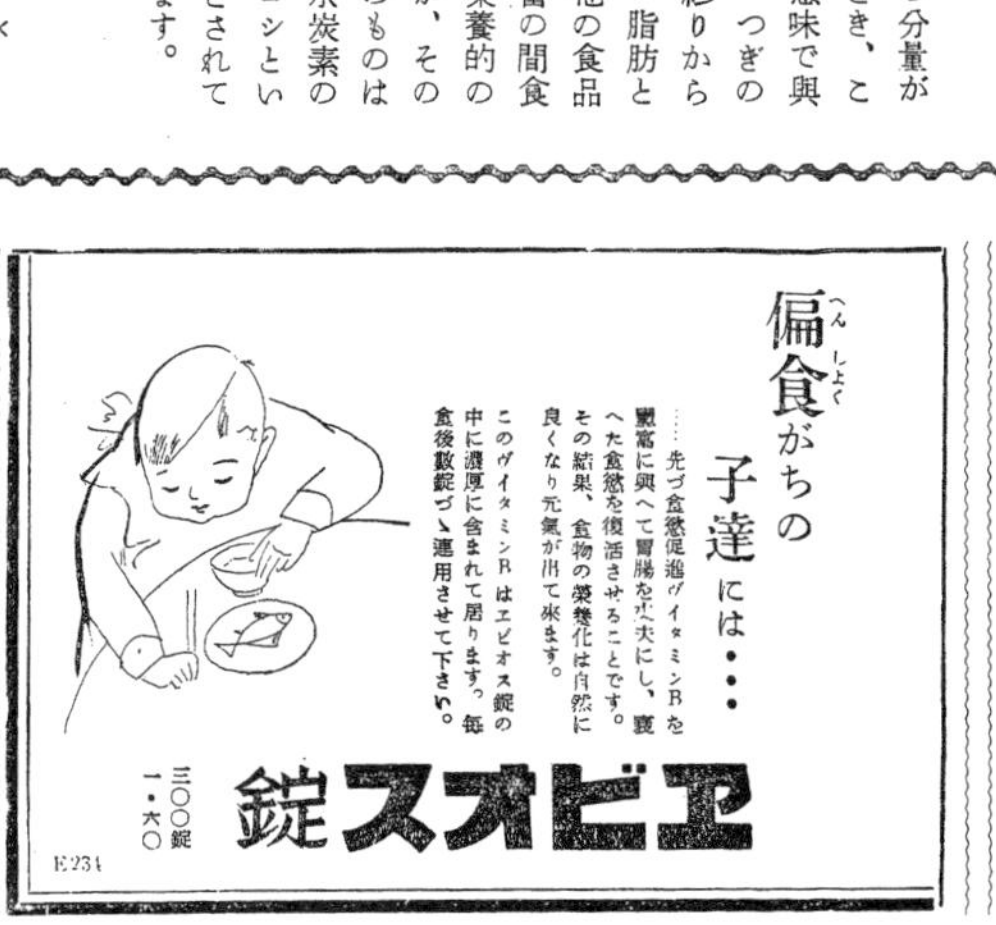

齒がうごく

安藤蝸雲生

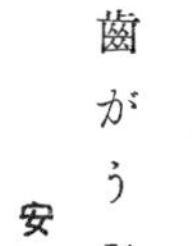

齒がうごく、前齒がうごく。舌の先を齒の根元にふれると氣味わるい程ゆら〳〵うごく。前齒は兩親に象るさか――母の事がしきりに思ひ出される。

この齒がうごき出してから三年程になる。初めは何か物が打つかつてうごき出したので一寸氣になつたけれども苦にはならなかつた。其の内に齒の根がしまるやうに覺へていつか齒の事は忘れて了つた。それから半年も過ぎた後の事、いたづら盛りの富士男の猪突猛進して來た石頭にポキンと同じ齒をやられて、もう取り返しがつかなくなつて了つた。うごくうごく、氣が引ける程うごき出して齒の根元がしまる力を失つて了つた。それ以來このうごく齒が不思議に遠く離れて居る母を思ひ出させるやうになつた。この齒が年寄つた母の壽命を暗示するかのやうに私に物云ふのである。其の爲に私はおのづから母の爲に祈る事が多くなつた。これが私の今まで親不孝であつた事の償ひに露ならうとは思はぬけれども、それによつて母の思ひを知り子らしい思ひに少しは還るのである。

此の齒を私は大事にする。この齒が夜具に重されるときつと齒の拔けた不快な夢にも似たものを見るのである。誤つて箸を嚙むとき食物が齒に押されるとき、私は心を寒くするのである。知らぬ床屋さんが齒の上を指頭で抑へたり唇をなぶつたりするとうらめしくなる。其の時は齒を食ひしばつて護るのである。しかしいくら大事にしても此の齒の餘命といふものが凡そ分る。心細いものである。今は正月の二日である。唯一度でも餅を食ひそこなつたらそれまでである。正月はいろ〳〵の食物が嚙まれるがいつそれら食物の暗礁に乘りあげないとは云はれない。かうした中をうまく嚙みこなして無事であらう事はこれまた中々の苦心と用意とが入るのである。

この齒がいつ拔けるか分らない。それがもし實現される時はあつけないものであるにちがひない。そして此の齒が一本拔け出すと其の隣りの齒が次ぎ〳〵にゆるぎ出して困るといふ人がある。するとそれが今後の心配の一つになる。それなら入齒をすればよいといふ人があらう。生活の苦い盃の中からは所要の金が易々と飛び出してくれるだらうか……そりや何とも云へない。

今日まで虫齒一つなく丈夫で美しかつた快心の牙城の一角がゆるぎ出した事に不快と遺憾とはあるけれども、虫齒で年中苦しんでゐる人達からみればさして落膽しなくともよい筈である。

唯齒がうごき出した機緣にいろ〳〵と反省させられ、ざんげさせられて、多少人の子らしい思に深められてゆくのがせめてもの今の慰めとなる。

東北地方の子供（其の二）

山形市立病院濟生館小兒科
醫學博士　宇留野勝彌

◇早産するのが多い

私の審査した乳幼兒に百人に六・一人の割に早産があります。これを廣島市乳幼兒の百人につき三・四人に比べると約二倍で如何に東北地方の早産が多いか分ると思ひます。早産兒は生活能力が劣つて居り、死に易いことが自明の理ですから、東北地方の子供の死亡率の高い原因も一つはこの早産兒の多いことにあるとも考へらるゝのであります。

そこでこの早産が何故多いか、探究してみると矢張り母親の妊娠中の非衞生、卽ち過勞、粗食、不眠、心勞などが原因かと思はれます。

◇お産後産婆にかゝらぬのもある

五四一六名の乳幼兒がお産の時一週間以内で產婆の手をはなれたのが四三三八名あり、換言せば八〇パーセントの多數に上つて居ます。豊田村といふ純農村の五八二名の調査では分娩後一回も產婆の手當をうけなかつたものが三一名もありましたが、面白いことにはこの三一名の乳幼兒には發育の優秀なもの一名もなく、發育劣等なものが二〇名卽ち全體の三分二も占めて居たのです。產婆の手當を受けられない境遇にあるものは大多數は貧困者か、育兒無智者か、產婆が近くに居住して居ないものでありますから自然身體の發育も色々の條件から不良に陥る譯であります。

◇產後早く床を拂ふ母親が多い

お產後直ちに床をはなれて家事に從ふたものも指を屈するほどあり、その他衞生上絕對就床安靜を必要とする產後十日以内に早くも床をはなれたものが總數の一二パーセントにも及んで居ります。

吾々は產後三週間は床に居るやうに習つて居りますが山形地方ではこの養生を守つて居るのが六三パーセントしか居りません。こゝに非常に興味のあるのは二―三週間靜臥を守つた場合乳幼兒が最も優秀兒が多く出て居ります。それよりも早く床をはなれたものは優秀兒少く、劣等兒多くあることを、チヤンと實證したことであります。

◇母親は尋常科の敎育しか受けないのが多い

母親の總數の六五パーセントは全く無學か、尋常科修業といふ狀態でその敎育の幼稚なことはお話にもならないのです。例へば廣島市の統計では女學校出身が三七パーセントもあつたのに、山形地方では僅かに六パーセントに過ぎぬといふ寥々さであります。

小學校の高等科に入つて初めて簡單な育兒法を家事科として習ふのですから、山形地方の過半數の母親は全然正式の學理上の基本の育兒法を修得して居らぬ譯でありまして、これも亦東北地方の一大缺陷と信ずるのであります。

優秀兒と劣等兒とどんな割合に居るか統計をとれば、いはずもがな敎育程度の高い母親を有する乳幼兒ほど優秀兒多く、劣等兒が少なくなつて居ります。しかしこれは家庭の生活程度と密接な關係があつて、誰でも高等科、女學校と進む譯には參りません。そこで私は出來る限り地方農村などで主婦會、女子會などの設立を獎勵し、都合つく限り母の學校、母の講座、育兒講演會などを開いて貰つて私自身出張して正しい育兒法の普及に努力して居ります。

◇血族結婚の兩親が多い

血族結婚が吾々の後裔に惡い影響を及ぼすことは今更こゝに喋々する要もないほどですが、私の調査でも如實にその惡影響を物語つて居ました。例へば血族結婚（いとこ同志の結婚）の乳幼兒は身體の發育わるく、既往症が多く、人工、混合榮養兒が多く、現在も病弱なものが多いのです。

ところで山形地方の少くとも六・三パーセントはいとこ同志の結婚といふことが私の調査で判明しましたが、これは一般に五パーセントといはれて居るのに比して相當高率であります。從つて血族結婚廢止を叫ぶことはともなほさず山形地方乳幼兒健康增進に大切なことゝなるのであります。尙職業別にするとインテリ階級は血族結婚最も少く、農業は最も多いのですから矢張り文化の高低に逆比例して居る譯ですが、母親の學校敎育から血族結婚をながめると、必ずしも女學校出身者が血族結婚は少ないとはいへないやうです。殊に當地方の農村の女學校出身者は一般に豪農などの所謂旦那と呼ばるゝ階級のものであつて、かうした家庭ではよく隣村の同じ豪農と密接な血族關係にあつて、多くかうした親戚同志に政策上無理無體にいとこ同志が結婚させらるゝことが多いので、花嫁自身は血族結婚の非は百も承知して居ながら結婚することになるのであります。

（以下次號）

× × × ×

登錄商標

ギンザトツプ二十番

産兒調節とコンドーム

性病豫防にコンドーム
感じを妨げず…………
薄く……柔かく…………
それで丈夫な
最高級コンドーム!!!
ゴム製品の目醒ましい發達の所產としてサツクもギンザトツプの如き完璧品が生れました！

【特長】

一、最上原料を特殊技術により製せらるゝ本品は、彼の高價なフイツシユスキン（魚皮）以上に喝采を博して居ります。

二、感觸が柔かで滑らかで抵抗尠く、使用者自らがその使用に氣付かぬほどであります。

三、それでゐて他の厚手のサツクよりも遙かに丈夫で數回の使用に耐へます。

四、形態も微妙な技術に成功し殆んど萬人向に出來て居りますから、使用中亂暴があつても何等そうの心配がありません。

五、各個につき送氣檢査耐力試驗がしてありますから、疵物や孔アキがなく絕對責任の保險證付嚴選品であります

―定價―

◎ギンザトツプ二十番

	一打	半打
▲C品（透明）	一・〇〇	一・一〇
▲B品（眞珠色）	一・五〇	・八〇
▲A品（櫻色）	一・〇〇	・五五
組合せ（一箇宛）	〇・四五（携帶用ケース入）	
C品（三箇入）	〇・六〇（同 〇 ）	

―送料―

内地十錢、市内六錢、（代金引換は切手廿錢前送願ひます）新領土四十二錢、代引四十七錢

見本品御入用の方は小爲替五十錢又は三錢切手十七枚封入お申越下さればABC三種セル容器入をお送りいたします

東京市銀座西一丁目七番地
島津藥局
ギンザトツプ本舖
電話京橋六五二六番
振替東京四二四八九番

神經系統疾患

京都帝國大學醫學部小兒科看護婦長　高橋ミチ子

神經系統に屬する疾患は極めて數が多く、而も稀な病氣である事が多いから、茲には一々之を述べる事を避け只だ比較的多い疾患に就て少し述べて見やう。

一、腦膜炎

腦膜炎には色々の種類がある。例へば天然榮養の乳兒に見る所の所謂腦膜炎もあれば、又結核菌によつて起る結核性腦膜炎もある。又一種傳染病に屬して居る所の流行性腦脊髓膜炎のもある。その外「インフルエンザ」菌、肺炎菌、或はその他の菌によつて起る所の化膿性腦膜炎と云ふものもある。

之等の腦膜炎は各々その條下に於て述べた通り重い病氣であつて、小兒で之にて死するものは非常に多い、結核性腦膜炎、「インフルエンザ」菌性及びその他の菌による化膿性腦膜炎は大抵恢復の見込がない。（流行性腦脊髓膜炎及び所謂腦膜炎に於ては）過半死亡するものである。

何れの腦膜炎も相似た症狀卽ち不安、不眠、過敏、發熱、嘔吐、頭痛、食慾不振、切齒、四肢震顫、痙攣等の症狀を示すものである。故に若し疑はしい症狀の現はれた時には直に診察を乞ふ事が必要である。腦膜炎と決定した場合には必ず醫療を受け、萬事醫師の指揮の下に處置を施すべきである。

二、腦水腫

腦水腫とは頭蓋と腦との間に液體の溜る病氣であつて俗に福助頭と云つて居るのが卽ち是である。

父母が黴毒に罹つて居るとか、父母が血族結婚であるとか、早産兒の場合によく此腦水腫を見るもので、時として殆ど原因と認むることなくして腦水腫を起す事もある。之等は多く慢性腦水腫と云つて徐々に頭が大きくなるのである。又屢々腦膜炎後に腦水腫を起す事がある。

症候　已に生下當時に此腦水腫があつて難産を來すこともあるが、斯樣な事は比較的稀である、多くは生後二三ケ月乃至數ケ月を經て始めてその症狀を現はすものである。

重症なものにあつては、頭が非常に大きく、福助樣の形を取つて居るから、何人でもその腦水腫なる事に氣付き得る。輕症なものにあつては、特別の注意を拂はなければ腦水腫であることがわからぬ。腦水腫が始まらんとするに際しては、時々輕度の痙攣、又は微熱を發し、過敏となる事もあるが多くの場合には、何等の徴候もなく知らず識らずの間に頭が大きくなるものである。

腦水腫を確かめる上に最も必要なのは頭圍と眉間と後頭部即ち後頭結節とを通じて測つた頭圍の寸法を云ひ、胸圍とは乳嘴の高さで測つた胸圍の寸法を云ふのである而して此兩者の關係は生下時は胸圍よりも頭圍が稍々大きいものであるが、兩者の間の差は三、四分に過ぎない。年の進むに從つて頭圍も胸圍も共に增加するものではあるが、增加の割合が頭圍と胸圍とによつて異なつて居る即ち頭圍よりも胸圍の方が急に增加する。それ故に生後一年半位の後には頭圍と胸圍とは殆ど同じになり、其後は段々と胸圍の方が頭圍より增大するものである（此關係は總論の胸圍及び頭圍の部に於て詳しく述べた通りである）之を標準として頭圍及び胸圍を比較し、頭圍がその年齢及び胸圍に比し遙に大なる樣な時は腦水腫の疑ひがあるのである。腦水腫の時には頭が左右並びに縱にも增大するが故に頭は大きく且長くなる、之が爲顏は下の方に小さく見える事が多い。又大顖門は普通生後一ケ年半位で閉鎖するものであるが腦水腫にあつては大顖門が長い間塞がずに存在し、三、四歲になつても尙開在する事がある。又顖門が腫れ上り、且つ緊張し、その部に著明な搏動を見る事が多い。その外眼付きの樣子が變つたり、眼が一方に向ひ、瞳孔の一部が下眼瞼に被はれ、上の方に白眼を認める樣な事がある。又頭の兩側とか、鼻根等に靜脈が腫つて居る事が多い。

腦水腫は腦腔內に液體の溜る病氣であるから頭が大きく從つて重い。それ故に頸の固定も普通より遲れ步行も長い間出來ない。又液體のために大切な腦髓が壓迫せらるゝ結果としてその精神的發育並びに肉體的發育が遲延するものである。

處置　此病氣は自然に放置すると、腦腔內の液が腦を壓迫し、その發育を妨ぐる結果として、小兒の精神並びに肉體的發育が妨げらるゝものである。故に若し腦水腫と決定した場合には、その設備のある病院で腰椎穿刺と云ふ手術を受けなければならぬ、之は腰の所に針を刺して頭の液を取る方法で、決して危險のないものであるから、安心してその手術を受けるがよい。但し此手術は一週間一度位の割合に數ケ月乃至數年繼續しなければ効力のないものであるから、氣長に此治療を受くべきものである。

三、癲癇

癲癇は大人にもあるが子供にも多い。又大人の癲癇も大抵子供の時分に發病したものである。

症候　全く健康な小兒が突然倒れて、意識が溷濁し、之と同時に痙攣を起すものである。その痙攣は多く强直性の痙攣と云つて、體全體が硬ばるもので、あまりぶる／＼顫はない痙攣である。痙攣の時には眼球上竄といつて眼が上の方に吊り上り顏色が蒼白になり口から泡を吹き、齒切をしてその爲に舌などを咬んで出血することがある。斯樣な發作時には意識が全く溷濁して何事も氣付かないもので、發作から覺醒した後に自分が痙攣を起した事を全く知らない事が多い。痙攣發作の繼續時間は色々であつて、一、二分間で濟む事もあれば又十分間以上に達する事もある。發作から醒めた後も患者は氣分が惡く、再び深い眠に入る事が多い。發作の起る回數は色々であつて、一ケ月に一、二回位に止まる事もあれば又一日に數回も起る樣な例もある。又永い間癲癇を病んで居ると遂には低能又は白痴になる事がある。此癲癇には眞性癲癇と云つて、何も特別の原因もなく起る事もあるが頭に外傷を受けた爲に腦に故障が起きたとか、又腦病、腦膜炎などが原因となつて之を起すことがある。

處置　癲癇を病んでをる子供を看護する上に於て最も注意すべき事は、本病は全く健康狀態にあるものが突然發作を起して無意識に强く倒れるもので、此際往々外傷を受ける事があるから、危險な器具を患者から遠ざけて置くべき事である。針仕事をさせるとか、水の中で仕事をさせたりする事は危險である。又外出などの時はなる可く一人で出さない方が安全である。又發作の時には往々舌を咬むものであるから、發作が起つたら直ぐに齒の間に布片を挿入して舌を咬ませない樣にしなければならぬ。

癲癇は全治し難いものではあるが、兎に角治療を受ける事が必要である。又一定の手術によつて好成績を得る事もあるから、發作が頻々として起り精神發育が多少妨げらるゝ樣な虞れのある場合には此手術を試みてもよい。

☆ ☆ ☆ ☆ ☆ ☆

和やかな家庭風景

健ちやんの忘れもの

大急ぎで學校へ出て行つた健ちやんがかけ戻つて來ましたお母さんが驚いて……
「あら、何か忘れもの？」
「うゝんそうじやない僕ハリバ服みに歸つて來たんです」
「一度ぐらいいゝじやないの」
「駄目です、一日缺めた事は實行しなくちや、大きくなつて偉い人になるには健康が第一だつて先生が仰いました、だから僕ハリバ服み通すんです」
「ホ、感心なこと よく歸つて來たのね、一粒あげませう」……これは和やかな家庭風景の一つです。

最近、お子たちの健康のため一粒肝油ハリバを愛用されるご家庭がたいへんに殖へてまゐりました。ハリバを服んで體內にヴイタミンADを充分に蓄積して くと皮膚や粘膜が丈夫になり、かぜやのど[illegible]などの病氣を豫防し、或は歯牙骨骼などの發育を助けます。小豆大の一粒が一瓦分の肝油に相當し、一日僅か一二個ですから、學校で先生にお[illegible]ひせずとも、ご家庭で兒童が喜んで服みます。

虚弱兒童にハリバが良い

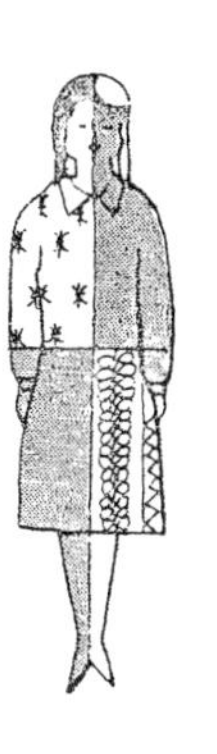

子守を選ぶには絕對愼重が必要

青木誠四郎談

親自身が最上

子供は親の生活にとつて一番大切な一番愛情の深いもので、そのため親達はいろ／＼と心を碎きすこやかに育てようと心掛けることはいふまでもないこと、このお子さん達を親達にくらべて愛情の足りない、敎養、經驗の淺い年若な子守や女中にまかせつ切りにすることの感心出來ないことは誰でも認めてゐることです、殊に幼い子供時代はいろ／＼の慾望や感情が現れるときで、周圍の人々の仕向け方や環境によりいろ／＼と影響を受けやすい時代なのです、こんな大切な時代に育てる人の大切な事はいふまでもなく、それには親達が一番よく、お子さん達の將來の生活にとつても親達に優るものがない譯です。

子守を選ぶには

しかし事情によつてはどうしても子守を頼まなければならない場合があります、こんなときは子守も一つの仕事、從つてこの仕事に向くかどうかを考へて子守を定めなくてはなりません――一般に考へられてゐるやうに、少し大きくなつた女子はみな子守に向くとはいへないことです。

第一　子守になるものゝ頭（智能）を充分に注意しなければなりません、低い智能の持主はいつも、目先だけの興味に引ずられ勝ちです、その結果、過日の子守娘や一昨年秋の子守娘のやうな危險なことになりやすいものです。

第二　その性格を注意しなければなりません、たとへば直ぐ癇にさはつたとてつねる、打つといふやうになる激情的な性格は駄目、またもと／＼子供がすきでないといふやうでも駄目です、こんな性格ではすく／＼と育つべき筈のお子さん達をひねくれさすばかりです、次にちよつと見たところおとなしいと決して激情性を持つてゐないとはいへないことです、おとなしく見えるのはいろ／＼の心の表情が外に現れないだけのことで、かへつて時によると强くはげしい感情が激發することがあります。

第三　ある程度の敎育を必要とします、小さい子供は自分の感じた事や考へた事を强く現すことは出來ない、それでどんな子守でも同じことゝ思ふのは大きい誤りです、出來るだけ丁寧に以上のことを注意し子守を選擇することが大切です。

年老つた婦人の子守の場合も同じことです、また女中さんにしても同じことです、殊に女中さんは親達の助手であつて小さいお子さん達のものでないことを忘れてはいけません、そして頼んだならいつもお子さん達のよき子守であるかどうかを見守つてゐることです。

風邪引きがちな
長女の體質改善
愛知 澤村信

私方には今年十二歳になる長女が有り、二歳の時重い百日咳になやまされました。咳き出すと非常に苦しみ呼吸も止まりさうで、見てゐる私も身を切られるより辛い思ひを致し成ることなら自分と代つてやり度いと、妻と話して居りました次第でした。妻は以前に一人の長男を失ひ居る折柄とて、寢食を忘れて看護致しその甲斐あつて七十日餘りで恢復致しました。

併し乍ら子供は非常に衰弱し、その後は滋養になる物を心掛けて食べさせて居りましたが思ふ程に肥えられず、秋風が立つ時には毎年風邪にかゝり、その度毎に激しい咳をし、その揚げ句、食べた物は全部吐き出し、見る見る身を削る樣に瘦せ衰へます。親として何とかこの苦しみを救つてやりたいと神佛に祈る一方、いろ〳〵と藥を用ひましたが、初めは効いても、度重なる內に段々効果が薄れ、その內に時機が來て癒ることもありましたが、繰りかへし風邪を引きます。

或る人が申されるには、身體のしんより丈夫にしなければ、何時まで經つても同じ事を繰りかへすに過ぎないが、胃腸を健全にすれば嫌ひな物でも食べ得るやうになり、そうなれば滋養物もいろ〳〵と攝取出來るやうになるので、健康な身體になり抵抗力は强くなり風邪を引かなくなる、その結果咳も出ぬやうになると聞かされました。

その後はそれとなく心を配つて居りました處、たま〳〵新聞紙上にて『錠劑わかもと』の主要効果を讀み愚妻はしきりに一度服用させては如何と申し、一昨年冬より初めて用ひて見ました。ところが効果が現れ、最初疑つてゐた小生も愚妻に一言もなき次第で恥かしき思ひを致しました。その後引續いて毎日、朝晩は家にて、晝は學校にて忘れず服ませて居ります。

外に八歳、五歳、二歳の子供が居りますが長女の藥を服むのを見て、皆互ひに服みたがり、その度に二三粒づつ與へて居りましたら毎日おやつの樣に請求するやうになりましたお蔭で皆丈夫で通學したり遊んだりして居ります。

右の「錠劑わかもと」は東京市芝公園、わかもと本舗榮養と育兒の會(振替東京一七〇〇〇番)から廿五日分一圓六十錢、八十三日分五圓の廉價で發賣され、全國藥店にて取次いで居ります

結婚前の男女の童貞と處女の割合
その半數は既に童貞でなく
而もその相手方は？

近代婦人の社會的經濟的地位の向上とともに、性道德においても等しく男女對等であるべきことが一部識者によつて、特に女性側において熱心に說かれつゝあるのは注目さるべきでありませう、即ち男子も亦結婚の後の生活は勿論のこと、結婚前といへども純潔を守るべしといふのがその要旨でありますが、その當否の論議は暫らく措くとして、玆に最近になされた「結婚前における男子の性生活如何」と云ふ問題に就ける、最も信賴するに足る調査をご紹介することゝしませう、それは花柳病防止の目的で、朝鮮某聯隊において、醫學士白石義夫氏により都市、町村及びあらゆる職業出身の壯丁四百二名に就き能ふ限りの正確さを以て行はれた調査報告で、わが國では極めて稀な貴重な調査といふことが出來ます。

非童貞者の割合

右の白石氏の報告によると、調査人員四〇二名のうち、童貞者は二三一名の五七・六%、非童貞者—即ち既に性生活の經驗あるものは一七一名の四二・四%で、これでみると男子が丁年に達するときはその殆ど半數までが性生活の經驗者となることが知られます。(これを他の同種の調査で八〇%と報告されてゐるのと比べると遙かに少ない)

素人娘と女學生

次にその初經驗時の對象となつた女性に就ての調査では、少數の妻帶者を除いてその多數を占めるものとして所謂「職業の女」—娼妓、藝妓、酌婦、女給等とともに、意外やその率からいふと寧ろ多く最高を占める所謂「素人娘」及び中等以上の教育ある「制服の處女」が擧げられてゐます、即ち左のパーセンテーヂに就て之を見ませう(百分率)

娼妓二八・〇八△藝妓九・九四△酌婦一・七五△女給八・一九△娘及び學生三九・七七△その他の女五・二六△妻六・四三

處女の數幾何ぞ

勿論これらの男子は初經驗後も大半引續き性行爲を行つてゐるもので、またその對象となつた女性の中、所謂職業の女は都市に多く、娘および學生は町村に多いことが明かにされてをり、報告者をして「二分の一の童貞者が歸鄕後、その半身を求むるに當り眞の處女に廻り合ふもの幾人ぞ、思ひを此處に致さば、暗然たるべけんや」と慨嘆久しうさせてゐます。察するにこれら娘及び女學生との交情の中、幾パーセントかは單に兵役によつて中斷されたゞけで、やがてその男性と結婚生活に入るものも含まれてゐると思はれますが、何れにしても結婚前の非合法的交情は許容さるべき性質のものではありますまい。

以上の調査の內容から受取る感銘は各自それ〴〵異にするでありませうがこれらが疑ひのない明かな事實である限り、世の父兄、教育者、識者のすべてが、この事實の新しい認識よりして若い男女の教育および正しい性道德への指導がなされねばならないと思はれます。(東大醫學部皮膚科泌尿器科敎室內發行の醫學雜誌「體性」(第廿三卷第十一號)中の醫學士白石義夫「壯丁の性慾生活及び花柳病既往症に就て」に據る)

流感・肺炎・百日咳等・特効
吸入藥 カンピロン

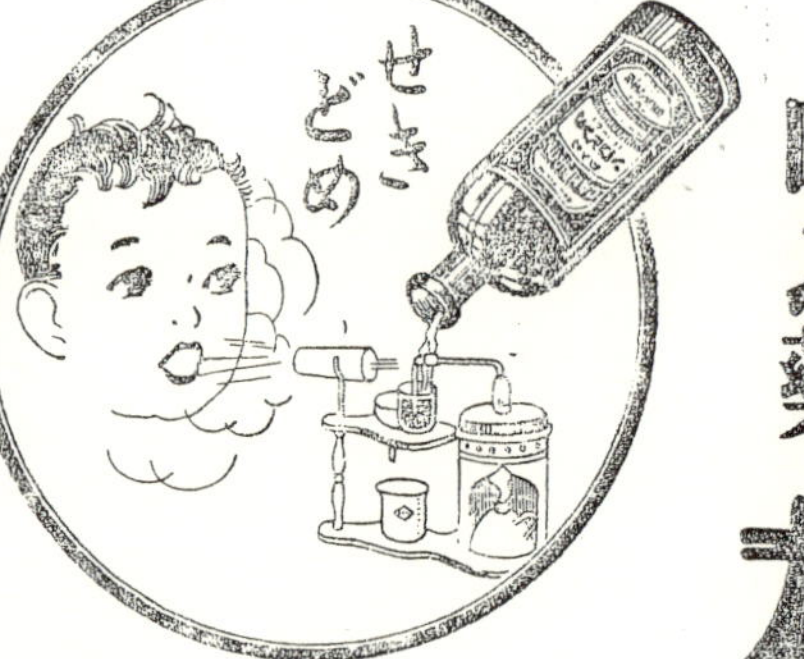

合理的吸入療法と其効果ある理由
本品は上圖の如く普通の吸入器で之を吸入して呼吸器直接に作用す、芳香爽快にして、毫も副作用なし
一 せきの出る神經に作用して咳を止め、又痰を溶解して容易く祛痰の効を奏す。
一、心臟を强め抗病力を增進し且つ肺炎、氣管支炎等の炎症を治する効ありて全快を早む。
一、解熱作用あり、即ち體熱中樞を刺戟して發熱を抑制し又殺菌力あり。

適應症 感冒、肺炎、氣管支炎等の急性病は勿論麻疹、百日咳等の小兒獨特の病に特効あり又肺結核、喘息等の鎭咳、祛痰に適應す

前第四師團軍醫部長 薬陸軍々醫監
大阪市民病院小兒科長 谷口醫學博士
福井市十二病院長 大野醫學博士
大阪府立保養館前館長 上村醫學博士
大阪醫科大學前教授 辰己醫學博士
實驗 推奬

全國藥店にあり
定價 六十錢・一圓・二圓等
類似品あり 御注意を乞ふ
大阪市東區平野町
道修藥學研究所

— 25 —

日本赤十字社病院 慶應大學病院御用
テツザール
吉本醫學博士 簡野醫學博士推奬
藥學博士 石津利作先生創製

幼兒の榮養と母體の保健
お茶を禁ぜぬ便利の鐵劑
體內造血器官を鼓舞し其機能を旺盛ならしめ純血を豐富に新生し潑溂たる活力を附與す、故に
貧血の人、虛弱の人、病後の人、不眠症の人、神經衰弱の人、產婦、夏期に衰弱する人、肉體及精神過勞に適し又、登山、旅行、運動競技、試驗前後は常備、携帶の要あり。

愛兒の爲に
今迄小兒に適する鐵劑がなかつたが本品によりて初めて理想が現實したとは小兒科醫の言明である。
發育が遲れたり、虛弱であり、血色肉付わるく、夜尿をしたり、病後の小兒等弱き愛兒の榮養は美味で飮みよきテツザールの服用に依り効果に直に母親の慈眼に映ずべし。

四週間分金貳圓八十錢 八週間分金四圓五十錢
東京日本橋區本町三丁目
發賣元 里村三治商店
各藥店 三越 松屋 松坂屋 にあり
大阪市道修町一
關西代理店 キリン商會
增量斷行 器械設備の完成と共に定價は元の儘にて二週間分を四週分に增量して常に御徳用になりました

— 26 —

母と子

文學博士　下田次郎

十四、子の教育　その一

六

慈愛と嚴格　母の慈愛深きことはいふまでもありません。たゞその餘りに深きが爲めに、敎育の道を誤ることを恐れるのであります。「我が子には目がない」ともいつて人のした惡い事は分りますが、我が子のは分りにくい。「盜みする子は憎からでその繩取りがうらめしい」とか、「親は他人の善人より、子の惡人がかはゆい」といふのも、皆親が愛に溺れて、その理智を眩まされるからであります。昔或所に親が子を野良息子に仕立てゝ、遂に勘當といふ事になり親類緣者寄合ひの上、父親がその願書に判を捺さうとして、母親に印を持つて來させ、愈々捺さうとする時、母親がその手にすがつて、「まづ待つて下され。子ゆゑにつぶす身代なら、伜めために家をうしなひ、なじんだ村を立退いて夫婦袖乞になるとも、我が子の尻からついて歩いたら、少しは本望に思ひます五十年この方一生に一度のねがひ、ドウぞ聞き入れて勘當をやめて下され。子故に乞食すると思へば、恨みにもおもひませぬ」と、聲をあげて泣々いはれるので、父親も折れて、勘當が止めになつたといふ話があります。（鳩翁道話）一應感心のやうなが、平生がこの流儀に、母親が甘やかして育てたものだから美事野良息子が出來上つて、勘當せねばならぬやうになつたのではありますまいか、勘當する子が惡いか、勘當するやうな子にした親が良くないか考へて見たい。昔スパルタでは子供が罪を犯せば、その父も罰したさうであります。不良少年、不良少女が警察に引張られて行くのも、親の身代りに子が立つ、といつても可いでありませう。

「貧乏人の子に深いことはいらぬものぢやと、師匠にことわりいふて、年季奉公に出した所が、わが家に居るやうにはならず、年中二度の宿下りを待ちかねて使に出たといつては、親里へ立寄り、檀那どのゝ迎ひに提灯もつてゆくと云つては、親里へ立寄れば、兩親こゝろ〳〵と咽をならして嬉しがり、まだ暮れるには間があらう飯くうてゆけ、好な唐茄子煮ておまそふ。食物がわるいやら、内にゐたときより痩せたやうじやと、貧苦勞がさしてゐる、油染みた黃楊の櫛をとつて、鬢のおくれ毛を搔き撫でてやれば、朋輩がいぢめるの、件頭が毎日天窓を敲はせるの、内儀が大根の皮をむかせるの、檀那どのが水を汲めといはつしやるやら、水を汲まうとすれば、井戸端で辷り、膝頭を摺りこはしたを、痛からうといはずして役にたゝずと呵らるゝが、わしや術ないゆゑ、このごろは三度の食が細うなつたと、ありもせぬことある樣に並べたてたるよまい言。しく〳〵泣けば、貧苦勞も堪へかねて泣出し、ちひさい時から頭痛もちぢやに、毎日天窓を敲かれては、金佛さまでもおぼえがある。また十一や十二の小腕に水を汲ませる檀那どのも檀那どの、自分の子の可愛いをちつとは思ひやらつしやらぬか。大根の皮は大人でも寒い時には手が辷つてむきにくいものであるに、指が落ちたらどうさしやる。店の事はさせず、竈まへさするは約束の外仕事、摺りこはしは痛むものじや、白龍香つけてやろ、その膝頭こゝへ出しやと、湯屋の二階で居相撲とつたかすり手とはしらずして、棒ほどに聞く針箱の、引出し搜して取り出す、膏藥の貝がらもわれるばかりにどなりちらし、今までもよく辛抱したそんな處に居るに及ばぬ。はやくひまとつてやらつしやれと泣き立てられて、親父もどうやらやりともない氣になつて、賣滷をちよろまかし、買食するとはしれども、年をとつたらなほらうかと面倒を見る主にひまくれて、引とつて見た所が、どうやら小錢をつかひおぼえ、年にはませて稽古所ばいり、つきあひ酒もあふつたり、ろくなことはみもおぼえず、後には親の手にも入らねば、その友だちを憎むこと讐敵の思をなすこと、この不敎島多くあり。」（馬琴、夢想兵衛胡蝶物語）

これは奉公に子を出す位の家庭に限らず、上流の家庭にも同じやうな母が、子を過らせて居るのもあります。諺にも「馬鹿を見たくば親を見よ」といひますが、外の事には發明な母親が子については、どうしてこれが氣付かぬと思はれることがあります。畢竟は子の愛に眼が眩むからでありませう。

「子を愛する人を見るに、毒物を食はして、忽ち病を起すといへども、彼に食はしたと思ふ我が心の慾に忍びずして言はば病を起すべし。これを與へて食はしむる時は卽ち子を思ふ心に、我が慾勝ちて、毒を與へて病ましむるなり。我が子隨意に食ひ、遊山翫水して身を費して、死に及べども、これを責むること能はず。然れば彼を實に愛するにあらず。子の好む所に從へば子これを喜ぶ。これを喜ばしめて己が樂しみとす。これ子の爲にあらず、己が愛に溺るゝなり。佛祖の衆生を想ふは、親が子を思ふが如しといへども、愛に溺れて、子に慾を與へて病を起し、愛に溺れて、子を放逸ならしめて、身を害ふに至るにあらず。……五戒を禁じ、十善を勸む。これまことの大慈大悲といふ。」（澤庵和尚）

七

それで母はたゞ愛ばかりではいけません。また嚴格なところがあつて、仕付くべき所は岐度仕付けねばなりません。「家の中嚴父慈母の區別なく、嚴といへば父母共に嚴なり。慈といへば父母共に慈なり」と福澤翁は言はれました。ナポレオンは、その母に就て次のやうに言つて居ります。

「我が母は男勝りの氣象で、賞るときは賞るが、罰するときは嚴しく罰し、善いことでも惡いことでも、少しも見逃さなかつた。常に吾等の身の上に心を配り、高尙な事、立派な事でなければ見聞しないやうに監督して居た。特に母の最も深く憎んだのは噓で、最も嚴しく罰したのは不從順であつた。

小さい時から正直で、從順である習慣は、養ひたいものであります。これが敎育の第一步であります。またナポレオンの母は、

「私は母となつてからは、全力を注いで、子供の敎育に從事し、寺詣りの外は殆ど外出しなかつた。それは姑も夫も子供に甘過ぎて、子が少しでも泣き聲を出せば直ぐに駈けて來て、これを慰め、撫でさすつたりして、子の機嫌ばかり取つて居たからである。私は成るたけ弱い情を見せず、何れかといへば、寛過ぎるよりは嚴しすぎる方が子供の爲になると考へて居た。それ故子供は常に私を畏れ、私に從順であつた。成長した曉にも、始終私を尊敬して居た。」

と言ひました。ナポレオンは腕白時代にも、母に叱られるのが一番怖く、他日歐洲諸國の帝王を、足下に跪かしめた時代にも、母には頭が上らなかつたのも、偶然ではありません。「子供の將來は全く母の手にあり」とは、ナポレオンが母から得た結論であります。實に搖籃を動かす手は世界を動かす手であります。ワシントンの母も、慈しみ深い婦人でありましたが、その裡に何となく凜として侵すべからざる所があつて、ワシントンは少時大層母を畏れて居たといひます。「敬はれたくば母になれ。」

こゝに注意すべきことは、母親が或程度まで嚴しいのは結構でありますが、餘り嚴し過ぎて、子供を萎縮さしてはいけません。

嚴しいのも、子に對する同情からで、唯の冷酷ではない事が、よく子供に分つて居なくてはなりません。さうでないと、親の愛を疑ひ、又親を怖れて包み秘しをするやうな事にもなります。又一時の感情に支配されて、猥りに叱る如きも禁物であります。

「わが腹のたつまゝに叱らいでもの事を、口さがなく叱りつけ、我が機嫌のよいをりは、叱るべき事も叱らぬ故、善惡の的をとり外して、わるい道へこけるなり」（馬琴）婦人には、ともすればかゝる事がありますから母親は特に注意すべきであります。但し子の惡い行は、假借する所なくこれを矯正せねばなりません。

「子を懲すことを爲ざるなかれ。鞭をもて彼を打つとも、死することあらじ。もし鞭をもて彼をうたば、その靈魂を陰府より救ふことをえん。」（箴言二三、一三—一四）

エバンゼリン・ブース女史

山室民子

救世軍の現大将エバンゼリン・ブース女史は、今回新に銀星章の制度といふのを設けて世界の救世軍士官の母親達—繼母も含めて—に楯の形をした紺青のエメラルドに銀の星を附した徽章に見事な證書を添へて贈呈することに定めた。これは母親たちが、其の子女である士官を訓育し屢々大なる犠牲を拂つて世俗の名譽地位、富等とは極めて縁の遠い、神と人への奉仕に彼等を潔く捧げてゐることに對して感謝の意を表するものである。同時に救世軍が、彼女等に負ふ所多きを認識することを示すものでもある。日本にもこれを受くべき多數の候補者があり、この美しき贈物の到着するのを樂しんで待つてゐる。これは救世軍に限らず、何れの方面に於ても採用せられてよい制度ではあるまいか。

ブース女子は救世軍の創立者の女で、英國に生れ、少女時代から世の惠まれぬ人々の友とならうと決心し花資に身を窶して木賃宿に泊つたり家具工場で女工と働いたり、人形無料修繕の札を掲げて貧しい子供に近付いたりした、萬國士官學校長、戰場中將等の地位を經て、カナダに至り、九年間司令官を勤めた。引續き北米合衆國に轉じ、二年前大將に選出せられる迄卅年間矢張り、司令官として同國の救世軍を指導した。彼女は其の父ウイリアム・ブースから日本のことを聞き、豫てより我國に大なる關心をもち、在米同胞の爲め盡す所尠からず、關東大震災の時の如きは自ら立つて奔走し、前後百萬圓の金品を送つて寄越した。それ故去る昭和四年秋來朝の節には、畏くも我　天皇陛下には彼女に拜謁賜はり、特に關東大震災の時の彼女の心づくしに對し有難き御言葉があつたやう洩承はつてゐる。かやうな光榮に浴し、彼女の日本に對する尊敬と愛とは愈々深くなり、至る所で我國のことを話したり、書いたりしてゐる。彼女は印度、支那、滿洲國等を經て、來る三月には我國にも來朝の筈である。因に彼女は多方面な婦人で雄辯家として知られ、著書も尠からず、作詩作歌をよくし、堅琴に長じ、スポーツは水泳、乘馬等が得意で、家では犬や小鳥を飼つてゐる。

誰が一番に偉いですか

幼稚園兒に質問したら

日本女子大學兒童研究所で、三百人の子供たちに「皆さんは誰が一番偉いと思ひますか?」と質問して見ましたその子供たちは中流以上の子弟の入る幼稚園の園兒が百人、普通の幼稚園の園兒が百人、それに託兒所に收容されてゐる子供が百人、合せて三百人ですが、「一番偉いのは神樣」と答へた子が男女共一番多く、次で佛樣、總理大臣お父樣、先生などでした。

×

その偉い理由は隨分ほゝ笑ましいものです。

たとへば(神樣)—ばちを當てるから▲いろ〱の事を知つてるから▲みんなを善くして呉れるから。

(佛樣)—お花やお線香を上げて拜むから▲自分のうちにあるから▲强いから。

(總理大臣)—勳章を澤山持つてゐるから▲よい洋服を着てゐるから。

(お父樣)—お金を澤山持つて來るから▲男だから▲怒るから。

(先生)—何でもよく知つてゐるから▲時々ドヤスから▲教へてくれるから。

×

次にやつぱり同じ子供さんに洋服屋と下駄屋と豆腐屋と八百屋と魚屋のうち誰が一番偉いかとたづねましたら、洋服屋と答へた子供が壓倒的多數で魚屋や八百屋はありませんでした、その偉い理由がまた素晴らしく無邪氣ですからお目にかけませう。

(洋服屋)—針を持つてゐて刺すと痛いから▲洋服を澤山持つてゐるから▲作る方が偉いから。

(下駄屋)—下駄でぶつと痛いから▲上等の草履を持つてるから▲鼻緒をすげて呉れるから。

(豆腐屋)—豆腐が好きだから▲豆を挽いて綺麗な豆腐を作るから。

(八百屋)—小僧を澤山使つてゐるから▲いつも澤山人が買ひに來るから▲大根など藥になるものを賣るから。

讃岐富士

醫學博士　竹村一

○弘法と日蓮の面影

師走の十二日、讃岐善通寺町に於ける、學校衛生講習會に出かけた、その機會に、讃岐富士の山麓、眞言宗本山善通寺に詣でた。

私は嘗て、博多灣頭、千代の松原に遊んだ事がある、其時遙か玄海を睥睨する日蓮上人の銅像を拜した事があつた。

此度、こゝに來て、善通寺山門の畔に立つ弘法大師の銅像を仰いだ。

二つ乍ら大なる銅像である、二つ乍ら吾國の宗教家として、古今史上の人傑である。

彼を思ひ、之れを眺めて胸中、二つの銅像より現はるゝ面影の二相に對して感慨深きものがあつた。

日蓮上人は安房の人、十八歳にて僧となり、六十一歳甲斐身延山久遠寺に入寂する迄、彼は自己の所信を貫かではやまざる意氣を以て終始した。律國賊、眞言亡國、禪天魔、淨土念佛無間地獄と他宗を罵り、時には伊豆に時には佐渡に流されつゝも、國を思ふの心、燃ゆるが如くであつた。

弘法大師は、善通寺の人、二十歳にして僧となり、殆ど日蓮と年齢を同じくしてをる。仁明天皇の承和二年六十二歳にて入寂と聞いてをる。弘法大師とは後に到り、醍醐天皇の御代に賜りし諡號である。

大師は博學多能、詩文、彫刻、書畵をよくし、醫術にも長じてをつたとさへ云ふ史家もある。いろは歌の作者であり、土木事業、教育事業、あらゆる方面に於て造詣深かりしと聞く。

こゝに兩銅像の面影を拜して、一つは眼光炯々人を射るが如き、一つは慈眼あふるゝ如く幼子も泣きやむ如き一つは鐵をも通さねばやまざる烈火の如き、一つは渾々と流れてつきぬ清澄な流れの如き、此兩相の現はれを思ひ浮べて、一入に感慨深いものがあつた。

社會に生活するものゝ、現實に生くる自分としてもこの二つの相を考へてみた。

烈火の如き熱意も必要であることは云ふ迄もない、切々人にせまるの心、どこまでも相手を屈服せねばやまない心、一歩も後に退かぬ心、何處までも自我を主張せねばおかぬ心、勿論現世に生くる我等になくてならぬ一面である。

然し又考へてみれば、會へば怒りも解け、語れば蟠も解れ、聞けば頑固も溶け、寄れば怨恨も去るが如き情操も亦現世に生くる爲には我等になくてはならぬ半面である。

かゝる事など考へ乍ら寺門を出た時、初冬の大空に、讃岐富士が、その美しい、なだらかな山姿を、くつきりと描いてゐるのを仰いだ。

眼を轉ずるとそこには、國防の第一線に立つ、健康國民の表徵たる第十一師團の存在が嚴として建つてゐた。

○伊藤悌二君(に賀詞を呈す)

明日の希望に生きて、けふよりも明日は、今年よりも來年はと、毎日、毎月、毎年考へ乍ら、ついうかうかと知らぬ間に五年、十年と經つて行く。

頃日、伊藤悌二君から「全日本兒童愛護運動寫眞帖」を聯盟創設滿十五年記念として贈呈にあづかつた。

私が同君の求めに應じて昭和六年に、奈良五條町の兒童愛護大會へ出席した思出の寫眞もある。「伸びゆく力」と題して五條高女で、私健康への一教育を講じた時の寫眞も載つてをる。その當時の生徒諸君は、最早卒業されて終つてゐる。健康に、みんなが、「伸びゆく力」の限りに伸びられたであらうか、こんなことを思ひつゞけ乍ら此寫眞帖を拜見した。

思へば君が此運動に從事されてから早や十五年を經過したとは、全く昨日の如く又夢の樣な、早さを感ずる。「愛せよ、敬せよ、强く育てよ」と叫んだ大正十年から考へてみると、時日の經過は、何と早いものだらう。然も、君は孜々として捲まず、東に西に、春に秋に、四六時中兒童愛護運動に精進されたことに多大の感激をもつものである。

「雜誌に、何か書いて下さい」と私がたのまれて六年は經過した、然も、何時、何處で、會つても、君は、「先生は、お忙しいから、いつでも、お暇の時に、原

稿を書いて下さい、お願ひします」と云はれない時はなかつた、

「はい、どうも、ずぼらもので……」

と、私は逃げてゐた。その間に君は私を六年待ちつゞけて下さつた。

その後、とう〳〵、其熱意と、根氣とに敗けた。十五年の間に、築き上げて來られた兒童愛護運動の基礎も、君のこの熱意によつて出來上つたと云つてもよからう。私もとう〳〵その熱意に動かされた。

然し君のその熱意と同時に考へたい事は、君が、決して怒らず、騷がずにこ〳〵と事件を運んで行くことである。

君が、熱意を徹底さすのに、にこ〳〵しながら通じて行かれるのには、全く感心した。それには、どうしても喧嘩は出來ない、怒つて來られゝば、そのまゝ、ことわつてしまふことも出來るが、笑ひ乍ら來られると、「どうも」と云ふより外にはない。

とう〳〵昨年十一月より、筆をとつて毎月つまらぬ愚感随筆を書くことにした。

昭和十二年、歳旦、牛の年を迎へて、牛の樣に、そろ〳〵ではあるが、確固たる一歩一歩を地上に印し乍ら、此年も「こども」の爲に筆をとつて微力をつくしたいと思つてゐる。

新年に際して、伊藤悌二君の爲に、一言、賀詞を呈して、君の健康と活動を祈つてやまない次第である。

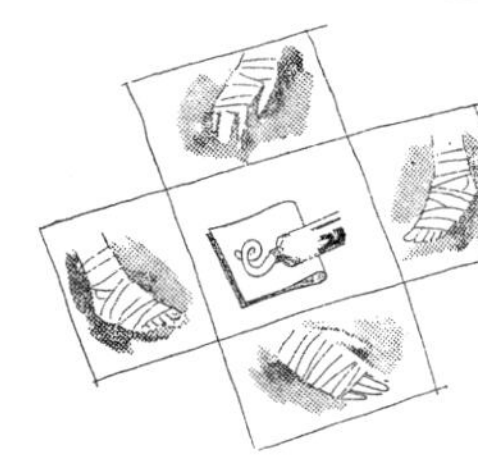

癒りの遲い傷
やけど・凍傷
おでき・たゞれ
耳だれ・痔疾
デシチン
コヂれた皮膚の炎症に良く効く

デシチンはVAD外用の榮養軟膏で、その特長は肉芽の上りが實に早いことです
自轉車よりは自動車が早いやうに、癒りにくい冬のおできやたゞれきづはアレコレとグズグズしてゐるよりは……デシチンで急行的に癒すのが最も現代的ではないでせうか
一圓三十錢・六十錢
痔の坐藥 一圓
藥店にあり

蛔蟲の話

醫學博士 川上漸

皆さん！蛔蟲といふ蟲を見た事がありますか。おや、ないと仰しやる？でもお母さんからセメンといふ藥をのまして貰つたことはありませんの。さうすると、それ！ちよいとお腹が痛んで、彼處へ行くと彼物が出て、彼物の中に！蚯蚓のやうな蟲があつたことを覺えてをられませんか！それ〳〵、そんなに羞かしさうになさらなくてもよいではありませんか。あれは蛔蟲といふものであります。私はこんど蛔蟲のお話をしてあげようと思つてをるのです。

蛔蟲をたけてゐる人は、なか〳〵多いものです。子供さんばかりでなく、大人も矢張たけてゐるのです。人間のお腹の中には、金持の方であつても、貧しい方であつても、必ず穢い大便が隱してあるものですが、その中に蛔蟲なんどがゐるのかと思ふと、つく〴〵人間が嫌になります。それでも人間の體や着物がすきとほつたものでなくて仕合せ……太郎さんの前を軍人さんが馬に乘つて勇ましく通るとしますね！偉いものだなあと思つてゐると、あれつお腹の中に蛔蟲が三匹……なんといふことになると、ちよつとグスツと吹き出したくなりますね。込み合ふ電車の内で、ある人が花子さんの鼻の先で吊革にぶら下つてゐるとしませうね……この人のお腹でたくさんの蛔蟲が……あの蚯蚓のやうな奴が……車のゆれるたびにモヤ〳〵するのが見えたらどうでせう！まづ〳〵見えないので大きに結構なことです。

、蛔蟲は不思議な癖をもつた蟲であります。親も赤ん坊も子供も、息子も、息女もみんな一つ處に住んでゐたらよかりさうなものを、なか〳〵さうではないのです。昔のお侍さんが、いろ〳〵の國々をまはつて武者修業といふ長い旅を致しましたやうに蛔蟲もやつぱり一人前……ではなく、一匹前になるにはなか〳〵苦しい旅を致します。たくさんの中には、途中で病氣にかゝつて死ぬるものもあります。また道に迷つて行方不明になるものもあります。ですから皆さんのお腹の中を拜借して住まつてゐる蛔蟲は、どれも苦しい修業の旅をはつた偉物揃ひであります。

あんなに蚯蚓のやうな姿をしてをりましてもね。でも一寸をかしいですね。

蛔蟲の親蟲は腸の中に住まつてゐて、皆さんのお戴きになる食物の中に滋養分を横取りして生きてゐるのです。衣食住に不自由がありませんから、なるべく自分達の仲間を多くしようと思つて、ドン〳〵卵を產みます。ちよつと燐寸の頭位の大便を調べてみても何十個といふ程の卵が見つかります。卵は大便に混つて外へ出ますが、丈夫な殼をかぶつて居りますので、容易に腐死ません。

お百姓さんが、天氣のよい日に、畑へ肥料を撒きますね。蛔蟲の卵は溫みと水氣とで追々孵化ります。程よく熟した卵を顯微鏡で調べてみますと細かい殼の内で窮屈さうにウネ〳〵してゐるのが見えます。こんな卵が野菜物についてお臺所へ持つて行かれて、さて丁寧に洗ひもせず、又十分煮もしないで、皆さんのお口へ取り入れられると蛔蟲の卵は喜んで皆さんのお腹へ入つて行きます。また程よく熟した卵の混つた土なんどのついた指で、お菓子や果物なんどをお上りになつても、やつぱり蛔蟲の卵は「有難う」といはぬばかりにお腹へ入つて行きます。

「はゝあ分つた、お腹の中で孵化つて、ふとつて親蟲になるんだなあ」とお考への方があるかもしれませんが、

まだ〳〵左樣にはまゐりません。それでは決して苦しい旅行でもなんでもありませんからね。腸の中で孵化つて、それから面白いのです、腸の中で孵化つてそれから腸の壁を破つて……錐で穴でも明けるやうな鹽梅にして、腹腔といふ所へ出て、それから肺臟の内へ暴れ込むのです。大切な肺臟の内へ、蟲の子供が暴れ込むのですから堪りません。數の多いときには激しい氣管支加答兒になります。私のお友達が研究のために孵化りかけの卵をたくさん集めてお菓子に混ぜて一度に食べて見ました。すると大變な熱が出て、激しい氣管支加答兒になつて、もう少しで死ぬるところでしたよ。

さて暴れ込んだ子蟲は、肺臟の中でちよつと一休みしてゐる間に、幾分か大きくなつて、痰と一緒に咽喉へ登つて來ます。そこで唾液や食物といつしよに嚥みこまれて、暗い食道を通り、廣い胃の中を迷つて、再び腸へかへりつきます。いよ〳〵目出度く卒業！免狀を貰つて成長し一匹前の蛔蟲になります。腸の中で卵から出て成長して親蟲になることは決してございません。何と不思議ではありませんか。

蛔蟲は三匹や四匹位なら、たけてをつても別段害はありませんが、數が多い程いろいろの害をいたします。腸加答兒を起したり、胃加答兒を起したりね。またたくさん集つて大きい塊になつて腸を塞ぐことがありますが、僅かの間に苦しんで死なければなりません。子供さんで蛔蟲をたくさんたけてゐる方は、氣むづかしく覺えの惡いものです。

サントニン、セメンなどといふ藥をのむと、蛔蟲はすぐに追ひ出されますから、折々お母さんからのましていたゞきなさい。お腹に蛔蟲を飼つてをつても、誰も親切だとは申しません。

新母性講座

小兒保健衛生

醫學博士　柿本　保

第一章　序論

國民保健衛生の問題は近來頓に喧しくなつて參りました。其は今日我が國の壯丁、或は學生等の健康狀態が著しく低下してゐる事實に因るもので、之は軍部方面より發表された一つの警告であります。吾々は其因つて來たる處を仔細に檢討し、斯る忌しき事實を出來る丈追及するならば、此國民保健の根本は出生時期、乳幼兒期の保育狀態如何に求むる必要があるかと思はれます。何故ならば、吾々が生れながらに有する素質は之を現在醫學の力に依つて全然改良することは仲々困難のことでありますが、出生後乳兒が受ける外襲（榮養撰擇の過誤、急性榮養障碍、呼吸器疾患、急性傳染病等）を育兒養護の知識によつて其危害を出來る丈避け、乳吞兒の持つて生れた素質を十分發育せしめ、之を保護し、若し外襲に因り體質の損害を受けたる場合は育兒養護の知識並に種々なる衛生機關の力に依り、小兒の體質を改善して行くことが出來るからであります。例へば吾々が最も解り易く、且屢々經驗することは、乳兒を榮養し、發育せしむるに、生後七、八月迄は人の乳が唯一無二の榮養品で、他の凡ゆる榮養品に勝つてゐるに拘らず、甚だ貧弱なる理由を以て人工榮養品（牛乳、粉乳、煉乳、羊乳等に換へ、人爲的に小兒をして虛弱兒たらしむる場合が屢々あります。之は取も直さず育兒法の知識の缺乏より生ずるものであります。

又人乳榮養兒が若干の嘔吐下痢をしたからとて、直に乳兒脚氣に非ずやと過信して人工榮養品に移る。又乳吞兒がよく泣く、不機嫌であると云ふ樣な不的確な事柄によつて、母の乳の不足を直感して牛乳を始める。斯ることが往々あります。斯る場合は萬難を排して人の乳を以て榮養する樣に努め、尙不足の時は貰ひ乳をし、貰ひ乳が出來ない場合は少くも醫師と良く相談して、正確に調べて不足量丈を用意周到に人工榮養品で補ふ樣にし、何處迄も母乳（人乳）本位で行くことが大切であります。

若し若干の嘔吐、下痢があり、脚氣の疑ある場合は適當なる人と相談して榮養法を定むべきであります。何故なら、人乳を以て榮養された乳兒と人工榮養品を以て榮養された乳兒とは總ての疾病に對する抵抗力が異り、次に述べる乳兒死亡率からしても、人乳榮養品が如何に健全なる發育を遂げしめ、一生涯より强き體質の保持者として過すことが出來るかを知ることが出來ます。此等兩者の誤差は育兒養護の知識の有無に來することが出來る譯であります。

飜つて斯る方面の本邦に於ける一般衛生知識の普及並に衛生施設等が、正しき道に導かれてゐるであらうか、又導かれつゝあるであらうか。

少くも壯丁時に於ける立派なる健康狀態を得るには、其乳幼兒期の發育を正しく保護し、發育成長せしむることが大役を演じ、壯丁時に至り體質改善云々は既に時遲れで、恰も砂上の樓閣の建築に等しき理りに陷る恐れがあるのではないかと思はれます。

依つて斯る事柄の基本的解決が、既に述べた國民保健の警鐘となり、延いては此等問題の解消への誘導體となるべく、茲に乳幼兒保健衛生の問題の生ずるのも當然のことであると思はれます。

吾々が本邦に於ける乳幼兒死亡率を一瞥するならば、世界文明國中最も大なる死亡率を示してゐることに驚くだらう。即ち本邦に於ける人口動態統計書に依る統計を觀るに、乳兒死亡率は明治三十二年に一六％（百人の內一六人）であつたものが、昭和初年には十四％臺に減じ、昭和七年以降に於ては一二％臺に遞減した。然し之を英、獨、佛、米、伊等に比すれば殆ど倍率を示すのであります。又幼兒（茲には動態統計に依る〇歲より滿五歲に滿たざる四歲迄）死亡率は、昭和九年本邦內地に於ける統計は、死亡總數の內三三・五％を示し、之に亞ぐ老年期の六・二％に比し遙に高率を示し、上記五歲未滿の小兒の死亡率の如何に大なるかを知ることが出來ます。

斯く本邦に於ける乳幼兒死亡率、殊に乳兒死亡率が遲々として低下し得ないのは何故でありませうか。之は固より諸外國に比して衛生施設、一般衛生思想の向上等が不十分であることが、其大半の原因ではないだらうかと疑ふのであります。

乳兒死亡原因となるものは遺傳的關係のもの、母體の缺陷、榮養問題、住居の設備、氣候、流行病、育兒の知識及び社會的施設の不完備等種々あるでありませうが、此內最も大なる原因となるものは乳兒の榮養問題であります。何故ならば、斯る時期の死亡率は榮養障碍（例へば急性消化不良症）に因るもの、最も高率を示すを見ても知ることが出來る譯であります。

更に母乳（人乳）榮養兒と混合榮養兒（人乳と人工榮養品との二種類で榮養される兒）と人工榮養兒（例へば牛乳、粉乳、煉乳等で養はれる兒）とを疾病に對する死亡率より比較すると、人工榮養兒が最高率を示し、次に混合榮養兒、次に人乳榮養兒の順となり、更に各疾病に對する罹患率を以て見ても人工榮養兒が最高率を示してゐるのであります。

又兩親の地位と乳兒死亡との關係を檢べて見ると上流社會に於ける死亡率は八・九％、中流社會一七・三％、勞働社會三〇・五％、私生兒三五・二％を示し、上流社會に比し勞働階級に於て高率を示してゐるのであります。

乳幼兒期を離れて學童期（六年乃至十三年位迄の間）に入つて、一般に問題視されてゐるのは小兒結核であります。學齡期に於ける「ツベルクリン」反應（結核に罹患してゐるか、或は結核に罹患したことがあるか何うかを檢べる反應）陽性率は、凡ての兒童を通じて九十％以上を示し、此時期迄には殆ど總ての小兒が結核の感染を受けてゐることを示してゐます。然し體力の旺盛なる場合は發病することなく、其儘潛在性の型となり、軈て治癒してしまうのでありますが、或場合には種々なる病狀の發生して、茲に小兒結核として取り扱はれる樣になるのであります。小兒に見る多くの結核は第一期、第二期結核と稱せられる程度のものでありますが、若し側近者に育兒知識の素養が充分あれば、第一期の時期に發見するのであります。然し下層階級に至れば、斯る第一期結核症候群に氣附かず、不審を抱かず、我が兒は健康なりとして諸々たるものが多い。唯單に瘦身であると云ふに止まる。即ち一般に缺食兒童と稱せられる大部分は、斯る小兒が多い樣に思はれます。而して吾々が細民街の小兒の健康相談をする時、既述の「ツベルクリン」反應を行ふならば、殆ど總てが陽性、强陽性に反應し、體溫測定は可成り屢々微熱患兒を發見するのであります。斯の如く小兒結核の病變が少くも活動的に進行しつゝあると考へられる場合が非常に多いのに拘らず、小兒は勿論、側近者も健康なりと考へてゐる場合が非常に多いのであります。斯る小兒は知らず知らず第二期の結核となり、或場合は惡性の經過をとり、死の轉歸となり、或は幸に良性の過程を經て慢性の經過を構成することになるのであります。そして小兒は春期發動期（十四、五、六歲）より壯丁期に發育成長して行く譯であります。此等兩階級間の相違は取りも直さず保健衛生に關する知識の不十分なると、社會衛生施設の不備なる點とに歸着するのではないかと思はれます。

斯く論じ來たる時、小兒期に於ける保健養護の問題が如何に重大であり、其が單に自分一個の問題に止まらず、國家社會的、民族衛生上、民族存續の上に重要な事柄であらねばなりません。予が小兒保健衛生を提携して述べんとする所以も亦茲にあるのであります。

而して此小兒保健養護の第一線に立つものは誰でありませうか。來る可き時代を負ふて立つべき小兒を、より强く、より賢く、より善良に、保育するものは誰でありませうか。其は母親であります。母親は生の創造者であります。獨り肉體のみ許りでなく、精神も、道德も母に依つて植附けられるのであります。

人類文化の凡ゆる歷史は、母の感化によつて生れた歷史であり、凡ゆる創造は母に起因すると云つた人もありますが、概して過言ではないでせう。幾百萬年の久しきに亘つて、吾々が尙太陽の熱に信頼し得る樣に、人の道は母の暖みに依つて存續せられると、エレン・ケイと云ふ人は云つた。斯の如く母の存在は小兒と不可分の、甚だ緊密なる關係にあり、實に小兒にとつては母は神の代理、天使とも云ふべきものであります。從つて母親の重大なる責任のあることは言ふ迄もありません。現在母となつてをられる方々も、軈て母となられる方々も等しく小兒保健衛生の知識を十二分涵養し、母として重大なる責任を果してこそ、生ある母の本懷と云はねばなりません、然らば如何にして肉體的に、精神的に、道德的により良き小兒を作り上げることが出來ませうか。

予は逐次的に小兒の保健衛生に關し、醫學的の立場より其槪念を端的に書いて見たいと思ひます。勿論淺學菲才の者でありますが、本誌が母の日常の育兒知識の栞となり、手助となり、又母としての重大なる責任のあることを覺悟せしめることが幾分でも出來、多少なりとも國家の爲に資する事が出來ますならば、予の本懷之に代ふるものはありません。

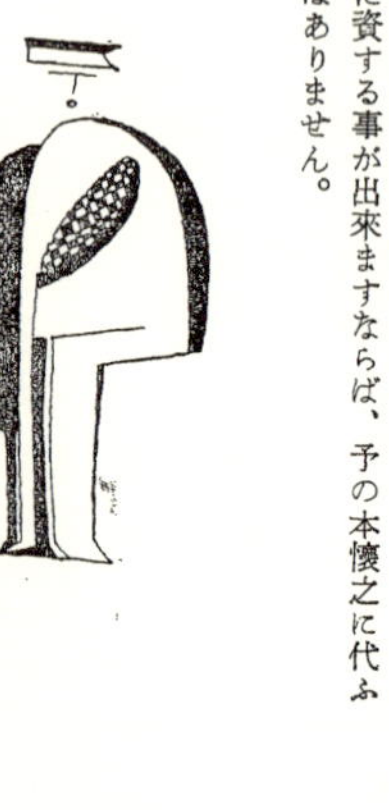

母乳は心して與へよ
惡習慣の芽を斷て
お乳の出ぬ時の處置と心得

東京市特別衞生地區保健館　水野淸司氏談

新生兒の授乳(母乳の與へ方)は先づ赤ちゃんが生れてから廿四時間位は、母子共に疲れてゐるからよく休むことが大切で、强いて乳を與へる必要はない、もし泣き出したら湯ざましか、うすい番茶水を茶匙で少し宛與へる。その量は一日十、二十瓦位でよい。

いよ〳〵二十四時間たつたら三時間おきに一日六、七回授乳する、夜中はしかし六、七時間位間隔を置くことが大切である。授乳に際しては乳首はなるべく口中深く含ませ、一度に片方宛左右互に與へるがよい。この際必ずカラにするまで飮ませ、決して片方飮みつくさぬ中に他方を與へてはいけない。この注意を忘れるといつまでも乳の出が惡かつたり或はよく出る乳も出なくなつたりすることがある。但し以上はまづこれといつて異常のない元氣な赤ん坊の時の話で、乳を吸ふ力の弱い兒やまた例へば兎唇のやうな哺乳に支障を來す畸形などのある場合には直接小兒科醫の指示を受ける必要がある。それと、も一つ、問題は母乳の分泌の惡い場合である。一體赤ん坊が生れると母親は誰でも乳の分泌が始まるのだが、然し誰もがすぐ十分な量を出すとは限らない。むしろ五、六日から十日位の間、乳の出の惡いのは普通で特に初產の人などでは一月位十分に出ぬことも稀ではない、かうした場合、まづ十日目位までのものはほとんど心配する必要はない。

たゞこの間、湯ざましか、うすい番茶水などを十分に(一日一〇〇瓦から三〇〇瓦位)與へてをればよい。しかし十日すぎても分泌の惡いやうな時には色々乳を出すやう工夫をせねばならぬ。催乳劑も醫師の指示のもとに試みることはよい、しかしもつと大切なことは母親が十分榮養物をとること、敢て鯉の味噌汁に限らず、何でも偏らず攝らねばならぬ。次には寢不足、過勞氣苦勞などを是非避けること、前に述べた授乳の際の注意は勿論守らねばならぬが哺乳力の弱い子供でカラになるまで吸ひ切れぬやうな子供の時には丈夫な子供に吸つて貰ふこと、これは大變有効である。

住宅と室內裝飾(二)

三越住宅建築並家具裝飾部主任　角尾篤彥述
三越住宅建築部技師　工學士　岡田孝男述

後篇　室內裝飾

日本と歐洲諸國の室內裝飾を考へて見るに、其の間に自ら風土、氣候、建築材料が相違する。從つて室內裝飾の出發點を異にして居る。

卽ち日本に於ては夏季に雨期を有し樹木の繁茂を助成し、其の豊富なる木材により木造建築の發達を來し、一方に於て夏季の濕度多き爲の蒸し暑さを逃れる爲に、夏を主とした開放的の室と室內を中心とした庭を作り、庭園の四季の變化は室內裝飾の重要な要素の一つ一つとなつた。又飾棚に相當する床の間、違ひ棚の如きは建築に造りつけて作られ、座居生活の爲に〇、腰掛、寢〇とかの必要がなかつた結果大きい家具の必要は殆んどなく、櫃、簞笥、文机、本箱、茶棚、脇息、火鉢、鏡〇、等の比較的小物の精巧なものを作つて居つた。從つて室內は單純であつた。

之に反して歐洲諸國では冬季に雨期があり夏季に空氣が乾燥する爲、樹木の成長は我國程條件がよくなく、木材は建設材料に使用する程多く產せず、加ふるに夏季の凌ぎ易い點から石造の家を造り、冬を主とした建造物を造つた、壁の厚いことの結果は外部と室內とを全く別に考へ周圍の風物に關係なく室內を自由に種々の形式の下に裝飾を施した。石造の壁面の殺風景を消す爲にタペストリーは壁掛として發達し、冬を主とした暖爐飾りや、造り附けの押入のない爲に服簞笥、床の間や違棚のない爲に飾棚、土足で家の中へ入る爲に寢臺や腰掛が異常な發達をした。そして之等のものは手工業であつた爲に王侯貴族の保護奬勵となり、裝飾の爲の裝飾となり、過飾と威嚴を誇る樣になつて「必要のものを美しく作り、統一して配置する」といふ裝飾の本義を忘れられて居つた。

- 室內裝飾
  - 造作
    - 一、天井
    - 二、壁(窓、出入口を含む)
    - 三、床
  - 裝備
    - 一、家具類
    - 二、裝飾附屬品
      - 敷物類
      - 窓掛類
      - 卓子掛類
      - 電燈器具類
    - 三、各種器具
      - 食器類
      - 裁縫器具
      - 洗濯器具
  - 美術品
    - 一、美術工藝品
    - 二、純美術品

然るに十九世紀末になつて木工機械の發明と共に漸く大衆化し一方ウヰリアム・モーリス等の革新運動と相俟つて本然の有意義な裝飾が生れて來た所へ起つた歐洲大戰を一轉機として殆んど世界中の人類の生活樣式を一變して、十九世紀迄の煩雜な習慣の域を脫し、明快簡潔な生活樣式に轉換して來た。從つて室內裝飾の意味にも變化を來した。卽ち吾々の實際の日常生活の樣式を表現したものであつて、尙且つ吾々の精神上の慰安を與へるものでなければならぬといふ本來の意味が認められて來たのである。

之等のものゝ實用上の形や品質、感情上の色調、觸感全體としての明暗を統一して室內全體に快美な雰圍氣を作り出すことが室內裝飾といふ技術の役目である。

六、造　作

天井　天井は室の上部を覆ひ、夏季は屋根裏よりの熱氣を遮り冬季は室內溫度の發散を防ぐものであるが、複雜な形や濃厚な色彩を避け明快な形や色のものを選び度い。使用材料から分類すれば

1 木製天井(棹緣、網代等)
2 漆喰天井
3 張天井
4 テックス天井(壓搾纖維)
5 金屬板天井等

壁　壁は室の四方を圍ふもので、窓、入口等が附屬する。天井より稍々形、色彩の變化を多くする。殊に色彩は光線の反射面として天井と共に室內の明暗を司る重要なる表面であると同時に室內の氣分を左右する原動力であるから、室の使用目的に從つて色彩の選擇を爲す必要がある。

1 漆喰仕上　普通漆喰、ラフコート、ドロマイト、石膏等。

2 羽目仕上　木材にては楢、籚地、ラワン等であつてベニア板を鏡板に用ふることが多い。其他大理石、タイル等

3 壁張仕上　絹、木綿、麻等の裂地及壁紙等を使用する。

戶及窓　戶及窓は壁面に附屬して設けられるものであり外部との境界を爲すものであるから、之に用ふる戶締の金物は充分吟味して、完全を期すると同時に相當目立つものであるから、視覺の感じのよい形や色を選ばないと折角の室內の色彩を破ることがある。

1 戶　出入口は各室及外部との連絡及通風の爲に設けられるもので、戶又はカーテンを以て仕切をつけるものである。戶には開戶、引戶、疊戶、廻轉戶、隱戶自在戶等がある。

2 **窓**　窓は通風採光の爲に設備されるもので、採光の點から見て最少限床面積の十分の一としてあるが、日本の樣に夏季の濕度の多いことゝ、屋根の庇の長い家では通風採光兩方面から見て少なくも床面積の三分の一以上を必要とする。窓には嵌殺窓、開窓、上ゲ下ゲ窓、引違窓、廻轉窓等がある。

窓に用ふる硝子は十六オンス物(厚二ミリ)のものを普通に並一分と稱して用ひらるゝが薄すぎる故二十四オンス物(三ミリ)のものを用ひ度い。これ以上三十四オンス四十二オンス等種々の厚さがあるが目方が重くなるから使用する場合には金物の丈夫なものを必要とする。尙安全硝子と稱して破れても破片の飛散せぬものもある。

ステインドグラスと稱ふるものは各種の色硝子を圖案に合せて切りぬき鉛又は眞鍮の棒で繫ぎ合せて美しい模樣を作つたもので、住宅では階段室、ホール等に用ひられる。

彫刻硝子と稱するものは厚硝子の面を金剛砂にて彫刻し、或は其の一部分を弗化水素で腐蝕して模樣を現はしたものである

床　床は天井、壁と相對して室內の色彩に多大の關係を持つものであるから後に述べる敷物と共に充分研究した色彩を選び度い。大體に於て落着いた褐色系統のものが好ましい。

普通楢、ラワン、アピトン、松、栂等のフロワリングが用ひられる。寄木床は裝飾的高級床仕上であつて、檜杉等の下地床の上に種々の堅木(オーク・チーク、マホガニー、黑柿、黑檀、紫檀、欅、楓、櫻等)の色彩を取り合せて幾何學的模樣を作り釘及膠で張り上げるものであつて、應接室、客室等に用ひられる。

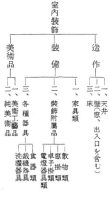

コルク床は寄木床と同樣の下地床の上に壓搾コルク板を膠、釘等で張りつけるもので、防音、保溫、足當り等がよいが汚れる缺點がある。子供室、化粧室等に用ひら

れる。

タイル床は石、タイル、モザイツクタイル等をモルタルで張りつけたもので土足の場所、水を取扱ふ場所卽ちポーチ、浴室、便所等に用ひらる。

七、裝備　裝備品は建物の中で吾々の生活を便利にし愉快にして吾々の日常生活を朗らかに圓滑に營まして吳れる器具や道具であつて其の主なるものは家具である。

家具類　家具は用途によつて次の如く分類される。

1 休憩用家具

スツール（事務用腰掛、音樂用腰掛、足乘せ等）

椅子類（小椅子、肱掛椅子、安樂椅子、ベンチ、長椅子、運動椅子、廻轉椅子、デツキチエーヤ等）

寢　臺（デーベツト、カウチ、シングルベツド、ダブルベツド、スリークオーター等）

2 道具として使用する家具

机　類（事務用、勉强用、仕事用）

卓子類（食卓、茶卓子、應接卓子、カード卓子、化粧卓子、エンド卓子、コンソール卓子等）

3 格納用家具

簞笥、戸棚、書類棚、書棚、食器棚、サイドボード等

箱（長持、櫃、食器箱、炭取、パン入箱等）

4 裝飾用家具

衝立、屛風、壁鏡、蓄音器、ピアノ、オルガン等

以上の種々の家具を室に應じて適宜取り合せて纒める之等の家具に用ふる材料は木材、竹、籐、金屬、硝子、裂地等であつて、これを巧みに取り合せて工作するものである。木材料はウオルナツト、チーク、マホガニー、椅、櫻、鹽地、栓、桂、ラワン、樺、紫檀、黑檀、黑柿花琳、桑、欅、山毛欅、胡桃、檜、桐、杉、松等であつて、木地のまゝ用ひらるゝものは少なく大部分は塗料を施して表面の汚損を防ぐと同時に色調を與へる。

塗料の最上のものは漆塗であつて以下ラツカー、エナメル、ペンキ、ワニス、ラツクニス、澁等を塗裝する。

椅子の適當の高さ。椅子とテーブルの適當な高さは、身長の如何によつて異なる。身長の五分の一に九センチを加えたものを椅子の高さとすればよい。左の表は身長と椅子テーブルの高さとの關係を示すものである。

身長（センチ）	椅子の高さ（センチ）	椅子と卓子の高さの差（センチ）
90	27	21
95	28	
100	29	
105	30	
110	31	24
115	32	
120	33	
125	34	25.8
130	35	
135	36	
140	37	28.8
145	38	
150	39	
155	40	30.3
160	41	
165	42	
170	43	31.5
175	44	
180	45	

つまり、百六十センチの人の椅子の高さは四十一センチで、卓子の高さはこれに三〇・三センチを加へた七十一センチ三が適當の寸法である。

椅子の座の高さと奧行を加えたものが八十七センチになるのが、日本人の平均寸法として適して居る。食堂や事務室の椅子は座を高く、居間、喫煙室のソフアーやアームチエヤーは座を低くして奧行を深くするがよい。

椅子張の裂地は天鵞絨、タペストリー等の丈夫な裂地の外に、擬革等が用ひられる。

裝飾附屬品

1 **敷物**　敷物には種類が甚だ多い。左に主なるものを擧げる。

（一）リノリユウムは床面に張附けるものであるが便宜上敷物として此項に入れる。コルクの微細なる粉末に特殊の粘土の粉末と顏料とを混じ酸化した亞麻仁油で粘り合せて黃麻の布に壓搾塗布して乾燥せしめたもので、手入としては平常水拭きを爲し時々油拭をすればよい。

（二）絨毯は織方から云つて平織とパイル織の外に此の兩者の中間のものとがある。

a、平織。キツダーミンスター、三笠織、千草織、大和織、實織等

b、パイル織。輪奈絨毯（ブラツセル絨毯）、毛切（絨毯ウイルトン、アキスミンスター）緞通（ペルシヤ、トルコ、支那、堺、赤穗、佐賀等）

c、平織とパイル織の中間のもの。シニール絨毯、モール織、（菊水織、都絨毯、國華織、常盤織等）

（三）フエルト。羊毛を製糸せずして漉毛して作りたるもの支那毛氈、フエルト等之に屬す。

（四）草莚〻（花莚、平和敷）籐莚、疊等之に屬す。

2 **窓掛**　室內に射入する光線の量を調節し同時に室內の色彩を調へる。

窓障子に接して日除（ブラインド）をかけ次にレースカーテンを釣り其の內側に厚地のカーテンをかけ、倘上部から來る光線の多い窓では上飾をつけ光線の量を調節する。之等のものは場所と窓によつてレースを略したり上飾を除いたり、適當に取捨す、使用裂地は絹、毛、綿、人絹等の各種織物を色彩と模樣の好みに應じて用ふる。

3 **卓子掛類**　塗料の不完全の頃は卓子の甲板を保護する爲に全體にかぶせてしまつたものであるが、近來塗料が發達して耐熱性のものが用ひらるゝ樣になつた爲全體にかけずしてテーブルセンターとか、テーブルスカーフとか云ふ樣に卓子の甲板の一部分に裝

小　兒　科
高　洲　病　院
大阪兒童愛護聯盟理事
院長　醫學博士　肥爪貫三郎
顧問　醫學博士　高洲謙一郎
大阪市南區北桃谷町三五
（市電上本町二丁目交叉點西）
電話東一一三一・五八五三・五九一三番

飾の効果的に用ひらるゝ場合が多くなつた。

4 **電燈器具**　電燈器具は他の室內の造作や裝備品と相俟つて重要なる役割をつとめるもので天井から吊り下げるシヤンデリア、ペンタント、壁面に取り附けるブラケツト机や床に置くスタンドランプ等があつて夜間の照明と同時に裝飾的効果のあるものであるから形や金物の色彩に注意を要する。ガラス金屬陶器、紙、裂地、竹木等の材料を取合せて造る。照明方法には直接照明、間接照明、半間接照明の三種があつて光線が直接眼にふれるものは衞生上良しくない。

電燈の明るさは室の性質及色調によつて異るが、大體疊一枚につき十ワツト卽ち六疊敷で六十ワツト、八疊敷で八十ワツト位が適當である。

……　……　……

以上述べた造作、裝備品の外に各種の器具、（食器、裁縫具、美術工藝品（花瓶、タバコセツト、額、クツシヨン、壁掛等）純美術品等を室の用途により必要に應じて配置し、色彩の選び方を巧みに考慮して室內を完備せしめると住み心地のよい室や仕事場が出來上るが、必要以上の飾りを爲すことは、吳れ〴〵も戒めなければならない。

嚔や湯ざめなど冬の生理學三つ

慶大醫學部生理學講師
醫學博士　富田恒男

嚔はどうして起るか

長く薄着でジツとしてゐた場合とか風呂上りに湯ざめしてきたときなど、思はずハクシヨイと一つ二つくしやみを催してくるものですが、この嚔は何故でてくるのかの判つきりした理窟をご存じでせうか。

嚔は本來、鼻の粘膜や喉の粘膜などに、砂や埃り等の異物が付いた時に、これを除かうとする反射運動（自分で意識しないで自然に出て來ること）である――と、生理學的に說明されますが併し異物に限らず、寒さやコヨリで粘膜へ刺戟を與へても起ることは既にご存じの通りです。

よくくさめをすると「あゝ風邪をひきさうだ」などゝ云ひますが、實際は既に風邪をひいてゐて、鼻や喉の粘膜に炎症を起してゐる證據ですから、かやうな場合は、勿論早く溫まつて休養をとる必要があります。

寒いとなぜ總毛立つか

寒さがひどく感ぜられるとき、私達は身體をブルブル震はせますが、これは散步やスポーツをやると後で身體が溫まつてくるやうに、筋肉の收縮によつて熱を作らうと努めるからで、卽ちブルブル筋肉を收縮して、少しでも身體を溫め、寒さを防がうとする自然の生理作用によります。

又寒さにあつて肌が總毛だつのは、これは人間においては生物進化の名殘りを留めた作用に過ぎず別に意義のあることではありませんが、動物には大いに役立つものです、卽ち人間では毛は退化して衣服がこれに代へられてをり、熱の不良導體である空氣の層を絕えず皮膚面との間につくつてその對流を妨げ、保溫の役目をさせてゐますが衣服を用ひない動物では勿論毛が着物の役目を果すもので、寒氣の甚だしい時には毛の一本一本にある立毛筋が收縮して毛を總立たせ、かうして皮膚面からの毛の層がふえることは、その間にある空氣の層を厚くすることになり人間でいへば着物を重ねることになり保溫の目的に一致することになるのです。

併し人間では前述のやうに總毛だつことには何ら意義が認められません。

なぜ湯冷めが起るか？

早い話が、私達が外部の溫熱に對し溫かいと感ずるのは、皮膚が溫かいと感ずるからだといふことが出來ます、で風呂に入れば勿論身體全體が溫かさを感じてきます、その結果、外から見えるほど血管が擴がつたり、汗腺や皮脂腺の働きが旺盛となる等、入浴によつて生じた體熱を外へ放散しようとする努力が盛んとなります。

併し入浴後暫らくの間は皮膚が溫まつてゐる爲に、實際はもうこの放熱の爲の作用は必要でなくなつてきてゐる場合でも皮膚が今なほ溫かく感じてゐるばつかりに欺かれてこの誤つた調節作用が續けられてゆくのです。

その結果、急に寒さを覺え風邪をひきこんだりすることにもなり勝ちですだから風呂上りには特に要愼して、まだ溫かいと皮膚が感じてゐるうちに着物を重ねることです。

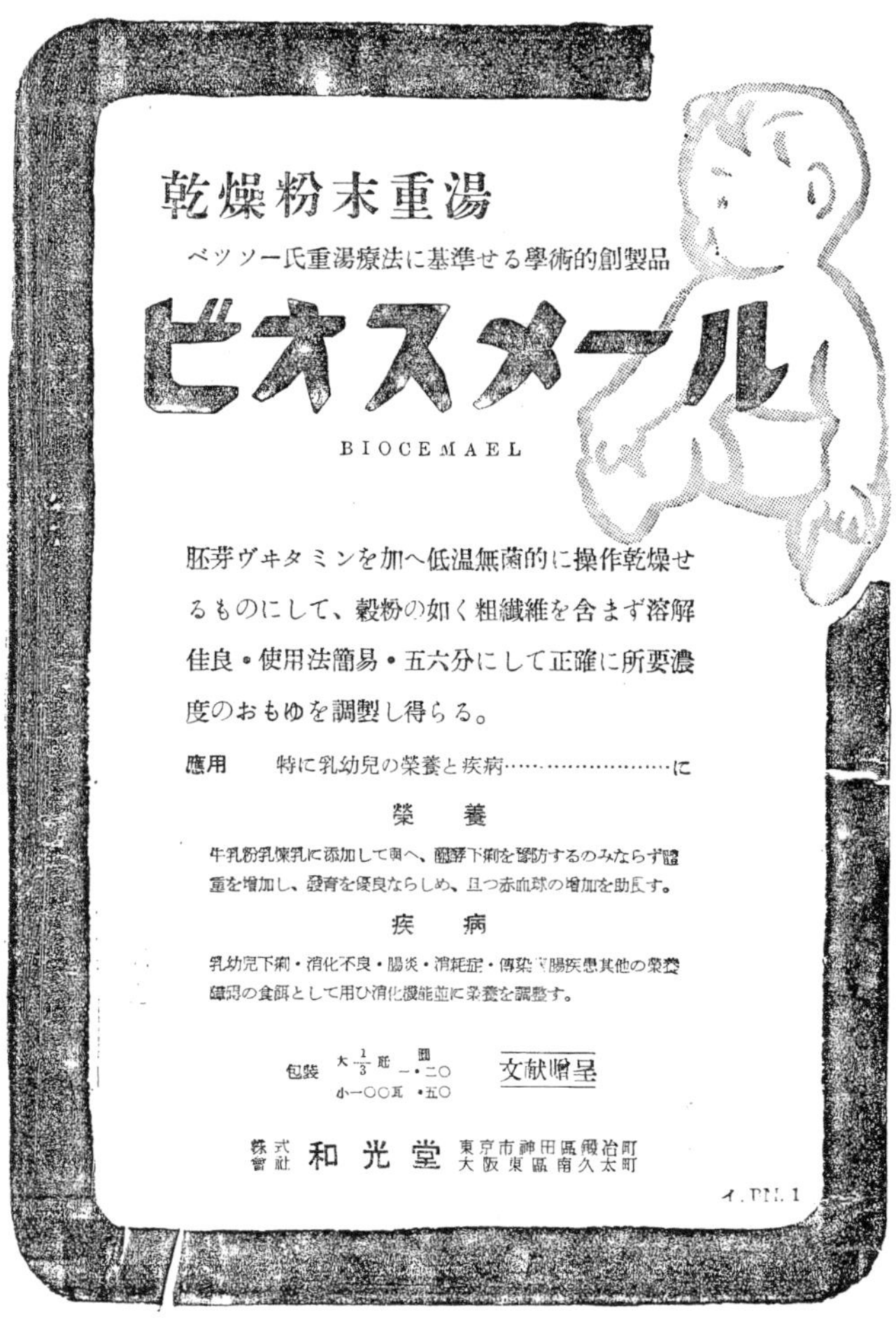

子供のために惡い 添ひ寢の習慣

こどもを寢かしつける時には一般に添ひ寢が行はれますがこれはこどもの基本的習慣をつける上からいつて、非常に惡いこととされてゐます、ところで實際はどうか、愛育會兒童相談所の山下俊郎氏が生後一ケ月から七歳までのこども約五百人について調べたところによると日本では一般に滿四歳頃迄は添ひ寢をしてゐるといふことが分りました、この成績は去る日行はれた第十回應用心理學會で同氏から報告されましたが大要はつぎのやうです。

日本では添ひ寢が一般に行はれ、またその時期も長いやうにいはれてゐましたが、實際調べたところもその通りで、普通の家庭では滿四歳まで添ひ寢してゐることが分りました、極端なのは十三で、まだ添ひ寢してゐるものがありました、この添ひ寢は生れたときしなければしないで濟むものです、添ひ寢の惡い結果としては、寢付の非常に惡いことで、今度のしらべでも寢つくまでに一時間ぐらゐかゝつてゐるこどもがありました。

食事の習慣は滿三歳ぐらゐまでには周圍のものゝ手をかりずに出來るものですが添ひ寢をしてゐるやうなこどもですと、この方面でも遲れ勝ちです、つぎに添ひ寢の段階で、そばについてゐないと寢られぬといふこどもがありますが、この方では一般的には五歳六ケ月以上にならぬと獨りで寢られないといふ結論が出てゐます、さらに暗い部屋でもねむれるこどもはどのくらゐあるかを見ますと、二歳未滿で八〇パーセントあるが、二歳から三歳になると五〇パーセントに減り、それからは少しづゝ增加して六歳臺で七〇パーセントに達します。

最初多く途中で減少しまた增加するのは自分よりも下のこどもが出來て、そのためあかりが常につけられてあるとか恐怖心その他いろ〳〵の理由に基きそのため後からあかりがなければ寢られぬといふ習慣がつくからです、したがつてはじめから、ずつと暗くして寢せて置けば、それで濟んで行くのです、それから床へ入る時間ですが普通は標準時刻は幼時は六時、七時といふことになつてゐますが、實際はこれよりも遲く五歳未滿では七時、八時のものが非常に多い、この點でも一般には理想的に行つてをりません、お母さんはもつと考へて頂きたい問題です。

街頭醫學

赤ちゃんの人工榮養に就て

赤ちゃんには母乳がもつとも優れた榮養であるのは申すまでもないことだが、三ケ月以前の赤ちゃんでは殊にその感が深く一般にいつて人工榮養では容易に成績をあげ得ぬものである。

しかし何か餘儀ない事情で人工榮養せねばならぬ時、一般に共通した誤りは何んでも薄くさへすれば間違ひないと考へることである。

榮養學を知らぬ人にとつては一應尤もではあるが、事實はその反對で赤ちゃんが幼ければ幼ない程、その體量一キロ當りに必要なカロリー數は却て多くなるのである。であるからして早產兒などではむしろ始めから全乳を用ひたり或は普通兒の用ひるより、倍以上の糖を加へたりその他バターだの蛋白製劑などを添加してその需要に應じ漸次成長して普通兒並みになつて始めて一般の方法通りにうすめた乳に變へる位なのである。

勿論かうした早產兒の場合は醫師の指示なしに行ふことは出來ないが、今問題の新生兒の場合にも略似た注意が必要である。ではどういふ風にやるか、昔流の牛乳一に水二のやり方だの、或はもつと薄く牛乳一に水三の割合の方法は全然不可ない。先づ牛乳と水を等分に混じたものに五パーセント位の滋養糖を加へて用ふるのである。

回數は一日六―七回但し哺乳力の弱い時にはもつと多くせねばならぬこともある。その量は生後十日位は次の式で決める。

（生後日數―1）×70（又は80）

（これは一日の量であるから、これを六回なり七回なりに分けて與へる）

或はこの牛乳を稀釋して用ふる方法の代りに牛酪乳といふものを用ひる方法もある。これなら薄める必要はない。

いづれにもせよ實施に際しては小兒科醫の監督の下に行ふべきであるが、とにかく昔流のたゞなんでも薄めるやり方だけは是非共訂正されねばならぬ。

（水野濟司氏）

赤ん坊にねんねこ決して害はない

母さんや子守さんの背中に背負はれて眠るねんねこの中の赤ん坊をみて日本にくる外國の婦人は、口を揃へて非難の言葉を殘してゆきます、だが、この昔からのわれ〳〵の習俗に對する外人の非難は當をえたものとして受取るべきでせうか。

成るほど外國の習慣のやうに廣い乳母車にのせ、腕にゆたかに抱くことはねんねこに背負ふよりは、幼兒にとつて伸び〳〵とし、窮屈でないことだけは確かです、併し赤ん坊を背負ふと云ふことを醫學的にみると、そこに何ら弊害として認めるべきものがないのです、却つて或る場合――例へば股關節脫臼を起してゐる幼兒などは、あの姿勢に股を擴げておくだけでも治すことが出來ます、私達が一般に惧れる脚の彎曲は、おんぶによつて絕對にこれを招くものではなくあれは一種の佝僂病で、原因はビタミンDの不足に起因してゐるのです。

たゞねんねこに背負ふ場合、まだ皮膚や肉の柔かい赤ん坊の身體をきつく緊めつけないやうまた下の方にずり落ちないやうに注意し子供の腰の上にひろく兵兒帶を廻すことです。（帝大整形外科水町四郎氏）

ナゼ子供たちは風の子か？

子供は風の子といひます、身を切られるやうな風、凍りつく寒さに頰つぺたを眞赤にしながらも戶外で飛びまはつてゐて容易に家には入らうとしません。では子供は大人よりも寒さといふものに對して強いのでせうか？

子供の特徵といふのは戶外に出てとびまはることですが、それは心身共に大して惡い影響を受けてはゐないといふ證據でもあります、そして萬一病氣になつた場合も大人と違つた子供獨特のある抵抗力を持つてゐるといふことも考へられます。

回復力が強い　第一に病氣になつてもその回復力が非常に早い、例へば子供の感冒は輕ければ三日位でなほりますが青年では四日間、壯年では五日間、初

老になると一週間かゝるとされてをります。若さとは回復力の大であること、再生能力の強いことをいふのであります。

新陳代謝が大　第二に生理的に見ると、新陳代謝が子供は大人より大です。大人はせい〴〵現狀を維持する程度ですが子供は常に成長せんとする力を持つてゐます。

順應性が大い　第三に順應性が子供は大です、子供は戶外にゐても決して靜止しません、必ず運動して居ります、つまりそのために熱を發散し、ある程度にからだを常に溫めることが發達してゐるのです。體表面積は體重に對して大人より大です、しかし全體としてからだが小さいのですから、風を受けることは大人よりずつと少ないわけです。

活動力が旺盛　第四に精神的に見ると、子供は自分のからだに對して考へることがない、寒からうとか、そんな處にゐては惡からうとか決して考へません。又出來事に對して恐れといふものを持ちません、活動力が旺盛なのです。

以上のやうな生理的、精神的さまざまな點から子供を見るなら、子供は安心して風の子にしておいてよいのです、冷たからう、寒からうとは母親の杞憂です、むやみに厚着をさせたり、家にとぢ込めておくことのないやうに。寒さの中で十分心身を鍛へていたゞきたいと思ひます

（慈惠醫大教授浦本博士）

子供の寢小便の原因

だん〳〵寒くなつて布團が戀しくなるとお子さん方の寢小便の惡習にお母樣方は惱まされます、この寢小便は人によると年頃になつてもなほらずこれがため某女子專門學校へ入學した娘さんが寄宿舍生活を強制され自殺した例さへあります。

「子供の寢小便は一種の癖だ」と安直に考へて居られる方が多いやうですが、癖も勿論ありますが多くは神經系の異狀によるもので、これにも癲癇となつた本質的神經系異狀とアデノイド扁桃腺から來る神經系異狀の二つあります。

本質的の神經系異狀は中々なほらぬもので、治療法としては肝臟ホルモンまたはカテラン注射が行はれて居りますが、これも人によつては全治を期し難いものです。

アデノイドまたは扁桃腺のために神經系を刺戟され寢小便する子供さんはまだ非常に多いのです、これはアデノイドなり扁桃腺を手術して取ればよいので極簡單に寢小便の惡癖からのがれる事が出來るのですから子供さんの寢小便を癖とばかり考へて徒らに寒い冬の夜に布團を背負して寢卷のまゝ廊下に立たしたりするのは早計です。

習慣による寢小便も勿論あるにはあります、かういふ子供さんには夕方五時頃からはなるべく水氣のものを飮まさないやうに、寢る前には必ず御不淨へ行く事、大ていかういふお子さんは寢てから一時間位經つとまた小用を催すものですからその頃を見計らつて便所へ起す事が肝腎、夜具を寢心地よく肌ざはりをやはらかにして皮膚に刺戟を與へない事も必要です、たゞかうした習慣によるものよりもむしろ神經系の異狀から來る寢小便が多いといふ事をお母樣方に心得ておいていただきたいと思ひます。（醫學博士千葉俊夫氏）

老人や子供の熟睡によいゆたんぽ

寒さきびしくなつて來て病人でなくとも特に老人期に達し血管が硬化して來るやうな人達は手足の血液循環が不充分になります、そのために足が冷え寢つかれず身心共に惡い影響を與へます、かうした場合には末梢（手足）の血管を擴張させ血行を樂にしてやる事が寒夜の氣持を快くするばかりでなく心臟の働きを助けることにもなるのです、それには化學的な藥などを用ふるよりは機械的な療法を選んだ方がいゝです。

その方法として日本では古來からこたつが用ひられてゐます……がこたつは火の不用心といふ事がありなほ燃料として用ふる炭から惡ガス（炭酸ガス、一酸化炭素等）が發生するためそれを知らず〳〵に呼吸して頭が痛くなつたりのぼせるなど不愉快なことが多く、電氣用具はいまだ經濟的な負擔が多くなほ取

扱上多少の面倒と危險を伴なひます。

寒夜に老人を安心して熱睡させるには經濟的にそして手輕なのは湯たんぽがいゝと思ひます、湯たんぽは熱源が湯ですから空氣もよごれず不用心でもなく、また熱の發散が極めてゆつくりです、從つて身體に感じる熱感が柔かく、他のこたつなどよりは快感を多く與へます、局部を暖めるには理想的なものです。

たゞ湯たんぽで注意する事はあんまり熱過ぎると他のものと違つて體に熱さを強く感じなくしかも肉體に長時間にわたつて觸れるため狹い部分ではあるけれども隨分深部にまで達する火傷を負ふことがあつてなか〳〵治りにくいものです、始めのうちから熱さを感じない程度に布で充分に包んで暖をとるやうにすることです、幼ない子供は毎晩入れたまゝにしておくと、くせになりますから熱睡するまで三十分間位入れて、後はお母さんが出してやるやうにして下さい。

頭寒、足熱は熱睡の最もよい方法、老人や弱い子供達を冬の夜に樂に眠らせるにはこたつなどよりは湯たんぽをお用ひ下さい。（醫學博士柳澤賛治氏）

幼い子のカゼは胃腸をやられる

胃腸型の感冒　風邪がはやつてゐます、まだお乳を離れたばかりの幼い子供が風邪をひくときは、大抵下痢と嘔吐をもつて始まるのが特徵で、初め咳もそれ程なく、熱も大してないので風邪だとは氣付かず、胃腸の病氣だと考へ、その方（食餌やお腹）の手當ばかりやつても一向よくならないといふ例が多いものです、これは所謂胃腸型の感冒と考へられてゐるもので、この場合胃腸の障害は、感冒の症狀がとれるにつれ自然に治つてゆくので心配はなく、それより早く感冒ではないかと氣付いてその方の手當をしてやることが肝要です。

カゼ引く原因　感冒は細菌の傳播によるもので隣近所や兄弟に發病をみると、抵抗力の弱い幼兒にとつては豫防は困難となりますが、寒いために風邪をひくといふよりは、この頃の氣候では晝間遊んで汗をかく、するとその汗が發散して體溫を奪つて冷える、或は晝間の薄着をその儘で夕方に冷えるとか、又風呂から上つてぐづ〳〵してゐたり、小さい子供なら風呂かげんをみないで入り、抱つこし乍ら水をうめるとか——かうした親の不注意に基く子供の風邪ひきが多いのですから、十分注意されればなりません。

家庭での手當　手當としては普通單に鼻水を出し咳を少しする程度なら子供を寢かせつけたり特別の手當をする必要はなく晝間の暖いときは戸外に出すなり室内でいつものやうに遊ばせて構ひません、但し熱のあるときは勿論寢かせることで、でなかつたら溫かい室内に床をのべその部屋だけで靜かに遊ばせます、濕布は熱がなく起きてゐるときは不要で、冷えてそのため却つて惡くする危險があります、吸入も無理に嫌がる子供に泣かせてまでするのはよくなく又咽喉が惡いといつて特に家庭で藥をぬつてやる必要もありません。

腎臓炎の徴候　併し大きい子供で扁桃腺炎を起してゐる場合は時々急性腎臓炎を併發することがあるので、熱がひくまでは常に小便の色が若しや醬油を薄めたやうな眞赤な色をしてきはしないかを注意してみることで、かうして額や脚にむくみのこない中に早く腎臓炎を發見して手當を早くせねばなりません。

肺炎の疑ひ？　尙子供の風邪は、風邪そのものの危險よりはこれに續發する肺炎及び毛細氣管支カタルこそ恐ろしく、年々五歲までの子供で肺炎で亡くなるもの實に八九萬に及びます、素人判斷として子供の風邪の經過中、九度以上の熱が出たやうな場合速かに肺炎ではないかを考へて、醫療をうける必要があります。（醫博和泉成之氏）

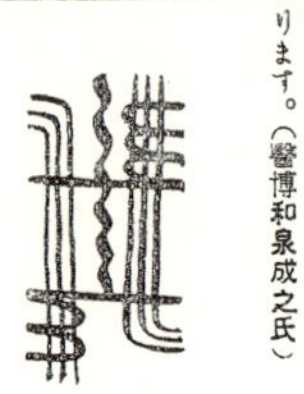

眠り病の謎解かる

傳研三田村、山田兩博士の報告

一昨年、帝都及び全國に猖獗を極めた恐怖の眠病——日本的流行性腦炎傳染媒介の謎は諸學說紛糾のなかに傳染病研究所病理學部長三田村篤志郎、同衛生動物學部長山田信一郎各醫學博士等の永年に亘る辛苦の研究である「赤家蚊の媒介」說が發表され學界未曾有の論爭も一段落を告げた形となつたがその後三田村、山田兩博士及び傳研所員は學術振興會の援助の下に更に研究の步を進め病原體の傳播、傳染徑路及び發生の特殊性に就いて困難な實驗を繰り返してゐたが同研究所學術集談會席上において恐怖の正體暴露一步前の貴重な中間報告をなすこととなつた。

× ×

即ちこの日本的流行性腦炎の發生狀態は流行病學的に（一）人から人へ感染せず、（二）發生期間は毎年八月初め九月中旬の約四十日間（三）集團的發生なし、發生地岡山、東京は赤家蚊のゐる處に發生し蚊のゐない處に發生せずと言ふ諸事實を裏書きする實驗のため山田博士は廿例の患者の病毒を吸血した小型赤家蚊を略代的に二萬匹飼育繁殖せしめこれに對して三田村博士は二萬匹の世界各地の猿及び常に人間の生活に接觸をもつ動物馬、兎、蛙犬、猫を材料に傳染せしめ人工的に眠病の自然發生傳染徑路を四季氣候變化の過程に沿つて反覆せしめた結果、蚊の體内に潛伏する病毒は攝氏廿五度—卅度（我國眞夏の酷暑）の溫度ではじめて有毒性となり猖獗する毒性をもつ蚊の卵中には微量の病毒を含有し親子遺傳が續けられるもので從來大黑鼠を媒介として季節的に循環する說は決定的でない。

次に感染を受けた動物が一樣に發病せず集團的傳染の形を採らぬ事實は人及び動物の病毒感受性の特殊性に基くもので例へば感受性の强い二十日鼠の發病率は九割猿ではインド產赤毛猿は血液中に潛伏毒を有しても發病しない現象があり、人間の罹病率の如きは「千人に一人」である統計などは細かに恐怖の眠病原菌に對して動物的免疫性が存在することを立證するものとして注目される、何故夏季に發生し何故萬人に傳播しないか——の疑問は斯くて解かれ相互媒介傳染關係は漸く一元媒介關係と揚理され、三田村、山田兩博士はかうして病原體剔抉の鍵を握つたのである、右に關し三田村博士は語る。

この蚊媒介說に就ては反對說も唱へられ現に昭和八年米國のセントルイスで非常に多くの蚊が發生した時に腦炎が大流行したところから市民の間に蚊による傳染ではないかと云はれたが二、三の學者がこれを實驗した結果は蚊による媒介ではないとされた、併しその病毒を日本へ持つて來て私達が實驗したところ日本の腦炎と同じやうに蚊による傳播であることが判明した私達としてはあく迄蚊媒介說に向つて驀進するつもりである。

小傳
說記

高橋是清（七）

小杉健太郎

見込まれてペルー行き（前號續き）

かくて、ペルーのリマ府へ着いた田島學士から報告によると、資本金百萬圓の鑛業會社を創立すること。日本側とヘーレンとは互に五十萬圓づつ出資すること。既にヘーレンに於て二十五萬圓で四鑛區を買ひとつたから、その半額を日本側より十一月迄に送金すること。同時に農場經營に着手するから四月迄に四百人の農業勞働者を日本より送ること。農場と精錬所はヘーレンの出資、農夫や坑夫の勞力とその渡航費は日本側の出資のこと。

大體こんな契約だといふことである。

（これは少し大袈裟になり過ぎた）

と思はんでもなかつたが、食指大に動いてゐる連中だから、後へは退かない。

早速公に株主を募集しなければならないと云ふことになり、殖產興業の唱導者たる前田正名に、發起人からその援助を頼みに來たのであつた。

「そんなわけでね。僕も國家のために結構なことだと思ふから、一臂の力を貸すことになつたんだ。君もひとつ贊成してくれないか。」

と、前田は熱心にいつた。

「うむ、贊成しやう。殊に、專門技師まで行つて、調查濟みなら、これほど確なことはない。わが國としては、南米發展の最初の事業だから、是非、成功させたいもんだ。」

是清も眼を輝かした。

「ぢや高橋君、君も勿論株主の一人になつてくれるんだらうね。」

「それあ、僕として應分のことはする積りだ。まづ、一萬圓位なら出せると思ふね。」

「有難う！」

前田は輕く頭を下げた。が、一寸默つて、煙草を出して火をつけた。まだ何か云ひたさうに重々しく煙草の烟を吐いて、

「實は、もう一つお願ひがあるんだけれどなあ。」

と、やうやく切り出した。

「なんだい。」

「甚だ申し兼ねるが、日本側の總監督として、株主を代表してペルーへ行く適任者がなくて困つてゐるんだ。そこで、みなで協議した結果、君ならば誠に申分がないが、行つては貰へないかといふ一同の懇望なんだ。どうだらう。一肌ぬいではくれまいかな。」

「だつて君、僕は官職にある身じやないか。」

「そこを賴むんだ。國家の爲に……」

「いかん、いかん。そりあいかん。僕は今、特許關係の條例をやうやく實施しやうといふ大切な時だ。この條例が實を結ぶか結ばないかといふ瀨戸際だよ。自惚れかも知らんが、この實を結ばせるのは、僕を措いては他にない筈だ。」

「それは尤もだが、海外に日本の新天地を開拓する意味で……」

「それも國家的事業に違ひないが、僕だつて、新しい國家的事業に着手したばかりだ。何といはれても、絕對に斷る。」

取りつく島もない前田は、すご〳〵歸つて行つた。二三日すると、井上農商務大臣から呼びにきたので、是清は何氣なく大臣室へ行つて、扉をあけると、そこにはちやんと前田が來てゐた。

「高橋君、どうじや、ひとつ君御苦勞でも、ペルーへ行つてくれんか。」

「ぢや、大臣も御承知ですか。」

是清は意外な面持ちしながら、チラリと前田の顏を見た。

「うむ、承諾——といへば承諾じやが、この際、君を手放すわけには行かんと云つて、わしも一應は斷つた。しかし、前田君が懇々と賴むし、考へて見れば他に適任者がない以上は仕方がない。國家發展の爲め、氣の毒でも、君に御苦勞を願はんければならんと、わしは覺悟をきめたのぢや。」

大臣はヂーッと是清の顏を見詰めた。そばから前田が口を挾んで、

「高橋君、怒つてくれるな。君には膝詰めでも駄目だから、大臣に直接御願ひして、君の體を貰ひうけたんだ。かうなつたら、こゝろよく引受けてくれないか。」

「さうですか。」

と、是清は沈痛な調子だつた。

「今、特許局を去るのは、自分の子供に別れるやうな氣がします。が、大臣が既にさういふお思召しならば、承知しました。ペルーへ行つて、僕の最善の努力をつくします。」

「うむ、よく云つてくれた。賴む。」

大臣は是清の手をグッと握つた。

日ならずして、日秘鑛業株式會社は設立された。そして、是清は特許局長非職を命ぜられて、明治二十二年十一月、田島技師、屋須通譯の兩名をともなひ、わが會社の全權代表として、また一行の先發隊として、橫濱から、鹿島立つたのである。

海上五十日後にいよ〳〵リマ府へつくと、ヘーレンの出迎へをうけて、かれが懇請するまゝに、是淸は閑靜な新館に落ちついたのである。

丁度日本ならば、嚴寒の時候であるが、今こゝは炎暑の季節である。しかし、幸ひ日本式庭園もあるし、遙かに望めば、峨々たる山脈が東西に走つてゐる。いかにも熱帶國らしい明るい風光に、いさゝか旅情を慰められた。

是淸は早速ヘーレンと協議の結果、農場經營については、日本側はその三分の一負擔をすればいゝといふことに契約を改正した。また鑛山經營についても、大體原案通りに兩者の意見が一致したのである。

間もなく、一月二十七日には第二陣の技手、坑夫、職工等十八人が到着した。その引卒者は山口愼といふ男であつた。山口は、上田藩家老の息子で、かつて東京英語學校に是淸と一緒に敎鞭をとつたこともあり、竹を割つたやうな氣性で、人情も厚い快男子であつた。

いよ〳〵もう四、五日でカラワクラへ登山することになつたので、夕方、坑夫達に酒肴をふるまつた。すると、突然庭の方でガヤ〳〵鳴り騷ぐ聲が起つた。

是淸はハッとして椽側へでてみると、田島技師が、ベロ〳〵の醉漢を地面の上に捻ぢ伏せて、繩をかけてゐるところであつた。

その時、坑夫溜りから三人飛ひ出したと思ふと田島技師が撞と反けざまに引き倒された。

「貴樣ア生意氣だッ。」

「ちくしやうめッ。」

喚きながら三人は、田島技師を踏みつけて蹴飛ばした。

すると今度また、一匹の黑豹のやうに躍りだしたのは山口であつた。

「馬鹿野郞。」

見る間に二人を投げとばした。一人の奴はコソ〳〵と逃げて行つた。しかし技師は地上に呻きながら倒れてゐるので、山口がその體を靜かに抱き起して見ると、技師は片足を挫いてゐるらしく立上ることが出來なかつた。

その時、是淸は椽側から、强い底力のある聲で、

「みな待て！話がある。」

と、叫んだ、一同は悄ッとした眼をこちらへ向けて、ピタと鳴りを鎭めた。

「君達は、昨日僕に誓約書まで入れて、不穩がましい行動はとらないと誓つたばかりぢやないか。それになんだこの醜態は！」

是淸は言葉を切つて、ズラリと一同を見渡したが、また續けた。

「昨日も僕が云ひ聞かした通り、今度の事業は單に株主の利害に關するばかりではない。その成否は、日本の海外發展に對する試金石だ。つまり、われ〳〵は日本代表者として、外國人から大和魂の試驗をされてゐるやうなものだ。軍人が銃をもつて戰爭するものも、われ〳〵が鶴嘴をもつて坑へ入るのも同じことだ。決して外國人から侮辱をうけてはならん。こんどの事業を成約させるまでは、われ〳〵は各人の不平を抑へて、みんな仲よく團結し、必ず日本人の意氣と精神を外國に輝かさればならんといふことを、昨日こん〳〵と僕は云つた筈だ。君達もそれに贊成して誓約書まで入れてくれたのではないか。しかるにその言葉も乾かない今日、何といふ恥晒しの眞似をするんだ、そんな腐つた精神で書いた誓約書ならば、あつても仕方がない。みな返すから、君達は一人も殘らず日本へ歸るがいゝ。事業が不成功に終るよりも、日本人の面を汚さない方がどれだけいゝかしれない。今度の便船で、みな歸國したまへ！」

しいーんと水を打つたやうに鎭まり返つて、誰一人口を出すものがなかつた。

「よし、待つゐろ！いま誓約書をもつて來て、返してやる！」

さう云つて、是淸がクルリト脊中を向けた刹那だつた。さつき田島に捻ぢ伏せられた醉漢――近田が醉ひもさめた蒼白い顏をして、いきなり叫んだ。

「旦那！待つて下さい。悪ふございました！わつしが悪ふございました。實ア田島さんがあんまりこちとらに威張り散らすもんだから……いえ、そんな事アもう云ひつこなしです。旦那の御言葉ア身に泌みて守ります。勘辨して下さい。事件を起したわッしの爲に、兄弟達に迷惑をかけてもすみません。旦那！ほんとにもうしませんから、どうかその誓約書ツてえのは、やつぱりお納めなすつて置いて下せえ。お願ひでござんす。この通り……お願ひで……」

近田甚兵衛、バタ〳〵と飛ひ出して來ると、默つて仁王立ちになつてゐる是淸の前の椽先へ土下座をして、地面の上に兩手をつき、額を土にすりつけんばかりに額を下げながら、しかも、彼の肩がブル〳〵と顫へ始めた。

他の者達も、いつの間にか、膝に手をつき、或は地面に片手をついてゐる神妙な姿が、夕闇の中にも、ハッキリと浮いて見えるのだつた。

「よし、みんなその言葉に間違ひないな。」

「へえ……」

異口同音だつた。

「それでは、謹愼の實が擧つたのを見る迄、一時、誓約書は假りに預つておく。」

と、是淸は云ひ渡した。

さて、二月十二日――この事件があつてから四日目である。いよ〳〵カラワクラ鑛山に向つて出發することになつた。

かねて準備してあつた採掘用器具、日用品その他の荷物を馬、羊、ミウルの背に乘せた。そして是淸は、山口庶務課長、小池技手、屋須通譯、番頭ピエツラ以下坑夫職工等勢十四人を引率してリマ驛に向つた。田島技師だけは、この間危禍を蒙つた足がまだ癒らないので、この時は一行に加はることが出來なかつた。

リマ驛から汽車にのつた一行は、三日がかりで、海拔一萬三千尺の山頂にあるチクラ驛へ着いた。こゝで下車して一同はホテルへ泊つた。ホテルといつても、たゞ一軒の古ぼけたむさくるしい家である。その周圍に土人の住家が點々と散在してゐる。何しろアンデス山脈の山中であるから、首府の炎熱に引きかへて、こゝは嚴寒のやうに、下着を何枚重ね着しても、烈しい寒氣がしん〳〵と身に迫る。おまけに氣壓が低いせいか、嘔氣さへ催ふすといふ有樣であつた。

土人の家から毛布を殘らず買占めた。それを皆が頭からかぶつて寢についたが、それでも寒さに夢を結ぶことが出來なかつた。

「ぶるゝゝッ、これぢや凍えちまわあ！」

堪りかねたやうに一人が云つた。

「全く、やり切れねえや！」

「何とかしてくれよッ。」

すぐ二、三人がそれに應じた。坑夫達が俄に騷ぎ始めたのであつた。

眠つた振をしてゐた是淸は突然、ムクリと起き上つた。そして自分の毛布を剝いで、騷ぎ始めた男の上へかけてやつた。

「お前等に風邪を引かしては濟まない。わしの分も着てゐてくれ。」

「アッ、旦那！そいつアいけねッ。」

その男は吃驚して半身起した。

「いや、わしは日本の爲に出て來たんだから、その爲に凍死しても覺悟はちやんと出來てゐる。だが、お前らは、さうは行くまい。遠慮なくそれを着てゐてくれ。」

「旦那、そ、そんな皮肉を……」

「いや皮肉ぢやない。わしの本心だ。お前らに風邪を引かしてはわしの責任上相濟まん。」

「わかりましたよ、わかりましたよ、もう何んにも云はずにおとなしく寢ますから、どうか旦那！この毛布はそつちへお引取りを願ひますよ。へえ。」

「さうか――しかし、遠慮はするな。」

「もう、旦那にあつちや叶ひません。へえ。」

すぐに一同は毛布をひつかぶつて、顫へながら、一言の文句をいふ者がなかつた。

乳兒榮養の障碍食餌療法

醫學博士　杉　野　龍　藏

乳兒榮養障碍の食餌療法は最近可なり著るしき變化を來し、槪して、濃厚食餌を推奬する傾向となれり、チェルニー敎授及びクライン・シュミット博士のバター穀粉食餌。モロー敎授のバター穀粉全乳。フインケルシュタイン博士の濃厚蛋白乳。ベッソー敎授の濃厚重湯療法 Kodzentrierte Reisschteimkür の如きは其代表的のものにして何れも從來よりも濃度の高き食餌を賞用するに至れり。

ベッソー敎授の云ふ濃厚重湯療法は、早期に豐富なカロリーを供給し得る點で、患兒の急激なる體重減少を防止するのである。又濃厚重湯は人乳に比して、胃中に停滯する時間短かく、且つ其の分泌を促進せしめざる爲め嘔吐を防止し得る、又腸管内にありて分泌を促進し、大腸菌屬に依る醱酵作用を僅少にする爲め、糞便の性質を良好にし、暫時にして泥狀便となり、便通の回數も減少し、惡臭消失し、一般症狀も急激に可良になると云ふ。

濃厚重湯の作り方　ベッソー敎授の云ふ濃厚重湯製方として報ずる所は、冷水で磨いた白米を十二時間水に浸し、後一〇%の割合として屢々水を追加しつゝ飯粒が充分に破碎する迄二、三時間煮沸し全部を濾過器で漉し、次で三回毛篩で裏漉しする。このものは冷却すれば一程度の凝固を來し、乳用瓶を用ひて與へ難いから、使用時毎に溫めて用ふ。かくして造られた重湯は、澱粉含有量殆ど一〇%にして一〇〇瓦が四〇カロリーを有する、之に滋養糖を加へ、サツカリンで調味する外、食鹽等を加へない。

此の濃厚重湯を用ふる療法は、長時間繼續する事が出來ない。卽ちカロリーは充分でも、榮養素の部分的缺乏

がある爲め、乳兒の免疫性を低下し、傳染性疾患を合併する事が屢々ある爲めであると云ふ。

以上の如く、人工榮養食餌又は治療食餌は、牛乳を主要素として之に穀粉野菜其他を添加補充せし從來の方法を更に一歩進み、寧ろ含水炭素を主體として、之に牛乳其他を添加して用ふる方法が重視さるゝに至つた事は、現今の乳兒榮養障碍治療の一大變化と云ふていゝと思ふ。元來牛乳榮養障碍の原因として種々擧げられて居るが、其の治療効果の顯著なるは含水炭素である。チェルニー及びケルレルも穀粉とマルツ汁の混合物が有効であると稱し、人工榮養法の主要成分としては含水炭素が必須的の地位を占めると云ふても過言でない程である。此の含水炭素療法は古來吾國に於ては一般に行はれて居たものにして、只俗間に慣用せられ來れるものは非科學的にして、其濃度、量等が不等一なりしものなるがベッソーは之を科學的系統的に研究したに過ぎず、吾國としては珍しきものにあらず。

ベッソーの濃厚重湯は前記の如く一〇％重湯を調製するに相當面倒なる手數を要すると、長時間煮沸する爲めヴイタミン等は破壞され易き缺點あり、之を補ふ爲め種々の穀粉榮養素が發賣さるゝに至り、調製の便利と諸種のヴイタミンを含有せしめて、治療食餌のみならず、人工榮養食餌の添加料として多く用ひらるゝに至れり。

此の目的を以て最近明治製菓株式會社より「ママーゲン」として發賣されたる穀粉即ち乾燥重湯は諸種のヴイタミン含有量の多きのみならず、冷凍處理法に依り特にヴイタミンBを保有する事著しく、更に特殊酵素、酵母を配合し澱粉の膠質化せられ居る爲め汲濕性少く、從つて腐敗し難く乳兒哺育食乃至治療食餌の添加製品としては最も便利にして、適當なるものと考へ當院の入院患者の治療食餌とし又人工榮養兒の添加料として試用したるが次の如く極めて良好なる成績を得たり。

ママーゲン使用法　「ママーゲン」は一瓦四カロリーの榮養價を有し　諸種のヴイタミンを含有すると雖も、之のみにて乳兒を長時間治療又は哺育する時は、蛋白質、脂肪、鹽類等の部分的榮養素の缺乏を來す恐れある故、患兒の症狀に依り一定の添加料を必要とする。著者は特に赤痢疾患、其他下痢性榮養障碍の患兒には常に「ガラクトサン」加ママーゲンを用ひたり。之に依り蛋白質の補充と共に下痢を少なくし、體重増加を著しく佳良にせり。又從來重湯には食鹽を添加する習慣あるも、食鹽を添加する事に依り浮腫を來し易き爲め、殊に乳兒の人工榮養食餌には食鹽を添加する事を禁じたり。

治療例を極めて簡單に述ぶれば、

(一)鈴木〇〇、一年一ケ月。重症消化不良、體溫三十八度前後、使用一日十數回、水樣惡臭便、元氣なく一般狀態極めて惡し。六時間饑餓療後、五％ママーゲン（サツカリンにて調味）一回二〇與へ更に四時間後三〇を與へたり、體溫三十七度二分に下熱し、嘔吐なきも、下痢著しく、衰弱益々加はる、第三日より「ママーゲン」五％、二％ガラクトサンを與へたるに、下痢も一日三回となり次第に「ママーゲン」を增加し第七日にして一〇％ママーゲン二％ガラクトサン一八〇、一日五回となし、症狀輕快して入院十日にして退院せり。退院後主治醫に依り人乳及び牛乳食餌に變更せられたるに、二、三日にして再び十數回の下痢と嘔吐發熱あり、種々加療を受くるも病勢益々惡化し、二週間後には體重二瓩を著減し、消耗症の狀態となり、前記退院後二十七日目に再び入院せり。依つて注射治療の他直ちに五％「ママーゲン」二％ガラクトサン（サツカリン調味）三〇瓦より始めたるに、食慾增進、病症佳良となり、一〇％ママーゲン二％ガラクトサン一回一八〇に至り、更に牛乳九〇、一〇％ママーゲン九〇に改め、十九日目より½おまじり二回前記ママーゲン牛乳二回となし、次第に粥食として二十三日にして全治退院せしめたり。

(二)細淵〇〇　四歳　疫痢、急激なる發熱と痙攣を以て始まり、定型的の疫痢なり。十二時間饑餓療法にして一度下熱せるも膿血便一日二十回位になり、十二時間後林檎療法を始め發病四日目より、三％「ママーゲン」五〇を與へ、病狀と共に次第に增量し五％迄濃厚度をも高め更に⅓おまじり（之に用ふる重湯は凡て「ママーゲン」としたり）より粥食となし、入院三週間にして全治退院せり。

(三)山田〇〇　五ケ月、母乳不足輕症消化不良、母乳兒なれ共母乳不十分にして一日二回、金太郎コナミルク一二〇を與ふるも、體重遲々として增加せず、體重四瓩三〇〇なり（出生時三瓩二〇〇正常以上）尤も三ケ月の時肺炎に罹り體重も減少したりと云ふ。依つて從前の濃度に於ける金太郎コナミルク八〇にママーゲン四瓦、ガラクトサン一・五瓦を添加毎授乳後與へしめたり一ケ月にして七八五瓦の體重增加を示し、更に其翌月には五％ママーゲン添加金太郎コナミルク一〇〇一日五回授母乳後與へたるに、更に一瓩二〇〇瓦の體重增加を示し便通一日一二回にして、生後七ケ月にして、體重五・八三五瓩に達したり。正常値七・三五〇瓦に比し未だ不十分なるも、此の體重增加率を以てすれば離乳期迄には正常値に達し得るものと思はる。（「診療」第八年第九號登揭）

『小弓俳諧集』

—兒童に關する俳句評釋八（八）—

岡本松濱

物ならふ女のわらはの、年のはじめさ
て參りつどへるをもてはやして

ひらにとて羽子板もたす初座舗　　その女

女の子にお針の道でも敎へてゐたのであらう。その少女達が、年の始めの祝儀に、各々着飾つて師匠たるその女の内に集まつたので、朗らかに新年を祝ひ合ひ、何かの催し物などあつた末、贈りものとして羽子板を與へたのを、中には遠慮してうけとらぬ者もあつた。それを强ひて手に取らせて、互に顏など見合して笑み交してゐる少女達をうち眺め、共に喜んでゐる女師匠が卽ち作者である。「初座舗」は「初座敷」であり、新年始めて集ひ合へる座敷と云ふ意味であり、元祿頃は多く座敷を座舗と書いてゐる。

蜑の子を這ひ習はする潮干かな　　白　音

蜑は漁人である。三月三日の潮干の濱の砂の上に、漁家のみどり子がひとりで這ひ廻つて遊んでゐる光景を眺めて、斯くは詠じたものであらう。都會の子供と違つて自然のまゝに育つて行く漁村の子は、健康そのものゝ如く、はち切れさうな元氣で大きくなつて行く。

裸子のしゝもおゐどもももゝの花　　横　船

桃の花咲く樹の下に、裸の子が這ひ廻つてゐる。その子の垂れ流したしゝの上にも、桃の花が美しく散つてくるし、まだおしつこで濡れてゐるお尻にも、桃の落花がべた〳〵とくつゝいてゐるであらう。尿もお尻も桃の花で美くしく淸められてゐる。子供を放つたらかして、親は畑で何かしてゐるのであらう。まことに暢氣な情景である。前句は漁村、この句は農村の一小景。

後ろ手に花盜み行くわらべかな　　靑　竹

櫻の花が餘りに見事に咲いてゐるので、手のとゞく一枝を折り取つて盜んで行く。盜むと云つても、花盜人は罪はない筈であるが、人の物を默つて折り取つて行くのだから、子供心に氣がとがめて、後ろ手に隱すやうにして持つて行くのが、却つて、この子供の心を暗くしてゐる感を禁じ得ない。折り取つた花を高くかざして行く方が却つて無邪氣で、句の位も高くなるであらう。

花咲くや赤子に欲の親ごゝろ　　渭　川

子供に對する親ごゝろとは、這へば立て、立てば步めと望む親の慾望の限りないのを云ふのであらう。「花咲くや」は一つの添景であり、世は春となり、久しい多眠狀態から覺めて、活躍の第一步に入らうとする花咲き、鳥歌ふ春に臨んで、子供の成育を願望する親の心が、一層切實であるのも道理である。

一樹の陰に義なる事をみて

みどり子を城主に守る花見哉　　堵　川

花の蔭に幕など張りめぐらし、中央の錦の褥に座してゐるのは、まだ東西も辨へぬほどの幼ない子供であるがそれを大切の主人として男女の從者が多勢かしづいて、恰も一郭一城の主の如く敬事してゐた。その美くしい情景を眺めて、作者が感に打たれてこの句を成したのである。多勢の人の往來する花見の騷がしい光景の中に、この幕の内ばかりは特に優雅に眺められたのであらう。

よしの山おのこ子產みし櫻かな　　索　綱

よし野山のある家に男の子を產んだ喜びがあつた。折から滿山櫻の咲き滿ちた春であつたと云ふ程の句か。

かたくまの子に持たせけり藤の花　　圓　水

肩くまは肩車の俗言である。藤の花房の長々と垂れてゐる枝を肩車の子に持たせたのは思ひつきである。肩車に負はれてゐる子の持つてゐる花が、藤の花である事が動かす事の出來ぬ一つの繪になつてゐる。

山吹の井戸に子供は何の用　　杏林

山吹は井戸の傍とか、門の小流れに咲くものと、凡そ定つてゐる。この句の山吹も井戸の傍に咲いてゐるのであるが、その井戸は井戸側の設けがないか、或は井戸側が極めて低く、子供が近寄つては危なつかしい心持のする井戸であるに相違ない。さればこそ何の用で子供は井戸近く立つてゐるのであらうと云つた思ひが湧いて、斯様な句となつたのである。

川筋や卯の花あれば妻子持　　沾德

左まで廣くもないが、川が一筋流れてゐて、其の岸に飛び〳〵に小家が建つてゐる。そして其處には處々に卯の花が咲いてゐて、卯の花の咲いてゐる家の戸口には、或は妻が濯ぎ物をしてゐたり、或は子供が何かいたづらをして遊んでゐると云つた光景であらう。卯の花と妻子持とは、何等必然性がある譯はなく、偶然左様な光景が描き出されてゐたまでゞある。水村の初夏とでも題する水彩畵式の明るい風景と思へばよい。

麥なぐるおのこ子きれの女哉　　鐵舟

麥秋頃の農家は、猫の手もほしいと云ふ位多忙なもので、子供と雖もそれ〴〵の用に使はれる。之は或る農家の門庭に、女が一人或は二人、頻りに麥を打つてゐる。麥を打つと云ふ事は、相當力のいる仕事で、本來は男のすべき事であるが、この家は男手がないと見えて、覺束なくも女の細腕で麥を打ち續けてゐる處に、いくらか同情を寄せた句である。

をつちやくな子に打ち付けむ栗の花　　市山

「をつちやく」は多分「おうちやく」であらう。「をつ」は「おう」の誤寫か誤植であらうと思ふが、調査する暇を持たぬ。大人の云ふ通りに從はぬ子の横着さが心憎く感じられ、栗の花でも打ちつけて懲らしてやりたいと云ふのである。打ちつける物が、石や木ではなく、栗の花である處に、優しみもあり、雅味もある。

提網につく子もさあ戻れ合歡の花　　沾德

提網は網を用ひて河川の魚を漁するものとは、この句に依つて想像されるが、何と讀むのか、何を漁るのか、

二三の書物を調べて見たが、何とも判然しない。その提網の傍に集つてゐる子供等に、さあ日も暮れかゝつたら家へ歸らうよと呼びかけた句である。合歡は夕暮になると葉がぴたりと閉ぢ切つて、眠つたやうになる處から、合歡(ねむ)の木の名が出たのである。花はうす紅に白をぼかした糸筋を澤山集せあつめたやうな美くしい花である。

負うた子に髪なぶらるゝ暑さ哉　　その女

之は可なり世間に知れわたつた有名な句である。句意もはつきりとしてゐて、改めて解説するまでもあるまい。

文車や町の子供の星まつり　　暮山

「文庫」はふぐるまであり、轅のついた美くしい車である。町の子供達が七夕の星をまつるために、文庫の形を作つて、五色の短冊や色紙を結びつけて飾り立てゝゐたのである。其の七夕の色紙のやうな美くしい句。

朝夕にみる子みたがるおどり哉　　りん

俳句で踊と云へば、凡て盆の踊を指すものときまつてゐる。其の踊り子が、夕方になつて美くしく裝うて踊り狂じてゐるのを眺めては、朝た夕べにいつも見てゐる顏ではあるが、今宵も又新たに見直したい心持になると云ふ意味であらう。

稲妻は捨子に母の名殘かな　　露貫

子を捨てる母は、其の刹那こそ心を鬼にして捨てゝ行くものゝ、いく度びか後ろ髪曳かるゝ思ひがして、その傍を立ち去りかねるであらう。いよ〳〵思ひ切つて、立ち去らうとした折も折、きらりと稲妻がひらめいた。それが最後の我子の顏の見納めである。さう云つた子を捨つる母の子を思ひやつた句ではあるが、稲妻といふ季題から思ひついたやうな句であつて、實感味に乏しい。

をさな子のうゐ立するや瓢の垣　　如水

「うゐ立」は初めて立ち上つた事で、「うひ立ち」と書くのが正しい。瓢簞の垣にすがつて、初めて立ち上つた幼な子の顏は嬉しさにこ〳〵してゐたであらうし、それを見る親も又嬉しいに違ひない。

名月や後れてあとの舞子船　　釣壺

船を浮べて仲秋の月を賞する場合である。一行の人數も可なり多く、船は二艘か三艘かに分れて乘つてゐる。其の内の一艘には酒間の興を添へる爲めに、藝者、舞子などが乘つてゐた。その船がやゝ後れて客の舟を追ひつゝある光景。繪のやうに美くしい舞子共が、舟中互に興じ合つて、その笑ひ聲が水を流れて行くであらう。

熟柿や眼白に一つ子にひとつ　　李下

眼白は至つて柿を好む小鳥であり、子供も又柿を好くものである。庭に出來た熟柿を、籠の眼白と子供とに一つづゝ、分ち與へたと云ふことが、如何にものんびりした田園生活の一端を想像せしめる。

かゐまはり枇杷の花みる親子哉　　不吹

枇杷の花は初冬の候に咲くが、いつ咲いたか、いつ散つたか、誰も氣がつかぬほど、極めて眼に立ちにくい花である。その枇杷の花が、もう咲いてゐる頃であらうと親と子とが枇杷の樹のぐるりを廻りながら、梢を眺めて花を探し求めてゐるのである。「かゐまはり」は、「かいまはり」であらねばならぬ。

もとの子をまたいで戻れ冬籠　　冬央

眞ん中に火燵でも切つて、いろ〳〵物を取り散らして足の踏み處もない狹い部屋の冬籠りの光景である。奧の方へ物を取りに行かうとすれば、火燵に寢かしてある子供を踏み跨いで行かねばならぬほど、窮窟な有様である。

初雪や餅を乞ふ子も家に有り　　風國

お寺かお宮に何かの行事があるか、或は何處かに棟上げの祝ひか何かゞあつて、子供等に餅を呉れるのであらう。折悪しく雪が降つて來て、餅を貰ふ子も外へは得出ずに、家に籠つてゐると云ふのだから、初雪ながら盛んに降つてゐることが想像される。

孫の下知畏りたり雪こかし　　翠色

雪こかしは雪丸めと同意であり、雪を丸めて、或は雪兎、雪達磨などを作る場合もある。この句は老人が愛する孫の云ひなり次第になつて、冷たさをいとはず雪轉がしをやつたと云ふのであるが、「孫の下知」と云ひ「畏りたり」と云つた言葉使ひなり心構へが卑しく、甚だしく句品を傷つけてゐる。

以上「小弓俳諧集」の句は終りである。

母親のメンタルテスト(二)

——どんな病氣に罹つたか、母乳代用品、子供が宿つた時の兩親の年齡、お產は誰の手で生れたか——

伊藤悌二

第六問　このお子さんは病氣にかゝられた事がありますか。
若しありましたら生れて何ヶ月目に何病にかゝられましたか。

應答者總數　一〇八八名　男六八〇　女四〇八名

病名	風邪		消化不良		中耳炎	
各計	197		41		18	
	122	75	22	19	13	5
性別／月	男	女	男	女	男	女
½		二	一		二	一
1	三		三			
2	一五	一〇		一		
3	一三	六	五	四	二	二
4	二〇	九	二	二	一	一
5	二二	一四	三	一	三	一
6	一四	一五	二	二	一	
7	八	四		四		
8	六	二	二	三	二	
9	五	二	一			
10	八	四	一	一	一	
11	二	一			一	
12	一	二				
13	一	三				
14		一	一			
15	四			一		
16						
17			一			

胃腸病		百日咳		麻疹		氣管枝炎		濕疹		乳兒脚氣		初生兒黄疸		水痘		眼病		肺炎
17		14		14		13		12		7		7		7		6		4
14	3	6	8	7	7	11	2	5	7	5	2	5	2	6	1	3	3	3
男	女	男	女	男	女	男	女	男	女	男	女	男	女	男	女	男	女	男
三											一	二	二				一	
			一															
二		二	一			三	一	一		三								一
四	一	三				二		二		一								
				一		一			四									
一				一	一	二	一		一									
三			二	一	四	三		一		一	一					二	二	
	一	一			二			一				一		一				一
			三	一										四	一			
	一								一					一		一		一
				二								二						
一			一															
				一					一									

肺炎	扁桃腺		外傷		智慧熱		口内炎		咽喉カタル		外聴道炎		大腸カタル		計
	3		3		2		2		1		1		1		
1	2	1	3	0	2	0	1	1	1	0	1	0	1	0	三七〇
女	男	女	男	女	男	女	男	女	男	女	男	女	男	女	
															一五
			一												八
								一							四一
	一														四六
	一								一						四三
															五一
		一	一												五六
							一								二五
					一										二五
															一三
					一						一				二二
															四
一			一												五
													一		七
															四
															五
															〇
															一

病者		病氣ナシ	
男	二三三	男	四四九
女	一三七	女	二六九
計	三七〇	計	七一八

合計 一〇八八

第七問 お母さんのお乳は十分ありましたか、足りなかった方は何を代用なさいましたか。

應答者總數 一〇八八名 男六八〇 女四〇八名

種別 ＼ 性別	男	女	男 女
牛乳	三七	二五	六二
牛乳と重湯	一一	六	一七
ミルク 金太郎ミルク	七	四	一一
森永ドライミルク	五	六	一一
オシドリミルク	七	二	九
明治ミルク	四	二	六
金鶏ミルク	二	二	四
鷲ミルク	〇	二	二
ウサギミルク	一	〇	一
ラクトーゲン	九	一	一〇
重湯	五	四	九
キノミール	三	二	五
パトローゲン	〇	三	三
牛乳と米粉	一	〇	一
牛乳と果汁	〇	一	一
スープ	〇	一	一
母乳充分	五八八	三四七	九三五
合計	六八〇	四〇八	一〇八八

第八問 このお子さんのやどられた時、御兩親の年齢は何歳でしたか。

應答者總數 一〇八八名 男六八〇 女四〇八名

年齢	父 男	父 女	父 計	母 男	母 女	母 計
一八歳	一	〇	一	一	三	四
一九歳	〇	〇	〇	八	四	一二
二〇歳	〇	〇	〇	一八	一二	三〇
二一歳	二	〇	二	三七	二二	五九
二二歳	五	一	六	六九	二八	九七
二三歳	三	六	九	七七	四五	一二二
二四歳	一二	八	二〇	七三	四五	一一八
二五歳	一八	一〇	二八	七〇	四八	一一八
二六歳	五〇	二三	七三	五六	四二	九八
二七歳	五二	三三	八五	五一	三一	八二
二八歳	六二	三一	九三	四四	三四	七八
二九歳	五三	四二	九五	三六	二四	六〇
三〇歳	五九	四一	一〇〇	二四	一九	四三
三一歳	六一	三九	一〇〇	二四	一二	三六
三二歳	四〇	三四	七四	二四	七	三一
三三歳	四一	三二	七三	二〇	八	二八
三四歳	四六	二一	六七	一〇	七	一七
三五歳	二八	一二	四〇	一〇	五	一五
三六歳	二六	一五	四一	五	四	九
三七歳	一八	一二	三〇	三	一	四
三八歳	一五	八	二三	七	二	九
三九歳	一九	七	二六	六	一	七
四〇歳	一一	八	一九	〇	三	三
四一歳	九	二	一一	二	〇	二
四二歳	九	四	一三	〇	〇	〇
四三歳	一四	五	一九	一	〇	一
四四歳	五	七	一二	一	〇	一
四五歳	三	三	六	一	〇	一
四六歳	二	二	四	〇	一	一
四七歳	二	〇	二	〇	一	一
四八歳	三	二	五	一	〇	一
四九歳	四	〇	四	〇	〇	〇
五〇歳	二	〇	二	〇	〇	〇
五一歳	二	〇	二	〇	〇	〇
五二歳	一	〇	一	〇	〇	〇
五三歳	一	〇	一	〇	〇	〇
五四歳	一	〇	一	〇	〇	〇
合計	六八〇	四〇八	一〇八八	六八〇	四〇八	一〇八八

みちのくの旅

伊藤悌二

白虎隊の墓に詣づ（十二月二十九日、會津若松に着し、東山向瀧に宿り、三十日、勝常寺をたづれ、飯盛山頭に瞑想す）

白妙の雪の石段のぼりつめおくつきの邊に香をたくなり
白虎隊伊東悌次郎は十七歳に命はてしときけば悲しも
幼き願ひ四十年にしてかなへたる冬の師走の獨り旅かな
高島屋の歌舞伎見しよりいくとせめ飯盛山より會津城みる
この山ゆ籠城の母姉妹を聲をかぎりに呼びて死にしか
飯盛の雪の晴れ間の枯草にもだして會津の盆地みつむる
磐梯のあけの山の秀見あぐれば妙へなる馨放つ心地す
若松は雪深からし驛前に集へるをみなゴム靴をはく
向瀧オリヱ洋子の宿りたるかきつの間にてせゝらぎをきく
名にしをふ五郎兵衞飴を賣る家の赤き看板なつかしくみる

青根青嶺閣にて（十二月三十一日の黄昏青根に登りて越年し、正月二日、山をくだり仙臺を通過して松島に向ふ）

元朝を藏王ケ嶽の山宿に吹雪をきゝつ獨り迎ふる

遠刈田川沿ひ來ればしく／＼に水の瀬はやく落葉を流す
ふるさとの磐城の山をなつかしみ林ふみわけ雪路を辿る
歌ならぬ歌うたはんと海南は青嶺閣に來りしときく
獨り行けば尾根の林に雉子啼きて思はず歩みをとゞめしむなり
夜半の吹雪溫泉へゆく廊に積り危くすべる足を踏みとむ
吹雪夜は溫泉ぬるみ長湯して夏の濱邊に居る心地する
刈田颪開天窓を打ちたゝき短氣男を思はするかな
八十路にもなりなば子等と此處に來て思ひのまゝに歌はなんかも
まろらにも青根の山の重なりて今朝の吹雪に薄化粧しぬ
元旦の雜煮の膳に向へ居ればこゝの山冷え脊に迫るなり

松島の曙（正月二日、人力車にて瑞巖寺、雄島、五大島等を見物、三日、仙臺に趣き秋保邸に宿り、從妹の結婚式に列席、四日の夜歸郷せり）

朱の橋のもゆる雄島の松蔭にすゝりなくごと鴨のなくなり
凪ぎ渡る曙の海をすべるごと一羽の鴨の泳ぎ來るも
あけ鴉と共に起き出で松島の濱の童ら犬とたはむる
五大島を描きてありぬ隣り部屋の都逃れの和田の英作

こゝに來て夕餉の膳に牡蠣はめば宮島の旅そゞろに思はる
夕闇の海に浮べる雄島またゝきて見ゆ灯の影
松島の寒き海面に牡蠣船をこぐ櫂の音の魂にひゞき來
我が甲斐が鋏だばさみ今にだも躍り出でんとひと夜おびえぬ
ひとゝきは英雄となり豊公の觀瀾亭に座して波見る

妻流寒に冐さる（一月二十七日、燕號にて上京、東京優良兒母の會に出席のためなり）

妻病みてむすめ二人と枕ならべ寢ねなんとせど眼は冴えてきぬ
はらからに緣うすければ見も知らぬ老婦ながらも賴りとなせる
曉鴉の鳴く頃となり看護婦と妻の寢語り二階よりもるゝ
幼けれど流寒こはしと囁きつ婢の腰にすがりてくらす
娘等の室あたゝめんとて夜もすがら石炭つぎて物も思はじ
父われにとく歸れよと促すもうべなり吾娘よ淋しくあらん
いらたてば罪なき子まで打たなんと思ふ事ありけものゝ心
熱低くなりそめぬれば家の事思はで業にいそしめと云ふ
病む妻を家にのこして旅立てば燕の速きも遲しと思へる
爪を切る暇もあれやつぎ／＼に我れの事業の雲のごと湧く

編輯後記

■新春早々從妹美惠子の結婚式が、仙臺市の大神宮で擧行されると云ふ事と、昭和十一年度最終の東京優良兒母の會の例會が開催されると云ふ事の、二つの通知を手にし舊臘二十三日の夜の十時に大阪を發つた、二十四日の母の會は中鉢博士と天野雉彦氏の講演と映畫等の餘興があつて、年末ではあつたが極めてなごやかな緊張した會合であつた、本聯盟が將來力を注がればならぬのは此の母の會であると思ふ。

■在京中、大阪朝日の松田三郎氏が硬腦膜炎にて逝去された報を受けた、讀者諸賢の御承知の如く氏は過去七年間に渉り、新鮮な構想と奇抜な筆致とを以て本誌の扉及カットを揮毫され、誠意本誌の爲めに貢獻された功勞は沒す可からざるものがある、將來有爲の士であつたが誠に哀惜の極みに堪えない。

■盛夏の頃は記者に取つては休息の時ではない、或は一年中一番多忙な時期かも知れぬ、唯年末から年始にかけての數日だけが閑暇があるので、二十九日、朝の十時に上野を出發して會津に向つた、幼なき頃より自分と姓名の酷似してる白虎隊の勇士がある事を知つてゐたので、是非一度其の墓參をしたいと念願してゐたのだが果された譯である、今一つの目的は會津郊外の勝常寺に光仁佛（國寶）拜觀の爲めである、郡山からの車中の山獄の雪景色、殊に磐梯山下猪苗代湖畔の壯麗な、人を威壓しないではおかぬ風景には驚かされた、野口博士のふるさとの邊りもはるかに拜する事が出來た、會津に下車して、頭に布をまきつけ、變な毛布を身につけてる婦人達をみて滿洲邊の奥地をそゞろに思はせられた。

■飯盛山は想像した程神さびてはゐない、切角の伊太利や獨逸からの贈物は、昔ながらの獨特の風致を破壞してる、あれらは山下に飾られて然る可きものだ、勝常寺は寺を相續する筈の若き住職殿の懇篤な御案内のため、充分その眞價が納得された、やはり記者と同じ結婚式に趣かれる、東京の高成田ドクトル御夫妻が記者の去つた後に向瀧に來られ、方々の旅館を電話で問合はされた由であつた。

■仙臺市には正月三日に着いたが、秋保、和泉、丸山、八重柏四氏の御厚意を心から感謝しなければならぬ、新らしい青葉城頭の政宗公の銅像の活けるが如き面影も拜した、新郎は高成田ドクトル、星校長の令甥に當り、母堂は記者より一級上で、高成田伊藤兩家は先祖代々封建時代よりの殿樣の御典醫であつたのも不思議な事である。

■一月十六日、北市民館長伊藤隆祐氏が永眠された、記者とは交友十三年にして、然も本聯盟の運動の東京進出に際しては、内務省方面に紹介の勞をとられ、聯盟の創設當時からの記錄を編纂された功績に對し感謝の外はない、昭和五年の夏芦屋の家を氏の一家に提供した思ひ出などがあり感慨無量である、世は暗雲低迷であるが我等は與へられた使命にまい進す可きであると考へる。

本誌定價　一冊金參拾錢　郵税壹錢
半年分六册　金壹圓六拾錢　郵税共
一年分十二册　金參圓　郵税共

誌代郵税は一切前金の事
前金切の場合は發送中止
郵券代用は一割增のこと

昭和十二年一月廿八日印刷
昭和十二年二月一日發行（毎月一回一日發行）

兵庫縣兵庫郡精道村芦屋
發行兼編輯人　伊藤悌二
印刷人　木下正人
大阪市西淀川區海老江上二丁目三七番地
印刷所　木下印刷合資會社
電話福島㊺｛一五三四番／二二四二六番｝

大阪市北區天神橋筋六丁目
大阪市立北市民館内
發行所　大阪兒童愛護聯盟
電話堀川㉟｛〇〇〇一番／〇〇〇二番｝
振替大阪五六七六三番

子供の世紀 第十五巻 第二號
大正十三年一月廿八日第三種郵便物認可 昭和十二年一月二十八日印刷納本 毎月一回一日發行
【定價金參拾錢】

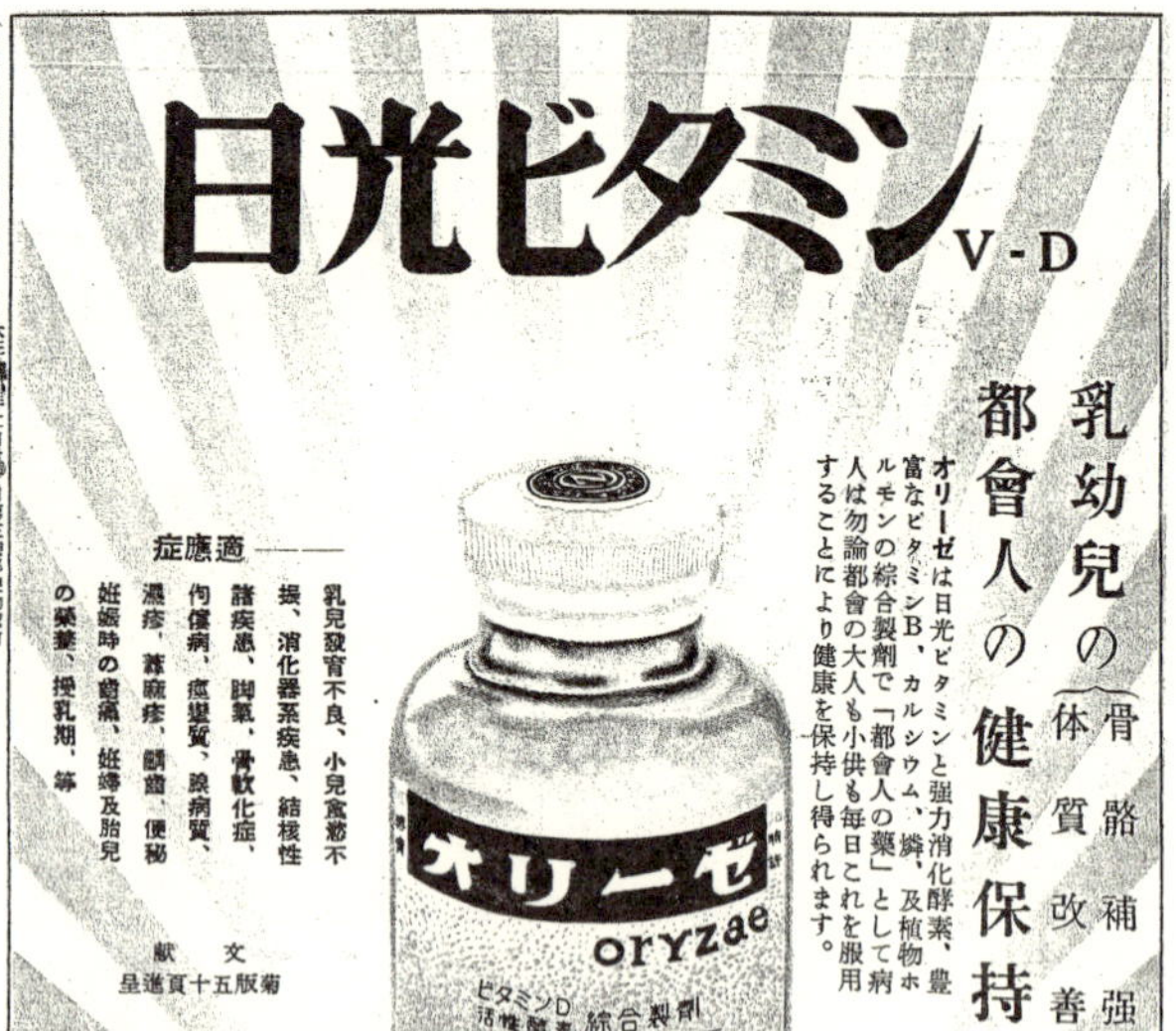

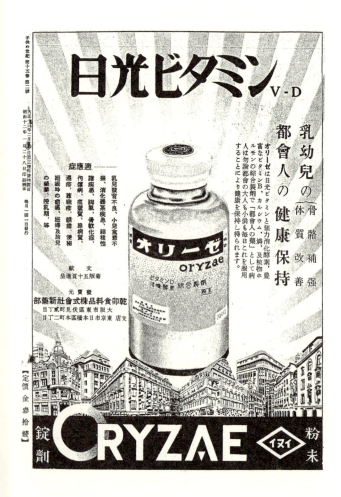

基礎鞏固　經營眞摯

創立　明治四拾四年

コドモの保險
日本徵兵

入營・嫁入準備　出世・教育資金

子を持つ親心

可愛い子供の爲に何程かづゝの貯金をしてやらうと考へるのは、凡ての親としての至情で、男子ならば適齡迄、女子ならば嫁入迄と誰しも心掛ける所ですが、さて實行はなかなか困難です。

最良の實行方法

徵兵保險、生存保險のコドモ保險は此需用を充たす最良の施設で、一度御加入になれば知らず識らずの間に愛兒の爲に必要な資金が積立てらるゝことになります。

日本徵兵保險株式會社

本社　東京市麴町區内山下町一ノ一

森永
無糖ドライミルク
世界的優良粉乳
科學は實證す
一、酵素及ヴイタミンの含有量第一位
一、市販粉乳中脂肪量最も多く百瓦のカロリー五二〇、八の豊富
一、水にも湯にも容易に溶け使用極めて簡便
一、生乳よりも安全にして消化良し
森永煉乳株式會社

『子供の世紀』（第十五卷第三號）春の健康覺醒號

目次

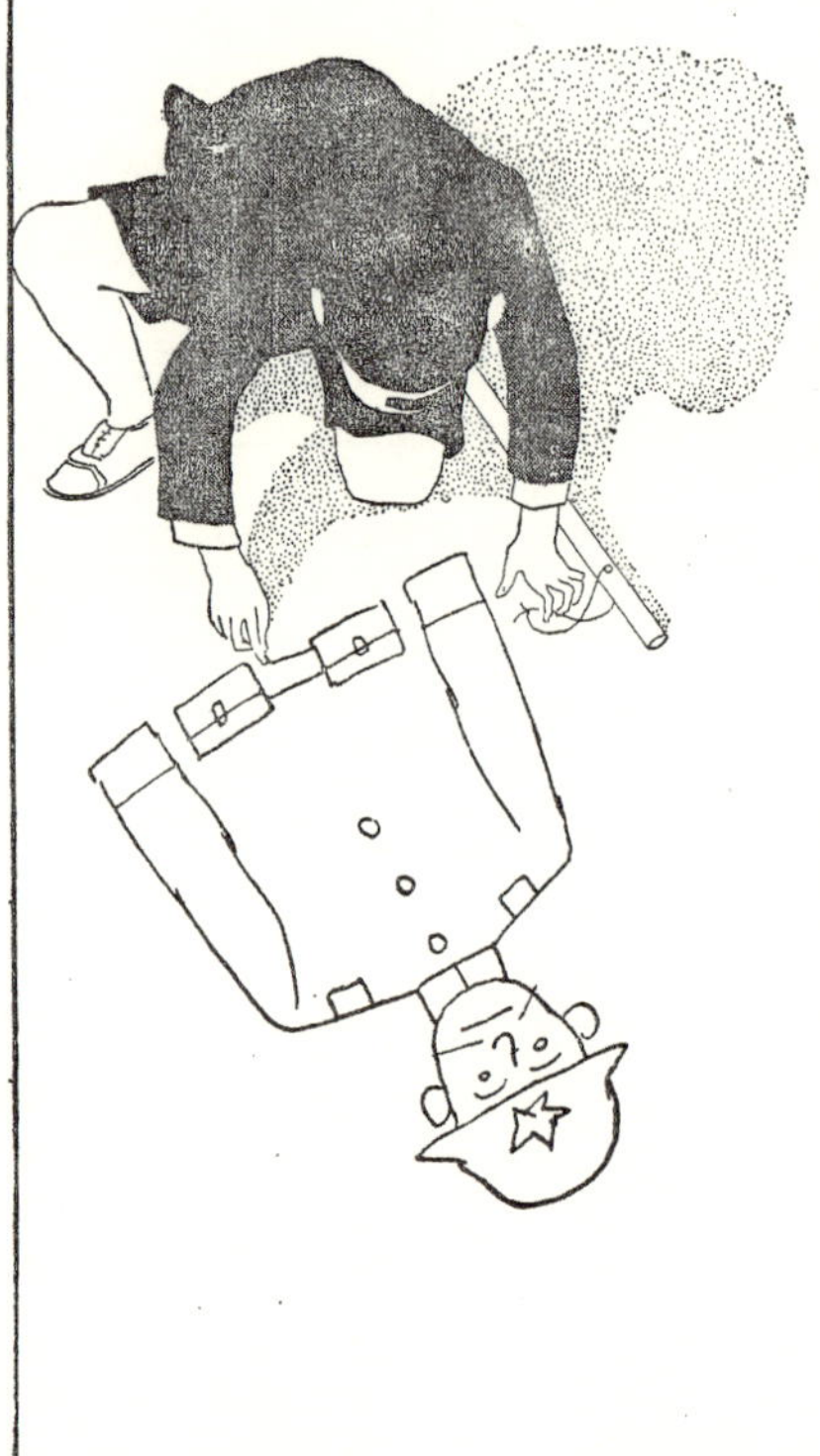

武田發賣品

よわい子供に
ポリタミン

こんな子は結核の警戒を要す！

微熱が續く
食慾がない
ね汗をかく
元氣がない
疲勞し易い
血色が惡い

子供時代の病弱は、將來の健康と頭腦の發達に障碍となるもので、殊に結核で斃れる人の大部分は、この時代に侵されるとまで言はれてゐます。それ故に上記のやうな子供は、速に强壯法を講ずべきです。

ポリタミンは、牛乳蛋白を原料として之を酵素消化したアミノ酸製劑です。

從つて……消化力の衰へた子にも、のむだけ榮養となつて休重を增し、元氣活潑にします。
その上、細胞を賦活して新陳代謝を盛んにし、抵抗力をつよめ、或は食慾をすゝめ、便通を整へ、かくて心身を眞に健全にします。

小瓶(一圓五五)
中瓶(二圓五〇)
大瓶(四圓五〇)
全國藥店にあり

發賣元 大阪市東區道修町 株式會社 武田長兵衛商店
(製造元 大阪 大五製藥株式會社)　(關東代理店 東京 株式會社 小西新兵衛商店)

36—1755(○).

秩父宮同妃兩殿下・北市民館に台臨遊ばさる

畏くも兩殿下には本館に台臨遊ばされ、御休所に於て坂間市長より全般に亘る御説明の後志賀社會部長は圖表、寫眞等により館の事業、地域の情況、協同團體、篤志奉仕者等につき御説明申上げたが、圖表等に強く御眼を留めさせられ一々御質問を發せられ、特に深い御研究の結果と拜さるゝやうな御所見を拜聽し一同恐入るばかりであつた。

それより五階保育所の有樣を御覽になられた、丁度女兒たちが上圖のやうに親子猿の遊戯をして居た。

妃殿下におかせられても實に細かく社會事業の專門家の思ひ及ばぬやうな適切なる御質問を遊ばされ洵に恐懼の外なかつた。

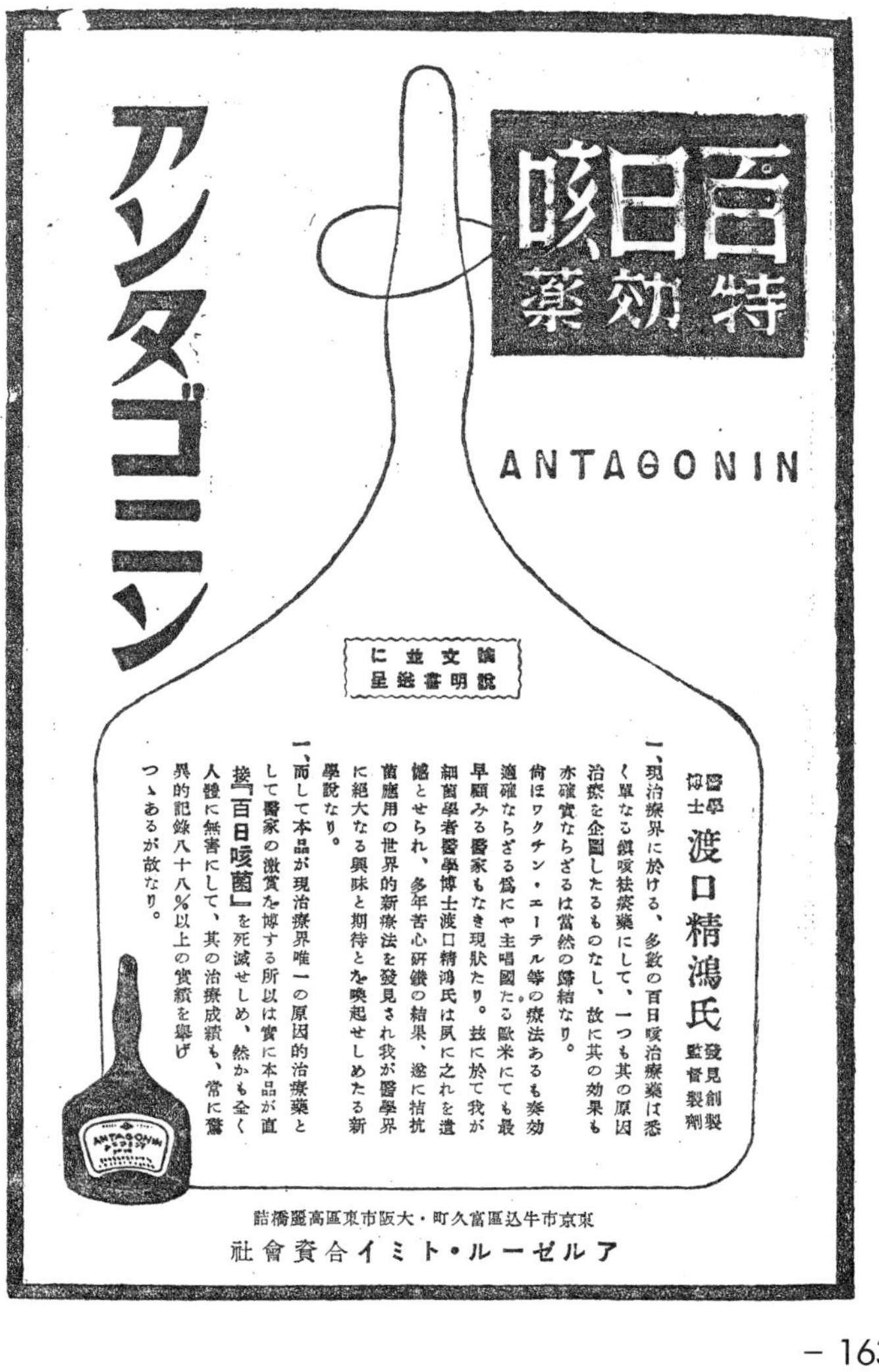

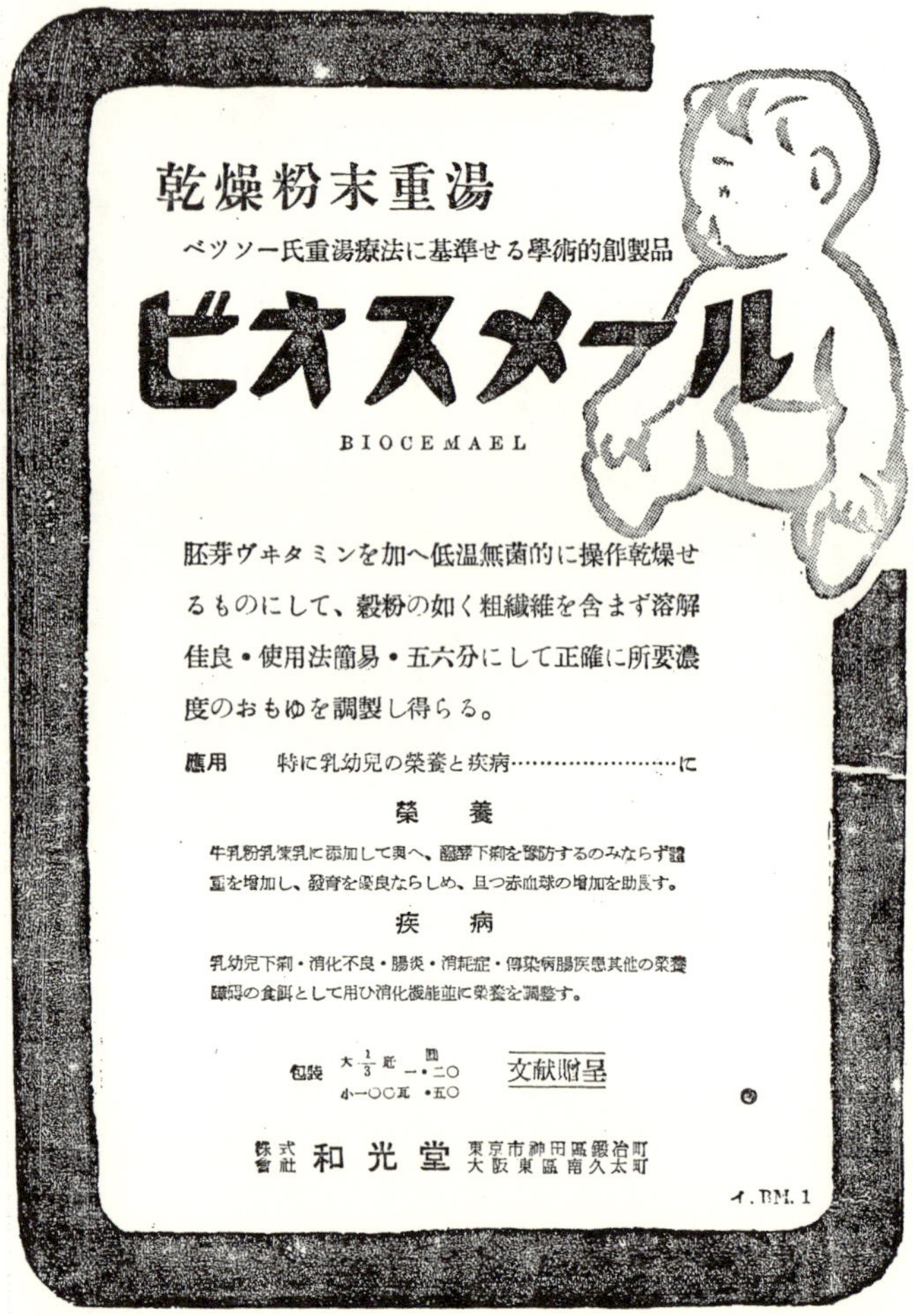
乾燥粉末重湯
ベツソー氏重湯療法に基準せる學術的創製品
ビオスメール
BIOCEMAEL
胚芽ヴキタミンを加へ低温無菌的に操作乾燥せるものにして、穀粉の如く粗纖維を含まず溶解佳良・使用法簡易・五六分にして正確に所要濃度のおもゆを調製し得らる。
應用　特に乳幼兒の榮養と疾病……………………に
榮　養
牛乳粉乳煉乳に添加して與へ、醱酵下痢を豫防するのみならず體重を増加し、發育を優良ならしめ、且つ赤血球の増加を助長す。
疾　病
乳幼兒下痢・消化不良・腸炎・消耗症・傳染病腸疾患其他の榮養障碍の食餌として用ひ消化機能並に榮養を調整す。
包裝　大 1/3 瓩 圓 一・二〇　小一〇〇瓦 ・五〇
文献附呈
株式會社 和光堂 東京市神田區鍛冶町 大阪東區南久太町
イ.BM.1

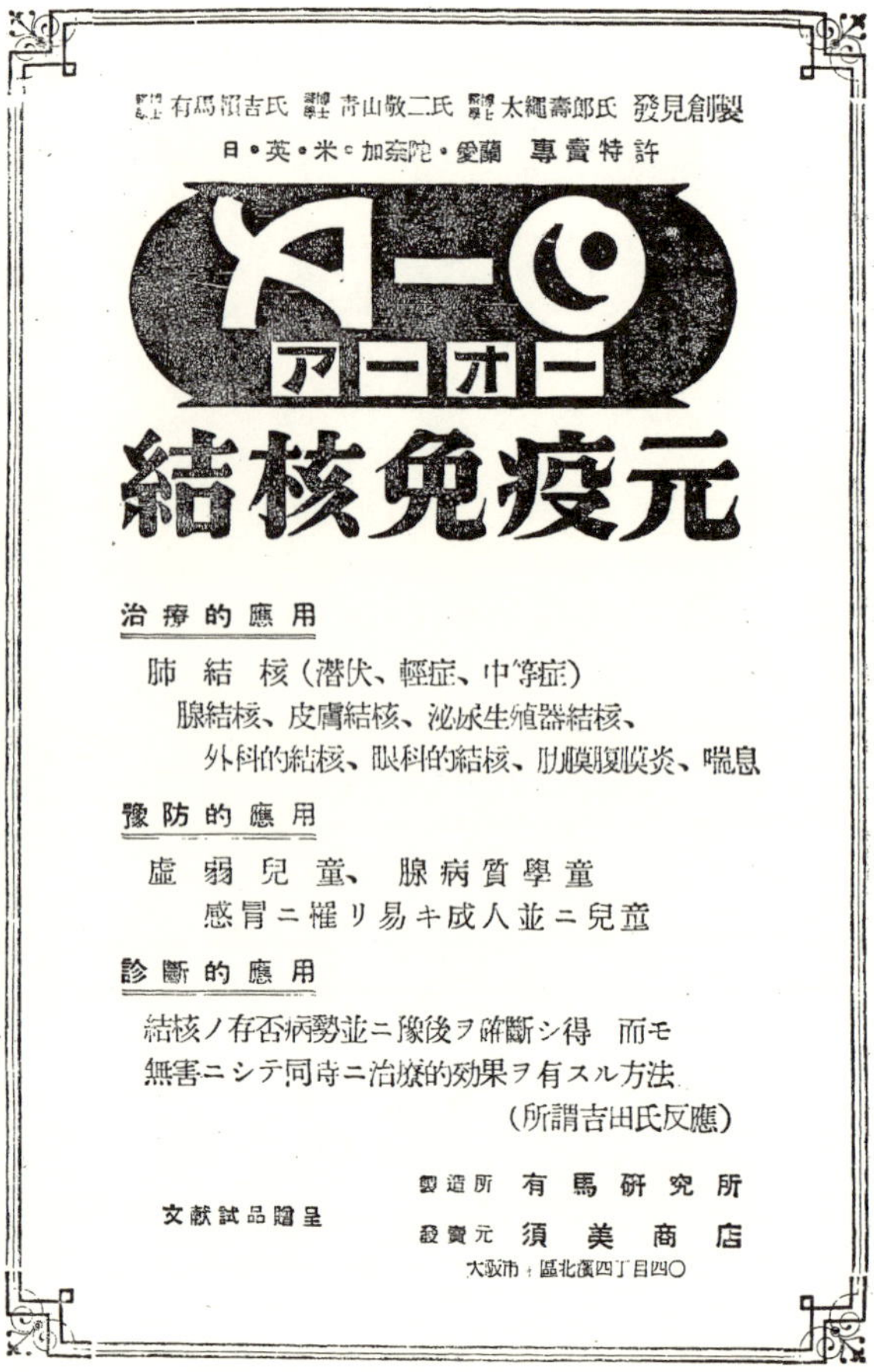
有馬頼吉氏 青山敬二氏 太繩壽郎氏 發見創製
日・英・米・加奈陀・愛蘭 専賣特許
アーオー
結核免疫元
治療的應用
肺結核（潛伏、輕症、中等症）
腺結核、皮膚結核、泌尿生殖器結核、
外科的結核、眼科的結核、肋膜腹膜炎、喘息
豫防的應用
虚弱兒童、腺病質學童
感冒ニ罹リ易キ成人並ニ兒童
診斷的應用
結核ノ存否病勢並ニ豫後ヲ確斷シ得　而モ
無害ニシテ同時ニ治療的効果ヲ有スル方法
（所謂吉田氏反應）
文献試品贈呈
製造所 有馬研究所
發賣元 須美商店
大阪市北區濱四丁目四〇

ライオン齒磨
科學的實驗の結果によれば、ライオン齒磨の有效成分は、僅々三十秒口腔内に作用するのみにて、殆んど完全に、口中の細菌を吸着除去致します。

雛人形陳列会
人形日本の春を讃えて…
桃のお節句たのしい雛まつり
長堀店・四階
南海店・地階
月曜日休業
髙島屋
長堀店　南海店
大阪・長堀橋　大阪・なんば

豪華・東京優良兒母の會の餘興

（上）東京アサノ兒童劇學校生徒たちの兒童劇『ライオン捕り』の舞臺面。
（中）同校兒童たちの可愛らしい童謡。
（下）松旭齋良子一行の奇術。いづれも來會者を彌が上にも喜ばした。

德富蘆花先生をしのびて

（上）愛子夫人が先生の墓へ心盡しの香花を捧げられるところ
（下）『みゝずのたはごと』等によりて讀者諸氏がよく御承知の所謂粕谷御殿——翁は晩年筆硯に親しまれた室はさるすべりの蔭にほの見えてゐる。

本誌『德富蘆花夫人と語る』記事參照

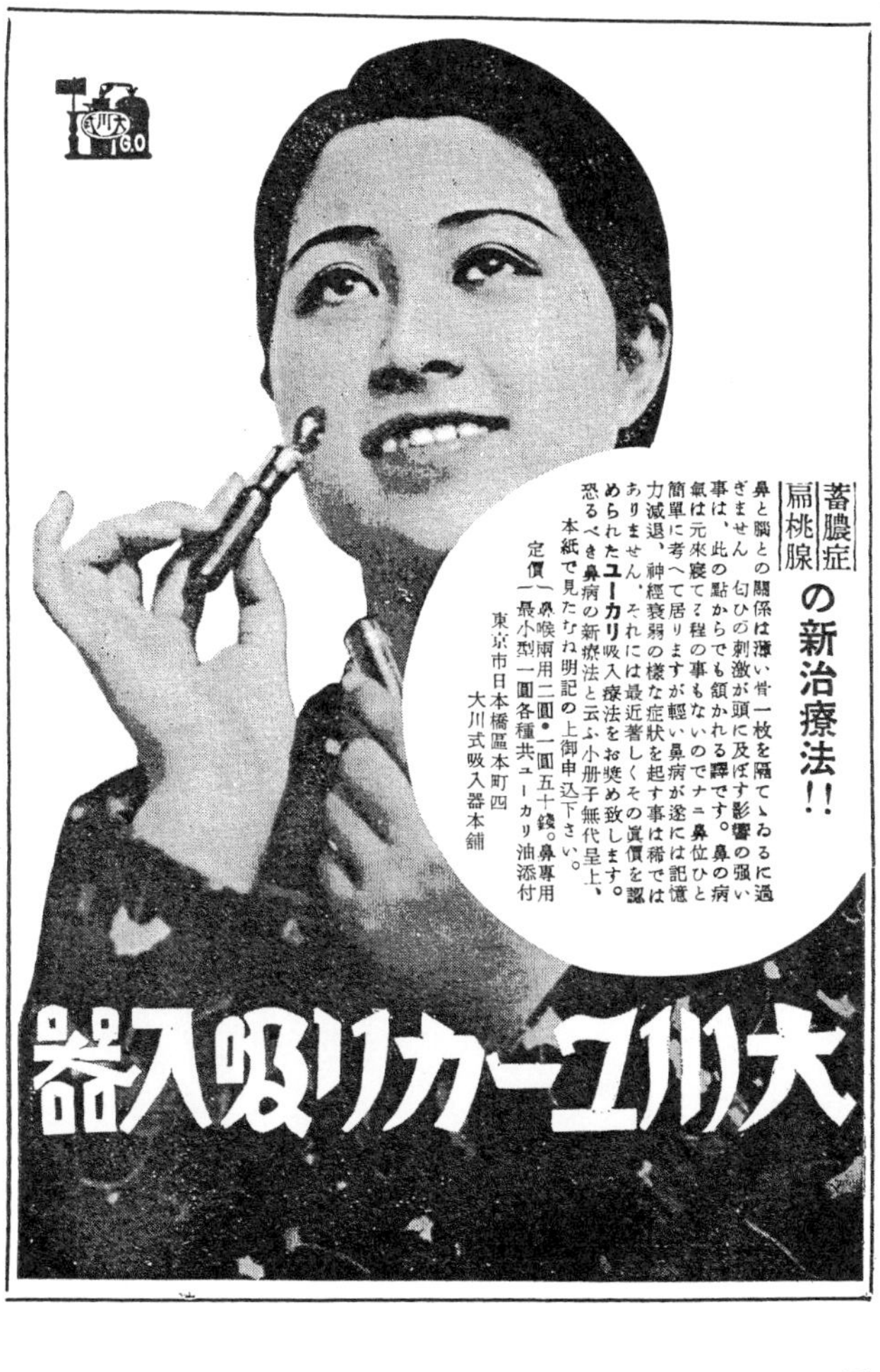

蓄膿症
扁桃腺
の新治療法!!
鼻と腦との關係は薄い骨一枚を隔てゝゐるに過ぎません、匂ひの刺激が頭に及ぼす影響の強い事は、此の點からでも頷かれる譯です。鼻の病氣は元來寢てゐる程の事もないのでナニ鼻位ひと簡單に考へて居りますが輕い鼻病が遂には記憶力減退、神經衰弱の樣な症狀を起す事は稀ではありません、それには最近著しくその眞價を認められたユーカリ吸入療法をお奬め致します。恐るべき鼻病の新療法と云ふ小冊子無代呈上、本紙で見たなね明記の上御申込下さい。
定價｛鼻喉兩用二圓・一圓五十錢。鼻專用最小型一圓各種共ユーカリ油添付
東京市日本橋區本町四
大川式吸入器本舗
大川ユーカリ吸入器

盛況を極めた東京優良兒母の會と當日の講師

既報のやうに去る一月二十九日、東京高島屋に於ける本會の新年大會は無慮千五百名の會員參集しいとも盛況を極めた、（上）向つて右より、天野雄彥先生、伊藤母の會々長、富田幸藏博士の講演ぶりである。（本誌二月號參照）

商標

理想的榮養料

高級滋養糖

デキストロプーア

〝愛兒への心盡し〞

乳兒への牛乳又は粉ミルクは適當に薄め「**デキストロプーア**」を加へて御與へ下さい。

本品は牛乳に含水炭素の不足を補ひカロリーを增します。しかも何等消化作用を要せず、胃腸管內で異狀醱酵を起す虞れなく迅速に血液中に吸收されて、發育を著しく助けます。

見本及說明書送呈

全國藥店及百貨店にあり

發賣元
日本穀產工業株式會社
大阪市北區中之島朝日ビル

大阪松坂屋の增築落成

豫て增築中の大阪松坂屋は、こゝに落成を告げ堂々一萬二千余坪の威容をとゝのへて開店仕りました。店內の施設には未だ嘗て試みられない、各種の新機軸を取入れて万全を盡し、商品の精選充實は素より年來の店是たる廉價奉仕を徹底して『最も安い店、**最も便利な店**』として御期待に副ひ奉る覺悟でございます。

何卒此上の御引立偏に御願ひ申上げます。

新設備

◇松坂遊園　屋上
オープンステーヂ、飛行塔、汽車、大噴水等新設、從來の諸設備と相俟つて地上百尺の處に出現するコドモの天國

◇お稽古場　七階
あらゆる趣味の
邦樂、洋樂、舞踊、生花、お茶南薔のお稽古から圍碁將棋の指南まで、氣樂に習へる趣味と社交の道場

◇松坂ホール　七階
最新を誇る設計と器具、演藝講演、音樂、映畫等の會を催します

◇美術街　六階
書畫、美術工藝品の常設展觀室や古美術、古本の鑑賞室、何れも街並風の施設と陳列

昭和十二年　**子供の世紀**　三月號

秩父宮兩殿下北市民館に成らせ給ふ

御渡歐を前にし給ふて御西下中の秩父宮、同妃兩殿下には、去る二月十六日、商都大阪に御一泊あらせられ、十七日朝土佐堀の川面に光る和やかな陽ざしを浴びさせられつゝ、遙かに大大阪のビル街一帶を御俯瞰遊ばされ、大阪の產業および社會施設方面御視察の思召をもつて、午前九時安井府知事らを隨へさせられ御宿舍新大阪ホテル御發、まづ十三の武田長兵衛商店新藥部に御成りのち、同十一時十五分市立北市民館御着、三階特別室で坂間市長が大阪市の社會事業全般に關し言上、引續き志賀社會部長の市民館事業現勢の御說明を聽し召され、屋上保育室で保育園兒の可愛い遊戲を御覽になり、給食室、授產室、診察室、兒童齒科治療室、園兒の齒磨敎練や小兒保健所、和洋裁縫部など御巡覽、方面事務所、法律身上相談所、信用組合、職業紹介の實情を御視察、特に市營公益質舖の利用狀態に御留意あり、親しく地階質舖倉庫に御歩みを進められ、畏くも地下室にうづ高く積み上げられた、庶民の質草のかず〱までいち〱御目を留められ、御下問を賜ふ御熱心さに我等關係者一同は云ふも更なり、御奉迎申上げた沿道堵列數千の市民は恐懼感激おくところを知らざる程であつた。

我が北市民館は我が國總ての社會事業團體に率先して、隣保事業に着手せし輝く歷史を有するところであり、亦日本兒童愛護聯盟並に其の率ゐる全國兒童愛護運動發祥の社會施設である。畏くも　聖上陛下には昭和四年六月、大阪市に御駐輦のみぎり、特に社會事業の代表的施設として御臨幸遊ばされ、尙、今回　秩父宮兩殿下の御台臨を仰ぎ奉つたのであるが、我等はこの重なる限りなき光榮に感佩しつゝ、邦家のために一層、誠意献身努力を誓ふ可きであると信ずる次第である。

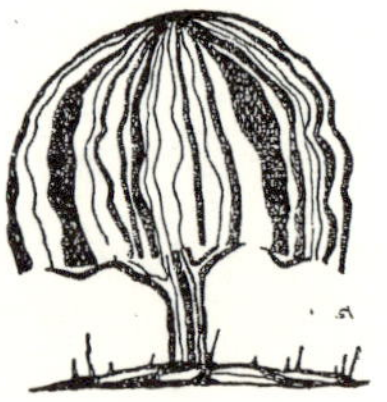

子供の傳染病と結核

大日本學校衛生協會主幹　本岡晴之助

此四月から皆樣方の御愛兒を學校にお上げなさるに就いて、學校に上つたが爲に却て病氣を引受けたと云ふ苦い經驗をもつて居る私の體驗から筆を起しませう。

私の子供を初めて上げたのは慶應義塾の幼稚舍（卽ち小學校）であります、慶應幼稚舍と云へば比較的良家の子供の上つて居るところである事は先刻御存じでありませう、其學校で私の子供が猩紅熱を感染させられたのですから、親である私、衛生家を以て自任してゐる私ですから、大に憤慨せざるを得ないのですが、旣に感染して事濟んだ今日になつては憤慨して見たところで、跡の祭であります。それ故、私は學校生活と云ふものは、子供の疾病を誘發しやすい所である、殊に子供に特有な種々の恐るべき傳染病が學校內で媒介される事が決して尠いものでない事を世間のお母樣方に先づ以て警告して置きます。

◇子供の傳染病

子供の疾病中、特に注意しなければならないのは、子供特有の急性傳染病であります。例へば麻疹・猩紅熱・ヂフテリア・百日咳・疫痢・流行性耳下腺炎・水痘・風疹等で、何れも特に子供を犯す傳染病であります。これ等の傳染病は、通常學校に上らない前卽ち學齡に達しない幼兒を犯すことが最も多く、學校に上る年頃には著しく減少するものであることは事實でありますが、しかし低學年卽ち尋常一二年の年頃では尙ほ傳染の危險が甚だ多いのも亦事實であります。それ故低學年の子供に對しては、常にこれ等の傳染病に對する注意が肝要であります。

學校內で傳染病が媒介されるのは、一體どういふ譯かと申しますと、傳染病の潜伏期の子供や、全快したと思

つて居てもまだ日柄のたゝない子供が登校するので、その子供から傳染するのがおもなる原因であります、私の子供が猩紅熱を引受けたのは、後の場合であります。

從てこの點は特に世の母たる人は十分なる考慮を拂つて戴きたいのであります。一旦傳染病にかゝつた子供は、必ず完全に治癒したと思つても、尚靜養させて全く他に傳染さする危險が絶對にないと云ふ時になつて初めて通學させるやうに注意して戴きたいのであります。之れが子供自身の健康上にも亦他人の子供にも非常によいことであります。殊にヂフテリア・痲疹・百日咳・猩紅熱などの如きは、その恢復期が却て種々の餘病を併發しやすいのみでなく、且つ傳染性がまだ殘つて居る危險があるからであります。

かゝる傳染病其他のために、學校には學校醫と云ふものが設けられてありますが、學校醫の多くは月に二三回、多くて一週一回、稀に毎日一寸學校に出勤されるが、それはほんの短時間で、到底傳染病の潜伏期の子供は勿論、恢復期にある子供かどうかを知らずに居る場合が多いので、此點から申しますと、現在の學校醫制度では餘り頼みにならないものであります。それ故、お母様方の注意一つによらねばならぬ事を重ねて申し上げます。

次にこれ等傳染病の潜伏期、病毒所在、隔離期等を一つの表にしてお目にかけませう。

疾病	潜伏期	病毒所在	隔離又は登校禁止	傳染方法
ヂフテリア	二日―七日	粘膜、義膜分泌物中	症状消退後細菌檢査二回以上行ひ無菌の時迄（約三週間）	滴沫吸收器物媒介帶菌者
猩紅熱	三日―五日	患者の血液涙液、鼻汁喀痰、上皮脱落糞尿等	落屑が全くなくなる迄（約七週間）	接觸、空氣、器物帶菌者
百日咳	一週間	呼吸系分泌物中	晝夜發作のなくなる迄登校中止	滴沫吸收
流行性耳下腺炎	二週間	口腔内分泌物中	耳下腺の腫脹消失する迄	接觸、滴沫吸收
痲疹	九日―十日	血液粘膜よりの分泌物中、皮膚發疹、落屑	主要症状消退後一週日を經過して後	空氣、接觸
水痘	二週間	水疱、痂皮粘膜分泌物中	痂皮全く脱落する迄	接觸
風疹	二、三週間	粘膜分泌物皮疹	主要症状消退後五日を經たる後	接觸

以上述べました外に、學校内に於ける傳染病の種類は、まだ／＼種々ありますが、子供特有の傳染病としては、さう多くはありませぬ。

◇結　核

結核は子供の傳染病とは限りはしませんが、近來結核の問題が大分やかましく論ぜられ、而かも年々増加の傾向を辿りつゝあるのみならず、之れにかゝると、最も働きざかりの青年時代に斃れるものが非常に多いのであります。それ故、此結核に就いても述べさせて戴きませう。

從來は、此結核性疾患は、子供の時代は割合に少いものであるとされて居ましたが、事實は著しく相違してゐます。即ち子供には結核性疾患が決して少くないのみならず、結核の傳染はおもに子供の時代であることは屍體解剖の結果から見ても、亦ツベルクリン皮膚反應の成績から見ても明かな事實であります。

左にハンブルゲル氏の屍體解剖上の統計と、ピルケー氏のツベルクリン皮膚反應による統計とを掲げてお目にかけませう。之れによると、學校に通ふ子供の半數以上は、既に結核に犯されて居ることが證據立てられます。

ハンブルゲル氏屍體解剖の統計

子供の年齢	一年内	一―二年	三―四年	五―六年	七―一〇年	一一―一四年
結核傳染を受けた割合百人中	一五人	四〇人	六〇人	五六人	六三人	七〇人

ピルケー氏ツベルクリン皮膚反應の統計

子供の年齢	一年内	一―二年	三―四年	五―六年	七―一〇年	一一―一四年
結核傳染を受けたもの百人中	七人	二四人	三七人	五三人	五七人	六八人

右の表によつても明かなる如く、結核の傳染は通學の兒童に多いことが判然わかります。之れは外國の例でありますが、我國の學校の子供も亦同樣の結果が見られるのであります。

右の如く結核に犯されて居るものが頗る多いのでありますが、幸か不幸か、結核は通常極めて慢性の經過を辿る病氣でありまして、たとへ、結核の傳染を受けたからとて、今直ちに發病すると云ふものでなく、所謂潜伏性の經過をとりつゝあるのであります。殊に子供は發育の旺盛なために自然に治癒する場合が多いのであります。然るに一朝非衛生の生活をしたり、或は榮養が不良であつたり、或は運動が劇し過ぎたり、或は勉强が過ぎたりすると、體力が減退するために、結核に犯されやすいのみならず、發病するのであります。それ故子供の健康狀態をよくする事が極めて大切な譯であります。子供の體が健康でありさへすれば、少し位の結核菌が體の中に這入つても一向心配するに足りないものであります。

しかしながら、特に注意して戴きたいのは、前に述べました子供の傳染病、即ち痲疹や百日咳等の罹患の後には、著しく結核菌に對する抵抗力が減じて居ります故、結核に犯されやすいのであります。若し潜伏性の結核を有する子供であれば、俄に發病する憂があるのでありま

す。それ故どこ迄も子供の健康に注意し、たとへ潜伏性結核を有してゐても、發病せしめぬやうに、自然治癒に赴くやうに、常に日光に親しみ、新鮮なる空氣中に在らしめ、適當なる運動と、榮養豐富なる食物とに注意するやうに心掛けて戴きたいのであります。茲に榮養豐富な食物とは、決して贅澤な食物と云ふ意味では勿論ないのであります。さればとて、榮養料理は即ちまづい料理と云ふ意味でもありませぬ。此事に就ては他日此誌上で述べさせて戴きますが、今回は問題外ですから、其處までは觸れないことに致します。

お箸をおいたと思へば、もう次のご飯を待ちかねる――なんでも美味しく食べ、ぐん／＼元氣に發育して行く可愛い坊ちやん、嬢ちやん――お子達の健康は一家幸福の晴雨計です。

◇

だが、若しお子達に食事が進まなかつたり、食物に好ききらひがはげしく、駄々を言つたり、蒼白く元氣がなく、だん／＼痩せてゆくことがあつてはたいへんですが……これは多くの場合、體内にヴィタミンB複合體が不足して胃と腸の働らきが鈍くなり、食物中からお子達の骨や筋肉をつくるに※必要な成分を充分血液中に吸收することができないからです。だからこのヴィタミンBを充分に補給して胃腸の働らきを旺盛にすることが大切ですが、

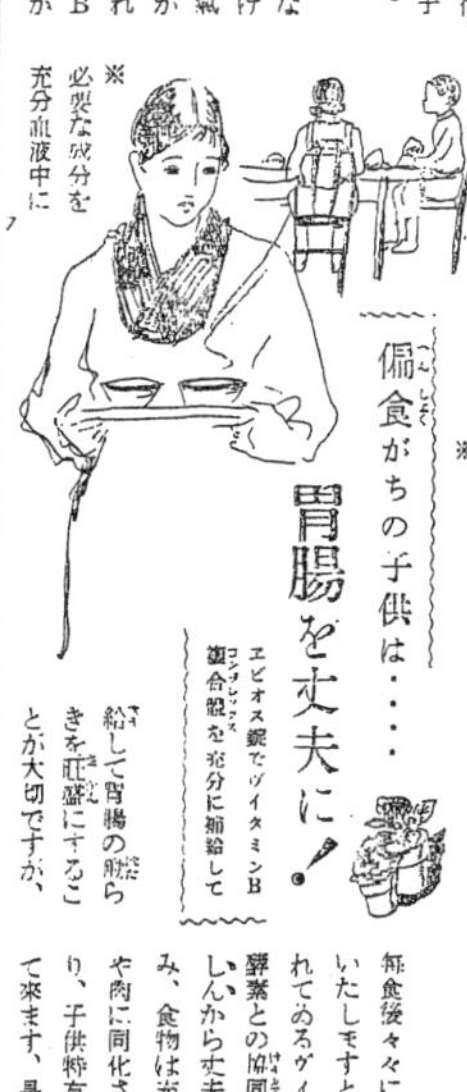

偏食がちの子供は……

胃腸を丈夫に！

エビオス錠でヴィタミンB複合體を充分に補給して

この目的にエビオス錠がどこでもたいへん賞用されてをります。

◇

毎食後々々に數錠づゝ欠かさず連用いたしますと、この中に豐富に含まれてゐるヴィタミンB複合體と各種酵素との協同作用で、弱つた胃腸がしんから丈夫になり、食慾は進み、食物は充分に消化されて血や肉に同化され、元氣も良くなり、子供特有の活潑さを發揮して來ます、是非お試し下さい。

子供が罹り易い 重い春寒の病氣

醫學博士　谷口清一

春寒の候に子供を侵す重い病氣は第一が肺炎であり、これに次いでヂフテリア、猩紅熱を數へなければならぬ。以下これらの病氣について注意すべき事柄を述べて見よう。

肺炎に就て

肺炎は醫學上大體これを二つに分けてゐる。その一つは大葉性肺炎といふもので、これは肺炎菌が直接肺を侵して最初から肺炎として現れるもので、冬から春にかけて最も多い。この大葉性肺炎は子供には比較的經過のよいもので、一時は非常に重體のやうに見受けるけれども、一週間乃至十日ぐらゐの後には分利といつて急に解熱して全治に向ふことが多いのであつて、大葉性肺炎そのもので子供の死亡するのはむしろ稀であるといつて差支ないほどである。しかしこの大葉性肺炎でも、肋膜間に膿の溜る膿胸といふ病氣や、肺炎菌による腦膜炎などを併發すると、この併發症のために死を招くやうなことがある。他の一つの肺炎は加答兒性肺炎といふもので、これは感冒とか、氣管枝炎などがだん／＼惡化して遂に肺部までも侵すものである、これは非常に惡性であり、これがために生命を失ふ子供は非常に多い。

子供殊に乳兒は加答兒性肺炎になり易いもので、僅かの感冒、輕微な氣管枝炎と思つてゐたものが一・二日の間に急に加答兒性肺炎になることがしば／＼あるから僅かな感冒であつても、乳兒や幼兒では決して油斷が出來ないのである。

肺炎の症狀　どんな狀態が現れたら肺炎と見てよいかといふに、第一に發熱する、呼吸が急迫して、一分間の呼吸數が四〇とか六〇以上にもなる、また呼吸が困難

なために呼吸の度毎に小鼻が動いたり、呻き聲を出すやうになる。また乳兒であればいき苦しいために乳を續けて飲むことが困難で二口か三口飲んでは哺乳を休むやうなことが多い。元氣が衰へて少しも笑はず、一見して大病らしい苦悶狀態を認めるものである。これが更に重くなれば咽がぜら〳〵いひ手足が冷えて暗紫色となり、時には意識が不明瞭になることもある。

肺炎の豫防と手當　加答兒性肺炎は感冒の重くなつたものであるから、その豫防は感冒の豫防が第一である。すなはち感冒患者に接近させないこと、家族のものが感冒に罹つた際には子供に接近しないやうに注意し、且つマスクを使用すること、感冒流行時に子供を人込の中へ連れ出さないことなどに注意すべきである。また平素空氣浴・日光浴などを取らせて皮膚を丈夫にして置くこと、平素あまり厚着をさせないこと、及びなるべく暖かい時に外出させて空氣に馴れて置くことなども感冒の豫防上大切な事柄である。また感冒乃至氣管枝炎に罹つた際には、これを輕視することなく、肺炎といふ重病に惡化し易いものであるといふことを心得、服藥吸入、罨溫などと十分の醫療を加へ、肺炎にまで進まないうちにこれを全治させるやうに心がけねばならぬ。もし肺炎と定まつた場合には萬事醫師の指圖通りに十分の手當を加へることが必要である。

ヂフテリア

ヂフテリアの恐るべき病氣であることは誰しも知つてゐる事柄である。一名これを馬脾風とも稱へてゐる。本病はヂフテリア菌の感染によつて起る病氣であつて幼兒または乳兒を侵し、冬に多い病氣である。咽頭ヂフテリア、喉頭ヂフテリアであるが、いづれもヂフテリア菌のために起るもので、病氣の場所が違ふだけの相違である。ヂフテリアの傳染は患者の鼻汁、唾、痰などに混つてゐる菌が咳の時などに唾、痰、鼻汁などと共に飛散して、他の子供に吸入せられた場合とか、また玩具などを介して他の子供の口中に侵入することによつて起るものである。

ヂフテリアの症狀　鼻ヂフテリアは鼻の粘膜がヂフテリア菌に侵された時に起るもので、鼻が閉がり、血膿のやうな鼻汁が絶えず分泌せられる。かつこの鼻汁のために鼻孔の下や上唇が赤く爛れるやうなことが多い。本病は重い病氣ではないから熱も餘り高くない。子供も比較的平氣であるし、兩親も大した病氣と思つてゐないやうなことがしば〳〵ある。これがため知らず〳〵の間

に病菌を撒布してヂフテリア傳染の源をなすやうなことが多い。またその部でヂフテリア毒素が澤山出來て、神經を痲痺させるために手や足が動かなくなつたり、物を呑み込むことが出來ないやうになることがある。

咽頭ヂフテリア　これは主としてノドの侵されるもので、同時に鼻ヂフテリア、喉頭ヂフテリアをも兼ねてゐる場合も時々ある。咽頭ヂフテリアでは多く高い熱があり、咽頭に疼痛がある。從つて痛みのために嚥下することが困難になることもある。口を開けてノドを見ると扁桃腺の上や、咽頭の後壁に白い膜が出來てゐるのを見る事が出來る。この時分になると頸殊に顎の下に淋巴腺が硬く腫れ上つて痛みを感ずる事が多い。これも毒素のため心臟痲痺を起したり手足の痲痺を起すやうな事もある。

喉頭ヂフテリア　これはヂフテリアの中で一番危險なもので、ヂフテリアで死亡するもの丶大部分はこの喉頭ヂフテリアである。氣道の中で一番狹いノド笛のところにヂフテリアが起るのであるから呼吸が困難になり吸氣の際に吸ひ込むやうな雜音が起り、聲が嗄れて來るのである。また特有なのは咳の音に變化が起り、一種の響のある犬の吠えるやうな咳が出るのである。

ヂフテリアの際は早く治療を受けよ　血清注射を受けると數日で輕快するものであるから、以上のやうな症狀が出たら一時も早く醫療を受けねばならぬ。子供の狀態に無頓着でゐると手遲れになつて、子供が窒息したり、心臟痲痺を起したり、手足がぶら〳〵になるやうなことになるのである。

猩紅熱

病原菌は只今のところ確ではないが、恐らく溶血性連鎖狀球菌であらうといはれてゐる。空氣傳染で、扁桃腺炎と同じやうに唾や痰で傳染するものらしい。

猩紅熱の症狀　最初寒む氣があつて發熱し咽頭痛があつて時々嘔吐する。一・二日すると頭・胸・腹・腕・脚などの皮膚の軟かい所が赤くなり、これがだん〳〵全身にひろがり、丁度暑い風呂から出たやうな狀態を呈し非常な瘙痒を感ずるものである。猩紅熱の大多數は扁桃腺炎を伴ふもので、ノドが痛み、扁桃腺が大きく腫れ、上に白い膜の出來ることが多い、これと前後して顎下部の淋巴腺が腫れて痛み、時には大きくなつて化膿するやうなことがある。舌にも變化があつて赤いぶつ〳〵が出來て丁度苺の狀態になることが多い。熱は不規則であるが十日前後或はそれ以上續くことが多い。赤い皮膚の發

小兒科
高洲病院
大阪兒童愛護聯盟理事
院長　醫學博士　肥爪貫三郎
顧問　醫學博士　高洲謙一郎
大阪市南區北桃谷町三五
(市電上本町二丁目交叉點西)
電話東一一三一・五八五三・五九一三番

赤は一週間くらゐで消失するが、この時分から頸や臀部の皮膚が大きな片狀をなして落屑し始め、一ケ月ぐらゐで殆んど全身の皮膚が落屑するのである。手掌、足蹠の皮膚が一番最後に落屑するのである。

猩紅熱の合併症　よく腎臟炎が併發して、これが重くなり死を招くやうなことがある。また頸部の淋巴腺が大きく腫れて化膿して敗血症の原因となるやうなことがある。また猩紅熱の經過後に結核を呼び起すやうなことがある。

猩紅熱の豫防　たゞ患者に接近しないやうにすることが唯一の豫防方法である。

豫防注射に就て　猩紅熱及びヂフテリアには豫防注射がある。これは相當效果のあるものであるから、子供の健康な時分を選んで、その注射を受けさせて置くのが安全である。

清新な子供

岡本かの子

近頃、子供に就ての關心を慫慂する刊行物、記事が殖え、また、さういふ時代的風潮が目につく。これは現代の子供それ自身に何等か前時の子供と變つたところが出來た爲めに興味と重要性を帶びて來たのか、それとも子供に對する親たちの眼や心の向け方が違つて新局面が啓けて來たのか、恐らくその兩方からの事情であらう。

◇

實際、近頃の子供は一方では早熟《ませ》て來た。一方では無邪氣になつた。この矛盾した時代的成長に就ても研究すべきものが多々ある。しかし、私の感ずるところでは近時の如く子供に多大の關心を持つ事情は、子供の變遷よりも親達の情勢の上にあるのではないかと思はれる。

◇

今日の重疊した世情によつて物質的にも精神的にも純粹な自己表現をし難い親達は、子供の上に表現を見出さうとする。從來、親のうちには子に對し「自分は駄目だが、せめて子供には」と、自分の抱く不滿を將來、子供によつて果さうとする者があつた。それが現今の親達の中にはもつと刹那的に、現在の自己を慰める氣分の相手に子供を置いてゐるのもあるやうだ。案外若い男親が、子供に對して魅着と執心を持つのを見受ける。彼等が不如意な世情を忘れようとして赴いたカフェーが面白くなくなり、踊り場に飽いて、外で荒んだこゝろに初めて家庭生活を想ふとき、子供の性情が、それ等の男親のオアシスとして念頭に浮ぶのであらう。

◇

だが、私はもつと積極的に現代の親たちが、子供に對して新時代的の意義を見出さうとしてゐるのを感ずる。人間の本能を鑛脈にすれば、子供はそれが自然に路面に露呈したものである。子供から人間性の新面と生氣を感受するのには容易なものがある。大人が大人であり過ぎて惱むとき子供に學ぶ。面目を新たにした兒童に關する科學的研究は益す大人に淸新奔放な歡びを與へつゝある。

神經系統疾患

京都帝國大學醫學部小兒科看護婦長　高橋ミチ子

四、舞踏病

稀には大人にも起る病氣であるが、主として學齡兒童を犯す所の疾患である。その病原は只今の所不明である。

症候　多くは徐々に發病するものであつて、その特徴とする所は、不隨意的卽ち知らず識らずに上肢及び顏面などの筋肉が働く結果として、手を屈げたり伸ばしたり腕や手を外或は內に廻轉し一寸見ると躍つて居る様な運動をなし、之と同時に顏の筋肉も働いて、口を尖らしたり顏を歪めたり、首を前後左右に振つたりするものである、凡て之等の運動は規則正しく週期性に繰り返されるものである。稍重いのになると足にも同じ様な運動が現はれ、又斯様な運動と同時に叫び聲を發したり、又言葉を明瞭に言ひ得ない様な事がある。遂には步行も出來なくなり、足の運動が强いため「ベット」から落ちる様な事がある。

以上述べた運動は覺醒時のみに起るもので、睡眠中は全く安靜である。此病氣は極く徐々に初まるものであるから、初期の中は周圍の人から病氣として認められない事が多い。然し手や足などに不隨意の運動があるために器物を倒したり、習字が不得手になり又學校で體操の時などに不行儀に手足を動かし、ために父母や先生などから叱責を受け、その叱責が刺戟となつて、一層病狀が顯著になり、宛かもその叱責が病氣の原因になつたかの様に思はれる事がある。此病氣は傳染性のもの〻様に思はれる事がある、卽ち一人の子供が本病に罹るとその手振

足振が面白いため、他の學友などがその眞似をする間に遂に本物の舞踏病になる様な事がある。

處置　安靜にする事が肝要である、軀幹や四肢に不隨意運動が起つて倒れたり寢臺から墜落して外傷を受ける事があるから、看護に充分注意をせなければならぬ、此の病氣は一旦全治しても數ケ月又は數年の後に再三發病する事があるので、中には遂に心臟病を併發して死亡する事がある。又「チック」と云つて舞踏病に似てゐる病氣があるから醫師の診察を受けて、夫々相當の看護をせねばならぬ。

五、『チック』症

是は顏面、軀幹の諸筋の痙攣であつて、其運動が複雜で、一見すると隨意運動の様に見えるけれども、實は不隨意運動であつて、自然に起つて來るものである。

瞬目運動、前額縮皺、口脣突出、等の運動を反復したり、頭首を振動かしたり、肩胛を提擧したり、又時として、跳躍、舞踏運動をしたりすることがある、此の病氣の運動は舞踏病の運動に比べると、一層迅速で激烈である。又屢々言葉の障害があつて、發言が突發性、咆哮性であつたり、又反響性發語、汚穢性發語をする事がある。

處置　精神感動によつて增惡する傾きのあるもので、周圍からの刺戟を避ける事は治療上最も必要な事であるから、此の患者は入院させるとか、轉地させるとかして家族から全く隔離して看護人に托し置き、家族のものはなるべく訪問しない方がよい。

六、默頭痙攣

默頭痙攣は乳兒を犯すもので稀に見る病氣である。四ケ月以上の乳兒に多いものである。

症候　首を前後左右に屈める運動を繰り返す病氣である、その首を屈げて居る時間は瞬間的で而も突然起る。斯様な運動が週期的に反復せられるのである。此運動は眠つて居る間には起らないが目醒めて居る間は哺乳時に於ても、又橫臥して居る時に於ても起り得るものである。以上述べた様な首の運動と同時に、眼球に異常の運動を見る事が多い。

此病氣の豫後は大抵良好であつて、多くは數週乃至數ケ月の經過で全治するものである、然し時々再發する様

な事がある。

之に似て非なる事があるから、醫師の診察を受け相當の手當をしなければならぬ。

七、痙攣性

誰しも知つて居る通り、子供には痙攣が非常に多い。腦膜炎、癲癇、破傷風と云つた様な痙攣を特徴とする所の病氣にあつては、大人も子供も同様に痙攣を起すものであるが、子供にあつては色々の病氣に際するものである、例へば腸炎とか疫痢などの胃腸疾患の經過中に屢々痙攣を起したり、又熱痙攣と云つて肺炎、猩紅熱等の急性傳染病の發病時に往々痙攣を起すものである。

以上述べた痙攣は何れも他の病氣に續發して起るものであるが、小兒には此外に痙攣性素質と云つて屢々痙攣を起すものがある、此の痙攣性素質は次の三つに分つて居る。

一、「テタニー」　此病氣は大人にもあるけれど主として子供を犯すものである、此痙攣はぶる〱顫はない處の强直性の痙攣であつて、而も特有な痙攣狀態を示す。卽ち指は五本共强度に伸ばし、その指尖は相接近せしめる様な位置を取り、上肢は肘關節で僅に屈折して、二の腕を胸廓に壓し付けた様な狀態となり、下肢に於ては股關節、膝關節を屈折し、足關節では足を充分伸ばし、足蹠を內方に向ける様な位置を取るものである。斯様な痙攣は發作性に時々來るものであるが、精神狀態は發作時に於て何等の變化を認めないものである。發作の回數とか發作の繼續時間などは一定して居ない。

二、聲門痙攣(喉頭痙攣)　之は二歲以下の乳兒に見るものであつて、主として佝僂病と云ふ病氣にある乳兒に多い。從つて佝僂病の少い日本に於ては、之を見る事が甚だ稀である。

症候　之も發作性に起るもので、吸氣時に喉頭で笛を鳴らす様な音を出し、甚だしい場合には笛聲すらも全く出ない様になり、呼吸が全く止み、「チアノーゼ」を現はし、人事不省に陷り、之と同時に往々痙攣を發する事もある。斯様な發作は暫時の後止むものであるが、時として心臟麻痺を起したり窒息に陷つて死を招く様な危險がないでもない。

三、急癎　之は乳兒や幼兒に突然起つて來る痙攣であつて、發作時には意識の溷濁を伴ふものである。

處置　醫療を受ける外には特別の處置はない痙攣の現はれた際には直に診察を受け、且外傷を受けない樣に注意し特に舌を嚙まない樣に布片を齒の間に挿む樣に心掛くべきである。

八、憤怒痙攣

之は二歲乃至五歲の小兒に起る疾患であつて、前に述べた所の聲門痙攣に酷似した疾患である、然し聲門痙攣は乳兒に多く、本病はそれよりも、稍々大きい子供に起る。

症候　之は癇高い子供に起るもので、その子供の氣に逆らふ事のあつた場合に子供は怒つて泣き出し、その泣き方に特有の變化がある、卽ち涕泣の際に深く空氣を吸ひ込んだまゝ呼吸が一時中絕し、その間に眼球が吊り上つたり、全身が硬ばつたりして、顏色が靑くなり「チアノーゼ」の現はれる樣な事がある、斯樣な狀態は長く續くものでなく、長くとも一、二分間位で元に戾り普通の泣き方になる。

前にも云ふ通り、此の病氣は癇高い神經質の子供に起るものである。

處置　此病氣で死ぬ事はない、それ故に發作に對し特別の處置を施す必要はないが、無呼吸の狀態が長く續いて心配な場合には顏に冷水を吹き掛けると大抵は發作が止むものである。

頻々憤怒痙攣の起る樣な子供は一時家族のものから隔離すると、之が動機になつて全治する事がある。（終り）

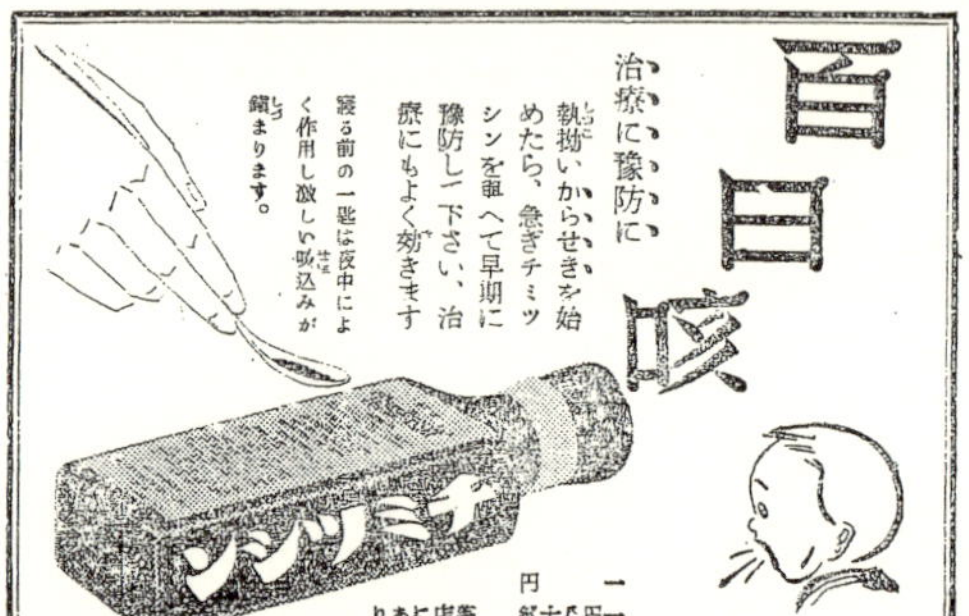

婆婆の味

醫學博士　川上　漸

皆さん！蕃椒をおあがりになつたことがありますか？あの赤い、人指し指のやうな形をしたものを。口の中がヒリヒリしたでせう。生姜、カラシ、生の葱、大根オロシなんどもやつぱり食べると口の中がヒリ〳〵致しますね。あの味ひをカライ味と申しませう！澤庵漬、お醬油、食鹽なんどの味は何と申します……左樣、シホカライと申しますね。八頭芋の莖や半夏の味は？……左樣イガライと申しますね。皆さんはなか〳〵カライ味ひの物を、よく御存じでいらつしやいますね。

それならば皆さん！セチガライといふ味ひを御存じですか。これは定めしご存じないでせうね。セチガライといふのは婆婆の味ひであります。

婆婆つて何？とお尋ねになるのも無理はありません。婆婆つてね、世間のことなんです。世間つて何？困りましたね。何とお答へしたらよいでせうか。え――と、お兄さんやお姉さんに聞いてごらん！活きたいために役ひ合ひ役はれ合ふ人間仲間――ちよつとむづかしいですね。それはどうでもよろしうございますが、婆婆の味ひといふものはセチガライものです。

お百姓さんは毎日町へ肥料を取りに行きますが、こんな事を私に申しました――お金持の家の肥料は、畑へ撒いても田圃へ撒いても効能がよいが、工場の肥料は効能が淡くて困る、女學校の寄宿舍の肥料はよいけれど、兵隊さんの所の肥料はいやだ――なんと言つてね。こんなことをいふから婆婆はセチガライつて言ふんですね。

お金持の家や女學校の寄宿舍なんどでは、おいしい物をたくさんに食べて、その割合に働かずにをりますから、餘つた滋養分がたくさんに大便の中に混つて出ます。ですから肥料にして田畑へ撒くと、効能が强いのです。あべこべに工場の人や兵隊さんは、程よく物を食べて一生懸命に働きますから、大便はほんのかすだけで、肥料になつても効能が淡いのは無理もありません。

婆婆はだん〳〵セチガラクなりましてね、醫學の研究をする人までが、追々とセチガラクなつてまゐりました。國家のお世話をする人達も醫學の研究者と一緖になつて、なか〳〵セチガライ事を考へるやうになりました。それはかうです。――人間は命をつなぐために食物を食べるのであるから、たくさんに食べるのは無駄な事だ――けれども食方が少なければ、追々と生命が弱る――そこで何とかして、多くなく、少くもないやうに、食物を食べるやうに工夫しなければならぬ　高い食物を肥料にしてしまふやうでは損だ――餘つた食料品は外國へ賣つて、お金にした方が得だ――なんといふ事を考へるやうになりました。

私がまだ學生でありましたころは、體の重さ一貫目について、どの位の食べ物を食べたらよいか――といふ風に敎はりましたが、だん〳〵と婆婆がセチガラクなつて、それではいけないといふ事になりました。そこでこんどは皮膚の廣さで割合をきめて、毎日の食物の量をきめたならば、損得がなくてよいだらうといふ事になりました。皆さんの皮膚は、かりに、剝いでナメしたとすれば、體の重さをグラムに換算して、背の高さをメートルに換算してそれを互ひに乘け合はして、出た數はちよつと睨んで見るのです――三三が九、それでもない。――四四十六、それでもない。五五二十五、いや六六三十六、さうでもない――何といふ數を乘合はしたらよいのか。それを考へ當てるのです。さうしてその考へあてた數に五、九九を乘ければよいのです――三分三厘四角の幾倍あるかといふ事がわかります。この方法でもまだ食物の損得がある。何故かと申しますと、瘦せた人もあれば肥つた人もあるのでどうも工合が惡いといふのであります。

そこで、ビルケー先生といふセチガラさうな名前の方が、そんなら腸の廣さを基にして、食物の量を割り出すと一番よいだらうと考へつきました。皆さんの腸の廣さはどの位あるかと申しますとね――。お行儀よく椅子へ腰かけて、頭から椅子までの長さをメートル尺ではかる。その寸法を乘け合はせるとよいのです。三分三厘四角の幾倍あるかといふ事がわかります。お兄さんかお姉さんに手傳つて頂いて測つてごらんなさい。

こんどは、その數に七を乘けて十で割つてごらんなさい。さうしてそれをよくおぼえてをつてください。それは皆さんが一日にお上りにならなければならぬ「ネムの數」であります。「ネムの數」ハイカラでせう。「滋養分の分量」といふ事であります。

食物によつて「ネムの數」がちがひますから、揭げておきました表を見て、何と何とを幾何程たべればよいかを考へてごらんなさい。その代り皆さんのお上りになつただけスッカリ消化れてしまひますから、大便はほんのかすばかり。お百姓さんが肥料にして見ても、効能がうすい筈です。

そこでお百姓さんに、

「ハハア、あそこの家には「人體の不思議」を讀んだお坊ちやんかお孃さんかがあるに違ひない」

といはれるかも知れません。でもそれが文化生活の人々といふものね。

◇ネムの數の表

食べ物の名	一匁の中の「ネムの數」	食べ物の名	一匁の中の「ネムの數」	食べ物の名	一匁の中の「ネムの數」	食べ物の名	一匁の中の「ネムの數」
牛乳	三、七	牛肉	一八、五	米	一八、五	チョコレート	二四、八
コンデンスミルク	一八、五	豚肉	一八、五	小麥粉	一八、五	砂糖	二二、二
バタ	四三、六	鷄肉	七、四	馬鈴薯	四、八	蜂蜜	一八、五
卵	九、三	鯉	九、三	ホーレン草	一、五	果物の汁	二、六

母と子

文學博士　下田次郎

一四、子の教育（その一）

八

強い教育　諺にも「可愛い子は棒で育てよ」といひますが、小さい時から、甘やかして育てると、子は意氣地のない弱い者になつて仕まひます。「泣く子と地頭には勝てぬ」といつて泣く子に負けて居れば、兩辨慶の我儘ものになります。「通さぬは通さうための道普請」で泣く子に勝たねばいけません。泣く度に親が機嫌を取つて、何か與へたりすれば、子は泣得と心得て、なほ泣きます。それを構ひつけずにおけば後には餘り泣かぬやうになります。「をさな子の轉んで泣かぬほめ言葉。」強い子だと讃めれば轉んで少々痛くても力んで泣きません。子供にはこの力む所がなくてはいけません。言ひかへれば、怺へ性であります。麥も雪に壓されねば丈夫になりません。壓されゝば跳ね返る力も強くなります。小さい時から、困難に打勝つて、強い人間にすることが大切であります。

「私が小學の一年の時、田舍の山中のことで、冬の風寒く晝頃より雪をもたらして、終業の頃には非常な吹雪でした。友の父母は皆子を背負ふ紐を持つて、迎ひに來ました。宅には女中も男も居るのに、誰も來て居ません。仕方なく下駄を腰に附け、足袋はだしとなつて非常に困つて歸る途中、遠くに母の姿を見ました。母

は知らぬ顔をして、姿を隱しました。私は手足も覺えなき樣にて、宅に歸りますと、母は愛ある眼を以て迎へました。母のさぞ寒かつたらうといはれる言葉に、迎ひに來られなかつたつらさは全く忘れました。今年の一月元旦の夜、私が東京に行くといふので、母と色々學校の事を話しました。その時母は、十一年の昔の事を聞かせました。母として斯る困難はさせたくなかつたが、しかしお前の身を思つて、迎へに行かなかつた。そして違つた道を後になり先になりして、お前を見守つた。困る時はどうするか、何の位困難に勝つ力があるかを、試みたのであるとの事でした。あゝ私が優等の成績で高等女學校を卒へ、又この學校に學び得るのは、全くこの母の眞の愛の爲めであると、私は幾度も自分もかうした眞の愛をもつた母となりたいと思つて居ります。」（或女生徒の手記）

九

「可愛い子には旅をさせよ」といひますが、他人の中に入つて、自分一人でやつて見ると、一層母の有りがた味がしみ〴〵と判り、人間がしつかりして來るのであります。

自助と勤仕　小さい時から規律ある生活を爲さしめ、自ら進んで、服從する心を養ふは、教育上大切な事で、ナポレオンの母は、能くその子にこの貴い習慣を養ひました。それと共に大切なのは、小さい時から、自分の事は自分でする事であります。外部から「斯くせよ」と命ぜられて動くよりも、心の內から「斯くすべきものだ」として、自ら進んで行ふことであります。固より幼少の時は、他の指圖を受けることが多いが、その中にも、なるべく自分から動くやうに仕向けたいものであります。「三度の飯も、母親に給仕させて食ひ、朝夕の臥簞も母親にあげおろしさせ、髮も母親に結はせ、履物も母親になほさせて穿き、縱の物を橫にもせずに、食ごのみして、衣服櫛笄に金銀を費させ、物縫ふすべは糠袋の裁縫も心もとなけれど、恥しいとも思はず、手習に乾させ、三絃ひくを第一の藝にして、隣の病人に遠慮せず。これから終に浮氣になつて、三絃の駒と共にこゝろの駒が狂ひ出し、あしき道へと引かれつゝ、浮氣を人にうたはるゝもあり。」（馬琴）「忙じき母は怠惰なる娘を作る。」人の手ばかり取つて、

お乳母日傘で育つた者の行末は、得てこんな者になります。俗にも「手の奴足の乘物」といひます。手足の働き第一とは、親に孝行する時に限らず、我が事を處理するにも、必要であります。

「先頃或學校で、旅行があつた時、或公達は家ではいつも魚の骨を悉く取去つて差上げるので、魚に骨のある事を知らずに召上つたので、骨を喉に立てゝ、重患に陷られました。又或る一人の公達は、お湯から上つて、人が着物を着せてくれるのを待つて居られたので、風邪をひかれたといふことです。」

萬の物は買ふのであります。怠惰の報は、破滅であります。

それで小さい時から、自分の部屋の整理、衣服の處分蒲團や釣瓶の上げ下し、何でも、自分に出來る事は、自分でする習慣をつけるがよい。學校の往復も車に足の代理を務めさせず、履物や靴も人の世話にならぬやうにしたいものであります。縋り癖がつけば仕樣がありませんが、自分でやつて見れば結構やれるものであります。

手放せば夕風やどる早苗かな

自分の事は勿論として、人のためにも働くやうにさせたいものであります。親の用辨、母の手助け、座敷や庭の掃除を始め、人の爲めに少しの親切でも盡すやうにしたい。「善を爲す、最も樂し」「惡の小なるを以て、これを爲すこと勿れ。善の小なるを以て、これを爲さざること勿れ」といふことを、よく小さい時から納得させてこれを實行させたいものであります。それには母が自らその模範を示すやうにしたい。人を使つてばかり居る子は他人の苦勞が分らず、同情が薄い。「我が身を抓つて、人の痛さを知れ」で、自分の苦しんだ覺えがあれば、それだけ思ひ遣りも深くなり、人に親切を盡くすやうになります。

佛國の詩人で政治家のラマルチーンの母は、慈悲深い人で、貧民や病人の世話を親切にし、實行に由つて子を敎へました。又牛乳とパンと野菜と果物のみで育てましたから、十餘りまで、ラマルチーンは「屠る」といふ事を知らなかつたといひます。イタリヤのガリバルヂといへば、加藤清正のやうな勇將でありますが、小さい時バツタを捕へ、誤つてその脚を折つたゝめ、部屋に入つて長い間泣いたといひます。同情は動物にも及びたいものであります。これらは皆母次第で、子はどうにでもなる

のであります。

一五、子の教育（その二）

一

母の教へ　母には相當な敎養があつて、少くとも一通り小兒の教育が出來るだけにはありたい。小さい時母から聞いた話は長く頭に殘つて、後年大なる力となることがあります。小學校に行くやうになれば、子の復習も見てやるやうにしたい。母が、裁縫しながら、子に本を讀ませ、どちらが早くすむかと競爭さして、一お母樣が負けました。本が大層よく讀めました」と言つて勇みをつけ、それから毎日よく復習するやうになつた子もあります。一寸した母の氣轉が、子供の勉強の勵みになることがあります。

米澤の黑井信藏といふ人の母繁野は、若くして夫を喪ひ、母の手一つで子を育てました。母は信藏の七つの時手習師匠の許に遣つて、四書の素讀を習はせました。夜は內職しながら、子の復習を聞きましたが、母にも漢文は分りません。それで母は內職の時を割いて、師匠の窓下に佇み、信藏の習ふのを聞取つて、僅かに習ひ覺えた假名文字で寫し歸り、これを引合せて、復習を見てやるやうにしました。かくて三年の間に、繁野の熱心は遂に四書全部を寫し終へました。信藏もこれに勵まされて、必死と勉強し、藩校に入つてからも、賞詞を賜はるほどに學業進み、明治の始には、藩の小參事に任ぜられました。母は嘉永六年五十歲で亡くなりましたが、その手寫した「國字四書」を、信藏は寶として永く母の厚恩を感謝したといひます。

ワシントンは、十二の時父を喪ひ、母に敎育せられました。母は倫理書、金言集等を愛讀し、その中から拔萃して子に寫させ、これをよく銘記して、實行さすやうにしました。それで母は他日ワシントンが世に出て、大責任を負はされるやうになつても、子には深き自信を有つて居りました。佛國の歷史家ミシユレーが歷史を好むやうになつたのは、佛國皇后史を、母と共に愛讀したに由ると、明言して居ります。人はその好む所に由つて、その人なりを推察することが出來ます。良書を愛讀する母は、それだけで、その人物も分り、その感化を受ける子も分ります。

母の修養　母は子を教育すると共に、自己の教育も續けたいものであります。人と結婚して、書物と離縁する婦人は、自己の修養の爲にも、子供の教育の爲にも、喜ぶべき事ではありません。道德上又學習上、子の模範となり、指導者となる心がけがあれば子の仕合せは言ふまでもなく、母も子のために教育せられる事となり、一擧兩得とはこの事であります。詩人ハイネの母は、子の教育には非常に心を注ぎ「子の教育には、些細な事でも大なる影響を及ぼすから、餘程注意せねばならぬ」と、口癖のやうに言つて居りました。それで子供の前で幽靈の話など決してせず、人にもさしませんでした。又ハイネが大學に入つて學資が送れなくなつた時、母は身邊一切の飾裝を皆賣つて、學資に充てました。そしてハイネが友人に嘲られたとき、何と言はれても、お前は學問を勵み、學問を以て嘲りに應へるやうになさいと、激勵したといひます。これでハイネの母が、尋常の婦人でなかつたことも分り、後年ハイネが母に捧げた詩に於て、母を讃美した所以も分ります。

「大人物は一般にその母の子なり。」（ミシュレー）

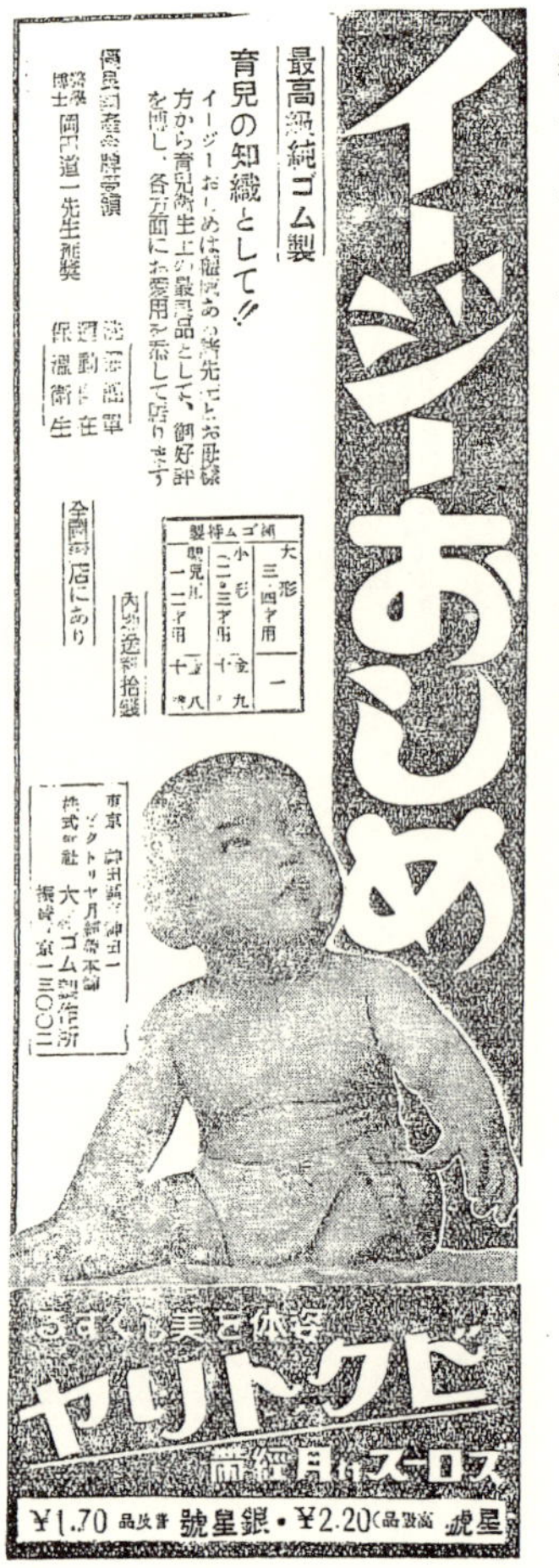

盗癖のある子供の扱ひ方

原因は二つある

霜田靜志談

盗癖のこどもはどうしたらよいか、これを考へる前に、まづなぜ盗みをするかを考へなければ矯正の仕樣がありません、これは身體の病氣の場合と同じで、熱が出たからといつて下熱劑だけのませたのではいけない、なぜ熱が出たかを考へて、その原因に應じ藥を使用しなければ本當に病氣が治らぬのと同じです、多くの親達は、こどもに盗癖があると叱言だけいつてやめさせようとしますが、これで解決すれば世話がありませんが、大概は問題になりません。

盗癖の原因としては、いろ／＼のことがいはれますが、英國の心理學者クリクトン・ミラーはこれを二つに分けてゐますが、よく問題の急所を衝いてゐると思ひます、一つは、慾望過多であれもほしい、これもほしいといふ性質です、この性質は幼いときに甘やかされて、ほしいものは何でも與へられるやうな仕付け方をされるとさうなる殊におぢいさんおばあさんに育てられた子に多い、或は富豪貴族の子で、教育的に考へられぬ指導をされた場合になり勝ちです、さういふ子が大きくなつてその慾望がとげられぬやうなことになると、自制が行はれずに、手を出すことになるのです。

もう一つは愛情の缺乏で、これは非常に多い、自分が愛されぬために盗みをする、親がほしいものを買つてくれぬ、さうなると親を怨む氣持になる、そこで親の金をぬすむ、他所の金を盗まず家の金を盗む所に、さういふ子の愛情の缺乏が見られます、他所の金を盗むやうになつたのは、その行過ぎです。

最近ニールといふ人の論文に、盗みをしたこどもに、叱言の代りとして金をくれたところ、その子は愛情を求めて與へられず、さびしさを紛らせるため盗みをしてゐたので、金を與へた後は再び盗みをしなくなつたと書いてあるが、これは大きな心理です、以上の二つに原因を分けると、これに應じて取扱ひ方が考へられます。

まづ慾望過多の子に對しては平素の生活訓練で改めていくよりほかにやり方がありません、叱言をいつたのでは矯正できません、卽ち、日々の生活をこれまでのやうにわがまゝ一杯に送らせず、辛抱しなければならぬもの、あることを教へる、これは正しく訓練する必要があり、それには細かい所まで見てゐる母親の責任が必要です、しかしさかのぼれば幼い時に、この訓練を十分にして置く必要が、どの子にもあるので、この點で世の親達に警告して置きたい。

つぎの愛情の缺乏は、可愛がる外に仕方ありません、それも親なり先生なりが本當にその子のために心配してゐるのだといふことを、こどもに分らせなければならない、したがつて口先だけの愛でははじまりません。

愛情を感ずるやうになれば、いふことも自然きいてくる、したがつて癖はやみます。

かやうに愛情の缺乏から來てゐるものは、よろこびのある滿足の生活をさせると盗癖も直つて行くものです。

子供らしい喜び

金子薫園

同じ藝術の道にいそしんでゐる者でも、歌とか俳句とかいふものは、他の劇作家や小説家のやうに、實際の生活から遊離した夢の世界に自由な構想を立てゝ作品をものするのと違つて、最も手近な日常の生活の中から、一つ一つ作品を掬ひ上げるやうに生み出して行く、生活卽藝術派なので、隨つて日々の生活が充分調整出來てゐないといゝ作品は生れない。

ところで、日々の生活は先づ健康に支配される。健康第一主義をとる者が、吾々の中間に多いのもそれがためである。特に、近來、私は少しづゝ血壓が高まり、便祕に惱まされ勝ちなので、何か藥らしくない藥で健康の鍵はないものかと搜し求めてゐると、友人が「錠劑わかもと」を贈つてくれたので、驗しに飲んでみると、非常に調子が良いので以來ずつと愛用してゐる。

現在の私にとつて「錠劑わかもと」は、いはゞ生活調整の鍵といつても過言ではない。苦からずして香ばしい良藥といふことにも子供らしい喜びを感ずる。

「錠劑わかもと」は廿五日分一圓六十錢、九十三日分五圓の一日數錢にも足らぬ廉價で、東京市芝公園わかもと本舖榮養と育兒の會（振替東京一七〇〇〇番）から頒布され、全國藥店にあります。

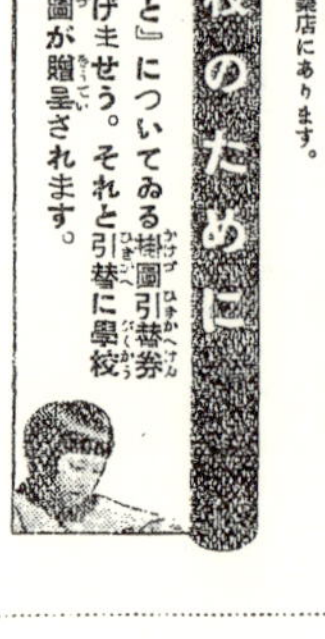

無軌道女學生

神近市子

世間には女學生のレビュー狂あり活動狂あり、學校逃亡は隨分と行はれてゐるやうですが、これを年少者の小さな冒險として見過すことは出來ても、女學校三年位の人々の、淺草の興行界ゾメキは隨分と行過ぎたことであるのはいふ迄もありません◇

年少の人々が、こんな狀態に陷るのは、二三の徑路があるやうに思はれます。一つは無軌道的な出版物の刺戟によつて自らその樂しみを見出すもの、一つは自分の周圍にさうした大人を見本として有してゐるもの そして最後は實に全くその種の享樂を知らない子供が、友達の感化の下に誘惑されて行くものです。そして私の考へでは、この第三の友達の手引きによつてこれに傾いて行く者が一番多いやうに思はれます。◇

これは、いはゞ今日の敏感な子供達が、世間に出て初めて受ける誘惑です。私共は一旦世間に送り出した子供達の、眼や耳をふさぐ術を持ちません。私共は、又さうした教育法がいつもどんなに失敗に終り、或は復讐をうけてゐるかその實例の多くを見て來てゐます。若し何かゞ爲されうるなら、それは家庭の中で、子供達が獨立して世間に出る前になされなくてはなりません。◇

私は、これらの誘惑に子供をかたしめる一番確實な道は、母親が子供の信賴と友情とを克ち得て置くことにあると思ひます。常に子供の精神的な要求を拒まず、子供の考へとその方向とを理解してゐて、その目的を助けてやること―この心がけさへ忘れなかつたら、子供の愛情は常に親達の上にあり、親達の信賴に背くものではないと思ひます。◇

私は前に『チヤタレー夫人の戀』といふ小説をよんで、チヤタレー夫人の父親の寛大さと、特殊の愛情に心を打たれたことを告白したことがありましたが、又最近ジイドの『未完の告白』をよんで、女主人公の母親の子供に對する友愛と理解の深さに、新しい時代の母親を感じ多くのものを教へられてゐます。◇

若し淺草に誘惑されたこの娘達にこんな母親を與へることが出來たらどうでせう。彼女達はかゝる不健康な享樂に興味をもつことなく、又若し一時的にその誘惑に陷つても、すぐ又そこから出て來ることが出來るでせう。彼女達は年少で何を求め、何を志すべきかを知らず、生活經驗の未熟さから、これらをしも一つの冒險心理を滿足させる生活として、進んでそこに入つて行くのです。◇

すべて私共の教養がまだ低くて、不完全なことから起つて來てゐるやうに見えます、訂正さるべきもの、あにこの子供達だけでせうか。親たるものにも考へさせる事の多い事件です。

流感・肺炎・百日咳等・特効

吸入藥 カンピロン

合理的吸入療法と其効果ある理由

本品は上圖の如く普通の吸入器で之を吸入して呼吸器直接に作用す、芳香爽快にして、毫も副作用なし

一、せきの出る神經に作用して咳を止め、又痰を溶解して容易く袪痰の効を奏す。

一、心臟を强め抗病力を增進し且つ肺炎、氣管支炎等の炎症を治する効ありて全快を早む。

一、解熱作用あり、即ち溫熱中樞を刺戟して發熱を抑制し又殺菌力あり。

適應症 感冒、肺炎、氣管支炎等の急性病は勿論麻疹、百日咳等の小兒獨特の病に特効あり又肺結核、喘息等の鎮咳、袪痰に適應す

前第四師團軍醫部長 英陸軍々醫監
大阪市民病院小兒科長 谷口醫學博士
福井赤十字病院長 大野醫學博士
大阪府立保嬰館館長 上村醫學博士
大阪醫科大學前敎授 辰己醫學博士
實驗 推奬

全國藥店にあり

定價 六十錢・一圓・二圓等
醜惡なる模倣、類似品あり 御注意を乞ふ

大阪市東區平野町
道修藥學研究所

日本赤十字社病院 慶應大學病院御用

テツゾール

吉本醫學博士 簡野醫學博士推奬
藥學博士 石津利作先生創製

幼兒の榮養と母體の保健

お茶を禁ぜぬ便利の鐵劑

體内造血器管を皷舞し其機能を旺盛ならしめ純血を豐富に新生し溌溂たる活力を附與す。故に

貧血の人、虛弱の人、病後の人、不眠症の人、神經衰弱の人、産婦、夏期に衰弱する人、肉體及精神過勞に適し又、登山、旅行、運動競技、試驗前後は常備、携帶の要あり。

愛兒の爲に

今迄小兒に適する鐵劑がなかつたが本品によりて初めて理想が現實したとは小兒科醫の言明である。

發育が遲れたり、虛弱であり、血色肉付わるく、夜尿をしたり、病後の小兒等弱き愛兒の榮養は美味で飮みよきテツゾールの服用に依り效果に直に母親の慈眼に映ずべし。

四週間分金貳圓八十錢 八週間分金四圓五十錢

東京日本橋區本町三丁目
發賣元 里村三治商店

各藥店 三越 松屋 松坂屋 にあり

大阪市道修町一
關西代理店 キリン商會

增量斷行 器械設備の完成と共に定價は元の儘にて二週間分を四週分に增量して非常に御德用になりました

忘れられた教育（二）

ツカダキタロウ

◎言語教育

或る日或町で或る人々と話してゐた時の事です。談たまく「女學生の言葉」の問題にうつりました。そしてその友人達の曰く、

「現代の女學生の言葉ほど、亂雜なものは無からう。いつたい、女學校では、言葉の教育をしないのだらうかね。」

又或友人の曰く。

「いや、現代の女學生の言葉ほど、無茶苦茶なものはないね。全く男性と同じ言葉を用ひてゐるではないか」

とにかく、現代で女學生ほど、言葉の亂雜なものは無いらしく、男性と同じ言葉を用ひて平然と話してゐると云ふのでした。

近時はどうか知りませんが、嘗ては、「流行語」は女學生から「創られ」てゐた時代があつたもので、百貨店や呉服屋の番頭共も、「流行服のプラン」を、女學生達から暗示されてゐた時代があつた程です。

でありますから（でもないでせうが）女學生の言葉なるものが、時代の尖端を走つてゐるものであるかを知る事が出來ますが、友人の言の如く、女學生の言葉にして「亂れて」ゐるならば、現代の一般の言葉も亦亂れてゐる事を知り得ます。

若し女學生が男性の言葉を用ひるとすれば、男學生は必ずや女性的言語を用ひてゐる事を察し得ます。

何故なれば、女學生が正當の言葉を用ひぬ原因は、「女學校に於て言葉の教育を施されて居らぬ」からであります。前回に申し述べた事情から察すれば、女學生に於て「言語教育」が施されて居らぬとすれば、男學生に於ておやである事は讀者諸君の御察しの通りであります。

何故に女學生が「僕、君」と云ふや。私の代りに「僕」と稱し、あなたの代りに「君」と云ふや。これは面白い問題であります。教育家諸君にして、この問題に關して御考へになつた事がありますか。

「私は自分の事を、先生と自ら云ふ事は何だか威張つてゐる樣に思えますのですが如何でせう。」

或る女學校の若い先生が、こんな質問を出されたのは、座談會の打ち明け話しが、「言語問題」に入つた時でした。

それで私は、すぐ聞いたのです。

「では、あなたは自分の事を、何と生徒に申されますか」

すると、傍にゐた同じ學校の若い男の教師が、突然申されるのには、

「私は、つい、學生時代の癖がぬけずに、僕、僕と云ひますがね」

と。

そこで私は、私の意見を申したのです。

「そうでせう。あなたが生徒に、僕々とおつしやるから、生徒もつい、君君と呼ぶ樣になりはしませんか。先生が自身の事を、先生と申されるなら、生徒も自然に先生と呼ぶ樣になりませう。如何でせう。生徒が、君、僕とお互に呼ぶのは、その邊にも原因はありますまいか。」

とにかく、先生の生徒に對する言葉の不注意と共に、國語科に於ける言語教育の缺陷が、今日の學生殊に女學生の言葉を亂れさす原因になつてゐるのではないかと思はれます。

由來日本の國は、「言の葉の咲き匂ふ國」柄であります。にも不拘、近代の言葉の不足、言語の亂れ等は、如何に「言葉の教育」が忘れられ、輕んじられてゐるかを物語る證據でせう。

女學校は勿論、小學校の義務教育に於ても、國語科は、「國字教育」にのみ專心努力されてゐて、「國語教育」は忘れられてゐる現狀は、甚だ殘念な事であると信じます。

勿論、國字教育も必要でありませうが、「國語科」は「國語教育」を施すべきが主であります。國字教育に終始する事は、國語科を冒瀆する事になるのみならず、我が國民の言語を亂し、その退步を來す結果になります。教育の普及も結構な事ではありますが、「國語」の統一、「國語教育」に最大の關心と努力が拂はれてほしいものです。

これは「忘れられた教育」の中で最も殘念なものであります。

とまれ、女學生の言葉の亂れをとがめる前に、「國語教育」の、眞の意味の「國語の教育」の振興こそ、いや、忘れられた「國語教育」の復興こそ、最も急を要するものであらうと存じます。呉々も忘れてはならぬ教育問題のその二は「國語教育」であります。

兒童國民の演劇教育

アサノ兒童劇學校主事　淺野蔵郎

アサノ兒童劇學校には、現在、生徒が五十名ばかりゐる。生徒は、白組と赤組に分れてゐて、白組は、尋常六年卒業以上の男女生徒で、赤組は、尋常六年生までの男女生徒である。

これらの生徒は、將來、專門家とする目的で入學してゐるものと、綜藝教育によつて、圓滿に發育した人格をつくらうとするものとに分れてゐるのであるが、それだからといつて、教育科目や、方法は違はないのである。

そも〳〵の設立の目的は、演劇のもつてゐる强い感化力をもつて、全日本の兒童國民の人格教育に用ひるための、研究室として使命をもつてゐるのである。

手ツ取り早いところでいへば、全國の小學校で、毎年學藝會を催さないところはない。

あの學藝會のプログラムを見ると、兒童劇とか、對話とか、學校劇とかの名まへで、兒童は劇をやつてゐる。

これらの劇が、學藝會で、どの位ゐやられてゐるかといふことを、私の學校で、出來る限り廣い範圍の全國小學校のプログラムを集めて調査してみると、全プログラム中の七十パーセント乃至八十パーセントまでは、かうした劇によつて消化されてゐることがわかつた。

又、これの觀賞者たる兒童に、閉會後、何が面白かつたかときいてみると、十人が十人殆んど、劇がよかつたと答へるのである。

それと共に、先生が、學藝會がありますが、何をやりませうかね？と生徒にきくと、全級共に、先生、劇がよいです、と答へる。これも、すでに公認的事實である。

實に、コドモは、劇をやるのが好きであり、劇を見るのが好きである。

これを、今日の教育家が、見のがしてをくといふ法はない。いや、見のがしてゐない證據として、七八十パー

セントの統計が現はれたのであらうが。

しかし、今日の教育家は多くは、兒童劇をやれば父兄が喜ぶから、或は評判がよいから、さらに又、生徒も喜ぶから、といふ程度の考へでやつてゐるのが多い。

生徒が、なにゆゑに劇をやるのが好きなのであるか、なにゆゑに劇を見るのが好きなのであるか――といふ、根本的な問題を考へてゐないようである。

こゝを考へると、新しい未知な兒童教育の分野が開けてくるのである。

この點についてみるに、コドモが劇をやることを好むのは、劇によつて、その生活を體驗して、人間的生育をしたいからである。

コドモらは、翼があれば、空をも飛びたいのである。いや、心の翼に乘つて、神世時代の昔にも遊べば、星の世界へも飛んで行つてゐるのである。

海の底にもくゞり入つて、魚族と話し、山の奧にて、仙人や鳥獸類とも會話するかと思へば、野に蝶虫類とたはむれ遊ぶ――コドモの心の翼は、生き〳〵として、宇宙をかけめぐるのである。

この心の翼のかけめぐる世界こそ、コドモの生命の太陽である。この太陽に浴し、太陽の光りの中を馳けめぐることによつて、明朗にして圓滿な、しかも、生き〳〵として、人生に疲れを知らぬ人間となる、人格的基礎が育て上げられるのである。

しかしながら、心の翼をやすめて、現實生活に直面する時、兒童らは、あまりに、雜然とした社會生活、斷片的なる日常生活、躍動なき家庭生活――に、心のうつろとなることを感ずるのである。

心の翼にのつて、正義を味はひ、善に味方し、平和と愛と寛大の、人類理想境をかけめぐつたコドモの心に、この現實はあまりに、俊嚴に、不正と惡と暴壓の力が强く露骨に現はれすぎてゐて、重つくるしいのである。コドモは、かくて、現實生活に不滿をいだき、價値を發見できないのである。

コドモが、劇を好むといふ原因はこゝにある。單なる劇的本能だとのみ見るのはまちがひである。

大人が劇を好むのとは、大いに内容が違つてくる。大人には、一つの趣味生活であるが、コドモには、劇は理想生活そのものとなつてゐるのである。

コドモは、現實生活の缺けてゐるところを、演劇生活によつて體驗したいのである。それによつて、人間生活の眞實の道を歩んでみたいのである。そして、正義と平和と愛と寛大の生活環境の中に、自からを投げ入れて、そこに、現實生活では攝取出來ない『光り』を、生命の糧として吸收するのである。

それ故、兒童劇教育といふものは、最も大切な兒童國民教育となるのである。そして私たちが、全國教育界の演劇教育への覺醒を叫んでゐる次第である。

初めて成る國民體力調査

出産率は次第に衰へてゐます

國民體力の一般的研究と國民健康の向上對策を講ずるため、さきに日本學術振興會内に國民體力問題考査委員會が設けられたが、その中の國民保健の調査を擔當する特別委員會では昨夏八月以來内務省の挾間衛生局長を委員長とし大西（文部省）、古瀨（社會局）、石川（海軍）、小林（陸軍）、高田（内閣）、波多野（振興會）の七委員が調査研究の結果漸く完成したので近く挾間委員長から學術振興會に報告されることになつた、調査は國民保健の現狀、推移、外國との比較の三項から成り内閣、文部、内務、軍部、學振等の資料を基礎として作成したものだけに、國民保健に關する調査としては未だ嘗てない完璧なものとして注目されてゐる、その内容を要約すると次の通り。

出生率

昭和九年には二百四萬三千七百八十三人の出生で人口千に付二九・九七の割合を示してゐるが、近年漸く低下の傾向にあるこれを歐米各國に比すると

二九・九七	日本
二三・四	イタリー
一五・二	イギリス
一八・〇	ドイツ
一六・六	アメリカ
一六・一	フランス

死亡率

昭和九年には人口千につき一八・一でその中で乳兒死亡率は生産百に對し一二・五弱で、大正九年には二五・四一といふ空前の最高率を示したが、爾來漸次低減の傾向にある

一八・一	日本
一五・一	フランス
一三・三	イタリー
一二・〇	イギリス
一〇・九	ドイツ
一〇・七	アメリカ

死亡原因

最も多數を占めるのは結核で昭和九年は人口一萬に對し一九・二九（十三萬千五百廿五人）次には下痢及び腸炎、肺炎、腦出血で之等四つの疾患は吾が國民死亡原因中の最大なる

ものである、結核による死亡率を歐米に比べるとフランスの一四・〇（昭和七年）を除く何れの國もわが國の半數以下で、たゞ癌と心臓の疾患だけがわが國が最も低率で世界に誇るべきものゝ一つである。

死亡年齢

乳幼兒期と青年期に於いて特に結核の如きは十五歳から十九歳の青春期に入り俄然高率となり、廿歳から廿四歳に於いて更に上昇、卅歳以後から漸次低下の傾向を示してゐる、これを歐米に比べると何れの年齢期でもわが國の死亡率より低率特に乳兒、青年期等に於てさうである。

學生生徒

明治四十五年度から昭和七年度に至る廿一ヶ年間の累年比較を見ると男子は身長、體重、胸圍とも各年齢毎に増加してゐる、一方女子は身長は十三、十四、十五の各年齢共廿一ヶ年前に比べ三・一から三・七糎、體重は二・七から三・四瓩の増加を示してゐるが、胸圍は七歳から十歳頃までは一般に増加の傾向著しく十九歳以上は却つて大正十二年以後漸次減少の傾向にあるのは注目すべきである、この外近眼とむし齒は年々驚くべき激増である。

壯丁

甲乙種合格者數減少、丙丁種激増の傾向あるが、特に大正九年以來これが顯著となつて來た、その主要原因は筋骨薄弱で昭和九年には壯丁の三割三分七厘を占め、數年來年々一分づゝの増加を示してゐる。

結論

わが國の出生率は大正九年を頂點として漸次低下の傾向を示してゐるが、出生率の低下はこれを歐米の實績に徴するに文化の進歩に隨伴する傾向があつて、その原因とも見るべきものは女子結婚年齢の遲延、獨身者の増加、産兒制限などで、わが國の出生率低下もこれと同じ原因によるものか或は女子姙娠力の減退によるものか、その他に原因を求むべきかは、更に研究を要すべき問題である、要するにわが國民の保健狀態はやゝ良好には向ひつゝあるが病體力等の數字から見てまだ〳〵良好とは言ひ難く、殊に歐米に比べ遙かに劣つてゐるといふのである。

發育期の榮養
その良、不良は一生の健康に影響す

榮養が可良で 體格が均整を得ておればその兒童一生の健康は先づ上乘といはねばなりません。これに反し、もし、これらに、缺陷があつたり、均整を缺くやうなことがあれば、一日も早く矯正し、修復することが緊要です。實に、兒童期に於ける榮養の良、不良は一生の健康を支配するほど重大なもので、發育期を過ぎてから後では、いかに焦慮するも繕いが出來にくいからです。

なぜ肝油がすゝめられる 榮養上の障碍はある種のヴイタミン補給が不足することに原因する場合が多く、就中ADを充分ならしめるによつて容易に除去し得ることは往々です。ヴイタミンAの不足は呼吸器粘膜の抵抗力を弱め寒冒にかゝり易く、腺病質に傾き或は視力に障碍をきたし、ヴイタミンDの不足は齒牙と骨骼の發育を妨げ、將來の體力を支ふべき骨組みの形成を不完全ならしめます。

お産の前後から幼少年期 兒童の發育に極めて重要な、このヴイタミンADは併せて肝油の中に適當の割合で含まれて居ります。幼少年期の兒童だちの補強材料として缺くべからざるものであるのみでなく、お産の前後には平時に幾倍する多量の補給が必要で『妊娠すると肝油を服め』と言はれるほどです。

微量で効く 糖衣の小粒 しかし、いかに効果的でも、あの臭魚の強い油を毎日幾盃もの大量を服むことは、實に堪へ難い惱でしたが、今では、小豆大の小粒一個が肝油に相當する量よりも質の良い一粒肝油ハリバが出來て、樂に服めることになりました。以前は醫師から『肝油をお服みなさい』と言はれると、大人も小兒も顔をしかめたものですが、今は、誰でも喜んで、朝夕一粒のハリバを用ひ得る時代になりました。

學校でも‥家庭でも‥ 發育期の榮養劑として昔から肝油ほど流行り廢りなしに廣く用ひられるものは、日本にも外國にも類例がありません。たゞ量が多いのと、服みにくいだけが缺點でしたが……今や二つの缺點が除かれ、効力についても何らの疑がない、この古い保健劑が最も近代化され、飽きずに、永く喜んで服用が出來るやうになつたゝめ、近ごろいたるところの學校でも家庭でもハリバの卓越さが讃へられ、旺んに愛用されるやうになつたことは、國民保健上からも喜ばしいことゝ、醫藥兩界から好評嘖々たるものがあります。

一日量　幼兒……一粒　小兒……二粒　大人……四粒

多幸なる生江孝之先生

相田良雄

私は生江さんとの交際が、明治三十七年八月以降であるからその以前の事は知らぬ。又それを知りたく努めたこともない。先般生江さんの古稀祝賀會の時に、同鄉の人から生江さんは仙臺藩數學師範の家に長男として生れ、妹一人弟一人の三人兄弟であり、幼少の頃から青雲の志を抱き研學修養の爲に家を省みる暇なく、家の事は令妹に一任してあつたとのことである。

生江さんは北海道に在つて監獄教誨の事に任じてゐたが、志を立てゝ東京に出で青山學院に入學したのは明治二十九年十月生江さんの三十歳の時である。それから北米に遊學し、留岡先生と共に歐洲を一巡して歸朝せられたのは三十七年二月であつた。

歸朝後間もなく日露開戰となり、坪野神戸市長の下に市吏員として、又神戸市奉公會、神戸市婦人奉公會の爲に戰時後援事業に活動して功績を擧げ、大に名聲を博した。その慰勞といふ意味もあつたであらうか、戰後再び歐米視察の途に上り、歸朝後内務省囑託として、社會事業や自治民政の事、民風作興、地方開發等の爲に官命を奉じて東奔西走講話指導に努め、傍ら大學專門學校講習會教習所養成所等の教授又は講師として養材育英の事に當り、雜誌にパンフレットに筆を走らし文を遺り、或は書を著はして世敎を稗益し、殊に畢生の力を注ぎたる『社會事業綱要』は我國社會事業の指導、教科書として重要視せらるゝに至つた。

近年痲藥中毒者の街頭に悲酸なる狀態を露呈するを見て、默過するに忍びず、同志と共に痲藥中毒者救濟事業を起し、推されてその理事長となり、經營の任に當り着々實績を擧げつゝあるも、何しろ中毒患者はその數非常に多く、而も之が經營の資を得ること困難なるが爲從來儉素な正しき生活を以て貯蓄したる養老基金ともいふべきものを之に投じて理事長の職責を完うせんとするなど悲愴なるものがある。

嚢に政府の社會事業調査委員に擧げられてその職責を盡し、又青年社會事業人の爲にその侶伴となりその指導

者となり、更に彼等就職の爲には時間を割愛し老軀に鞭ちて周旋して至らざるなく、青年社會事業人は生江さんの功績の大なるに比し、酬はれることの少なきを思ひ、先輩の同意と贊助とを得て生江君古稀記念祝賀を企圖しその祝賀會を昨年十一月十二日帝都精養軒に於て開催した。來會者三百四十名稀に見る盛會であつた。

人生壽にして康なるほど幸福はないと思ふ。特別の境遇に在るものゝ外長命を欲しないものはあるまい。如何に醉生夢死といはれても長命でありたいと思ふは人情であらう。縱令長命でも始終病氣で呻吟してゐては生甲斐はない、そんな人でも口には早く死にたいといつても、内心は矢張り死にたくはない。生江さんは古來稀なりといふ七十の年を迎へ知己先輩に依り古稀の賀莚を開かれ記念事業を計畫された。近年老人らしくはなられたが、非常に健康であるから、今後特別に心身の上に變化を來たさぬ限り、相當長壽が保たれると思ふ。

如何にして生江さんがかくも健康であられるかといふに、健康なる體質を備へて居るからとばかりはいへない。身を養ふに用意の周到なるものゝあるを見逃してはならぬ、曾ては午後七時過には食事せず、今中食を廢す。書を讀み文を屬し、叢を講じ、倦みては散策する外道樂なるものなし、一時圍碁に熱中したることあるも、頭を使ひ時間を浪費するを恐れ、碁盤を擲摧して以來敢て他の盤石にも觸れず、若きより酒杯を手にしたることなく唯病に對しては實に小心翼々たりである。

窪田樞密顧問昨秋私(筆者)に揮毫を下さつた。それに左の二句がある。

善ク養フ身ヲ者ハ常ニ治ス病ヲ於無病ニ
善ク養フ心ヲ者ハ常ニ去ル欲ヲ於無欲ニ

生江さんは昨年身體に違和を感ずるとて、醫師の診察を受けたが、猶安せず、遂に一週間聖路加病院に入院して、病理學的、臨床學的に診察を受け又病原菌有無の檢査を請けて、何等病魔に犯されてゐないことが分明し自他共に安心した。生江さんは前揭の病を無病に治するもので、壽にして康なる所以である。

篠崎篤三君は『社會福利』の二月號に『古來我國で名の知られた社會事業人は何ういふものか大抵其初夫人を乘り斃してしまつて居る。石井十次氏、留岡先輩、山室中將、赤松照幢氏、矢吹慶輝博士がそれであり、長谷川良臣氏、谷川貞夫氏我遲れじと飛んでもない先蹤に倣はれた』と書いてある。篠崎氏の擧げた外に、井上友一博士、小河滋次郎博士、安達憲忠氏、高田學士などがある。下世話に疊と女房は新しいのがいゝといふ。それは昔女房を幾人も取代へた人がいつたてれ隱しであ

つて、取代へ〳〵したが先の女房よりよい女房はないといふ俗諺もある。性質が合はずして離婚するものは別にして、中途にしてその妻に死別するほどの不幸悲酸事は少ない。然るに生江さんは『卓爾として其の圈外に乘り出し巧みなる夫人の乘方を示された』と篠崎君は書いてある。私は篠崎君のいふ巧みなる乘方とはどういふことか判らぬが、生江さんが偕老の樂を享受しつゝあることを祝福せざるを得ない。

私は總ての事に天の時地の利人の和といふことを考へる。生江さんが神戸市に就職しなかつたならば、又日露戰爭がなかつたならば、生江さんを今日ほど偉らくしたかどうか、又幸福にしたかどうかと思ふ。神戸は生江さん發祥の地であり、日露戰爭は生江さんを社會的に活動せしめたのである。生江さんの渾身の努力以て神戸市市民上下老若男女を打つて一團となし戰時後援事業を完成し、而して溫雅貞淑の令夫人を得られたのである。若しも生江さんの歸朝が二月も三月も後れたらばどうであらう、就職が神戸でなく、大阪であり、京都であり、横濱であり將又東京であつたならば、神戸ほどにその功績を認識して貰へるかどうか、勿論今の令夫人を迎へ得なかつたであらう。

三男秀雄さんを喪はれたことは、多幸なる生江さんに取りては非常なる大慘事であつた、何ものにも代へ難い悲痛事であつた。然れども秀雄さんの死は空しからずであつた。何等の代償も拂はなかつたとはいへない。爾來生江さんの人生觀は一變した。生江さんの精神生活に大なる反省を與へた。更に好著『社會事業綱要』の出版を見るに至つた。

生江さんは大正十二年三月病の故を以て内務省を辭任せられた。爾來十幾月靜養せられたけれども、その効驗は著しからず、高田愼吾病學士が獨逸より歸朝せられ、病人の自分よりも健康が惡るさうだといはれた。持つべきものは友人である。此時十三年某月歐米視察を終へて歸朝した一友人がある、此友人の親切なる忠言に依り、心機茲に一轉して生江さんの健康は回復した。

人生子供を三人持ちて初めて意義を完うするといふ。生江さんにも三人の子寶を得たが末子秀雄さんは夭折した。長男元武君は學業夙に成り今東京市に職を奉じ、令閨を迎へて既に人の父となつて居り、二男健次君は一時問題となり兩親を深憂せしめたが、今では文藝春秋社に入りて囑望せられ、兩君とも前途の洋々たるものがある。生江さんには後顧の憂ひなく實に多幸である。

私は生江さんに何時までも社會事業の指導者先覺者としてやつて頂きたい、それには大に仕事を少なくして自由の身となり、その餘暇を以て夫人と共に全國を行脚し私設按察使の役目なり慰問使なりの仕事をして頂きたいと献策し懇願して居る、是れ蓋し多幸なる生江さんをして益々壽にして康ならしめんと欲する念願である。

徳富蘆花夫人と語る

伊藤悌二

蘆花の再檢討

文豪德富蘆花翁が永眠されてから早くも十一年を經過した、昨年夫人が、數千坪の地所と永く住み慣れた住宅とを東京市に寄附され、それが新聞や映畫ニュースに迄報道さるゝやうになつたので今更のやうに世人は耳目を欹てるに至つた。殊に此の頃のやうに世界の大勢——思想界はもとより——は、大戰亂以前のやうな狀態となり、危局は波瀾を孕み、內外の形勢は錯綜をきはめて來ると、誰れしも內觀的になり、自己の精神生活を反省するやうになるものである。

斯うした暗雲低迷とも云ふ可き時代に、いかにも眞劍な人道主義者蘆花翁再檢討の叫ばれるのは當然な事である。

記者は翁に遭つたのは明治四十三年の春で、その間二十八年と云ふ歲月は流れて居る、その頃は京王電車もなく、三軒茶屋から武藏野を徒歩で訪れて行つたものである。無論當時は去莊な粕谷御殿もなく、現在殘つてる母屋と離れの書齋があるばかりだつた。翁が露西亞から歸つて此處に移住された頃は、庭園には逃魁、紅葉、菊位の草木が閑の山であつたが、今では二百種以上の樹木が亭々として眼をさいぎるやうになつてゐる。これは大抵翁御夫妻が丹精をこらして移植したものや、鉢植であつたものである、殊に大王松を眺めて居ると、そゞろに去る年記者が新宿御苑拜觀の時の事を思ひ起す。

記者は小春日和の一日久方振りであの奧の椽の高い御殿に夫人と對座し、時の移るを知らざる程に興味ある御話しを腹藏なく窺ふ事が出來て嬉しかつた。

音樂と繪畫の趣味

「先生は祈禱をなさいましたでせう？」

「形式的に、既成宗教家のやうに時を定めて、聲を出したりして祈禱はしませんでした、自分の大きな仕事に着手する場合とか、元旦を迎へたりした時、殊に國家の一大事の時など眞劍に祈つて居りました、忘れもしません、

大正天皇樣の崩御の時などは、自分も重病に冒されて居り乍ら、羽織、袴に威儀をたゞし村役場へ出頭して名前を記帖したのです、それから益々病が惡化して房州へ轉地など致しましたが無駄でした」

「音樂に對する御趣味は？」

「讃美歌の中でも二つか三つ位しか愛吟するのはありませんでした、それも主よみもとに近づかん、と云ふ歌のいゝ主よが氣に入らないので英語で歌つてゐました、西洋のレコードの有名なものは獨りで樂んでゐましたし、延壽太夫のやうな一流の人の長唄などは惡くはない、と申して居つたのですが、特別に耳が銳いとか、音樂そのものに興味を持ち、熱愛する事は致しませんでした」

「洋の東西を問はず大藝術家の傳をみますと、音樂とか繪畫を愛好したやうなところがありますが、先生は繪の方は？」

「若い時に水彩畫でよく寫生などして繪は好きでしたが所謂大觀とか栖鳳とかの繪に大金を費す人の氣が知れぬと云つてゐました、つまり名人の名畫は好かなかつたのでせう、銀座あたりへ行きますと印刷ものゝ西洋畫の額を時々求めて來ましたが、それが敎訓的なものばかりでした、例へば此の繪のやうに（現に室內に掲げてあるのを指し）牡牝の獅子が巖頭に立つて、沙漠の商隊を睨んで居る——恰度これが自分等夫婦のやうなもので、都會生活から離れて閑寂な武藏野の生活をしてゐても、時代と鬪はねばならぬと云ふ覺悟決心を要するのだ、と比喩的な事を云つて喜んでゐました、那翁の『勝利の悲哀』と云ふ名畫も斯うした意味から好んだやうでした」

敎會に對する所信

「先生は死に至る迄基督敎的信念に燃えてゐました、譬へ其の形式はどうでも、生活そのものは眞のクリスチャンであつた事は何人も否定出來ませんが、敎會に對する御考へはどうでしたらう？」

「常に申してゐました、自分は眞の牧師、眞の宗敎家となり、家庭そのものが眞の活ける敎會となるまでは、敎會へ行かないでくれ、人一倍欽點のある事をよく承知して、つまり自己の人格完成のために、どんなに苦しんだ事でせう、どんな場合でも決して自己を僞る事の出來ぬ人でした、その正直な性格が男らしく煩悶もし懺悔もしたのです、斯うした意味からして全生活の記念塔とも云ふ可き富士の全卷が完成しなかつたのは殘念でなりません、話しが前に戾りますが現代の敎會は眞の宗敎的生活の修業場ではないと云ふよりも、自分の願つて居る、自分一人が眞面目に反省して法悅の境に心身ともにつかる

事が出來ないと思つて居られたらしいのです」

「歌舞伎などは御覽になりました？」

「十七八年の間、一流の人々のを二三回しか觀てゐません、都會生活から遠ざかると觀たいのでせうが億劫になるのですネ」

「不如歸が上演された場合の謝禮などは？」

「名前は無論申上兼ねますが、原作者に對しては世間の想像なさる十分の一も持つて參りません、脚色家と云ふ人々は其點惠まれる事になるのでせう」

潔癖な性格

「先生の潔癖な性格は天性にもよる事でせうが、少年時代の同志社に於ける基督敎主義の敎育が影響してゐると思ひますが、日常の御生活は如何ですか？」

「フレンド敎會やクエカー宗に關心を持つてゐた爲か、時間は實に嚴格でありまして、正確な時計を持つて、食事の時など五分間遲れても、折角作つて膳に運んで來るテンプラの料理などひつくり返す事も珍らしくはありませんでした、わたしが東京に買物に出て約束通りの時間に歸らない時等はよく怒られるのが常習になつてゐましたから、今度は逆手を使つて反對に高飛車に怒つて歸つて來ると、呆氣にとられて笑つてゐました」

「來客に對して愛憎が甚しかつたやうですが、それは其の日の腹の虫の具合にもあつたでせうが、如何でしたか？」

「校正の使で往復する本屋の小僧さんなどでも、氣に入ると非常に歡待する事もありましたし、氣が向かないとどんな高位高官の人でも貴婦人でも面會しませんでした、それから理に合はぬ贈物などでは、遠い路を電車道まで追ひかけて行つて返して來る事もありました」

「食べ物に對しての好みと云ふやうなものは？」

「無論菜食主義ではありません、肴でも牛肉でも好んで食べました、洋菓子とか果物も嫌ひではありませんでした、酒と煙草は主義の爲めでなく一切口にしませんでした」

「子供は如何でしたか？」

「自分等に子供のないのが物足りなかつたらしく、口癖に子供が欲しいと云つてゐました、お子樣のある人が大層羨ましかつたやうでした」

晚年に於ける翁

「令兄蘇峰先生に對する御考へは？」

「兄が最初洋行する時、民友社を預かつた人との問題で世間に流布するやうに別に兄に對し感情の疎隔とか云ふ

やうな忌はしい事はなかつたのです、仲に立つ人々が惡かつたと思ひます、晚年はとても子供のやうに兄をなつかしがり、伊香保でもどんなに兄をまちこがれたでせう」

「晚年病篤くなられて伊香保に赴かれたのは先生の御意志であつたでせうか？」

「常識で考へても、あの場合あゝした旅は實に無理であつたのでした、わたしは別に今となつて、懇切にして頂いた醫者達を恨みは致しませんが、實に無理な事でありました、粕谷に療養中でも、試驗用にされてゐたと云つても過言ではないと思ひます、如何に身體が腫れて居ると云つても、針で生身をズブリ〳〵やつて水を掘るのには側に看病してゐる者の方が苦しかつたのでした、過ぎた事は致し方はありませんが、わたしは皆樣にお醫者樣の撰擇を特に御薦めしたいと思ひます」

人を魅する秘訣

「いろ〳〵御尋ねするやうですが、讀書は？」

「新聞などで騷がれてゐる新刊物は眼を通してゐました、寄贈本もみてゐました」

「春夏秋冬のいづれの季節を愛されました？」

「早春ですネ、殊にあの青々と麥の芽の出かゝつた時、野道を散步する事をどんなに喜んだ事でせう、春の訪づれを愛して、幾度か大地に瞑想し天地に感謝した事でせう」

「先生は文章は天性餘り御上手な方ではなかつたやうですが？」

「文を綴ります時非常に苦心をし、推敲を重ねた跡が歷然としてゐます、天才とは生れ乍ら具へて來ると云ふよりも、鍛錬の結果によるものゝ方が多いと思ひます、つまりあれ迄人から愛讀された本を書き、相當人氣を呼んだり人を魅し去つたと云ふのは、文章の上手下手と云ふよりも正直に內生活をぶちまけた爲めであつたと思ひます、何もかも僞らないで天下に訴へた處に尊さがあると存じます、童心をもつて神にあこがれ、寶玉のやうな道德的生活を求めた處に人を動かした秘訣があつたやうです、いつまでも子供のやうな心持に活きてゐられた事は有難い事でした」

二十八年前

「二十八年前始めて御訪ねした時、奧樣は私に細い薩摩薯を御馳走して下さいました、鶴子樣は未だ四歲位であつたと思ひます、盛んに御辭儀をして居られました」

「あの當時は百姓は未だ慣れてゐませんでした、あの臺所は今の母家の臺所なのです」

「先生は私を捕へて形而上の學問——哲學とか神學とか——をやつては飯が食へない、如何にして十呂盤を彈くか、鋤鍬をとるかと云ふやうに、手にも取る事が出來、肉眼で見える事業をしなければならぬ、と私に申されました」「貴殿が十年間も牧師の生活をなされた事が、今の御事業の精神的な基礎を築き上げたのではないかと思はれます、眼で見ゆる事業は眼で見えない準備の賜でせう、わたし共も度々貴殿のやうな仕事(兒童に關する)をしやうとした事がありました、羨ましい事です」

「禪の問答のやうなあの時の先生のお話しが今にして始めて悟る事が出來ます、どうも長時間に渉つて種々有難う御座いました、先生の御墓にもう一度御參りして御暇いたしたいと思ひます」

「何もありませんが、お茶漬を一つ……」……と云ふ夫人の御懇ろなる御すゝめによつて、蘆花會の後閑林平氏と共に晝食の御饗應を蒙つて粕谷御殿を辭した。


（二月十五日記）

醫學博士 岡田道一著	身體に及ぼす煙草の害毒	一册 十錢 送料 二錢
醫學博士 岡田道一著	身體に及ぼす飲酒の害毒	一册 十錢 送料 二錢
日本醫師 禁酒會編	飲酒の禮讃者へ（排酒寸鐵）	一册 十錢 送料 二錢
煙草嫌ひになる含嗽藥	岡田 禁煙水	一瓶 一圓 市内六錢 地方十二錢
禁煙同盟機關月刊雜誌	禁煙の日本	一年分 一圓 送料不要
獨逸フリッツリツキント著 岡田博士編譯	恐るべき喫煙と健康	一册 四十錢 送料 十二錢

酒、煙草の害は萬人悉知と思へど案外醫學的の説明は知つてない、知らずして之を用ゆる愚や恐るべし體驗上害を知る時は己に手遲れだ悔んでも後の祭とならぬやう今からでは遲いとは云はれぬやう、健康の時にこの書を讀め、タツタ煙草一箱の値で一生得をする自分のため愛兒のため之を讀め又は用ゐよ!!

申込所 子ども衛生社
東京市豐島區長崎仲町一丁目二七九〇番地
（電落合長崎三〇四七 振替東京七五四四三）

春の沙丘に

納　秀子

春の沙いとなごやかにぬくもりて防風を秘め松露も藏す
藪入りの子等にまじりてカーンカンとお閻魔様の鉦を聞きたり
何かしら嬉しきことのこもりたる春の沙かなうすきぬくもり
〇〇〇
くびちかけて今朝も小鳥のかゝらぬがうれしくおもふ親心かな
春なれやほのかに寄りし木の蔭に花ならぬ花もかほりもつなり
夢に似てまことなりやと思ふさへものうき春の宵闇にして
唇は紅さがよけれまじまじと山の椿の落ちしをひろひ
山みちの足ざわりこそはをもしろし落ち椿ふみ落ち石をけり
ふとけりし石の一つがサと音しザーツとこだまし笹原走るよ
頬にあてゝ春のことばを聞かむとす木の芽しみらにいとほしき夕

なべて地はしろき雪なり一輪の紅き椿のつやゝけき朝
母と子と肩を並べて春の山いざ登らむと氣負ふもをかし
娘なれば山の小草もくれなゐに咲きしをみれば足をとゞめし
飯盒炊爨わかき心を母もちて子とたわむれつ飯のうまさよ
笹山の黄ばむがうちに紫の小さき花見つ君にかも似て
雪のしづくほのに音してわが胸のとけかねしものにふるゝ朝なり
いつしらず潮にあせたるあから髮海女ともなりてひとりすむべき
わだつみのうしほくむほどはかなくてたよりすべなき戀文いくつ
いつしらず潮にけされてはかなくもわがこしあとの沙の光れる
何かしらものをいふかや夜の潮はわがゆくかたに亂れてはしる
風ふけばゆるゝにまかせ雪つばめこゞむに如くなし竹とわが心
この山のかなたこなたに鐘のあり音するをきくわびしさの果
鐘なりぬ五つをかぞへ息すればわが身は霧につゝまれてけり
入相の鐘よなあわれそのかみの靜おもへば髮もふるへぬ

友情無限

沖本重虎
大川清太郎

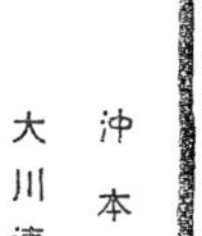

CER.

樫ノ浦西泊便り

沖本重虎

謹啓　お手紙ありがとう存じます。早速不躾なおねだり御聽き届け下さいまして御秘藏の中曾根書伯の名畫お惠み給はれまことに感謝の至りでございます。厚く御禮申しあげます。永く家寶として保存する考へでございます。奥さまにも宜しくおつたへの程お願ひ申します。

今居ます任地は昔は珊瑚の名產地(今は天下の貧乏村)月灘村です。學校は生徒僅か二百、敎員は四名の小さい學校です。いつのまにやら郡の教育界の中老組になつてしまひました。日本の教育も私などが大手をふつて校長面ができるやうでは心細いものとひそかに相すまなく思ひます。

童話に筆を絶つて四年、小説をしきりに書きましたが、遂に物にならず、小説家として中央に進出の夢は摧かれました。その間に、自分が生死の大病をしたり、妻がつゞいて三ケ月餘も入院したり、どうも不幸つゞきでした。どうしても陸でないと都合が惡いので、當局に無理を言ひ島での七學級の校長さんを棒にふつて陸へ歸して貰ひました。昨年九月です。こちらの相談がむりでしたので學校は小さくても辛棒する旨承知しておきましたら四學級の校長になりましたが、おかげで仕事は大へん樂です。前任地は高等小學校と靑年學校が併置されてゐたし、部下に元氣な若い男女敎員が六人わい／＼騒いで賑かな代り使ふのに少々骨がおれましたが、目下大そう安氣です。まづ／＼家内中病人も絶えたし、病中の物入の仕末もついたので舊正月には更生躍進の心祝をするつもりです。もう少し小説を練習して見るか、童話にかへるか、文學に志を絶つか、いろ／＼考へて居ます。

『子供の世紀』、いつも／＼有りがたう存じます。原稿をと思ひますが、病氣したり、書いたものが『子供の世紀』むきでなかつたり（殆んど不向きで）ずいぶん長い間失禮しました。命をとられかけた腎臓も治り、痼疾の腰部神經痛（これは跛から來てゐる由）も輕快ですし、學校も樂になりましたので、そのうち輕い童話か隨筆を書かしていたゞきたいと思ひます。前に書いた童話の原稿は少々ありますがどうもお恥しい粗末なものでして公表の限りではありません。

敬　具

白虎隊士伊東悌次郎傳（第一信）

大川清太郎

前略　先日は御多忙中吉村先生宅へお連れ下され有難う存じました、書帖に御揮毫を願つた藤原時代の童女の繪は他の畵伯とはダンチの相違で、實に素晴らしいものと家内一同大喜びです。

本日机の整理を致しました處『補修會津白虎隊十九士傳』と言ふのが出て參りました（二月二日）

『伊東悌次郎君の傳』を拔萃致します。

君は郭内米代四の丁に生る、十一歳にして日新館に入學し、尚書塾一番組に編入せられ、勤學を以て屢々藩公の賞賜を受く、文伯又其柔術に精し、又君の家は砲術家山本覺馬氏と相接近せるを以て、君此の二技に於けろや其の幼弱なるに似ず、又騎を好む、戊辰の年三月白虎隊二番士中隊に編入さる、喜德公に隨ひて安積郡福良村に出戍するや平素通學の際に佩ぶる所の大小刀を腰にして赴く、在陣數日にして福良より書を父君に寄せて曰く、武士主君を衞る利刀なかるべからず、切に冀くば良治の作る所のものを賜へと、是に於て父君囊を傾けて備前兼光が作る所の大小刀を購ふ、而して未だ之を寄するに及ばず、君公に扈從して歸り其の刀を視るに凛乎たる秋霜截鐵るべきものなり、君欣然拜謝して父君に謂ふ、以て國家に報ずべし、誓つて大人の恩賜を空うせじと、八月二十二日其の刀を佩び、容保公に從ひ瀧澤に向ひて進んで戸ノ口原に戰ふ、利あらずして衆と倶に劍に伏して飯盛山上に殉難す、時に年十七なりといふ、事平らぐの明年三月、親戚井深氏の子茂太郎君の死處をトす、占者謂く茂太郎君は飯盛山に殉じ戰友と共に同處に葬ると、茂太郎君の遺族に賴り、飯盛山に到り屍體を掘り起し視るに、果して其の着せる陣羽織の紋章に因り茂太郎君なることを認め又氏名を書せし板札を帶びたるを以て君の屍を得、乃ち君が親戚に報ず、時に君の遺族は新屋村に在り、茂太郎君の遺族は冬木澤村に寓す、因て共に各々其の頭

髮を柩に斂め之を先塋に埋め、屍體を飯盛山に留むといふ、君の父君名は祐順、初め辰之助と稱し後左太夫と改む、君の母堂名はすみ子武川氏、青龍五番足輕中隊頭武川頭將君の姉、陸軍一等主計武川房之助君の伯母なり、容姿美麗婦德あり、能く左太夫君に奉ず、左太夫君幼にして學を好み、本藩の鴻儒宗川儀八郎茂に師事す、茂育英に長じ其の門下より人才輩出す、廣澤安住、永岡久茂、柿澤勇記の如き是なり、祐順君も亦宗川門下逸才の一人なり、學成り世祿百三十石を繼ぎ、儒者見習、用所密事頭取、軍事方、大目附等に累遷し、戊辰の亂後又天山公の侍講に任じ、在任中東京に歿す、時に年四十有六、俊吾君は左太夫君の父なり事へて金山奉行に至る、西軍の外郭に迫るや之を甲賀町口に防ぎて死す年七十三。

以　上

姉と妹とのお供旅行（第二信）

大川清太郎

大寒のギヤク戻りですか、本日は又馬鹿に寒い氣候です「冗談から駒」と言ふ言葉がありますが、全く一寸した話の具合で今度の大阪行に珍らしい人達を連れて參る事になりました。

（少し許り氣を持たせて）

今度結婚する姉と節子を連れて參ります、獨身中に姉弟妹三人水入らずの初めての、最後の旅をする譯でお互ひに永久の記憶に殘る事と思ひます。

節子はとに角、富子姉は御承知の通り內氣で旅行等には餘り出ぬ人でしたのに、心境の變化は驚ろくべきものがあります、兩親も非常に喜んで贊成して吳れました。寳塚ホテルには是非一泊するつもりです、少女歌劇も覗き箕面へも參ります、唯殘念なのは決算報告書が出來て居りませんので、小生の體に猶豫のない事です、京都奈良を心ばかり見て、伊勢大神宮を參拜し、名古屋のシヤチのグロテスクな顏には大して興味が有りませんが、鱗の盜まれつぷりを見て歸京します。

然し乍ら神經の柔かな姉と、最も明るい妹とを道連れの旅はお可しい樣な、恐いみたいな拙者の心臓もちますかしら。いづれ拜眉の折御診察願います。（二月九日）

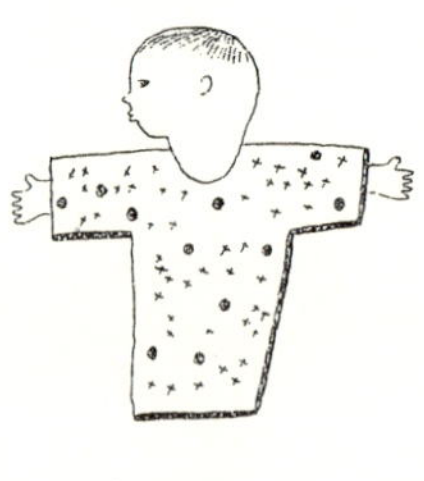

離乳に就いて

醫學博士　廣島英夫

母乳が豐富で母乳ばかりで赤ちやんを滿一年以上も育てゝゐますと、たとひ正常な體重增加を來しましても、赤ちやんの顏色は蒼白となり、皮膚の緊張は無くなり、骨格もしつかりしないことが多いです。從つて離乳を適當の時期に行はなければなりません。

最近私が調査しました大阪市南部の「カード階級」に於ける乳幼兒の平均體重表を、「グラフ」にして觀察致しますと次のやうに、生後七ケ月頃迄は體重增加は規則正しく、美くしい曲線を示してゐますが八ケ月頃より曲線は波狀に不規則になつてゐます。又平均體重曲線と標準體重曲線との差が著明になつて來てゐます。卽ち生後七ケ月頃迄は、「カード」階級の赤ちやんでも餘り著るしい體重減少は認められない。殊に五―七ケ月頃は、最も標準體重に近い値を示してゐます。然るに八ケ月頃からは體重增加率は減少して、標準體重に比べて一瓩も少い場合があります。而して極めて不規則に體重が增加してゐます。

一方榮養方法を調べてみますと、約八九・六%は母乳榮養兒及び混合榮養兒であつて、且此の階級に多く見られるやうに、何れも母乳を滿二年後迄も長く與へて、正しい離乳をなして居りません。

體重曲線に最も大きな關係のあるのは、勿論赤ちやん

の榮養ですが、この外に環境や生來の體質を考へなければなりません。然し乍ら生後七ケ月頃は體重增加率も標準に近く、規則正しく增加して、それ以後は急に不規則となり、增加率も著しく減少してゐる所より考へますと、此の頃の榮養法が不適當である爲ではなかろうかと第一に考へられます。卽ち七ケ月頃迄の榮養法卽ち母乳ではも早や不可であることを示してゐるのです。も早や母乳が充分な發育を來らす榮養品であり得ないことを示してゐます。又母親にしても、授乳能力が此の頃には大變減退してゐることを示してゐます。

從つて私は生後七ケ月頃より離乳を開始して、誕生頃には是非完全に離乳出來るやうにするのが最良と考へます。

離乳の難かしいことは、前揭の體重表でも明に示されてゐます。曲線の不規則なことは、如何に離乳前後の榮養法が難かしいものであるかを示してゐます。正しく離乳を行ふことが大切です。母乳榮養を高唱するより以上に、離乳の正しき指導の方が必要だと考へてゐます。離乳期の乳兒の死亡率の多いことを考へ合せますと、適當の時期に正しく離乳を行ふやうにしなければなりません。

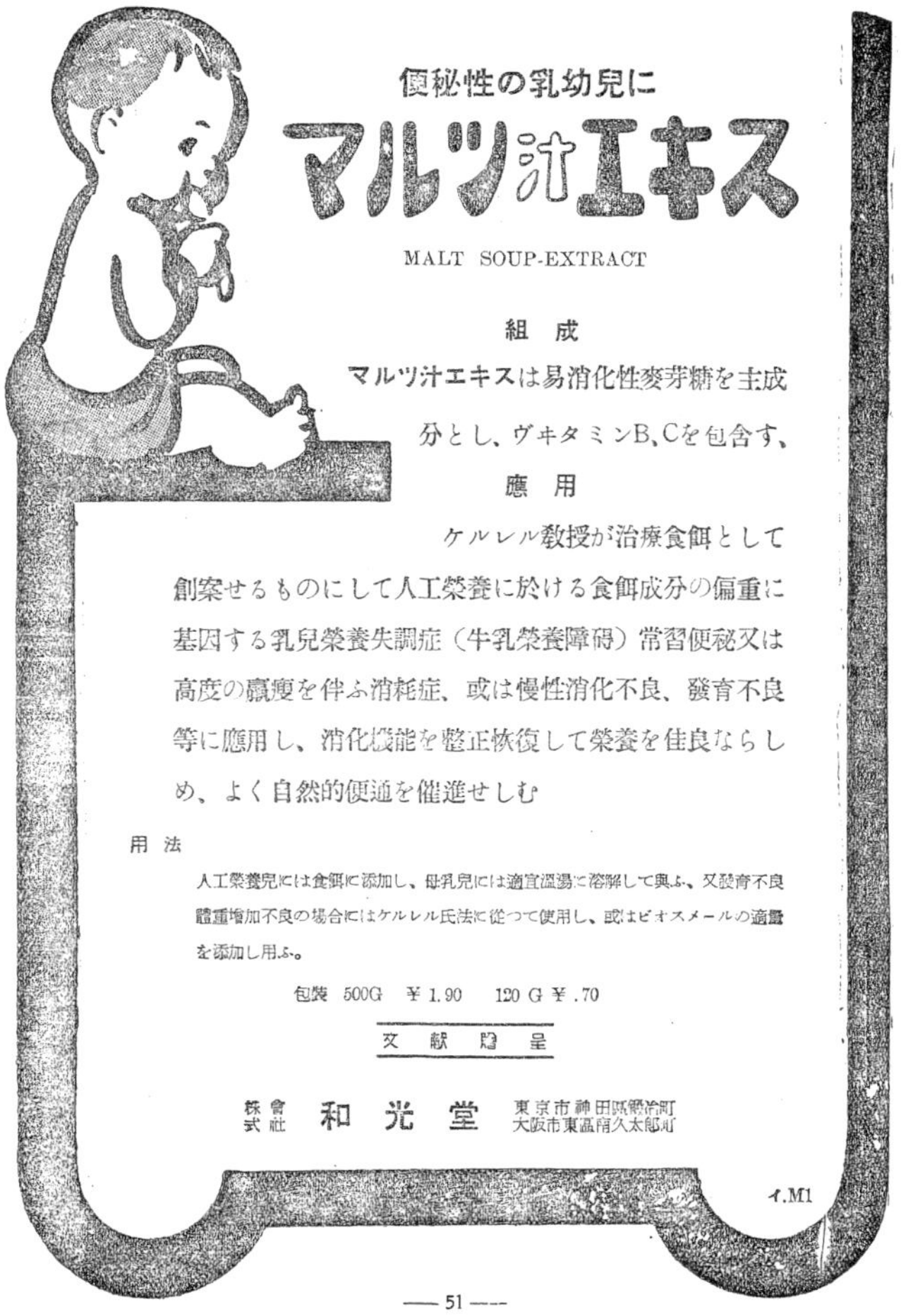

便秘性の乳幼兒に
マルツ汁エキス
MALT SOUP-EXTRACT
組成
マルツ汁エキスは易消化性麥芽糖を主成分とし、ヴキタミンB、Cを包含す、
應用
ケルレル教授が治療食餌として創案せるものにして人工榮養に於ける食餌成分の偏重に基因する乳兒榮養失調症（牛乳榮養障碍）常習便秘又は高度の羸痩を伴ふ消耗症、或は慢性消化不良、發育不良等に應用し、消化機能を整正恢復して榮養を佳良ならしめ、よく自然的便通を催進せしむ
用法
人工榮養兒には食餌に添加し、母乳兒には適宜溫湯に溶解して與ふ、又發育不良體重增加不良の場合にはケルレル氏法に從つて使用し、或はビオスメールの適量を添加し用ふ。
包裝 500G ￥1.90 120G ￥.70
文獻贈呈
株式會社 和光堂 東京市神田區鍛冶町 大阪市東區南久太郎町
イ.M1

離乳

醫學博士 小西正孝

一 母乳は四時間の間を置いて一日に五回與へます。時間を定めずに泣く時に飲ませて居れば決して離乳は出來ません。

二 生後七ケ月から九ケ月までの間で子供の體重が七瓩になれば離乳を始めます、そしてゆつくりと誕生までに乳を離します。

三 最初一回の母乳を先づ外の食物に變へます、次に一定の間を置いて他の母乳に移ります、かくして順次に五回の乳を離します。

四 離乳の際に與へる食物は榮養價が多く消化のよいものを選びます。これをよく調理して少量から徐々に多くします。

五 食物を變へたり分量を增す場合には常に子供の健康に注意します。何か異常があれば一時中止せねばなりません。

準備期（四—六ケ月體重六瓩）
午前六時母乳、同九時**果汁**、同十時母乳
午後二時母乳、同六時母乳、同十時母乳

第一期（七—九ケ月體重七瓩）
午前六時母乳、同九時**果汁**、同十時母乳
午後二時**菓子と母乳**、同六時母乳、同十時母乳
午前六時母乳、同九時**果汁**、同十時**粥と野菜**
午後二時**菓子と母乳**、同六時母乳、同十時母乳

第二期（十—十二ケ月體重八瓩）
午前六時母乳、同九時**果汁**、同十時**粥と野菜**
午後二時**菓子と母乳**、同六時母乳、同十時母乳
午前六時母乳、同九時**果汁**、同十時**粥と野菜**
午後二時**菓子と母乳**、同六時**粥と卵黄又は魚肉**、同十時母乳

完成期（一年—一年半體重九瓩）

午前六時**粥と卵黄又は牛乳一合とパン**、同九時**果實**、同十二時**粥と野菜**
午後三時**菓子と牛乳一合**、同六時**粥と魚肉又は卵黄**

一、果汁（野菜汁）
材料と調理　蜜柑、トマトの搾汁。林檎、大根の卸汁。これに少量の砂糖を加へ甘味をつくるもよい
時期と時間　生後四ケ月より一日一回午前九時に與へる。
分量と與へ方　最初茶匙に一匙與へ二三日して一匙づゝ增し四五匙にする。七ケ月以後になれば次第に增し十匙位與へる。

二、果實
材料と調理　林檎の卸、細切。（バナナの細切。）これを煮又は蒸し砂糖を加ふるもよい。
時期と時間　生後一ケ年より一日一回午前九時に與へる。
分量と與へ方　最初¼より始め二三日毎に同量づゝ增し一箇にする。

三、菓子
種類　ウエーフアス、ビスケット、食パン（マッチ箱大）、（カステイラ（マッチ箱大）。）
時期と時間　ウエーフアス、ビスケットは七ケ月から。パン、カステイラは十ケ月から始め一日一回午後二時の授乳前に與へる。
分量と與へ方　初め半箇を與へ二三日して一箇とし更に二箇にする。かくして順次に其種類と分量を增す。

四、粥
材料　米（出來るだけ砕いて使ふ）。

調理　一號粥（一〇％）米茶匙に三匙を煮上り一〇〇瓦にする。

二號粥（一五％）米茶匙に五匙を煮上り一〇〇瓦にする。

三號粥（二〇％）米茶匙に七匙を煮上り一〇〇瓦にする。

これを弱火で少くとも二時間位よく煮る。

水の代りに野菜スープ、鰹の煮出汁を使ひ或は食鹽。醬油。砂糖にて味をつくるもよい。

時期と時間　一號粥は七ケ月から午前十時に一回、二號粥は十ケ月から午前十時と午後六時の二回、三號粥は一ケ年から朝晝晩の三回與へる。

分量と與へ方　授乳前に食匙に一匙與へて乳を飲ませ二日目毎に一匙づゝ增し凡そ三週間で十匙（一八〇瓦）にする。

粥を六七匙（一二〇瓦）與ふるやうになると乳を止め副食物を添へる。

五、野菜
材料と調理　馬鈴薯、南瓜、ホーレン草、蠶豆、花キヤベツ、百合根、隱元豆、靑豆、甘藷の裏漉し人蔘、大根、クワイの卸煮。小蕪、トーガン、里芋、八ツ頭、ズイキ芋、トマトのつぶし煮。キヤベツ、白菜の細切。其他、豆腐、麩、湯葉、素麵ウドン、マカロニー。
これを少量の食鹽、醬油、砂糖にて味をつけ或は味の素、バター、牛乳を加ふるもよい。
時期と時間　生後七ケ月より一日一回午前十時の粥に添へる。
分量と與へ方　母乳を止め粥ばかりになれば茶匙に一匙與へ二日目毎に一匙づゝ增し四・五匙にする。更に十ケ月以後になれば次第に增して十匙位にする。

六、鷄卵
材料と調理　卵黄を茶碗蒸、イリタマゴ、卵豆腐とする。
時期と時間　生後十ケ月より一日一回午後六時の粥に添へ一ケ年よりは午前六時の粥に添へるか或は午後六時の粥に與へる。
分量と與へ方　粥ばかりになると共に¼から始め同量づゝ次第に增して一箇とする。

七、魚肉
材料と調理　鰈、平目、サハラ、小鯵、小鯛、キスサヨリ、ハゼ。月の進むに從つて順次に煮附、湯煮、バタ焼、コキール鹽燒とする。
時期と時間　生後十ケ月より一日一回午後六時の粥に添へる。
分量と與へ方　野菜と同樣に與へる。

八、鳥肉
材料と調理　サヽミタヽキ、サヽミ挽肉、サヽミソボロ。
これを魚肉のやうに調理する。
時期と時間　生後一ケ年より午後六時の粥に添へることが出來る。
分量と與へ方　野菜、魚肉と同樣に與へる。

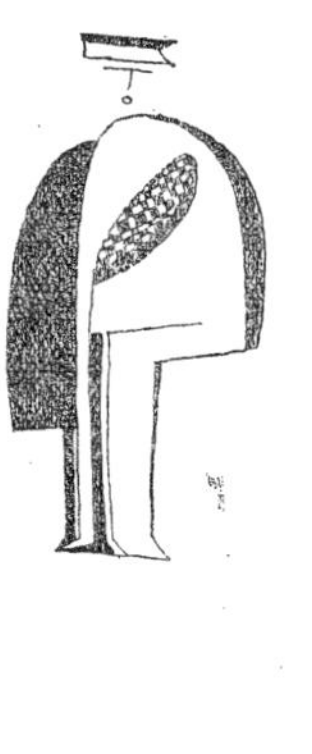

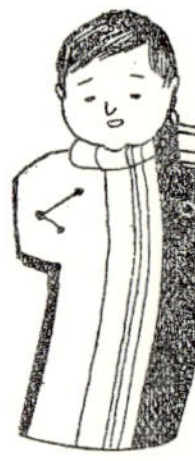

東北地方の子供（其の三）

山形市立病院濟生館小兒科
醫學博士　宇留野勝彌

◇死流産も大變に多い

前號で早産が多いことを書きましたが死流産する母親も相當多く、これまで一回以上の死流産をやつた母親は百人につき一六・七人といふ割合です。これを廣島市の七・三人に比べますと、甚だ多いのにビツクリするのです。死流産の原因は早産の原因と全く同一と見ることが出來ます。只梅毒による死流産は果してどの位に上るかこれは調査をしなければ確かなことは分りませんが相當に多いものと思はれます。尚死流産をやつた母親の乳幼兒はやらぬ母親の夫より一般に發育が劣つて居ります。

◇人工、混合榮養兒が多いか

一般から云へば田舎より都會、野蕃より文明の方が母乳の分泌が悪くなるものです。私の調べでは人工榮養兒は二・七パアセント、混合榮養兒が一〇・八パアセントでしたがこれを廣島市の統計と比べると、廣島では人工が三・八パアセント、混合が九・九パアセントでしたから明らかに山形地方は人工榮養は少ないことが分ります。たゞ混合榮養は逆に廣島の方が僅かに少くなつて居ました。それで人工と混合とを合併すると面白いことに山形地方と廣島市とが同率となつて居ります。

◇人工榮養品の撰擇を謬つて居る

御存じのとほり母乳の代用品は純良牛乳が筆頭で粉末牛乳が次で、煉乳とか米粉、重湯といふやうなのは母乳代用とはならぬのです。一日一回位母乳の不足を補ふ意味であれば煉乳でも、米粉乃至重湯でも間に合はないことはありませんし、又牛乳を薄めるとき、粉末牛乳をとかすときに米粉や重湯を使用することはよろしいですが母乳のひどく不足して居るときか、全く母乳のないときに煉乳や米粉、重湯を使用することは絶對に禁じなければなりません。

ところで山形地方ではどんな榮養法をやつて居るかといひますと、牛乳か粉末牛乳を單獨に、或はその他と十所に使用して居る人工榮養兒は一九三名中一三〇名、つまり六七・四パアセントしか居りません。その殘りは不合理な悪い榮養法の下に育てられて居る譯であります。これを廣島市の統計牛乳或は粉末乳使用の七六・〇パアセントに比すれば約一〇パアセントも低率で矢張り榮養法がよけい悪いことが明らかです。

特にこゝに高調せねばならぬことは米粉或は重湯だけで人工榮養をやることで、こんなことで赤ん坊は決して生長するものではありません。廣島市で一四六名の人工榮養兒中たつた三名米粉榮養がありましたが、この山形地方では一九三名中米粉が一四名、重湯が一一名、兩者併用が一名合計二六名の多數に上る狀態であります。今時こんな誤つた榮養をやつて居るとは實になさけなくつて涙がこぼれて來ます。

◇智識階級に母乳不足が多い

前述のとほり文化の進むと、母乳分泌とは逆行することの事實はどこまでも强められます。廣島市の統計で人工、混合榮養兒の多寡は智識階級一四・四パアセント、商業一一・六パアセント、勞働一二・六パアセントであつたが、山形地方の統計でもこれと似た成績で智識階級一八・一パアセント、商業一六・六パアセント、農業一五・六パアセント、勞働一二・一パアセントとなつて居ります。この事實は私共を非常に憂鬱にしてしまひます。遠い將來ではあらうけれどもいつかはすべての母親が乳汁分泌の不足をつげるやうになるだらうことを考へると慄然膚に粟を生ずるを如何ともしがたいのです。或はその時こそ人類滅亡の時でせうが、或は又文化の力でそんな時は完全な人造母乳が出來て居るかもしれません。呵々。

◇既往に病氣したものの割合

乳兒では三二・二パアセント、滿一—二年では四九・〇パアセント、滿二—四年では五二・三パアセントは何かしら病氣をして居ります。又醫者にかゝつたことがあるかどうか調べたところ、醫者にかゝつたもの乳兒では二五・五パアセント、幼兒では五〇・一パアセントに上つて居ります。これで推察すれば山形地方の乳幼兒の罹病率がほゞ分る譯ですが都會と比較して果してどうであらうか、材料がないので殘念だが、廣島市の選奬會での調べでは尤も健康を誇るやうなものだけが集つたせいもありますが、乳幼兒合併の既往症率がわづかに一四・九パアセントに止つて居りました。（以下次號）

子供の教養と酒煙草

醫學博士　岡田道一

酒、煙草を用ふる事が人生に於ける油の如く慰安にもなり活動の力を添へると思ふものがあるが、果して酒、煙草は人生の油であらうかこの點を判然したい、もし人間が酒を飲んで、能率が上るの、よく働けるのと思ふなら、卽ち機械に於ける石油に比べるならば、これは間違つた觀察である。人間はアルコール發動機ならそれでもいゝが、さうでない。アルコールが體内で燃えたところが、それが必要なエネルギーには少しもならぬ。たゞカロリーはアルコール一グラムにつき七カロリーの熱量を增すけれども、それは人間の體内から大切な酵素を取り去つて燃える一時的の熱量のエネルギーに過ぎない。人間の身體には蛋白質脂肪が燃えなくては榮養にならぬのである。と云ふ事は小學兒童でも知つて居る、然るに酒を飲むと脂肪の燃燒を妨げるから脂肪性肥滿となり運動障碍となる、これを人が體重が增したの肥つたのといふ笑ふ可き話である。ゲーテ曰く「人間はアルコール發動機に非ず。」

機械に對する油は必要品であるが人生に對する、酒、煙草は不可缺の代物ではない、もし赤ん坊が生れて直ぐ母乳を欲するやうに本能ならニコチンを欲しさうなものであるし、母乳にもニコチンが入つて居ていゝ譯だがこれが入つてないのは食品でないからだ、酒、煙草は無くても生きて行かれる嗜好品である。其の嗜好品はその性質上有害であつてはならぬものであるが、酒、煙草といふ嗜好品は兎角亂用に傾き易い、亂用の結果は健康の害因となることが少くない。

もしそれ油が眞に必要であつても油の過度は又機械を廻轉させる事が出來ない、飛行機のエンヂンを見てもよく分る筈だが、機械の油卽ちモビル油は何時も必要で、これがないならば機械は燒付き、一たまりもなく燒け落ちて慘めな姿となつて了ふ。さりながら又モビルを差し過ぎたエンヂンは調子が甚だ悪く飛び上る、卽ち離陸すら困難否敵襲あつてもあはれエンヂンすらかゝらない有様を目の前に見る事が出來る。

もし油を適當に注ぐ事がよいとしても、假りに酒、煙草といふものが油であつたとしても、油を差すやうに適量に止まらない、どうしても過度になるものである。

「人體にアルコールを注ぎ込む事はエンヂンの車輪に砂を撒く様なものである」とはかの發明王トーマスエヂソンの言である、味はう可き言葉である。酒、煙草を病人の快復藥や人生の刺戟藥として推奬した罪の一半は醫者が負はなくてはならぬ。それは病後の人に赤いから血と思つて增血のために葡萄酒をのめと云ふものもあるまいが、只アルコールの刺戟を與へやうといふつもりの葡萄酒がそのため好きになる、卽ち酒が好きになる事もあるし、毎日葡萄酒がなしには居られなくなる事も起る。

榮養なら葡萄液そのものを與へた方がよいのである、又白いから牛乳が血の基とならないと誰れが云へやう、今後は病後の藥又人生の油として果物の液、又牛乳が推奬されねばならぬものである。

以上で酒、煙草が榮養でない事が分つても、自分の趣味などといつて用ふるのは其れ丈はよいかも知れないが自分の子孫に對する遺傳、又子女の教養から考へると自分の子供丈は世界中の醫者が害毒が多いといふ酒、煙草を用ひ度くないと思へば、その目の前だけはこれを用ふるのを止めて頂き度い、まして授乳しながら母親が煙草を喫むとか、子供と同一の寢室に居て父親が煙草を喫ふ事丈は何といつても止めて頂き度いものである。何故ならばニコチンは皮膚を通つて血管に至りか弱いものなれば一層その害毒を受ける事が激しい。

東京の審査會に於ける

母親のメンタルテスト(三)

妊娠中のつはり、妊娠中の病氣(以下次號)

伊藤悌二

(第九問) 御妊娠中「つはり」はありましたか?ありましたら何ケ月頃幾日間位でなほりましたか?

【調査人員總數 一、〇八八名】

月數 / 性別	一ケ月 男	一ケ月 女	二ケ月 男	二ケ月 女	三ケ月 男	三ケ月 女	四ケ月 男	四ケ月 女
七日	三	一	二〇	一一	三二	二三	七	三
十日	一		一八	一六	一七	一二	五	四
十五日	二	一	二一	一二	二二	七	—	—
二十日	三	一	二一	一六	二一	一一	二	三
廿五日	—	—	—	—	一	二	—	—
卅日	七	一	三三	一七	三九	二一	四	三
四十日	一	一	一一	四	五	六	二	—
五十日	一	—	一〇	五	四	三	一	—
六十日	三	—	一六	六	一〇	一〇	二	一
七十日	一	—	一	一	二	—	—	—
八十日	二	—	一	二	—	—	一	—
九十日	—	—	六	二	一	三	—	—
百日	一	一	三	二	—	一	一	—
百廿日	一	—	二	三	—	—	一	一
五ケ月	二	一	—	—	二	—	—	—
六ケ月	—	—	一	—	一	—	—	—
七ケ月	—	—	—	一	—	一	—	—
八ケ月	一	—	一	一	—	—	—	—
計	二九	七	一六五	九九	一五七	一〇〇	二六	一五
各計	三六		二六四		二五七		四一	

月數 / 性別	五ケ月 男	五ケ月 女	六ケ月 男	六ケ月 女	七ケ月 男	七ケ月 女	八ケ月 男	八ケ月 女	九ケ月 男	九ケ月 女	計
七日	—	—	—	一	一	—	—	—	—	一	一〇三
十日	—	—	—	—	—	—	—	—	一	一	七五
十五日	一	—	一	一	一	—	—	—	—	—	六九
二十日	二	—	一	—	—	—	—	—	—	—	八一
廿五日	—	一	—	—	—	—	—	—	—	—	四
卅日	—	一	二	一	—	—	一	—	—	—	一三〇
四十日	—	—	—	—	—	—	—	—	—	—	三〇
五十日	—	—	一	—	—	—	—	—	—	—	二五
六十日	—	一	—	—	—	—	—	—	—	—	四九
七十日	—	—	—	—	—	—	—	—	—	—	五
八十日	—	—	—	—	—	—	—	—	—	—	六
九十日	—	—	—	—	—	—	—	—	—	—	一二
百日	—	—	—	—	—	—	—	—	—	—	九
百廿日	—	—	—	—	—	—	—	—	—	—	八
五ケ月	一	—	—	—	—	—	—	—	—	—	七
六ケ月	—	—	—	—	—	—	—	—	—	—	二
七ケ月	—	—	—	—	—	—	—	—	—	—	二
八ケ月	—	—	—	—	—	—	—	—	—	—	三
計	四	三	五	三	二	〇	一	〇	一	二	
各計	七		八		二		一		三		六一九

無し 男 二九〇 女 一七九 四六九

總合計 一、〇八八

(第十問) 御妊娠中、脚氣、腎盂炎、腎臟炎、發熱等はありませんでしたか?ありましたら病名を書いて下さい。

調査人員總數 一、〇八八 男 六八〇名 女 四〇八名

病名 / 性別	脚氣 男	脚氣 女
二日	—	—
三日	—	—
四日	—	—
五日	—	—
七日	—	—
十日	—	—
十四日	—	—
十五日	—	—
二十日	—	—
三十日	三	—
二月	一	一
三月	一	—
四月		—
六月	二	—
八月		—
十月		—
不明	三	七
計	一九	八
各計	二七	

病名 / 性別	腎臟炎 男	腎臟炎 女	發熱 男	發熱 女	腎盂炎 男	腎盂炎 女	風邪 男	風邪 女	盲腸炎 男	盲腸炎 女	口内炎 男	口内炎 女	乳線炎 男	乳線炎 女	計
二日	—	—	—	一	—	—	一	—	—	—	—	—	—	一	三
三日	—	—	—	—	—	一	—	—	—	—	一	—	—	—	二
四日	—	—	—	—	—	—	二	—	—	—	—	—	—	—	二
五日	—	—	一	—	—	—	—	—	—	—	—	—	—	—	一
七日	三	二	—	—	—	—	—	—	—	—	—	—	—	—	五
十日	—	二	—	—	—	—	—	—	—	—	—	—	—	—	二
十四日	—	一	一	一	—	—	—	—	一	—	—	—	—	—	四
十五日	二	—	—	—	一	—	—	—	—	—	—	—	—	—	三
二十日	一	一	—	—	—	—	—	—	—	—	—	—	—	—	二
三十日	二	—	二	—	—	一	—	—	—	—	—	—	—	—	九
二月	二	一	—	—	一	—	—	—	—	—	—	—	—	—	五
三月	一	一	—	一	—	—	—	—	—	—	—	—	—	—	四
四月	一	—	—	—	—	—	—	—	—	—	—	—	—	—	一
六月	—	—	一	—	—	—	—	—	—	—	—	—	—	—	三
八月	—	—	—	—	—	—	一	—	—	—	—	—	—	—	一
十月	一	—	—	—	—	—	—	—	—	—	—	—	—	—	一
不明	三	—	—	—	—	—	—	—	—	—	—	—	—	—	一三
計	一六	八	五	三	二	二	四	〇	一	〇	一	〇	〇	一	
各計	二四		八		四		四		一		一		一		七〇

無病 男 六三二名 女 三八六名 一、〇一八

總合計 一、〇八八

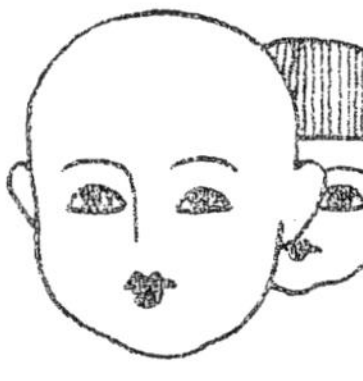

お産の日を知る新らしい計算法

醫學博士 山田尚允

わが國では、一年中で一番受胎の多いのは春陽四月から六月の間で、従つて分娩の多いのは一月から三月にかけてであります。指折り待たれるお産の日がいつ訪づれるか誰しも正確に知りたい分娩の豫定日に就ては、これまでいろんな計算法によつて算出されてゐますが、最も一般的に醫師や産婆に用ひられてゐるのは、母體の最終月經第一日より起算する方法です。

一般的な計算法

胎兒が母親のお腹にゐる期間は大體二百七十日位といはれてをり、従つて若し受胎の日がはつきりしてゐる場合には、それより約二百七十日目が分娩日となるので、その早見法として受胎日の月數に9を加へ、或は3を減じたものが分娩豫定日となります。

併し實際にはかういふ場合は恐らくたゞ一回の夫婦生活——例へばその翌日夫が旅に出るとか、或は暴行によるものとかの非常に稀な場合にしかありえないのです。

ネーゲル計算法

そこで最も一般に通用されてゐる方法といふのは、ネーゲル氏の計算法——即ち母體の最終月經の第一日を妊娠第一日と假定して、この月日(例へば二月十一日)の月數に9を加へ、日數に7を加へた月日(この場合十一月十八日)を分娩豫定日とする方法であります。この際月數に9を加へて十二を越える場合は、代りに3を減じ、また日數に7を加へて卅日又は卅一日を超えるときは翌月に繰越して計算します、尚この他初めて胎動を感じた日に四ケ月と廿日を加へて分娩豫定日となす方法もありますが、これらは何れも胎兒が母體にゐる期間を最終月經から數へて二百八十日といふ基礎の下に算出された方法です。

ワール氏計算法

最近ドイツのケルンの醫學會の席上で、ワール氏が發表した報告は興味あるもので、氏は以前にも五千人の分娩

に就て發表してをりますが、更に之に付加へて四千人に就て胎兒が母親の胎内にゐた期間を統計的に調べた結果、胎兒の在胎期間は二百八十五日であると發表しました。つまり今まで多くの人が思つてゐたより五日長くなるわけです、氏によると最終月經第一日の月數に9を加へ、日數には12を加へたものが分娩豫定日となります。

日本婦人などでよく一週間ぐらゐ遲れるといはれるのはこゝらに原因があつたわけです、併しワール氏のいふ二百八十五日は、主として廿八日型の月經週期をもつてゐる場合が多いのですが、これよりも月經週期が短くなれば在胎期間も短くなると思はれます。日本婦人では卅日型の月經週期をもつてゐる人が却々多いので、廿八日よりも二日延長し、更にワール氏のいふやうに五日延びるとちやうど一週間遲れることになるのです。

月經週期が重要

結局分娩豫定日は月經週期と非常に關係があつて、一たんこの分娩豫定日を測定し、その上で更に月經の廿八日よりも早くなる日數を減ずるとか、或は遲れる日數を加へるとかすると、分娩豫定日に對する誤差が少くなります結局最終月經のみでなく、月經週期を計算に入れることが大切です。

× ×
× ×

登錄商標

ギンザトップ二十番

產兒調節とコンドーム

性病豫防にコンドーム
感じを妨げず………
薄く……柔かく………
それで丈夫な
最高級コンドーム!!!
ゴム製品の目醒ましい發達の所産としてサックもギンザトツプの如き完璧品が生れました！

【特長】

一、最上原料を特殊技術により製せらるゝ本品は、彼の高價なフイツシユスキン（魚皮）以上に喝采を博して居ります。
二、感觸が柔かで滑らかで抵抗尠く、使用者自らがその使用に氣付かぬほどであります。
三、それでゐて他の厚手のサツクよりも遙かに丈夫で數回の使用に耐へます。
四、形態も微妙な技術に成功し殆んど萬人向に出來て居りますから、使用中亂暴があつても何等そゝうの心配がありません。
五、各個につき送氣檢査耐力試驗がしてありますから、疵物や孔アキがなく絕對責任の保證付嚴選品であります。

—定價—

◎ギンザトツプ二十番

	一打	半打
▲C品（透明）	一・〇〇	一・二〇
▲B品（眞珠色）	一・五〇	・八〇
▲A品（櫻色）	一・〇〇	・五五
組合せ（一齒宛）	〇・四五（携帶用ケース入）	
C品（三齒入）	〇・六〇（同　）	

—送料—

内地十錢、市内六錢、（代金引換は切手廿錢前送願ひます）新領土四十二錢、代引四十七錢
見本品御入用の方は小爲替五十錢又は三錢切手十七枚封入お申越下さればＡＢＣ三種セル容器入をお送りいたします

東京市銀座西一丁目七番地
島津藥局
ギンザトツプ本舗
電話京橋六五二二六番
振替東京四二四八九番

子供の遊ばせ方

生れて十ケ月頃から四五歲頃迄の遊ばせ方

關　寛之

十ケ月頃から二、三歲迄

生れて十ケ月ごろから、こどもは次第に幼稚園時代のこどもに似て來ますこの頃から三歲ぐらゐまでは、こどもは精神的な遊びをするやうになるものです。

例へば物を眞似る、組立てる、繪を描くといつた遊びをする、

また二、三歲になると非常に好奇心が現れて來ます、そこでこの時代の玩具ですが、なるべく變化するものを與へるやうにするのがよい。

例へばゼンマイで蛙が走つたり、道化師がでんぐり返つたり、歩く人形、ゼンマイで走る汽車、自動車、軍艦などです、また外に黑板をさげて樂書きをさせる。

街のコンクリート道路の土や門の敷石の上などで樂書きをしてゐるこどもを見受けますが、これは樂書きをする場所が與へてないからであり、またこれだと樂書きの惡習慣をつけることになるので、場所をきめて置き繪心を養はせる、そのほか紙を與へてこの上に物をのせ、その輪廓をたどらせる、これでは自分の手や足をのせさせて輪廓をたどらせると、こどもはよろこんで書くものです、これはこどもの美的感情を養はせることに役立つものです。

またこの時代から家庭では、積み木や手藝の材料を與へたり、砂箱か砂場の用意をする必要があります、小さいこどもの遊び道具で、もつともよろこびの大きいのは砂です、砂は小粒でねばりのあるものを選んでやると大變よろこびます、同時にシヤベルのやうな砂道具も一緒に與へて置きますと、これで穴をほつたり、山をつくつたり自然に一人で遊びます、さういふ中から獨創力が伸びて行きます。

海岸の別莊地などでしたら、自然の砂の土で遊ばせるのがよい、アメリカなどでは、箱の中へ砂を入れ、雨の日などにはこれをお座敷の中へ持込んで遊ばせてゐます、それほどこの時代のこどもは砂が必要とされてゐます。

四歲五歲のころ

三歲ごろまでのこどもの遊びは、主に身體の遊びでしたが、四—五歲ごろからは心の遊びが現れて來ます、そしてこの遊びも一つの型にまとまつて來ます。

自然な遊びとしては物を眞似たり、空想にふけつたりする遊びで、この二つが中心です、遊ばせ方もこれによつて決まります、まづ家庭では一枚の莫蓙を與へて、その上に飯事の道具をのせてやります、これにはなるべく臺所道具のいたんだものを與へた方がよい土釜のこはれたものだとか、罐詰のあき罐だとか、親の古ボーシなどをあてがつて置きますと、自然に大人の社會の眞似をして遊びます、これはもつとも必要なことで、その間に社會といふものをつかまへていく、これをやりながら大人の社會をこどもは想像して行くのです、その他の玩具でも軍人ゴツコ、商賣ゴツコ、面、お祭りの道具などを與へて、自然と社會を模倣させることが必要だと思はれます、それらは社會を眞似るのですが、も一つ大事なのは頭で空想しながら、これを實現させて行く遊びです、こどもの頭の中で考へてゐるビルディングを積木で示させたり、或は粘土だとか、竹、食べものゝニンジン、ゴボウなどでお勝手から出る切屑を與へて、これで家をつくつたり、蓄音機をこしらへたりさせるのです、かういふものを多くすることが、將來國家的な發明家を出すもとゝなります、特に雨の日などには部屋の中へ材料が持込めて遊べるので、大變工合がよい。

友達を制限せず誰とでも遊ばせよ

泰明小學校長　久保田龜藏

よく母親が自分の子供に向つて『あんな子と遊ぶんぢやアありませんよ』といひ聞かせます、自分の子供より優れた子供と遊ばせたい、劣つた子とは遊ばせたくないといふのは、我子を思ふ母親の情としてもつともなことで少しも不思議はありませんが、よりよき友を選ぶといふことは實生活にはあり得ぬ事です、なぜならこゝに甲乙二人の子供が居て甲の方が乙より優れてゐるとします、勿論乙の母親は乙が甲と遊ぶのを喜びますが、甲の母親にして見れば乙と遊ぶのを好まぬことになります、大體世間に惡い子供の居やう筈はないのです、絕對的な惡人はゐません、必ずどこかに見どころのあるもので、また如何に優れた子供でも人間であればどこかに缺點はある筈、子供を教育してゆく時、狹い人間を作るのは大抵が毛嫌ひするからです、誰彼の區別なく學校のお友達、御近所のお友達とは廣く遊ばせてほしいものです、我子のよしあしに拘はらず友達は平等に友達にしておいて、若し我子より優れた子供と遊ぶ場合はその子を見習ふやうに仕向ける、劣つた子と遊ぶ時は、劣つたところを見せしめにし、母親が常に遊ぶ子供の行ひを教訓材料にすればいゝのです、かうすれば我子は自然ふつくりした良い子になる、無暗矢たらとあの子はこの子はと母親が我子に吹き込むのは子供を偏狹な人間に造る

もとです、更に我子をよく育てたいならば我子を取卷く周圍の子供達をよくしてやらねばなりません、自分の子供だけをよくしようなどゝ考へてもそれは不可能なことです、單獨に個人はあり得ぬこと、友達なしの一人はこの社會には存在し得ぬことです。

愛兒の玩具
こんな標準でお選び下さい

山下俊郎

玩具には次の三つの根本原則が必要です。

一、年齡に適應したもの
二、教育的であること
三、衞生的なこと

この中、教育的といふことは一般的に子供の美的意識をそこなふ醜惡なものを避けるべきで、衞生的としては危險なブリキ製の玩具、有毒な塗料及び粘土等を避けるべきです。

（イ）生後三四ケ月頃……

この頃はまだ視覺と聽覺の世界です目で見る玩具としては構造、色共あまり複雜なものは子供の神經を疲らすため好ましくありません、風車でも非常にこみ入つたものはよくなく、むしろあつさりしたゴム風船などよろしい、セルロイドは一種の光澤があつて子供の視覺の注意をひく點がよく、色も赤黃等の明るい色が好ましい、耳で聞く玩具はやはらかい綺麗な音がよく、いゝ音のする笛とかガラ〳〵玩具が選ばれます、子供は聞きなれない音には非常に敏感ですから、あまり神經を刺戟するやうな音のする玩具は選ばぬ事です。

（ロ）這　ふ　頃……

運動促進の頃です、掌の筋肉を使ふ握るおもちや、なめる玩具が與へられますが、無色のゴム製のものとか、齟の發達を促す象牙の玩具が適當です、また盛んに寢返りをうつ頃は赤い起き上りこぶしを追はしてたはむれさす事も運動促進に絕大の効果があります。

（ハ）步　く　頃……

步行運動に適するやうに紐がついて引つ張れる布ぐるみの動物とか、木製の汽車の玩具のやうな危くないものがよろしい、またこの頃からそろ〳〵繪に興味が出るので簡單な繪本を與へます繪本は紙製ではまだ破く恐れがありますから、英國製の布製のものとか厚紙のものがいゝと思ひます。

（ニ）學齡期まで……

身體の基本的筋肉の運動を覺える頃でマリ、三輪車、ブランコ、スベリ臺などをやり出しますが、まだ羽つき、ピンポンのやうな細かい運動は無理です、この頃には折り紙、切り紙、繪を畫く等の創造的の力と積木、粘土細工砂遊び等の構成的な知識、人形、まゝごと、電車ごつこ等の模倣的の知識が

出ます、この頃からは遊びの數が多くなりますから親は子供の遊び方に充分留意して積木でも片面にしか色が塗つてないものより兩面に色彩のあるものゝ方が子供の構成力を扶ける事とか、字を覺えさす爲に假名の書いた積木を選ぶとか、まゝごと等にもマッチの箱などを應用さして融通性を養はせる事投機的なめんこ等は嚴禁せねばなりません。

大流行のぬり繪
子供の教育に果して良いか？惡いか？

法政大學教授　波多野完治

最近五、六歳位ゐの子供の間にぬり繪が非常に歡迎され、流行してゐますぬり繪とは御承知のやうにさまざまの景色や人間の姿が黑い太い線で描かれてゐる紙片で袋へ入つた七枚一錢のものからあります。色鉛筆やクレョンでそれを塗りつぶして行くことが、子供には堪らなく面白さうです。

ぬり繪の反對論

併し一方先生や母親の間にはこのぬり繪を喜ばぬ方が割合多いやうです。その理由は、ぬり繪の繪は、映畫俳優の似顔などが主で下品であること、またぬり繪の練習に依つて自由な健全な子供の繪の發達が阻げられはしないか等のことです。成程ぬり繪を永い間行へば、繪は下手になるのは事實です。併し子供があれ程までに熱中するに就ては何かそこに特別な理由があるのではないかと一應考へる必要があります

ぬり繪と自由畫

ぬり繪を樂しんでゐる子供を觀察しますと、樹は綠、空は靑、着物は赤、といふ工合に、必ず一定のきまつた色を塗るとが判ります。あくまで公式的な色の塗り方なのです。滿四歳頃の自由畫時代の幼兒は、何もかも自分の好みの色で塗りつぶします。空が黃色で人間の顏が靑であつても構はないのです。好ましい色をどん／＼塗ります。

また、小學校二、三年の子供は寫實的な實際の物に近い色を塗ります。

ぬり繪は問の答

かう觀察してきますと、他のいづれの年齡にもない、この公式的なぬり繪は、子供から見れば繪を描くつもりではなく、何か與へられた問題を解決するための ものであることが判るのです。その問題とは、葉へは綠、空へは靑、樹へは褐色と、或る一つのわくの中へ色を嵌めこむことです。わく付けの能力が修練され、完成されゝば、或る色に名前をつけることも、分類することも出來ます。わく付けは、つまり槪念構成の極く初めの能力なのです。小學校入學前後の子供に、靑、赤、黃、綠の色を云はせるテストがありますが、

この一段階前の年齡にぬり繪が喜ばれることを見れば、智能を發達させるために自然發生的にこのぬり繪を子供が選んでゐるといふ事實を了解出來る答です。繪のためにはぬり繪は餘り歡迎出來ないが、智能の發達のためには非常に必要であるわけです。

上品な繪柄であると、判り易い色彩を持つ景色等が適當であるとを、先づ頭に入れて幼兒に與へれば、智能發達の必ずいゝ結果が得られるものです。

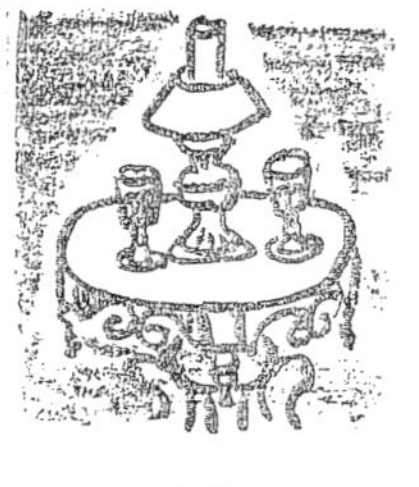

傳記小說　高橋是清（六）

小杉健太郎

危難また危難

チクラで二日間の休養をとつた一行は、可なり元氣を回復した。稀薄な空氣にも慣れてきた。寒い夜が希望にあけると、一行は黎明の澄んだ空氣を肺一ぱいに吸ひ、ミウル五六十頭に荷物を滿載して勇ましくチクラを出發した。

もう海拔一萬三千尺以上、道はいよ／＼嶮岨になつてきた。仕方なく途中のカサバルカにまた一泊。そこから小池に坑夫達を引率させて出發さしめ、是清と山口の二人は丁度そこへわざ／＼迎へに下りてきたヘーレンの山の支配人、カーデナスを案内者として、別の道を四邊の情況を調べながら登つて行つた。

この時、是清はミウルに乘り、山口は白馬に跨り、カーデナスは鹿毛にのつて進んだ。すると、俄に強い寒風が足下から起つてきた。全身の血も凍るやうな風の音が、ひゆう／＼と峯から峯へ吼え渡つた。飛雪さへ巴のやうに掠め始めた。遙か脚下を見おろすと、右の方は屛風を立てたやうな千仭の絕壁、左手はやゝ緩い傾斜の斷崖、まるで馬の脊を行くやうな嶮しい細道を、カーデナスが先頭、その次は山口、殿を是清の乘つたミウルが靜かにのぼつて行く……。

やがて、峠の頂上へ達すると、カーデナスは不意に馬を止めて、行手の光景を見下した。後につゞいた山口も、急に馬の手綱をしめて、足掻きを止めやうとした。が、生憎斜面で、馬の腹帶がゆるんでゐたゝめに、ズル／＼と鞍が尻の方にすべり落ちかけた。山口は驚きの餘り、パッと一つ拍車を入れると、その途端に鞍はすつぽりと拔けてしまつて、山口は背後の岩の上へ、ドンと眞つ逆樣に落ちた。

拔けた鞍は馬の後脚にからみついたので、白馬は、脚をバタ／＼と焦りながら後すざりを始めたのである。

パッと思ふ間もなかつた。

馬は山口の上に大きく尻餠をつき、再轉して、是清のミウルの脚に擢と倒れて來た。アッといふ間に、煽りを食つたミウルは是清を乘せたまゝ、颯ッと左の谷へ轉落した。

幸ひ、斜面がやゝゆるやかであつたから、是清とミウルは一疊敷位の雪溜りの上に止つたのである。彼もミウルも格別の傷を負はなかつたのは勿怪の幸ひであつた。

「山口ッ　山口ッ」

片腕とも賴む山口が死んで了つたのではあるまいか——是清は跳けあがる間ももどかしく、かう叫びながら、ミウルを曳いて斜面を喘ぎ／＼のぼつて行く。

その時、かすかな聲で、

「高橋さん！どうしました！どうしました。」

と、山口が氣づかはしげに訊いてゐるのである。是清は救はれたやうにホッとして、

「おゝ、生きてゐてくれたか。」

やうやく、そこへ登つて見ると、山口は起き上つて、左の腕を痛さうに抱へてゐた。所が、そのそばには白馬も、カーデナスも姿が見えず、たゞカーデナスの鹿毛ばかりが、ノッソリと佇んでゐるが、是清には不思議で堪らなかつた。

「カーデナスは見えないぢやないか。」

「はあ、白馬の奴が、そつちへ落ちたもんですから……」

と、山口は、右の谷の方へ首をねぢ向けた。

「えつ、ぢや連れに行つたか。」

山口は頷いて見せた。

是清が、崖つぶちに腹這ひになり谷底をのぞいて見ると、百尺ばかりの下の深雪の中で、白馬の兩脚だけが天に向いた化物のやうに動いてゐる。變なこともあるものだと思ひながら、是清はヂッと視線をこらすと、化物でも何でもない、馬は雪の中に首を突つこみ、逆立ちして、しきりにもがいてゐるのであつた。

そこへ、どこをどう廻つて降りたのか、カーデナスが馬のそばへ走り寄る姿が現はれた、是清はそれを見ると安心して、山口の所へ戻つてきた。

「おい、どこを怪我したんだ。」

「肱を……肱を一番ひどく打つたんです。」

見ると、洋服の袖まで血が滲みでゝゐる。是清はミウルの鞍につけたズック・カバンの中から繃帶をとりだすと、手早く相手の袖をぬがして、巧に應急手當をしてやつた。

その時、カーデナスが早くも白馬を谷から追ひ上げてきた。白馬は脊も腹も脚も、負傷して赤く染まつてゐた。

「さあ、また出掛ければならない。山口、どうだ、立てるか。」

「はあ……」

彼はひとりで立ちかけたが、急に顏をしかめ、腰を手で抑へて、よろ／＼と倒れかけた。

「あッ。」

是清は逸早くその體を兩手で支へてやつて、

「腰も大分、やられてゐるらしいな。」（第七十七頁へ續く）

名作曲家の列傳（二）
ジョーヂ・フレデリック・ヘンデル　George Frederick Handel

東北學院教授　秋保孝藏

セバスチアン・バッハが月光の下に名曲を手寫してゐた頃、薄暗い物置小屋の片隅で小瑟を彈じ、輝く前途を開拓しつゝあつた一少年がある。彼は何人の指導をも受けずに古い小瑟で正確な調和と美妙な諧調とを奏でてゐた。

この少年こそジョーヂ・フレデリック・ヘンデルである。彼は一六八五年二月十三日、獨逸の小邑ハレで生れた。梅檀は双葉より芳しいと云ふが、幼少の折から彼は音樂には優れた嗜好を有つてゐた。好きな玩具といへばすべて音響を發するものばかりで、音樂的でないものは更に顧みないといふ風であつた。音樂に對する愛好心は親讓りのものではなかつた。音樂などは紳士の樂むべきものでなく、却つて卑しい藝術であると醫者であつた彼の父はさう考へてゐた。そこでジョーヂを法律家にしようとして、極力音樂に近づかないやうに監視し、その機會のあることを恐れて、學校へ通學することさへ許さなかつた。バッハが幼少時代にその才能を發揮しようと努力してゐる折、冷酷な兄に迫害されたのと同じやうに、ヘンデルも無理解な父に少からず苦しめられたのである。けれども內なる生命は伸びずには止まない。

ジョーヂが五歲の折、彼の天分を知つてゐる某紳士から密に小瑟を貰つた。彼はそれを物置小屋の片隅に据ゑて、父の監視の屆かない限りそれを彈じて樂んだ。家のものが皆な寢しづまつてから密に起出でて物置小屋に行き、次ぎ次ぎにむづかしい曲を練習したことも度々である。ある夜ジョーヂが家にゐないので、家族は總出で彼の行方を探した。父は燈火を高く片手に揭げて先頭に立つ、母やその他のものが後に隨いて行く。やがて物置小

屋に入つて見ると、失つたと思つた愛子は暗い小屋の片隅に小瑟を前にしてちよこなんと平氣でゐた。この時の父の處分がどうだとも傳へられてゐないのを見ると多分事なく濟んだのであらう。

七歳の時であつた。ある日父はザックス・ワイゼンフエルス公の城内にゐるその子ジョーヂの異母兄―を訪ねようと出立の用意をしてゐた。ジョーヂは公の城内で絶えず演奏會が開かれることを聞込んでゐたので、是非自分も連れて行つてくれと懇願した。併し父はそれを許さなかつた。路程が四十哩もあるのを知らないで、私は歩いて行きますといひ出して、大膽にも父の乘つた馬車の後を追うて行く。走つては見たものの、悪路なので一向足が捗らない。頓狂聲を擧げて馬車を呼止めた。少年の呼聲を聞いた父は車窓から覗いて見た。疲勞しきつた我子の姿が憐を乞ふやうにして立つてゐる。それを見た父は非常に感激して子供を馬車に抱き入れ、遂にワイゼンフエルスへ伴れて行つた。

ワイゼンフエルスの城に伴れられたジョーヂの喜は非常なものであつた。宮中の音樂家は皆親切にこの少年を款待した。宮中の立派なオールガンを彈くことも許された。ある日曜日、禮拜式の後、一人の音樂員が彼をオールガンの前に連れて來て、何か彈いて見ろといふ。公及び侍者は會堂を去らうとしてゐたが、立止つて此少年の彈奏を聽いた。それが終つてから、公は周圍のものにあの子は誰か、名は何といふと訊きながら少年の頭を撫でてその技倆を稱讚された。音樂員はこの少年が父から音樂に親しむことを戒められてゐると告げた。公は早速父を呼んでその不心得を戒め、自由に音樂を研究さしたらよからうと勸告してくれた。

その後、父は公然その子に音樂の研究を許した。ジョーヂはハレのある寺院のオールガニストでフレデリック・ザコーといふ人に師事した。オールガン、ピアノ、ヴアイオリン等を教へられ、作曲の指導をも受けた。間もなく彼は教會の禮拜に用ゐる曲を作り得るやうになつた。ザコーが缺席の折には、自ら代つてオールガンを奏した。この時の彼の年齢が僅に八歳だとは驚くべき天才であつたことが分る。三年後教師は彼に向ひ、自分の手では最早これ以上教へることが出來ないから、他に優れた教師を求めろと勸めた。それ位彼は音樂に上達した。

彼は尙ほ研究を繼續する目的でベルリンへ行つた。當時ベルリンには二人の名高い音樂家がゐた。それはアリオステとブノンシニとである。前者は彼に親切な奬勵を與へたが、後者はこの少年音樂家を嫌つて困らせようと試みた。ある時難曲を作つて卽座にこれを彈けと命じた

が、彼は容易に且つ正確にこれを彈いた。選擧侯はこの少年音樂家を愛して宮廷で良い地位を與へ、且つ研究のため伊國へ遣ることを彼に約した。けれども彼はこれを拒んで故鄉ハレの舊師の許に歸つた。

その後久しからずして、父を失つたので、自活の道を講じなければならなくなつた。間もなく寺院の音樂員となつて年八十圓足らずの報酬を得た。この時彼は十七歳の青年であつた。此處に在ること暫くにして、一七〇三年一月、自己の將來を開拓しようと思ひ、母に別れてハンブルグに出た。この地の歌劇々場の管絃樂にヴアイオリンの缺員があつたので、極めて低い地位ではあつたがそれに加入した。ある日指揮者が缺席した。誰も彼に代るものがない、ヘンデルは推されてその代理を勤め、難なくその責務を果したのである。間もなく彼はその技倆を認められて指揮者に登用された。ハンブルグでは實に多忙であつた。教授―研究―作曲この三方面に努力した。多少餘裕ある生活が出來るやうになつたので、母にも仕送りをすることにした。その頃から彼は歌劇の作曲に意を用ひ、『キヤステルの皇后アルミラ』は一七〇五年一月この地で作曲したものの一つである。これに續いて數多き歌劇の曲を出した。その頃彼の手になつたものが既に四十餘曲の多きに及んでゐる。

彼は多年希望してゐた伊國遊學を企てた。暫くフローレンスに滯在して歌劇『ロドリゴ』を出し、非常な成功を見たのである。又ヴエニスでは『アグリツピナ』を出してこれまた大成功を擧げた。ローマは彼が最も好んだ地で、一七〇九年、此處で彼は最初の聖曲『復活』を出した。

翌年彼は獨逸に歸朝した。ハノーバアの選擧侯はその樂才を愛し、樂長として彼を招聘した。在職久しからずして彼は多年憧れてゐた英國旅行を計畫した。出發に先だち慈母と舊師とに告別しようと思つてハレを訪ねた。二人は躬ら養育したこの世界的大音樂家に會ふことをどんなに喜んだか知れない。

ヘンデルは初めてロンドンを訪うた。こちらでも既に彼が伊國で出した作品を知つてゐた。併しその紹介はまだ充分ではなかつた。間もなく彼は歌劇『リナルド』を出した。その中には今日尙ほ深い感興を好樂家に與へつゝあるものがある。ロンドンでは大に歡迎されて彼自身も亦英國を愛した。英國はこの若い音樂家に幾久しく思慕の地として忘れられなかつた。彼は一旦ハノーバアに歸つたが、將來の活動舞臺は英國であると自分で定めたのである。彼は獨逸人でありながら英國音樂界の大恩人である。

彼は再度英國を訪うた。英國人は喜んで彼を迎へた。

當時の有識者の多くは彼と親交を結んだ。彼は熱心に作曲に從事し、時間の大部分をこれがために費した。彼の名聲は實に嘖々たるものであつた。當時ウツトリヒトの平和條約が締結されたので、聖パウロ寺院で感謝禮拜が執行されることになつて、ヘンデルはこれに用ふべき作曲を依賴された。皇后アンニーは彼の勞を嘉して二千圓の年金を下賜された。

その後皇后アンニーが逝去されたので、ヘンデルが以前仕へてゐたハノーバアの選擧侯がその後を繼ぎ、ジョーヂ第一世として卽位された。吉日をトしてその祝賀の盛宴がテムズ河上に滿艦飾を施した大船の甲板上で催さるることとなつた。チエンバーレン公爵はヘンデルにその際上演すべき管絃樂の作曲を依賴した。『水の音』樂として知られてゐるものがその時の名曲である。音樂好きの王は非常にこれを喜んで、以前面白からず思つて居られた感情が和ぎ、報酬として更に年金二千圓を與へられることになつた。

その後彼は選ばれてチヤンドス公爵家の音樂指導者となり、華美壯麗な邸宅に住むことを許された。彼はここで作曲に力めた。『エステル』はその時出來た聖曲である。これが教會堂で演奏された時公爵は非常に滿足し、この優れた作曲家に一萬圓を手渡した位であつた。彼はその他數多き名曲を出したのである。當時出來た『鍛冶屋の音樂』といふ曲について一つの面白い物語がある。

ある日彼が田舍道を歩いてゐる時、驟雨に襲はれて近傍の鍛冶屋の軒下に駈込んだ。鍛冶屋の主人は仕事の手も休めないで唄をうたひながら、調子に合せて鎚を振り上げては打ち、打つてはまた振り上げるのであつた。作曲家はその唄と伴奏の美しい調和に感嘆の耳を傾けて、歸宅するや早速ペンを執つた。前述の名曲はかうして生れたので有る。

その頃、ロンドンの王室劇場は資金の不足から閉鎖の狀態に在つた。然るに有志の人達が再び開場しようといふことに議を纏め、王も之に贊成の意を表された。ヘンデルは選ばれてその作曲家兼勸進元になつた。彼はこれがために新しい歌劇を作り始めたが、歌手を要するのでその募集のために獨逸に歸つた。序にハレの邑を訪うて老齢の母に面會したが、舊師はその時既に他界の人となつてゐた。

一七二〇年、彼の新しい歌劇『ラダミスト』は大成功を以て上演を終つた。好事魔多く、その折思ひ懸けない競爭者が現れた。それは曾て若いヘンデルを苦めたブノンシニである。彼はその頃新しい進路を開拓する目的でロンドンに來たのである。或る時音樂家連の發起で、歌劇の

試演が計畫された。ある作曲家が第一場の作曲を受持ちブノンシニが第二場を引受け、そして第三場をヘンデルが引受けたのである。審査員は第三場が遙に第二場に勝つてゐることを宣言した。ブノンシニの友人等はこれを面白からず思つて、非常な葛藤が兩派の間に續いた。當時の新聞はその記事を滿載した。併しヘンデルは靜に自分の道を進んだ。

一七二三年、彼は歌劇『オツトネ』の作曲に取りかかつた。當時名高い歌手であつたクツゾニに主役をやつて貰ふ約束をした。練習が餘程進んでゐるのに我儘な彼女は出場しない。後れて出場した上にヘンデルの作つた曲を歌はうとしない。彼の心は憤怒に燃えた。いきなり彼女を引捕へて窓から放出すぞと脅迫した。それ以來彼女はヘンデルの意に從うやうになつて、難なくこの歌劇は出來上つた。

八年間ばかり彼はこの劇場のために活動して十四種の歌劇を出した。その間も敵は彼の事業を妨害した。資金の缺乏やらその他の原因から、この王室劇場は遺憾ながら閉鎖せねばならなくなつた。然るにヘンデルは獨手自己の事業を開拓する積りで歌手募集のために伊太利へ出懸けた。途中ハレに立寄つて母を訪ねた。その時母は病床にあつたが、翌年八十歳の高齢で死んだ。

英國へ歸つて見ると、音樂趣味は一般に衰退を來たしてゐる。競爭者の妨害は以前とちつとも變らない。それでも彼は伊太利の歌劇を紹介しようと奮闘した。けれども借金と不健康のため止むなく、一七三七年、その事業を放棄せねばならなくなつた。

彼正に五十五歳、つく〴〵世間のうるさい事を感じた。その頃から方向を轉じて嚴肅な宗教的方面に專ら意を用ひ、聖曲を出すことに骨を折つた。彼は二十八種の聖曲を作つた。その中最も名高いものは『サムスン』、『エジプトに於けるイスラエル』、『エフタ』、『ソール』、『ユダ・マカビアス』、その中最も偉大なものは『メシヤ』である。

この最後のものを作曲しようと思立つたのは一七四一年であつた。彼はその頃アイルランドに招かれた。一七四二年四月十三日ダブリンの音樂堂で、初めてこの曲が寺院の音樂隊の援助によつて作曲家自身の伴奏で公開演奏された。非常な喝采であつた。かの地の人々は一年の間彼を引留めて歸らせなかつた。

一七四三年三月、聖曲『メシヤ』がロンドンで上演されることになつた。王もその聽衆の一人であつた。曲中のハレルヤ　コーラスが「全能の主なる神は支配し給ふ」と滿堂に響き渡るや、聽衆は異常なる感動を受け、一同期せずして起立し、不動の姿勢を以て靜聽したといふことである。それ以來このコーラスを聽く時には起立する習慣となつた。

（續く）

大阪兒童愛護聯盟

實施事業要目（特に地名を揭げざるものは凡て大阪に於ける事業なりとす）

大正拾年——○こども愛護の標語募集○兒童愛護宣傳デー擧行（十一月六日）—びら撒布、花賣、兒童御伽噺會、講演會（十一月六日、七日、八日）。

大正拾壹年——○兒童愛護宣傳デー擧行（五月五日、六日、七日）びら撒布、講演會、活動寫眞會、巡回活動寫眞會、花賣。東京、神戸、廣島等に於ても同樣宣傳を爲す○第一回大阪乳幼兒審査會（十月）。

大正拾貳年——○第一回大阪乳幼兒愛護宣傳デー擧行（四月十三日、十四日、十五日）—「愛の暦」乳兒の卷頒布、自動車及モーターボートに依る撒布、講演會。京都、廣島、尾道、宮島、別府等に於ける宣傳の應援をなす○機關雜誌『コドモ愛護』創刊（五月）。

大正拾參年——○機關雜誌を本聯盟の直營に移し題號を『子供の世紀』と改め內容を充實せしむ（二月）○兒童愛護宣傳デー擧行（五月）—ポスター及びら撒布（ボーイスカウトの援助を受く）。愛護叢書及愛兒カレンダーの頒布○支那靑島に於て國際兒童愛護週間として次に記する各種事業を執行したるに際し役員三名を派遣し援助をなす。

乳幼兒審査會、兒童愛護展覽會、日本語こども大會、國際兒童大會、日本婦人講演會、中國婦人講演會、日本人一般講演會、中國人一般講演會、各學校出張講演○第二回大阪乳幼兒審査會（九月）。

大正拾四年——○岐阜縣下各郡市役所々在地に於て兒童審査會展覽會、講演會開催（五月）○ラヂオに依り兒童愛護講演放送（五月）○小學兒童のための林間學校（八月）○第三回大阪乳幼兒審査會（九月）○第一回東京乳幼兒審査會（十月）○皇孫照宮御降誕を記念して兒童愛護週間を施行し、連日本聯盟の役員交代にてラヂオ放送をなし、大阪市婦人聯合會八十餘の團體と協力して記念マークを賣り、其賣收にて市內の公園に植樹す。

大正拾五年——○第一回全關西小學兒童健康（口腔）診査會（三月二十七日より四日間）○第二回東京乳幼兒審査會（七月一日より五日間）○小學兒童のための林間學校（八月）○第四回大阪乳幼兒審査會（九月十六日より五日間）。

昭和二年——○乳幼兒愛護週間（五月一日より九日まで）—兒童大會、映畫大會、街頭兒童愛護講演會、室內講演會、びら撒布、愛護叢書頒布○第二回全關西小學兒童健康（口腔）診査會（五月七日より三日間）○第三回東京乳幼兒審査會（九月—人員二千五百名）○第五回大阪乳幼兒審査會（九月—人員三千名）○

第一回北海道乳幼兒審査會（十月札幌市に於て—人員五百名）○第一回堺乳幼兒審査會（十二月堺市に於て—人員六百名）○『子供の世紀』第五卷第六十號迄發行。

昭和三年——○學問と實際によるコドモ必需優良品展覽會（四月）○第一回岸和田乳幼兒審査會（五月）第一回五條乳幼兒審査會（六月）○京城乳幼兒審査會（九月）○神戸乳幼兒審査會（九月）○第六回大阪乳幼兒審査會（十月）。

昭和四年——○和歌山市に於て兒童愛護講演會（五月）○仙臺各學校に於て講演會、ラヂオに依り講演放送（六月）○第二回五條兒童愛護大會擧行（六月八、九日）—乳幼兒審査會（第二回）、お伽大會、女學校に於ける兒童愛護講演會、口腔衛生展、小學兒童口腔審査會○第七回大阪乳幼兒審査會（十月）。

昭和五年——○第三回九條乳幼兒審査會、兒童愛護講演會擧行（七月）○第八回大阪乳幼兒審査會（九月）○宮城縣下に於ける童話會、講演會、ラヂオに依り兒童愛護講演放送（十一月）。

昭和六年——○第一回和歌山乳幼兒愛護大會擧行—（五月）乳幼兒審査會、兒童愛護講演會、育兒參考品展覽會○第四回五條兒童愛護大會擧行（六月十三、十四日）—乳幼兒審査會（第四回）、お伽大會、兒童愛護講演會、口腔衛生審査會、育兒參考品展覽會、小兒婦人健康相談所○虛弱兒童の爲めの夏期林間學園（八月）○第九回大阪乳幼兒審査會（九月）。

昭和七年——○第五回五條兒童愛護大會擧行（六月）乳幼兒審査會（第五回）兒童愛護講演會、良き齒の會、小兒婦人健康相談所○第四回全東京乳幼兒審査會（六月）○第十回大阪乳幼兒審査會（九月）○第一回中京乳幼兒審査會（十月）。

昭和八年——○大每慈善團主催の鶴橋コドモ、セツルメントに於ける赤ちやん健康診査會を應援す○第五回全東京乳幼兒審査會（六月）○第十一回大阪乳幼兒審査會（九月）○東京優良兒（前年度表彰）の再審査會（十月）。

昭和九年——○第一回東京子供優良必需品展覽會（六月）○讀賣新聞社主催第二回赤ちやん寫眞大會を後援（八月）○第十二回大阪乳幼兒審査會（九月）○第一回東京優良兒母の會（十月）○第一回東京クリスマス母の會（十二月）。

昭和十年——○第一回臺灣全島兒童愛護運動擧行（四月二日より二十日迄）各地に於ける兒童審査會、女學校、婦人團體の爲めに講演會。

本聯盟慰問使在臺日程表

三月三十日（土）　神戸、正午乘船（船中泊）。
卅一日（日）　門司、早朝入港、正午出帆（船中泊）。
四月二日（火）　基隆、午後一時入港、直チニ總督府ニ伺候（臺北泊）。
三日（祭）　臺北、各新聞社、愛國婦人會、各公共團體挨拶諸病院見學。
四日（木）　臺北、各學校、幼稚園見學、各方面ト打合（車中泊）。
五日（金）　南靖、明糖南靖工場、婦人會ニテ講演後出發（麻豆泊）。

六日（土）　麻豆、總爺工場見學、婦人會ニテ講演（屛東泊）
七日（日）　四重溪、帝國最南端ガランビ燈臺見學（四重溪泊）。
八日（月）　屛東、屛東市內視察（高雄泊）。
九日（火）　高雄、高雄高女ニテ講演（高雄泊）。
十日（水）　臺南、臺南第二高女ニテ講演（臺南泊）。
十一日（木）　臺南、臺南第一高女ニテ講演、臺南第二高女ニテ審査會（臺南泊）。
十二日（金）　彰化、彰化高女ニテ講演（嘉義泊）。
十三日（土）　嘉義、嘉義高女ニテ講演（阿里山泊）。
十四日（日）　嘉義、阿里山視察後嘉義ニ戾リ泊（嘉義泊）。
十五日（月）　臺中、臺中ニテ講演（臺中泊）。
十六日（火）　新竹、新竹高女ニテ講演（車中泊）
十七日（水）　臺北、臺北第一、第三高女ニテ講演（臺北泊）。
十八日（木）　臺北、臺北第二高女ニテ講演、臺北第三高女ニテ審査會（臺北泊）。
十九日（金）　淡水、淡水高女ニテ講演（基隆）。
二十日（土）　基隆、基隆高女ニテ講演（午後四時上船）。
廿三日（火）　神戸、午後一時入港。

○第七回全東京乳幼兒審査會（七月）○第二回東京子供優良必需品展覽會（七月）○第十三回大阪乳幼兒審査會（九月）○東京高島屋主催第三回海國赤ちやん寫眞大會を後援（九月）。

(第六十九頁より)

「ヒリ／＼はしやしませんから、大抵打撲傷だらうと思ふんです。」

「死に角困つたなあ、その容子では、とても先へ行けさうもないが……と云つて、こゝぢや、風よけの小舍もないんだからなあ。」

いつの間にか吹雪模樣になつてゐた。

「いや大丈夫です。歩いて行きます。」

と、山口は無理に是淸の手を拂ひのけた。

「飛んでもないことを云ふ、そんな體で歩いて行けるものか。」

「いゝえ行きます。歩いて行きます。私はもう馬は懲り／＼です。」

「君がそんなに云ふなら、どうだね、僕のミウルに一遍乘つて見給へ。ミウルなら落ちついた奴だから、乘つて行けるかも知れないよ」

「はあ——でも、あなたが……」

「ぢや、かうしやう。」

と、急に是淸はカーデナスと山口の顏を等分に見乍ら、英語で話し始めた。

「僕はカーデナス君の馬に乘るし、カーデナス君は馬術がうまいから、白馬にのる。山口はミウルに乘つて行く。かういふ事にしようぢやないか。」

「結構ですとも。」

カーデナスも、こゝろよく答へた。

（以下次號）

編輯後記

◈一月二十九日、東京高島屋に於て東京優良兒母の會の新年大會を開催せしところ、來會者無慮千五百名餘、誠に近來にない盛況振りであり、正式に會員として申込む者多數あつた、茲に高島屋宣傳部の絶大な御援助を感謝するものである、黄昏斯樣に首尾よく閉會し、大川濤太郎氏と吉村畫伯を訪れ、夜の九時に神田淡路町の旅館に戻ると玄關先に「ハハコウネツ　スグオカヘリ」の急電が子供等から來てるので、直ちに旅裝を整へ十時發の列車に乘つた、見送りの矢形氏は「どうも肺炎は生命をさりますので」などゝおどかすので、氣が氣でない、家族に病人のあるのは日常茶飯事のやうなれど當事者の心持になればさうでもないのだ、ましてや肺炎と云ふ重患ではないか。

◈芦屋出發前から主治醫の重信博士も、それを懸念されて看護婦にも警戒してゐたやうだつたが、最善を盡せば大丈夫だと思つた、車中うと／＼して三十日の早朝、米原邊で新聞を見ると林內閣々員の顏觸れは無論詮衡中なのであるが、種々下馬評やら新聞辭令が揭載されてゐた、新閣僚が出揃つて愈々親任式迄には二三日を費すやうな形勢だつた、歸宅してみると三日來の高熱か降つてゐたが、それでも三宅コタミ女史、水田光子夫人等は種々心配して下さつたので大事に至らずに濟んだ。

◈我れ何を爲す可き乎と云ふ事を常に考へさせられる、大阪帝大小兒科醫長笠原博士は幼稚園兒の審査會をすゝめられる、大阪府の長部社會事業主事は小兒保健所の建設をすゝめられる、神戸市の小西博士は產院の設立と經營をすゝめられるので、自分の將來爲す可き事に迷つて居る次第である、國民保健の問題が叫ばれてゐても、未だ我が國には幼稚園兒のこれと云ふ統計の無い有樣である。

◈二月六日、暖かい春雨が季節に魁けて降る、生地、芳山、中鉢、柿本、富田、宇留野、佐野の七博士や、吉村、生江、天野、今中、本圖諸先生に手紙を認めて居ると、我が家の人氣者春世に對し、大阪の水田家よりフランス人形、東京の納家より大和人形の贈物が然も申合せたやうに同時に着いたのは實際不思議であつた、母の病氣で約半月女中との寂しい生活が慰められた譯である、茲に謹んで大方の御厚意と御同情を感謝したい。

◈同十六日、久々で西宮に村島歸之兒の御病氣を見舞つた、案外元氣であつたので積る話しが三時間に及び、驚いて御暇したのであるが、兒はW大學在學中永井先生に敎授された時の逸話は面白かつた、學生を鮫ケ橋の貧民窟に案內したのも先生だつたとの事である。

◈同十七日、御渡歐を前にされて御西下中の秩父宮、同妃兩殿下には北市民館に御台臨遊ばされ、各般にわたる社會施設を御巡覽になつたのであるが、去る昭和四年　聖上陛下行幸の時と同じ場所に於て、坂間市長始め市の要職にある方々と共に御奉迎御奉送申上ぐる光榮に浴した、兩殿下のいとも御熱心なる御視察には沿道堵列數千の市民皆感泣した。

本誌定價　一冊　金參拾錢　郵稅壹錢
半年分六冊　金壹圓六拾錢　郵稅共
一年分十二冊　金參圓　郵稅共
誌代郵稅は一切前金の事
前金切の場合は發送中止
郵券代用は一割增のこと

昭和十二年二月廿八日印刷（每月一回）
昭和十二年三月一日發行（一日發行）

兵庫縣兵庫郡精道村芦屋
發行兼編輯人　伊藤悌二
印刷人　木下正人
大阪市西區川口町海老江上二丁目二三七番地
印刷所　木下印刷合資會社
電話福島㊺（一五三四番・二四二六番）

大阪市北區天神橋筋六丁目
大阪市立北市民館內
發行所　大阪兒童愛護聯盟
電話堀川㉟（〇〇〇一番・〇〇〇二番）
振替大阪五六七六三番

子供の世紀 第十五卷 第三號
二月二十日第三種郵便物認可 二月二十八日印刷納本 毎月一回一日發行
【定價金参拾錢】

30—2060(O)

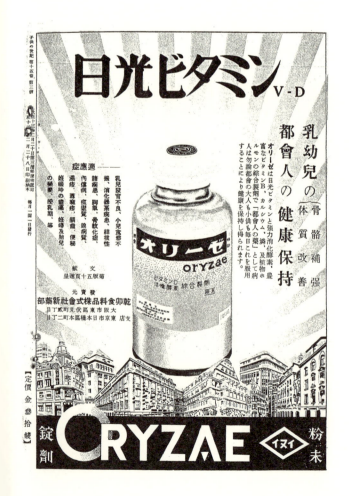

基礎鞏固　經營眞摯

創立　明治四拾四年

コドモの保險　日本徴兵

出世・教育資金　入營・嫁入準備

子を持つ親心

可愛い子供の爲に何程かづゝの貯金をしてやらうと考へるのは、凡ての親としての至情で、男子ならば適齢迄、女子ならば嫁入迄と誰しも心掛ける所ですが、さて實行はなかなか困難です。

最良の實行方法

徴兵保險、生存保險のコドモ保險は此需用を充たす最良の施設で、一度御加入になれは知らず識らずの間に愛兒の爲に必要な資金が積立てらるゝことになります。

日本徴兵保險株式會社

本社　東京市麹町區内山下町一ノ一

森永
無糖ドライミルク
世界的優良粉乳
科學は實證す
一、酵素及ヴイタミンの含有量第一位
一、市販粉乳中脂肪量最も多く百瓦のカロリー五二〇、八の豊富
一、水にも湯にも容易に溶け使用極めて簡便
一、生乳よりも安全にして消化良し
森永煉乳株式會社

『子供の世紀』（第十五卷第四號）愛兒の訓育號

目次

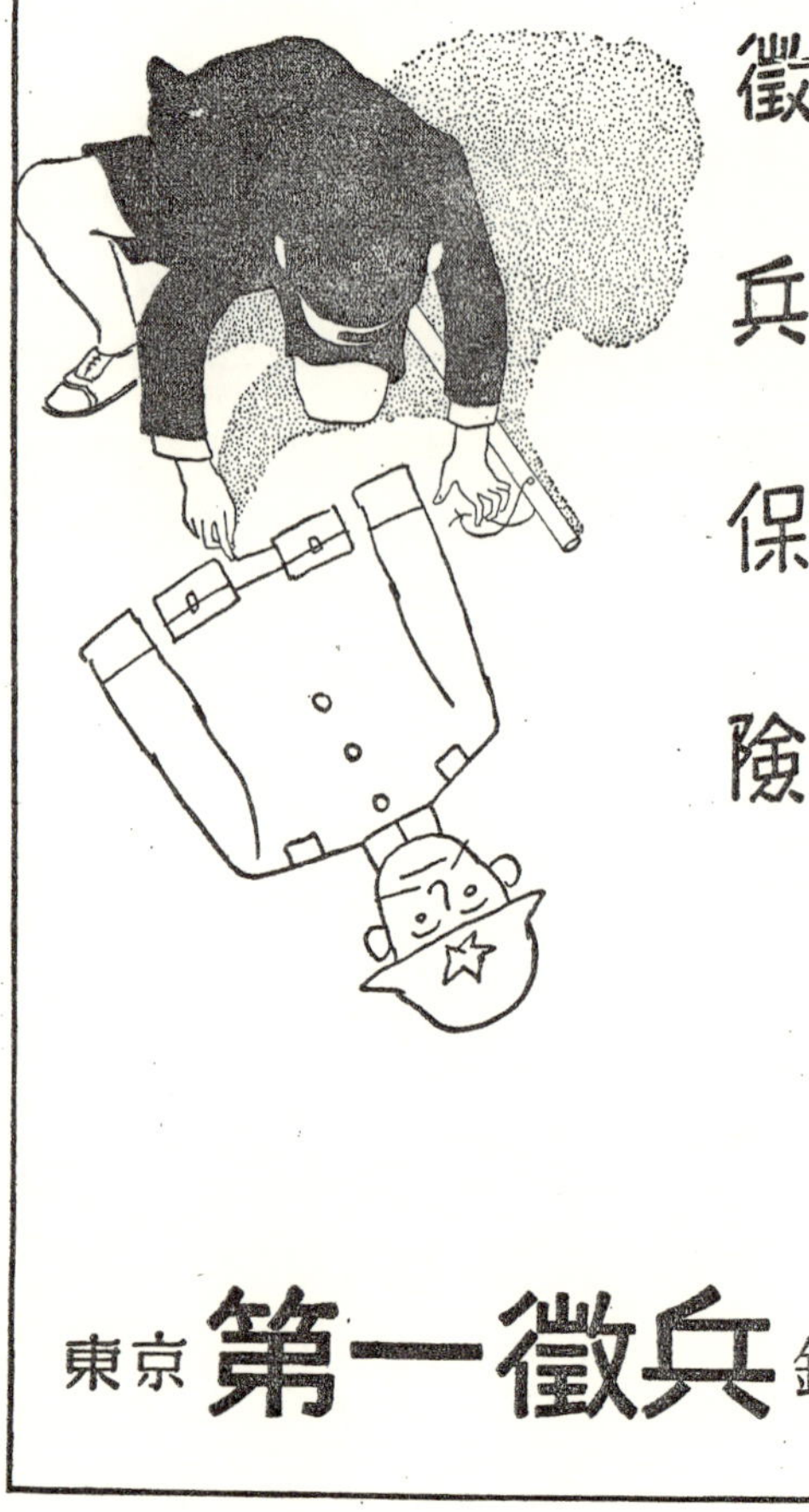

敎育結婚保險
徵兵保險

東京　第一徵兵　銀座

全國醫學界の推奬を得たる
完全な榮養食料品

お醫者がスヽメル滋養のお菓子
乳菓　カルケット

大人…元氣增進　産婦…榮養補充
小兒…發育旺盛　病後…疲勞回復

本品の特徴は
人體に必要なカルシウム分を有効に配劑す
（衛生試驗所證明）

健康の御家庭は一家に一罐必らず御常備あれ。

澱粉、脂肪、蛋白質の外特に健康に必要なカルシウム分を有効に配劑し、砂糖による害を除き、一家の健康を保つ完全食料品として、カルケットを常用せられる事は、賢明なる現代の主婦の御役目であり、又お菓子の選擇に滿點といふべきであります。

美麗　包装　各種

御家庭用	角罐	二、二五〇瓦
御進物用	大平罐	七五〇瓦
同	中平罐	五〇〇瓦
同	小平罐	三七〇瓦

◇外に散歩遠足用丸棒包（十錢）有り

東京
大阪　中央製菓株式會社

モデル東京松竹少女歌劇聲樂專科對馬洋子さん一人二役

日本兒童愛護聯盟主催
第九回全東京乳幼兒審査會
總裁 農林大臣 山崎達之輔閣下

會場 高島屋

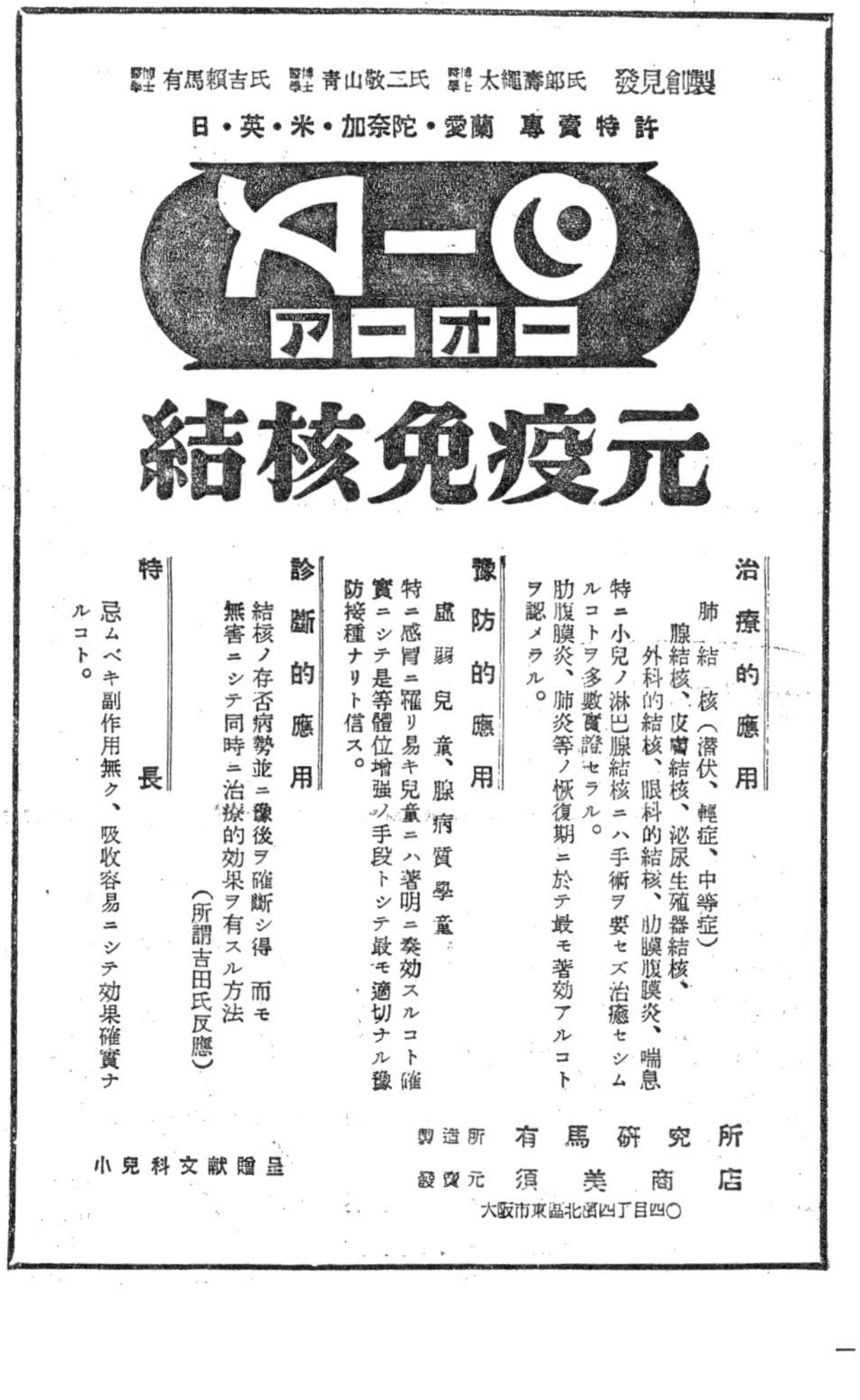

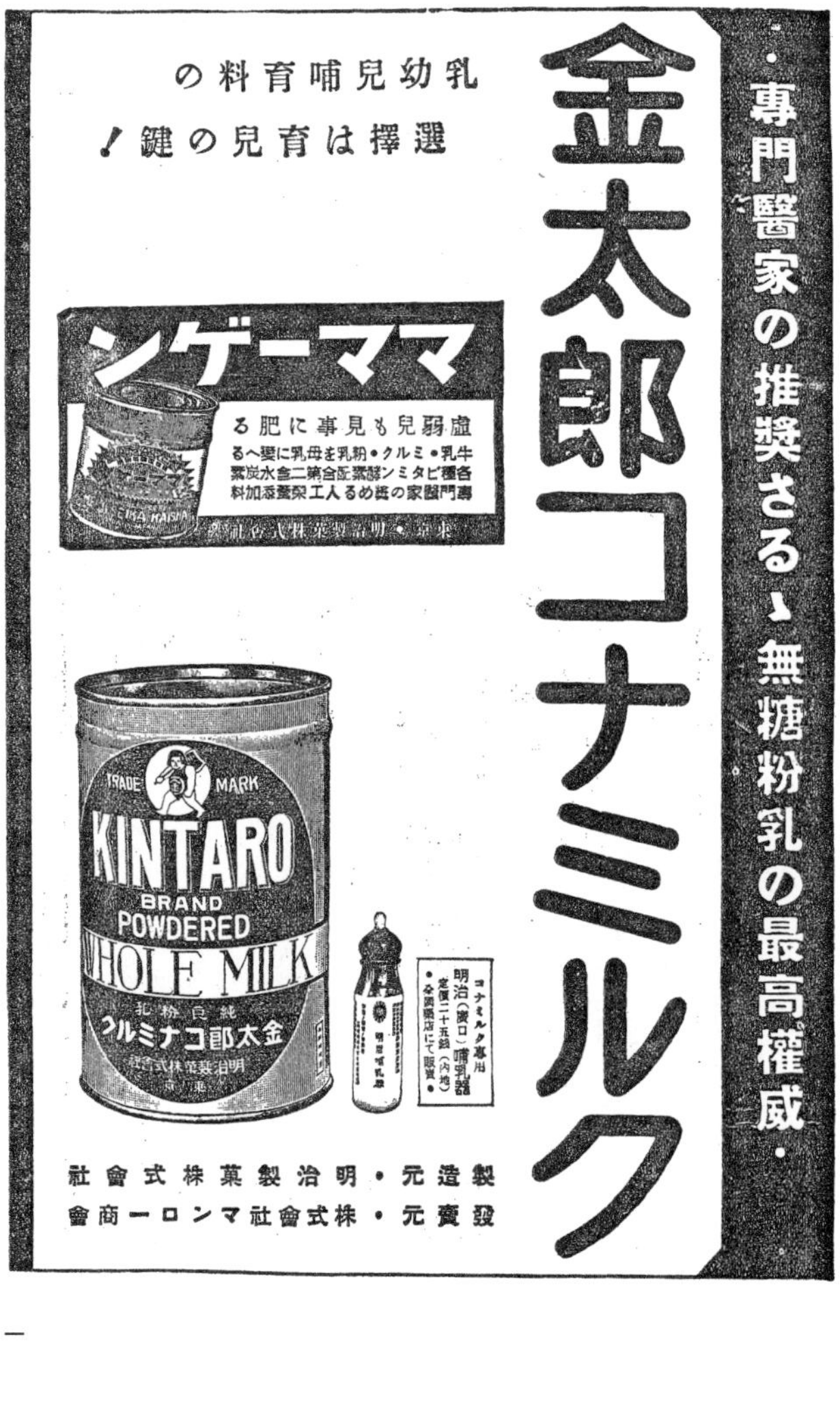

濠洲にて表彰された優良兒

（上）濠洲母子保健協會主催の下に施行された乳幼兒愛護週間に於て、全國優良兒審査の結果最優良兒として表彰された赤ちゃん

（下）濠洲母子保健協會に於て哺育せる、七ヶ月生れの早産兒の極めて健康なる發育狀態をさげた赤ちゃん

生江孝之先生と令孫靖子樣

我が國社會事業史上に多大の貢獻を遺されし、現日本女子大學教授生江孝之先生と令孫靖子樣（令孫の父君は東京市社會局保護課勤務元武氏）が過般の古稀祝賀會の時記念のため庭前にて撮影されしもの。——本誌前號參照——

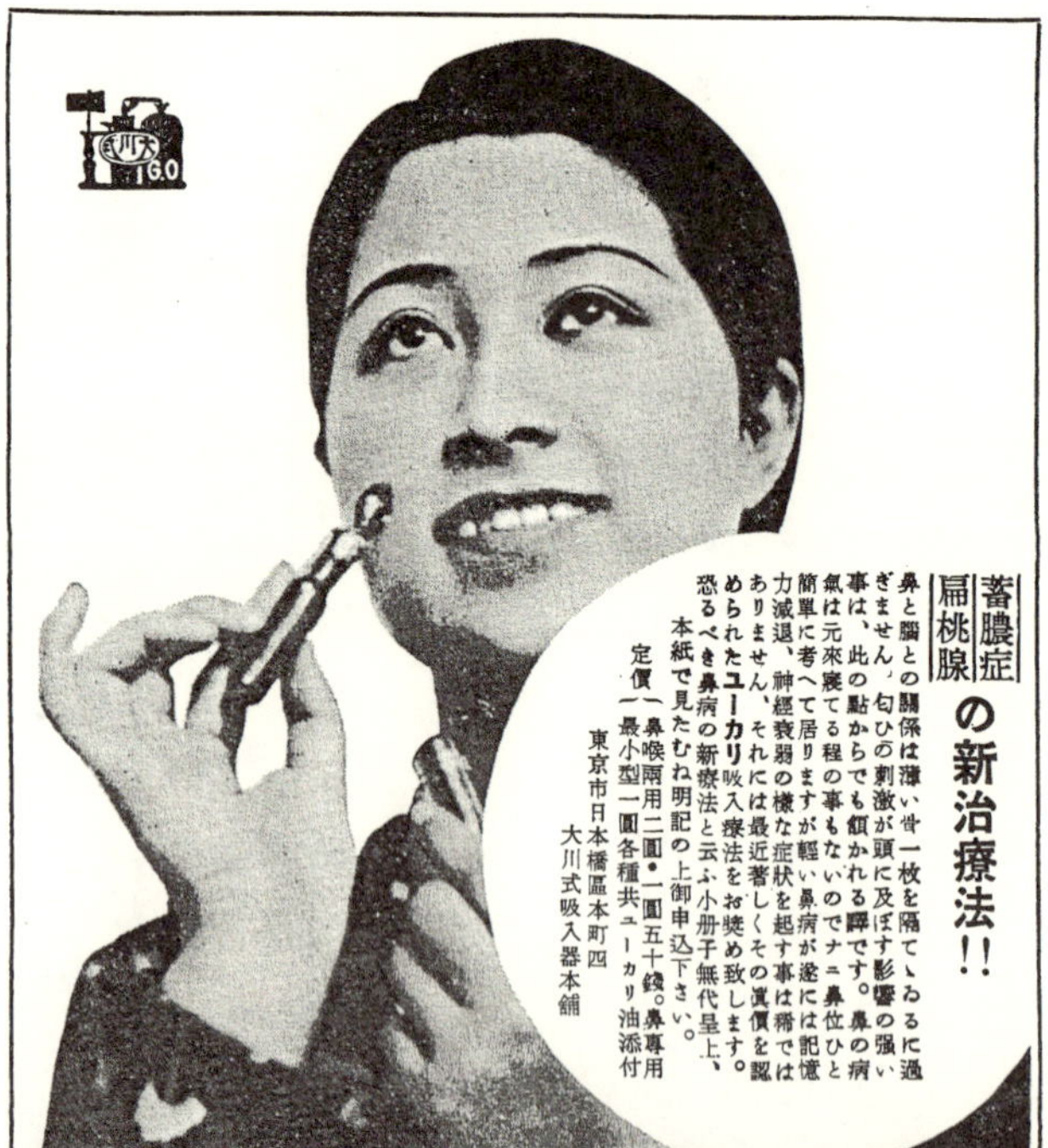
蓄膿症
扁桃腺
の新治療法!!
鼻と腦との關係は薄い骨一枚を隔てゝゐるに過ぎません。句ひの刺激が頭に及ぼす影響の強い事は、此の點からでも頷かれる譯です。鼻の病氣は元來寢てる程の事もないのでナニ鼻位ひと簡單に考へて居りますが輕い鼻病が遂には記憶力減退、神經衰弱の樣な症狀を起す事は稀ではありません、それには最近著しくその眞價を認められたユーカリ吸入療法をお奬め致します。恐るべき鼻病の新療法と云ふ小冊子無代呈上、
本紙で見たむね明記の上御申込下さい。
定價一鼻喉兩用二圓・一圓五十錢。鼻專用
一最小型一圓各種共ユーカリ油添付
東京市日本橋區本町四
大川式吸入器本舗
大川ユーカリ吸入器

母君の慈愛に育まるゝ三人の優良兒

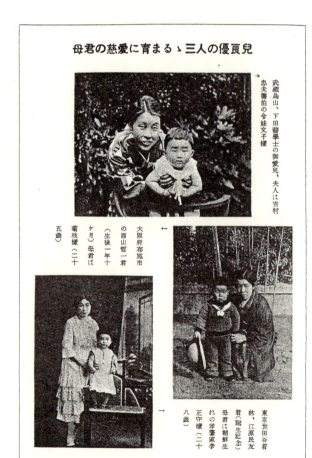

→武蔵烏山、下田醫學士の御愛兒、夫人は吉村忠夫畫伯の令妹文子樣

←大阪府布施市の西山哲一君（生後一年十ヶ月）母君は菊枝樣（二十五歲）

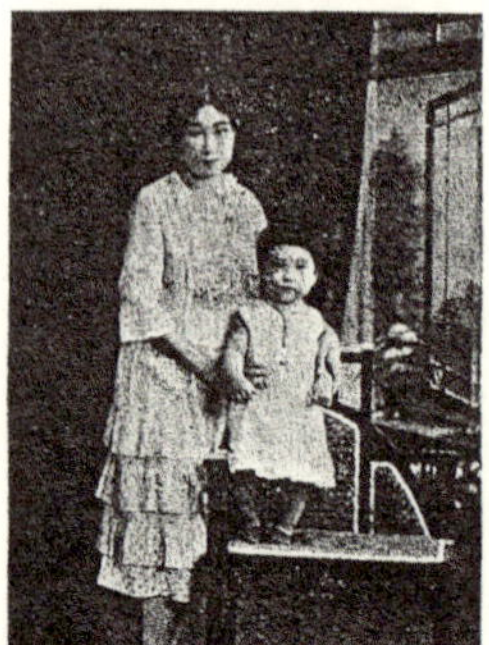

→東京世田谷若林、江原民友君（誕生記念）母君は朝鮮生れの洋畫家李正守樣（二十八歲）

飲ませ易いヒマシ油

ヒマオール

ヒマシ油を必要とする凡ての場合に
用量はヒマシ油に準じて可なり……

厭ふべきヒマシ油臭を去り、芳香と甘味を附し、外觀は美麗なる淡桃色となして小兒にも之が服用を容易ならしめたるものなり……

30瓦入　¥ .15

500瓦入　¥ 1.30

三共 SANKYO

東京・室町

三共株式會社

大阪松坂屋の増築落成

豫て増築中の大阪松坂屋は、こゝに落成を告げ堂々一萬二千余坪の威容をとゝのへて開店仕りました。店内の施設には未だ嘗て試みられない、各種の新機軸を取入れて万全を盡し、商品の精選充實は素より年來の店是たる廉價奉仕を徹底して『最も安い店、最も便利な店』として御期待に副ひ奉る覺悟でございます。

何卒此上の御引立偏に御願ひ申上げます。

新設備

◇松坂遊園　屋上
オープンステーヂ、飛行塔、汽車、大噴水等新設、從來の諸設備と相俟つて地上百尺の處に出現するコドモの天國

◇あらゆる趣味の お稽古場　七階
邦樂、洋樂、舞踊、生花、お茶南畫のお稽古から圍碁將棋の指南まで、氣樂に習へる趣味と社交の道場

◇松坂ホール　七階
最新を誇る設計と器具、演藝講演、音樂、映畫等の會を催します

◇美術街　六階
書畫、美術工藝品の常設展觀室や古美術、古本の鑑賞室、何れも街並風の施設と陳列

武田製品

よわい子供に ポリタミン

こんな子は結核の警戒を要す！

微熱が續く
食慾がない
ね汗をかく
元氣がない
疲勞し易い
血色が惡い

子供時代の病弱は、將來の健康と頭腦の發達に障碍となるもので、殊に結核で斃れる人の大部分は、この時代に侵されるとまで言はれてゐます。それ故に上記のやうな子供は、速に强壯法を講ずべきです。

ポリタミンは、牛乳蛋白を原料として之を酵素消化したアミノ酸製劑です。

從つて……消化力の衰へた子にも、のむだけ榮養となつて休重を增し、元氣活潑にします。その上、細胞を賦活して新陳代謝を盛んにし、抵抗力をつよめ、或は食慾をすゝめ、便通を整へ、かくて心身を眞に健全にします。

小瓶（一圓五五）
中瓶（三圓五〇）
大瓶（　圓五〇）
全國藥店にあり

發賣元　大阪市東區道修町　株式會社 武田長兵衞商店
（製造元　大阪　大五製藥株式會社）
（關東代理店　東京　株式會社 小西新兵衞商店）

36—17.5(()

パトローゲン

稻垣乙丙博士創製
鈴木梅太郎博士完成

監製　東京帝國大學農學部構内 財團法人 糧食研究會
製造　明治製菓株式會社

半ポンド入　壹圓貳拾錢
一ポンド入　貳圓貳拾錢
三ポンド入　五圓五拾錢

日本乳幼兒の身體に最も適合せる
超母乳代用榮養素配合粉乳
パトローゲンを選ばれよ

パトローゲンの
三大特性

一、乳幼兒發育に必要なるヴイタミンAの適量を決定し純正粉乳を配合せる爲脂肪過多による胃腸障害の憂なく體力の旺盛と抵抗力の增加顯著なり。

二、可溶性デキストリンの給源「ココイド」は酵母によるヴイタミンBの參加により消化吸收同化の三作用を最も有効に完結し迅速なる發育を促進す。

三、酵母に紫外線を照射せしめヴイタミンDを化生し特に添加せるマツカラム鹽中燐、石灰と作用し齒牙骨格の形成を容易且つ強靱ならしむ。

申越次第說明書進呈

東京・京橋　明治製菓株式會社

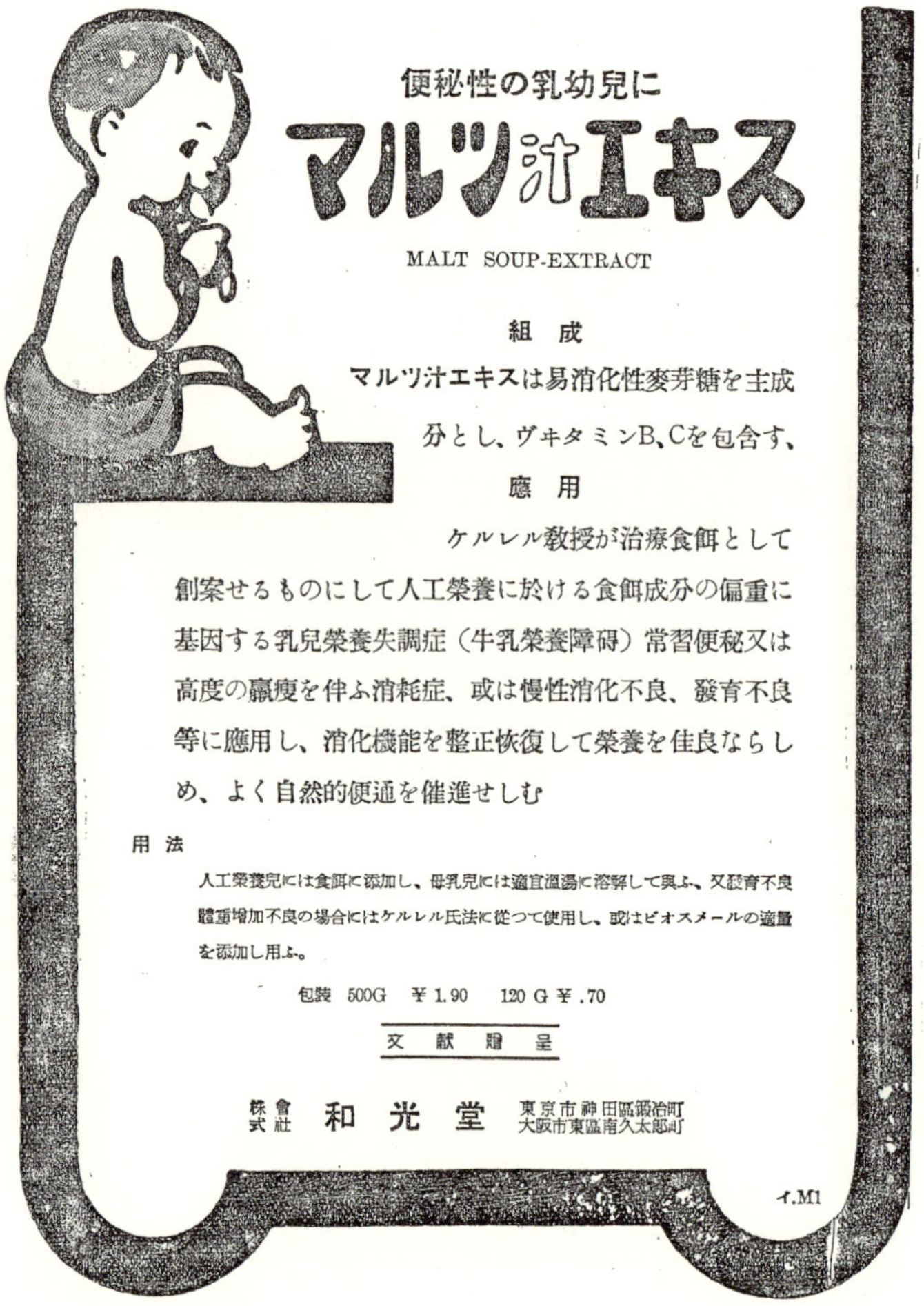

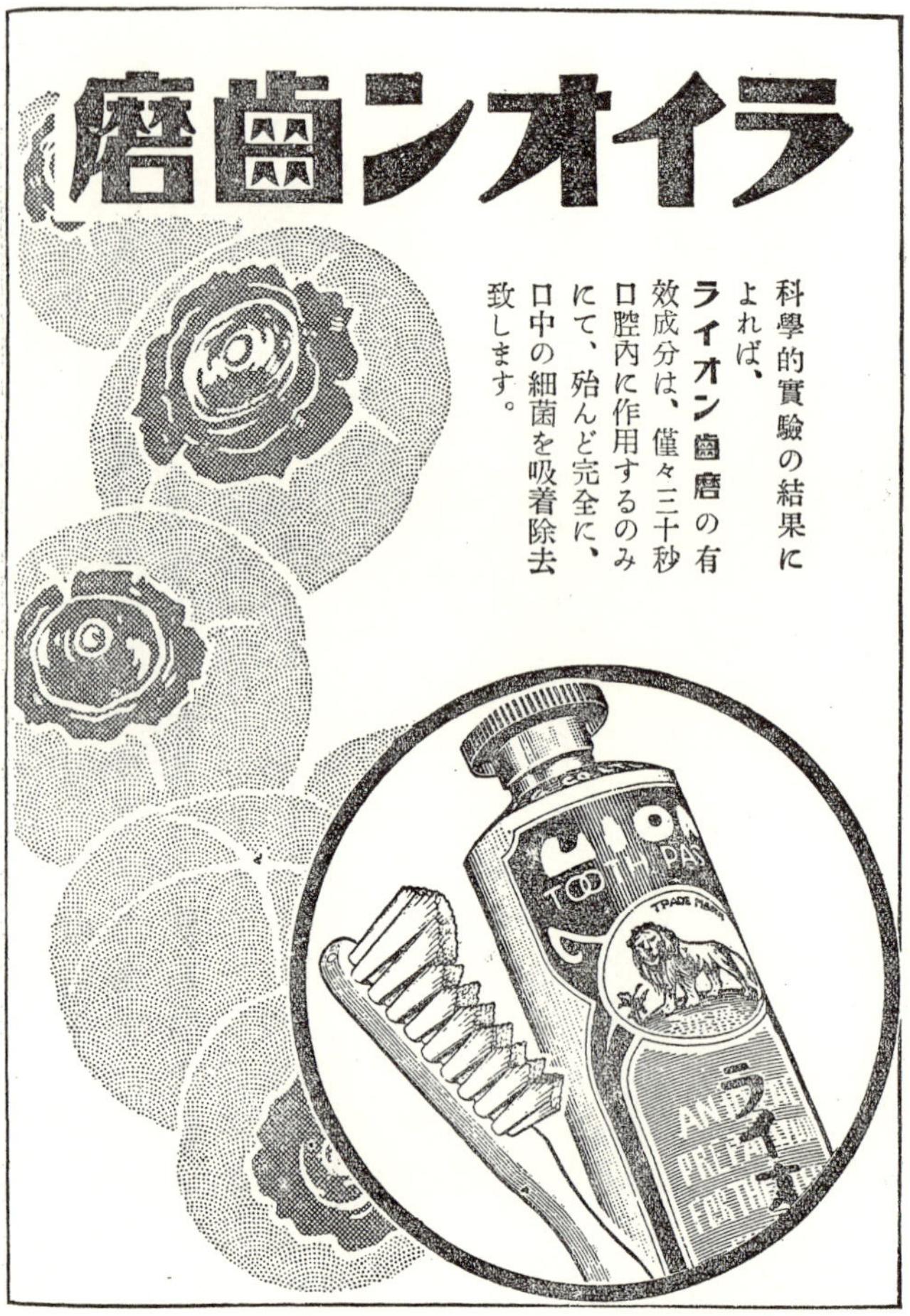

昭和十二年　**子供の世紀**　四月號

山崎農林大臣を我等の總裁に推戴す（巻頭言）

第九回全東京乳幼兒審査會は來る七月一日より五日間、日本橋高島屋大ホールに於て開催する事となり、名譽會長に永井柳太郎閣下を、總裁に山崎農林大臣を推戴し、各方面の關係後援團體、協贊の諸官省、各大學、諸病院等との連絡協定もなり、最早や我等の準備工作は完成せんとして居る。

殊に山崎農林大臣が國務多端の際、本會の總裁たる事を快諾され、次の時代を護る乳幼兒保健のために盡瘁さるゝ事は、國家將來のため感謝に堪えぬ次第である。尙閣下は去る昭和二年水野文相時代に文部次官たりし頃より、本聯盟のために懇篤なる庇護をされて來た事を追懷すれば實に感慨無量である。

本聯盟は大正十年に全國に魁けて、兒童愛護の大衆的運動と國家的事業を開始した事は、有識者は勿論の事天下萬人の認むる處である、然して大正十四年彼の關東大震災直後の東京に進出して、本聯盟の創案にかゝる乳幼兒審査會の第一回を開催して世の輿論に訴え、各團體に刺戟覺醒を與へたのであつた。爾來創業者指導者として幾多の苦難があつたが、兎にも角にも朝野の贊助のもとに年々盛況に趣き、全國各府縣に本會の追隨模倣者を出し、兒童愛護に對する國民的自覺を促し、乳幼兒の福祉增進に貢献した事は誠に本懷とするところである。

今や本會は帝都の若き母性たちの待望の的となり、然も意義ある年中行事としての權威を獲得し、又其成績は新學理と貴重な經驗とを各方面に贈りつゝある事は、開拓者として欣幸此の上も無い次第である。

左に本會歷代總裁と開催年月とを錄して大方の參考に供する事とする。

第一回全東京乳幼兒審査會（大正十四年十月）　總裁　文部大臣　岡田良平閣下

第二回全東京乳幼兒審査會（大正十五年七月）　總裁　文學博士　澤柳政太郎閣下

第三回全東京乳幼兒審査會（昭和二年九月）　總裁　文部大臣　水野錬太郎閣下

第四回全東京乳幼兒審査會（昭和七年六月）　總裁　文部大臣　鳩山一郎閣下

第五回全東京乳幼兒審査會（昭和八年六月）　總裁　文部大臣　鳩山一郎閣下

第六回全東京乳幼兒審査會（昭和九年六月）　總裁　拓務大臣　永井柳太郎閣下

第七回全東京乳幼兒審査會（昭和十年七月）　總裁　文部大臣　松田源治閣下

第八回全東京乳幼兒審査會（昭和十一年六月）　總裁　文部大臣　平生釟三郎閣下

東北地方の子供（其の三）

山形市立病院濟生館小兒科

醫學博士　宇留野勝彌

◇母親の産兒數

乳幼兒審査會の時に母親に訊いて統計をとつたのですから勿論乳幼兒を現在有つて居ない母親はオミツトされて居るわけですし、極く少數ではあるが先妻の子供、先夫の子供、貰ひ子などの加入したものも中にはあるかと思はれますが、大體この統計で當地方の産兒數がうかゞはれると思ふのであります。

先づこゝに百人母親が居るとしてみますと産兒數一人のが一七・三人、二兒が一六・一人、三兒が一五・一人四兒が一三・五人、五兒が一一・〇人、六兒が八・四人七兒が七・〇人、八兒が四・六人、九兒が三・一人、一〇兒が二・一人、一一兒が〇・九人、一二兒が〇・六人等であります。そこで平均してみますと一母親の産兒平均が四・四兒になりました。しかしこの統計では一寸漠然として居ますので母の年齢別にして産兒數を見てみることゝしますと、

母親の年齢	平均生産兒數
二〇—二四歳	一・三兒
二五—二九歳	二・三兒
三〇—三四歳	三・九兒
三五—三九歳	五・七兒
四〇歳以上	七・四兒

前述の如くこれには石女や年長兒しか持つて居らぬ母性は加はつて居らぬのですから既婚者全部の生産率とは云ひかねますが略々當地方の如何に多産であるかを如實に示して居るか分る一證と存じます。

◇農家は特に多産である

山形地方でも農、商、筋肉勞働、其他（インテリ層）と

四種類の職業に分けて出産兒數の多少を比べて見ると、女としての姙娠可能年齡の終りに近い三五歳以上の母親について調べたところ次のやうで農家は斷然首位にあります。

	三五―三九歳	四〇歳以上
農	六・〇兒	七・五兒
商	五・一兒	七・〇兒
勞働	五・四兒	六・七兒
其他	五・五兒	六・九兒

この表では三五―三九歳の場合と四〇歳の場合と比べると商と勞働とが一致しない生産率順位を示して居ますが農は共に首位を占めて居ることは注目に値すると思ひますし、其他卽ちサラリーマン其外の智識階級が大部を占めて居る群が第二位にあるとは一寸想像以外で奇異の感に打たれました。

◇教育低い母親に産兒數が多い

この統計からすぐ教育程度と産兒數とを云々は出來ないのです。何故といへば教育の低い母性は農家に最も多く、又生活程度の最も低い階級に最も多いことは明白なのですから教育程度だけ切りはなして産兒數の多寡に關係づけることは不合理であるからです。只事實を見ていたゞくことにします。

	三五―三九歳	四〇歳以上
女學校	四・五兒	六・四兒
小學補習科	四・九兒	六・三兒
高等小學	五・五兒	七・〇兒
尋常小學	五・八兒	七・三兒
無學	略	七・五兒

◇生活程度と産兒數

豐田村と云ふ一農村の滿五歳未滿の乳幼兒約五百名の調査をしましたとき村役場の人に富貧の程度を上、中、下と三階段に分けて貰つたのですがそれに從つて母性の生産兒數を比較しました。生活程度上位は二八名でその平均産兒數は三・八兒、中位は二五四名で平均産兒數は五・二兒、下位は二一三名で平均産兒數は五・二兒でありますので中下よりは上の方が産兒數の少ないことが分りましたが中と下とは差がありませんでした。

そこで中、下だけについて母親の年齡三五―三九歳及び四〇歳以上の二期について委細に調べてみましたところ、

	三五―三九歳	四〇歳以上
生活程度中位	六・一兒	七・七兒
同　下位	六・三兒	七・六兒

つまり姙娠可能年齡末期の母性について調査しまして

も農村の大多數を占むる生活階級(中と下)では生産兒數は同樣であることが分ります。

◇多産の母親の乳兒ほど貧弱なり

生後滿一年未滿の乳兒を審査して發育優秀兒、劣等兒を區別し、一方その乳兒の母親が生産何兒を儲けたかを調査して彼我對照してみると次のとほりで多く生産した母親の乳兒ほど優秀兒が少なく、劣等兒の方も五兒生産以上になると俄然增加する傾向が看取されます。

生産兒數	優秀兒率（パアセント）	劣等兒率（パアセント）
一兒	一二・四	四六・四
二兒	一〇・三	四六・一
三兒	一〇・五	四六・三
四兒	九・〇	四四・五
五兒	一二・六	五〇・五
六兒	八・八	四七・八
七兒	六・九	五八・七
八兒	八・三	五五・六
九兒	五・五	五八・二
一〇兒	二・六	七一・一

この結果は色々の條件が介在するのに依るでせうが最も大なる原因は姙娠回數を重ぬるほど母體の衰弱を來たすによるものと思はれます。

◇同じ多産でも死亡多い場合ほど乳幼兒の發育が惡い

五兒なら五兒を生んだ場合でも五兒全部生存してる時の方が乳幼兒は發育よろしく、死亡兒がある場合でも死亡數の多いほど乳幼兒の發育は惡い。これは必らず母體の缺陷、同胞の遺傳的の素質などがあつて關係して居るものに相違ありませんし、又生活環境、母親の育兒法なども知らず〱の間に惡影響を與へて居るのかも知れません。今二、三例をあげて見ますと、

		優秀兒率（パアセント）	劣等兒率（パアセント）
産兒四兒	全部健存	一三・八	四〇・五
	一名死亡	一一・〇	四二・八
	二名死亡	一一・一	四八・二
	三名死亡	略	
産兒五兒	全部健存	一二・五	四六・九
	一名死亡	一三・七	四六・六
	二名死亡	九・六	五一・三
	三名死亡	三・三	六〇・〇
	四名死亡	略	

◇同胞の生死の割合

同胞の居るだけ全部健在なのが何パアセントづゝ居るかを調べてみると、二名同胞で二名共健在が八四・一パ

小兒科
高洲病院
大阪兒童愛護聯盟理事
院長　醫學博士　肥爪貫三郎
顧問　醫學博士　高洲謙一郎
大阪市南區北桃谷町三五
(市電上本町二丁目交叉點西)
電話東一一三一・五八五三・五九一三番

アセント、三名同胞で共健七二・八パアセント、四名同胞では同じく六〇・四パアセント、五名では四九・九パアセント卽ち五名になると半數は一名以上必らず死亡して缺けてしまふことになる譯で悲しいことであります。六名以上はグン〱と共健の率が減じて來まして、七名の時には三〇・九パアセント、卽ち六人子持ちの三分二は必らず誰か缺けて居ることゝなります。かうした統計は他所のと比較せねば山形地方が特に死亡が多いとは云へませんが乳兒死亡率の斷然多い當地方のことですから嘸かしかうした同胞の死亡率も多いことゝ信じられます。

母性の希ふもの

丸岡秀子

旅先で子供からの手紙を受け取つた。尋常二年になる娘は覺えた漢字をいろいろ交ぜて最後に「私はお母さんの歸る日が待ちどほしくてたまりません」とあつた。

手紙をくれる迄に成長した喜びを思ふと同時に、沁々と胸を衝かれるものがあつた。いつも外へ働きに出てゐる母から不足する愛情に飢ゑて來ると、子供は私の胸にころび込むやうにもたれてわけもなく甘え鼻聲になる。こんな時、默つて背をさすり髪を撫で頬に唇を當て、さては抱き上げて部屋の中をくる〱まはつてやる。すると急に元氣をとり戻してサッサと外へかけ出す。まるで陽を浴び、水をそゝがれて生々とした植物のやうに。

旅の宿で喜びに伴ふこんな感傷を抱きながら、農村婦人の會合へ出た今度の旅の目的は、中國地方の農村部落の婦人研究會のいくつかへ出席することにあつた。

研究會はだん〱進んで、こゝでも託兒所の問題に觸れて行き、一人の婦人は云つた。

「託兒所から遠く離れた田圃で仕事をしてゐると何だか氣がかりでいけません。〃お母あ〃と呼べば〃おーい〃と答へられる畔に置いとく方が氣が樂で」と。

自分も持つてゐるこの否定出來ぬ氣持に、私の感情は誇張されて涙が胸に落ちて行くやうだつた。

子供を救ふ爲めには、焰の中へ飛び込んで燒死する母親の強い本能が私達の血の中には潜んでゐるが、その上長いこと子供を身につけて働いてゐた古い慣習の根強さは、子供を育てる上に、輕々と人手に渡せぬ多くの注文を限りない愛着と共に持つてゐる。

ところが、現在託兒所の多くは、田圃に働く耕作農婦のかうした苦悶を知らない人達によつて作られてゐるものが多く、從つて恩惠的な施設が持つ形式主義に陷り易い。いま議會に上程されてゐる母子保護法案も同樣な缺陷を指摘されてはゐないだらうか。

結局は働いてゐる者が、自分の爲めの施設は自分達の力でしなければならないといふことを、こんな所でも亦お互に教へられたのである。

麻疹の豫防と手當

醫學博士　西川爲雄

愛兒の生命に暗影を投げる麻疹が今年も大阪市を中心として郊外の街々に流行して居る。

麻疹の症状

麻疹は感染後通常十四日位して發病して來るもので發病に三日前頃にクサミ、羞明、咳嗽、鼻汁分泌、不機嫌頭痛、發熱、食思不振、下痢等を認められ重要な事は結膜の充血とチョコレート色の發赤腫脹で麻疹を想はすに充分な特徴である、此の時期が過ぎると特徴ある麻疹の發疹が現れ、發熱を伴ふ時に發疹の現れぬ場合、發疹が水泡を伴つて來る場合等、發疹にも色々の型があり、やがて粃糠樣落屑を來し、下熱後七―一〇日位して麻疹を經過するのが普通である。

手當

麻疹は一種の病原體による傳染病で發疹は病原體の產出する毒素による中毒症狀とも考へられ、從つて發疹を出來るだけ體の表面に出す事は病狀を輕くすると云ふ考へが一般にあつて、內攻さすまいと云ふ考へで病室を一定の溫度に溫められる事は好ましい事である、が豆炭や炭火で室內保溫を行ふ事は室內の空氣を汚悪し、時に看護人すら頭痛を訴へる場合が多く、病兒肺炎併發をすら招來してゐる危險な場合を度々見受ける。

電氣ストーブスチーム溫空氣等による保溫なれば室內を攝氏十六度にせられる事は結構でありますが、他の場合は病床に湯タンポを入れて病兒を溫める位で充分であり、成る可く病室を開放して、新鮮な空氣の流入を計る事が第一であります。咳嗽の烈しい場合は芥子濕布酸素吸入等を行はれ度く、口腔の清潔眼瞼の清洗を行ひ絶え

ず番茶や果汁を與えて發汗を促し、口渇を防ぐ事は症狀を輕くし、食思を助長するに役立つ、殊にオレンヂ汁、リンゴ汁、ミカン汁を與へる事はヴイタミンC_1及C_2を與へる事で病狀を輕くし、肺炎を防ぐに役立つ場合があります。

登校や外出は下熱して二週間――三週間位經過をみて許す可く離床は下熱後一〇日位に行ふのが普通である。

豫　防

麻疹が傳染病で殊に昔から命取りと稱せられて愛兒に取つて恐る可き病氣と考へられ、此れが豫防を種々考察せられて種痘の如き立派な豫防法を發見せられてゐないだが各自が次の如き事に注意せられるなれば現在以上に流行を少くする事が出來る。

麻疹感染機會の防止

各家庭で麻疹患兒があれば自分の愛兒が傳染して心配する如く他の家庭の子供の事も考へて、他の子供に近付けず、出來るだけ病兒の鼻汁喀啖等の惡物を消毒し「カクリ」する樣に道德心を強められたい。

小學校や幼稚園託兒所でも流行期に當つては充分の注意を行ひ、病兒を發見次第休學せしむる事に努力せられたい、尚出來れば各家庭でも注意し、麻疹患兒の家に子供を近付けず、醫師等も麻疹患者の往診にはその家專用の白衣を置きて他の患兒への傳染を防止する樣に今一層の注意せられたい、麻疹の傳染機會を防止する爲めに必要な項目を揭げ、小學校託兒所一般家庭を統制連絡し一致團結して麻疹の豫防運動を起す事は愛兒の爲めにも、保健國策上にも甚だ重大なる問題で一日も早く實現せられる事を切望する。

發病豫防

此の目的の爲めに「ニコレ」が一九一六年に初めて行ひ「デグウィッツ」により改良せられた效果の多き方法がある。

麻疹恢復期患者（下熱後七―一〇日位）の血清を三人以上のものを混合して五瓦―一〇瓦を注射する時麻疹が豫防出來るのみならず、不幸發病しても輕く經過する利益がある、米國では一般に推稱され、一般に行はれて居る私も保嬰館で八年前より行つて、相當な效果を收めてゐる、此の血清注射を行ふ中は發病しても三十八度內外の發熱を二、三日持續するが、輕く發熱して病臥する事なく、全快する場合が多い、唯發疹は普通の如く出現するが肺炎や中耳炎等の豫病の併發を防止する效果を多く認めてゐる。

今日最も效果あり麻疹治療上唯一の神藥は此の恢復患

者血清であります、一般家庭に於ても是非とも試して頂き度い確實な豫防法がありますが、唯缺點に血清を手に入れる事の困難な事であります、此の缺點を補ふ爲めに一般の家庭に於て不幸愛兒の麻疹に罹患せられた中にその恢復期に當つて愛兒の血清を提供し、他の子供を救ふ隣人愛が望ましい事であります、五歲以上の子供で一〇瓦位の血液を採血するも何等危險がありません、他の健康兒を守る事は、大阪市としても保健運動の一つとして阪大黴研究所を中心として、全市小兒科醫と連絡し、試みられたい事である。

若し恢復患者血淸の無き場合は麻疹病兒を看護せられた人々の血液か兩親の血液を二〇―三〇瓦に一％クエン酸ナトリユームを混じて注射せられる事は多少の效果があります、但し血清や血液を採血する中一應その人々の健康を考へ結核と黴毒のなき事を確める必要があります

尚血液の一〇瓦位採取しても五歲以上の子供では絶對に危險のないものであります。

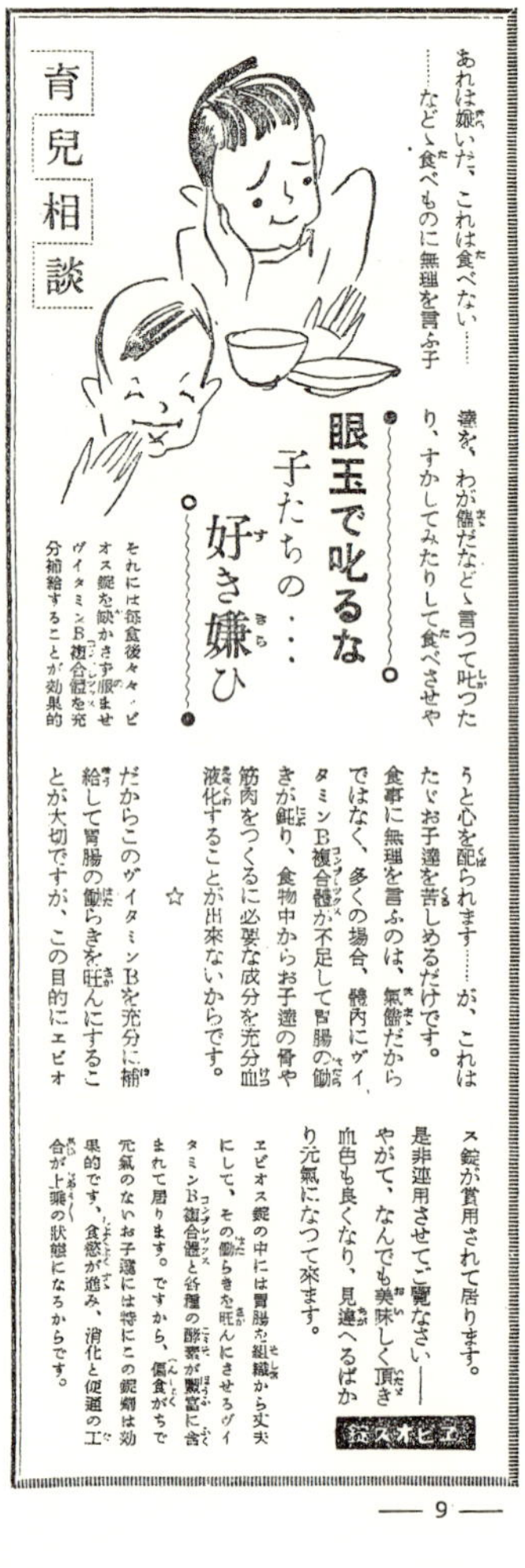

淑子の追憶

本圖晴之助

甥大久保明二、昨十一年九月二十八日新嫁淑子を娶りて間もなく淑子は罹病入院、一月四日遂に死去、同月六日大井町西光寺に於て葬儀執行、即夜目黑雅叙園にて追善供養を行ひたりき。之れより先き偶々時事新報社の解散と共に同社の社員たりし甥も亦失職の憂目に遭ひたりき。

臨終のきは迄君は背を戀ひて背の食事をぞ言問ひにける
思ひきや妹背の契ながかれと祈りしものを常久にわかるゝ
折も折妻を失ひはた職をあはれ明二はやせにけらずや
病みけれや日の淺けれやつぎ〳〵に思出の數かなしみの數
西光寺に葬り待つまを緣に立ちうつろ心に鴟尾を見にけり（以下西光寺にて）
燈籠のかげの山茶花さにづらふ乙女さびたる花にかも似る
ほろ〳〵と散華に似たる山茶花の花ちる夕散りし御命
續金縷も白き花輪もうなだれてかなしきさまの御佛の前
日あしうどき冬の御堂の灯のかげにほのかに白き君が御柩
泣かまほしき心こらへて懇に數珠つまぐりぬ御名唱へつゝ
五人の御僧揃ふて誦す經の意味はわかねどなにかさびしも

白妙の花輪のかげの燈のゆるゝ光をあはれと見る身
金襴の袈裟よりもるゝ法の道身にしみにけり冬の底冷え
六角の御堂の中に骨瓶やならべる見れば涙こぼるゝ
いやはてに納骨堂の戸をさせば冬空おもく鐘たそがるる
忘れじな緣みじかく逝きまして正月六日の供養の夕（以下雅叙園にて）
窓下のやみを破りてせゝらぎの瀬の音にまじり物の怪の音
君が魂やどりけらしも雅叙園の床の柱に笑める浮彫
灯赤き酒のまとゐもうら寂し長押の螺鈿きらゝ光れど
まかゞやく朱の廻廊仰ぎ見れば九浦、淸方、映丘の繪
高彫の元祿美人浮き出でぬ床の柱の美しき色彩
人戀しなき人こひし浮彫の美人のかげに酒と對へば
舍利に似る音たてにつゝ食べにけり追善供養の碎熘鯉魚
天平のさまなす部屋に珍の饗さはにたまひど足らはぬ心
見そなはせ春さく花のそれよりも石の井げたのかげの水仙（石井博士の義擧二首）
まざ〳〵と仁術見たり醫博士の君がみこゝろ心より知る

新入學兒童と靴の問題？

文部省學校衞生官
大西永次郎

四月から初めて小學校に入學する子供達の母親として、特に注意して頂きたいことは、幼いからだの發育と健康に直接深い關係を持つ靴に就てです、一口に靴と云つても、現在一般に用ひられてゐるものに革製があり、ズックがあり、ゴムがありますが、そのうちどれを用ひさせるべきか？次にその一つ一つに就て檢討して見ませう。

革の靴

革製といつても短靴（スクリッパー）があり、編上げ（深スクリッパー）があり、カヽトにも高い低いがあります。

カヽト しかしカヽトの高すぎるといふ心配は小學生にはないとしても、反對に低すぎて、つまり土ふまずの全然ないやうなベタッとしたものを用ひさせることがよくあります、かういふものは實に歩きにくゝ疲勞を増すもので、やゝもすると扁平足をまねくことにもなるので、特にこの年ごろの子供には用ひさせたくありません。

短靴と深靴 とではどちらかといふと、足をおほふことの少い短靴の方がよく、しかしその代り足によく合つてゐるものでないといけません、窮屈なものゝよくないことは御承知の通りですが、ゆるすぎるものは歩く度に足の先にばかり重みがかゝつて非常に疲勞を増させるものです。

ゴム靴

ゴム靴は値段のお安いといふことから、東京の下町や地方で盛んに用ひられてゐるやうですが、雨の日やその他特別な場合は除くとして普通通學には通氣性が全然ないため、新陳代謝を妨げるので、家を出るから歸るまで半日もはき通すといふやうなことはぜひやめたいものです、もう一つ底がぐにやぐにやしてゐるといふことも、丁度ハダシで歩いてゐるやうなもので、所謂緩衝といふものがないので歩くたびにズシン〳〵と直接からだから頭まで響いて、それから來る疲勞も並たいていではありません。

ズック靴

ズック製の所謂運動靴も、通學用として廣く用ひられてゐますが、これは前に申上げた土ふまずの無いといふ點で面白くありません、昔のやうに道路や學校の運動場が自然の土のまゝの場合は、それほどかうした事柄も問題ではありませんでしたが、今日の堅い道路で特に都會地の兒童に扁平足のますます多くなるのを見ても、そのはきものには餘程の注意を拂はなくてはならないことがわかります。なほ革靴を用ひる場合も、常に靴墨、靴油を用ひて革を柔かく保つことが足の爲にも靴を長く保たせるためにも非常に大切だといふことを覺えてゐていたゞきたいと思ひます。

―親の慈愛の金字塔―
御出産の御祝品に絶好
出産から小學校入學まで、六年間の生ひ立ちを細かに綴りゆく美しい本
四六倍版摸造紙八四頁
色クロース金模樣裝幀
各頁極彩童畫飾繪揮毫
優雅堅牢な保存用箱入
大阪こども研究會編
わが子の歴史
杉浦非水先生裝幀・有名童畫家十先生各頁着彩飾畫
定價一册 三円
◇地ヶ送料 内地四十五錢 台灣樺太七十五錢 ◇荷造料十六錢
慈愛深き親達の手で、この美しい本に可愛いお子樣の生ひ立ちを細かく御記入になつて、成人の後お子樣へ贈られることは、何と意義深い事で御座いませう。
大阪市高麗橋 三越 圖書部
振替口座大阪三〇三番

父親の酒量と身體發育との關係

醫學博士 生地憲
聯盟理事 伊藤悌二

第三回赤ん坊審査會に於ける審査乳幼兒一九六一名の父親を其の酒量別に之を分類すれば左の如し。

不飮のもの	九九四名―五〇・六九％
少量のもの	四〇七名―二〇・八一％
一合乃至五合以上のもの	五六〇名―二八・五六％

卽ち審査乳幼兒の父親の過半數は不飮者にして、小量飮用者は二割强を占め、殘部の三割弱を先づ飮酒者と見做す事を得べし。一般に優良兒、普通兒並に劣等兒共に相對數並に絕對數に於て不飮者最高にして、少量飮酒者之れに次ぎ、酒量の增加と共に順次減少を示せり。（第一表並に第二表參照）此の如き事實は不飮者並に少量飮酒者を父親とする乳幼兒の最も多數なるに依るものにして之れを以て父親の酒量と身體發育との關係を論ずるを得ず。

次に父親の酒量と身體發育の關係を第三表に從つて之れを略記すれば左の如し。

父親の酒量	優良兒	普通兒	劣等兒
不飮	三八・八三％	一〇・四六％	五〇・七一％
少量	三九・〇七％	一三・〇二％	四七・九一％
一合以上	四五・〇〇％	一二・五〇％	四二・五〇％

以上の成績に依れば相對數に於て、普通以上の發育優秀なる乳幼兒は一合乃至五合以上に到る酒量を有する父親に於て最大にして少量飮酒者之に次ぎ、不飮者に於て最低位を示せり。之に反し身體發育劣等なる乳幼兒は不飮者に於て最大なるの奇現象を呈す。之れを以て直に飮酒の乳幼兒の身體發育に及ぼす影響を否定し去るが如きは大なる過誤に陷るものと云ふを得べし。

何んとなれば飮酒も所謂亂酒に陷る場合に於ては明かに乳幼兒の身體發育上の障害となるのみならず、精神發育上にも重大なる影響を及ぼすものなる事は旣に諸家の

統計上に明白なる事實なりとす。

即ちフインランド大學教授ラーテネン博士は第十二回國際アルコール會議（一九〇九年）に於て酒害に就て、五七〇〇餘家族を禁酒家、節酒家、及び大酒家の三種に分類し其の調査報告せる處に依れば（生江氏社會事業綱要に依る）

事項別	家族數	兒童數	一家族兒童數	死亡率	流早產率
禁酒家	一、五三一	三、六九五	二・三八	一三・四五%	一・〇七%
節酒家	一、八三三	六、六七三	三・六四	二三・一七%	五・二六%
大酒家	二、四六一	九、六四〇	三・九二	三二・〇三%	七・二一%
計	五、七三六	一九、五一九			

即ち兒童の死亡率並に流早產の率は大酒家に於て最高を示し、節酒家之に次ぎ、禁酒家に於て最も少なし。

大阪市立兒童相談所に於て八〇八名の精神薄弱兒に就ての調査に依れば其の原因中大酒と目すべき者一七四名―二一・五%にして諸原因中の首位を占む。

之等の事實よりして之れを見るに本統計上に於て飲酒は乳幼兒の身體發育上に何等の影響をも認め得ざりしと云へども之れを確言するには唯に身體發育に就てのみならず、少なくとも今後之等乳幼兒の成長と共に著明に現はるべき處の精神發育狀態の如何をも併せ詳細に探究するの要ありとす。更に又禁酒家に於て吾人の豫想を裏切り身體發育不良なる乳幼兒の比較的に多數なるの事實は獨り乳幼兒の身體發育に就てのみならず、其の兩親の體質並に遺傳的關係をも深く考慮せざるべからず。

要之するに本問題の解決は後日の調査研究に讓り、此處に於ては唯本統計上より歸納せる事實を報告するに止どめん。

第一表　父親の酒量と身體發育との關係

	優良兒 男	優良兒 女	佳良兒 男	佳良兒 女	普通兒 男	普通兒 女	劣等兒 男	劣等兒 女	合計
不飲	七五	五五	一七五	八四	六七	三七	三〇一	二〇三	九九四
少量	三一	一三	七八	三七	三三	二二	一三三	六二	四〇七
一合以上	二六	一九	八〇	三三	二〇	二一	九三	五五	三四七
二合以上	一一	一〇	三七	七	一四	八	四五	二三	一五五
三合以上	七	三	一三	三	六	一	一三	六	五二
四合以上	一						二		三
五合以上			二				一		三
不明	三		六	二	二		一七	五	三五

第二表

	不飲	少量	一合以上	二合以上	三合以上	四合以上	五合以上
優良兒	四八・四三%	一九・九五%	一九・八二%	八・一六%	三・二六%	〇・一三%	〇・二五%
普通兒	四五・八二	二三・三五	一八・〇六	九・六九	三・〇八		
劣等兒	三三・七九	二〇・八一	一五・七九	七・二六	二・〇三	〇・二一	〇・一一

（第四十六頁へつゞく）

母と子

文學博士　下田次郎

一五、子の教育（その二）

二

自然の教訓　人の書いた書物を讀むと共に、自然といふ生きた書物を讀むことも、教育上大切であります。佛國の文豪シヤトウブリアンが、自然の描寫に妙を得たのは、大いに母の力に由るのであります。「我等の淸き樂しみは秋の日に母子相携へて、郊外に散步した事である。或は枯木の枝に秋風の鳴るを耳にし、或は落葉の上を踏み步いて、その音を聞いた。姉も一緒に散步して、この景色を文章にして見よなどと勸めたから、この時分から自分は文想を養つたのである」と、自分の幼時を書いて居ります。彼れの想像力に富んで居たのは、幼時每日濱邊に出て、風濤を友として育つたにも由ります。

同じく佛國の文豪ラマルチーンの母は、子の幼少の時から、書物を選んで、子の知識の程度に相當するものばかりを讀ませました。又彼れは田園生活をなし、牧場の羊や牛を友としたり、葡萄取りの手傳をしたり、綠の野を逍遙たり、淸き泉に憩ふたりして、朝から晩まで、天然を友として育ちました。それで後年ラマルチーンは、「自分ほど天然に親しみ、田園の樂しみを味ひつゝ、人と成つた者は恐らくなからう。併し若し母がなかつたならば自分は眼前に宇宙を眺めて居ても、宇宙を讀む事を知らなかつたであらう。萬有を一々指し示して、我れに教を垂れてくれた者は、我が母である」と言つて居りま

す。母はまたラマルチーンが學校を出た時に、「消え去る歡びだの、流れ出る淚だのを記して置けば、後にこれを見た時に如何なる場合に仕合せであつたか、又如何なる場合に泣き悲しんだかを知ることが出來るであらう」と母に倣つて日記をつけることを勸め、子もその教を守つてこれを實行し、他日自叙傳を書きました。母の日記は遂に二十二卷の大冊となり、ラマルチーンは居常これを大切にし手離さず、「我が母の心情を知りたいと思ふ每にこの大冊の書物を開いて見れば、母の心は歷々とその中に讀まれる。」と言つて居たといひます。

三

子女の教育者及び友人としての母　母は子の幼時、小時の教育者たるのみならず靑年時代に於ても、母は子女を指導し、教訓感化を與へ、又成人の後も、その有益なる助言者忠實なる友人となるべきであります。これに就て英國のアバーヂーン伯爵夫人は、一九〇四年ベルリンに開催の萬國婦人大會に於て、左の如く述べました。

「家庭に於ける子女の教育に關しては、多くの人は、母の勢力は單に子女の幼少なる時にのみ限られ、成長して、或は大學に入り、或は軍隊に入り、もしくは嫁するに及んでは、母の感化は少しと思へり、然れども吾人の見る所は大にこれと異れり。もし母の感化が子女の幼少の時に限られ、その大學、軍隊又は公生涯に於て受くる感化、もしくは結婚後の良人の感化が早年母より受けたる感化を、消滅せしむるに足るとせば、母の子に由つて社會に及ぼす勢力は甚だ微弱なるものと云はざるべからず。こゝに於て、母が子女の發達の諸期を豫想し、これに應ずる強き感化をすべし、幼少の時に與へおくべしと云ふ者あり。然れ共、少時母の干涉、強制あまり甚だしければ、却つて子女に反動を起さしめ、從つて、母の感化力を減ずとも、增すことあるべからず。然らば、母は社會生活に向つて「如何に子女を教育すべきか。思ふに、その最も重要なるものは、己れに克つこと、己れを忘れて人の爲に盡すこと、人に快活に接すること、貧賤なる者、惡人すらをも輕蔑せざること、他人特に兄弟姉妹の權利、志向を尊重すること、正義、禮儀を守ること等の習慣を養成するにあり、尚これに加ふるに謙讓と

自利が利他を壓倒せざるほどの名譽心との養成を以てすれば、殆んど完きに近しといふべし。これらの德は決して輕んずべきにあらず、社會に於ける成功の基にして、皆母の感化に由りて養成し得るものなり。

一家に於ける兄弟姉妹の生活は、他の女子及び男子を理解しまた姉妹は男子の婦人觀を構成するに最も與つて力あるものなり。特に男兒には、老人及び弱者に同情すべきが如く、老婦人を勞はり、敬ふの念を養ふべし。また子女をして、その兩親の朋友を、己れの兩親同樣に見て、これに接すること、生活の見渡しを廣く且深くするに有用なり。子女は早くより、獨立の地位と職業とを有する成人と交際せしむべく、又工場等の訪問を忽にすべからず。社會に於ける活動及び生存競爭の活劇を目擊せしむることは、知らず識らずの間に社會生活に接近せしめ、その複雜なる諸方面あること、人間の欲求に種々あること、社會團體の單純ならざることを理解せしめ、その社會觀を深く且確かならしめ社會に對する義務の念を強からしむるものなり。社會の重大なる日々の出來事を、家庭に於て評論することも、亦子女の社會に對する興味を喚び起すに少からざる効力あり。社會道德に於ける正しき理想、男女の公人の有すべき諸種の德性、階級間に存すべき正義公平等は、かくの如き談話の間に、最も自然に又確實に植付けらるべし。又折々母は子女に、極めて平靜に男女の關係その互助協同の幸福、不和の失敗等を說き聞かせ、特に男兒には、男女に關する困難なる社會問題及びその男子の責任につきて、早く眞面目に話すべし。そしてその說話の方法、態度に注意すべきは云ふまでもなし。男女の道德的淸潔は靑年の純潔なる心に早く養ふを要す。もし母たるものが男兒に向つて「汝は汝に父の如くあれ。汝の妻は我れの如く幸福なれ」と言ひ得れば、この母ほど幸福なる者なかるべし。道德教育に於ては、母は少しく話し、多くは子女本人の熟考に任せ、生活問題に對して正しく勇ましく、面目にかけて道德的決心を生ずるの習慣を養ふべし。

最後に母は子女を己れの精神上の友とすること、最も大切なり。母は己れの考へ感ずる所を漸次子女に納得せしめ、稍々長ずるに及びては、己れの意見を注入するよりは、問題として子女自ら思考するに至らんことを期すべきなり。母子の間に精神上朋友の關係生ずる

ときは、母は子に敎ふるのみならず、子に敎へらるゝ事多く、若き者の考へ方、新らしき時代の精神をも理解することを得べし。かくの如くならば、子女が社會生活に入りたる後も、永く母の子女に對する感化は大なるべし。己れの女兒を最も良き友とせる母は、眞に幸福なり。又社會生活に於て困難に遭遇せる時に、己れの男兒に來りて相談を求めらるゝ母は、賢母なりといふべし。」

母は子女の小さい時のみの賢母でなく、成長の後までもかくの如き賢母でありたいと思ひます。アバーヂーン夫人の賢母の理想は高く、その期待は大であります。

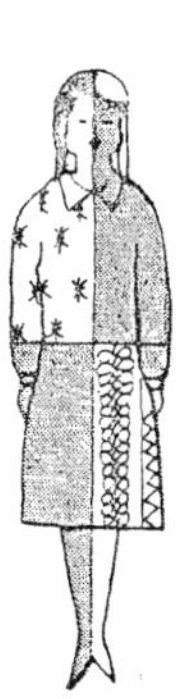

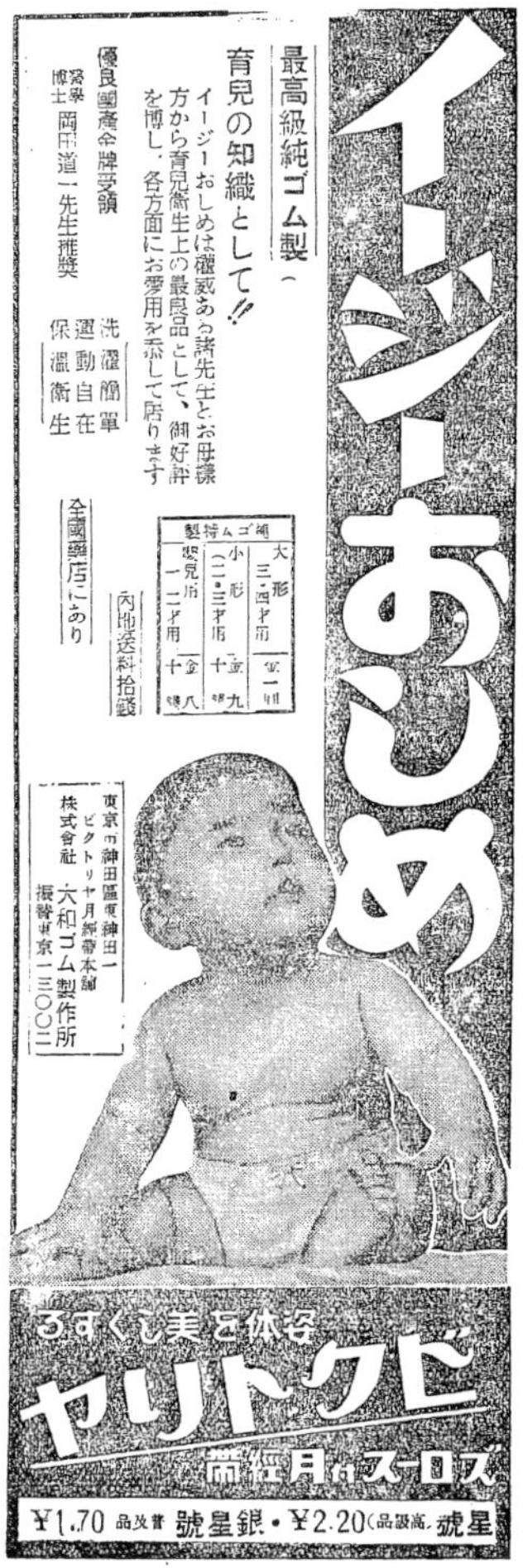

なぜ私生兒には男兒が少い？

夫は男の子が女の子より生命力が弱いから！

造化の神はよく考へたもので、この世界には男と女の數が大體半々ですがこれは出生の時旣に半々に生れることによります、併し全くの半々ではなくどこの國でもどの年でも生れくるものは男の方が少し多いといふのが實際です、例へば最も新しい昭和十一年發表の內閣統計年鑑に就いてみませう。

出生數と男女比

昭和十年度のわが國出生數は二百十九萬一千人で、前年度より十四萬七千人の增加ですが、この中公生兒九割四分私生兒六分となつてゐます、で男女の數の割合をみますと女一〇〇人に對する男の數を性比といひますが、此の性比は

公生出產	一〇五・四
私生出產	一〇〇・〇

卽ち私生出產の場合は公生出產の場合よりも、男の數が百人に就き四五人少いとが判ります、これはどの國でもどの年でもさうです。なぜ私生兒の場合男の子が法律上の結婚の間に生れる場合より少いか？は、後に檢討するとして

未開人の出生比

今人種的に未開人だとされてゐるアイヌ、及びアメリカ・インディアンの男女出生の割合をみますと、性比一〇〇乃至九〇で男の數が女より少いことが知られます、昔はこの性比の低いのは未開人の特徵だとされてゐましたがしかしこれは人種により本質的に差別があるのでなく、死產が多いことに原因してゐます、統計上どの人種、どの國、どの年でも死產の場合女に比べて男が非常に多く死產の性比は大體一二〇となつてゐます、そこでアイヌやアメリカ・インディアンの男の出生數が女より少いといふのは死產の主な原因となる花柳病、結核が文明國より多くそのため死產によつて男の子が失はれる爲めだといふことが判ります、死產の數を出生の數に加へて性比をみると普通の民族と同じくなり、現に衞生思想の加はつてきたアイヌ、アメリカ・インディアンでは年々性比は高まつて

きてゐます。

なぜ男兒は弱い

そんならなぜ死產の場合男が多いか？に就いては、母體の中に保護されてゐる間も、母體外に出てからも、男の子は女より生命力が弱く、育ち難いといふ生物學的、遺傳學的の原因があるからで、卽ちそれは一口にいへば、男は女が性染色體を二つもつのに反し、一つしかもたないといふことに歸せられます、(動物界においても同樣で牡より牝の方が生命力が强い)

私生兒と男の子

茲で最初の、なぜ私生兒の場合、男の子が少いか？の問題にかへりませう。わが國では死產率は

公生出產	四・二%
私生出產	一五・二%

私生の場合、公生のそれより實に三倍强も死產が多いことを示してゐます、卽ち氣の毒な私生兒として生れくる子供に男の子の少い理由としては一部は「男の子だから」と庶子その他合法的な方法でひそかに公生兒として屆け出でられることにもよりませうが、前述のやうに、主として男の子の生命力が弱く、育ち難い上に、恐らく不幸な母たちが置かれるであらうヨリ悪い環境の下においては、姙娠時の衞生、手當、休養が及ばないため、死產、流產によつて男が失はれることが多いからだと考へられます。

(帝大動物學敎室醫學士岡徹氏談)

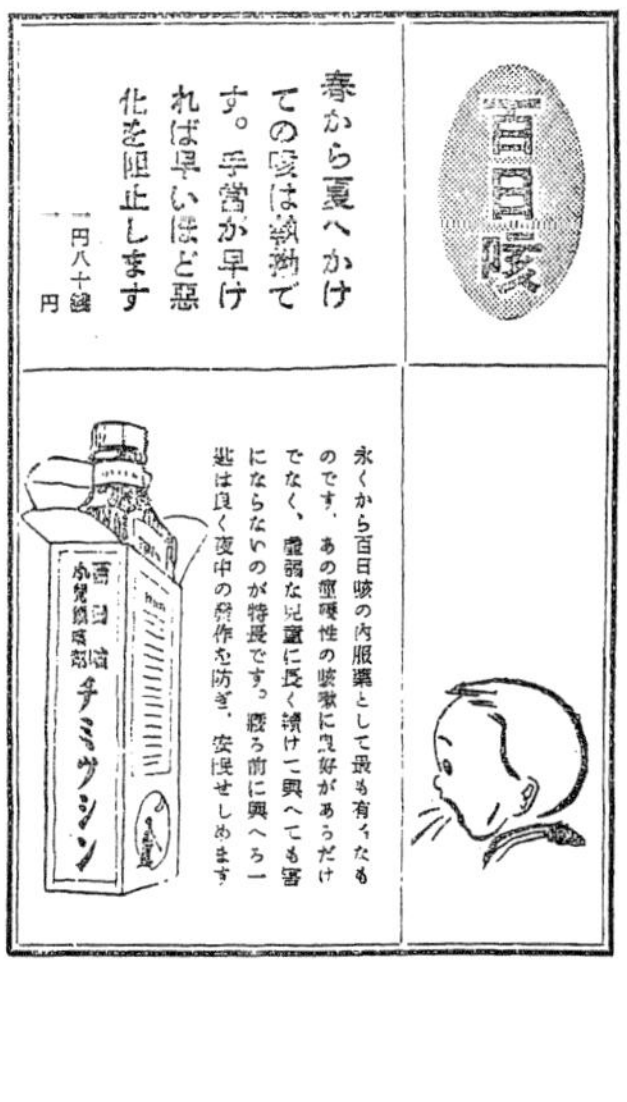

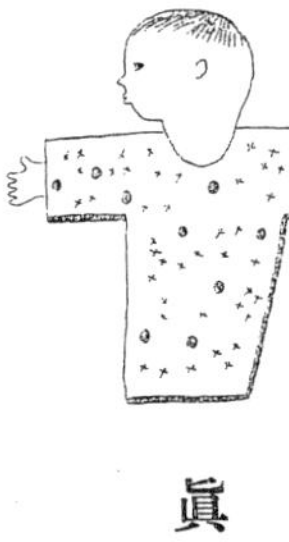

眞暗な部屋にあるお琴

醫學博士 川上漸

私は大分前から、皆さんへ、耳のお話をして上げたいと思つてをりました。けれどなか〳〵むつかしいので困つてをりました。

耳！皆さんは、どなたも二つづつ耳を持つてをられます。耳があるので皆さんはいろ〳〵のことをきいて、賢くなられました。また耳がお役にたちましたので、皆さんは言葉をおぼえられました、皆さんが赤ん坊であつたころに、お母さんやお姉さんやお兄さん達が、皆さんの前へお顏を出して、「トウサン」「カアチヤン」「オバチヤン」を敎へてくださつたのです。皆さんはかはいゝお目々を輝かせながら、人樣のお顏を眺めて、小さいお口で「トウ」「カチヤ」「オバチヤ」などといつて、一生懸命に練習をなされたのです。それはほんたう、決してうそではありません。皆さんは人樣のお口もとを見て、そのまねをしながら、自分の耳にきこえるいろ〳〵の言葉を出して見ようと、お勵みになつたのです。皆さんのお耳の出來工合が悪くて、人樣の言葉がよくきこえなかつたり、又は少しもきこえなかつたとしましたら、皆さまは聾啞になられたに違ひありません。聾啞はお話が出來ぬのではありません

耳が悪いために言葉がおぼえられぬ人達であります。盲啞學校といふ學校が出來てをつて、そこでは聾啞の人達にもお話のできるやうに教へてをります。耳が聞えなくとも、口の形で言葉を教へますから、聾啞の人でもお話が出來るやうになります。また人樣のお話もわかるやうになります。けれどお話を聞くのではなくて、お話を見てるのです。人樣の口もとの形の動き工合を見てをつて、お話の意味を考へあてるのです。でも定めしむづかしいことでせうね。私共は耳がきこえて、誠に仕合せのことです。

耳がきこえるといふのは、いつたいどうした譯なんでせう。皆さんのお耳は、折角皆さんに色々のことを聞かせてあげるのですから、皆さんは耳のお役目を知つていらつしやらなくてはいけません。これからそろ〳〵お話いたします。

耳の孔の奥の方に、障子といふものがあります。お醫者さんは、これを鼓膜と申します。耳搔きを大抵の處まで入れると、痛むところへ屆きますが、鼓膜はあそこよりもずつと奥の方にあります。障子の蔭にまた別のお部屋があります。頭の骨の内にある、小さい〳〵お部屋です。この小さいお部屋と咽頭の奥とは、喇叭管といふ細い廊下につゞいてをります。鼻をつまんでウムと力を入れると、空氣が廊下を後戻りして、この小さなお部屋へ入つて行つて、障子を内側からおしますから、耳の奥の方でプリッと變な音が致します。この小さなお部屋を中耳と申します。おわかりになりましたね。耳の孔と中耳の間に鼓膜といふ障子がはまつてをります。これをよくおぼえてをつて下さいね。

さて——むづかしくなりますね——中耳といふ小さいお部屋のお隣りに、も一つ小さいお部屋があります——内耳と申します。不思議なことには、この内耳の内は液がいつぱい入つてをります。中耳の部屋の方へ向いて小さい窓が二つあいてをつて、その窓には氷嚢のやうな膜が張りつめてあつて、内の液がこぼれぬやうになつてをります。中はまつくら、電燈もランプもついてはをりません。

だん〳〵不思議になつてまゐりますよ。ね？この液の一ぱい入つた小さなまつくらいお部屋——内耳——の内にお琴が一つ納められてあります。小さい〳〵お琴がね。そのお琴の一本一本の絃の中に細い〳〵神經が撚り込んであります。その細い〳〵神經はお琴の絃からお部屋のまん中の柱へつゞいて、そこで一本の束になつて、柱を繞つて、天井の孔を通つて腦髓へつゞいて居ります。この神經の束を、聽神經と申します。おわかりになりましたね。よくおぼえてゐて下さい。

前に申しました障子ね——鼓膜！鼓膜の内側に、小さい骨の棒がついてをつて、その棒の端が——その棒の端がどこへさはつてゐるのでせう？液の入つた眞暗な内耳、お琴のおいてある小さなお部屋に窓が二つありましたね。あの一つの窓にさはつてゐるのです。さう〳〵、このお窓にさはつてゐるのです。

モシモシカメヨカメサンヨウ、セカイノウチデオマヘホドウ、アユミノノロイモノハナイ……聲が空氣に傳つて皆さまのお耳の中へ入りますと、耳の障子が聲の高低につれて、樣々にふるへます。ほんたうの障子に唇をあてゝ、吹くときと同じやうにね、さうすると鼓膜の裏についてゐる骨の棒も一緒に動きます。するとその骨の棒の端が眞暗い内耳のお部屋の窓を動かします。お部屋の内の液が動いて、そして置いてあるお琴が鳴ります。高い聲ははげしく液を動かして強く張つた絃を鳴らし、低い聲は靜かに液を動かして弱く張つた絃を鳴らします。撚り込んである神經がそれ〴〵の響きを腦髓に知らせます。ハヽアー太郎さんが「龜さん」を歌つてるなと、皆さんは感じられるのです。歌が皆さんにきこえるのです。お耳が二つありますから頭をちよつと動かせばどちらからの聲もきこえます。きこえましたかね。

逆立ちの效果

宮武三郎

朝は六時に起きて必ず冷水摩擦と散歩をすることにしてゐますが、それよりも毎朝床の中で習慣的に逆立を一二回やり、これが普通の方と一寸違つてゐる私の健康法です。逆立にどんな效果があるかと聞かれても生理的にどうなるかは良く解りませんが、胃下垂の豫防になるので、私達の樣に胃腸が丈夫でなくてはならない職業にたづさはつてゐる者には最も有効だと思つて實行して居ます。

尚私はつとめて野菜類を攝取し、又鷄肉といふよりも鷄の肝臟とか腹わたとか云つた所謂もつを好んで食べます。但しこの種のものはどうしても消化が遲れがちとなるので、榮養を兼ねた胃腸薬「錠劑わかもと」を毎食後服みますが、かうして置くと食べ物が胃につかへず、便通も規則正しくて都合がよい。

今年三歳になる子供もこれが大變好きで、欲しくなると自分で茶簞笥を開けて、幾つか並んだ瓶の中からいつの間に覺え込んだのか「錠劑わかもと」の瓶を出して來て、うまさうに嚙んで食べるのです。そのせゐか近頃病氣知らずでハリキつてゐますよ。

右の「錠劑わかもと」は東京芝公園、わかもと本舗榮養と育兒の會（振替東京一七〇〇番）から廿五日分一圓六十錢、八十三日分五圓の、一日數錢にも當らぬ廉價で發賣され、全國藥店にて取次いで居ります。

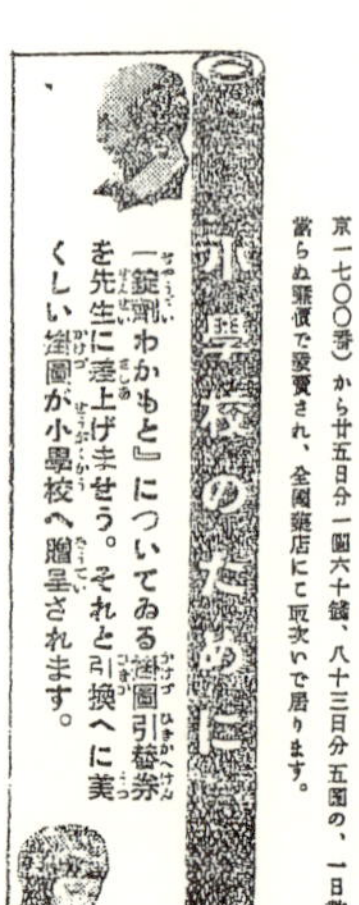

小學校のために
「錠劑わかもと」についてゐる掛圖引替券を先生に差上げませう。それと引換へに美しい掛圖が小學校へ贈呈されます。

娘の戀

早く見破るのが親たるものゝ務

同情と雅量をもつて明るく指導せよ

三輪田元道氏談

戀は魔物です、どんなにしつかりした娘さんの胸にでもいつの間にかこつそり忍び入つてゐるものです、親たるものはこの娘さんの戀愛に關しては最も注意して本人の前途を晴くする事なしに處置すべきで、これは親の義務であり社會道德でもあるのです。

娘の戀愛を早く知れ

町内で知らぬは亭主ばかりなりといふ川柳は娘に對する親の場合にも當はまります、自分の子に限つて、まさか——などゝいふ觀念は早く捨て、娘さんが十六になつたら、既に子供でないと思ふ事、物は事前に熟慮する事が聰明です。

娘さんの日常生活に注意する事

娘さんが戀愛した場合の特徴を念のために申して見ませう。

◇◇學校の成績が急に落ちる
◇急にお洒落れを始める
◇ボンヤリしてゐる場合がふえる——たとへば窓からうつとり空を眺めてゐるとか……
◇落着がなくなる
◇外出の時間が常と變つて來る
◇變に郵便函に氣を付け出す——そのため寢坊の方も早起したりする
◇手紙をしきりに書く——破つたり捨てたり……紙屑籠に御注意
◇女の名前で同一人から何回も來るその手紙を受取つた時の娘さんの顏色に御注意、受取ると直ぐ親のそばを離れます。

嚴肅に過ぎぬやう

あまりに娘さんの自由な氣持を束縛すると娘さんは必ず反感を起すものです『お前が遊びに行く友達には兄さんがありはしないか』親が露骨に娘さんにかういつたゝめに杞憂が事實となつた例は多いです、子供を親の型にはめずにその子供に適したよい型を造つてやることが先づ親の務めです。

娘さんと御一緒に遊びなさい

女學生でいへば三年から五年の初め位までの間は殊にお母さんは娘さんと一緒に友達のやうにつき合ふ習慣をつけるやうにしたいと思ひます、どんな羞かしい事でも親にいへる——といふ風に育てたい、活動でも芝居でもどし〳〵連れて行つて宜しい、その日〳〵が面白ければさびしい胸につけ込む戀などさう無暗にある筈のものではありません。

娘が戀をしたならば

先づ相手の男が大して惡くなければ相手の兩親と共に解決する方針に出る位の雅量が必要です、また相手がよくない男の場合には無理矢理に生木をさかず娘さんに

『もう一度冷靜に附合つて御覽なさい、そのどんな男か批判して御覽なさい、その男は何か自分の足らぬ所を隱してゐやしないか、自分を誇張してゐやしないか』注意する事です。

この時お母さんは微笑する事を忘れてはいけません、兎に角『行方も知らぬ戀のみちかな』——で戀はやる瀨ないものです、娘さんを頭から叱らずに相談相手になつてやる事が第一です、娘達は手紙など友達には平氣で見せるもので、親が本當に娘の友達になつてやりさへすれば、娘さんは戀文など實に朗かに母親の前に公開する事でせう。

流感・肺炎・百日咳等・特効
吸入藥 カンピロン

合理的吸入療法と其効果ある理由

本品は上圖の如く普通の吸入器で之を吸入して呼吸器直接に作用す、芳香爽快にして、毫も副作用なし

一、せきの出る神經に作用して咳を止め、又痰を溶解して容易く祛痰の効を奏す。
一、心臟を強め抗病力を增進し且つ肺炎、氣管支炎等の炎症を治する効ありて全快を早む。
一、解熱作用あり、即ち溫熱中樞を刺戟して發熱を抑制し又殺菌力あり。

適應症
感冒、肺炎、氣管支炎等の急性病は勿論麻疹、百日咳等の小兒獨特の病に特効あり又肺結核、喘息等の鎭咳、祛痰に適應す

前第四師團軍醫部長 英陸軍々醫監
大阪市民病院小兒科長 谷口醫學博士 實驗
福井赤十字病院長 大野醫學博士
大阪府立保嬰館前館長 上村醫學博士 推奬
大阪醫科大學前教授 辰己醫學博士

全國藥店にあり
定價 六十錢・一圓・二圓等
惡辣なる模倣、類似品あり 御注意を乞ふ

大阪市東區平野町
道修藥學研究所

日本赤十字社病院 慶應大學病院御用

テツゾール

吉本醫學博士 簡野醫學博士推奬
藥學博士 石津利作先生創製

幼兒の榮養と母體の保健

お茶を禁ぜぬ便利の鐵劑

體内造血器管を皷舞し其機能を旺盛ならしめ純血を豐富に新生し潑溂たる活力を附與す。故に

貧血の人、虛弱の人、病後の人、不眠症の人、神經衰弱の人、產婦、夏期に衰弱する人、肉體及精神過勞に適し又、登山、旅行、運動競技、試驗前後は常備、携帶の要あり。

愛兒の爲に

今迄小兒に適する鐵劑がなかつたが本品によりて初めて理想が現實したとは小兒科醫の言明である。

發育が遲れたり、虛弱であり、血色肉付わるく、夜尿をしたり、病後の小兒等弱き愛兒の榮養は美味で飮みよきテツゾールの服用に依り効果に直に母親の慈眼に映ずべし。

四週間分金貳圓八十錢 八週間分金四圓五十錢

東京日本橋區本町三丁目
發賣元 星村三治郎商店

各藥店
三越
松屋
松坂屋
にあり

大阪市道修町一
關西代理店 キリン商會

増量斷行
器械設備の完成と共に定價は元の儘にて二週間分を四週分に增量して非常に御德用になりました

泌尿生殖器病

京都帝國大學醫學部
小兒科看護婦長 高橋ミチ子

泌尿生殖器の疾患も割合に多いものであるが、小兒の泌尿生殖器病は大人のそれに比べて餘程少い。

泌尿生殖器病のあるものにあつては尿に素人目にもよく解る變化の現はれる事がある、例へば尿の色が赤く血液の色を呈する事がある、例へば腎臟膀胱などの結核、急性の腎臟炎、發作性血色素尿、或は膀胱結石などの場合に起るもので、此血液尿を伴ふものは何れも重い病氣である事が多いから、此血液尿を認めた時には直ちに診察を受けるのが安全である。

次に素人目に比較的解り易い變化は尿の溷濁である、出たての尿を硝子瓶などに取つて見て之が溷濁して居る場合は、腎臟とか膀胱などに故障のある事が多い。然し尿の溷濁に就いて茲に一言注意しておきたい事がある、冬になると子供の小便が濁るといふ訴へで醫者を訪ふものがあるが、よくしらべて見るとそれは病氣でない事が多い、多くの小便は冷えると濁つて來るものである、冬にあつては小便が急に冷える結果濁るので、もし斯樣な子供の小便を瓶に取つて見ると、出たては透明であるが暫く過ぎてから濁つて來るのに氣附くのである、此濁つた小便を試みに試驗管の中に取つて少し溫めると透明になる。之は病氣の故ではなく、普通の子供にもよく見る現象である。

一、腎臟炎

腎臟炎は何かの原因があつて之に併發して來る事が多い。最も屢々腎臟炎の誘因となるものは猩紅熱、扁桃腺炎、皮膚發疹等であるが、その外實扶的里亞、水痘その他の急性傳染病が原因となつて腎臟炎を起す事がある。猩紅熱患者の約一割は腎臟炎を起すもので、猩紅熱の發病後二、三週目に始まる事が多い。又猩紅熱が原因となつて起る腎臟炎は血尿を伴ふ事がある。

腎臟炎は之を大別して急性と慢性との二つに分けるのであるが、子供に見る腎臟炎は多く急性腎臟炎である、急性腎臟炎が全治せずして繼續する時は慢性腎臟炎となるものである。

症候、腎臟炎の確かな證據は尿の中に蛋白が現れ、又檢微鏡で調べた結果、尿の中に細胞や圓壔、血球など特別の物が現れるので、之を確めた上でなければ腎臟炎とは云へないのである。腎臟炎は著名な症狀を現はさないものであるから往々知らずに居る事が多い、一般症狀としては顏色が惡くなり、元氣が少し衰へる位のことである、少し重いのになると小便の出が惡いのに氣附く事もある。素人目に容易に解る變化は浮腫であるが、之は時として病氣が餘程進んだ時に始めて現はれる事もある、此浮腫は主に顏面に認めるもので、最初は顏面殊に瞼に初まり、病氣が重くなると全身殊に下肢などに擴がるものである。心臟病の時にも浮腫が起る事があるが、心臟病によつて起る浮腫は先づ下肢に初まつて、後追々全身に擴がるものである。又血尿が腎臟炎の症狀として現はるゝことも少くない。

慢性腎臟炎は一層症狀が不明瞭な事が多い、顏色が惡いとか、頭痛又は動悸がつよい位に過ぎない事が多い、然し時々顏面に浮腫の現はれる事もある、尿中の蛋白も比較的少い事がある。

要するに腎臟炎は患者自身にも又周圍の人にも解り易い症狀を示さないもので、往々腎臟炎に氣附かずに居る樣な事があるが、之は甚だ危險で、特別の養生を施さないために病氣が段々進んで尿毒症と云ふ重い症狀が現はれ、之にて死する樣な事がある、又尿毒症が現はれて始めて腎臟炎に氣付く事もある。

尿毒症は多く腎臟炎の進んだ場合に發するものであるが、時としては比較的腎臟炎の早期に現はれることがあ

る。尿毒症が起る時分には尿量が非常に減少し一晝夜に三百瓦位しか尿の出ない事もある、之と同時に頭痛、嘔吐、腹痛、不安、過敏などの症状が現れ、之に次いで全身の痙攣を起したり昏睡に陥るものである。此尿毒症は非常に重い病氣であつて、之にて死する者は少くない。

處置　腎臓炎患者は安靜を守る事が必要である、殊に急性腎臓炎にあつては絶對に安靜を守らなければならぬ。然し慢性腎臓炎にあつては醫師と相談の上適度の運動を取る事が必要である、斯様な場合と雖も充分注意して過度の運動をしない様にしなければならぬ、然し慢性腎臓炎の場合でも若し增惡の症狀が現れた時には急性腎臓炎の場合と同様に絶對の安靜をとらしめねばならぬ。

運動に次いで注意すべき事は食物の選擇である、急性腎臓炎の時又は慢性腎臓炎で增惡の傾きある場合にはなるべく牛乳のみを攝取し、他の食物を取らない様にした方がよい、又鹽氣を取らない様に注意しなければならぬ。慢性腎臓炎にあつてもなるべく牛乳を多くとり、鹽氣を減ずる様に努むべきものである。

凡て腎臓炎を病むものは時々醫師に尿の檢査を受け、それに適する養生法を聽き取る事が必要である。腎臓炎の患者は病の輕重に拘らず、尿毒症と云ふ危險な病状に陥る虞があるから、前に述べた尿毒症の病状を記憶し、若し疑はしい症状を認めた場合には直に診察を受ける様にしなければならぬ。

二、血尿及び血色素尿

血の色の付いた尿に二種類がある。その一つは血尿と云つて尿に血液の混じてをるもので、之は多少溷濁し、放置すると赤い沈澱を作るものである。他の一つは血色素尿と云つて、同じく血の様な赤い色を呈して居るけれども、透明であつて、放置しても赤い沈澱の出來ないものである。

血尿は色々の病氣の時に出るもので、腎臓炎、膀胱結石、膀胱炎、腎臓及び膀胱の結核、又稀には疫痢の恢復期、猩紅熱も伴ふ腎臓炎の時などに血尿を見ることがある。要するに血尿の原因は種々あつて、之を決定する事は面倒であり、而も往々重い病氣のある事もあるから、之を認めた時にはなるべく早く診察を受けるのが安全である。

血色素尿は發作性血色素と云ふ病氣の時に起る事が最も多い。

此發作性血色素尿といふ病氣は黴毒と密接の關係のあるものである。即ち黴毒を病んだ者の間に出來た子供に見る病氣である。稀に乳兒に起る事もあるが、多くは四、五歳以上の子供に見る、此病氣のある子供と雖も絶えず血色素尿を出すものでなく、多くは冬又は晩秋の候に發作性に赤い尿を出すものである。發作性血色素尿を病んで居る子供は健康の様であるが、多少顔色が惡く、冬には重い凍瘡に罹る事が多い。その發作は氣候が俄に寒くなつた時とか、手足を冷たい水や氷に浸した後に起るもので、寒冷に遇つて十數分乃至數十分間經過すると頭痛、惡寒、戰慄があり、間もなく體温が上昇し、それから數十分經過した後に葡萄酒様の血色素尿を排泄するもので、二、三回は此赤い色の付いた尿が出で後段々淡くなり遂に普通の尿になるものである。斯様な發作が頻々起ると、其結果として貧血や黄疸の現れる事がある。發作性血色素尿は全治し難いものであるが、驅黴療法を嚴重に施す必要がある　斯様な病氣を持つて居るものは寒氣に觸れる事を避ける事が必要で、冬季に外出する時には充分温かくし、手足や耳朶などを温かく被ふ事を怠つてはならぬ。冬の水仕事などなるべく避ける様にした方がよい。

登録商標

ギンザトップ二十番

産兒調節とコンドーム

性病豫防にコンドーム
惑じを妨げず…………
薄く……柔かく…………
それで丈夫な
最高級コンドーム!!!
ゴム製品の目醒ましい發達の所産としてサックもギンザトップの如き完璧品が生れました!

―定價―

◎ギンザトップ二十番

	一打	半打
▲C品(透明)	二・〇〇	一・二〇
▲B品(眞珠色)	一・五〇	・八〇
▲A品(褐色)	一・〇〇	・五五
組合せ(一箇宛)	〇・四五(携帶用ケース入)	
C品(三箇入)	〇・六〇(同　)	

―送料―

內地十錢、市內六錢、(代金引換は切手廿錢前送願ひます) 新領土四十二錢、代引四十七錢

見本品御入用の方は小爲替五十錢又は三錢切手十七枚封入お申越下さればABC三種セル容器入をお送りいたします

東京市銀座西一丁目七番地
島津藥局
ギンザトップ本舗
電話京橋六五二六番
振替東京四二四八九番

【特長】

一、最上原料を特殊技術により製せらるゝ本品は、彼の高價なフイツシユスキン(魚皮)以上に喝采を博して居ります。

二、感觸が柔かで滑らかで抵抗尠く、使用者自らがその使用に氣付かぬほどであります。

三、それでゐて他の厚手のサツクよりも遙かに丈夫で數回の使用に耐へます。

四、形體の微妙な技術に成功し殆んど萬人向に出來て居りますから、使用中亂發があつても何等そうの心配がありません。

五、各個につき送氣檢査耐力試驗がしてありますから、疵物や孔アキがなく絶對責任の保證附優選品であります

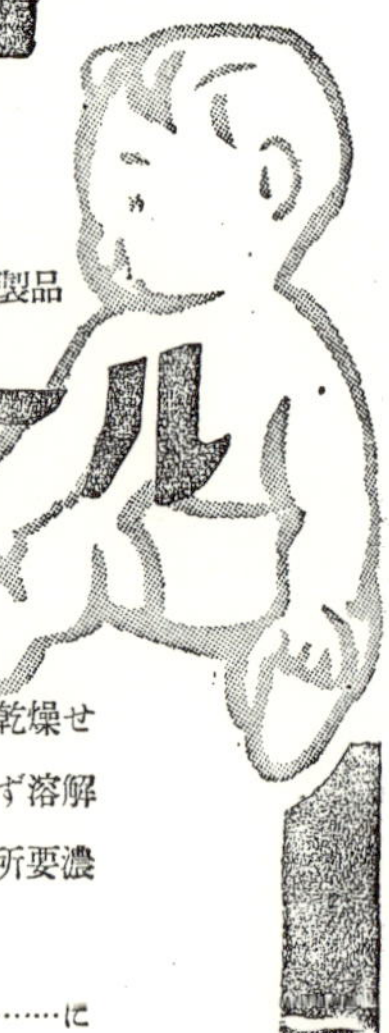

乾燥粉末重湯

ベツソー氏重湯療法に基準せる學術的創製品

ビオスメール

BIOCEMAEL

胚芽ヴキタミンを加へ低温無菌的に操作乾燥せるものにして、穀粉の如く粗纖維を含まず溶解佳良・使用法簡易・五六分にして正確に所要濃度のおもゆを調製し得らる。

應用　特に乳幼兒の榮養と疾病……………………に

榮養

牛乳粉乳煉乳に添加して與へ、醱酵下痢を豫防するのみならず體重を增加し、發育を優良ならしめ、且つ赤血球の增加を助長す。

疾病

乳幼兒下痢・消化不良・腸炎・消耗症・傳染病腸疾患其他の榮養障碍の食餌として用ひ消化機能並に榮養を調整す。

包裝　大 $\frac{1}{3}$ 瓩　一・二〇圓
小一〇〇瓦　・五〇

文献贈呈

株式會社　和光堂　東京市神田區鍛冶町　大阪東區南久太町

イ. BM. 1

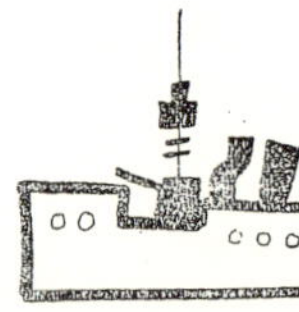

兒童愛護事業に對する最近の動向を一瞥して

―兒童愛護聯盟の業績―

生江孝之

今日の兒童は明日の大人である、從つて兒童の良否は國家將來の興廢に正比する、兒童の教養が個人及び國家の隆昌に如何に重大なる役割を有するかは今更改めて言ふを待たぬ次第である。他は姑らく措き之を兒童保護事業に就て見るに斯業の範圍が近來著るしく擴大され、今や一般社會事業の中軸をなすに至り、斯業を通じても亦所謂「廿世紀は兒童の世紀なり」を如實に具現化するに至つたのである、社會が如何に兒童保護に重きを措くに至つたかはこの一事を以てしても窺ひ得るであらう。

兒童保護は現在之を特殊兒童保護と普通兒童保護とに大別する。そして特殊兒童を細別すれば環境異常兒、身體異常兒、精神異常兒及び複合異常兒等となすのであるが、之に對する施設は多くはその嫩芽を遠く古代に發し順次發達し今日に至つたものであるが、然し之が對象となる兒童の性質上、その事業が自ら消極的、事後的且つ救護的となるのは已むを得ないのであるが、此等薄倖兒は長く篤志家の博愛事業にのみ委ねて普遍的に保護教養することが出來ないので、次第に立法の下に之を保護するに至るは東西皆なその揆を一にする。之を我國に見るも少年救護法、少年法、矯正院法、兒童虐待防止法の如き皆何れもこの種兒童を保護教養するの立法であり、更に救護法の如きも兒童の救護が重要なる部分を占めて居るのである。尚本年の議會に提案せらるゝ母子保護法の如きも小同一範疇に屬する母子の保護に外ならぬと見るを妥當と信ずる。之等兒童の立法的保護の必要なるは誰人も肯定する處であり、且つ此等の立法に依つて初めて

この種兒童の普遍的保護救濟を完ふし得るのであるが、然し兒童保護の範圍が長く領野に制限せらるゝならば、依然として事後的事業に終始するを免れないであらう。時代は遂にその範圍の擴大を要望した。斯くして新らしき意義を有する普通兒童保護が俄然擡頭するに至つたのである。

普通兒童保護とは特殊兒童保護とは全然その選を異にし胎兒、乳兒、幼兒、學童及び職業兒童等の保護を稱するものである。然しこれはこの種兒童を一般的に保護するのではなく、經濟生活を基調とする制限的のものであり主として中產以下に於ける家庭の兒童を對象として保健及び職業指導等に任ずるのである。そして其の事業の一特長は縱斷的で相關的で所謂相互依存的であることである。卽ち胎兒、乳兒、幼兒及び學童等の保健狀態を縱斷的に一貫して保護するに在つて、之を橫斷的、個別的に保護しては其の目的を達成し得ないのである。而して斯業に對する保護施設は之を特殊兒童保護施設に比すれば其の種類頗る多く、且つ何れも輓近の創設に成るものであるが、其の發達は極めて加速度的である。そしてその事業は何れも事前的豫防的且つ積極的で、茲に時代的反映を認め得べき點がある。然し多種多樣の施設を此處に列擧するのは、この稿の目的でないので、其の事例の一二として單に小兒保健所及び乳幼兒愛護週間と乳幼兒審査會とに關し、其の事業の梗概を記述するに留む。

小兒保健所は一八九〇年佛國の一都市に創設されたのを濫觴とするが、之が乳幼兒の健康增進上如何なる使命を有するものであるかは、世間最早周知の事柄である、然し一言せば之は健康乳幼兒の健康を維持增進するを目的として定期的に保護者の相談指導に預かるの施設である。之が創始當初に於ては、其の發達遲々であつたが、其の事業の性質と內容とを熟知するに至るや、之が新設相次で起り、今や文化國中その設置を見ざるなきの盛況を呈するに至つた。最近に於ける小兒保健所の數を檢するに英國二、七〇〇　佛國は三、七一五　獨逸二、五〇〇　白國一、〇〇〇　米國は都市農村を加へて四、五〇〇に達するのである、そして同所に於て取扱ふ健康乳兒の死亡率を見るに、その多くは實に百人に付一人と云ふが如き驚歎すべき低率の割合を示すに至つたのである。要するに健康乳幼兒は、保護その宜しきを得ば死亡せずとの原則を如實に具現しつゝあるのである。小兒保健所の普及が如何に健康乳兒の健康を增進し又率ひて國民體位を向上せしむべきかは素より論を待たぬのである。然らば乳兒死亡率の最高率を示す我國に於て小兒保健所が果して如何なる位置を占めつゝあるかといふに、社會局

の調査に依れば、現下小兒保健所の數漸く百三四十に過ぎぬ、然かも其の事業の內容多くは貧弱にして未だ以てこの施設を通じて乳兒死亡率の減少に寄與し得るの程度には到達し得ないのである。然るに昨今國民體位が次第に遞下し、壯丁檢査の結果都鄙を通じて合格者率逐年減退するの實情を呈するに至つたので、已むなく從來の不合格者をも合格者として取扱はねばならぬ憂ふべき現象を呈するに至つたと報ぜられて居る。それで政府當局も國民體位の向上は單に從來實施し來つた、一面的方法のみに委すべきではなく、寧ろ其の基調を乳幼兒の健康增進及び一般疾病の豫防に置くべしとなし、保健所法案の作成を見、之を本年の議會に提案するに至つたのである。同案に依れば今後十ケ年間に五百五十の保健所と更に一千の支所を設立し、之に依て全國に保健所網を完成せんとするに在るのである。保健法は小兒保健所普及のみを目的とするものではなく、廣く豫防衞生に重きを置くのであるが、其の中軸をなすものは、乳幼兒保健所增進と結核豫防に在ると云ふて大過ないであらう。それで結局今後の十ケ年間には全國到る處に小兒保健所の設置を見、歐米友邦のそれと對比して敢て遜色なきに至るであらう。斯くして初めて能く乳兒死亡率を減少し率ひて幼兒及び更に進んで學童の健康を增進し、遂に能く國民の體位を向上せしめ得るであらう。斯くてこそ保健所の增設と之に伴ふ小兒保健所の普遍的設置は普通兒童保護の上に於て重大なる意義を有するに至るのである。他の兒童愛護運動は將來之と提携し、協力して公私施設に於ける兩方面の機能を充分に發揮するに至らん事を切望する。

尙兒童愛護週間に就て見るに、我國に於ては今より十一年前の昭和二年に乳幼兒愛護のみを目的とし設けられたものであるが、其の後の社會的情勢に基づき數年前よりその範圍を擴大して廣く兒童愛護週間となるに至つたのである。之が長短利弊に就ては今茲に改めて檢討するの要を認めないが、外國に於いては愛護週間運動に關する限り、主として乳幼兒と限定するを今尙通則となして居る。乳兒愛護週間運動は一九〇四年(大正三年)米國シカゴ市に起つたのを嚆矢とするが、廣く一般社會より時代の要求に適應するの施設として異常な歡迎を受け、一九一六年には一躍全米乳兒愛護週間となり同運動に參加せる都市二千、篤志婦人の之に從事せる者二百萬人の多きを算するに至つたのである。爾來每年之を實施し來つたが、米國が世界大戰に參加するや、更に一段の飛躍を試みて「兒童愛護年」を起すに至つたのである、之は單に一週間と限定せず一年を通じて兒童愛護の必要を宣傳

し、且つ兒童の種類を分類し時期を定めて之に對する適應の運動を試みたのである、然しこの「兒童愛護年」は單に乳兒愛護のみに限定せず廣く胎兒より進んで職業兒童に對する保健及び職業指導にまで及んだのは言はずして瞭らかである。斯くて全國的兒童愛護年は經費其の他の關係上、一ケ年に制定されたが、その顯著なる成績に鑑み、引續き年々繼續的に之を實施したる州は必らずしも少くなかつた。米國が普通兒童保護に對し如何に眞劍であるかはこの一事を以ても窺ひ得るであらう。斯る結果幾多の保健施設が新設され、前記の事業と相俟つて乳兒死亡率は次第に減少し、現にアメリカ全體としての乳兒死亡率が出生百に對し六を示すに至つたのである。我國に於ても既記の如く中央社會事業主催の下に兒童愛護週間を設け正に十一回を迎へんとしてゐる、そしてこの全國的運動が廣く兒童保護に對する國民的自覺を促し、其の結果乳幼兒の健康增進と死亡率の減少に貢獻するもの決して鮮少ならざるを認むるのである。今後增進さるべき小兒保健所の活動と相俟つて一層眞劍なる努力を希望して止まぬのである。

兒童愛護運動の先驅にして別團體たる大阪兒童愛護聯盟が兒童愛護運動を唱道し之に着手して以來本年を以て正に十七ケ年に達し、更に乳幼兒審査會を開催せられてより十六年の久しきに渡つてゐる。此等は何れも斯業の嚆矢であり、濫觴である。特に審査會に至ては當時同聯盟獨特の創業と云ひ得べく、その先見に敬服せざるを得ない。然し其の當初に於て之が實施上幾多の難關に逢遇したのは、決して想像に難くないが、能く萬難を突破して遂に今日の隆昌を見るに至つたその眞劍なる態度と獻身的努力に對しては誰人も賞讚を禁じ得ないのである、同聯盟が審査會を通して我國乳幼兒愛護運動に甚大の貢獻をなし、又能く社會の自覺を促がした功績に對しては他の如何なる施設も容易に追從を許さゞるべく、正に巨人濶步の觀を有するのである、今後益々健全な發達を遂げ、一層廣く社會福祉の增進に寄與せられん事を要望する。

海外友邦中乳幼兒愛護運動を主因として乳幼兒死亡率の最も低下せる國は先づ新西蘭、濠洲及び和蘭等を擧げ得るであらう。其の中新西蘭及び和蘭に於ける愛護運動の內容と乳幼兒死亡率減少の事由に就ては、既に周知の事柄なるを以て茲に之が記述を避け、單に濠洲の狀態に就て一言するに止むる。同國に於ける一九三三年の乳兒死亡率は出生百に對し四で、更に二大都市たるシドニー市は三・七、メルボルン市は四・一である、之は世界に於ける乳兒死亡率最低の新西蘭の出生百に對する三・二

の次位で和蘭の四・四の上位に在り、都市に於ては和蘭のアムステルダム市の三・一、新西蘭のオークランド市の三・四の次位に在るのであるが、三國何れも伯仲の間に在ると云ひ得るであらう。斯る好成績を擧げつゝある事由は素より二三に足らないのではあるが、國民的自覺に基づく各自の努力と各地に特設さるゝ乳幼兒愛護施設の普及に依るものと云ひ得るのであるが、就中全濠洲母子保健協會の活動特に顯著なるものである。同協會は今より十八年以前の一九一九年の創立にして、我が大阪兒童愛護聯盟に先つ僅かに一年に過ぎぬ。そして同協會の重なる施設としては小兒保健所、兒童愛護週間及び乳幼兒審査會を擧げ得るであらう。其の中審査會は兒童愛護週間を期して全國的に擧行するを恒例として居るが、之が非常な興味と自覺とを全家庭に及ぼし、競ふてこの審査に應ぜんとして居る。同國に於ける審査會と大阪兒童愛護聯盟のそれとは一は全國的と他は部分的の差こそあれ、多大の刺戟と覺醒とを各家庭に及ぼし、若くは及ぼさんとしつゝあるの點に於て、又更に各家庭に對し開放的、敎育的態度を持しつゝあるの點に於て能く酷似して居る。汎太平洋の東西兩極に位する日本と濠洲とに於て乳幼兒審査會が乳幼兒の健康增進に對し重要なる役割を演じつゝあるは一奇といふべきである。同協會が往年全

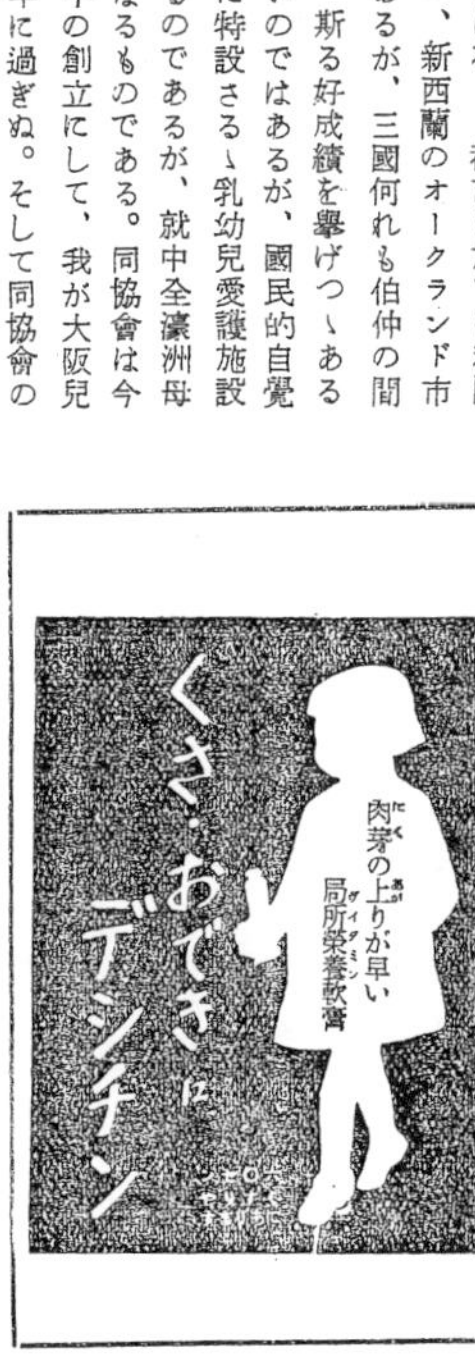

國審査會に於て審査せる最優良兒と又同協會に於て哺育せる七ケ月生れの早產兒の發育狀態を發表して居るので之を「兒童の世紀」誌上に揭げて參考の一助に供したく思ふと共に、同協會努力の一端を覗がはんとする。尙大阪兒童愛護聯盟に於ける審査會は過去の顯著なる業績に加へ今後益々科學的基礎の下に健全なる發達を遂げ、國內的には其の事業を擴大して他の愛護運動と提携し國外的には日濠兩國相呼應して優良兒禮讚の時代を作り進んで國民體位の向上に資する事更に一層大ならん事を要望して竭まぬ。

以上は兒童愛護運動とその施設に關する最近の動向を瞥見したに過ぎないが參考の一絫に供するを得ば至幸に堪えぬ次第である。

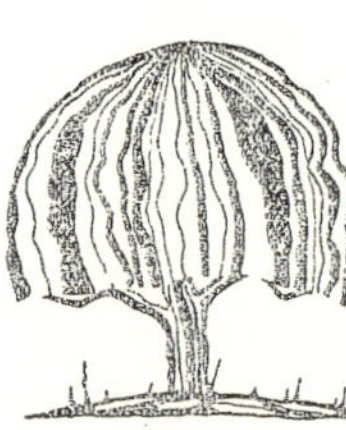

偉大なる母性愛の一實話

愛は一切を克服する　稀に見る貞女の鑑

廣井辰太郎

情けと、克已と、献身とは日本精神の三大神髓であつて、その量に於いてこそ相異あれ、多少ともコレを持たない者はない。そして最も餘計にコレを所有する者が、男の中の男、女の中の女と云ふことになるのだ。して古今の良妻とか、賢母とか、又良友とかは是等の性質を驚くべく多量に有つた人々なのである。

私の郷里に貞女の龜鑑と人に謳はれた一女性があつた。この人は二十歳頃から中年迄は血みどろな悲戀の苦鬪をつゞけた。そして疲弊困憊、苦悶懊惱の極、不治の難病肺結核に取附かれた。由來かの女は柔和な典型的日本女性であつた。しかし、かの女は怖ろしき運命に泣かされ始めた時分から、人に望を失つて神にコレを求め、又信仰に活くべく努力し始めて居つた。信仰はかの女を强き女性にまで鍛へ上げた。その上幸ひなことには北里門下の肺病專門の醫者が土地で病院を建てゝゐて、その勝れた技術と、眞に仁術に從ふに相應しい人格とは大勢の患者を引きつけてゐた。然るにこの地方的名醫と彼女は同信の教友でもあつたので、其醫者某はかの女を山紫水明の仙境におかれてある自分の病院に收容して、全く慾得を超越してかの女の治療に當つて與れた。そのお蔭で在院一年と半歳、肺魔の好餌たる若き彼女は奇蹟的に全癒して後年專門の醫者が檢診してさへ肺患の痕跡を認むることが出來ない程の健康體となつた。『それ信仰と望みと愛はつねにあんなり、その中最も大ひなるものは愛なり。』かの女の生ける屍は全く信仰によりて復活し、又かの女は後日その生得の愛の力によりて一切を克服し、

今は海外に在つて、一度び失つた良人及び子孫と共に圓滿至福裡にその晩年を過ごしてゐるのである。

話は始めに還える。かの女がたしか十九歳の時、熱心に一靑年に所望されて、かの女の母は遂に靑年の熱誠を應諾した。因に言ふ、その靑年は家産はあつたが、一家悉く死に絕へて一寸天涯の孤客と云つたやうな境遇の人であつた。その家は代々學者の家として土地で名望があり、その先考は今の大津市で權大參事在任中に客死した人である。靑年は京都に學び、後東都に遊學したのであるが、偶々歸省する時は何時でもかの女の家に寄寓するを常としてゐた。かの女の家と靑年の家とは緣故の間柄で、かの女の母親と靑年とは再從姉弟の關係にあつたのだ。

緣談は纒まつて結婚は成立した。靑年は舊家は其儘にして新婦の地內に普請をしてそこで結婚の披露をした。靑年は當時二十四歲の男性的な美靑年で、才氣橫溢、その上演說、スポーツ皆得意であつて、鄉土靑年憧憬の的であり、又歲上の土地の有志家等と往來しては熾んに政治を談じ、國家社會の問題を議するの友交關係にありて其地方に於いては、靑年時代旣に嶄然頭角を露はして居つた。

結婚後一年餘りして女の子が生れた。東都の遊學を卒へて一度びは家を持ち、妻を娶り、子供を產んだが、其まゝ縣會議員位になつて田舍に納まるには、かの靑年のアンビションは餘りにも大であつた。果然、女の子が生れて間もなく、彼氏は外遊を志して明治十八年渡米した。彼は先づオベリン大學に學び、後有名なジョンスホプキンス大學に轉じた。彼は故ウイルソン大統領より一年か二年後に同大學を卒業した。彼の入學したいづれの大學に於いても彼は斷然其成績と雄辯とで光つてゐた。最もその頃の米國の諸大學は日本留學生を歡迎する時代でもあつた。

彼の渡米後、彼女は餘念なく一子の養育に從つた。然るに渡米後二年位後に、彼女は在米最愛の夫から戰慄すべき書翰を接手した。それは三行半であつた。かの女は文字通りに恐怖に擊たれたであらう。謹み深きかの女は一年餘も死の宣告を我れと我胸の奧深く秘めて惱みに惱み拔いたのであつた。その中に在米の本人から彼の女の母親に宛てゝ離婚の請求狀が來た。この時始めて旣に一年も前にかの女は先方から手紙を受け取つてゐながら、母親に苦勞させまいとの念願から事件を隱してをつたことが判つた。

離婚請求の理由と條件とが色々列記されてゐた。そして理由の主なるものは、一、同女と自分とは性格が合は

ない。二、血族結婚は子孫に害あり。と云ふのであつた。又其條件中には、子供は自分の方に引取る。家財の或物は彼女に與ふる等のことがあつた。惟ふに此時の重壓と烈しき衝動とが幾年かの後の彼女の肺結核の素因となつたであらう。どちらかと云ふと昔風の弱き貞女型のかの女は決心した。かの女は或ミッションの女學校に入學して、其處で信仰を得、後また職業をも得た。生れた子供は彼氏の伯父の家に引取られて、とても贅澤に撫育せられた。しかし其子供は長ずるに及んで自分の幸福な境遇を少しも幸福と思はないで、實母への思慕に小さき胸を焦すのであつた。かの女が隨時我子に會ふ事は少しも阻止されなかつたのである。

在米の彼氏は同じく米國留學中の某女流留學生と相愛の間柄となり、相携へて歸朝して間もなく結婚した。男の子が生れた。幾年かの樂しき家庭生活が續けられた。しかし其女性は學識のあるだけそれ丈又一面我が强かつた。そして是が又やがて破綻分裂の原因となつた。この女性は兩人の愛の結晶たるべき子供を遺して話合ひの上で離婚して仕舞つた。其後流石剛情我慢の彼氏も子供の處置其他に困り拔いてかの女に生さぬ仲の子供の養育を懇請した。かの女は今某ミッションの女學校の給費學生だ。乍去情けと、犧牲的精神と、無我愛とに活くるかの女は一諾その子を引取ることになつた。それは斷じて後日の復緣なぞを豫感しての行動ではなく、深く舊夫の昏惑窮狀に對するの至純な同情心からであつた。彼氏は偉い人物ではあるが、一時養育料を仕送ることが出來ぬ狀態にあつたと見え、かの女は粉骨碎身して其養育料を働き出さねばならなかつた。世の中には敵の子供を世話するお人好しと言つて、ミリエル僧正を女性にしたやうなかの女の神々しき行ひに不滿を唱ふる人々も無いでは無かつたやうだが、實はかの女の犧牲的な無我的行爲を激賞し、絕讚しない人は一人もなかつた。そしてドウして他人の子をアンナに眞心から愛することが出來るであらうかと云ふのが隣人の驚歎の聲であつた。

先きの女の子は父親と別府溫泉に入湯中急病で客死した。死に際しての父親への遺言は母と再婚して與れと哀切なる願であつたと云ふことだ。生さぬ仲の男の子が十歲前後の時に彼氏は何を感じたか、遽かにかの女に再婚を申込み、同時にかの女の弟にも其諒解を求めて來た。暗黑は忽にして光明と化した。子供が十歲の時に彼氏が米國から迎ひに來た。そして相携へて渡米してかの地で明朗なる家庭を再建し、今は其子も亞米利加生れの娘と結婚して二人の孫まで出來て、二た夫婦が水入らずの幸福な惠まれた家庭を營んでゐるのである。

後記　右は長篇小說そのまゝの實話の片鱗に過ぎぬ。過日久し振りに筆者が明治、大正、昭和の三代に亙る日本の大文豪某氏に會つた時に、「君の鄉里に某と云ふ貞女があつた筈だが」、と言はれて筆者は驚き、今更の如くにコノ尊き記憶を呼び起すのであつた。そして本誌の求めに添ふか否かは別として此小稿を差上げることにした。

東京の審査會に於ける

母親のメンタルテスト（四）

お產の場合、產後の發熱、お產の時のおまじなひ、お產の時の費用

伊藤悌二

（第十三問）　お產は產婆だけの手で生れなさいましたか。

調査人員總數　一、〇八八名　男　六八〇名　女　四〇八名

	產婆	病院	醫師と產婆	醫師	產院	產婆と助手	產婆と家族	產婆を要せず	計
男	四七五	一二六	三一	一三	一三	一二	七	三	六八〇

女	二八三	八五	一五	五	五	六	四	五	四〇八
男女	七五八	二一一	四六	一八	一八	一八	一一	八	一〇八八

（第十四問）産後二週間以内に熱は出ませんでしたか？出ましたら何度位、何日位續きましたか

調査人員數 一、〇八八名 男 六八〇名 女 四〇八名

熱度		一日	二日	三日	四日	五日	七日	八日	十日	十三日	十四日	各計	
三七度	男	｜	二	｜	｜	一	一	｜	一	｜	｜	五	一二
	女	二	一	｜	｜	一	二	｜	｜	一	｜	七	
三七・五〃	男	｜	二	二	一	二	｜	｜	一	｜	｜	八	一七
	女	一	六	｜	｜	｜	二	｜	｜	｜	｜	九	
三八〃	男	一一	五	三	一	三	一	｜	｜	｜	｜	二四	五〇
	女	六	一一	二	二	一	三	一	｜	｜	｜	二六	
三八・五〃	男	｜	｜	一	｜	｜	｜	｜	｜	｜	｜	一	四
	女	二	｜	｜	｜	｜	一	｜	｜	｜	｜	三	
三九〃	男	六	四	四	一	二	一	｜	一	｜	｜	一九	二六
	女	三	二	一	｜	一	｜	｜	｜	｜	｜	七	
三九・五〃	男	｜	｜	｜	｜	｜	｜	｜	一	一	一	三	三
	女	｜	｜	｜	｜	｜	｜	｜	｜	｜	｜	〇	
四〇〃	男	一	｜	一	一	｜	｜	｜	｜	｜	｜	三	六
	女	二	｜	｜	｜	｜	一	｜	｜	｜	｜	三	
四一〃	男	一	｜	｜	一	｜	｜	｜	｜	｜	｜	二	三
	女	｜	｜	一	｜	｜	｜	｜	｜	｜	｜	一	
計		三五	三三	一五	七	一一	一二	一	四	二	一		一二一

無熱	男	六一五	九六七
	女	三五二	
總合計			一、〇八八

（第十五問）お産の時何がおまじなひをなさいましたか？なさいましたらどんなおまじなひでしたか？

調査人員總數 一、〇八八名 男 六八〇名 女 四〇八名

種別	男	女	各計
水天宮のお守りを頂く	七四	四四	一一八
水天宮の安産護符を呑む	二二	一六	三八
塩釜神社のお守りを頂く	二二	一〇	三二
塩釜神社の掛軸を掛ける	一七	一三	三〇
神佛に祈る	一七	一二	二九
水天宮の腹帯を受ける	一三	七	二〇
塩釜神社の腹帯を受ける	六	五	一一
とげぬき地藏のお札を呑む	六	五	一一
手古奈觀音の安産札を呑む	五	四	九
成田山不動の安産護符を頂く	五	四	九
淺草觀音のローソクを頂きともす	三	一	四
富士山麓の神社から頂いたローソクをともす	二	二	四
中山寺のローソクを頂きともす	二	二	四
弘法大師の安産護符を受く	四	〇	四
水天宮のお札を枕の下に入れる	三	〇	三
床の下へ物指を入れる	三	〇	三
子安地藏のローソクを受ける	二	〇	二
お神米を頂く	一	一	二
六サン除け	〇	二	二
弓づるを體につける	二	一	三
油揚を食べる	一	〇	一
稲の穂を床の下へ入れる	一	〇	一
蒲團の下へハサミを入れる	一	〇	一
鹿の角の櫛をさした	一	〇	一
つばくらの初卵を呑む	一	〇	一
子安觀音の子安貝を受く	一	〇	一
豌豆一粒食べた	一	〇	一
箒を祭つてローソクをあげる	一	〇	一
進水式使用麻繩を握る	一	〇	一
氏神樣の庭の砂を紙に包み髪の中に入れる	一	〇	一

種別	男	女	各計
埼玉縣產泰樣のお供をかゆにて食す	一	〇	一
鹽釜神社の枕を身につける	一	〇	一
日蓮上人の護符を腹につける	一	〇	一
安産遠進妙藥を服用	一	〇	一
伊勢神宮の安産護符を受く	一	〇	一
妙見山安産護符を受く	一	〇	一
茨城縣樂法寺延命觀音の護符を呑む	一	〇	一
九品佛の護符を受く	一	〇	一
鎌倉お梅樣の護符を受く	一	〇	一
身延山の銀杏の葉の黒燒を飲む	一	〇	一
石山寺の砂を枕の下に入れる	一	〇	一
琴の糸を身につける	一	〇	一
笘崎八幡の砂を頂く	一	〇	一
船下しの時のお餅をたべる	一	〇	一
乳の出る樣荒神樣へ茶碗一杯の水をあげる	一	〇	一
山の神樣の麻糸で髪を結び中指をかんじんよりで結び水天宮の犬のお姿を頂く	一	〇	一
十三佛の詠歌を唱へた時灯したローソクの燃え殘りを產氣づいて灯す	一	〇	一
鹽釜神社へ上げた水一杯を呑む	一	〇	一
鹽釜神社のローソクを灯す	一	〇	一
鬼子母神の安産札を受く	一	〇	一
天理教のおさづけ	一	〇	一
無し	四四九	二七〇	七一九
合計	六八〇	四〇八	一、〇八八

（第十六問）お産の時大體どの位の費用がかゝりましたか。（妊娠中の費用を省いて）

（イ）赤ちゃんの着物、ふとんに要した費用

調査人員總數 一、〇八八名 男 六八〇名 女 四〇八名

費用	男	女	各計
三圓	一四	一八	三二
五圓	五四	三三	八七
八圓	二七	一八	四五
十圓	一一七	六八	一八五
十二圓	二四	七	三一
十五圓	一〇五	六四	一六九
十八圓	五	五	一〇
二十圓	九九	五八	一五七
二十五圓	二八	一八	四六
三十圓	六二	三七	九九
三十五圓	一一	七	一八
四十圓	一五	一一	二六
四十五圓	二	二	四
五十圓	三七	一九	五六
六十圓	五	二	七
七十圓	二	二	四
八十圓	三	〇	三
百圓	三	三	六
百二十圓	一	一	二
百五十圓	二	〇	二
二百圓	一	一	二
不明	五	三	八
無し	五八	三一	八九
合計	六八〇	四〇八	一〇八八

（ロ）產婆への謝禮

調査人員總數 一、〇八八名 男 六八〇名 女 四〇八名

謝禮	男	女	各計
五圓	一五	五	二〇
八圓	三	二	五
十圓	六一	三四	九五
十二圓	二一	一一	三二
十五圓	一七	六五	八二
十八圓	一七	五	二二
二十圓	一三三	八二	二一五
二十五圓	七八	四二	一二〇
三十圓	六二	三八	一〇〇
三十五圓	一七	八	二五
四十圓	一九	六	二五
五十圓	二〇	一〇	三〇
六十圓	四	二	六
七十圓	一	二	三
八十圓	二	一	三
百圓	四	四	八
百廿圓	二	〇	二
百五十圓	二	一	三
二百圓	〇	二	二
不明	二	〇	二
無し	一〇〇	八八	一八八
合計	六八〇	四〇八	一〇八八

（第十五頁よりつゞく）

第三表

	優良兒	普通兒	劣等兒
不飲	三八・八三%	一〇・四六%	五〇・七一%
少量	三九・〇七%	一三・〇三%	四七・九一%
一合以上	四五・五三%	一一・八二%	四二・六五%
二合以上	四一・九四%	一四・一九%	四三・八七%
三合以上	五〇・〇〇%	一三・四六%	三六・五四%
四合以上	三三・三三%		六六・六七%
五合以上	六六・六七%		三三・三三%

『伊達衣』と『いつを昔』

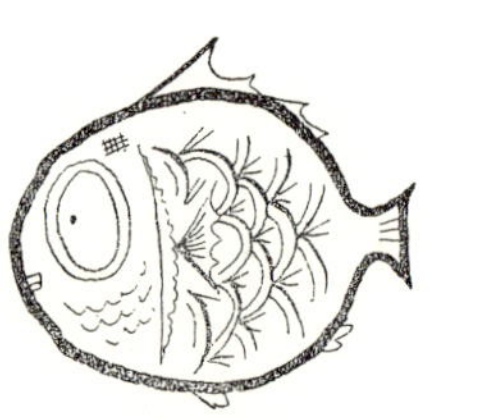

兒童に關する俳句評釋（九）

岡本松濱

郭公繼子の耳もふさがれず　　須竿

ほとゝぎすが鳴いた。繼子には聞かしたくないが、と云つて其の耳をふさぐ譯にも行かず、矢張り同じやうにほとゝぎすを聞かしたと云ふ句意である。まゝ子にほとゝぎすを聞かしたくないと云ふのが主眼の如くであつて、實はほとゝぎすが思ひがけない時・俄かに鳴いたので、たとへ繼子が居つたとした處で、耳をふさぐひまがないと云つて、ほとゝぎすを賞美するために、持つて廻つて繼子などを持ち出したのである。それ程に此句は理智的であり、非人情的であり、俳句としては第三義、第四義以下のものであるが、一般の人々は、之でも矢張り俳句の如く見做してゐる事は、俳壇に取つて甚だ迷惑ではあるが、根本から云へば、斯様な下らぬ句をも、句集に載せてゐる俳人に罪があるとせねばならぬ。

子をうしなひて

泣きあかす夜や子のために蚊も追はず　　杜覺

子を亡くして、親は夜もすがら悲嘆の涙にくれてゐる。其の悲しみのために、身邊に寄つて來て頻りに血を吸ふ蚊も追はなかつたと云ふのである。愛する子を失つて、何事も手につかぬ親心の現はれである。

棚經や去年の小僧色黒し　　不磒

棚經は盂蘭盆にあたつて、檀那寺の役僧や小僧達が、檀家を駈け廻つてお經を讀む。盆に限つて位牌を佛壇から下ろして、別の小机か何かにまつる處から、棚經と名づけられてゐる。この句は棚經に參つた小僧が、去年に比べて見違へるほど大きくなつてゐるが、同時に色も大變黒くなつて居ると云ふのであつて、去年見た時色の白い弱々しかつた小僧が、俄かに色が黒くなつてゐると云ふことを中心として、如何にもお寺馴れがして、小僧らしく成つたと云ふこともおのづから聯想される。平淺ではあるが、率直なところがよい。

藥子よ茶の子といへる名にめてそ　　何云

古昔正月元日宮中供御に奉る屠蘇酒の味を試むる女の童を藥子と云ふ。茶の子と云ふ言葉には、茶時の菓子、彼岸の供物、或は物事の容易なる意味などあつて、この場合どの意味に用ひたか、いづれに當てはめても、句意がはつきりと捕捉しがたいやうである。供御の屠蘇を試むる大切な役目であるから、輕々しくあつてはいけないと云ふことかと思はれぬでもないが、それにしては叙法に無理なところがある。

雛くれぬ姉の年いふ弟かな　　東生

姉は雛を美しく飾つて喜んでゐる。弟は頑是なく、その雛を呉れとせがんだが、姉は固よりたやすく與へさうな筈はない。云ふ事がまゝにならぬ弟は、たうとう業を煮やして、さん〲姉の惡口を云つたりしてゐたが、姉が一番人に聞かれたくないと思つてゐる自分の年齢を弟は無邪氣に云つて退けたのである。姉が成るべく年を秘して居ることから考へると、最早婚期に近い、或はやゝそれを通り越した相當の年輩であることが、不言の裡にほのめかされてゐるのは、不思議な言葉の作用と云ふべきであらう。

梅ちるやわりなき兒の咳拂ひ　　等躬

わりなきは親密にしてゐると云ふ意である。梅の花がちら〲散つてゐる庭先か緣側かで、日頃から可愛がつてゐる幼な兒が、輕い咳をしたのである。唯それだけの事であるが、梅散る庭の卽景として多少の趣をなしてゐる。

わが顔を清水に敲く童かな　　可朴

樹蔭を流れる清水が、珠の如く綺麗であり、氷の如く冷たかつたので、童が二度も三度もその清水に顔を浸してゐるのであるが、それが大人と違つて子供のことであるから、勢ひよく水に顔を持つてゐて、恰かも我顔を清水に叩きつける如き動作をしたのである。洗ふとか浸すとか云ふ普通の言葉でなく、敲くと云つて子供と清水とを躍動せしめたのはこの句の氣の利いた働らきである。

川筋や卯の花あれば妻子持　　沾德

前號「小弓俳諧集」にも出てゐた句。

うなひ子の兩手にあまる牡丹かな　　清風

子供の兩の手にも持てあましさうな、牡丹の花の大きさ、莊重さを詠じた句。

やにられて親子丸寢の砧かな　　好水

やにられてと云ふのは正しい言葉ではない。何處かの方言か、或は原書の誤寫でなからうかと思ふが、未だ調べてゐない。妻が砧を打つてゐて、詮方なしに父と子が一間に其のまゝまろび臥したやうな場合でないかと想像する。

川長や其子の親は網代守　　等躬

網代は冬季魚を捕るため、河水に川又は木を組み、網の代りに置くもの。網代守は夜中網代の魚を狐、狸、獺などが取りに來るのを防ぐため番をする者である。網代は宇治川が殊に有名であり、網代守は多く老人である場合が多い。川長は或る川筋を支配する權力を持つた者であらう。子は川長となつて、船頭や漁師などから敬事されてゐるのに、其の親ははかない網代守をしてゐると云ふ、その對照がこの句の山である。

以上で「伊達衣」の句は終り。

元服して

前髪も後に花なし年の菊　　山店

元服とは頭髪を剃り落して、一人前の男になること。元服すると云ふ事は嬉しい事に違ひないが、房々と垂れてゐた前髪を落すことに、何となく愛着を感じて、額髪がなくなれば、最早花を見られぬのと同じ心持であると云ふ意。年の菊は冬も押しつまつた頃の菊の花であつてこの菊がなくなれば既に花を見られぬと云ふことゝ、前髪を落した淋しい心と相通はせたのである。

女子の疱瘡しけるきげんとりて

餅の粉や花雪うつる神の咲　　其角

咲は正字ではない。何かのあて字であらう。女の子の疱瘡を病んでゐるのを、何くれとなく機嫌をとりつゝ、斯様な句が卽興的に出來たのである。白い餅の粉が、神棚の鏡にでも映つたのであらう。その餅の粉を花に見立て、雪に見立てたのである。咲は或は顔であるかも知れない。

尼の子の尼に成りたるねはん哉　　彫棠

哀れな尼一人、その尼に一人の女の子があつた。我が身のはかなさ哀れさに引くらべて、娘は在家の女にするであらうと思つたが、矢張り其の子も尼にしてしまつたと云ふ、何か知らんが哀れの深い句で、母と子の身の上には悲しい物語りがひそんでゐるやうである。涅槃は云ふまでもなく釋迦入寂の二月十五日である。特にその日を選んで尼にしたのは、一層哀れさが深い。

次郞といふをつれてつまの夜咄に行く

我子なら供にはやらじ夜の雪　　加生妻 とめ

召使の小童次郞と云ふのを供に連れて、夫が雪中夜遊びに出かけたのを見て、若しそれが自分の子ならば、この寒い雪の中を、供に立たせず、家に置かうものと、次郞が召使である處から、仕方なく供について行く哀れな姿を思ひやつたのである。我子に引くらべて、人の子の哀れさに同情した句。

寺前の興もとりあえず

小僧ども庭に出けり罌粟坊主　　（少年）角上

小僧どもが五六人も庭に出て遊んでゐる。罌粟の花が大方散り盡して、其の坊主頭のやうな實がつん〲並び立つてゐる。小僧の青々とした坊主頭と、罌粟坊主との可笑しさを對照したのである。

扇折子に恥かしきけはひかな　　尙白

扇折は大抵若い女のする仕事である。その扇折の娘達の中に、子持の若い妻も交つてゐたが、娘達のするやうに、紅白粉をつけて化粧をしてゐた。それが我子に對して恥かしくはなからうかと、聊かたしなめたやうな句であるが、之に依つてこの扇折が人の母でありながらも、若くて美くしい女であることが想像される。

親心子のふすかたやあつふすま　　露意

夜半の寢覺の度び每に、若しや我子は衾を踏み脫いではしなからうか、寢狂ひをして疊の上へでも轉げ出てはしなからうかと、いくたびも子の身體に衾を着せかける。寢た間も子のために心休まらぬ母の心を詠じた句。

彌生三日枕負ふ子のすがた哉　尙白

彌生三日は雛祭の日である。女の子が赤ん坊の代りに枕を負ふて、「ねんね、〳〵」を唄つてゐるのであらう。いつもする事であるが、三月三日の雛祭の日は、その姿が殊に可憐に感じられたのであらう。

雪の中に兎の皮の髭作れ　翁

この句には「山中子供とあそびて」と註が加へられてゐる。翁は芭蕉である。卽ち芭蕉が旅行の途次、子供達と遊んで、斯様な句を作つたのである。芭蕉はよく自分の郷里上野を、「伊賀の山中」と云ひ〳〵してゐたから、この場合に於ける山中も、郷里上野に於てかも知れない。句意は平明で、兎の毛で髭でも作つて、それを鼻の下へつけて見よと、子供達に云ひかけて、自分も子供のやうになつて、共に遊んでゐるのである。

以上「いつを昔」の句終り。

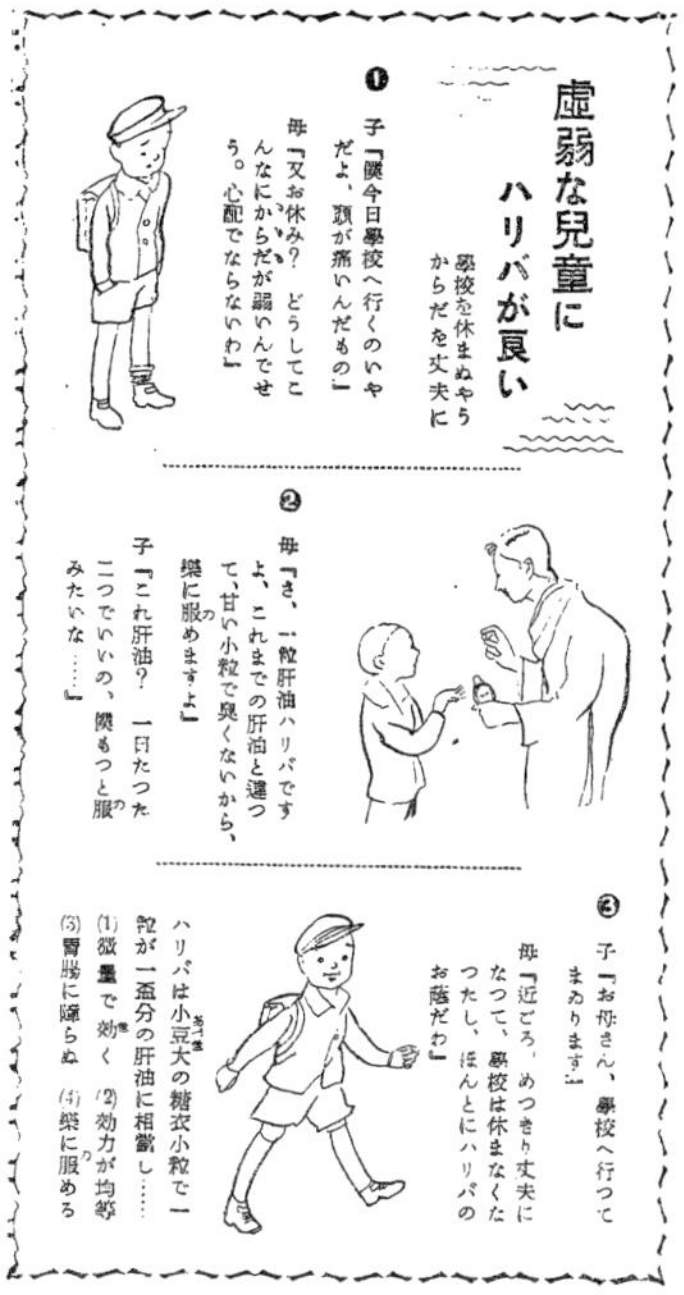

名作曲家の列傳（三）

クリストフ・ヴィリバルド・グルック　Christoph Willibald Gluck

秋保孝藏

私がこの文を草するのはレコードやラヂオなどによつて世界の名曲を聽く人々に、作曲家の生立や爲人やローマンスなどを語り、その音樂に對する正しい理解と一層深い興味とを與へん爲であります。每號語りつゞける作家は十五人ばかりありますが、御一讀下さらば筆者の滿足する所であります。

クリストフ・ヴィリバルド・グルックは「歌劇の改革者」と稱ばれた作曲家で、彼の生れた頃は、一般に歌劇は墮落の淵に陷つてゐた。當時の作曲家等は、下劣な歌手等に迎合妥協して、彼等の天職を忘れてゐた。歌手等はと云へば、虛榮虛僞の遊蕩兒で、何等嚴肅な自己の使命を感じない連中ばかりであつた。

グルックは斯る際に現はれて、音樂の眞の目的を高調し、意義深い言詞や、描かれた光景に生々した力を添へて、詩の偉大なる使命を助くるが音樂であると力說した。彼の書いたものは殆ど歌劇のみであつて、或るものは今尙ほ上演されてゐる。彼の歌劇はその構想に於て單純であるけれども、深刻なる印象を聽衆に與へずには措かぬ質のものである。

少年クリストフは、他の多くの音樂家のやうに貧乏の中に育つた。彼は一七一四年七月二日、ボヘミヤの境に近い墺國のヴアイセンヴアンゲンと云ふ小さい町で生れた。幼い時から音樂が好きであつたが、父はその方面の適當な敎育を授けることが出來ないので、彼を普通の學校に送つた。その學校には、普通の學課と共に、音樂に關する課目があつたので、幸にも樂譜の讀方や、音階の練習や、理論の初步を學ぶことが出來た。

貧乏であつても、父が生きてさへゐれば、その同情と援助を借ることが出來る譯であるが、間もなく父は他界してしまつた。クリストフは何とかして一人立ちせねばならなくなつた。彼は優れた才能を有つてゐたばかりでなく、事をなすに當つて、耐忍の力と强い意志とを有つてゐた。器樂の中でもヴイオロンチエロを好んだので、全く獨力でその研究に沒頭し、遂に當時諸所を流浪して步く音樂隊の一員に加入することが出來た。

或る時、音樂隊員と共に、プラグからヴインナに行つた。この華やかな音樂の都に於て、數名の親切な好樂家は、優れた才能を有ちながら、孤獨な憫然たる境遇に在るこの青年音樂家に深い同情を寄せ、彼のために住むべき家と生活上必要なるものを給與し、又充分研究を續けることの出來る便宜を取り計らつて吳れた。クリストフの喜びは非常なもので、この機會を出來るだけ利用しようと考へ、その後二年間といふものは、音樂研究のために不休の努力をつゞけた。

伊國は彼に取つて思慕の地であつた。彼は遂に其處に到る機會を得た。一七三八年、二十四歲の折、伊國に渡り、憧憬の都ミランに留り、有名な音樂敎授マルテニに師事して、四年間研究に沒頭した。彼の作つた最初の歌劇を見ても、如何にマルテニの感化を深く受けたかを窺知するに足るものがある。

この長い研究を終つてから、彼が初めて出した歌劇は "Artaxerxes" であつて、一七四一年、ミラン劇場で上演され、非常な喝采を博した。この最初の成功はヴエニスの興行者達を動かした。彼等はクリストフに新しい歌劇を出して吳れと依賴して來た。"Clytemnestra" は彼等のために作つたものである。これ又非常な成功であつた。彼等は再び依賴して來た。此際出來たのが "Demetrio" であつて、同じく歡迎を受けた作であつた。

その後、テユウリンからの招聘を受け、二年ばかりこの市とミランと兩市を往復してゐた。この兩市のために彼はその頃五六種の歌劇を作つた。グルックの名聲は伊太利全國に喧傳されたばかりでなく、他國にも響き渡り諸所から新しい歌劇の注文を受けて多忙であつた。ロンドンの劇場支配人ミドルセックス鄕は頻にグルックが來國して、ヘイマーケツトの皇室劇場のために作劇することを望んでゐた。

ミドルセックス鄕の切なる招聘默し難く、彼は一七四五年、ロンドンに行つた。折惡しくも、その頃、スコツトランドに暴動起り、ロンドンも不穩の狀態に陷り、劇場はすべて閉鎖の有樣であつた。然るに支配人は官憲に强請して、グルックの歌劇を上演することにした。「巨人の敗北」がそれである。けれどもこれは喝采を博するに至らなかつた。次に "Artamene" を出したが、これも稱讚を得なかつた。實は當時の人々は政治問題に沒頭してゐたので、平常のやうに音樂や藝術を樂む暇がなかつたのである。それに又當時、ヘンデルがこの地に於て全盛を極めたので、他の音樂家は殆ど顧られなかつたらしい。

その後、數年此處に留つてゐたが、到頭英國に於ては成功を見ることが出來なかつた。彼は靜かに英國を引揚げ、ヴインナに歸るより外に仕方がなかつた。一七五四年、彼はローマに招かれて行つた。其處で數種の歌劇を出した。その中に "Antigone" もある。伊國に於ては、彼の作品は皆歡迎を受けた。當時伊太利の詩人でカルツアビジと云ふ人があつたが、彼はこの人と親しくなり、互に感化し合うてゐたが、別るゝ時、將來伊太利の歌劇を大に改革しようと誓つた。

グルックはヴインナに歸り、歌劇の創作に勉勵した。一七六四年 "Orfeo" を出した。これは在來のものゝやうに型に嵌つたものでなく、新しい形式をとつた作品である。この歌劇は人氣を博し、當時としては珍らしくも十二回も繰返して演奏された。間もなく、英國にも知れ渡り、巴里でも歡迎を受けた。この時、作曲者は五十歲であつたが、實は優れたものは未だその時出現してゐなかつたのである。その後、彼は新しいものを出さうとして骨折つた。"Alceste" や "Iphigenie en Tauride" などはその中の傑作である。"Alceste" は音樂を單簡にして、友人カルツアビジの作つた詩句に成る可く多くの場面を讓つた新しい型のものである。一七六九年、ヴインナで上演された。これは "Orfeo" よりも優れたものであるに拘はらず、當時の批評家からは惡評を蒙つた。彼はこれに闘し、次のやうに錄した。『衒學者や批評家と云ふものは藝術の進步を妨害する輩である。彼等は不完全なる、非公式なる演習を見て "Alceste" を無遠慮に批評する。彼等は或るところは難澁だし、又或るところは餘りに感傷的だといふ。彼等は互に相反する對照の必要なることを知らないのである。』

いろ〳〵批評を蒙つたに拘らず、この歌劇はグルックの名聲を高めた。巴里の人々は、この伊太利歌劇の改革者を迎へたかつた。グルックも行く積りで、上演すべき歌劇を創作しようと考へてゐた。當時ヴインナに在つた佛國の詩人 Du Rollet は新しい歌劇のために自分は脚本を書かうと言ひ出した。そして彼の地を訪へば、必ず成功する機會が多からうと彼を慫慂した。

巴里に於ては、彼は佛語を研究しつゝ約一年間、"Iphigenie en Anlide" の作曲に勉勵した。彼を困らした事の一は、管絃樂隊の放縦で無智であることであつた。彼等は外國の音樂は好かぬとて彼に反抗さへした。然しこれはグルックの弟子等や、皇后マリア　アントアネットの仲裁で事なく濟んだ。

いろ〳〵手間取つたが "Iphigenie" は一七七四年八月十九日、上演することになつた。非常な成功で、皇后アントアネットも自身で稱讃の合圖をされた。歌手等も巧妙に歌ひ、作曲者を充分滿足さした。佛國人は皆彼を稱讃し、古代希臘音樂の復活だと叫んだ。アントアネットはその妹に書面を送つて恁う言ふた。

『私は十九日にグルックの "Iphigenie" の最初の演奏を聽きました。それは非常な勝利であつた。私は恍惚たらしめられた。他に何とも云ひやうがありません。全世界が之を聽き度いと思ふに相違ない。グルックの滿足は大したものであつたと思ひます。』

翌年、グルックは舊作 "Alceste" を佛國風に改作して上演した。これ又非常な喝采を博し、劇場は開演ごとに滿員の盛況であつた。彼に對する稱讃の聲は極度に達し當代並ぶものなき作曲家であると稱せられた。

優れた藝術家には競爭者は有り勝ちなものだ。名聲嘖々たるグルックにも反對者があつた。それはルイ第十五世の御覺え芽出度いバアレイ夫人である。彼女は、皇后マリア　アントアネットがグルックの贔屓であるに對して、自分は他に贔屓な音樂家を有つて競爭したいといふ妙な虚榮心の所有者であつた。彼女はその身邊に、伊太利の好樂家連を集めて反對運動を起さうとしてゐた。彼女はその時までしば〳〵グルックの歌劇を聽いてゐたが "Alceste" の上演で愈々勝利を占められたと思つたであらう。そこで彼女はグルックの墺國人であるに對して、伊國から優れた音樂家を迎へる積りで、彼の地に在る伊國大使に依頼してピッチ＝を巴里に招くことにした。

ピッチ＝が到着するや、バアレイ夫人はルイ第十五世の援助を受けて活動を始めた。先づグランド　オペラ座の首腦部を動かして、ピッチ＝とグルックの兩作曲家に歌劇を作らさうとした。これが端なくも兩派の烈しい爭鬪をかもし、全巴里市はこの葛藤で動搖した。政治家はその職務を忘れ、新聞は何れかに組して互に論爭し、印刷工場はこれに關する小冊子を出すに忙がしく、詩や諷刺は全市に撒きちらされた。當時グルックは獨逸に在つたが、ピッチ＝は巴里に在つた。市民はカフイー店に入る時も、ホテルを訪ふ時も、劇場を覗く時も、君はグル

ック黨かピッチ＝黨かと訊かれるのであつた。兩者ともいろ〳〵辯難攻撃された。多くの無實な噂がグルックに浴せかけられた。グルックを難じて、彼は敗北して獨逸へ去つた、彼はもう作曲は出來ない、耄碌して駄目になつた、巴里に何等新しいものを寄與することは出來ないと囃し立てるものもあつた。然るに或る日、グルック黨の一人が、或る貴族等の會合で、グルックは近々その新作 "Orlanldo" と "Armide" を携へて來るべしと宣べたので、この噂は全く裏切られた。ところがピッチ＝黨の一人は立つて、ピッチ＝も "Orlando" を作曲してゐると述べた。『それは尙ほ結構、彼等にはその他に "Orlandino" がある』とはグルック黨の答であつた。

新作の歌劇 "Armide" を携へて、グルックは巴里に來り、一七七七年九月二十三日、グランドオペラ座でこれを上演した。初のうちは、批評家等のために、餘り騷々しい作であると評されたが、間もなく非常な勢で知れ渡つた。彼はこの作に殆んど全精力を傾注した。友に送つた手紙に次のやうな文句がある。『私は "Armide" に精力を注ぎ込んでしまつたので、殘るものは僅かだ。私はもうこれで死んでもよいと思ひます。』

この作はマリア　アントアネットを讃美したもので、彼女に取つては實に滿足の至りであつた。グルックは、『陛下に深い印象をお與へ申さうとのみ思ひつゝ、この歌劇を作りました』と言つた。ラムバレイ夫人は左の如く錄してゐる。

『"Armide" の成功は豪いもので、この作者以外に何人も、斯る作品を出した名譽を贏ち得ることは出來ない。彼はこれがために全精力を注ぎ込んだと云ひます。彼は皇后に、佛國の空氣は自分を若返らせ、皇后の氣高い容貌は、自分の作をして一層上品に且つ崇高ならしめたと言つたと云ふことである。』

"Armide" に對する人氣は、敵黨をして一生懸命にならしめた。榮冠を得るために、ピッチ＝は新しき歌劇を上演した。ところがこれは非常な歡迎を受け "Armide" に決して劣らない、否それ以上の作であるとの評判であつた。今度はマリア　アントアネットは默つて居れなくなり、グルックに對し、もう一つこれに負けないやうな歌劇を作つたらどうかと勸請した。

その頃、オペラ座に新しい監督が來た。彼は四圍の事情から思ひついて、この兩作曲者に對し、同じ題目のものゝ競作を促した。"Iphigenie en Tauride" はその選ばれた題目である。双方猛練習の後、先づグルックの作を上演することになり、一七七九年五月十八日、初めて聽衆に見えた。聽衆は非常な感激を受け、すばらしい成

（第六十頁へつゞく）

傳記小説

高橋是清（十九）

小杉健太郎

危難また危難（續き）

そこで、山口は痛む體を齒を食ひしめながら、ミウルの脊に托し、是清はカーデナスの馬にのり、カーデナスは傷ついた白馬に跨つて、道なき道を互に勵ましつゝ再び登つて行つた。

吹雪はます〳〵激しくなつた。ともすれば吹き飛ばされさうだ。三人とも朝食を攝つたきりまだ何一つ口に入れないので、腹はペコ〳〵になつたが、食糧はみな先發隊が運んで行つた。體は氷漬けのやうに冷くなつて、手綱を握つた手が全く感覺を失つて了つた。

やがて、三人の眼界が忽然と展けてきた。いつの間にか彼等は一萬八千呎以上の絕壁の上に立つてゐたのであつた。眼ざすカラワクラ鑛山はこれからまだ三千呎あまりも下へ降りなければならない。

しかし雪に埋められた峻坂を、馬やミウルで下ることは殆ど不可能な事であつた。是清と山口は流石に途方にくれて、たゞ默々と暗い眼を互に見かはすばかりであつた。

「アハハハ、いや御心配はいりませんよ。」

二人の胸中を察したと見えて、カーデナスは吹雪の音を劈くやうに高らかに笑ひながら云つた。

「お二人とも雪の上へ降りて下さい。馬やミウルは先へ追ひ落すんですから、そして、われ〳〵は後から降りればいゝんですよ。」

こんな事には經驗の深いカーデナスが自信の強い口調で云ふので、一人は勿論それに從はなければならなかつた。

カーデナスは三人の馬とミウルを慣れた手つきで、まづ追ひ降して了つた。

「さあ、山口さんが眞中です……慌てゝはいけませんよ。」

と、カーデナスは山口の片腕をかゝへた。是清もその通りにならつて、もう一方の腕をかゝへてやつた。三人は抱き合ふやうにして尻を雪につけると、いきなり、峻岨な坂を辷り下りた。

やがて、降りきると、やゝ平坦な開濶地だつた。三人は、そこに先着してゐた本隊と合し、また馬に乘つて進むことになつたが、今度はミウルが澤山ゐるので、是清も山口もミウルに乘ることになつた。

雪の少し淺い所へ來たかと思ふと、先頭のカーデナスの馬が突然、竿立ちになつて跳び上がり、慌てゝ疾風のやうに駈けて行つた。そのすぐ後につゞいた是清が「何だらう」と小首をかしげる暇もなかつた。あつといふ間に彼のミウルの四肢はズル〳〵と地面の中深く墜ちて行く。底無しの泥沼だ。

もうミウルは腹まで泥に浸してゐた。

「板を探してくるからそのまゝヂッとしてゐて下さい。」

と、うしろで誰かゞ叫んだ。

しかし、是清は直ぐ樣ミウルから靜かに下りた。おりると重量を減じたミウルの體は、もう泥沼の中にその上沈むことはなかつた。そこへ坑夫の疋田がアンペラを五六枚持つてきてそれを沼の上に敷いたので、その上を靜かに渡つて、是清はミウルとゝもにやうやく向ふ岸へつくことが出來た。

元來、ミウルといふ動物は沈着な性質だから、こんな場合に臨んでも慌てない。それに是清が亦落着いて適宜な措置をとつたので、この死地を首尾よく脫することが出事たのであつた。一同は思はずホッと胸を撫で下した。

飯焚きの秘訣

途中で二泊すると、山口の元氣も可なり恢復した。

二十一日の午後二時頃、いよ〳〵目的のカラワクラ鑛山に一行は着いたのである。何しろ海拔一萬五千呎の高地、千古未踏の深秘境に分け入つたやうな嚴肅な氣が、一同の心を引きしめた。燃料といつては山の苔より外にないので、坑夫達はそれ〴〵米を焚いたが、半煮えの飯で殆んど喉を通らなかつた。

「あゝ、乾干しになつても、こいつあ食へねえや、何の因果でこんな所へ稼ぎに來たのかなあ。」

そんな嘆聲をもらすものがあつた。

「意氣地のないことをいふものは誰だ。石に嚙りついてもと、お互に誓つたことをもう忘れたのか。」

と、是清は屹ツとなつてその男の顏を睨んだ。

「でも、こりアまるで生米同然ですからね、腹を壞はしちや堪りませんや。第一仕事が出來なくなるぢやありませんか、旦那。」

「だから、愚痴は後廻しにして、もう一度その飯を焚き直して見たらいゝだらう。」

と、是清は優しくたしなめた。

坑夫達がその通りに焚き直して見ると、なるほど、まるで蒸したやうに軟い食べ頃の飯になつた。

「こいつア、おつりきだ。」

「どうだ、もう仕事に障るやうなことはあるまいな。」

「へ、へ、監督の旦那は痛いことを仰有るよ。」

頭を掻きながら喜んでゐた。

二日間休養ののち開坑式を擧げることになつた。この時はもう山口の傷はすつかり癒えてゐた。日秘兩國の國旗を交叉して坑口

の前には、大山祇命を安置して、是清を始め兩國側の役員、坑夫達が殘らず神前に居並び、神酒をうや〳〵しく酌みかはして、この國際的大事業の成功を祈つた。

それが終ると直ちに坑夫達は坑内へ入つて勇しく鶴嘴を揮ひはじめた。そして、約七時間の後には約二噸の銀鑛を掘りだしたばかりか、坑内が思ひの外に暖かく、これなら存分に仕事が出來るといふので、一同は幸先よしと喜んだ。そこで是清は契約の細目協定などの爲めに、一先づリマの本社へ下山して行つた。

意外な凶報

彼が、リマの本社でヘーレンと改正契約にとりかゝつてゐると突然小池が山から下りて來て、只ならぬ眼つきをしながら、

「委員長、一寸お耳を―」

と是清に云つた。

「ウむ――ヘーレンさん、暫く失禮します。」

是清は何か間違ひでも起きたのではないかと直覺したので、直接小池を別室につれこんで、立つたまゝ訊いた。

「どうしたんだ。」

「大變なことになつたんです。是非あなたのお耳へ入れなくちやならないので、山口さんが來る筈でしたが、あの人は山を拔けられないもんですから私が病氣の治療に歸るといふ名目にして下山したんです。」

「坑夫がまた喧嘩でも起したのか。ペルーの者と。」

「いゝえ、そんな事ならいゝんですが、委員長！」急に小池は聲をひそめて「あの山は駄目ですよ。廢鑛ですよ。」

「えッ」

「私が四五日前に坑内の奥をしらべて見たら、まるでガラン洞です。支柱まで掘り崩して、その代りに普通の石を積みあげてあるんですから、これぢや掘りつくした跡だつてことが解ります。殊に、私が坑道を奥へ〳〵と進んで行きますと、たうとう隣山の坑口へ出てしまつたんです。私は吃驚してすぐ引返してこの事を山口支配人に打明け、二人が念のため早速鑛石の分析にとりかゝつたんです。」

「その結果はどうなつた。」

「驚くぢやありませんか。試驗の結果は、いゝものでも、やつと千萬分の一か二位なものですよ。田島技師の報告ではルビーシルバアだなんて、眞ッ赤な嘘ですよ。」

「それア君、本當か。」

「誰が嘘をつくもんですか。委員長、一體どうなさるお積りですか。」

是清は餘りの意外な報告に、たゞ茫然としてすぐには言葉が出なかつた。

兎に角、かれは早速病床の田島をするどく訊問し始めた。

「おい田島、君は一體、實地にあの山を調べて見たのか。調べた上で、最初報告したやうに大變價値があると思つたのか。それとも君はいゝ加減な報告をしたのか。」

「眞逆、君は誰かに買收されたわけぢやあるまいな、祖國を賣るやうなことはないだらうな。」

是清の聲は低いが、一語々々强い力が籠つてゐた。田島は默々として枕に眼を當てたが、ふいに上ずつた聲で苦しげに叫んだ。

「すみません、委員長ッ。」

「えッ、ぢや君はやつぱり買收されて……」

「いえ僕はそんな男ぢやありません。しかし、最初の報告に實地調査をやつたやうに書いたは實は嘘でした。あの時の報告書はペルーの鑛山雜誌の記事をその儘飜譯してしまつたのです。何とも申譯がありません。」

「君といふ男は……」

「委員長、僕は自分で登つて調査をしてきます。小池ばかりの言葉も信じられません。」

床の上に立ち上るのを、是清はグッと肩を抑へつけた。

「君は自分の事を棚へあげて、まだそんな事を云つてゐるのか。」

田島は一言もなくうなだれて了つた。その姿を見下しながら是清の心は嵐のやうに凄じく揉み苛まれた。再度の實地調査をする迄もなく鑛山の價値は驚くべき貧鑛に違ひない。それとも知らず日本内地では發起人達が大童になつて株主募集に熱中してゐるであらう。こちらでも精錬機械の据付け、工場建築材料、その他の資材を購入して着々準備は進行して居るのであつた。思へば泣くにも泣かれない苦しい是清の立場だつた。

しかし考へて見れば、一刻も早く善後策を講じなければならない場合である。彼は自分の一身を犧牲にしても日本側の損害を最少限度にとゞめればならないと深く決心したのであつた。

（以下次號）

（五十六頁よりつゞく）

功であつた。ピッチニもこの席に在つて、敵ながら感激した一人で、自作のものは上演することを見合さうと思つた。然し監督は是非上演するようにと强請した。第一夜は大した喝采を受け得なかつた。第二夜は一種の喜劇的悲劇に終つてしまつた。それといふのは不幸にもこの歌劇の首唱役をつとめた歌手は、急に發狂したのである。二日後、彼女は再び起つて良く歌つたとはいひながら、この歌劇は失敗だといはねばならぬ。兩黨の間の爭鬪はなほ止まない。グルックは死に、ピッチニは隱退するまで續いたのである。

習年、彼は“Eecho et Narcisse”を完成した。こは彼の最後の作であつた。七十歲に近い彼は、最早抒情的歌劇の作者たるに適しなかつたので、ヴィンナに隱退し、靜かに餘生を送つた。その頃、彼は三萬磅の財產家になつてゐた。王皇貴族を初め、諸方から來る彼の音樂に對する稱讚の聲は、老後の彼を如何に喜ばしたことであらう。

一七八七年十一月十五日、彼は靜かにこの世を去つた彼の單純な音樂は今日尙ほ人々の心を濕うしてゐる。

ヴィタミンCはアスコル末を

ミルク育ちの赤チャンは
なぜ弱い？
牛乳のヴィタミンCは母乳の半分もないから

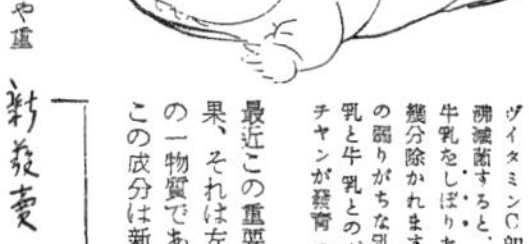

母乳で育てる赤チャンは丈夫で、ミルクや重湯育ちの赤チャンは弱い、これまで乳兒榮養の研究家たちは、母乳と粉乳とを種々化學的に分析せられて、その成分を出來るだけ近似するやう企てられました。

牛乳の主たる成分は、蛋白質、糖分、脂肪、鑛物質で、これらの成分を母乳と同一にしやうと色々の物を加へ哺育して見ましたが、それでもなほ母乳榮養のやうな好成績を得られませんでした。

ところが最近數年間にヴィタミンの研究が進歩をとげ、母乳と牛乳とが一ばん異る點はヴィタミンCの含量によることが判明しましたこのヴィタミンCは母汁中にきわめて微量に含まれてゐるもので、生の牛乳でも母乳の四分の一しか含有せず、それを一度殺菌したものになるとこの成分が殆んど失はれます。

ヴィタミンC卽ちアスコルビン酸は熱に對して弱く煮沸滅菌すると、すぐに壞れてしまふ缺點があるからで牛乳をしぼりたてのまゝ乳兒に服ませればこの缺點は幾分除かれますが、實際問題として生のミルクを胃腸の弱りがちな乳兒に服ませることは不可能で、この母乳と牛乳とのヴィタミンCの存否が、ミルク育ちの赤チャンが發育の悪い原因となる場合が多いのです。

最近この重要なヴィタミンCを色々研究した結果、それは左旋性アスコルビン酸と云ふ化學上の一物質であることが判明しました。この成分は新鮮な果物や生の野菜中に相當に含まれてをり、仲でも新鮮なレモンは最も含量の多いものです。ヴィタミンCはレモン汁以外の果物の汁にも含まれてをりますが、かやうな物を牛乳に生のまゝで加へることは、それによりヴィタミンCの補給は出來ても他の腐敗し易い不純物のために弱いお腹をこわしがちです

新發賣

七五瓦（生乳一斗分）二円五十錢　藥店にあり

そこでかやうな原始的方法によらず左旋性アスコルビン酸をきわめて純粹に抽出した物質を、人工榮養料に一定量添加することにより、果實やレモン汁を加へたと同樣な效果を得させることに成功しました。

アスコル末がそれで、これは左旋性アスコルビン酸を微粉の乳糖中に加へたもので、約一合の牛乳に一匙を（煉乳粉乳には二匙以上）加へると母乳と同成分になりますが、熱い牛乳の中へ入れて長く放置すると、ヴィタミンCが壞れる憂がありますから、なるべくのみごろの温度になつてから、服ます直前に一匙か二匙加へて與へるのが至當です。このアスコル末を添加しただけで粉乳、煉乳、殺菌乳などが生乳又は母乳に近い活生乳となります。

小兒壞血病と云つて眼のまわりに蒼い輪ができ齒齦が腫れ、皮膚を押へると紫色の斑點が出來る。物ごとに驚へ易くなり、湯浴やおしめの取替へのために動かすと、激しく泣き出すやうな症狀は人工榮養兒に良く見る病氣で、これらは皆ヴィタミンCの不足から起り、消化不良などもこれに原因すると云はれます。なほその不足はヂフテリヤ、百日咳、その他色々の病菌に對する抵抗力を失ふことになりますが、このヴィタミンCを充分與へれば、病菌が少々附着してもその感染を豫防し、反駁するだけの防禦力を得させることになります。人工榮養の赤チャンを、母乳育ちの赤チャンと同樣に丈夫に育てるやうアスコル末のご利用を。

東京・大阪　田邊商店發賣

結婚と法律

塚崎直義

一人娘の悲劇

三原山病患者、流行藥心中症患者の中に一人娘、一人息子といふのが澤山ある。世の中は廣いやうで狹いといふのか緣は異なものといふのか、こんな似合ひのふたりはないといはれる男女が、一方は長男で跡取り、他方は一人娘ときて、他所に嫁がせるわけには行かないといふ可憐な組合せがすくなくない。

結婚といふものは一度好機をとり逃すと、二度の好機はなか〳〵得難い。世の老練な年寄たちに、双方とも相續人といふやうな場合は、親類から男の子を借りて來て、戶籍上それを養子にこしらへて娘を嫁がせたり、或は事實上一緒にさせて、ふたりの間に出來た子供を實家の跡取りにして、それから娘の籍を拔いたりしてゐる。

これは戶籍を弄ぶことであり、また嘘の屆けをして法律上の罪となるから、感心できないが、そんな細工をしてまでも一緒にさしてくれるやうな、理解のある兩親をもつたものは幸福である。多くは相續人だから嫁にやれない、婿にくれられないといふ非劇におちいる。尤もそれは法律上の理由からばかりでなく、經濟上の理由のある場合もあらうが……。

法律は、なるほど、家督相續人たるものは、他家に籍を移すことは相成らぬと規定してゐる。だが、早まつてはならない。他方で

「正當の事由あるときは被相續人は親族會の同意を得てその廢除を請求すること」

が出來ると規定してゐる。そして、理解あるこんにちの裁判所は、一人娘が他家に嫁入る場合の如きは、この「正當の事由」に當てはまると解釋してくれてゐる

つまり、今日では一人娘の結婚については、法律上、實際には障碍がなくなつてゐるのである。從つて、一人娘だから一人息子だからといつて、別段悲觀したり、三原山行を企てたりする必要は少しもない。また姑息な手段を弄して、脫法的な行爲にでる必要もない。ちやんと手續を濟まして、相續人たる地位を除いて貰へばいゝ。

京都西陣警察署で、百七十二組の內緣夫婦について、なぜ婚姻屆を出さないかといふ理由を調査したところが、男女双方共に戶主又は相續人なので、入籍できないのだといふものが丁度五十

組あつたと發表してゐる。一人ッ子の弊害、被害、損害、想像以上のものがある。

既婚者も、既婚を理由に、相續人の地位を廢除して貰つて、正常な法律關係におくがいゝ。

屆を出さぬ結婚

秋風が立つて、日本國中の神様が、出雲に召集される頃になると、結婚適齢期の娘さんを廻つて、親は額に皺を寄せるお正月が近づくのが心配なのだ。一つでも餘計に馬齢を加へると、それだけ結婚がむづかしくなる。

とにかく、仲人口よろしくあつて、見合ひも目出度くパスし、結納を取交はし黄道吉日をトして、盛大に結婚式を擧げる。幸福な新婚の男女が方々の神前から、街の祭壇から、幾組となくスタートしてゐる。

社會の慣習から見ると、三々九度の盃を取交はせば、社會的に立派な夫婦として通用する。常識からいふとそれ以上正式な婚姻も、夫婦も考へられない。

けれども、法律の上では、三々九度を百度繰返しても、婚姻屆を役場、區役所に出さない限り、夫でなく、妻でない。

このことは、すでに結婚した者も、これから結婚しようとする娘さんも、またその親達も、是非牢記しておき給へ。

社會の實際と法律とが、こんなに懸け離れてゐることは、甚だ不合理であり、不都合である。しかし、現在はどうにも仕方がない。だから、理窟は拔きにして法律の定むる所に從ふ外はない。從はなければ大變な損害を受ける。

事實上結婚しても、婚姻屆を出さなければ、妻たるものも妻として取扱はれない。俗にいふ内縁の妻で、法律上妻として何等の待遇も與へられない。わづかにこの頃、夫たるものから惡意で捨てられたとき、裁判所が同情で救濟してくれるだけだ。

出來た子供も私生兒で、夫が認めてくれてもわづかに庶子である。夫の家の立派な相續人であるべき子も、婚姻屆が出てゐなければ家督をとることも出來ない。婚姻屆が出ない中に夫が死んだら最後、如何なる方法を用ひても夫の子として屆けることができない。永久の私生子である。

夫が官吏、軍人、職工等であつたときは、寡婦としての保護救濟を受けることができない。

擧げれば、法律上、實際上、内縁關係から生ずる不利益は限りなくある。今、政府では何とかこの不合理を除きたいと法律の改正に着手してゐる。けれども、なか〳〵名案がない。從つて、一般に婚姻式場で、双方立會ひの上婚姻屆を作成することを斷行したい。婚姻屆を出さない結婚は、結婚でないのだといふことをくれ〴〵も忘れてはならない。

婚約の解消

結婚は戀愛の墓場である――といふのは、詩人的感傷である。いくら戀愛が美しいからといつて、四十、五十まで色戀

沙汰を續けてる女性など、到底常識では考へられない。愛は實を結んではじめてその本然の姿に立つのではなからうか。その意味で、戀愛し、婚約し、そして結婚と一筋の街道を歩むことの出來たものはまづ幸福な人間と稱していゝ。

けれども世に初戀の成就したためしは少ないといはれてゐる。彼が中學四年のとき、私が女學生の三年のとき、互に將來を誓つたのですが、今日、世の中がわかつてみれば……昔の婚約を取消したいといつたよくある相談欄の質問に見られる通り、娘十六戀心時代の約束は、純情ではあるが、取止めがない。

一旦約束した婚約を後に解消することが出來るか。破約しても問題にならないか。裁判所などに訴へられないか。かうした心配に惱む女性もすくなくない。婚約、即ち「婚姻の豫約」といふのは、將來一緒になりませうといふ契約である。「親と親との許嫁」のことではない。外國の法律は、婚約について規定を設け、婚約中の當事者を保護してゐる。

破約者は相手方、その兩親等に對し、一定の損害を賠償しなければならぬことになつてゐる。また破約されたものは、すでに相手方に渡した贈り物や婚約の徴の返還を受けることができる。

だが、日本の今の法律には、婚姻豫約については何の規定もない。裁判所で、婚姻の豫約といつてゐるのは、内縁の夫婦のことで、捨てられた女房救濟のために案出した法律技術的コヂツケである。ほんとうの意味の婚約とは違ふ。

だから、婚約を破談にしても、法律的に制裁を受けるといふことはない。その點では安心していゝ。

婚約者と一緒になることが、ほんたうに二人の將來を幸福にするのではないことがはつきりしてゐるなら、誠意を披瀝して、諒解して貰ふがいゝ。

けれども、それが自分のわがまゝから破棄したとか、相手の名譽や地位を傷けるやうなやり方で解消したとかいふと、相當責任を負はねばならなくなる。

殊に、一旦結納を取交はしたか、輿入れしたか、または輿入れした婚約を破棄すると、破棄の理由が正當でない限り、相當の損害賠償に應じなければならなくなるから、注意が肝要である。それは、男でも、女でも同じことである。

詐欺結婚の場合

男子の惡辣にも驚くが、婦人の無智、輕卒にも肝を潰すのは、詐欺結婚、欺瞞結婚である。騙されて結婚しても、その結婚生活が長く續けられるならまだいゝが、結婚するといふ甘口にのつて、二、三日弄ばれた上、忽ち魔窟に賣飛ばされたといふ不幸な女性が多い。

それほど極端にひどいのでなくても、「求妻、當方卅七歳、財數十萬、廿五歳以下の處女を求む」などといふ廣告に釣られて、あたら貞操を失ふ女性、出鱈目な仲人口に騙された女性、被害の程度の少い女性なら數限りなくある。仲人結婚には嘘八百まで行かなくとも、嘘八ッくらゐはつきものである。

いつかも、媒酌人が、相手は醫者で、

先妻に死別して母親と二人で家事が不如意だからといふ話なので、同棲してみると醫者は僞り、しかも田舍から正妻といふ女が子供を連れて上京してきた、どうしたらいゝかといふ事件があつた。これはザラにある出來事である。

實際に結婚する氣もないのに、女を籠絡し、虎の子の貯金を捲上げて、あとはポンと抛りだすといつた奴は、いはゆる結婚詐欺で、刑法上當然罪となる。被害者は告訴すればいゝ。

民事からいへば、不法行爲による貞操蹂躪だから、損害賠償の請求ができる。しかし、結婚詐欺の常習者など、どうせ文無しだから訴へても取れない奴が多からう。

相當の地位にあるもの、それほどでなくとも當り前の暮しぐらゐはしてゐるものから、騙されて結婚し、しかも婚姻屆まで出してしまつたといふ場合はどうする。

法律は、詐欺や脅迫によつて結婚したものは、その結婚の取消しを裁判所に請求できることに規定してゐる。けれどもその請求は、騙されたことを知つてからまたは脅迫を免れてから、二ケ月の間にしなければならないときめてゐる。だから騙されて結婚したことに氣がついたら、早速離婚の手續きをとらなければ駄目だ。騙されたと知りながら、ずる〳〵べつたりをきめてゐると、裁判上の解消ができなくなる。籍を入れてゐなければ勿論訴へる面倒はない。

なほ、貞操蹂躪の分は賠償金の請求ができる。さきのインチキ醫者の場合は、裁判所は五百圓の貞操料を認めた。

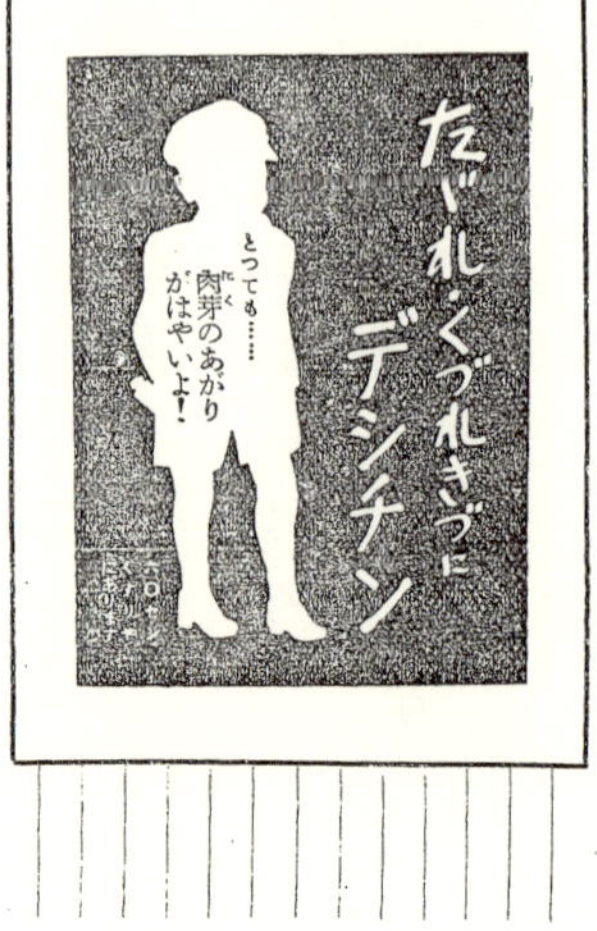

お産の科學

平林たい子

ドイツの醫學會でワール氏法といふ新しい計算方法が報告され、お産の日を數へ出す計算の誤差が少くなつたと山田倘允博士が語つて居られました。今まで神祕的に考へられてゐたお産といふことの中にも、だんだん科學が浸潤して來て、愚かな迷信が排除されて行くのは喜ばしいことです。

◇

私達の子供の頃には、姙娠中に火事を見たら痣のある子が産れるとか獸肉を食べたら角のある子が産れるとか、等々の奇々怪々な話をきかされ、出産といふものに非常な恐怖をもたされて成長したものですが、角の生えた子の話は別としても、痣のある子が産れるには生れる理由があるのであつて、それが科學的に證明されてこそ、さういふ子供の出來ない豫防方法も講ぜられるといふものです。

◇

お産の時に陣痛の甚だしい程よいといふことは、今でも普通に言はれてゐることですが、これについても稍似た事が言へます。痛い方がよいといふ事はなんら神祕的な事ではなく、出産の經過の順調なことの現れに過ぎないとわかつて見ればその順調さを保ちつゝ、同時に陣痛の苦しみは除くといふ方法も發見されて來るわけで、現に無痛分娩法といふものが西洋では非常に普及してゐるさうです。しかし、日本ではこの方法は非常に金がかゝるため、いまでも一般大衆が「痛い方がよい」といふ昔からの語り傳へを信じてゐなければならないとは悲しいことです。

◇

陣痛の時に泣くのは日本婦人の恥だといはれてゐることについても考へさせられます。苦痛に堪へるといふことは尊いことではあるけれども苦痛は苦痛として訴へ、その苦痛を除去する方法を發明して行くといふことにも文明の發達があるわけです。さう思ふと西洋婦人が出産の時に大聲をあげて泣き喚くといふことも、あながち嗤へないではないでせうか。さらに日本婦人が一般に苦痛に堪へる習性を持つてゐるといふことも、日本婦人には未だ感情解放が行はれてゐず、束縛された社會生活をしてゐるといふことの現れだと考へれば、讃へてばかりもゐられません。

街頭醫學

婦人科醫の立場から花嫁さんへ

結婚といふ樂しい、だがこれまでと違つた刺戟と不安の多く伴ひがちな生活に最近入つた方々へ、醫者の立場から念のため以下の言葉を御おくりしたいと思ひます。

—◇—

あなたの生理的現象は、これまであつたやうに、結婚後も規則正しくあるのでせうか、多くの場合月經は結婚といふ大きな變化と刺戟によつて少しく早められるのが普通でありますが、反對に遲くなつたり、全然これを見なくなることも決して稀ではありません、これらは大抵一時的な現象で心配するには當りませんが、たゞ結婚後あるべき月經がこれを見ない場合は、必ず一應は姙娠ではないかと疑つてみねばなりません。

近頃では結婚の擧式の日取が大抵月經と月經との中間期に定められてをり、從つてこの排卵期における結婚は最も姙娠への可能が多く、事實多くの統計も結婚後一と月から三月までに姙娠する婦人の多いことを明かにしてゐます。

そこで、この結婚前に月經があつて、次に結婚後あるべき最初の月經をまだ見ない中の餘りに早過ぎるとも思へる姙娠がきた場合、姙娠の事實を當人たちが氣付かないことが多いのですがまた時にこの結婚直後の姙娠によつて、良人が新婦に對し結婚前の愛情云々の疑念を抱くことがあるやうです、併しこれは前述の理由でみて明かなやうにその疑念に何ら根據のないのみか、むしろ結婚直後に姙娠することの方が當然といはねばなりません。

次に姙娠のため頭が重くなつたり物事に一層感じ易くなり、或は無感動となつたりする等の姙娠性神經症を起すことも少くありませんので、まだ十分にお互の氣心も判り兼ねる新家庭においては、この場合特に良人の新婦への思ひやりが必要とされます。要するに新家庭を營む人々は、過度の性生活に亘らないやうに（特に姙娠が明かとなつた場合は抑制が必要）そして十分の睡眠をとるやうに心懸くべきであります。過勞から結核その他の發病をみることは極めて多いことでありますから。（醫博山田尚允氏）

姙娠中の禁食には出鱈めが多い

姙娠中の母體の榮養のいゝ惡いは、軈て生れ出る胎兒の健全な發育に影響を及ぼすことの大であるのはいふまでもないことゝ併し乍ら世間ではよく姙娠中はあれを食べてはいかん、これを食べてはいけないといふ一定の食物に對する禁忌が云ひ傳へのまゝ現在尙行はれてゐる事實は屢ばみうけるところです、勿論この中には今日の科學から見ても正しいことが少くありませんが、他方何ら根據のない滑稽に過ぎたものも多く、其の結果只でさへ惡阻その他で榮養の不足を來し易い姙産婦は益々榮養障害を來し、そのために生れてくる赤ン坊はか弱い虛弱兒童となることが多いものです。

云ひ傳への種類

私は先頃東京府下の女子青年團員百五十八名に就て、彼女らの抱き且つ行つてゐるいはゆる姙娠中の禁食の調査を行つてみました、左に示すものがその結果で、食べてはいかぬとする食品の多いものから擧げれば

辛子二三（人）、油一六、生姜一四、柿一〇、肉九、鴨六、兎六、八ツ目鰻四、ホーレン草四、章魚、牛蒡、大根おろし、鮭、貝類（以上各三）、ワサビ、西瓜、玉蜀黍、氷水、魚類、鰯（以上各二）、黑鯛、芋類、豆類、梨、筍、山椒、ソバ等（以上各一）

莫迦らしい理由

これらの食品が禁食とされてゐる理由は例へば肉を食へばその動物の形の子供が生れる、兎は三つ口、鴨は指が四本、八つ目鰻は目がたくさん、章魚や鰯は足が澤山…の子供が生れるといつた流儀の今日の進んだ食料科學からすれば全く噴飯に堪へぬ迷信に基くものが大半で、またホーレン草のやうな最も榮養價に富んだ野菜も寄生蟲が湧く下痢をする等の根のない理由からしりぞけられてゐるのがみら

れます。

理由のある禁食

一方辛子、生姜、ワサビ等の刺戟性食品や夏場の氷水等が禁食とされてゐるのは正しく、之らの刺戟物を多くとるときは、只さへ姙娠中興奮し易い神經を餘計昂ぶらせることになり、又腎臟を惡くし易く、氷水は冷え―下痢―流産の結果をみることが少くありません、たゞこれらのものも絕對的に禁ぜねばならぬものでもなく、少量を用ひれば却つて食慾を起す効果があります。

偏食に注意せよ

要するに姙娠中も一般にいはれてゐるやうな絕對に禁ぜねばならぬ食品といふものはなく、從つてあれこれと食物を選び、偏食に陷ることのないやう努めていろ〳〵な物を食べて母體の榮養を高むべきであります。（東京府衛生技師桑原丙午生氏）

姙娠中一番危險な腎臟炎と子癇

姙娠して腎臟炎にかゝりますと、便所へも行くことができぬやうになりますが、この場合には無論絕對安靜にするとゝもに湯タンポを身體の左右に四―六個位置いて額から汗がにじむ程度に溫かくして寢てゐることが必要です。

食餌は鹽氣のあるものは絕對に斷つ、味噌や醬油のやうな鹽分のあるものはすべてよくないパンも鹽分を含んでゐるのでさける、肉や魚や卵はもちろん惡い、そして鹽の入らないお粥を一回に一杯位づつ一日に三回用ひ、また牛乳は少くも一日に五合位用ひます、果物や野菜は鹽氣なしで食べられるものは食べてよい。

かうして蛋白尿が減つて普通の正常な尿の出るやうにつとめて行きます、このためには別に有力な利尿劑も用ふる、鹽分は約一週間斷つ必要があります。

姙娠腎臟炎について起る病氣に子癇があります、これは腎臟に異常のないときは決して起きません、姙娠腎臟炎の結果起きるもので、特にこのごろのやうな寒い時期に多く起きる傾向があります、早く手を廻しませんと、親と子との二つの生命を斷たれてしまひますので、姙娠腎臟の場合には注意を怠つてはなりません。

この子癇を起しますと人事不省で仆れ、そのまゝ生命を失ふか、或は出産のとき非常に出血しやすく、このため貧血で仆れるかの二つの危險があるばかりでなく、普通のお産の出血の場合は、食鹽注射で大部分が救ひ得るに反し、姙娠腎のあるときは、この注射までが非常にきゝにくいからです。

子癇を起す前兆としては前にもいふ通り姙娠腎のあることが絕對條件ですが、しかしたとひ姙娠腎があつても、注意一つで起さずにすます事は不可能でありません。

子癇を起す直前には動悸がする、便所へ一寸行つて來たゞけでも動悸、呼吸切れがして物がいへません、また頭痛、不眠、はき氣があり、ついで痙攣を起して人事不省になるといふ順序になるのですが、かういふ症狀がありましたら、早くお腹の子を出さなければなりません、これが子癇から母體を救ふ唯一の途です。

この場合經産婦ですと普通に産道から間に合ふやうに出せますが、初産婦ですと、どうしても開腹手術を要することゝなります、それも直ちに行はなければなりません。（醫學博士竹內茂代氏）

月足らずの兒を科學的に育てる

昔から諺に、八月子は育たないが七月子は育つと云はれてゐるやうに、月足らずの子を育てるのに、月が不足してゐればゐるほどいつそう兩親の周到な注意と努力が必要とされることは明らかですが、最近ではこれを科學的な裝置によつて母體內にゐる時よりもむしろ完全な發育が遂げられると云ふ耳よりなニュースがあります、これは目下赤十字病院産院で試みられてゐる方法ですが、以下專門家のご說明に從つてその內容をお傳へしますと―

月足らずで生れた早産兒を育てる場合最も大切な條件は保溫と授乳ですが

保溫

こゝに御紹介する早産兒成育法はクープエーといつて必要な

個所にガラスを張つた縱三尺、橫一尺七寸、深さ二尺五寸位ゐの木箱、即ち保溫器內に早産兒を入れ箱の下部にとりつけられた數個の電球熱で赤ン坊に完全な保溫熱を與へることになつてゐます、二重裝置になつた內側の板の表には幾重にもラシャが張られ、底板を除く四方の處々に設けられた氣穴からは攝氏の二八―三〇度と云ふ常に溫かい空氣が送られるといふ仕組です

換氣と濕度

さらに頭上のガラス面には換氣口があり、頭の方には適量の水分を蓄へうる仕掛けがあつて濕度計にしたがひ器內の濕度を適宜に調節出來るやうになつてゐます。

授乳

次に自發的に乳首を吸ふ力の弱い赤ン坊へ強制的に榮養分をとらせる方法として外國では母體の血液と發育ホルモンの幾分を注射することになつてゐますが、産院では久慈院長の發案によつて、之れにかへるにカテーテル哺乳法即ち母乳（又は牛乳）を入れたゴム管を直接胃に送り三時間ごとに二〇―四〇グラムの量を與へて百パーセントの効果を收めてゐます、目下早産兒が常に四、五人平均の割りで入院してゐますが、かつて母が腎臟炎のため胎兒の發育がもつとも遲れ、九ケ月で僅か三〇〇匁しかなかつたものでも、この方法で立派に育つた經驗があり、早産による嬰兒の死亡は殆んど完全に近く救ふことが出來るさうです。（柴山幸一博士）

初産にボロはどれ程要る？

初生兒をお産みになつたお母さん方は、實際にどれほどの襁褓をお使ひになつてゐるかに就て、最近過去一年と二ケ月にわたつて二十七組の場合について實地調査して見ました、次にその中の十四例について襁褓の交換回數を調べてみますと

一日八―九回のもの二例
一二―一三回のもの七例
一八回のもの三例
二〇回のもの二例

といふワケで半數までが一日に一二―一三回おむつを取換へ他の半數は之れ以上頻繁に交換を行つてゐることが判りました。

で、その平均一日の交換回數を十五回とすると、通常一回に用ひる襁褓の數は三枚ですから一日四十五枚といふことになりますが、實際には毎回まる〳〵取換へるワケではなく、三枚とも新しく取換へる場合を二回として六枚、二枚を取換へ一枚はもとのを用ひる場合を六回として十二枚、一枚をとり換へ二枚はもとのを用ふる場合を七回として七枚、都合十五回で廿五枚といふほゞ標準にちかい必要枚數が出て參ります、ですが天候に左右されがちな襁褓のことゝて他に又それだけの枚數を用意するとして都合五十枚內外が初生兒のための準備的枚數となるワケです。（日本勞働科學研究所橫川つる氏）

赤ン坊の眠りを妨げるな

健康のためには何が大事かといへばそれは睡眠です、特に赤ン坊においては一層大事です、一日の三分の二を眠るのもこのためです、赤ン坊の睡眠といふものは、かやうに大事なものであるに拘らず、多くのお母さん方を見ると、兎もすればそれをさまたげるやうなことをして平氣でゐます。

たとへば授乳ですが、この時間的關係を申上げると大體乳兒の前半は三時間、後半は四時間置きに與へるのが標準とされてゐる、これは飲んだ乳が胃の中で消化されて腸へ移るのに、三時間―四時間かゝるのを基礎として定められたものですが、これを一つ覺えにして、何でもかでもこの時間が來た場合は與へなければならぬやうに考へ、赤ン坊が睡眠してゐた場合は無理に起して授乳させてゐますが、そのあとは睡眠が破れて眠りません。

この二つをとつて比較しますと、起してお乳を飲ませた利益よりも、そのために眠らせない損の方が大きいのです、そこでかういふ場合は、赤ン坊に眠るだけ眠らせて、覺めた後に腹一杯授乳するやうにしなければなりません、殊に夜間の睡眠は、晝間よりも必要なのですから、夜間の授乳は控へるべきです、赤ン坊の消化不良の原因が母乳にある場合は飲ませ過ぎが主で

しかも大部分が夜中の授乳が遠因をなしてゐるのです。

また冬は呼吸器系統の病氣が多く、溫濕布がその治療に行はれますが、原則としてこのとりかへは三時間―四時間といふことになつてゐますが、この場合も授乳と同じで、よく眠つてゐるときはそのまゝにしておくべきです、それは睡眠が病氣のためには一番利益だからです、むしろ夜遲くから朝までは溫濕布はとり除いた方がよいくらゐです、このほか、藥をのませる場合でも、日常生活の場合でも、おしめをとりかへるのでも同樣で、熟睡中はそのまゝ置いて、目覺めて後に行つていたゞきたい、赤ン坊の日常生活における衞生として、これは是非お母さん方に注意していたゞきたいことの一つです。（日本醫大教授平澤稍藏氏）

恐ろしい子供の丹毒

春先三、四月と、これから恐ろしい丹毒がはやる時でありますが、丹毒はそこいら何處にでも存在してゐる連鎖狀球菌が皮膚のわづかな傷口からも侵入して起る厄介な病氣で、といつて誰でも罹るといふのではなく、人によつて罹り易い體質があると考へられます、併し昔から一般に考へられてゐるやうに傳染性の病氣ではなく人から人へと感染は殆どないといへます。

丹毒を特に警戒せねばならぬのは乳兒の場合で、それは大人では縱へ丹毒に冒されても死亡率は極めて低いのに反し乳兒では發見が遲れる爲か不幸をみることが大變多いからです、丹毒は大人には大抵頭の一部に出來るものですが、乳兒には陰部から脚にかけて多く發生します、これはおむつの爛れなどから小さい傷口が出來易いからで、また生れたての赤ン坊ではお臍からくる場合もありますが、冬など寒いからといつて餘計くるむ結果發見が益々遲れることになります。

症狀としては局所に紅斑が出來、少しふくれ上つて周圍の健康な皮膚との境目がはつきりしてゐます（普通の皮膚病やおできでは、この境目がぼやけてゐる）大人の顏などに出來た場合壓迫感や熱感がありますが、何しろ小兒ではあるしまた位置の關係から別に痛くも痒くも感じません、この紅斑が子供によつて俗にハヤテと呼ばれてゐるやうにどんどん擴がつてゆきます急に高い熱が出てくる、そこで風邪ではないか、お腹ではないかとその方の手當などしてゐる中に敗血症、腎臟炎、消化不良肺炎などの病氣を併發して、遂に生命を奪はれることになります。

手當としては何より早く發見して早く醫療をうけることで、早くさへ氣がつけば容易に治すことが出來ます、醫療としては紫外線の照射、塗布藥、血清及びワクチン療法があります。（慶應病院皮膚科醫博金子榮壽氏）

極彩色の貝〝盲〟の魚
車の前に〝あッ虎だ〟

南洋生物採集行脚より歸りて

山村八重子

フイリッピンの近海は非常に美しく澄んでゐます、そして貝類の豊富なことまさに貝の寶庫でせう、世界一の美しい海に一萬數千種の貝が棲んでゐるのですからさても珍しいのがございます、しかし潮加減氣候の具合に左右されますので一口に貝採集と申しましてもなか〳〵の辛苦でございます、こゝにこそめざす貝がゐると確信もつて探しながら見つからぬときの殘念さ、そんなはずはないのにと頑張り通して探すのですが、この點費用に糸目をつけぬ人でないとむつかしいことでせう、それに採集といふものは四季のシーズンを經れば、ほんとうの採集はできないのです、私の父が幸ひ理解を持つてをりますので、二萬、三萬と金を出してくれましたから比較的惠まれたといへませうか、こゝで思ひますのは生物學者のために採集を專門にする人がどうしても必要だといふことでございます。

貝の採集にはもちろん私一人だけではありません、廿名あまりの土人を便役いたします、カヌーを大きくしたやうなビンタと稱する舟を操りまして網をひくその間には潜る、そして貝をあさるのですが、貝といふものは死んでゐますと變色して眞の値打がわかりませんので、どうしても生きた貝をとられればなりません、そして實をとる——いはゞ剝製にするわけですが、このあと始末が大變なのです、貝の採集では最初バシラン島に參りました、マニラから五十マイルほど南にある島です、こゝには父が經營の椰子園がありますが海岸は二マイルから砂濱でフイリッピンには珍らしく貝の採集に便利です、こゝを根據にホロ島へ出掛けました、この島には、ホロモロ蠻族が多く人食人種ではありませんが、物をとるために人を殺すことを何とも思つてゐない獰猛な連中で常に鐵砲や刀を携帯してゐますので、われ〳〵は政府の御用船に乗り憲兵の護衛つきで貝を採集するもの〳〵しさでした。

ジャヴアからシンガポールを經、ジョホールに赴き、そこから五十マイル離れたメルシン海岸でも採集しましたが、まだ整理が終つてゐませんので、どんな新種があつたかわかりません、たゞスール海峡では一つの貝に百から二百種の彩色があるのがあり、天然自然の業とはいへ魅入られたかのようでございました、貝は海中のみならず陸上にもをります、バギウでは海拔七千五百尺のサント・トマス山に登山しました、雨季でなかつたため探すのに困難を感じましたが、この山の登山路はわれら同胞が血と汗とで作つたもので、女で登つたのは私が最初といふことでした。

昆虫や蝶類も相當捕獲いたしましたが、今度の旅でもつとも印象深いのはザンボアンガ市より廿六キロ奥にある新發見の鍾乳洞探檢です、中へ入つたのは私が三番目でしたが、その鍾乳洞に辿りつくまでに二キロの河を徒渉いたしました、懷中電燈の光のみを頼りに手さぐり、足さぐりで進むのですが洞の兩側を水が流れ轟々音が洞内に谺しあまつさへ何萬といふ蝙蝠がバタと飛び立つ、驚いて頭を上げれば林立する奇岩にぶち當るスリル滿點といふところです、しばらく進みますと池があり、ズブリ〳〵とめりこむのをやつと拔けて一キロ半ばかり奥へ入りこみましたが、その先は何マイルつゞいてゐるか知れぬ井戸のようなものなので引返しました、この洞窟内には目の退化してしまつた魚や、色彩の必要がないため眞白になつてゐる海老やまた蛇もをり、貝も住んでゐます、彼らは暗黒の世界の生物とて、すぐ手で捕へられましたが、大分アルコール漬にして持ち歸りました。

魚類も今回の行脚で百種くらゐ採集してをります、諸種の標本のほかに生きたものも土產としてをります、蓑鳩、胸突鳩、青鳩白鳩、鴨、鷺、いんこ、黃鳥などあまりわが國では見られぬ珍らしいものです、いづれ黑田博士、鷹司公や上野動物園に贈りたいと存じてをりますが、捕へるときは土人がなか〳〵熟練してをり樂ですが、持歸る途中餌に大苦心、一時間毎に見廻らねば殺してしまふので弱りました、鰐も一匹持歸りましたが、父の經營する椰子農園にあるアトンアトン河で捕獲したものです、鰐狩は夜餌漁りに水から上つてくるのを待受けてライトで照らすのです、すると目が赤くルビーのように光る、そこを狙つて射つのです。

ジョホールから歸る途中時間が遲れて九時すぎになつたころ、切株の上に幾列も止つてゐる梟の目が自動車のヘッド・ライトに反映してピカ〳〵光る不氣味さ、背筋の冷たさを覺えた瞬間、ヘッド・ライトの明るみに虎の姿がパッと浮び上つたのです、こんなときヘッド・ライトを消すといゝといひますが突差のことゝて機轉が利かない、しまつたと思ひましたが、虎君何を思つたのかノソリ〳〵と立去つてくれたので、ホッと胸をなでおろしたこともあります。

女だてらにつまらぬことを書きつられましたが、これもわが國の女性に少しでも自然に對する趣味を養つていたゞきたいと思ふからでございます、外國の女性がいかに自然の研究に趣味を持つてゐるか、そして科學的であるか、わが國の婦人とは比較になりません、標本を作るときやむを得ず生物の可憐な命を斷つ場合もありますが、決して殘忍な殺し方はしてゐないつもりです、庭に來て啼く小鳥、花に戲れて舞ふ蝶々、渚に濡れて光る貝、それらにも深い愛情と詩を感ずる私なのでございます。

乳兒の榮養とママーゲン

東京・日本橋・山田小兒科院長
醫學士　山田　貢

一、緒言

乳兒の榮養料としては人乳(主として母乳)に優る何物もないのでありますが、文明の進歩と共に母乳丈にて乳兒を哺育する事の出來る女性がだん〳〵減少するは誠になげかはしい次第であります。

さて母乳の代用品としては現今大量に且つ廉價に容易に手に這入るものは牛乳及び牛乳の調製品たる粉乳及び煉乳であります。

牛乳はその燃價(カロリー)から見ますと人乳と大差がないのでありますが、其成分は蛋白質と鹽類(灰分)を著しく多量に含んで居りますから、古來より經驗上稀釋して用ひられて居ります。その結果蛋白質と鹽類(灰分)の含有量は人乳に近づくけれ共脂肪及び含水炭素(糖類)の量が一層減少して榮養價が著るしく低下するのであります。この關係は次の表によつて明かに解ります。

稀釋による牛乳の成分の變化

成分	人乳(%)	牛乳(%) 全乳	三分の一乳	二分の一乳	三分の二乳
蛋白質	一・六	三・五	一・一六	一・七五	二・三三
脂肪	三・四	三・二	一・〇七	一・六〇	二・一四
含水素	七・一	四・五	一・五〇	二・二五	三・〇〇
灰分	〇・二	〇・七二	〇・二四	〇・三六	〇・四八

二、第一含水炭素の添加

前に述べました樣に牛乳の稀釋による榮養價の低下は普通第一含水炭素の添加に因つて補つて居ります、第一含水炭素と申しますと乳糖、蔗糖、麥芽糖のこの三種の複糖類がその主なるものです。

乳糖は生理的に人乳其他の動物の乳には必ず含まれて居るけれ共、牛乳及びその調製品に少しく多量に加へると醱酵して下痢を起し易く今日では用ひられない。

蔗糖は我々が日常使用するものであるけれ共乳糖と同樣少しく多量に用ゐると醱酵して下痢を來し易いが、割合に廉價で第二含水炭素と併用する時は、その缺點を互に補つて乳兒の發育に適するので今日盛んに用ひられます。

麥芽糖は多量に使用するも割合に醱酵を起さず乳兒の發育には適當なるものであるけれ共割合に高價なるが缺點であります。

要するに以上の第一含水炭素は乳汁に添加して七%以上になつたり、一日の全量が五十瓦以上になると乳兒の健康上に反つて惡い結果を及ぼすのであります。

三、第二含水炭素の添加

されば人工榮養に於ては第一含水炭素(糖類)の添加によりても燃價(カロリー)の不足する時は第二含水炭素を以て補足する事になつて居ります。

第二含水炭素(多糖類)としては古來葛湯とちゝ粉(牛乳製品に非ず穀粉)がありますが葛湯はその榮養價が乏しく夏季は腐敗し易いのでありますが容易に拵へられるので今日でも廣く用ひられて居ります。

ちゝ粉(穀粉)は今日では改良されて牛乳の添加物として用ひられ乳兒の榮養上結構な事であります。元來牛乳及びその調製品にて哺育されたる乳兒は母乳榮養の乳兒に比して便秘に傾き易く一日一回或は隔日に一回位有形の便を排泄するのが常であります、この便秘を牛乳其他の榮養品の濃い爲として、だん〳〵薄い牛乳等を與へる者が非常に多いのでありますが、それは全く考へ違ひでその結果ます〳〵便秘を著しくしてその上榮養を惡くし體重は減少して來る事は勿論であります。

かゝる便秘は第一含水炭素(砂糖其他)と第二含水炭素(穀粉類)の適當なる添加により防ぐ事が出來て其上乳兒の榮養は高まり體重の增加を來すもので誠に一擧兩得であります。

四、第二含水炭素の製品としてのママーゲン

前に述べました樣に第二含水炭素は乳兒の人工榮養上缺くべからざるものでありますから、今日はいろ〳〵の製品が販賣されてありますが、何れも一得一失あり改良すべき點が多々あるのであります。

今回明治製菓株式會社がママーゲンと稱して第二含水炭素(穀粉)の製品を市場に提供して、予等にもその使用價値の批判を求めて來ました。

これを多數の人工榮養の乳兒に牛乳或はその製品の添

加料として蔗糖或は滋養糖と共に使用して見ました處何れも好結果を得ました。

一、整腸作用が顯著で人工榮養兒に特長たる便秘をふせぐ事が出來ました。

二、ママーゲンの添加により牛乳及び其製品の味がよくなり(口あたりがよくなり)從つて乳兒が喜んで哺乳する。

三、以上の二つの結果乳兒の榮養がよくなり體重の增加が著しくなります。

さて使用に當つて次の諸點がママーゲンの價値を一層裏付ける事と思ふ。

一、使用法が簡便で分量(ママーゲン一瓦が約四カロリーの由)を正確にする事が出來る。

二、開鑵しても濕氣を呼ぶ憂ひなく、從つて品質の變化(低下)を起さない、これは冷凍工業による。

三、價格低廉、大衆の使用に供するには品質の向上と共に一錢でも安價なるが必要である。これは大資本を要する、而も明治製菓會社でなければ出來得ない事であります。

四、榮養豊富、容易に消化し易き穀粉に色々のヴイタミン類を含有する物質を配合せる故に榮養豊富にして乳兒の榮養品のみならず離乳期の食餌或は病人の美味なる流動食餌を造るに適するのであります。

尚個々臨床實驗は何れ委しく發表したいと思ひます。

師範一部校入學試驗準備講義錄

□國語 東京府青山師範校教諭 池田正俊先生
□算術 東京府豊島師範校教諭 龍崎寅雄先生
□地理 東京府第七中學校教諭 内藤堯先生
□歷史 東京府青山師範校教諭 松村安一先生
□理科 物理化學 東京豊島師範教諭 高橋常吉先生
博物 東京青山師範教諭 德田省三先生

幼年學校入學試驗準備講義錄

□幼年校教官課外講演・受驗上の注意・試驗問題答解

待望の講義錄愈々刊行、良き講義錄の選擇は成功の近道!。受驗界の絶對權威。内容の完備卓越。通信教育のスピード化。速に入會斷行せよ。輝く合格入學の榮冠は諸君の頭上に輝かん

五回卒業全部完結毎回約二百頁 一回分前金壹圓兩講義錄共講師は前に同じ入會金壹圓此際入會金免除

御送金は必ず振替の事振替用紙は最寄郵便局に有

東京牛込區藥王寺町二〇
準備教育會
電話牛込三六一番
振替東京六六八三二

第十一回全國兒童愛護週間實施要綱

(一) 名稱、目的、其他

一、名稱 第十一回全國兒童愛護週間

二、目的 兒童愛護に關する知識の普及並兒童保護施設の擴充發達を圖るを以て目的とす

三、期間 昭和十二年五月五日を中心とし其前後を通じて一週間とす但地方の狀況に依り適當に伸縮することを得

四、主唱 財團法人中央社會事業協會

五、協贊 恩賜財團愛育會

六、後援 内務省、司法省、文部省、拓務省

(二) 中央に於ける實施事項

一、本週間宣傳用ポスターの作成頒布
本週間宣傳の爲め全國一定のポスターを作成し(希望文字挿入)これを各地方の希望に應じ實費にて頒布すること

二、兒童愛護マークの作成頒布
本週間實施の趣旨の宣傳並地方に於ける兒童愛護資金造成の爲め全國一定の兒童愛護マークを作成しこれを各地方の要求に應じ實費を以て頒布すること

三、兒童愛護に關するパンフレット「こどもの育て方」の作成配布
右は各地方廳に無料配布し市役所、町村役場、小學校各種兒童保護事業團體、病院、產院、產婆會等を通じて姙產婦及兒童を有する家庭に普及せしむるの外講演會、講習會用テキストとして一般的利用に資すること

四、「兒童愛護パンフレット」の作成配布
兒童心身の正常なる發育に必要なる諸般の事項につき夫々要錄せるものを各編に分册作成し各地方廳に無料配布し一般的利用に資すること

五、「兒童愛護讀本」の作成配布
兒童心身の正常なる發育並一般兒童愛護に關する參考資料等を採錄せるものを單行本の形式に作成出版をなし各地方廳に無料配布すること

六、「育兒カレンダー」の作成頒布
生後十二ケ月間の各月に於ける發育標準其他育兒に關する心得をカレンダーの樣式にて要記せるものを作成し各地方の要求に應じ實費にて頒布すること

七、兒童愛護に關する原稿の作成配布
兒童心身の正常なる發育に必要なる事項につき夫々の專門諸家に執筆依賴をなし又は文獻につき參考抄錄の上取纒めて各地方廳に配布すること

八、兒童愛護思想並兒童保護施設に關する參考資料を取纒め各地方廳に配布すること

九、各地方長官、朝鮮總督、臺灣總督、樺太廳長官、南洋廳長官駐滿特命全權大使及各地方社會事業協會長に對し本週間實施につき盡力方を依賴すること

一〇、内務省社會局、衛生局、司法省、文部省、拓務省並對滿事務局に對し本週間實施の趣旨に贊しこれを各地方長官、朝鮮總督、臺灣總督、樺太廳長官、南洋廳長官、駐滿特命全權大使宛夫々其管下に於ける本週間實施に付盡力相成樣通牒方を依賴すること

一一、恩賜財團濟生會、日本赤十字社、愛國婦人會、國防婦人會大日本聯合婦人會、大日本聯合青年團、大日本聯合女子青年團、大日本少年團聯盟、帝國少年團協會、日本衛生會、學校衛生會、日本醫師會、日本齒科醫師會、日本藥劑師會、生活改善中央會、日本產婆會、帝國教育會、協調會、勤勞者教育中央會、全國產業團體聯合會、日本放送協會等に對し本週間實施につき協力援助方を依賴すること

一二、本週間實施中兒童愛護思想宣傳の爲め特別プログラムを編成しこれが放送協會並東京中央放送局へ依賴すること

一三、新聞社、雜誌社、出版會社等に對し其社發行にかゝる日記帳、カレンダー其他の出版物に兒童愛護週間を例年行事として載錄さるゝ樣依賴すること

一四、本週間實施に關する記事を掲載さるゝ樣新聞社、雜誌社等に依賴すること

一五、地方に於ける兒童愛護に關する講演會、講習會、母の會、子供の會其他の催しに對し出演者の斡旋を爲すこと

(三) 地方に於ける實施事項

一、主催はなるべく道府縣、朝鮮總督府、臺灣總督府、樺太廳、南洋廳、關東局若くは夫等の關係する社會事業協會等とすること

二、共同若くは參加團體は成可く恩賜財團愛育會、恩賜財團濟生會、日本赤十字社、愛國婦人會、國防婦人會各支部、各地方に於ける婦人會、女子青年團、醫師會、齒科醫師會、藥劑師會、產婆會、其他公共團體及各種公益團體等とすること

三、中央にて作成の兒童愛護マークを適當なる方法に依り一般に販賣し本週間實施の趣旨を宣傳すると共に其純益を兒童愛護資金に充用すること

四、兒童愛護に關するパンフレット、リーフレット、育兒カレンダー等を市役所、町村役場、小學校、方面委員、少年教護委員、少年保護司、兒童健康相談所其他各種社會事業團體、病院、產院、產婆會等を通じて姙產婦及兒童を有する家庭にゆき亘る樣配布すること
右はなるべく通年的事業として必要に應じ隨時各家庭に配布する樣夫々適當なる措置を講ずること

五、幼稚園、託兒所、學校、公會堂、公園、動物園、劇場、寄席映畫館、浴場、其他多人數集合する場所を利用して兒童愛護に關する知識の普及並當該施設の利用に關し宣傳をなすこと
(講話又はポスター掲示、パンフレット、リーフレットの配布等による)

…………(以下略す)…………

三月の日記(後記)

◎三月七日、本年度に於ける二度目の上京早々、來る可き新綠初夏の東都に催されやうとする第九回全東京乳幼兒審査會に就き、廣井會長の御意見を承り、超えて十五日新議事堂に、名譽會長永井柳太郎先生を御訪ねし、絢爛華麗な宏い食堂で、神戸の野田代議士と共にいとも御鄭重な饗應を蒙り乍ら各般に渉る御意見を窺つた、隣りの食卓には櫻内、濱田兩老やその朝强盜に見舞はれた犬養健氏、亦遠くには中野正剛氏の姿などが見えた、永井先生は當日は例の增税案の事で政友會との打合せ等があり、頗る御繁忙であるに係はらず、種々御配慮をうけた事は誠に忝ない事である、引續き十六日は陸軍省に岡江軍醫を、海軍省に保科大佐、松永副官を訪問して變らぬ溫顔に接し前年度の如く協贊の件を御願みした。

◎十七日は廣井會長と共に農林大臣官邸、上院と下院等を訪ふ、それより東京病院にて戸川博士に御目に懸つてゐた處へ、幸ひ富田博士も御見えになり審査會の事を御願ひする事が出來た、昨年の四月二十七日は平生文部大臣が本會の總裁たる事を御承諾になつたのだが、今年は早くも三月十八日早朝山崎農林大臣私邸に參上し、本年度に於ける總裁を閣下に御願ひせし處、速かに御快諾になつたのである、我が國兒童の福祉增進に關する事業が、斯くも年々朝野諸名士の絶大なる御援助を蒙り、且つ運動の點に至つても、恰も春潮の流れのやうに順調にはかどる事は、實に私心なき國家的事業なればこそである、我等家族と離れ不眠不休にて此の實務に携つてゐる者に取つては閣下及び保利秘書官に對し感謝の言葉もない程である。

◎その足で本誌特別寄稿家本圖氏を藥王寺町に訪れ、それより例年審査主任として活躍さるゝ慶應大學の中鉢博士を訪れて今日迄の經過報告をして萬事を御賴みし、淺野氏宅に立ち寄り再び東京病院に趣き柿本博士に御目にかゝつて種々御願ひをした、斯樣にして今回の上京の目的を達したので、その夜はホテルの寂しき一室に獨り自分の誕生日を祝ひ次の朝(十九日)の燕號にて凱歌をあげ乍ら歸阪の途に就いたのである。

◎在京中小石川產婆會の風見會長、藤原副會長にも敬意を表し、本年度の審査會を『子供の世紀創刊第十五周年記念』と銘打つて意義あらしめたい旨を話して例年の如く援助を願つた、尚閑暇を見て大森、柿木坂等に親戚を訪れ、亦長崎の麥圃のほとりに星健三氏の新婚早々の新邸を叔父君星儀右衛門氏と訪れて、少年時代の追懷談をした、次の朝は春には珍らしい雪で、青々とした麥の芽も、八重の白梅も迷惑さうな顔つきだつた、西牧氏の御厚意で『憲政の殿堂』をみたが、尾崎、永井兩先生などは兎に角、演說としては落第點の人々もあるやうだつた。

◎例年の審査會で御厄介になつてる高島屋の井上、奥平二氏、國書院展の準備で多忙を極めてる吉村、高木二畫伯にも快談出來た、二十日歸阪早々、志賀社會部長の御病氣を見舞つた、日增快方に向はるゝ事は何より喜ばしい事である。

本誌定價 一册金參拾錢 郵税壹錢
半年分六册 金壹圓六拾錢 郵税共
一年分十二册 金參圓 郵税共
誌代郵税は一切前金の事
前金切の場合は發送中止
郵券代用は一割增のこと

昭和十二年三月廿八日印刷(每月一回)
昭和十二年四月一日發行(一日發行)

兵庫縣兵庫郡精道村芦屋
發行兼編輯人 伊藤悌二
印刷人 木下正人
大阪市西淀川區海老江上二丁目三七番地
印刷所 木下印刷合資會社
電話福島(45)一五三四番 二四二六番

大阪市北區天神橋筋六丁目
大阪市立北市民館内
發行所 大阪兒童愛護聯盟
電話堀川(35)〇〇〇一番 〇〇〇二番
振替大阪五六七六三番

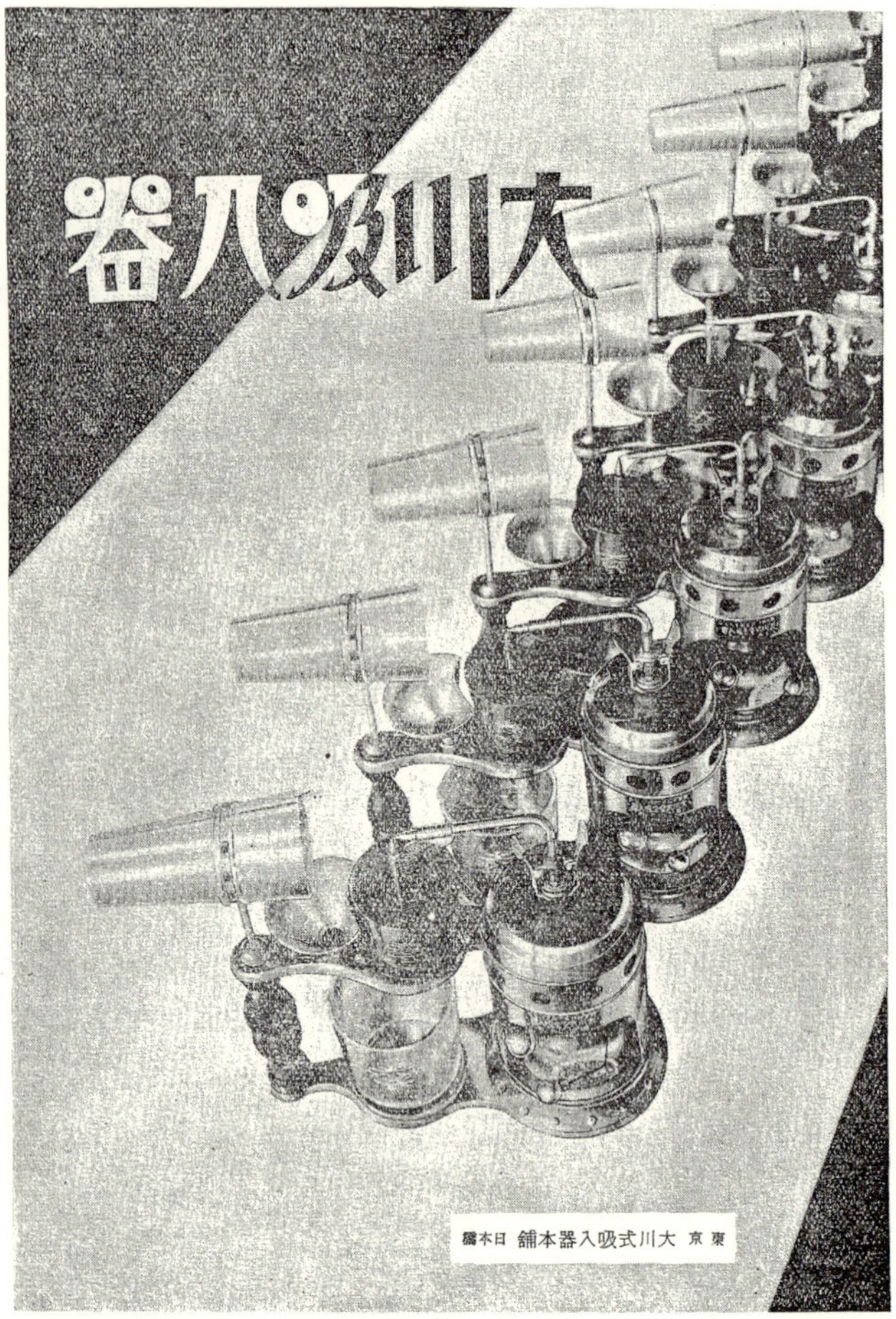

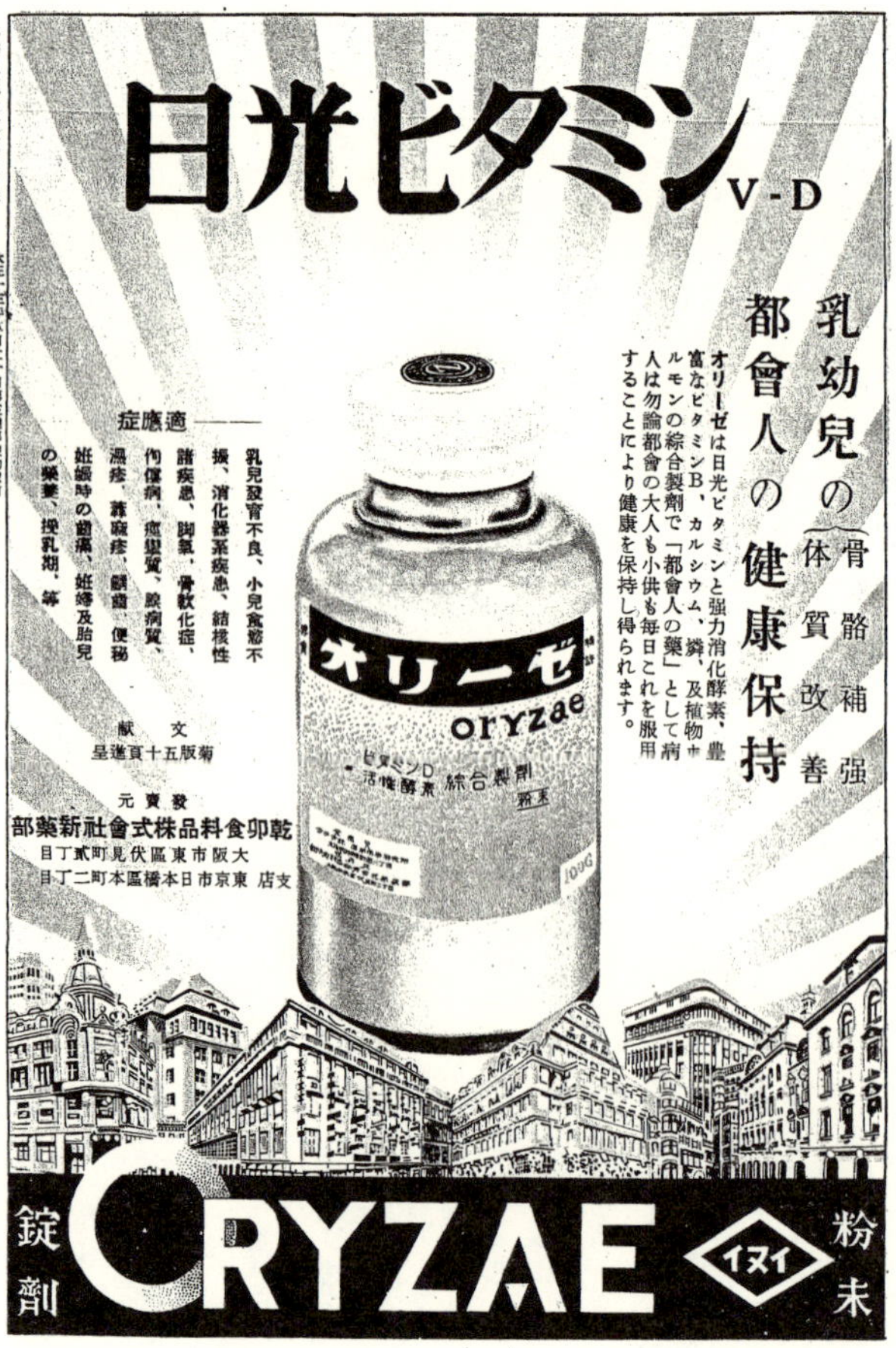

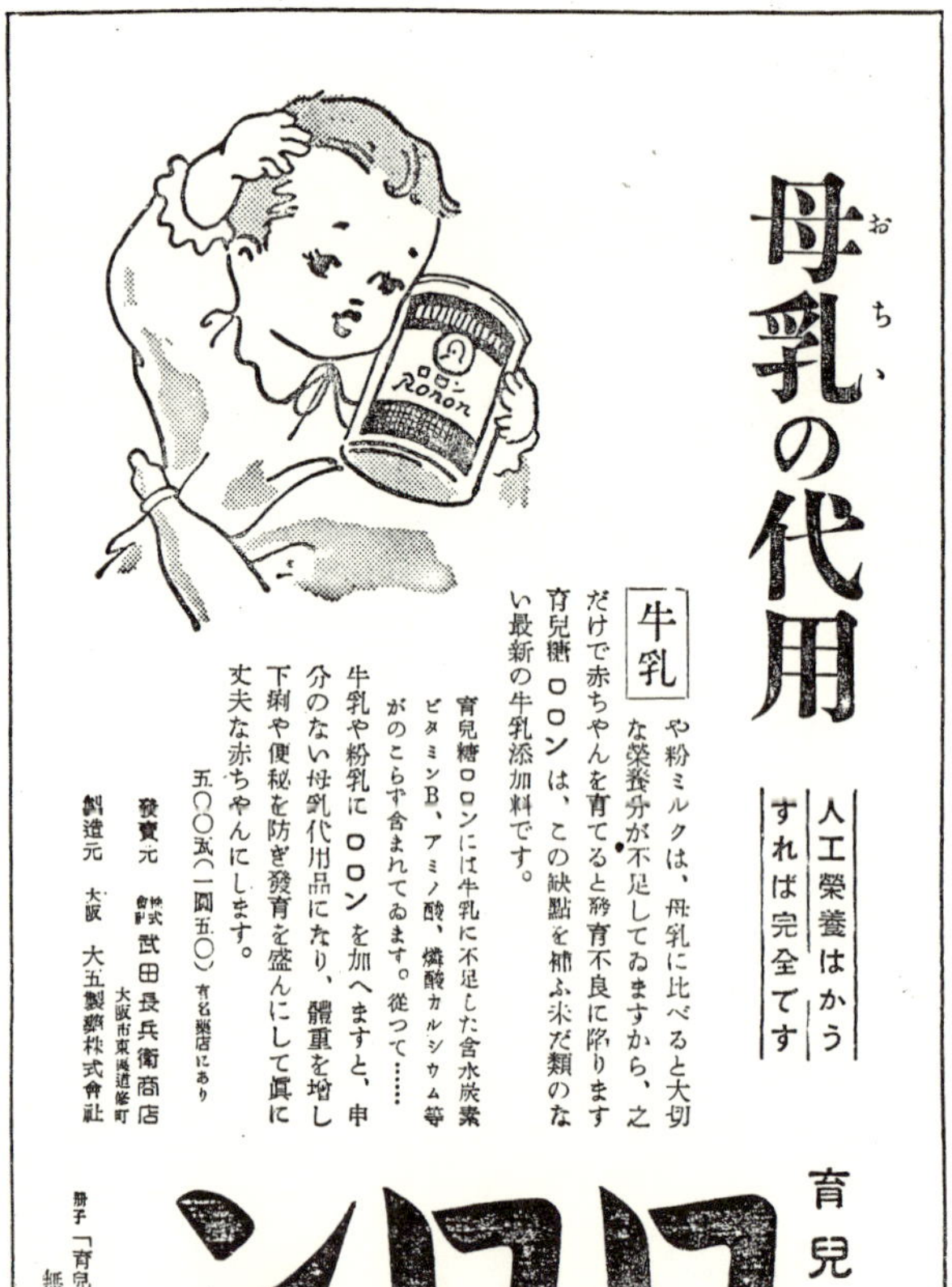

子供の世紀 第十五巻 第四號
大正十三年?月二十日第三種郵便物認可
昭和十二年三月二十八日印刷納本 毎月一回一日發行
【定價金參拾錢】

基礎鞏固　經營眞摯

創立　明治四拾四年

コドモの保險

日本徴兵

入營・嫁入　出世・教育
準備　資金

子を持つ親心

可愛い子供の爲に何程かづゝの貯金をしてやらうと考へるのは、凡ての親としての至情で、男子ならば適齢迄、女子ならば嫁入迄と誰しも心掛ける所ですが、さて實行はなかなか困難です。

最良の實行方法

徴兵保險、生存保險のコドモ保險は此needsを充たす最良の施設で、一度御加入になれば知らず識らずの間に愛兒の爲に必要な資金が積立てらるゝことになります。

日本徴兵保險株式會社

本社　東京市麹町區内山下町一ノ一

森永
無糖ドライミルク
世界的優良粉乳
科學は實證す
一、酵素及ヴイタミンの含有量第一位
一、市販粉乳中脂肪量最も多く百瓦のカロリー五二〇、八の豐富
一、水にも湯にも容易に溶け使用極めて簡便
一、生乳よりも安全にして消化良し
ドライミルク
森永煉乳株式會社

明治コナミルク（赤罐）
國産噴霧式粉乳の先驅
榮養と經濟とを兼ねた
國產唯一の母乳代用
・用ひ方簡便・

胃腸の弱い赤ちゃんにもよく消化出來るやう、諸成分を調整してあります。その上値段も、砂糖の入つた牛乳一合に相當するものが五錢の割合にまで引下げてありますから、牛乳代りに召上つて戴いても御徳用です

・母乳代用添加料・
ママーゲン
當社新發賣ママーゲン（榮養素配合製粉）を牛乳、ミルク、粉乳に添加すれば體重增助、腸整作用顯著に、母乳代用品の効果を完璧にいたします。しかも開缶後吸濕變性の虞れなく價格も亦至極低廉でございます

明治製菓株式會社

敎育結婚保險
徴兵保險

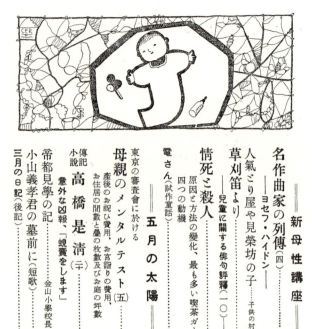

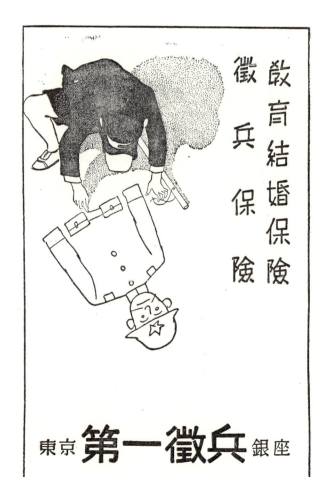

東京 第一徴兵 銀座

羽田飛行場にて

東京蒲田大槻病院長
醫學博士 大槻正路氏撮影

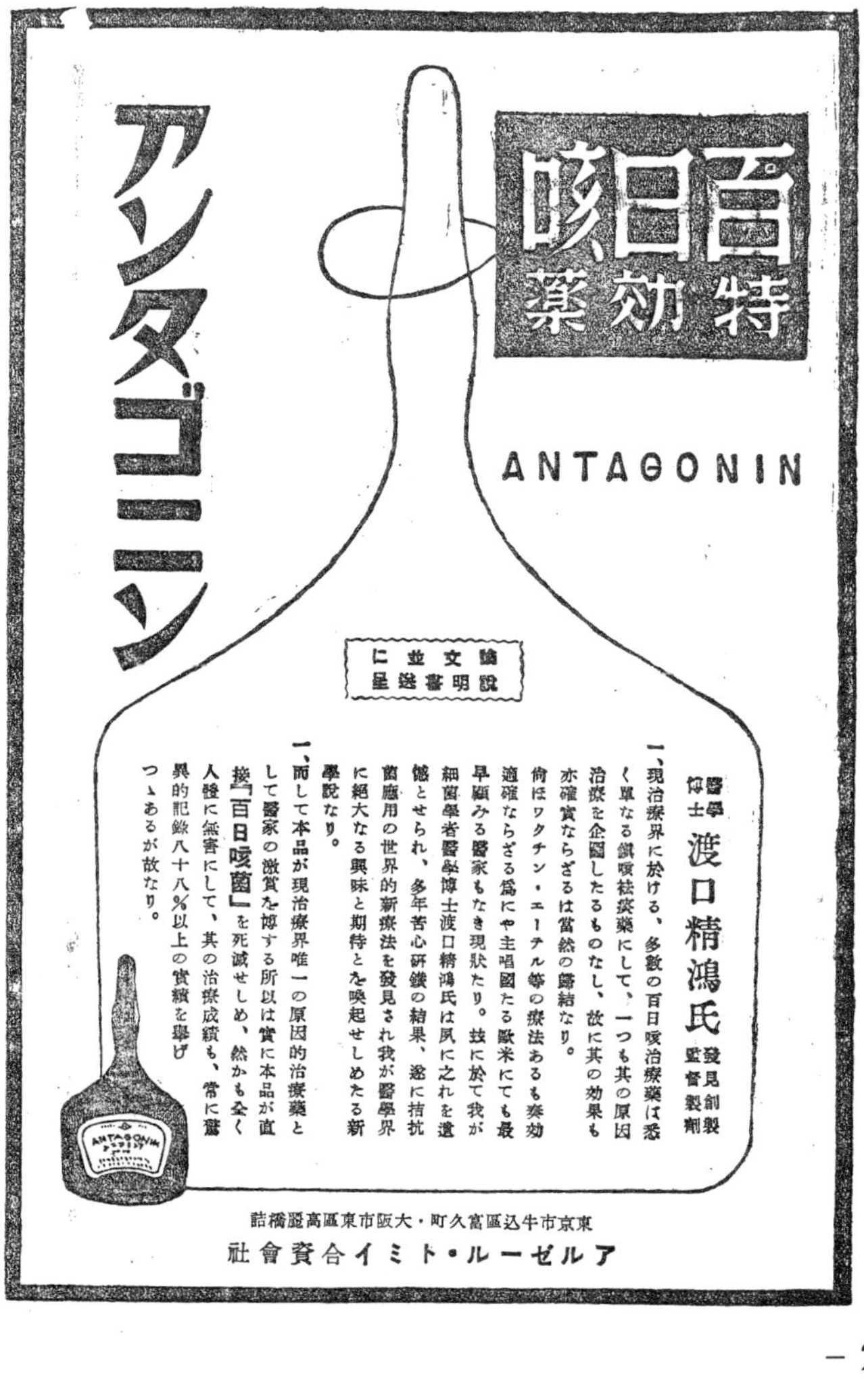

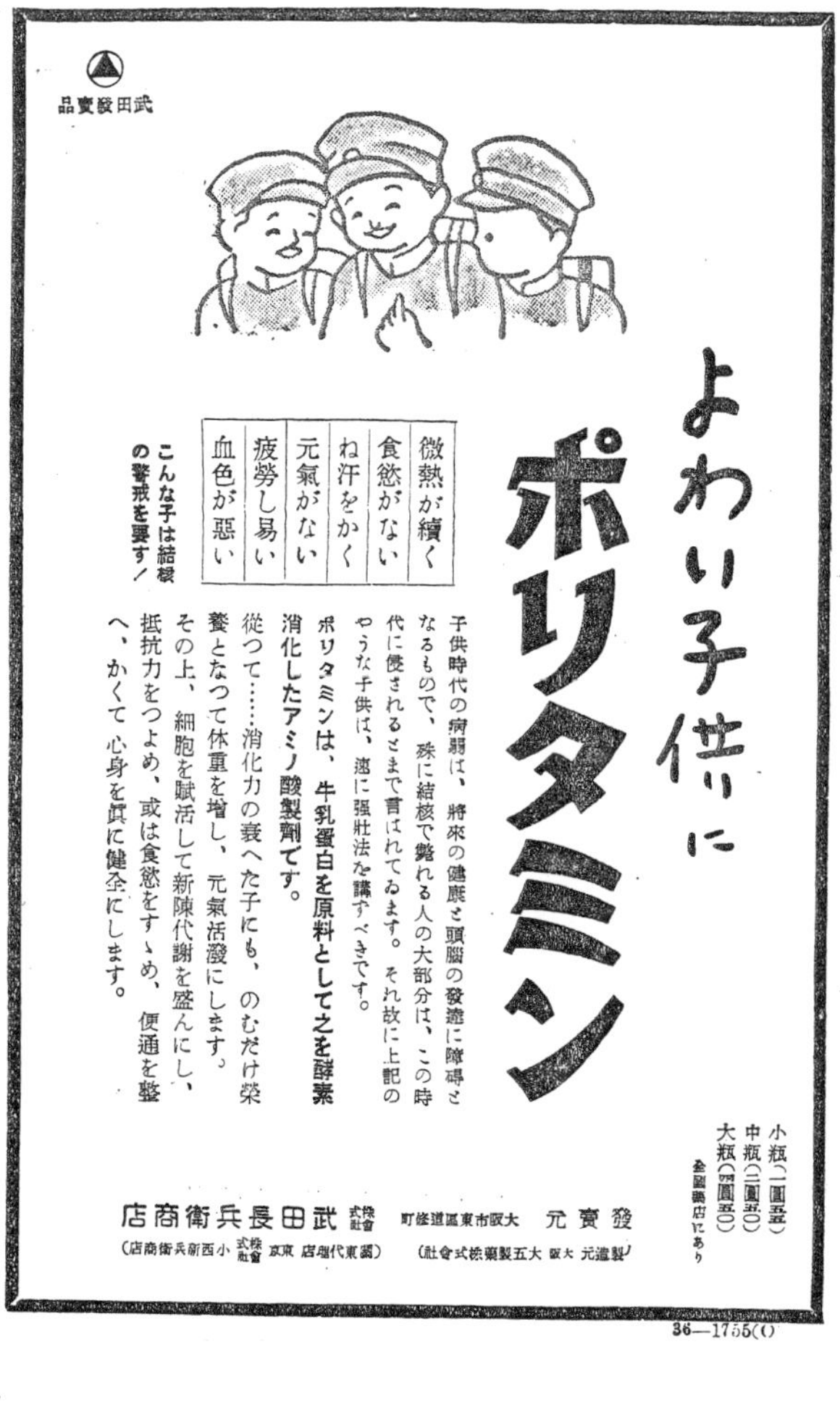

36—1755(〇)

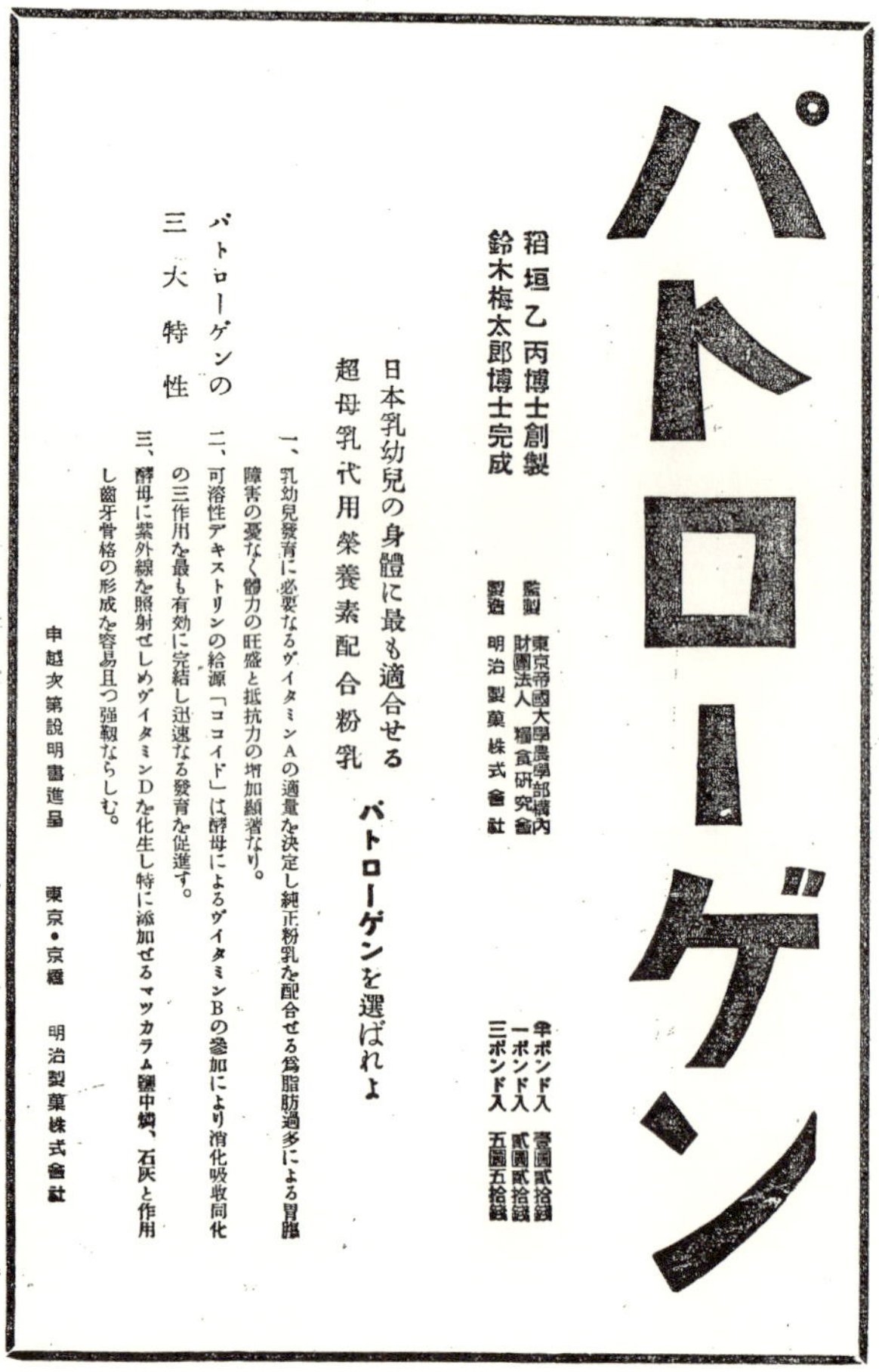
パトローゲン
稲垣乙丙博士創製
鈴木梅太郎博士完成
監製 東京帝國大學農學部構内 財團法人 糧食研究會
製造 明治製菓株式會社
半ポンド入 壹圓貳拾錢
一ポンド入 貳圓貳拾錢
三ポンド入 五圓五拾錢
日本乳幼兒の身體に最も適合せる
超母乳代用榮養素配合粉乳
パトローゲンを選ばれよ
パトローゲンの
三大特性
一、乳幼兒發育に必要なるヴイタミンAの適量を決定し純正粉乳を配合せる爲脂肪過多による胃腸障害の憂なく體力の旺盛と抵抗力の增加顯著なり。
二、可溶性デキストリンの給源「ココイド」は酵母によるヴイタミンBの參加により消化吸收同化の三作用を最も有效に完結し迅速なる發育を促進す。
三、酵母に紫外線を照射せしめヴイタミンDを化生し特に添加せるマツカラム鹽中燐、石灰と作用し齒牙骨格の形成を容易且つ强靭ならしむ。
申越次第說明書進呈
東京・京橋
明治製菓株式會社

此の效果！
此の香味！
ライオン齒磨は、
品質の優秀を確認された齒磨です。どんな科學的試驗も端的に此の事實を裏書して呉れます。殊に原料粉末の微細均等なることは、ライオン齒磨の最も誇とする所であります。
LION
TOOTH PASTE
AN IDEAL PREPARATION FOR THE TEETH GUMS AND MOUTH MADE OF SCIENTIFICALLY SELECTED MATERIALS
ライオン齒磨

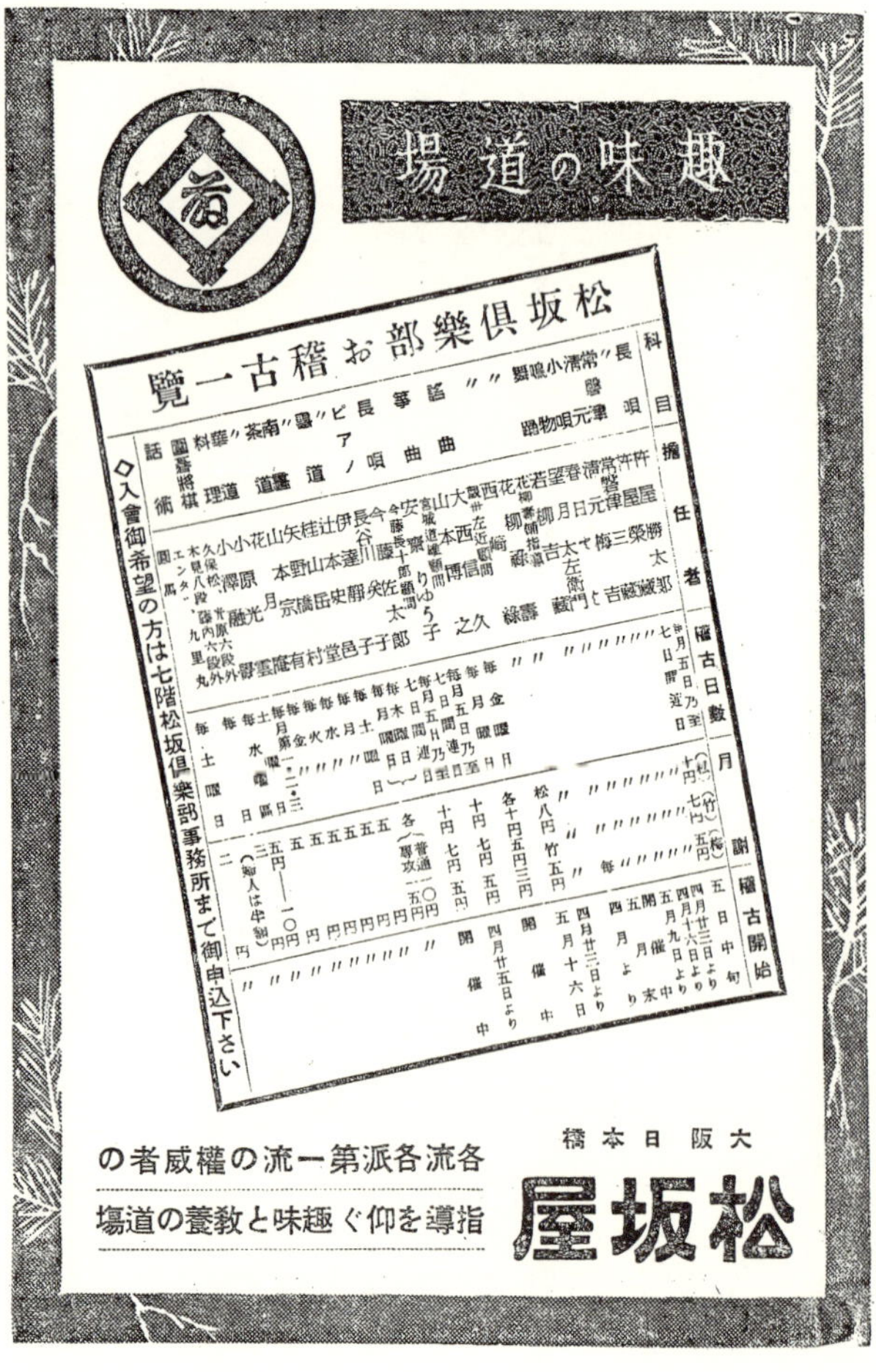
趣味の道場
松坂倶樂部お稽古一覽
科目
擔任者
稽古日數
月謝
稽古開始
◇入會御希望の方は七階松坂倶樂部事務所まで御申込下さい
大阪日本橋
松坂屋
各流各派第一流の權威者の
指導を仰ぐ趣味と教養の道場

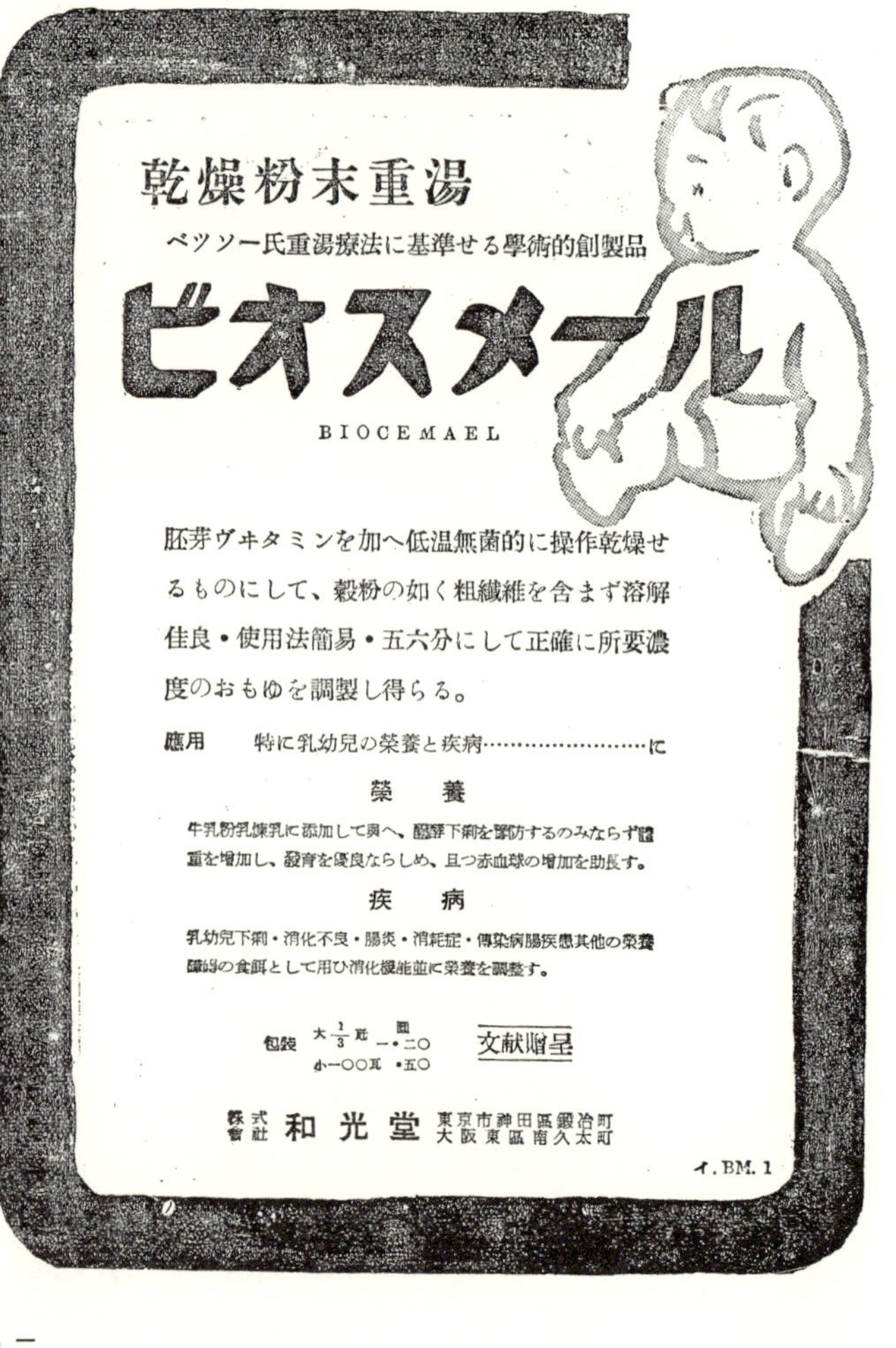
乾燥粉末重湯
ベツソー氏重湯療法に基準せる學術的創製品
ビオスメール
BIOCEMAEL
胚芽ヴヰタミンを加へ低温無菌的に操作乾燥せるものにして、穀粉の如く粗纖維を含まず溶解佳良・使用法簡易・五六分にして正確に所要濃度のおもゆを調製し得らる。
應用　特に乳幼兒の榮養と疾病……………………に
榮養
牛乳粉乳煉乳に添加して與へ、醱酵下痢を豫防するのみならず體重を增加し、發育を優良ならしめ、且つ赤血球の增加を助長す。
疾病
乳幼兒下痢・消化不良・腸炎・消耗症・傳染病腸疾患其他の榮養障碍の食餌として用ひ消化機能並に榮養を調整す。
包裝 大 1/3 瓩 圓 一・二〇
小一〇〇瓦 ・五〇
文献贈呈
株式會社 和光堂 東京市神田區鍛冶町 大阪東區南久太町
イ.BM.1

九年前の最優良兒

昭和四年十月第七回全大阪乳幼兒審査會施行に際し、最優良兒として表彰された米澤史朗君、現在芦屋山手第三小學校二學年生であつて、去月の學藝會に於て『鬼ケ島征伐』なる童話劇演出の時桃太郎にふんして喝采をはくした。

先輩に迎へられた郷土の見學生

永年の勤勉力行今日を築き上げた帝都の成功者たちが、自分の鄕土の優秀な後輩のために、その代表者をして東京の見學をさせたと云ふ今の世に珍らしい美談——
——本誌第七十二頁　星泰三郎氏の『帝都見學の記』參照、向つて右より二人目 星宮城縣金山小學校長、阿部見學生、渡部見學生、加川茂平氏、大槻醫學博士、他は同博士の令孃と令息たち——

輝く母性愛

——東京市淀橋區東大久保二ノ一九四島田久司氏と夫人と義子様との間に生れし御愛兒——

蓄膿症
扁桃腺
の新治療法!!
鼻と腦との關係は薄い骨一枚を隔てゝゐるに過ぎません。匂ひの刺激が頭に及ぼす影響の强い事は、此の點からでも頷かれる譯です。鼻の病氣は元來寢てる程の事もないのでナニ鼻位ひと簡單に考へて居りますが輕い鼻病が遂には記憶力減退、神經衰弱の樣な症狀を起す事は稀ではありません、それには最近著しくその眞價を認められたユーカリ吸入療法をお奬め致します。恐るべき鼻病の新療法と云ふ小册子無代呈上、本紙で見たむね明記の上御申込下さい。
定價（鼻喉兩用二圓・一圓五十錢。鼻專用最小型一圓各種共ユーカリ油添付）
東京市日本橋區本町四
大川式吸入器本舗
大川ユーカリ吸入器

昭和十二年 子供の世紀 五月號

祭りよりも憐みを勵め（卷頭言）

盲、聾、啞の三重苦を克服して、普通以上の才能に富んだ正常人さへも及ばぬ教養の最高峯に拔んで、『二十世紀は子供の世紀なり』、と喝破したヘレン・ケラー女史の來朝は、朝野をあげて歡迎の大渦をまき起したが、この十分の一、百分の一の注意が、平素我が國に於て、盲聾啞者の特殊教育や施設に向つて拂はれ、社會事業などがもつと盛んに行はれてゐたならば、大臣宰相をはじめその他いかなる人の歡迎辭よりも、遙に女史を喜ばす無言の言葉となつてゐたであらう、とは東西大新聞の社說の論旨が一致するところであつた。

古の聖者は憐れみよりも祭りを好む輩を嚴重に戒めて居る、冠婚葬祭は人間社會の儀禮であつて、殊に知己、朋友、隣人に對しては怠つてはならぬ重大事である。然し乍ら平常隱れた處にあつて人に眼立たぬ德を積む事を爲さぬ人々が、人の冠婚葬祭の場合の音頭取りをして、お祭り騷ぎをするのを往々にして見受けるのであるが、是れ等は愼まねばならぬ事であると思ふ。

兒童愛護週間に際し、さも素朴さうな一老人が、或る都市の社會施設を訪ねて、「子供を大事にするのは此の週間だけでよいのか」、と眞顔で尋ねたと云ふ事であるが、我等若し平時に於て今すこし眞劍に努力して居るならば、斯くの如き愚問を發する人も根絶するであらう。

虚名をはくさんため、我れ先きの功名にあせるため、兒童愛護運動の創業の苦鍊も知る事なくして、唯いたづらに表面的の空騷ぎを演じ、自ら先覺者としての美名を宣傳する如きは所謂心臟の强さを物語つて居るのであらうが、これ等は餘りに稱讚に値するものではない。

ヘレン・ケラー女史を喜ばしたものは鳴物入りの歡迎よりも、これに從事する者の謙虚の精神と獻身奉仕の心事であつたと思ふ、社會事業の統制や團體的行動もとより必要である、然して我等朝夕これに從事してゐる輩が、今日迄、亦現在何をなしつゝあるかを眞面目に反省する事の急務を悟るのである。

我が國民體位の趨勢

文部省體育課長 醫學博士 岩原拓

國民の體育、國民の保健といふことが、最近なかなか喧しい問題となつてゐる。それに關連して、一體我國民の體位は向上しつゝあるのか、それとも低下しつゝあるのかといふことが、屢々問題となる。それで茲に私は、この問題を解決する一部の參考にもと思つて、國民の死亡率と平均餘命の問題、壯丁の體格の問題、在學者の健康狀態の問題の三つの事柄に就て、最近の推移をざつと御話致したいと思ひます。

第一 死亡率と平均壽命

一、我國民の死亡率

健康の終焉としての死といふことに就て考へて見ますと、甚だ遺憾ではありますが、我國民の死亡率は、歐洲諸國に比べて最も高い率を示して居ります。尤も凡ての國の死亡率は何れも近年になつて低下して居り、我國も同樣であります。ところが明治三十二年頃は歐洲諸國と日本との死亡率の開きは左樣大きくないのでありますが、その後だんだん大きくなつて昭和八年にはかなりの開きとなつてゐます。この點は甚だ殘念なことだと思ひます。

○

ところで、死亡率が高いとか低いとか謂つても、死ぬ年齢によつて、心配する程度が違ひます。例へば高齢者の餘計死ぬといふのならば、まあ仕方がないとあきらめもつくのでありますが、若いものが澤山死ぬといふのでは、國勢の上に大きな關係をもつのであります。そこで年齢や性の區別に依る死亡率を見ることが必要となります。次の表はそれを示したのでありまして、我國と英國及び米國との比較であります。

日英米死亡率の比較（括弧内は調査年代）（人口千人に付）

年齢別 性別 年齢	日本（一九二六―一九三〇） 男	日本 女	英蘭及威爾斯（一九二一―一九二三） 男	英蘭及威爾斯 女	北米合衆國（一九〇一―一九一一） 男	北米合衆國 女
〇歳	一四〇・一	一二四・一	九〇・〇	六七・四	一三五・〇	一〇三・八
一〇	二・六	三・〇	一・八	一・八	二・四	二・〇
二〇	九・八	一〇・六	三・五	三・一	五・〇	四・四
三〇	七・四	八・九	四・三	三・九	六・八	六・〇
四〇	九・六	一〇・一	六・九	五・三	一〇・五	八・三
五〇	一七・五	一三・六	一一・八	九・二	一五・八	一三・八
六〇	三六・七	二四・二	二五・六	一九・〇	三一・〇	二六・一
七〇	八〇・四	五七・七	六〇・〇	四六・五	六二・〇	五六・八
八〇	一七〇・二	一三八・五	一四〇・〇	一一七・七	一三五・六	一三五・七
九〇	三四一・四	三二一・七	二六七・五	二三八・五	二五三・九	二四五・四
一〇〇	六〇四・八	六四二・三	四五五・四	四二三・五	四〇七・二	三九六・六

右の表に現はれて居ります通り、年齢に依つて死亡率は大變に違ひまして、初生の一年が高くそれから漸次低くなつて十歳、十一歳頃が最も低く、それからまた高くなるのであります。而してこの表を通覽して氣がつきますことは、各年齢とも男女を問はず、日本が英米を凌駕してゐることであります。これも甚だ遺憾なことであります。尙この表で氣がつきますことは、二十歳の時の死亡率が英米では低いのに我國だけが特に高いことです。而もこれには我國民の結核の死亡がこの年頃に多いといふ意味があるのであります。この點また甚だ憂ふべきことであります。

〇

ところで、外國との比較はしばらく措くとして、我國だけで考へることゝして、我國では過去から現在迄の間に、段々殖えて來て居るのか、或は段々減つて來て居るのかといふ問題を考へて見ますのに、兎に角近年に於ては、國民全體の死亡率は漸次低下してゐるのであります。また大正一〇―一四年と昭和五年との二つの年代で年齢別性別の死亡率を較べて見ますと、何れの年齢に於ても男女とも、既往よりは最近の方が減つて來て居るといふ事が分るのであります。この點は國民保健施設の普及また國民體育向上の結果とも考へられるのでありまして甚だ御同慶に存ずる次第であります。これを要するに外國に較べれば日本人の死亡率は高いが、我國だけで謂へば既往より最近の方が低くなつてゐるといふわけであります。

二、我國民の壽命

次に壽命の事を申し述べます。日英米人の平均壽命を比較して見ますと、我國民の平均壽命はそれらの國に較べて短いのであります。次の表は夫を示して居ります。

平均餘命の日英米比較（括弧内は調査年代）

年齢	日本（一九二六―一九三〇） 男	日本 女	英蘭及威爾斯（一九二一―一九三〇） 男	英蘭及威爾斯 女	北米合衆國（一九〇九―一九一一） 男	北米合衆國 女
〇歳	四四・八二	四六・五四	五五・六二	五九・五八	四九・九	五三・二
一〇	四七・九三	四九・一八	五四・六〇	五七・五三	五一・一	五三・三
二〇	四〇・一八	四二・一二	四五・七八	四八・七三	四二・五	四四・七
三〇	三三・四三	三五・九八	三七・四〇	四〇・二六	三四・七	三六・八
四〇	二五・七四	二九・〇二	二九・一九	三一・八六	二七・三	二九・二
五〇	一八・四九	二一・六七	二一・三六	二三・六九	二〇・三	二一・七
六〇	一二・二三	一四・六八	一四・三六	一六・三三	一四・〇	一四・〇
七〇	七・四三	八・八八	八・七五	九・九五	八・八	九・四
八〇	四・一五	四・七三	四・九三	五・五六	五・一	五・四
九〇	二・一七	二・三四	二・八二	三・三三	三・〇	三・一
一〇〇	一・〇九	一・〇二	一・五九	一・七三	一・八	一・九

此表は御案内の平均餘命の表でありまして、零歳の者がこれから先どの位壽命があるか、また十歳になつた者がそれから先どの位壽命があるかといふことを、實際の死亡數から割出したものであります。大體に於て日本は英國や亞米利加合衆國に較べて男も女も平均の餘命が少い事がわかるのであります。此點餘り慶ばしい事ではないのであります。しかし乍ら前と同樣に、日本國民だけに就て既往と最近とを較べて見ますと、大正十一十四年と昭和五年とでは昭和五年の方が幾分か數が多くなつて居る。卽ち壽命が長くなつて居るといふ事がわかるのであります。

これは大變慶ばしい現象のやうでありますが、しかし明治三十年代や、大正末期の調査と比較しますと、大正一〇―一四年の時の平均餘命は、昔のそれに大體類似してゐるのであります。從つて我國民の平均餘命は昔に比べて長くなつたといふことは少し言ひ過ぎであつて、昔も今も大體同じである。但し短かくはなつてゐないといふことは言ひ得るのであつて、この點ではまあ惡くないと考へてよからうと思ひます。

これを要するに我國民の平均餘命は外國に比べると短かいけれども我國だけで既往から最近に至る推移としては長くならぬまでも決して短かくはならぬ、まあ惡い傾向はないといふことになるのであります。

三、結核の死亡率

尙ほまた最も重大視されてゐる我國民病の一つである結核の死亡に就て考へて見まするに、次の表に現はれてゐますやうに、明治四十三年頃から昭和七年に至るまで漸次その死亡率が減退して來てゐるのであります。茲に結核と申しますのは、肺結核ばかりでなしに凡て結核性の病氣に罹つて死ぬものを集めたものであります。この表で見ますと二二・四といふのから一八・〇といふのに向ひまして段々少くなつて來て居るのであります。これは大變に悅ばしいことであります。

結核死亡累年表（人口一萬に對し）

明治四十三年	二二・四	昭和五年	一八・六
大正四年	二一・三	同六年	一八・六
同九年	二二・四	同七年	一八・〇
同十四年	一九・四		

備考　全結核死亡者なり

四、以上の小括

以上は單に國民の死亡率、國民の平均餘命、國民の結核死亡率といふことだけに就て述べたのでありますが、以上の三つの事柄は國民の健康狀態を知るために最も必要なものでありまして、若しこれらの觀察から我國民の健康狀態を論じますならば我國民の健康狀態は外國のそれには劣つて居るけれども、我國だけに就て考へて見ますならば、過去より現在に向つて良くなつて來て居ると申さねばならぬのであります。そして日本人は兎に角丈夫になりつゝあるのだ。まあ安心して宜しいといふ聲が相當多くなつて來て居るやうに思ひます。日本人がだんだん丈夫になつて來るといふこと、是はお互に非常に悅ばしい事であります。大に祝福して宜いといふ風に考へなければならないのであります。然し私は更に進んで、觀察の舞臺を壯丁の健康狀態、在學者の健康狀態といふことに廣めて行き度いと思ふのであります。そこにはどんな事實が現はれてゐるでありませうか。

第二　我國民の壽命

一、體格等位

壯丁の體格（廣い意味の體格で健康狀態の意味も含まれてゐる）の等位を觀察して見る。體格の等位は甲、第一乙、第二乙、丙、丁、戊の六種に分れてゐる。最近の陸軍省の發表では次の表に見る如く昭和元年から昭和七年迄の間で、甲種は三五・四%から二八・〇%に向つて漸次減つて居る。また第一乙、第二乙も僅かであるが減つて居る。而して丙種は二三・〇%から三三・四%まで增えてゐる。また丁種も三・八から六・七まで增して居る。戊の方は一向變りがない。そんなわけで大體から申しますならば、甲種とか第一乙種とか第二乙種とかいふ種類の體格の者は漸次減つて來て、丙種とか丁種の體格の者が殖えて來るのであります。このことは優良健全なる壯丁を得ねばならぬといふ國防上の見地から見ても、

また國民の健康保全といふ見地から見ても決して慶ばしいことではないのであります。

壯丁體格等位百分比例

年次＼體格等位	甲種	第一乙種	第二乙種	丙種	丁種	戊種
昭和元年	三五・四	一三・五	二四・一	二三・〇	三・八	〇・三
同二年	三四・一	一三・〇	二一・九	二六・〇	三・九	〇・
同三年	三〇・三	一二・四	二二・一	三〇・二	七・〇	〇・一
同四年	三〇・〇	一二・八	二〇・四	三〇・五	七・〇	〇・三
同五年	二九・〇	一二・六	二〇・五	三一・五	六・九	〇・三
同六年	二八・八	一二・七	二〇・三	三一・三	六・八	〇・二
同七年	二八・〇	一二・五	二〇・三	三三・四	六・七	〇・二
評	減	小減	小減	增	增	

右の表で私が特に申上げて置き度いのは、丙であるとか丁であるとかいふものは、事實身體に惡い所があるが故に丙とされ又丁とされるのであつて、此二つのものが增して來て居ることは明かに壯丁の身體が惡くなつて來てゐると觀ねばならぬといふことであります。甲とか乙とかいふことには、採兵上の條件とかまた檢査者の考へとか色々のことが含まれ得るのでありますが、丙、丁などは身體に異常のあることが明かにされてゐるのでありますから、これを目標にすることが國民の健康狀態を知るには最もよいと思ふのであります。

二、丙丁種に多き疾病異常

次には丙とか丁とかいふ者にはどういふ疾病異常が多いかといふ問題であります。而して丙、丁種には、槪して筋肉薄弱者、近視眼者、肺、胸膜の病氣、耳疾などが多いのであります。そこで右の中年代的に增減の明かにされてゐるものに就て見ますと次の表に掲げました通り筋骨薄弱は七三・五五から一一七・六六に、近視眼が一〇・九一から一五・七二に、肺若くは胸膜病の者が一三・九七から二〇若くは二五といふ風に殖えて來て居るのであります。これは陸軍としても非常に心配して居るのでありまして、昨年の地方長官會議の際當時の林陸軍大臣

壯丁、丙、丁種身體異常（千分比）

	筋骨薄弱	近視眼	肺胸膜病	トラホーム	花柳病
昭和元年	七三・五五	一〇・九一	一三・九七	一三〇・四五	一三・二八
同二年	一〇七・一四	一四・二三	二一・七八	一二六・五八	一一・九三
同三年	七一・八六	一一・五八	二一・二二	一二一・三五	一三・八三
同四年	八一・六九	一一・七三	一九・一四	一一一・三五	一一・一三
同五年	九八・八〇	一三・八三	二三・九六	一一〇・八九	一〇・〇三
同六年	一〇八・六五	一三・七七	二五・三八	一〇九・四七	九・七二
同七年	一一七・六六	一五・七二	二〇・八七	九八・六五	九・九八

からこのことに就て特に訓示された次第でありました。

序でゝございますから此表に併記して置きました壯丁のトラホームと花柳病のことを申し添へます。トラホームと花柳病は年々減少して來てゐるのであります。トラホームと生活の淸潔化と深い關係を持つものである。また花柳病は國民の風敎と深い關係を持つものでありますが、この二つの病氣が壯丁に少なくなつて行くことは甚だ良いことだと思ひます。

三、壯丁の身長及體重

こゝで一寸壯丁の身長と體重とのことを申上げます。壯丁の身長及び體重との卽ち身體の分量の關係でありますが、昭和元年から昭和七年迄の間で兎に角身長の方は餘り著しいとは申されませぬが、だん〳〵大きくなつて來てゐる。また體重の方も大體それに應じて增して來てゐるのであります。しかも身長と體重との割合を求めて見ますと、其の割合は三・三といふことでズツと變らないのであります。卽ち壯丁は身長に於ても體重に於ても前よりは大きくなつた。且つ身長と體重との釣合は依然として整つてゐるといふことが出來るのであります。これは良い傾向だと申さねばなりません。

四、小　括

以上申上げたことを、かい摘んで申しますると壯丁では身長、體重などは兎も角も大きくなつて來て居るが、しかし筋骨薄弱者、近視眼者、肺、胸膜の病者などは殖えて來て居るのであります。言葉を換へて申すと、見かけは立派になつて來てゐるが、眞の健康は劣つて來ると申さねばならぬのであります。

第三　在學者の健康狀態

更に眼を轉じまして、在學者の健康狀態を覗ひます。小學校は義務敎育でありますから、その頃の年齢の國民の殆ど全部が集まつて居るわけであります。而してそれから選ばれつゝ中等學校、高等專門學校、大學といふ具合に進んで來るのでありまして、これらの者は卒業後に於いて社會の中堅的或は先覺的な方向に進むものであります。從つて在學者といふのは國民の一部には違ひないのでありますが、なか〳〵重要な意義を持つてゐると考へられます。それで以下少しくその健康狀態を申し述べます。

一、在學者の身長、體重、胸圍

先づ初めに在學者の身長、體重、胸圍の推移を觀察致しますと、明治三十三年から昭和七年に至ります迄の七歳から二十歳迄の身長と體重と胸圍の累年比較を見ます

と、各年齢共また男女何れも昔から最近に至るに從つて量的に大きくなつて居るのであります。而して女子の方が男子より著るしいのでありまます。また年齢に依つて大きくなる程度が異るのでありまして、七、八歳頃は左程でもないのでありますが、靑春期に於て最も著しいのであります。

二、在學者の近視

次に全國の學生生徒兒童に就て、最近十ヶ年間の近視の推移を眺めて見ますと、次の表に示されてあります通り、先程壯丁に就て申上げたと同じ事であつて、而も壯丁に於けるよりも遙に著しき狀況を示して居る。小學校の男の方だけを觀て見ますと、大正十二年の時には一三・五%といふのでありましたのが、昭和七年になりますと一六・七一%といふことになつて居る、而も此增し方が大體に於てぢわり〳〵と來て居りますのでありまして、間違や偶然とは申されません。小學校女生徒では一六・〇一%から二〇・二三%に昇つてゐるのであります。それからあと一々申上げれば長くなりますが、高等女學校に於きましても、二八・三九%から三四・五六となつて居る。中學校では三一・四九%から三五・三六%といふ工合に兎に角段々增して來る。また小學校に於ては一六乃至二〇%といふのであるが、專門學校になつては四五%とか四九%とかに上つてゐる、蓋し專門敎育の學生生徒の半分は近視であるといふことになつて居るのであります。

全國學生生徒及兒童最近十ヶ年「近視」累年比較　（百分比）

學校別／年度	小學校 男	小學校 女	高等女學校	中學校	實業學校	師範學校 男	師範學校 女	專門學校 男	專門學校 女
昭和七年度	一六・一七	二〇・二三	三四・五六	三六・三五	三四・二〇	四三・二〇	四〇・〇三	四五・三〇	四九・六七
同六年度	一六・九七	二〇・二七	三四・六六	六・六五	三三・六七	四二・八〇	三九・六七	四一・二二	五一・四六
同五年度	一六・二四	一九・六九	三四・〇七	三六・三三	三四・二八	四三・六五	四〇・二五	四二・七一	五三・九八
同四年度	一六・〇八	一九・四九	三三・三九	三五・二四	二四・三四	四四・〇七	四〇・五四	四五・四四	五〇・三六
同三年度	一五・七九	一九・四一	三二・七八	三四・三七	三三・九五	四〇・九〇	三八・九六	四〇・二三	四〇・二六
同二年度	一五・二三	一八・九九	三二・〇三	三五・〇七	三五・三四	三八・六〇	三七・〇一	四七・四四	三二・九二
大正一五 昭和元年度	一四・四八	一七・三八	三一・〇七	三三・〇八	三三・八四	三七・一八	三三・六八	四一・七八	三八・一五
大正一四年度	一三・五九	一六・三七	三〇・一四	三二・七三	三三・三九	三五・二一	三二・二六	四四・九六	三一・八四
同一三年度	一三・九四	一四・四三	二九・二六	三二・二六	三三・四〇	三五・四三	三二・一三	三二・六四	四二・五八
同一二年度	一三・五七	一六・〇一	二八・三九	三一・四九	三一・二三	三四・〇五	三三・三三	三二・五八	二七・六九

三、在學者の齲齒

次は齲齒であります。齲齒の狀況を觀ますと、小學校高等女學校、中學校、實業學校、師範學校で大正十二年から昭和七年に至る間に於て、是も矢張り相當殖えて居

り、小學校の男子では四八・二六%から六四・五八%に增し、それから小學校の女の子では四七・五三%から六六・〇六%になつて居て他の學校に於きましても何れも殖えて來て居ります。此齲齒を簡單に齒の病氣に過ぎないと觀てしまひますれば問題は簡單でありますが、齒といふのは體の中で一番硬いもので、その硬いものが壞れて來るのでありますから、考へて見ますと恐ろしい、而して齲齒は齒の掃除が惡いとか甘い物を餘計に食べるとかいふだけで起るのでなく、齒の質が惡くなつて來ることが主な原因で、また齒の質が惡くなるといふのは、體質の良否と關係を持つわけであつて却々油斷のならぬことであります。

四、在學者のトラホーム

尙ほ序でゝございますから一つ良い方の事も申して見たいと思ひます。それはトラホームであります。是は小學校に於きましても、又何れの學校に於きましても、昔から今日に至ります數字が皆小さくなつて居るのであります。卽ち減つて居ります。結構なことであります。是は學校で治療をする關係も無論であらうが、全般的に生活が淸潔になつて來て居るといふ事の現れであると思ひます。

全國學生生徒及兒童最近十ヶ年「トラホーム」累年比較　（百分比）

學校別／年度	小學校 男	小學校 女	高等女學校	中學校	實業學校	師範學校 男	師範學校 女	專門學校 男	專門學校 女
昭和七年度	一一・三六	一三・五五	四・二四	四・二六	五・一八	三・〇九	二・九〇	二・五一	一・四七
同六年度	一一・六六	一三・九〇	四・三四	四・三七	五・三六	三・二五	二・五〇	一・四〇	一・六七
同五年度	一二・二〇	一三・六六	四・五三	四・六四	五・六五	四・四〇	三・三〇	二・一七	一・五九
同四年度	一一・一五	一三・五四	四・七六	四・七二	五・八二	四・六四	二・八〇	三・六二	〇・七二
同三年度	一二・八〇	一四・一八	五・二〇	四・八〇	六・三九	四・二〇	三・七二	一・二九	三・三二
同二年度	一三・〇〇	一四・五四	五・一五	五・二八	六・六三	四・七三	一・七四	二・二二	二・一二
大正一五 昭和元年度	一三・二七	一四・九九	六・一七	五・六四	六・八六	五・〇一	五・三三	一・一〇	三・五五
大正一四年度	一三・七六	一四・九三	六・二〇	六・七八	七・〇七	五・五八	四・五八	六・一八	四・九五
同一三年度	一四・四八	一四・八五	六・一四	六・一八	六・六六	五・五一	五・〇二	二・三三	三・一八
同一二年度	一四・九四	一六・四八	七・一〇	六・三三	七・七八	五・八三	五・一九	一・七八	二・一六

第四　總　括

以上で國民全體に就ての問題、それから壯丁に就ての問題それから在學者に就ての問題をざつと申し述べたのでありますが、これを總括して見ると次のやうに言ふことが出來ます。

さて我國民の壽命は、諸外國に比較すると、短いのであるが、我國だけで見ると大體に於て變化なく、短

小兒科

高洲病院

大阪兒童愛護聯盟理事

院長　醫學博士　肥爪貫三郎

顧問　醫學博士　高洲謙一郎

大阪市南區北桃谷町三五

（市電上本町二丁目交叉點西）

電話東一一三一・五八五三・五九一三番

命になる傾向はなく、少しづゝ長命になるのではないかと考へられる。

以上の事だけ考へると我國民の健康は概して昔から最近に至るまで段々良くなつて來てゐるのではないかと考へられぬこともないのである。

人口の自然增加といふことは誠に氣强いことではあるが、それも弱々として長生きする國民が增えるといふのでは決して樂觀は出來ないのではないでせうか。

しかし壯丁の健康狀態を見ると、見かけの體形は大きくなつてゐるけれども、筋骨薄弱だとか近視だとか胸の病氣だとかいふものは段々增して來る傾向を持つてゐるのである。而して丙種、丁種の者がだん〳〵增して來るのである。また在學者の健康狀態に於ても同樣に、體形は大きくなつて來てゐるけれども、近視だとか齲齒だとかいふものは、段々增して來てゐる。また胸の病氣に罹る者も決して少くないと思はれる。これを要するに、我國民は弱い身體を持ちながら、しかも死ぬことが減り、また壽命も短くならぬといふことになるのである。而して最近の人口統計に依れば、年々八十萬から百萬の自然增加があるのである。

少年工の問題

山川菊榮

入學試験のために、世間の同情を浴びてゐる中流階級の子供の何倍もの人數が同じ年頃で自分の米代を稼ぐために勞働市場へ殺倒してゐる。しかもその中で最も不利益なのは、僅かの前借に縛られてこき使はれる半封建的な年期工であるが、これが神奈川縣だけでも男女合せて八百名に達し、そのうち五割は五年ないし六年の年期、前借は精々百圓から三百五十圓どまり、一年から三年の短期のものは前借百圓未滿これが二割八分を占め、一人平均八十五圓弱、住込みであるため勞働時間に制限がなく、中には子守代りの雑役に追ひつかはれるのもある。

現在常時十人以上にしか適用されない工場法を、五人又それ以下の工場にも適用される必要は、長年勞働團體で主張されながら、容易に實現されないさういふ小企業を工場法から除外するのは、小資本保護のためだといはれるが、實はそれらの小工場は大工場の下請けをするので、そこに使はれる勞働者を廉く酷使することが許される結果は、間接に大工場の利益を擁護することゝなつてゐるのである。

全く法規の取締り外におかれてゐる小工場は、勞働時間も、食物、住居も傭主の意のまゝである。過日銀座の料理店で十人の焼死者を出したが、物置や屋根裏や職場に職工を寢せるといふことは、工場法の取締りをうける工場でさへ、監督官の目を盗んでやつてゐる所もあるが、全然監督をうけない小工場では決して珍しいことではなく、其等の工場の從業員は、年中生命と健康の危險にさらされ、殊に前借で縛られてゐる場合は、最も悲慘な狀態におかれてゐる。

近年少年の教育や健康の問題は、年々重要視されて來てゐるが、それらはすべて中流ないしそれ以上の子女を目標とし、それに何百倍する勞働者貧農の子供の問題は省みられず、勞働年齢の引上げを伴ふ義務教育延長もお流れになつてしまつた。貧なるが故に教育も早く打切り、幼にして父母の愛護から離れる子供達をこの狀態に放置する限り不良少年少女の問題は解決できまい。未來の日本を双肩に擔ふこれらの子供達の運命を、社會はもつと眞劍に考へる必要はなからうか。

新育兒讀本

母乳育ちの赤チャンは丈夫でミルクやおもゆ育ちの赤チャンが弱いことは、どなたもよくご存じのことですところがこのたびミルクやおもゆ育ちの赤チャンを、母乳育ちと同じやうに丈夫に育てるには、ヴィタミンCが必要なことが發見されました。これは近年に於けるヴィタミンの研究がもたらした最も大きな收穫の一つであると云はれます。

☆—★

これまでミルクに色々な物を入れて化學的に母乳と全く同一の成分にしても、それでもなほ赤チャンの發育が思はしくないと云ふので、小兒科の先生たちが、あたまを揃つてをられました。しかるに最近ヴィタミンCと云ふ成分が母乳には非常にたくさん含まれてゐるのに、牛乳にはその四分の一位しか含まれてなく、粉乳や煉乳になるともつと少く、おもゆなどには殆んど含まれてゐないことがはじめて判りました。

ミルクで育てる赤チャンにはなぜ榮養不良が多い？

牛乳中のヴィタミンC含量は母乳の半分もないから…

補給にはアスコル末で

そこで今度はミルクやおもゆの中にヴィタミンCを母乳と同樣の率になる迄入れて哺育して見ましたところが、驚くべきことには母乳で育てた場合と同樣に赤チャンがぐんぐん發育しはじめ消化不良などを起さないですみ、こゝに始めて育兒上にヴィタミンCが非常に大きな役割を有つてゐることが發見されました。

☆—★

このヴィタミンCは新しい果物の汁や大根や菜っ葉の汁の中にもありますが、レモン汁の中には一ばんたくさん入つてをります。しかし大人なら格別ですが、さなくとも胃腸のか弱い赤チャンに果物や大根汁をむやみに與へることは、實際の問題としては容易すいことではありません。そこでこのヴィタミンCを純粋にしてどんなにたくさん赤チャンに與へても、絶對に害にならないやうにしたのがアスコル末です。

アスコル末は生牛乳約一合の中に半瓦、粉乳や煉乳には一瓦、おもゆには二瓦以上入れて與へますと、ヴィタミンCに關する限りは母乳と同樣になります。もしお宅なり皆さまのお知り合の方にミルクやおもゆなどで育てゝをられる赤チャンがおありでしたら、どうぞこの新しいアスコル末を教へて上げて下さい。

☆—★

壞血病と云つて齒齦が腫れ、皮膚に紫色の斑點が現れ、湯浴やおしめの取替への際に泣き叫ぶやうな症狀はヴィタミンCの不足から起り、なほジフテリヤ、百日咳、その他いろいろの病氣に對する抵抗力を失ふことになります。人工榮養の赤チャンを母乳育ちの赤チャンと同樣に丈夫に育てるやうアスコル末のご利用を。

七五瓦(生乳一斗分)二円五十錢 藥店にあり
株式會社 田邊元三郎商店發賣 東京市日本橋區本町二 七

AS 2

不良兒の溫床は多くは家庭

無理解な親の叱責や威壓が子供の心をそこなふ

日本少年保護協會長 森山武一郎

單に犯罪少年を罰したり、收容所に入れたりしてゐる時代ではありません ソヴイエト・ロシアでは國策として不良少年の一掃につとめ、現在更生した浮浪兒を從業員とする高級カメラ工場ができ、ドイツでは不良少年を出した場合は親を罰する法令を布き、いづれも根本的な方法をとつてゐます、日本では現在三ケ所の國立少年院(多摩、瀬戸、浪速)の範圍外の少年に對しては一ケ年十數萬に上る浮浪兒の將來を考へても、少年保護の急務を感じます。

× ×

全不良兒の廿パーセントに上る病的素質の者を除き、多くは家庭の狀況が原因です、私達から見れば親達や教育家位、子供の氣持を知らない者はありません、子供が幸ひに性格がよく、周圍の狀況も普通の場合は一ぱしの親となつてゐても、一たん環境が違つたり子供が學校へ行つたりしたら、そろそろ分らなくなり、子供が惡の道に染まり出したらいよいよだめです、今まで人一倍にやかましくいつてゐた親はもちろん、自由氣儘に育てた親も、子供が不良になると同時に一變して、辛い峻烈な態度をとりますが、すでに子供は親の威壓強制には服從しません、こんな甘辛混合の無定見な育て方が子供をそこなふことは非常なことです。

× ×

強ひて子供を責めとがめたら、子供は親に對して不信と恐怖を起し、刻々離れて行くだけです。

實際問題としては、親の家を逃げ出す子供は僅ですが、心中の不平、反抗が、惡への強大な原動力となるのは間違ひもないことです「いつておいたのに」とか「あれほどいつて聞かせてあるのに」とは親の口癖ですが、自由意志をもたぬ子供に、そんなことをいつてもはじまりませぬ、親のいひつけ通りになるなら相手はもはや子供ではなく、立派な人格をもつた成人でせう、叱責されては、やうやく子供が備へた徳性が一ぺんに飛んでしまひます、しかし褒めるといつても、學校の成績がよいとか、仕事がよく出來たなど、指導者側に都合のよいことをいふのは最も下手なやり方で、出來た結果を褒めず、出かし振りを褒め、出かさんとする事がらを褒め、私心を離れなければなりません。

× ×

少年院ではいろんな作業をやらせてゐますが、少年保護は囚人の勞役とは違ひますから、自分の好きな仕事をやらせなければ絶對に成功しません、ある少年は脱走十數度、どんな仕事をやらせてもだめだつたのが、ふとした事からチンドン屋をやらせてみたら大成功だつたことがあります、親のせまい見解から割出した型にはめることぐらゐ危險なことはありません。

レビューの樂屋

オリエ津阪

御承知の方もおありでせうが、何が亂雜かつて、レビューの樂屋ほど多種多彩の物が取散らかつてゐるところはないでせう。

部屋着、衣裳、羽根帽子、シルクハットにブロマイド、雜誌、人形、小說類まではいゝとして、お壽司の皿から、ウドンの鉢、チョコレート、キャラメル、蜜柑の皮、エトセトラ……といつた調子！

ところが、私の鏡臺の化粧刷毛の傍らに、凡そこの部屋とは調和しない茶褐色の藥壜（なんとそれは「錠劑わかもと」の大瓶ですの）が置かれるやうになつたので、人々は皆んな不思議がつて、いゝえ不思議がるといふよりも、てんから、

『オリヱさん、チョコレート喰べ過ぎて胃腸戰線異狀ありなの？』と勝手に診斷してられます。

勿論、それもないではないですが、これは不規則な舞臺生活を心配してお母さんが常備藥として私に買つて下すつたのです。

いつも春先きになると、便秘を起して憂鬱になり勝ちな私の身體の調子がすつかりよくつて今度の關西興行中も人一倍元氣で舞臺を勤めることが出來て喜んでゐます。

それ以來、私に見習つてポツ〳〵わかもと黨が仲間の中に出來て來ました。

「錠劑わかもと」は東京市芝公園、わかもと本舖榮養と育兒の會（振替東京一七〇〇番）から三百錠入、千錠入の二種が一日分僅々五、六錢（小兒には二三錢）の廉價で發賣されてゐますが、近來その聲價を利用して效果疑はしい類似品（酵母、ビール酵母劑といふ類似藥です）をお賣めする藥店もありますから御注意さい。

小學校のために

『錠劑わかもと』についてゐる掛圖引換券を先生に差上げませう。それと引換へに美しい掛圖が小學校へ贈呈されます。

母と子（子の教育篇）

文學博士　下田次郎

四

その外母に望む所は、子供、特に男の兒には成るべく活動の自由を與へ、學成りて業務に就かんとする時、あまり制肘しないことであります。「筍や地面ひろしと飛び離れ。」人間到る處青山ありで何處で、何を爲やうが正直に働く以上は母は構はない事にしたいものであります。今後の男子は內地は勿論、世界を股にかけて働くだけの、意氣と實力とを要します。子が母の膝下に居なくても心さへ通つて居ればよいではありませんか。子と共に遠方に行けなら行くといふ氣象も母にほしいものであります。

我國名僧の一人慧心僧都は、七歳の時父を喪ひ、母の手一つに育ちました。父の遺言に從ひ、僧たるべく、少にして叡山に修業に行きました、その出立に當つて、母は「御身これより山に上り行くからには、一心に佛道を修行して倦むこと勿れ。他日學成り業遂げなば、この方より、便して、親子對面の期を知らすべし。若し中途にして歸り來るが如きことあらば、この母は必ず面會すべからず。今の別れを永き世の別れとも思ひ、唯心を致して、父の後世を弔ひ、母が二世の資ともせよ。我れ世に賴みと思ふは御身一人なれども、恩を棄てゝ無爲に入るこそ、第一の孝行なれ、ゆめ母の言葉を忘れそ」と言つて送り出しました。「子に運ぶ親の心坐乍千里萬里も行く。」子に別れてより鄕里の母は「哀れ今頃は恙なくして學びの道を勵みつゝあるか。南無觀世音菩薩、この母を

憐れみ給はば、願はくば我が子の上を護らせ給へ」と、祈らぬ日とてはなかつた。

かくて僧都は一心に勉強した結果その名聲高く九重の空までも聞えて、宮中より御衣を賜はりました。僧都は母を喜ばせんものと、「一天の君より恩賜ありし御衣なれば故鄕の母上に贈り奉る」との文を添へて、鄕里なる母にこれを贈りました。母は喜ぶと思ひの外、「徒らに世の名聞僧を作らんがために、可愛き一人子をばむざ〳〵出家はせしめざりしものを」と、再び僧都の許にこれを送り返しました。僧都は「若しこの嚴しき敎誡なかりせば我れは出家の大道に踏み迷ひ、三惡の大坑に陷るより外術なかりしものを」と、故鄕の方を伏し拜み、その後は御召しあれどもこれを辭し、一意專心道を修めて、遂に大知識になりました。その「勸進の偈」の書き出しには「悲母生育のゆゑに、成長して、人となることを得たり、この恩德を報ぜんがために、勸進の偈を獻じ奉る」とあります。母の臨終には鄕里に歸つて懇ろに介抱し、母の往生の後は、その像を自ら畫いて一生これを護持したといふ。千年の昔にこれほどの氣象の母のあつたことを想ひ、今日の母は子の志を成さしむるに、大なる勇氣と強き決心とを有たねばなりません。

五

然らば今日の母はどうでありますか。これを一、二の事實について見ませう。

「私が初めて東京に出て來ます時母の言葉に、お前が學校を良い成績で卒業して、歸つた時の顏を一目見れば自分はもう死んでもよい、と言はれました。私はその言葉が耳に殘り居りなまけて居つても、母の事を思ひ出し、又すぐ仕事に取りかゝります。私は一日も早く卒業して母の傍に行き、母に安心させたいと思ひます。」

これは一人の女學生の母であります。また他の母について、子の書いたものに、

「私は父が亡くなつてから母の手一つで毎月學資を送られるのが心苦しうてなりませんから、その額を減ぜられるやうにと申しました處、先日返事がまゐりまして「決して入らない心配をしたり、無理に體を惡くしておくれでない。私はお前に學資を送らねばならぬと思ふのが勵みになつて、まだ弱つてはならぬと、働く氣

にもなる。お前がないならば、この年をして、夫に別れた賴りない身で、この先何を樂しみに生きて居られやう。お前があればこそ働くかひがあつて、まだ〳〵生きて居りたいと思つて居る」と、子の爲めに苦勞するのを幸ひだと喜んで參りました。

私はこの手紙をみまして、どうしても泣かずには居られませんでした。苦勞するのを樂しみにして、生きて居ると云ふ者が親でなくて外にありませうか。今でも彼の丹波の山奥に深い雪は鎖されて、問ふ人さへ稀な家に私のために生きて居る人があるかと思ひますと、重い責任の感に打たれて、戰慄するを禁じ得ないのでございます。それで昨今私は、御國のためを忘れたでもありませんが何を致しますにも、先づ母が先きで、母に安心させたいと思つて體を大事にし、母を喜ばせるために勉強も、卒業も望んでゐるのでございます。

東京に修業に出て居る學生の背後には、かやうな母があるのであります。また母が口癖のやうに、「どんなおいしい物を食べるよりも、どんな美しい着物を着るよりも子供の立派に育つのが一番樂しく、又心配である」と言つて居るのもあり、又「お母さんはどんな辛抱でもするから、お前は學校で一生懸命に勉強してくれ」と言つて居るのであります。

六

「母の如くに女も然り。」さういふ母の子に限つて、力の入れ方も格別で、成績も良いのであります。男子の學生はいふに及ばず、若い女子でも今日はかゝる覺悟で勉強して居るものが澤山あります。幾十萬の學生には側に又遠方から母が附いて居て命にかけて子を勵まして居ることを忘れてはなりません。母の念ひだけでも、成業させずには置きますまい。「英雄的所業の最も偉大なるものは、家庭の四壁の內人の知らざる所に於て行はる」とデ・クインシーは言ひましたが、寡婦が子女の敎育の爲に健氣に奮鬪するほど、殉敎的な感動すべきものはありますまい。古くは宗敎界の偉人オーガスチンの母モニカの如きは、それであります。モニカは素行の修まらなかつた子を大なる苦心の後、遂に改心せしめ、後世聖オーガスチンと尊まるゝほどの名僧にしました。モニカが子の改心を見安心して永眠に就かんとする數日前、或海岸の家で、秋の月を眺めつゝ、子と一夜の清談を交はした

ことは、母子の心が契合して共に眞の幸福を享有することの出來た、理想的の例であります。

「わが子達の眞理を行むを聞くに愈れる大なる喜樂は我になし。」（約翰第三書四）

ドイツの偉人ジャン・ポールは貧困の中に母に育てられ遂に文壇の巨星となりました。その母と離れて、或村の小學校の教師をして居た時、書いた物が出版されて、その原稿料を手にするやジャン・ポールは夜半をも厭はず直ぐに母の居村に走つて行つて、まだ燈火の側に綵を紡いで居た母の前にそれを出しました。母は驚き且つ喜びました。子も母の喜びを見て喜びました。「死するまで常に强く愛されんと欲せば、汝の子の母となれ。」又母を有する者には、母のために、すべての婦人は神聖なり」とは、ジャン・ポールの言であります。

昔赤染衛門は、我が子の始めて昇殿を許されて、露繁き草庭に立ちて拜せる有樣を見し時、喜び抑へがたく

草分けてたちぬる袖のうれしきにたえずなみだの露ぞこぼるゝ

と詠みました。これによりても、婦人の無上の幸福は子女の教養を全うせし後にあることであることが分ります。

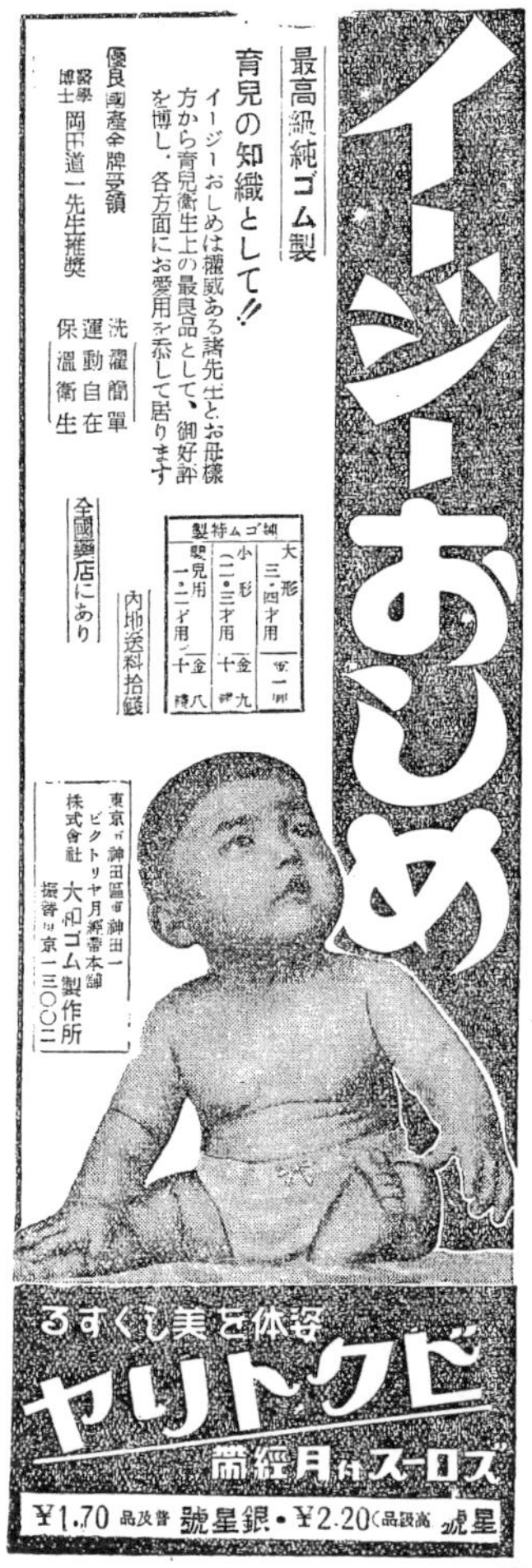

忘れられた教育（三）

◎女性教育

塚田喜太郎

私にも嘗つて、二年半ばかり、女性を教えた經驗があります。若い女性達で、いづれも女學校を卒業した者で、若き教育者卽ち「保姆」となる人達であります。そして、私はこの短かい經驗で、現代女性教育卽ち「女學校教育」の忘れられた一場面を發見したのであります。

教育畑の出身者でない私には、全く教育の經驗がないので、私も困りましたが、生徒達は一層困つた事と察せられますが、私の授業は一週一時間の專科でありましたので、私は能率をあげる爲めに、毎週宿題を課したものです。そして、答案は必ず「郵送」にさせたのでした。これが問題の發端です。それは、いろ〳〵の必要上、答案は必ず原稿用紙に書いて送る樣に云ひまして、餘分の事乍ら、郵送上の注意を與えたのです。

「原稿用紙に書いた原稿は、第四種便ですから、開き封にして、原稿在中と朱書すると、二錢切手で來ます」

これは考え樣によつては、生徒達を侮辱した事にもなるほどです。女學生ともあらう者が、然も女學校を四年なり五年なり卒業した者に對して、斯くも詳しい說明をする事は、餘分なお世話です。皆、百も承知の筈です。

私の家などでは、今年學校へ入る末女でさえも、赤い切手は手紙に、綠色の切手は印刷物に貼る位の事は知つてゐるのです。ですから、云はずもがなと思つたのですが、これ丈けの注意を與えて念を押し、さて答案を私の宅へ届けさせたのです。處でその結果を申しませう。

一言で申せば、家內が「不足稅」の郵便に目を廻はしたと云ふ結果です。卽ち、規則違反の數々が毎日とび込んで來て、全く閉口したのです。

これは事實で、決して笑話ではありません。そこで多年女學校に教鞭をとる友人に尋ねて見ました。

「女學校では、郵便の出し法については教えないのですかね」

處が——友人の答えて曰く。

「チヤンと詳細に教えてあるよ」

そこで私は前の事實を申し述べて、その女學校教育の不徹底を責めますと、友の答えが面白いです。

「それはその通りさ。女學校では、何でも教えてあるから知つてはゐるよ。然し、何もさせてないから、やつた事はないのだ。そこで、知つてはゐるが、出來ない事ばかりだよ」

私は、なるほどと感心して、啞然たる有樣だつた事は御想像通りです。

「知つてはゐるが出來ない」これが今日の女學校の教育であります。

「何でも教えてはあるがさせてはない」これが今日の女性の教育であります。つまり、學問があるが、役には立たぬのが、今日の若き女性達でありますが、これは女學校の教育方針に合致する事で、大慶至極とでも申しませう。が然し、これでは實生活では困る事ばかりであります。

東京に自由學園と稱する學校があります。有名な學園で御存じの通りでありますが、若き女性に「考えて爲す」事を教えて居ます。そして、私は、「働く事卽ち學ぶ事」とのその思想の實現を、和歌山縣の粉河の町に發見して、心から喜んでゐます。

和歌山縣立粉河高等女學校では、生徒達自ら鍬を取つて、先生と共に田畑を耕して居ります。育てられし野菜は、生徒達の手に料理されて、生徒の晝食の膳に並びます。美しく咲かせた生徒達の花は、生徒の手に切られて、生花の實習材料となります。二百羽の鷄、三匹の豚、皆生徒達の世話で元氣です。味噌、醬油の樽は、生徒達の手で詰められた自家製品の山と積まれて行きます。石垣づくりの莓さえ今年は實が結ぶでせう。

日本一と云ふ稱號が必要なら、私はこの粉河の高等女學校に冠せたらよいと思ひますが、それよりも、私の嬉しく思ふ事は、「忘れられた女性教育が、此處では實現してゐる」事であります。これを私は思はされます。

「切手一枚滿足に貼れぬ女性」これは忘れられた「女學校教育」の缺陷でありませう。

「知つてはゐるが、やれない」事は、現代女性教育に、忘れられてゐる最も大きな問題でありませう。

呉々も忘れてはならぬ教育問題のその三は「實踐教育」であります。

防風を採る

納　秀子

あしもとにすこし音して花片をのせて流るゝ江戸川の水

葉櫻のうす甘き香よ年たけてまだひとり住む誰やらに似て

手にひけばましろき肌に砂すこしつけてかほれる五月の防風

鹽つけて舌にしみゐる防風のセロリに似たり晩春の卓

兩の指防風の香のやゝしみてすこしつかれぬ砂に寢ねたり

富士の峯を右にあをぎぬ五月なり防風を採る辻堂の濱

山吹とさくらの花と相もつれとびつはてなし晩春のみち

黑かみのひとすぢごとにぬけ落つるわびしききはみ花散るがまゝに

諸手もて我を抱けよ目のまへになにか見えざるものゝ怪のゆく

かくやせて柳よりなほたわたわと人に抱かれてありけるよわれ
相おもひ相逢はむ日もわすれはてこゝの芝生に一人ねるかな
白猫もココアをなめて晝寢する初夏晩春のクッションの上
手に重き白磁の皿に防風を指より細くならべてしかな
葱の花腹すりつけて高あがる雲雀も老ひし五月となれば
つばくらめたれやらににて紅をさし身をひるがへす空のかゞみに
大鯉の空をうねりて風に泳ぐかいくゞりつゝ燕も飛ぶよ
白菖蒲床にかざりぬ五月なり十一となりて大人びし兒よ
頸すぢに唇寒くふれけるや八重緋ざくらのちるがまにまに
たんぽぽの穗の飛びちりて夕近みそこらこゝらに夢のかをりす
二つなき春のよろこび穗となりて今は空より落ちくるたんぽぽ
八重櫻たわわにもりし銀の壺病む娘に母は消して見せつ

主婦と日常科學への警鐘

醫學博士　岡田道一

私の曰はんとする所は至極簡單である、科學の研究はその道の人に任せて置いて、一家の主婦たる婦人はその道の人の研究の報告を聞いて、そして忠實にその通りに行つたらいゝじやないかといふ議論であります。

苟くも何千年來の習慣とか又家風とかは、それでも何でも身體に惡くても墨守しなくてはならぬものであらうか。もし科學上ではその通りであるが我が家としては客を遇するに酒を出さなくてはいけぬとか、煙草を出さないと私の家の身分として恥しいと思ふならそれ迄の話、自分の誠意が、毒はいつでも毒であり、その毒を客に勸めるのが心中惡いと思つたら斷然、それを廢すべきで、若し毒でも何でもかまはない、これを用ふるのだとすると最早その人にはこの世の藥物學者や衞生學者の言は不必要となつて來るのである。

私は今茲に何が何にいけないといふ詳しい學理を説くのではない、只その結論を、日常我等の前に現はれる白米、酒、煙草の三つに就て科學者の言を信じて大方の主婦に相談するにある。精白米殊に混砂搗白米の害は最早研究し盡されて居る、その爲に日本に於て脚氣、乳兒脚氣、發育不良、乳兒死亡の種は盡きない、又精白米をのみ食べてゐる人が胃病に如何に多く病むか、この解決をしたら日本の開業醫が食へなくなるだらう事位判つきり分つてゐて猶ほ白米を止め得ない。

又飲酒の害、即アルコールの害は已に明白であり、これから精神力、克己力が減じ、犯罪の多くが生じ經濟が不如意となり、且身體に明かに影響する毒物である。決して乳汁のやうに本能で食する榮養品でないことが明になつてゐるのに何故これを毎日家庭で用ゐなくてはならぬ理由があるのか、未だ一般の交際社會からは、この全廢は期し難いが、自分の家庭丈には決してこの毒物を入

れないやうにしやうじやないか、そしてこれを飲む事をせめて自分の子供に見せて、そして彼等をしてその成人の後は酒を飲むことが別に惡い事でないといふ風に覺えさせるのを止めやうではないかと思ふ。

我が子を自分でバーに連れてゆき、飲酒を早く教育しやうといふ代議士があつたとか、又女學校では御酌の仕方ぐらゐ教へた方がいゝじやないかと、或る座談會で提唱した某名流夫人があつたが、それは酒が榮養物であつてそして全部の家庭の必需本能品である時に議論が成立する、その夫人も夫君が酒をのむからこそ、さう感じたのであらうが、日本國民の何分の一かは宴會でも家庭でも絶對に飲まない人もあるし、又さうあるのが理想であるから、その女學校云々がもし成立しても一部分の必要となるから正課とはならないであらう。

子供を免疫のつもりでわざと身體の危險にさらすのは代議士でも、慢性アルコール中毒は始めの人眞似から起るといふ原理を知らないからである。

煙草に至つては大切な子供が喫つてゐても平氣で觀て居る主婦があるに至つては言語同斷である。日本の國法で二十歳迄之を用ゐることを禁ぜられて居り、もしこれを制しないとその親權者が罰せられると云ふ事を御存知ないのか、それよりもニコチンといふものは腦神經毒であり、且つ何等發育期中には生成の助けにならぬ毒物であり、これを用ゐる事がケロック氏の「喫煙の習癖は文明が生みたる最大惡德なり」テオドル・ビロート氏の「喫煙は健康を滅茶々々にする忌しい習慣でそんなものを喫みたいなどと思ふ心は、即怠惰と倦怠の結果に他ならない」といふ事を知らないのだ。

更に人の親たるべき女が喫煙すると云ふ事がその胎兒に如何に影響するか、實に兩親が喫煙した爲めに何萬といふ子が早世したか、凡そ世の中にその子を殺す程怖ろしい罪は無からう。そこには彈丸も短刀もいらぬ、親が自分の慾望を滿たすために自分の子孫を害するやうな毒を自分自身に盛つてゐるのである、尤も之は普通意識されずに行はれて居るのであるから、よろしく科學に眼醒めて一體どんな害があるのか、それから研究し、又凡そその研究の結果を信ずるものはそれに從つて行動すべきで、斷然惡習を排除し先づ我が家からして改革すべきであらうと信ずる次第である。

思春期の娘もつ母への性教育

帝國女子醫專教授　赤須文男博士

山野に來た春、
里にも來た春、
同時に最も多く若き人々の心身を搖ぶり訪れんとしてゐる春！

草が地殼をわつて萠出るやうな、花卉が堅い蕾を綻ばせるやうな、若鳥が初めて歌を囀り出す樣な、それにも增した激しい大きな變革が、いま若き人々―殊に若き少女の肉體を襲はんとしてゐるのであります……

◇春の目醒め！

女の一生に於て最も大きい生理的心理的の變化といへば、即ち初經來潮の時期でそれだけに昨日までホンの少女と思はれたものが、けふはもう一人前の女性として誕生する日の、初潮に對する若き娘をもつ母親たちの氣遣ひは當人にもまして深く大きいものであるに違ひありません、初潮の時期は、氣候や教養や環境により影響をうけ、人により一樣ではありませんが、わが國での平均年齢は大體十四年五、六ケ月とされてゐます、今日ではこの年頃になると大抵母親から、また學校から一應のことを聞かされてゐるので、昔のやうに初めての月經に驚き狂氣する娘さんは殆どないといへませう。しかしながら、怪我をする時以外に知らなかつたものが、自分の身體から出るといふ血への畏怖は矢張り相當深刻なものとなつて現れる場合が少なくありません、この場合月經は單に生理的の現象に過ぎず、その心配の要のないことを母親は重ねて云つて聞かせるべきであります。たゞ若年性出血といつて、初經の頃一週間以上も續く、その量も多い月經をみて、止血せずに貧血を起したやうな場合は病的ですから、勿論專門醫の診療をうけさせねばなりません。もう一つ初潮の頃の注意として、月經は若い頃は初潮がきてから毎月一度きちんとあることは少く、二、三ケ月に一度、一年に二、三回といふ場合が寧ろ多いので、この點成熟した婦人に比べて心配することのないやう云つて聞かせる必要があります、局所の衞生としては清潔な脱脂綿を當てゝおく程度にとゞめておく方が安全です、素人の亂暴な手當のために本質的な問題でないにせよ、處女性のしるしの失はれる虞れが往々ないでもありませんから。

月經時は勿論安靜を心懸くべきではありますが、恐れるの餘り臥床などする必要はありません。

思春期の女性において、月經は寧ろ外部に現れた一つの現象に過ぎず、それと同時にあらゆる内分泌器官が著明な活動を開始し、從つて肉體にこれまでにないいろ／＼の變化を及ぼすのは勿論、精神的にも及ぼす影響は深く且つ大きいのであります、それ故この年頃の娘さんをもつ母親や長上の教育のいかんは彼女の一生を支配することも亦屢ばであります、壓迫を加へることも、放慢におくことも共に宜しくはありません、健康な肉體から健康な精神の發育が生れることを考へて、成べく自然のまゝの教育がなさるべきと思はれます。

流感・肺炎・百日咳等・特効
吸入藥 カンピロン

合理的吸入療法と其効果ある理由
本品は上圖の如く普通の吸入器で之を吸入して呼吸器直接に作用す、芳香爽快にして、毫も副作用なし
一、せきの出る御證に作用して咳を止め、又痰を溶解して容易く祛痰の効を奏す。
一、心臓を強め抗病力を増進し且つ肺炎、氣管支炎等の炎症を治する効ありて全快を早む。
一、解熱作用あり、即ち溫熱中樞を刺戟して發熱を抑制し又殺菌力あり。
適應症　感冒、肺炎、氣管支炎等の急性病は勿論麻疹、百日咳等の小兒獨特の病に特効あり又肺結核、喘息等の鎮咳、祛痰に適應す
前第四師團軍醫部長　英陸重々醫監
大阪市民病院小兒科長　谷口醫學博士
福井赤十字病院長　大野醫學博士
大阪府立保嬰館前館長　上村醫學博士
大阪醫科大學前教授　辰己醫學博士
實驗 推奬
全國藥店にあり
定價 六十錢・一圓・二圓等
御聴なる御使、類似品あり御注意を乞ふ
大阪市東區平野町
道修藥學研究所

日本赤十字社病院　慶應大學病院御用
テツゾール
吉本醫學博士　簡野醫學博士推奬
藥學博士　石津利作先生創製
幼兒の榮養と母體の保健
お茶を禁ぜぬ便利の鐵劑
體内造血器管を鼓舞し其機能を旺盛ならしめ純血を豊富に新生し溌剌たる活力を附與す。故に
貧血の人、虚弱の人、病後の人、不眠症の人、神經衰弱の人、産婦、夏期に衰弱する人、肉體及精神過勞に適し又、登山、旅行、運動競技、試驗前後は常備、携帯の要あり。
愛兒の爲に
今迄小兒に適する鐵劑がなかつたが本品によりて初めて理想が現實したとは小兒科醫の言明である。
發育が遲れたり、虚弱であり、血色肉付わるく、夜尿をしたり、病後の小兒等弱き愛兒の榮養は美味で飲みよきテツゾールの服用に依り効果に直に母親の慈眼に映ずべし。
四週間分金貮圓八十錢　八週間分金四圓五十錢
發賣元　東京日本橋區本町三丁目　里村三治商店
各藥店　三越　松屋　松坂屋　にあり
關西代理店　大阪市道修町一　キリン商會
增量斷行　器械設備の完成と共に定價は元の儘にて二週間分を四週分に增量して常に御徳用になりました

泌尿生殖器病

京都帝國大學醫學部小兒科看護婦長　高橋ミチ子

三、腎盂膀胱炎

子供殊に乳兒に比較的多い病氣である、之には色々の種類があるが、大腸菌と云ふ細菌によつて起る腎盂膀胱炎が最も普通である、この大腸菌性膀胱炎と云ふのは、何等特別の原因もなく、毎日三十九度位の弛張熱を現はすもので、然もこの熱が頑固であつて、容易に平溫に復さない事が解るものである。即ち尿の中には蛋白がある外に白血球、膀胱の上皮細胞、及び大腸菌を認める。乳兒にあつては高熱の外に嘔吐、痙攣、口渇などの症狀が現れ稍重い狀態に見えることもある、熱の外に尿意頻數と云つて少し宛の尿を何遍となく排泄し、排尿時に下腹部に痛みを訴へる様な事がある。

此病氣は時として段々上方に進む傾向を持つて居るものであるから醫療を怠つてはならない。大腸菌性膀胱炎の起り方は色々であるが、女兒などでは大便中にある大腸菌が尿道に沿つて膀胱に侵入して茲に膀胱炎を起す様なこともあるから、女兒の陰部を大便で汚さない様にし、便を拭ふ様な場合にもなるべく前方から後方に拭ふ様にし、決して後方から陰部に向つて拭はない様に注意することが必要である。

四、夜尿症

夜尿症は一名遺尿症とも云ひ、俗に云ふ寢小便のことである。二、三歳以下の乳兒が不隨意的に尿を出すのは生理的であるが四、五歳以上の小兒で寢小便をするのは病的である。此寢小便に苦しむ者は比較的多いものである。

夜尿症は膀胱炎とか膀胱結石が原因となつて、その症候として現れるものもあるが之は寧ろ稀であつて、多くは眞性夜尿症と云つて他に何等の原因と認むべき事がなくして起つて來るものである。

夜尿症と年齢との關係は色々であつて、五、六歳になつて自然に癒ほるものもあれば、十四、五歳迄繼續する事、稀には大人になつても癒ほらない様な例もある。

處置　前にも云ふ通り、夜尿症は膀胱の疾患、蟯虫、濕疹、手淫、腺增殖症などが原因となり、その結果として起る様な事があるから、一應原因的疾患の有無を確かめて貰ふ必要がある。眞性夜尿症は神經質の子供に起ることもある。子供自身も夜尿症の恥づべきことを熟知し自ら矯正しようと努めて居る事が多いのである、それ故に夜尿症があるからとて無暗に子供を責むる事は宜しくない。神經質の子供であるから無暗に叱責すると之を氣にして却つて夜尿症を强からしむる様なことがある。

液體の攝取に注意を拂ふ事が必要である。夜分などには湯茶を與へない方がよい。然し無暗に湯茶を制限すると之がため却つて尿が濃くなり、膀胱を刺戟する結果、夜尿を促す様な事があるから、午前中は湯茶を充分取らしめ、夕方よりは湯茶を控へる様にした方がよい。又餘り鹽氣の多い食物は口渇を來たし、水分を取るために夜尿を促す事がある。日中に規則正しく排尿せしむるのもよい方法である。その外皮膚の抵抗を强からしむる目的に冷水摩擦を行つたり、皮膚の刺戟を避けるために夜具の厚過ぎない様にし寒冷でない様に注意することが必要である。

夜尿症の治療としては色々の方法が行はれて居るが、著しい効果のあるものは少くない。但し硬腦膜外注射と云つて腰部に注射する事に依つて往々著効を奏する事があるから、之は是非一度試むべきものである。暗示療法として催眠術を夜尿患者に應用する事もあるが、小兒に催眠術を應用する事は有害であるから、催眠術は決して行ふべきものでない。

五、陰門膣炎

之は二歳乃至七、八歳の女兒に起る病氣で大人の淋病

登錄商標

ギンザトツプ二十番

【特長】

一、最上原料を特殊技術により製せらるゝ本品は、彼の高價なフイツシユスキン(魚皮)以上に喝采を博して居ります。

二、感觸が柔かで滑らかで抵抗尠く、使用者自らがその使用に氣付かぬ程どであります。

三、それでゐて他の厚手のサツクよりも遙かに丈夫で數回の使用に耐へます。

四、形態も微妙な技術に成功し殆んど萬人向に出來て居りますから、使用中亂暴があつても何等そゝうの心配がありません。

五、各個につき送氣檢査耐力試驗がしてありますから、疵物や孔アキがなく絶對責任の保證附嚴選品であります

產兒調節とコンドーム

性病豫防に**コンドーム**

惑じを妨げず………

薄く……柔かく………

それで丈夫な

最高級**コンドーム**!!!

ゴム製品の目醒ましい發達の所產としてサツクも**ギンザトツプ**の如き完璧品が生れました!

—定價—

◎ギンザトツプ二十番

	一打	半打
▲C品(透明)	二・〇〇	一・二〇
▲B品(眞珠色)	一・五〇	・八〇
▲A品(櫻色)	一・〇〇	・五五
組合せ(一箇宛)	〇・四五(携帶用ケース入)	
C品(三箇入)	〇・六〇(同　〇)	

—送料—

內地十錢、市內六錢、(代金引換は切手廿錢前送願ひます)新領土四十二錢、代引四十七錢

見本品御入用の方は小爲替五十錢又は三錢切手十七枚封入お申越下さればABC三種セル容器入をお送りいたします

東京市銀座西一丁目七番地

島津藥局

ギンザトツプ本舖

電話京橋六五二六番

振替東京四二四八九番

と同一病菌卽ち淋菌によつて起るもので、淋病患者の手、手拭、又は湯屋などで傳染するものである。

症候　膣から淡い膿が出るのであるが、非常に多く出る事もあれば、餘り多く出ない事もある、稀には小便の回數が增す事もあるが、多くは何等の自覺的症狀を伴はないものである、腰卷など分泌物が附着して、黃色の斑點など出來る事から親が心配して醫者を訪れる事が多い。稀には分泌物のため陰部が刺戟を受けて濕疹が出來たり瘙痒を訴へる樣な事がある。

處置　幼女の膣から異常の分泌物ある場合は多く此の陰門膣炎であるから早く治療を受けるのがよい。前に述べた通り本病は多くは淋菌によつて起るものであるから若し此分泌物が眼に入ると膿漏眼と云ふ重い眼病を起す事があるから、なるべく早く治療すると同時に、患者の手を絶えず淸潔に保つ樣に注意しなければならぬ。(完)

子供澤山

臺灣總督府臺南醫院內科醫長
醫學博士　赤司和嘉

◇質の向上を伴はない人口增加は國家に害がある

日本では近頃學生や壯丁の體格が低下した、結核性疾患が多くなつたと盛に新聞や雜誌で述べられてゐますが、誠に寒心に堪へない事であります。この事は唯に軍事上ばかりでなく、我國國力の盛衰に關係する重大事でありますので、速にその原因を究めて、その對策を講ずる事が最も緊要な事であります。

その學生や壯丁の體格低下に就いて、その原因として社會政策の不備、衞生設備の不完全、衞生並に榮養に對する無智……等澤山の原因が擧げられると思ひますが、私はその原因の一つとして、質の向上を伴はない日本人の人口增加、卽子供の粗製濫造を擧げたいのであります。

人口の增加は一面から見れば確に國力伸張の象徵であります。その意味からドイツもイタリーも人口增殖政策を採つてゐます。フランスも盛んに人口減少防止策を講じてゐます。日本でも有識者の內には、消極的な產兒制限を非難して、生めよ殖へよと人口增殖策を唱へてゐる人があります。然し質の向上を伴はない人口增加は眞に國力伸張を意味しないのであります。人口がいくら增加しても、精神的にも肉體的にも質が低下すれば、人口減少と同じ事になります。否それ以上に國家に採つて過重な負擔となり、損害となります。

◇日本は人間の粗製濫造の國

日本は御存じの樣に年々百萬人からの人口が增加して居りますが、果して質に於て健全な人口が增加して居りませうか。これを出生率や死亡率から觀察致しますと、昭和十年には出生二百十九萬七千四人で、人口千に對する出生率は三一・六三人となり、諸外國のそれに比べるとイタリー(二三・一七)ドイツ(一八・〇三)アメリカ(一六・五六)フランス(一六・一五)のいづれよりも高いのであります。死亡は百十六萬千九百卌六人で、人口千に對する死亡率は一六・七八人でありますが、昭和十年は曾てない低率で普通は一八・〇〇前後であります。これを諸外國のそれと比べますとフランス(一五・一三)イタリー(一三・八一)イギリス(一一・九六)ドイツ(一〇・九二)アメリカ(一〇・八八)のいづれよりも高いのであります。これから見れば如何に不經濟な多產多死である事がわかります。而も乳兒死亡率は昭和九年生產百に對し一二・五弱で例年に比べると減少してはゐますが、これも文明國中世界第一であります。結核に因る死亡者は昭和九年には十三萬餘(事實はもつと多數のやうであります)で、これも世界一であります。文部省の行つてゐる學生健康調査によれば、全國官立高等學校二十五校の生徒總數一萬五千五百餘人中、肺浸潤、肺結核、腹膜炎肋膜炎、氣管枝カタル、肺尖カタル等結核性疾患にかゝつて學業を廢し或は休學するもの實に二千人に上ると云はれてゐます。これでは日本の人口增加は質の向上を伴つてゐないばかりでなく、粗製濫造の傾があります。

◇羨ましいイタリーの社會事業施設

或る人々が生めよ殖へよと云つて消極的な產兒制限を非難してゐますが、私も勿論理論的には贊成であります。然し準備のない人口增殖政策は最も害があります。

イタリーでは人口增殖政策を採る一方には、世界一に發達した社會事業、卽ち「母性兒童保護事業」の施設があります。その政策を椎名龍德著「蝸牛の足跡」に依つて書いてみますと、イタリーの婦人は誰でも無料で利用する事の出來る產科病院があります。その產科病院では「母の食堂」があつて、乳呑兒を抱へた細民の母親は無料で三度の食事をする事が出來ます。乳の不足なものには牛乳や粉ミルクを與へ、看護婦は乳兒を入浴させます。其他學校衞生婦の派遣、家庭巡回看護婦の制度があります。一週一度勞働者住宅に看護婦を派遣し、家庭衞生の指導、家庭診斷表の作製、家庭疾病調査などを行はせます。病人を發見すると傳票を與へて治療所へ廻し、治療中のものは看護方法を指導してやります。若しも家庭に結核患者があると、學齡兒童の强制隔離を行つて保護し

ます。病兒は專門醫の診斷を受け、指定の病院に送られます。或は海邊、林間、或は山上、或は河畔、湖畔などに常設療養所が施設されて無料收容されます。一ヶ所の收容者が何れも八百人內外で、この療養所には無論學校も設けられてゐます。其他巡回育兒診療があります。又他の母及び兒童の保護救濟の機關に對しては補助金が與へられてゐます。其他種々の施設がありますが、その經費が莫大でありますので、その財源の一つとして獨身税といふものが作られてゐます。

而も子福者には免税の優遇があります。現に十人以上の子女を自己の手で同一家庭內に養育してゐる兩親、又は十三人以上の子女を生んで(死產流產を除く)その內六名以上を現に同一家庭內に養つてゐる兩親に對しては、總ての税金を免除してゐます。かゝる兩親に對しては電車、乘合自動車、全國の汽車、國營の乘物は總て無賃の特權を與へられてゐます。子供に對しては大學までの官立學校の月謝が免除されてゐます。

實に羨ましい施設であります。日本にこれに相當する施設が一つとしてありますでせうか。この施設がなくて生めよ殖へよの人口增殖政策はあまりに無責任と云はなければなりません。

◇日本人は概して貧乏である

世界列國の國民所得を比較しますと、一家五人として英國民は每年平均四千三百六十五圓、米國民は五千七百七十五圓、佛國民は二千三百二十五圓、日本國民は桁が違つて八百二十五圓の所得であります。日本では一家の中線を彷徨いてゐる國民がどんなに多いか想像されます。それでゐて出產が多いので、他國民以上の子女を養はなければならないと來ては榮養不良兒、虛弱者が出來るのは當然であります。青年の體格が低下するのも無理がありません。況して昨今の樣に物價が高くなつては、益々榮養不良兒、缺食兒童等が多くなるだらうと想像されます。

子供を生んで唯食べさせるだけなら、それは決して本當に子供を育てゝゐるとは云へません。そのくらゐの事なら犬猫でも出來ます。尤もその食べさせるだけでも、子供が多い爲に容易でない家庭は澤山あります。況して又その子供を丈夫に育てゝ、一人前に學問を修業させ又一人前に仕事を教へ込ませてゐる家庭はどれだけありますでせうか。極く僅だと思ひます。然し子供を丈夫に一人前に獨立出來るやうに育てる事は親の義務なのであります。

◇子供を丈夫に一人前に育てるには

日本の母親は一般に未だ文化の程度が低いやうに思はれます。一家の主婦は唯子供を生むこと、臺所で炊事

を爲す事だけを女の務と考へてゐます。

榮養がどんなに健康に大切なものであるかは、醫者でなくとも少し敎養のある人ならば知つてゐます。然し日本の多くの母親はそれを知りません。物價が高くなつたと云つても、食物を儉約する事は知つてゐても、着物を儉約する事は知つて居りません。日本人は收入の割にいゝ着物を着てゐますが、顔色の惡い人が多いのです。これは皆榮養不足から來てゐます。それですから日本の婦人は同じ炊事をするにしても、もつと家族特に子供の健康の事を考へて、價は安くても榮養價のあるものを充分採るやうに努力する事が必要です。

子供を生む事は勿論女にとつて大切な務でありますが絶へず子供を生んでゐては、第一自分の體が弱つてしまひます。それに子供も丈夫に、國家に役に立つやうによく育てる事は困難になります。それに日本婦人に最も缺けてゐる所の自分自身の敎養の時間がなくなつてしまひます。文明國中日本婦人が一番本を讀まないと云はれてゐます。

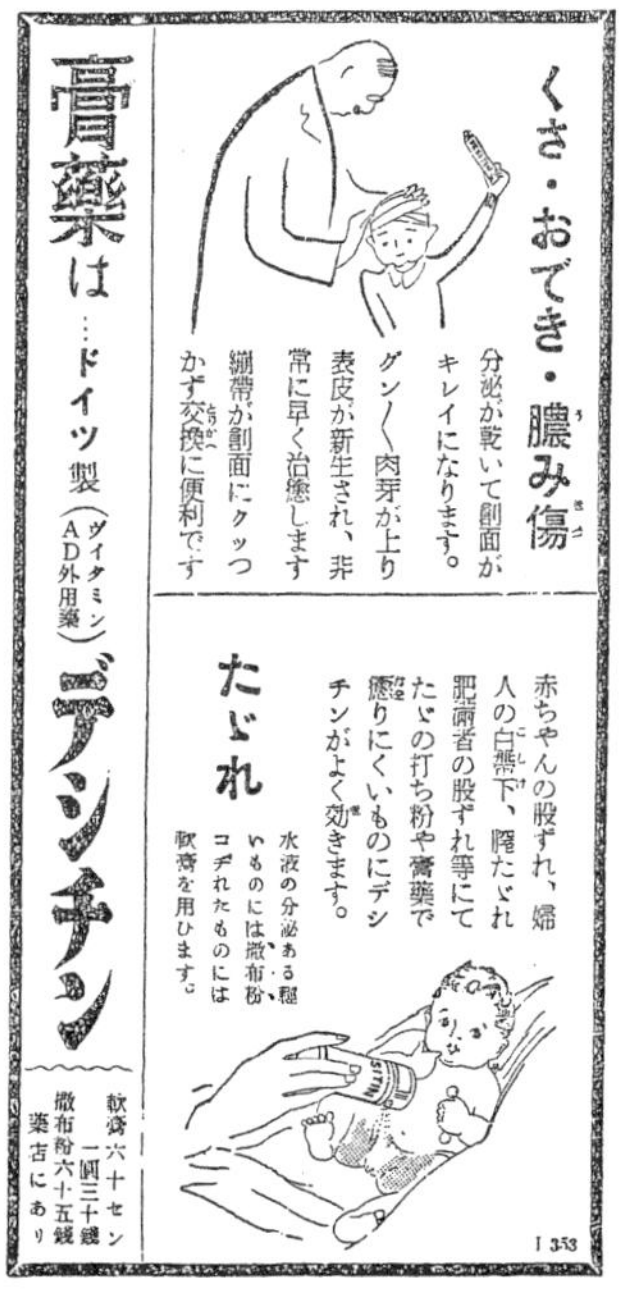

子供を丈夫に、一人前に獨立出來るやうに育てる事は親の義務であると先に申しましたが、その義務を果す爲には國家が充分保護してくれない以上、自分の力に於て出來る範圍内に子供を生む事が必要です。無制限に子供を生む事は差控へなければならないと思ひます。卽ちいゝ意味の產兒制限が必要になつて來ます。

世は非常時です。特に日本人には油斷の出來ない時です。矢鱈に子供を生んで他人や國家に迷惑を掛けないやうにしたいものです。三人か四人の子供で、皆丈夫に、皆國家に役に立つやうに育てゝ行きたいと思ひます。

ビタミンに就て（一）

醫學博士　芳山　龍

食品の主成分は、蛋白質、脂肪、含水炭素及び鹽類にして人體組織の構成成分となり、一部は溫熱とヱネルギーの源泉となるのであるが、食品中には此外に、ビタミンと名付くる特種の物質が存在して、直接人體の榮養にはならぬが、生活機能の調節を司つて居る。

一、ビタミンA

は脂肪溶性發育促進ビタミン、又は抗限乾燥症ビタミンと稱ばれ、一九〇九年ストツプ氏が、前記食品の主成分だけで鼠を飼育すると發病する事を實驗したのが、ビタミンA發見の端緖だと云はれて居る。

ビタミンAの缺乏卽ち脂胎の少ない食物を食して居ると、ビタミンAの缺乏症として角膜軟化症や夜盲症が起り、病原菌に對する抵抗力が減退し、小兒の發育が停止するに至ります。

近來はビタミンAが缺乏すると結石や癌等に罹り易いと云ふ說がある。

ビタミンAが缺乏すれば、如何にして斯かる病變が現はれるか未だ斷定的の說明は出來ぬのであるが、大體に於て、組織細胞の結合が弛緩する爲めだと考へられて居る。

ビタミンAはどんな食品中に多く含まれて居るか、自然界には脂肪中に含蓄せられて居る、殊に肝臟中に最も多く、次で豚脂、八ツ目鰻、魚卵、鶏卵等に多く、乳汁にも豐富にあるが肉類其物には比較的少い。

植物食では唯、葉綠のある所に多く存在し、野菜中には前記の如く、大豆、菠薐草、馬鈴薯、穀類胚芽等に多少含有せらるゝも、果實中には殆んど存在せず、唯バナナ中少量にあるのみであるが、近來トマト、人參、蜜柑南瓜等にある黄色の色素「カロチン」はビタミンAの前身であつて肝臟内に於てビタミンAに變換すると考へられて居ます。

肝油（鱈の油）　ば豐富なるビタミンAと共にDをも含有し且つ多量の熱量を供給する所から、小兒の腺病質に賞用せられるが、腥い臭と胃にもたれる缺點ありて連用し難い爲めに製劑が澤山出來て居る。

ガロステリン（鹽野）は、ビタミンAに膽汁酸を結合せしめたるもので粉末と錠劑がある、膽汁酸は脂肪の消化吸收を良好ならしむるが故に、脂肪食に耐へざる者にも與へ得る利あり。

フジ、レバー（薄澤）は肝油を低溫乾燥して錠劑とせるものにて、其八十個は百瓦の肝油に相當すと廣告す。

ネオ肝精（薄澤）は北海道產鱈の肝臟（二五％肝油を含む）を乾燥して、之に牛の膽汁有効成分を配仕せるものにて粉末と錠劑あり。

ハリバ（田邊）は北洋の深海に產する巨大な比良目の一種ハリバツト（聖魚）の肝油を生のまゝ油塊となし、之に糖衣を施したものにして、此聖魚肝油は長い間魚體内で濃縮されたもので含有ビタミン量は鱈に百倍も濃厚であると廣告して居る。

ビタミンA及びDを多量に含むものに、肝油の外に牛酪（バター）がある、昭和五年衞生局に於て各府縣より蒐集せる國產牛酪七十二種、平均組成は

脂肪八四・八四、蛋白質〇・三八、乳糖〇・五二、鑛物質一・三九、食鹽一・二九、水分一二・六三、酸度三・三〇になつて居る。

其種類は畜產試驗所製純良バター、クロバー印食卓用バター、北海道雪印バター、星印、楓印、金線印、金雛森永、花印、三島等々。

二、ビタミンB

は、水溶性、發育促進ビタミン、又は抗脚氣ビタミン等と稱ばれて居る、一八九七年アイクマン氏が海猽に白米を與へると痲痺を起して死ぬ事を實驗したのが、ビタミンBの發見の始めである。我國でも米糠が脚氣に有効なる事は古くより知られて居たが、米糠から抗脚氣成分を分離したのは今から二十四年前（一九一二）鈴木梅太郎博士が始めて、此抗脚氣成分をオリザニンと命名し外國でも同年ポーランド醫師カシミア・フアンク氏が同樣の發見をなし、抗脚氣成分に（ビタミン）の名を付けました。

ビタミンBはアルカリに對し抵抗弱きも熱に對して比較的強く、百度の煮沸にて破壞せられません。

自然界では、脂肪以外の一般食品中に含有せられて居る就中、酵母、穀粒の胚芽及び外皮中に最も多く、豆類野菜類、從つて漬物殊に糠味噌にも可なり多く、味噌、醬油にも含まれて居る。

動物食の中では、肝臟、肉類、卵、牛乳等に多い。

近來Bを區別してB_1 B_2の二つとすB_1は脚氣に關係しB_2は發育を促進し、抗ペラグラ、抗貧血ビタミンであると云はれて居る、B_2も酵母や米糠、野菜、卵白等に多く含有せられて居る。

ペラグラとは日光に照らされて出來る紅斑樣の皮膚炎である。

平素健康にて、ビタミンB缺乏病狀なくとも腸チフス其外の急性傳染病に罹ると、突然潛伏性脚氣の出現する事があるからビタミンBを含む食品製劑を與へて、脚氣の併發を豫防せねばならぬ。

從來脚氣豫防の爲めに、半搗米若くは米麥混合食を常用とせるものなるが、近來は胚芽米が之に代つて居る。

胚芽は米の精白に際し分離するもので酒造家に於て造酒時期に副產物として多量に出來る、ビタミンB劑は之から製造せられるが惜い哉胚芽の大部分は多く雛の飼料になつて居る、之を生の儘脚氣患者に與へて有効なるは當然にて、高價なるビタミンB劑を用ふるよりも廢物を利用するがよい、唯保存して居る間に腐敗に傾く缺點あり。

ビタミンB劑は、米糠、米胚芽、麥酒の酵母等から造られるものにて、雨後の筍の如く多數に上つて居る。例へば、オリザニン、强力オリザニン、パラストリン、スペルゾン、スペルゾン、ネオウリヒン、テルペリー、フルフルミン、アンチベリベリン、ベリベロール、純ベリベロール（濃厚）、ビタコーゼ、ビタミノール、ネオビタミノール（毒物ストリキニーネ含有）ビタニン、照内末、アベリー、ビダルモン等々。

此等の製劑の優劣は動物實驗、又は化學的試驗法にて實力價を測定して定めねばなりません。

酵母製劑　酵母は酒や麥酒を造る醱酵の元となる一種の微生體で、榮養劑として古くから知られて居たものであるが、一八九九年メルク氏により、一九〇四年クラウデ氏により學術的に研究せられて以來醫療的に用ひられて居る。

酵母には豐富なる消化し易き蛋白質、グリコーゲン、脂肪類、脂肪體と共に、多量のビタミンB_1 B_2及び、ビタミンC、ビタミンDの母體エルコステリンの外に各種の消化酵素や、ホルモンとして、植物性インシユリン樣物質を含有して居る。

便秘性の乳幼兒に

マルツ汁エキス

MALT SOUP-EXTRACT

組成

マルツ汁エキスは易消化性麥芽糖を主成分とし、ヴヰタミンB、Cを包含す、

應用

ケルレル教授が治療食餌として創案せるものにして人工榮養に於ける食餌成分の偏重に基因する乳兒榮養失調症（牛乳榮養障碍）常習便秘又は高度の羸瘦を伴ふ消耗症、或は慢性消化不良、發育不良等に應用し、消化機能を整正恢復して榮養を佳良ならしめ、よく自然的便通を催進せしむ

用法

人工榮養兒には食餌に添加し、母乳兒には適宜温湯に溶解して與ふ、又發育不良體重増加不良の場合にはケルレル氏法に從つて使用し、或はビオスメールの適量を添加し用ふ。

包裝 500G ¥1.90 120G ¥.70

文獻贈呈

株式會社 和光堂 東京市神田區鍛冶町 大阪市東區南久太郎町

醫療的効果としてビタミンB¹B²を供給し、消化を助け食欲を促進するものであるが、生の儘では腐敗し易く特に溫度に對し敏感で、體溫にて自己も消化を起し、有効成分を浸出して、著しく効力を減弱せしむるが故に之を變化せぬ樣に乾燥粉末にせる製品が多數市場に賣出されて居る、例へば

エンツアイマア、エビオス、アベケン、マダルモン、ビタソート等。

此等の製劑は、麥酒酵母を乾燥せしめたるものにて乾燥操作の如何によつて酵母製劑の價値が左右せらるゝものである成可く醱酵槽から分離直後に製造せられたる、而して製造に當り餘り理化學的作用を受けてをらぬ製劑が良い。

酵母製劑の優劣 も化學的試驗或は動物實驗を定めらるゝ可きでありますが大體之を顯微鏡で見て酵母の原形の良い保持せられ居るものがよろし。

備考　ビタミンB劑の効力を定めるに體重三五〇瓦の鳩で白米病に罹り瀕死狀態にあるものを一時間以内に恢復せしめ得る効力を一力價と呼んで居る。

ビタミンB劑中ビダルモン、パラストリンは力價を表示して居るが其他の製劑は表示を缺いて居る、信用ある製劑を選ぶ可きで價格を一覽すれば(誤あるかも知れぬ)

オリザニン液	五00瓦	四・六0	同末	一五0瓦	四・00
スペルブン液	同	二・四0	同	100	一・三0
パラヌトリン	同	二・三0	同	同	一・五五
フルフルミン	同	二・六0	同	同	一・一五
ベリベロール	同	二・四四	同	同	一・七0
ネオウリンヒン	同	二・八0	同	同	一・三八
ビタミノール	同	二・二0	同	同	一・四八
ビタルモン	100瓦	二・七0	同	同	二・七0

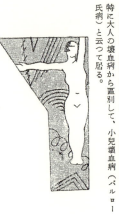

三、ビタミンC は水溶性抗壞血病ビタミンと稱せらる、壞血病は北極の佳人や長期航海にて新鮮なる野菜の攝取出來ぬ水夫に起る事は古くより知られて居た、日露戰役で旅順の露兵一萬七千人の約半數が本病に惱んだ事は有名である、歐洲大戰でも同樣な記錄あり。

子供では、乳瓶で育てられる人工榮養兒に多い所から特に大人の壞血病から區別して、小兒壞血病（バルロー氏病）と云つて居る。

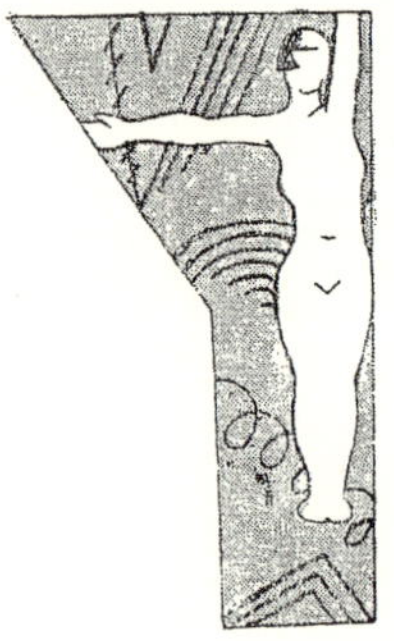

東北地方の子供（其の五）

山形市立病院濟生館小兒科
醫學博士　宇留野勝彌

◇人工、混合榮養兒は弱い

廣島市の選奬會の調べで既往症がどの位にあるかといふと天然榮養兒は一四・四パーセント、人工、混合榮養兒は一八・六パーセントで兩者比較するとすぐ分るとほり人工、混合の方が高率、換言すれば弱いといふことが知られますが、山形地方でも矢張り同樣な結果を示して居ります。即ち天然榮養兒は四三・三パーセント、混合榮養兒五一・〇パーセント、人工榮養兒六一・七パーセントの既往症率ですからこゝでも人工が最も病弱、次が混合、天然といふ順序である譯であります。ことに注目すべきことは既往症を病名別にして見ますと消化器病にかゝつたものが人工、混合が天然に比らべて特別に多いのであります。即ち天然なら二二・四パーセントなるに反し、人工はその略々倍の四三・三パーセント、混合も三〇・五パーセントといふ格段の差を示して居るのです。乳兒期の榮養法が如何に小兒の健康に深い關係をもつて居るか分るだらうと思ひます。

◇笑ひ初め、生歯初め、歩行初め皆遲い

生理的には二ケ月前後で笑ひ初むるものといはれますが勿論それよりおくれるものもあります。廣島市の統計では生後二ケ月までに笑ふものが調査總數の八一・三パーセントであるのに反し、山形地方では三ケ月未滿で笑ひ初めるものが七八・五パーセントしかありませんので山形地方の乳兒は一般に笑ひ出すのがおくれて居るのが分ります。

生理的には乳齒は生後七―八ケ月に生えるのです。しかし調べてみると仲々さううまくは生えず、頗る早期に

生えるのや、又遲れるのがあります。次に廣島市での調査と山形地方の夫れを比較してみますと、次のやうで、早期といふのは生後六ケ月未滿に生え初めたもの、遲延とは生後八ケ月以上たつて生え初めたものゝことで、尋常とはその中間のものです。

	山形地方	廣島市
	パアセント	パアセント
早期生齒	一一・五	二九・五
尋常生齒	四七・八	四八・六
生齒遲延	四〇・八	二一・九

即ち普通なみに生齒するのは兩方同率ですが山形地方の乳兒は早期生齒が非常に少なくて、生齒遲延が反對に驚くほど多いのであります。

又歩行しはじめを調べるとお誕生までに歩けるのが僅かに二六・五パーセントに過ぎず、一年四ケ月以上も經つてから初めて歩くやうになるのが略々それと同率の二四・八パーセントの多きに上つて居ります。ところが廣島市に於ける私の統計では誕生まで歩くのが五四・三パーセントといふ過半數を占めて居り、一年四ケ月以上で初めて歩くといふやうな遲延者は僅かに七・三パーセントしか居りません。如何に山形地方が歩行初めがおくれて居るか分るでせう。

◇えづこ使用の害明らか

えづこと稱するのは藁で拵らへたもので小兒を容れて育てる習慣になつて居り、當地方農家、ことに農繁期には終日赤ん坊はえづこに入れられたまゝである。

三一九五名の調査中えづこに入れられたもの一三三二名で四一・七パーセントといふ高率であります。

えづこの弊害はたくさんありますが、今こゝに論ずる遑もありませんから省略しますが、えづこ使用の小兒に優良兒少なく、劣等兒多く、えづこ使用せぬ小兒に優良兒多く劣等兒の少ないことは、一面えづこの害を物語つて居る好箇の材料かと思はれますので一寸表にして見ます。

		優良兒	劣等兒
		パアセント	パアセント
えづこ使用	男	一一・三	五一・四
	女	一二・八	四七・三
使用せず	男	一四・四	四二・六
	女	一六・〇	四一・七

◇多い疾病、身體異常

七二四三名を診査した結果を綜合してみますと、罹患多い順に二、三列記して參考に供すると次のやうであります。

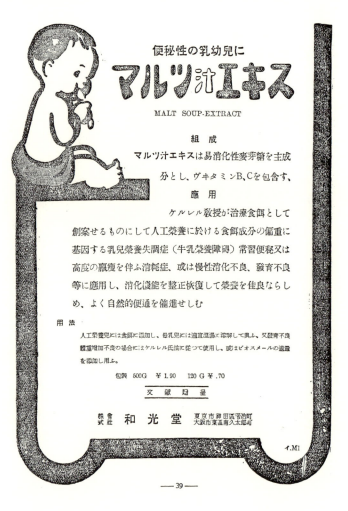

結膜炎	四七五名	濕疹類	四六一名
田虫	四五二名	トラコーマ	四〇二名
凹胸	二七二名	氣管支炎	二五〇名
淋巴腺腫脹	二三五名	中耳炎類	二〇六名
脫腸	二〇二名	消化不良	一五七名
扁平胸	一四五名	百日咳	一一一名
榮養不良	一一〇名	以下省略	

卽ち眼疾、皮膚疾患が最も多く、胸廓異常も相當に多いのに驚くのです。これらは衞生觀念が淺薄なため不潔なことゝ、榮養不良、遺傳等の關係で小兒の素質が惡いことが主な原因であらうかと想像されるのであります。

◇大顖門（おどりこ）も閉鎖おくれる

前頭部のおどりこが骨化して閉じてしまふのは一般生理的には一年一ケ月から一年三ケ月位の年齡だといはれて居りますが山形地方の乳幼兒は非常に閉鎖期がおくれて居ります。つまり身體の發育が惡いことを裏書して居るのです。今廣島市での私の統計と比較しますと、生後六ケ月以上一年未滿での閉鎖率は山形地方一六・九パーセント、廣島市二〇・八パーセント、一年以上一年三ケ月未滿山形地方四七・三パーセント、廣島市五〇・八パーセント、一年三ケ月以上一年六ケ月未滿山形地方六六・二パーセント、廣島市六九・二パーセントとなつて居りまして廣島市に比して遙るかに閉鎖がおくれて居ります。

同一年齡で特別におどりこの大きく開いて居るものを選出して見ますと、身體異常のものにおどりこの特に大きいものが多い傾向が看取出來るのです。

例へば脫腸者にはおどりこ開大五・九パーセントに存在するに反し一般的には二・八パーセントしか開大者が居りませんし、虛弱者に開大者七・六パーセントのところ一般的には一・三パーセントしか開大が居らぬ有樣です。

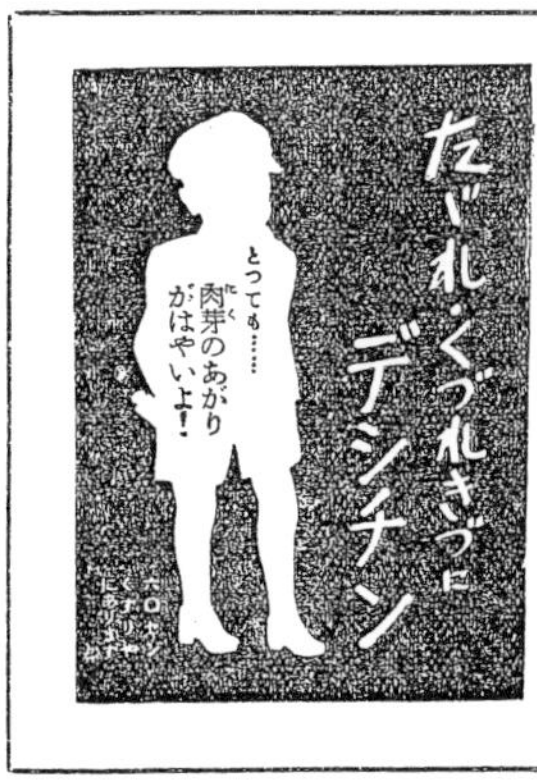

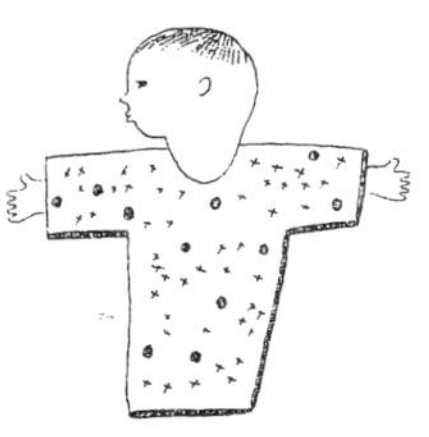

赤ちゃんになるまで

醫學博士　川上　漸

人間のからだといふものは、初めから、こんな——そんな形をしてをつたのではありません。これでも人間になるのだらうかといひたいほど、へんな形態をしてをつたのであります。

さうです。赤ん坊さんは別に不思議の形態をしてはをりません。けれど、私でも皆さんでも、赤ん坊になるまで大分久しい間お母さんのお腹の內で育てゝいたゞきました。ちやうど筍が一年が間を、土の中でだまつて過しますやうにね。こんな風に、お母さんのお腹の中で育てゝいたゞきます間のことを、醫學の言葉では、胎生期と申します。人間が不思議のへんな形態をいたしてをりますのは、この胎生期の初めの三ケ月くらゐの內であります。

一番始めは一つの小さい嚢のやうなものであります。——不思議ではありませんか、たつた一つの小さい嚢であつたのです。皆さんが——ですよ。さうです、をぢさんもね。その嚢がだん〳〵と長くなりました。皆さんが——ですよ、さうです、をぢさんもね。

その長い嚢の前と後とに、縦の溝ができました。溝がだん〳〵深くなりました。溝の兩方の緣がひつゝき合つ

て、とう〳〵二本の管になりました。前に一本、後に一本、それ、おひ〳〵とむづかしくなりますよ。後の方の管は上の口も下の口も閉ぢてしまつて、その管の內に棒のやうな內容物ができました。その棒のやうな內容物の上の端がだん〳〵ふくれて來ますので管もやつぱり上の方の端がおひ〳〵とふくれました。をぢさん、何のことだかわからない——といふ方があるかも知れませんが、も少しお待ちなさい。面白いことになるのです。よろしいですか。その管がこんどは、だん〳〵に固くなりました。そればかりでなく、その固い管がたくさんの節にわかれました。それにつゞいて同じやうの長さの節が二十四。その內で八番目から十九番目までの節には、右と左とに長い棘が生えました。その次の二十五番目から三十番目迄の節はひつゝいて一つになつて、平たい板のやうになりました。管の中の軟い棒のやうなものから、牛蒡の細根のやうな枝が出て、節と節との間へ孔をあけて、管の外の方へ生えのびました。これでお終ひ！

頭蓋と、脊柱と、腰骨と、腦髓と、神經と、肋骨とは、ざつとこんな工合で出來あがりました。これまでは、小さい嚢の後の方へできた縦の溝、その縦の溝からできた長い管の話であります。

小さな嚢の前の方にも縦の溝ができて、その溝がやつぱり一本の管になつたと申しましたね。この管は、上と下との口が閉ぢないで殘りました。そのかはりグン〳〵遠慮なしに延びました。——また、部分によつて太さもいろ〳〵になりました。上の口はラッパのやうにひろがりました。その次には筆の軸のやうにまつ直ぐになりました。その次は嚢のやうに膨らみました。その次はウネ〳〵うねつたものになりました。その次が少々太くて、？といふ印のやうに大きくまがつたものになりました。下の口があそこになり、それから上が直腸、大腸、その上が小腸、その上が胃の腑、その上が食堂、その上が——その上が、さてその上が……ええとその、さうです……、顏！

顏？顏になつたんですつて——といつて私の顏をのぞきこみなさるんだらうと思ひますがね。でも顏になつたのですから致方がありません。ラッパのやうに開いた部分の左と右との緣が、兩方から延びて、頰ができました。上の緣が下へのびて額と鼻とができました。緣と緣との間隙へ腦髓の突起がはまりこんで、眼ができました。下の緣が上へのびて、頤と下脣とができました。左と右との緣が上の方からのび下つて出た緣と寄り合つて上唇が出來ました。兎唇といふものをごらんになると、まん中が切れてをるものは決してなくて、必ず右か左かへかたよつてをります。あれは三方から延びて來た緣のひつ着き工合の惡いために出來た不具であるからであります。內部の方でも、右と左とから平たい板のやうなものが出て來て、まん中でひつゝき合つて、鼻の孔と口腔とが別れました。けれども後の方ではつゞいてをります。

上の口の少し下部所から、嚢のやうなものがふくらみ出て、氣管と肺臓とができ、胃の下からも矢張りふくらみが出て、肝臓と膵臓とになりました。

本元の嚢——一番初めの嚢ね、あの嚢は、上と下とにわかれて、上の方が肺臓の納まつてゐる胸腔といふ所になり、下の方が、胃腸や肝臓や膵臓の納まつてゐる腹腔になりました。腹腔になつたところの內壁から、握拳のやうなものが二つとび出て、小便をつくる腎臓ね、あの、腎臓といふものになりました。肛門の前の方がだん〳〵凹んで、膀胱になつてそれから生えた角が腎臓とつゞきました。また嚢の壁から心臓やら、血管やら、筋肉やら、脾臓やら、結締織やら、血液やら、淋巴腺やらが出來ました。胴の側へ手が生え、下の方へ足が生えました。おたまじやくしが蛙になるときのやうにね。

これでギヤットのことで赤ん坊ができあがりました。

名作曲家の列傳（四）

ヨセフ・ハイドン Josef Haydn

秋保孝藏

ヨセフ・ハイドンは古典作曲家の一人であつて、高潔な柔和な人物であつた。若年の頃極めて不遇であつたが他の多くの天才のやうに、堅忍不拔の努力の結果、尊敬と名譽と優者の地位とを贏ち得たのである。

墺地利の首府ウイーンから五十哩、ライタ河の邊にレラウといふ小邑がある。其本街道の村端れに、粗末な小屋があつて、その隣に車工の店があつた。店の主人である車輪製造人、マテアス・ハイドンは、小山の上に建つてゐる小さい會堂の番人であつた。彼は善良な、信仰篤い人で、音樂に對しては彼の全人格を打ち込む位、熱心な趣味を持つてゐた。又妻のマリアも、夫に劣らず音樂好きであつた。日曜日の晩には、必ず堅琴の伴奏に連れて讃美歌を合唱した。小供も無邪氣な聲でこれに和した。ヨセフは父の傍に坐を占め、異常な注意を以て、その彈奏を視てゐた。時には手頃の棒を二本持ち出して、村の學校の先生の眞似だといつては、ヴアイオリンを彈く型をやつたものだ。

ヨセフが他の小供達と讃美歌を合唱する時、聲が特別美しくて、音程も正確であつた。父はこれに氣が付いて心密に滿足を禁じ得なかつた。自分はこんな境遇だからとても希望をとげることは六ケ敷いが、この小供は何時か豪い音樂家となつて、遂には樂隊長にもなれるだらうと囑望してゐた。

ヨセフ・ハイドンは一七三二年三月三十一日に生れた。母は彼を牧師にしようと思つたが、父は彼を音樂家にしたい、貧乏ながらも何とかその工夫をしたいと考へた。

或る日親類に當るヨハン・マテアス・フランクがハイドンの家を訪ねたことがある。彼は十二三哩ばかり隔つてゐるハインブルグの學校長であつて、訪問の際ヨセフが持つて遊んでゐる玩具のヴァイオリンを見たり、優れて綺麗な音聲を聽いたりして、この子はきつと音樂家になれると感じた。彼は決心してその兩親に相談して見た。

『如何です、若しあなた方が、この子を私の手許に手離す氣があつたら、私はひとつ教へ込んで見ませう、きつとものになりますよ』

兩親には異存はなかつた。少年ヨセフもこれを聞いて、好きな音樂を教へらるゝといふので、何の氣なしに喜んだ。小供ながら今までの夢が實現したやうに感じた。

六歳の時フランクの家に引き取られ、聲樂や器樂を習ふばかりでなく、普通の學課も學んだ。フランクはやかましい教師であつた。それに妻が不親切で、全然この少年の世話をしなかつた。少年は何時も、何處の乞食かと思はれる程、みすぼらしい姿をしてゐた。彼はこの家に來て、少しも幸福ではなかつた。併し悄らしくも、未だ若年ながら、勉强さへすれば、今に幸福な日が來るものと信じてゐた。時あれば、教會堂に行つて、合唱や、オルガンを聽くのを何よりの樂みとしてゐた。間もなく、合唱隊の一員に加へられ、若々しい聲で教會の音樂を助けるやうになつた。

或る時、其町出身の一成功者が、其町へ來るので、町民はその人の名譽の爲めに歡迎の行列をしようと議が持ち上つた。フランクはその行列の進軍太鼓を叩けといつてヨセフを遣した。その太鼓は今日までハインブルグの會堂に保存されてゐるといふことだ。

ハインブルグに於ける學校生活の二年目、彼の身上に一事件が起つた。ヴヰンナに在る聖ステパノ寺院の音樂教師ロイテルが、その友人で、ハインブルグの牧師をしてゐる者を訪ねたことがあつた。話の序にロイテルは自分の合唱隊に數名の新顏が欲しいと話した。牧師は、

『私の教會に、一人御紹介してもよいと思ふのがゐるんです、フランクの學校の生徒で、却々よく歌ひますよ』

と話した。やがてヨセフはフランクの手に引かれて、彼の前に立つた。ロイテルは此少年を自分の傍に呼んで、

『お前は歌を唱ふ時に、聲を震はすことが可能るか』

と訊くと、少年は、

『いゝえ、先生、此フランク叔父さんも、そんなことは可能ませんよ』

ロイテルは、その無遠慮な、無邪氣な答へを聞いて笑は

ずに居れなかつた。彼はかうして聲を震はすのだと教へて見た。ヨセフは二三回の練習で、完全に唱へるやうになつた。他に二三試驗した後で、彼はヴヰンナの聖ステパノ寺院附屬音樂學校に入學させる考へで、ヨセフを伴れて行くことにした。少年は夢かとばかり喜んだ。ヴヰンナは彼の理想の都である。其處へ行くことだけでも彼に取つては非常な滿足であつた。その時、ヨセフは八歳その夢は實に輝かしいものであつた。

ヨセフは入學後一生懸命に勉强したので、長足の進歩を遂げた。彼は作曲して見たかつたが、その術については何等の豫備知識をも有つてゐない。五線紙を集めては樂譜を樂書きした。ロイテルはこれを奬勵しなかつた。或る日のこと彼は少年ヨセフが何か書いてゐるのを見付けて、そりや何だとたづねた。少年が十二人合唱の「交代歌唱」を作つてゐますと答へると、そりや無理だ、せめて二人合唱のものを作れとロイテルは注意した。とにかく熱心は、この少年の小さい胸に燃えてゐた。その頃彼は窮乏の中から、金を工夫して、二冊の音樂書を買つた。一は作曲の原理を說いたもの、他は音樂家の修養書である。彼は時の許す限り之に讀み耽つた。二十四時間中十六七時間も研究に沒頭したことが度々であつた。

數年後、ヨセフが十五歳になつた時、弟のミカエルがこの同じ學校に入學することになつた。弟が來たら嘸ぞうれしからう、どうして弟の新しい境遇を指導してやらうなんか、心密に樂みにして待つてゐたのである。ところがこの輝かしい希望を裏切つて、貧窮と懊惱のどん底に彼を投げ込まうとは、誰が想像し得ようか。ミカエルは、兄に優るその美しい音聲を以て、衆望を一身に集めた。ヨセフは到底その弟に及ばないとの評判であつた。

或る特別集會の折、ミカエルはその時までヨセフの受持ちになつてゐた「交代歌唱」を唱つた。非常な喝采であつた。皇帝も皇后も臨席して彼に多大の稱讃と賞與とを與へられた。

憐れなのはヨセフだ。その地位と名譽とを全く愛する弟に奪はれてしまつた。これは運命の惡戲とでもいはうか、人爲の然らしむるところではない。搗てゝ加へて不幸は續いた。彼は遂に或る事件から、學校を放逐されることになつた。これは全く彼の小供らしい惡戲からであつた。或る日、生徒等が一堂に集つて合唱の稽古をしてゐた。惡戲好きのヨセフは、其處にあつた鋏を採つて、からかひ半分に前列の少年の髮の毛を切つた。これが大問題となつて、彼は手嚴しい處分を受けなければならなくなつた。惱みの數日が續いた。或る雨の降る日、寺院の近くで、困憊の極首を垂れて行方も知らず佇んでゐる

と、スパングラーといふ友人が彼を見付けて、

『おい、こんな處で何をしてるんだ』

と肩をたゝいた。ヨセフは眼に泪を一杯ためて、

『僕にはもう行く所がないんだよ、お腹が空いて死にさうだ』

と訴へた。

『雨の降るのに、こんな所に居つちや堪らない。僕の家に來給へ。何とかなるよ、心配するな』

と勵ましながら、彼はヨセフを自分の家に連れて行つた。金殿玉樓どころか、至つて粗末な家だつたが、それでも燃えてゐる暖爐と、少量のパンと、溫い牛乳とは、飢えやうとする彼に取つて、實に天の惠であつた。食事が濟むと、疲勞の極彼はそのまゝ深い眠に落ちてしまつた。

輝かしい朝が來た。再び弟には會ふまい、獨立獨行自分の持つてゐる藝能を以て、自己の運命を切開いて行かうと彼は決心した。暫くスパングラーの所に寄寓して、職を求むることにした。が僅か十七歳の青年音樂家にはこれぞといふ就職口は却々見付からない。若い心は益々あせつたが、仕方がない。彼は寒い冬の夕、町へ出て、辻々へ立ちながら歌つた。通行人が帽子に投げ込んでくれる僅かな銅貨を以て口を糊せざるを得なかつた。ヴヰンナの大音樂家ヨセフ・ハイドンの當時の境遇は實に慘めなものであつた。けれども神に對する彼の單純な信仰は前途の祝福を少しも疑はなかつた。

運は靜に廻つて來る。彼は二三の人々に音樂を教へたり、諸所に招かれて彈奏したりした。彼の樂才を愛して百五十フロリンを彼に提供する好樂家も出來た。これは彼に取つて非常な幸運であつた。彼はスパングラーの家に暇を告げ、或る大きな家に間借することになつた。同じ家の三階に當時名高い伊國の詩人メタスタチオが住んでゐた。間もなく、二人は親しくなつた。詩人はハイドンをいろ〳〵な人に紹介したが、特に彼の盡力によつて名高い音樂教師ニコロ・ポルポラに會ふことが出來たのは、ハイドンに取つて幸福であつた。

當時ヴヰンナで、音樂家が高貴の人々の邸宅を訪ひ、その窓下で愛の歌をうたつて、いくらかの御祝儀を貰ふことが流行した。その頃、ヴヰンナの一劇場の支配人が美人の聞えある一婦人と結婚したので、ハイドンはこの美しい花嫁の爲に自分の作つたセレナーデをうたつた。花婿のクルツはこれを聽き、入口の戸を開いて寢卷のまゝ出て來て、

『その曲は一體誰が作つたのだ』

と尋ねた。ハイドンは直ちに答へた。

『これですか、これは私の作曲です』
クルツは彼とその伴の二人を招き入れ、花嫁にも會はせいろ〳〵な歌を唱はした。彼等がその家を去らうとした時、彼はハイドンに向つて『又明日やつて來給へ、何か善い仕事を見付けて上げよう』と言つた。

翌日訪ねて見ると、クルツはこんな相談を持ちかけた。

『私は「二本の棒の上の惡魔」といふ喜歌劇を作つたが實は誰かに作曲して貰ひたいと思つてゐるんだ。こゝに逆卷く怒濤の一節があるんですが、これをどうして表はしたらいゝでせうかね』

ハイドンは未だ海を見たことがないので、これには大變困つた。クルツも海を見たことがない。クルツは兩手を廣げて暴々しく振つて見た。ハイドンもいろ〳〵工夫して見た。併し滿足するやうな音樂が出て來ない。そこでハイドンは一計を案じ、兩手を以て、勢よくピアノの兩端をたゝき、段々兩手を中央に寄せて見た。『あ、それだ、それだ』とクルツは叫びながら、この青年を抱きしめて喜んだ。他の部分は容易に出來たが、大體からこの歌劇は大した稱讚を得るに至らなかつた。

前に述べたやうに、彼はポルポラと相知るに至り、後に彼の伴奏者となつた。ポルポラは初のうちは、彼を召使のやうに待遇つたが、後にはその才能を認め、作曲の指導にも當つて、諸所に彼を伴ふやうになつた。ハイドンは高貴の人々にも紹介され、その家庭で音樂を教へるやうになつた。彼の曲はヴヰンナの好樂家連の稱讃するところとなり、或る富裕な好樂家の如きは、彼にいろ〳〵な作曲を依頼した。この人の紹介で、彼は一七五九年、ボヘミヤのモルヂン伯爵家に入り、そこの管絃樂の指揮者となつた。彼の最初のシンフォニーの出來たのも此年であつた。

彼の前途は段々輝いて來た、作曲の研究も大に進んだ。彼は二十六歳に達した。この頃起つた彼の戀愛事件は、彼の生涯に大きい影響を與へた。その頃ケラーといふ鬘製造人があつたが、その二人の娘にピアノを教授する約束が出來た。若い者同志の常として、間もなく彼は妹娘と相思の仲となつた。初の中は貧乏で、結婚の申込みも出來なかつたが、多少餘裕ある生活をするやうになつてから、彼は大膽に申込んで見た。併し彼女の正體が分つた時、彼は非常に失望した。これを知つたケラーは自分が媒介人となつて、妹より三歳年上の姉娘を貰ふことを彼に迫つた。柔和なハイドンは之を拒絶することも出來ず、彼女と結婚することになつたのである。娶つて見れば案外な我儘者、彼の理想や藝術には少しも共鳴し

ない、普通の慾張女であつた。

後に、彼はハンガリーの公爵ポール・アントン家の老樂隊長ワイネルの補助者となつたが、實權は彼にあるので、全管絃樂隊の指導に當つてゐた。彼は華麗な邸宅に住居するやうになつた。宏大な庭園には築山があり、噴水があり、花が咲き、水が流れ、彼に取つてはまるで夢の國であつた。而して最も幸なことは、彼が妻と別居してゐたことであつた。彼は初めて餘裕ある生活が出來るやうになつて、作曲にも思ふ存分勵んだ。當時の境遇は父が曾て理想としたところで、今それが實現したといつてもよい。母はもう死んでゐたが、父は達者であつた。彼は父を招いで、十幾年振りに父子親しく相語ることが出來た。又當時サルツブルヒで音樂教師をしてゐた弟ミカエルをも招き、數日樂しく暮した。何と美しい話ではないか。

ポール・アントンが逝去して、弟のニコラウスが後を繼いだ。彼はハイドンを遇すること一層厚く、有名な「送別シンフォニー』なども、ハイドンが或る夏彼の爲に作つたものである。ニコラウスを繼いだ人は、音樂に對して全然趣味を有たない人であつたので、一七九〇年、ハイドンは其處を去つてヴヰンナに歸つた。

彼は久しい以前から一度ロンドンを訪ねたいと望んでゐた。遂にその時が來た。或日一人の來訪者があつた。

『私はサルモンと申す者ですが、ロンドンから參りました。實は貴殿をロンドンにお連れ申さうと思つて、わざ〳〵參つたのです。如何でせうか、明日まで御返事を頂く譯には參りますまいか』

と、彼は短刀直入相談を持ちかけた。こんな甘い事は滅多にない。渡りに舟だ。實際彼はドウバー海峽を船で渡る身となつた。初めて海を見た。青年時代に、海の光景を樂譜に表さうとして苦心したことを思ひ出し、感慨無量であつたといふことである。

ロンドンの人々は彼を歡迎した。ハイドンの名聲も、作品も既に同地に知れてゐた。一七九〇年三月十一日、最初の演奏會がハノーバー公會堂で開催されたが、非常な成功であつた。其後數回演奏會が催された。彼は初めて、此地で有名なヘンデルの『メシヤ』を聽いた。「ハレルヤ　コーラス」になつた時、聽衆は一齊に起立した。彼は感激の極、落涙して叫んだ『あゝ、彼は實に音樂界の王者である』と。其年の六月、彼はオツクスフオド大學から音樂博士の稱號を貰つた。

一七九四年、彼は再び英國を訪うた。彼のシンフォニーはロンドンの到る處で演奏された。今や彼は自ら音樂界の王者であつた。度々バキンガムの宮殿に招かれ、皇

帝及び皇后の爲に御前演奏を試みた。皇帝はロンドンで一生を過ごすやうにと、絶えず勸告された。

當時彼は六十五歳、これまで、彼は多くの作品を出したが、彼の傑作『創造』はまだ完成されてゐなかつた。ロンドン滯在中、ある日サルモンは、曾てヘンデルが作曲しようと望んだ『失樂園』中の一節を彼に示した。ハイドンはこれによつて聖曲を作曲しようと決心し、熱心と祈禱とを以て、この事業に取りかゝつた。一七九九年三月、それをヴヰンナで演奏して、非常な感動を與へたのである。

ハイドンは器樂の父と稱せられた。彼は音樂に一番大切なのはメロデーだといつた。『音樂の生命は風調（エーア）である、この風調を出すのは至難の業で、天才を俟つて初めて出來るんだ』とは彼の僞らない言である。

困窮と戰ひ、柔和で正直な精神で終始した彼は、一八〇九年、名譽と尊敬とを荷うてこの世を去つた。當時、ヴヰンナは佛國軍の蹂躪するところとなつてゐたので、極めて簡素な野邊送で、彼の肉體は永久に藝術の舞臺を去つたのであるが、メロデーの大家、シンフォニーの創造者として彼の名は長へに傳へられるであらう。

『人氣とり屋』や『見榮坊』の子
それらは家庭教育の方針を誤つた證據です

子供の村　霜田靜志

英國の有名な兒童心理學者、クリクトン・ミラー氏は最近「お調子者」、「人氣とり屋」、「見榮坊」の子供達を呼ぶのにセンセーション・モンガーと云ふ新しい面白い言葉を以てしてゐます。實例で所謂センセーション・モンガーの部類に入る子供を示せば

例へばこんな子

（イ）學業が劣等で、學問では到底先生や同僚に認められないので教室で無茶な眞似をしたり、亂暴を働いて皆の注意を集めてゐる子供。

（ロ）數年前、多くの人達がワイワイ騒ぐのが面白くて、都下の十數校に放火した子供。―等が此のセンセーション・モンガーであります。

子供に二つの氣持

子供は感覺的なよろこびに身を任せようとする氣持と偉くならうとする心とを併せ持つてゐます、この二つがうまく調和して發達しなければ、健全な子供とは云へないのですが、偉くならうとする機會と才能に恵まれないと、幼兒の劣等感から、感覺的なよろこびだけに沒入しようとする氣持を持つてくるのです。餘りにチヤホヤされ褒められ、おだてられ過ぎると、たゞ周圍から騒がれるのが嬉しくて異常行爲をするやうにもなります。ミラー氏が扱つた興味ある二つの實例を擧げてみますと

食慾減退は我儘

（一）廿三歳の女子。食慾減退で日々瘦せ細るばかりで、家庭では手の下しやうがないので、ミラー氏の療養所へ入つた。診察の結果、この食慾減退は生理的なものでなく、心理的な原因を持つことを知つたミラー氏は、定つた食事を娘に與へ、食べなければそのまゝサツサと引込めるやうにした。と、十日程で食慾減退は癒つて了つた。誰も娘の父親のやうには彼女の食慾減退を案じ、叱り、褒め、或はなだめることがなかつたので、癒らざるを得なかつたのだ。

親の氣持がムラ

（二）十四歳の女學生。彼女は嘘つきで手癖が惡くてどうにもならなかつた。先生が騒ぎ立てるのが面白くて、何度でも惡癖を繰返した。彼女の父親は思慮がなく、或る時はこの上なく甘やかすかと思ふと、或るときはひどく叱つたり毆つたりした。彼女はいつか何事を爲すにも、父親への反響を先に考へるやうになつた。その幼兒期の態度が基礎となつて、周圍の人がどんな反應を起すかに興味を感じて行動するやうになつたのだ。―

危險な年中行事

お正月、節句、七五三、等の年中行事は誠に目出度く、子供達と共にこの日を樂しむのもいゝことですが、ともするとこの年中行事は、センセーション・モンガーを作りがちです。平素は幼兒のことに餘り關心を持たぬ母親がこの時だけは下らぬことにもチヤホヤ褒めたり、また見せびらかしのためにいゝ着物を着せたりすることだ。それです。行事が濟んでも、子供達の氣持には甘やかされ、騒がれた經驗が殘りますから、何かの手段でそれを再現させ騒がれようとします。

虚榮や極端な派手好きなどもセンセーション・モンガーで、この芽生えも行事の際などに起りがちです、お祭り氣分を捨てゝ、よくお子さん方を見ていたゞきたいものです。

草刈笛より

兒童に關する俳句評釋（一〇）

岡本松濱

「草刈笛」は元祿十六年の板行、支考と牧童の撰である。牧童は金澤の人であるから、この集には比較的北陸の人が多い。

鶯や目をこすり來る手習子　　温故

鶯がうら庭に來て朗らかに鳴いてゐる。いま起き〳〵らしい手習子が、眠たさうに眼をこすり〳〵寺子屋へ來るのである。まことに長閑な、愛すべき情景である。

梅咲くや禰宜の子共のひよこ共　　愚恕

禰宜は神官である。何處かの神社に梅が咲いてゐて、其のほとりに神官の子供が三四人戲れ遊んでゐた。それをひよこどもとからかつたのであつて、鷄のひよこのやうに、嘻々として遊んでゐる子供の可憐な狀態が、この思ひ切つた形容ではつきりと現はされてゐる。

久保氏の何がし、二合半の世帶を見やぶり、東武の鬢つきをもやめて、こゝさし四させばかりならん。片里の荒畑に手作りの野菜をたのしみ、明暮は手ならひ子共相手にして、悠然とあそべりければ

菜の花や酒にいださむ手習子　　路青

久保何がしの世を捨てたやうな生活の有樣が、前書きにはつきりと說明されてゐる。裏の畑にいろ〳〵の野菜を作つて、附近の子供を相手に讀み書きを敎へてゐる塵外の生活は、羨ましいばかりに平和である。菜の花の咲く春の長閑さに、日頃の疲れ休めに一盃の酒でも飮まうとする。その酌の相手は、日頃敎へ導いてゐる手習子であることが、酒宴と云つても其の場の光景が如何にも片山里らしい趣であり、同時に酒の座にあり勝な、みだらな空氣がいさゝかも流れてゐない事が明らかである。

師の坊の前の心ぐるしさに、鳶の鴉のさ啼きわたりたらんには

箱王も空に心やいかのぼり　　牧童

箱王丸は曾我の五郞時致の幼な名であつたかと記憶する。十郞、五郞の兄弟は、幼ない時、共に箱根の寺へ修行にやられたが、十郞はおとなしい性質で、師僧のいひつけに隨つて机に親しんでゐたが、弟の五郞は極めて氣性が荒く、讀書、手習ひをするよりは、弓矢や棒切れを持つて、遊び廻ることが好きで、屢々師の坊に手を燒かせたと云ふことである。この句はさう云つた箱王丸の性格を描いたもので、師僧の前で何かを敎はつてゐるが、鳶や鴉が啼いたりすると、箱王の心はいつか空を飛んでゐて、師の言葉もうはの空になつてゐる。「いかのぼり」は紙鳶である。早く戶外に飛んで行つて紙鳶でも揚げたいと、頻りに空を憧れてゐる心を想像した句。

貧な子は貧でかはゆし梅櫻　　濫吹

子供は一切無垢無穢であつて、神の如く佛の如くであり、そこに貴賤貧富の差はない。貧乏な子は、貧乏ながらに、憎めない可愛さがあり、無邪氣さがある。それを梅と櫻に托して詠出したのである。兒童を對象にするほどの人々は、凡てこの氣持であらねばならぬ。

童部はちるを待ちけり桐の花　　知友

大人が桐の花の枝を持つてゐたのを、子供がほしがつたが、心なき人は、それを與れなかつた。子供はその桐の花をほしいと思つてゐるが梢が高くて、子供にはどうすることも出來ない。僅かに一つ二つの花片が木の下に落ちたのを拾ひ取り、尙散り落ちるのを待つて、梢を見上げてゐるのであらう。じつと散るのを待つてゐる子供の姿は、そのまゝの神であるやうな心持がされる。

あみ笠に吞るゝ兒やゆりの花　　咋嚢

大きな編み笠をきて、まるで編み笠が步いてゐるやうな滑稽な子供の姿を描いたのである。百合の花は單なる添景に過ぎないやうであるが、之に依つて季節的のある感じ、卽ち如何にも初夏の出來ごとゝしてふさはしいやうな一つの心持が出て來るのであつて、俳句の性能とでも云ふものは、斯う云ふ點にあることを知らねばならぬ。

傀儡の中に寐る子やさ月雨　　牧童

傀儡はあやつり人形である。あやつりと云つても、左まで精巧なものではなく、粗末な人形の手足が動く位のものであるが、それを使つては、錢を貰ひに步いてゐる一つの商賣を傀儡師と云ひ、土偶使ひとも云つた。今は大方紙芝居になつて、餘り見かけない。もうすつかり廢つたものと思つてゐたら、私は昨年九月紀伊の海南市に旅寐して、はからずもこの土偶使ひの老婆を見て、非常になつかしく思つた。之で見ると、ずつと片田舍に行けば、今でもその名殘が殘つてゐるのである。この句は傀儡の人形が澤山並んでゐる中に、子供が淋しく一人寐てゐるのである。折しも五月雨の頃とて、しと〳〵と雨が降つてゐて、部屋の內は晝さへ夜の如く暗く、陰氣である。この雨に出稼ぎが出來ず、いろ〳〵な姿をした人形共が捨てたやうに置かれてあるのが、いかにも濕つぽく又うす氣味惡いやうに見えてゐる中に、その人形に馴れてゐる傀儡師の子供は、何の屈托もなく人形と共に寐てゐるのが、何となく哀れを感ぜしめる。

山寺にお兒住せておみなへし　　万子

この句を深く立ち入つて解釋することは、風俗上面白くない。唯淋しい山寺に、美くしい稚兒があつて、あたりに女郞花が咲いてゐたとして置くのが、無難でよい。

きち〳〵と啼くは誰が子ぞ鵙の聲　　支考

鵙（百舌鳥とも書く）は秋になつて何處からか渡つて來る鳥である。まことにけたゝましくも忙し氣に啼く鳥である。この句もその鵙の習性をよく描いた句である。

鵙居て脚半ほしがる子供哉　　此山

眼を縫つた鵙を囮にして、森陰に立てゝ置くと、それに誘はれて他の鵙が飛んで來て、附近に用意して置いた黐の枝にとまつて、捕はられるのである。之を鵙落しと云つて、田舍へ行けばよく之をやつてゐる。この句は子供が其の鵙落しをしやうと云ふので、囮の鵙を木の下に据えたのであるが、その子供が脚絆をほしがつたと云ふのは、叢を駈け廻つて、露に濡れたり、草の棘に足を刺されたりしたゝめであらう。

水の音風も吹かぬに雨の降る　　（六才女）珉

輕舟亭に人々寄り居て、初秋の句をせむといふに、此子のかくはいひ出せるを風の音にやおどろかれぬると、おさなしき人の感じ合ひたるを、さはむづかし、たゞ一座のはつ秋と見て置べし。

この註にもある如く、六歲の少女が何心なくこの句を詠じたのを、大人達はいたく感心して、「秋立つと目にはさやかに見えねども、風の音にやおどろかれぬる」と云ふ古歌の心を其のまゝに句にしたのであらうと持て囃した。この句は古今集にある名高い歌であるが、子供には固より古歌を知る筈もなく、唯心のまゝを打ち出したのであるから、餘り勿體ぶらず、唯はつ秋の趣を十七字にしたものとして、それで充分であると、この句を集に書き入れたのである。

かはゆやと西瓜をさする童哉　　輕舟

西瓜を撫でさすつて、かはい〳〵をしてゐるのを、有りのまゝに仕立てた句。凡ての物を靈あるものとして自分と同じに扱ふのは、子供の神ながらの心である。この句も西瓜を生あるものゝ如く、愛撫してゐる子供の心の尊さが生命をなしてゐる。

落栗や小僧先だつ猿の聲　　桃妖

栗の實が磊々として澤山落ちてゐる山路を、小僧を先に立てゝ急いで行く。折から山深く猿が哀れな聲で啼いた。猿の聲は哀切なものである。山中晩秋の淋しさを現はさうとしたのであらうが、今ひと息の感がある。

しばられて小僧さむいか枇杷の花　　林陰

小僧が住持のいひつけにそむいて、懲らしめのため門の柱に縛られてゐる。其の小僧を哀れに思つて、お前は嗁寒からうと、同情を寄せたのである。和尙に詫びごとして許してやつて貰ふ位のことはしたであらう。この場

合枇杷の花と置いたのは季節的効果を充分に現はしてゐる。

少年の墓をとぶらふ

水仙に面かげさむし墓の松　　林紅

少年の墓に香花を手向けた。その思ひを句にしたので水仙の花の寒さうに咲いてゐるにつけ、亡き少年の面影を哀れにも、なつかしくも思ひしのんだのである。

干鮭で我子をたゝく師走哉　　馬櫻

節季師走といへば、猫の手もほしいと云はるゝほど、誰も忙しい時である。子供にも用事をいひつけたり、自分もそれからそれへと用をかたづけてゐるが、忙しさに紛れて說明が充分でないために、子供はやゝもすれば用事を間違つて、親の思ふ通りに運ばぬので、親は思はず短氣を起して、てうど手に持つてゐた乾鮭で、我子の尻を叩いたと云ふ、年の暮の家庭小景である。

大豆小豆小坊主さむきなら茶哉　　万子

お寺に行つて、お茶飯の御馳走になつてゐる時の即興の句と見てよい。大豆、小豆、小坊主さむきと、調子なだらかに疊みこんで行つた處に、この句の生命があると云はゞ云ふべき句。

以上「草刈笛」の句終り。

どん〳〵食べて
すく〳〵肥れ
すき・きらいの激しい子供にはエビオス錠を……

發育ざかりのお子達には……骨や肉をつくるため、たくさんの滋養成分が要ります。そしてこれがみんな毎日のお食事から送られるのです。ですから、ぐんぐん元氣に發育してゆくためには何でも美味しく食べるやうでなくてはいけません。あれは嫌だ、これは食べないなどと言つて居ては、だん〳〵身體が弱くなつて元氣が失せ、病氣にかゝりやすくなるものです。そこで、この好き嫌ひを癒すには？……叱つたり、すかしたりしてもそれは無駄なことです。それよりもヴイタミンBのかたまりと言はれるエビオス錠をずつと續けて服ませてご覧なさい胃と腸がしんから丈夫になつていつしか好き嫌いが癒り、血色もよくなり元氣が出てくるものです

エビオス錠
三〇〇錠…一・六〇

情死と殺人

式場隆三郎

原因と方法の變化

社會學者クーレーは自殺を時代病の一つとみ、それは奢侈病であり、不行跡病であり、煩悶病であり、過勞病であつて殊に都會病としては著明なものであるとした。しかし、情死は自殺の二重奏であり、もつと複雜な要素をもつてゐる。情死の定義も人によつては、心中と同意義に解釋したり、愛し合つた男女の自殺のみを指したりして一致しない。こゝでは情死の意義や歷史や分類をやめて、現代の情死者の心理的の方面にのみ限つて述べてみやう。

どんな年齢の男女が最も情死するかを統計で調べてみると、男女共に二十一歳から二十五歳までが首位で、二十六歳から三十歳までがこれについでゐる。つまり二十代が最も情死し易いことになる。第三位が十六歳から二十歳までの年少者である。これは大正年代までの概觀で、近來は段々若い者の情死者が增加しつゝあると思ふ。二十歳から二十五歳までと二十歳以下が最も多いのだらう。

職業別でみると昔から近年まで女は娼妓が最も多く、藝者と人妻がこれについで多かつた。しかし現代では、喫茶店ガールやカフェーの女給が著しく增加してゐる。これは注目すべき現象である。

季節から云へば、夏が最も多く春がこれについでゐる。一般の自殺者、精神病者の發生と同じ曲線を辿つてゐる。これは環境や特定の事情による情死も、生理的の波をうけることが最も多い證據とも云へよう。

情死を決行する時刻は、未明が最も多い。これは一人の自殺と違つて、相手の同意を要すること、別れを惜しむに時間のかゝること等の事情を考へると當然のことである。殊に無理心中などの場合は相手の熟睡中に行はれることが多いので未明が最も擇ばれ易い。更に又、情死の場合は自殺の手段も複雜になつてくるので、深夜か未明の人目の少い時に決行する必要がある。

方法から云へば、以前は入水、刄物、縊死、轢死等が多かつたが、近年は三原山火口へ投身することが流行し、最近は藥品によるものが最も多い。以前の方法は失敗が多く、非文化的の感じがして現代人には好まれない。美的で失敗の少い科學的な方法がよろこばれる。しかし、醫學的の知識に乏しい情死者か、藥品の

効力や容量や用法を知らずに失敗することの多いのは世人の知る通りである。

原因としてあげるべきものは、無數にあるだらう。生活苦から逃避しようとするのが最大の原因であることはいふまでもない。戀愛の行詰り、破綻が主因とみられることが多いが、單純に戀愛のみによる情死は案外少いのではないか。他の原因がそれに附隨して彼等を苦境に導いてゆくのだ。更に考へられるのは一種の虛榮心である。單一な自殺で終るべきものを、美化したいために強いて同行者を求めることが多い。この傾向者が結びつくと同情的心中が行はれる。同性愛も病的に亢じた場合は、嫉妬を完全に消殺するために心中として終りをつげる。もう一つ大きな原因は時代思想によるものでこれは一種の流行心理である。センチメンタリズムに浸り易い時代に、ニヒリズムに陷り易い青春期は、心中の流行にまきこまれる危險がある。一人心中や三人心中などは純粋な情死とは云ひ難い。また情死者が死に際して恨みのある者を道連れにしたり、戀愛關係のない男女が一緒に死ぬのを道連心中と云ふが、これも變形である。

最も多い喫茶ガールの死

古來最も情死の多かつた娼婦の生活は現在でも悲慘なことに變りはないだらう。しかし社會の進步と共にその境遇は幾分改善されたであらうし、彼女等自身の敎養もかなり向上したであらう。それに社會人のそれに對する態度もずつとよくなつて來てゐるであらう。これが情死の濫出を幾分防いでゐると思ふ。藝者の境遇に至つては一層進化したらしい。彼女等は男の玩弄物ではなく、男と共に遊び、生活する意識を增して來たと思ふ。情死が世間を知らぬ年少の藝者に多いのは、この事實の具現とも考へられる。

これに反してもつと解放的で、文化的な職場である筈の喫茶店やカフェーにある女達の情死が急激に增加した。殊に喫茶店ガールの情死の增加は昭和の新流行の一つである。この原因はどこから湧くか。先づ現在の社會情勢から彼女達は一日も早く職業につくことをあせる。未だ社會的の知識と訓練に乏しい少女達の働ける所は喫茶店である。そこに集まる人々を考へてみやう。有閑階級を除いては職につけぬインテリ青年や、薄給サラリーマンが多い。彼等は過勞に惱みながら休むべき暖かい家がなく、愛人と樂しむ金がない。僅に許されるのは喫茶店である。センチでニヒリスティックな彼等は甘い音樂をきゝ、少女達を眺めて何もする氣力のない夜々をすごす。さうして結ばれる少女と青年の戀が家庭を持てる譯がない。空想と現實の大きな開きが、彼等を死へと誘ふ。少女の境遇が悲しかつたり、青年の不遇に同情したりして結ばれた若者達が、生活苦の深刻な所まで味はずに、あつさりと死んでゆく例が少くない。

思春期の惱みから三原山へ急ぐ若い同性や異性の道行が數年前流行した。天國に結ぶ戀とかいふ甘い情死が新聞を賑はし、映畫にまでなつたことがある。新聞社でもあゝした記事を大きく取扱ふことが、若い者の流行を唆る危險を感じてかその後は報道しなくなつたが、事實は必しも減少はしてゐないだらう。

人妻の情死の場合は、多くは年下の男が相手に擇ばれる。それには中年の女の愛情に無理解な夫の罪も責任を分たねばならぬ。仕事に熱中したり、家庭以外で女の愛情を樂しむことの出來るやうになつた中年男は、單純に妻が子供や着物その他の物質の充足に甘ずるもののやうに考へる。時間の餘裕の出來た女は、さうしたものだけでは滿足しない場合が多い。かゝる時に近づいてくる小兒型のおとなしい青年や年下の男が、彼女の情熱のはけ口となる。それが家庭的に、世間的に彼女の虛榮心を傷けた場合に、懺悔とでもいふよりもむしろ自棄的に情死が決行される。

高年者同志の情死は稀である。老人が若い女を妻や愛人とした場合に、嫉妬によつて無理心中をすることがあるが、高年の女は愛人よりも金を貯めることに熱中しやすいから、この逆の心中は少い。

外國のある學者が、老いて研究が出來なくなつた時、妻と共に毒藥を仰いで靜かに死んだことがある。かういふものは情死ではなく、理死とでもいふか學問死といふか、痛ましい學者の最後である。

現下の社會狀勢は、益々生活難と結婚難を深めつゝある。情死を讚美するやうな傾向は、昔から日本人の心の片隅にこびりついてゐる。しかし情死が自殺と同樣に、人生の敗北であることは誰も知つてゐる筈だ。それに打克つやうな強い生活を讚美したいものである。

四つの動機

佛者は罪惡の根元を三毒の煩惱—貪慾瞋恚、愚痴—に歸した。殺人の動機もこのいづれかに關係を持つであらう。殺人者の統計をみると大體、經濟的動機、色情的動機、感情的動機、病的動機の四つに分けることが出來る。これらは純粋に獨立してゐるものもあるが、數種を兼ねたものや、判別の困難なものもある。ロングローゾは先天的殺人者といふものゝ存在を主張した。つまり生れつき殺人を免れないやうな本來性の犯罪者があるといふ意味だ。しかしこれは今日では全く否定されてゐる。性格の特徵の遺傳は認められるが犯罪は素質だけでは成立しない。社會的、家庭的の環境が加はつて初めて形成されるものである。

右の四つの殺人者の動機の中で最も多いのは經濟的動機である。これは社會情勢が經濟的困難を增すにつれて、一層多くなる。色情による殺人も重要なもので「色と慾」と云はれる位經濟的動機とも結びつき易い。感情的動機といふものには、一時的の精神感動によつて行はれる衝動的の殺人もあるが、恐怖、憎惡、怨恨、復讐、憤怒等によつて決行されるので必しも突發的ではない。これには熱血的なものと、冷血的なものがある。病的動機による殺人は精神異常者の妄想や妄覺によつて行はれるものが多いが、中には無動機とでも名づくべきものをも含

む。何等殺人の動機となり得ないことに刺戟されて行ふもの、又自分も全く意味が解らずに行ふことがある。

年齢的に殺人者をみると、靑年は色情的動機や熱血性の感情的動機が多く、中年以上のものには經濟的動機が最も多く冷血性の感情的動機が是についでゐる。

殺人の方法から云へば、經濟的、冷血性感情的の殺人は計畫的のものが多く、毒殺や絞殺が多い。色情的、熱血性感情的の殺人は兇器を用ひる慘殺や射殺によることが多い。病的殺人もこれに類する

科學の進步と普及は、殺人の方法に利用されることが著しく殖えて來たかに見える。科學はまだそれを完全に防止し得るまでには至つてゐないが、それをあばくことは出來る。科學的方法による殺人や、巧妙な知能的殺人は、被害者を苦しめることが少いかも知れない。しかしそれは冷血的に見えて、激しい憎惡感を抱かせることは舊式な方法や兇器によるものゝ比ではない。犯罪は巧妙なほど、不人情で、憎らしい感じを與へる。探偵小說は殺人小說でもあらう。吾々があれを讀んで樂しめるのは、スリルや推理や解決を享樂するからだ。實際問題としてあゝしたことが吾々の近くに行はれたら、どんなに腹が立つだらう。

文化が進めば知能的な方法による殺人が殖えて、暴力的な殺人は減少すると考へられる。しかし、過敏と性急は文化人の特性である。理性と感情の不調和は却つて冷靜な殺人法を妨げるとも云へよう。病的人を除いては、誰も感情の昂揚なしに殺人を行へるものではない。巧なトリック殺人の描寫を得意とする探偵小說作家が、實際問題となつては人を殺すこともあり得るわけだ。この意味で私は殺人方法の進步といふものは、事實には案外少いのではないかと思ふ。人を殺す時は、動機は色々あつても手段は冷靜を缺き、無理な方法を强行して發覺を早めることが多いのだ。だから科學の進步や探偵小說の流行は、殺人の奬勵にはならないし、それを惡用するものは意外に少數だと思ふ。

試作 童話

雷さん

間淑子

大きな雨がぼつ〳〵降つてきました。

雲の上で雷さんが澤山集つて相談をはじめました。けふは一つ人間の子供のお臍を取りにゆかうではないかと一人の雷さんが云ひますと、さうださうだ、いつもドロドロと太鼓ばかり鳴らしてゐてもおもしろくないからねと一人の雷が云ひました。

そこで皆の雷が一ばん偉い雷の王樣の前に來て云ひました。王樣に申上げます、わたくし達はいつもドロ〳〵太鼓ばかり鳴らしてゐてもおもしろくありませんから、けふは一ツ人間の子供のお臍を取りにゆかうと思ひますが、いかがでございませうかとたづねました。すると王さまはそれはおもしろいことだ、一ばんたくさん取つてきたものには、ほうびをつかはすぞよと云ひました。雷たちは大へんよろこんで僕が一ばんたくさん取つてくるんだ、いや僕が一ばんたくさん取つてくるんだといつて、すぐゴロ〳〵と太鼓を鳴らしながら雲の穴から下を覗いて子供をさがしました。

一人の雷が穴から覗きながら云ひました。オヤ〳〵いるぞ、いるぞ人間のコドモがゐるぞ、アノ子供は雨が降つてゐるのに傘もささないで外で遊んでゐるぞ、よしよしあんなわるいコドモのお臍を取つてやろう、といつてゴロ〳〵ドシヤンと落ちて、その子供のお臍を取つて雲の上へ逃げて行つてしまひました。

こんどは次の雷がまた雲の穴から下を覗いて見て云ひました。オヤノ〵、ゐるぞ、ゐるぞ、人間の子供がゐるぞ、アノ子供はお母さんの云ふことをきかないで泣いてゐるぞ、よし〳〵あんな惡い子供のお臍を取つてやろう、といつてゴロ〳〵と太鼓を鳴らしながら、ドシヤンと落ちてその子供のお臍を取つてまた雲の上へ逃げて行つてしまひました。

雷はわるい子供達のお臍をたくさんたくさん取つて、王樣のところへやつてきました。

王樣に申し上げます、この通りたくさんお臍を取つてまいりました。コノお臍はみなわるい子供のものばかりであります、といひました。

それをきいて王樣は大へんよろこばれました、よし〳〵、一ばん澤山とつてきた顏の丸い雷にこのほうびをつかわすといつて、おいしいおいしいお菓子を下さいました、それから王さまは、このお臍を鍋に入れて炊きなさい、そしてみんで、たべやうではないかと申されました、雷たちは皆大よろこびで、すぐ、お鍋や水や、火などをもつてきてお臍を煮る用意をしはじめました。

下の方ではお臍をとられた子供は皆泣いてゐました、そこへ强い賢い健ちやんといふお友達ちがとほりました、健ちやんは皆が泣いてゐるのを見て、

君たちは、どうしてそんなに泣いてゐるんだ、とたづねましたするとお友達は、雷さんにおへそを取られたので泣いてゐるんだといひました、健ちやは、よしよし君たちのお臍を取戻して來てやろうといつてすぐ飛行機の兵隊さんのたくさんいるところへ行つて兵隊さん、僕を飛行機に乘せてアノ雲の上までつれて行つて下さい、僕の友達が雷さんに大事なお臍を取られたのでそれを取り戻しに行きたいんです、とたのみましたので兵隊さんすぐ飛行機に乘せて吳れました、飛行機は見る見る裡に川の上や山の上を飛び越へて高い高い雲の上へ上つてゆきました、雲の上で飛行機から降りた健ちやんは、そこら邊りをさがしてゐますと、雷の子供がゐましたので、その子供に皆のゐるところはどこだときいていそいでやつて來ました、するといま、お臍を煮やうとしてゐるところだつたので、すぐ雷の王樣をくつてしまひました、王樣は命だけはおたすけ下さいとたのみましたので、健ちやんはお臍を返したらたすけてやるといひました。

雷の王さまは鍋の中のお臍をみな健ちやんに戻しました、健ちやんはよろこびいさんで、又さつきの飛行機に乘せてもらつて下へ降りて來ました、そしてお友達に皆お臍を返してやりました。

（終り）

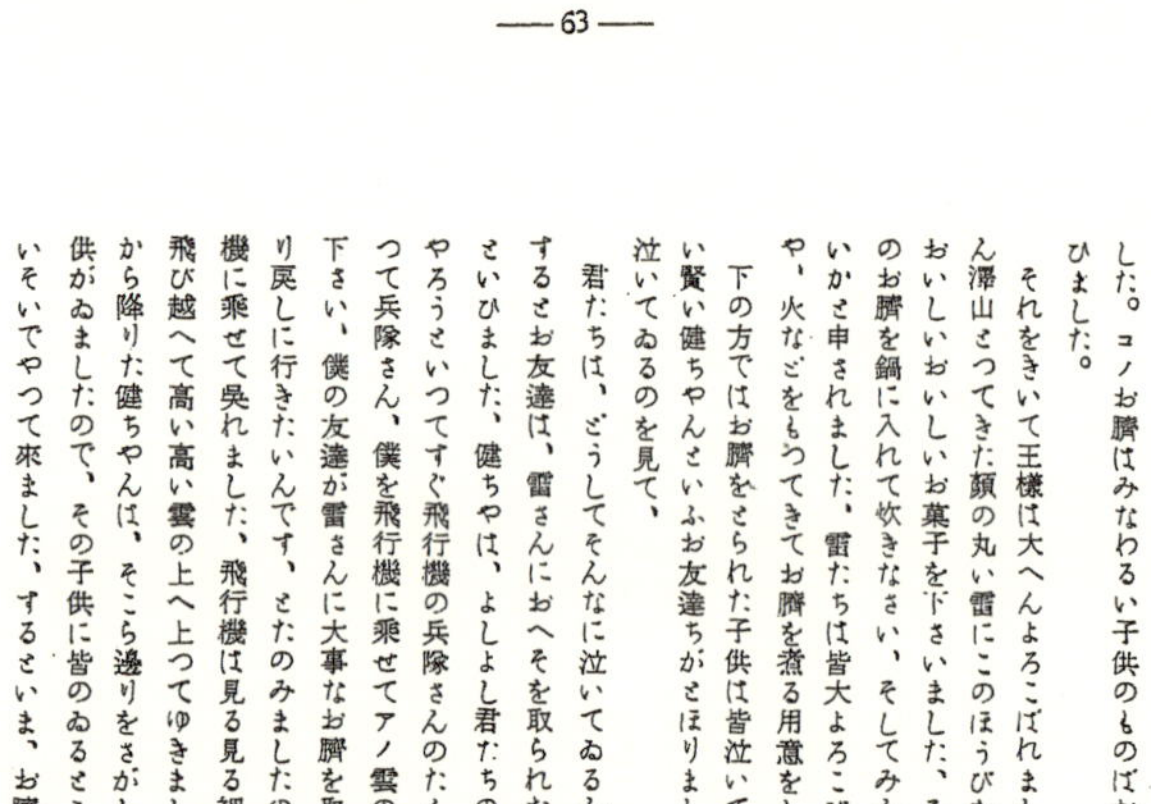

東京の審査會に於ける

母親のメンタルテスト（五）

伊藤悌二

ヘ、産後のお祝ひ費用

調査人員總數　一〇八八名（男　六八〇名／女　四〇八名）

費用	男	女	各計
三圓	九	七	一六
五圓	二一	二二	四三
八圓	七	四	一一
十圓	七〇	三六	一〇六
十二圓	九	八	一七
十五圓	五一	二九	八〇
十八圓	四	六	一〇
二十圓	九一	五三	一四四
二十五圓	三一	二三	五四
三十圓	九三	四九	一四二
三十五圓	一五	一二	二七
四十圓	三六	一六	五二
四十五圓	九	四	一三
五十圓	八四	六〇	一四四
六十圓	一五	五	二〇
七十圓	七	九	一六
八十圓	一六	五	二一
九十圓	二	三	五
百圓	三〇	一三	四三
百二十圓	二	二	四
百五十圓	一四	七	二一
二百圓	八	六	一四
二百五十圓	一	一	二
三百圓	四	一	五
計	六二九	三八一	一〇一〇
不明	四	一	五
無シ	四七	二六	七三
合計	六八〇	四〇八	一〇八八

二、お宮詣りの費用

調査人員總數　一〇八八名（男六八〇名 女四〇八名）

費用	男	女	各計
二圓	三四	二一	五五
三圓	二八	一六	四四
五圓	九七	六五	一六二
八圓	一四	六	二〇
十圓	一〇〇	四九	一四九
十二圓	五	一	六
十五圓	四六	二九	七五
十八圓	五	四	九
二十圓	四七	三八	八五
二十五圓	一八	一三	三一
二十八圓	〇	一	一
三十圓	五三	二一	七四
三十五圓	八	五	一三
四十圓	一二	七	一九
四十五圓	三	一	四
五十圓	四四	二九	七三
六十圓	四	四	八
七十圓	九	二	一一
八十圓	四	四	八
九十圓	一	〇	一
百圓	一四	六	二〇
百二十圓	一	一	二
百五十圓	二	〇	二
二百圓	〇	二	二
三百圓	一	〇	一
計	五五〇	三二五	八七五
不明	四	〇	四
無シ	一二六	八三	二〇九
合計	六八〇	四〇八	一〇八八

第十七問　お住居の間數と疊の枚數及びお庭の坪數

調査人員總數　一〇八八名（男六八〇名 女四〇八名）

疊數

疊數	男	女	各計
六疊	六	一一	一七
七〃	三	二	五
八〃	九	九	一八
九〃	二五	一三	三八
十〃	二九	一二	四一
十一〃	一九	一五	三四
十二〃	五四	三六	九〇
十三〃	三八	二〇	五八
十四〃	三八	二一	五九
十五〃	五三	一九	七二
十六〃	三五	二四	五九
十七〃	二八	二二	五〇
十八〃	四四	二四	六八
十九〃	二二	一九	四一
二〇〃	三〇	二二	五二
二一〃	二二	二三	四五
二二〃	二〇	一三	三三
二三〃	二四	一〇	三四
二四〃	一四	一八	三二
二五〃	一六	六	二二
二六〃	一三	八	二一
二七〃	一七	〇	一七
二八〃	一五	八	二三
二九〃	一一	五	一六
三〇〃	九	六	一五
三一〃	四	二	六
三二〃	九	二	一一
三三〃	三	〇	三
三四〃	八	五	一三
三五〃	七	二	九
三六〃	二	二	四
三七〃	六	六	一二
三八〃	三	一	四
三九〃	三	〇	三
四〇〃	八	〇	八
四一〃	四	二	六
四二〃	二	三	五
四三〃	六	〇	六
四四〃	一	〇	一
四五〃	三	〇	三
四六〃	〇	五	五
四七〃	四	〇	四
四八〃	一	〇	一
四九〃	二	〇	二
五〇〃	一	〇	一
五二〃	〇	三	三
五三〃	二	〇	二
五四〃	〇	二	二
五八〃	〇	三	三
六二〃	三	二	五
七二〃	二	一	三
八五〃	一	一	二
九〇〃	一	〇	一
合計	六八〇	四〇八	一、〇八八

調査人員總數　一〇八八名（男六八〇名 女四〇八名）

小説傳記

高橋是清（三）

小杉健太郎

意外な凶報（前號より續き）

是清は直にヘーレンのもとへ行つて、小池の調査報告と、田島の告白をぶちまけ、これはどういふわけだと詰めよると、

「小池は誰の許しをうけて下山したんです。」

と、ヘーレンは逆捻ぢを喰はしてきた。

「そりア山口支配人の命令によつてゞす――だが、かうなつた以上は、そんな事は問題ではない。なぜ、あんたは日本人を欺いた。實に不德義きはまるではないか。」

ヘーレンは妙に人を喰つた微笑を浮べながら、

「それは貴方がたの落度だ。田島技師の報告を信用なすつたんだから仕方がないでせう。」

と、云ひ放つた。

「よし、そんなら吾輩も覺悟がある。改正契約の調印は斷るし、またこの鑛山には見込がないから、共同經營は廢止する。」

と是清もハツキリと云ひ切つた。すると、ヘーレンは颯つと顔色をかへて、俄に弱々しい調子で哀願し始めた。

「高橋さん、今更そんなことを仰有つては困りますよ。萬一そんな事になると、私の財産全部。破滅して了ひます。」

「仕方がない。それは自業自得ぢやありませんか。」

「無茶です、そりあ無茶です。高橋さん、わたしの苦しい立場も考へて下さい。どんなことがあつても、日本側の出資額には一錢も損をかけません、私が保證書を入れますから、どうぞそのまゝ改正契約をして事業を進行させて下さい。」

「ぢやヘーレンさん、あんたが誠心誠意で會社のためを考へるなら、この邸宅も精錬所の用地も、會社に提供し、鑛山の代價ももつと少額にして、年に一割三分から一割五分の配當が出來る位に採算がされるやうにしませう、それだけの決心が貴方にあるなら、本社の事は一切あんたにお委せして、吾輩は自身に山へ登つて現場の監督をしませう、どうです。それが貴方にできますか。」

ヘーレンは肩を怒らして手を擴げた。

「そんな馬鹿な要求つてありません。わたしはその代り、貴方らの損失は保證するつて云つてるぢやありませんか。」

「いや、そんな保證は惡い結果になつた場合は、何の役にも立たないものです。あんたに本當の誠意がない以上は、いくら云つても無益です。日本の資本家も株主も、このためにはどれだけ大きな損失を蒙るかといふ事を考へると、わが輩はおめ〱歸朝して、みんなに合はせる顔がありません、吾輩こそ、いくらでもあんたに苦情はあるけれど、返らぬ愚痴を云つても仕方がない。双方の不運と諦めやうぢやありませんか。」

「そりあひどい、わたしの立場をどうしてくれるんです。」

ヘーレンは血走つた眼で是清を睨みつけたが、相手の鋼鐵のやうな表情からは何の反響をも讀みとれなかつたので、たうとう彼は両手で顔を覆ひ、指の間から咽び泣く聲を洩らしはじめた。

是清は、兎も角、日本の出資者に對して、これ以上の被害と迷惑を喰ひとめなければならぬ。そのためには現在の契約を取消さなければ、將來にどんな禍因を殘さないとも限らないと考へたので、彼はヘーレンの肩を靜に叩いて、

「氣の毒なヘーレンさん、ぢや、かうしやうぢやありませんか。こんな豫定が狂つては、今迄の通りに進行するわけには行かないから、一たん契約を破棄して、新たにもう少し大規模の會社を設立することにしませうよ。」

「新會社？本當ですか。」

ヘーレンは涙の眼を輝かしながらも、疑ひ深い色を見せてゐた。

「それより外に手はありませんからね、お互ひに更生するためには……」

「結構です。では早速お國の人達にそのことを知らせて贊成を求めて下さい。」

「いや今度の意外な手違ひが內地に知れ渡つて御覽なさい。もう誰もあんた方を相手にするものがなくなりますよ。だから、吾輩がすぐ日本へ歸つて關係者を充分に納得させ、その上で新會社の株式募集をしなければ駄目ですよ。」

と、是清は眞劍らしい顔をして見せた。

「なるほど――しかし、まあ今晩一晩考へさせて下さい。」

その翌日の朝早くヘーレンが是清の部屋へやつて來て、昨日の新提案を承諾した旨を答へたのであつた。

そこで是清は山口だけに自分の眞意を打明け、表面は新會社創立の準備工作を勸めるため、自分ひとり歸朝することにし、山口達は暫くこの儘踏み止まつてゐることに打合せをしたのだつた。

かくて、是清は間もなくカリャオ港を出帆して歸朝の途についた。思へば四ケ月前には海の上に聳えるアンデス山を、大きな喜びをもつて望んだのに、今は苦しい思出の種子として淋しく別れねばならなかつた。再び會ふとは思はないアンデス山よ！是清の胸は全く感慨無量であつた。

半年ぶりに東京へ歸つて見ると、藤村社長をはじめ前田正名までカラワクラ銀鑛の有望だといふ噂傳を信用してゐたので、是清の報告を聞くと、彼等は非常に驚いて、一時は茫然としてしまつた。

是清は直ぐに株主を東京に召集して、ペルーに於ける經過を詳細に報告し、會社の解散が已むを得ないことを諄々と說いて、落膽のあまり自暴半分に怒號する株主達をやうやく納得させた。

また一方では直にヘーレンに對して、新會社設立の事は、遺憾ながら日本側株主の贊成を得ることができなかつた旨を電報で通知し、同時に、山口等に至急引揚げてくるやうに命じたのであつた。

すると山口から、田島が數萬圓の金を拐帶して逃げたから、日本へ歸へつたら取り押へてくれとの返電があつた。そして間もなく田島は果して何食はん顏をしながら歸つて來たので、發起人代表の藤村紫朗より告訴され、その結果彼は、三年半の懲役に處せられた。

やがて山口は坑夫達を引率して歸つて來た。坑夫達は會社に對して三ケ年分の給料を請求したが、もう會社は解散してそんな金の出る所がないので、是清は彼等を自分の家によび集め、一夕の別宴を催しながら、

「君達には全く氣の毒だ。田島のために皆が一杯食はされて、ひどい眼に會つたんだから、諸君もどうか天運と諦めて貰ひたい。誠に些少だけれど、吾輩のこゝろざしとして一人に十圓づつあげるから、これで何もいはずに綺麗に別れてはくれまいか。」

是清だとて莫大な損失と打擊を蒙つてゐるのに、その上この溫かい想ひ遣りのある計らひ――一同は却つて恐縮しながら言葉もなく頭を下げて了つた。こゝに新聞雜誌に賑々しく囃したてられたペルー銀山事件も、美事な失敗の記錄をのこして幕を閉ぢた。

『蜆賣をします』

その後、是清はまた天沼鑛山に手を出し失敗し、相繼ぐ被害に全財產がすつかり無くなつて了つた。彼は家屋敷を賣つて借金の穴埋めをなし、大塚窪町に家賃六圓の小さい家を見つけて、そこへ親子四人が引越したのであつた。引越した夕方、是清は一家のものを集めて、

「お前らに苦勞をかけるのは濟まないが、これからは皆一心になつて家運を挽回せねばならん。もし、それでもいけなければ田舍へ引込んで百姓になるんだ。飢える時は親子が一しよに飢え死するんだ。その覺悟で一生懸命に働かう。」

と、悲壯な決心で云ひ渡した。まだ十歲だつた二男の是福が、

「お父さん、僕、蜆賣をしてお金を儲けますよ。」

と云つた、みんな胸を打たれて淚を吞んだ。妻の品子は毛糸編物、十四歲の長男是賢も紙袋張りの內職を手傳つて、僅かながら家計の助けとしたのであつた。云ひ忘れたが、この時は先妻柳子が死んだので、その後へ品子を迎へてゐた。

これほど一敗地に塗れながらも更生の意氣に燃えてゐる是清の頭上へ、冷かな世間の誹謗嘲笑は容赦なく降つてきた。

「あいつは山師だ！詐欺漢だ！」

さうして非難の聲を浴びながら、「いまに何事も時が明瞭に解決してくれるだらう」と、彼は辯明がましいことは云はずにヂット齒を食ひしめてゐた。

帝都見學の記

見學生　高等科卒業生　渡部吉平
同　同　阿部守治
附添　宮城縣伊具郡金山尋常高等小學校長　星泰三郎

我が鄉土金山、母校金山尋常高等小學校、其の高等科卒業生の中より思想堅實にして將來中堅青年として鄉土の爲奮鬪努力以て鄉土振興の原動力たらしむべき優良生を選拔して帝都見學を致させたしとの眞に悅ばしき明朗なる內報に接したのは昨年初冬の頃であつた。

此の計劃を實施さるゝは我等の畏友東京市蒲田區新宿町に大槻外科醫院を經營さる醫博大槻正路君、並びに東京銀座街頭理髮ヤング軒を經營し東京理髮組合事務長たる加川莊三郎君の兩君である。兩君共勤勉力行今日を築き上げられたる鄉土の成功者、幼少年時代互に嬉戲し睦び合ひし仲、殊に鄉土に執着强き愛鄉の仁である。かゝる計劃を企圖せられたるも深き慮りのあることゝ信ずる。

本年一月一日の四方拜の式上此の計劃を發表するや一同只々感謝感激の念を禁じ得なかつたのであつた。

爾來兩君の意中を付度して詮衡內規を設定し、三月の卒業期を控へて詮衡委員會を開催して愼重審議多數の中より選拔したのが渡部、阿部の兩人である。

兩君よりは苦心に成る詳細なる日程が送られ、見學生も父兄敎師學友に勵まされて準備を進めた。學務委員加川左市氏學友齋藤正一君は此の計劃達成の爲に盡力せられ援助せられた。卒業式を二十三日に濟して愈々二十五日、鎭守の社に參拜し全校兒童生徒父兄母姉の盛んな見送りに夕刻出發の途についた。河北新報の宮崎記者は、兩君の計劃を非常に悅び調査旁々見送りに御出で下さつたことは感謝に堪へなかつた。

白石發上野行の夜行列車は非常に混雜して一行辛うじて坐席を占めた。福島を過ぎた頃、大槻博士の出現には思ひ設けぬことゝて喫驚仰天したのであつた。承れば博士御夫妻には山形縣五色溫泉にスキー行された令孃方を迎へての歸途にあらるゝので、其の御慈愛の並々ならぬに今更ながら感を深くしたのであつた。夜は更け行けど博士は予等を勞はられ何彼と御世話下さるので一入友

情の濃やかな愛憐の情に厚きに感嘆したのであつた。

明くれば二十六日午前五時、上野着。下車して大槻博士令夫人御子息御令孃方に御會ひ致し御挨拶申し上げた。改札口には畏友加川莊三郞君早朝に拘らず出迎ひの爲待たれてゐた。御令兄加川茂平氏も御駈けつけられて一行の無事なるを悅んで下さる。

大槻博士御家族は一先づ御歸宅の爲め御別れ申し上げた。

二人の代表は初めての長い旅行、しかも責任ある選拔生として一夜をまんじりともせず今着京したのであるが、元氣頗る旺盛、既に上野驛の雜沓に氣を吞まれてゐる。やがて明け初めし上野路を辿つて仲睦まじい加川御兄弟の御案內にて一茶亭にて朝食の御馳走を戴き第一日の見學の爲め休息を專らにした。間もなく加川君は予等のために東京遊覽バス會社に出向かれた。予等は令兄茂平氏に案內されて不忍池畔から上野公園を散策、詳細なる御說明を承り見學の悅びを深くした。上野淸水堂よりの富士山の眺望は筆舌のよくする所にあらずで崇高なる靈氣に暫し忙然たるものがあつた。上野驛に出づれば從兄星義右衞門氏あり勞を慰めて下さる。遊覽バス停留所に待つこと時餘。其間加川兩氏星氏より御親切なる見學上の御注意を頂戴した。午前八時の發車の合圖があつて予等三人バスの客となつた。遊覽バスは三十人乘りの大型のものでスマートな明朗な感を覺えた。多くの乘客は上方の方々だらう大阪辯の方が多かつた。此の日の日程は（○印は下車見學の箇所）

博物館、○上野公園、不忍池、上野松坂屋、日本橋白木屋、高島屋、松屋、銀座三越、歌舞伎座、築地本願寺、東京劇場、中央市場、新橋驛、海軍省、櫻田門、○二重橋、○楠公銅像、宮城、馬場先、中央氣象臺、神田書店街、九段坂、○靖國神社、兩院議院、赤坂離宮、青山御所、○明治神宮、○聖德繪畫館、神宮外苑○乃木邸跡、高輪御所、○泉岳寺、芝公園、增上寺、○愛宕山放送局、外務省、○日比谷公園、東京驛、○三越、兩國橋、兩國驛國技館、○被服廠跡、吾妻橋、駒形橋、○淺草觀音、○淺草公園

午後四時半上野驛前停留所に歸着一同互に挨拶を交はして解散した。加川茂平氏は態々出迎ひ下さつて予等を長崎一丁目の御令弟莊三郞君の御自宅に案內して下さつた。

見學生の最も感激を以て見學したのは、

宮城、明治神宮、靖國神社、泉岳寺、震災記念堂等でバス案內孃の說明は漏らすことなく記帖してゐた。

靖國神社に參拜の際拜した御神門は、曾つて伊藤悌二先生の御盡瘁に依つて御寄贈下さつた、圖書館に揭げられてゐる大寫眞額の御神門で一層ありがたく拜されたのであつた。

加川君宅では御家族擧げて予等を御勞はり下さつて、疲れた見學生の爲に應接室までも開放して下さつた。午後八時頃元金山町長の三瓶泰造氏御來駕あり、階上大廣間に於いて見學生へ記念品授與の式典を擧げて下さつた。此の記念品は東京金山會よりの贈物で、特に加川君御令兄の意匠を凝らされたる大メダル、二宮尊德論語の二品である。三瓶元町長さんよりは大槻加川兩君の計劃を贊せられて兩人を激勵され加川御令兄よりは懇々として農村青年としての自覺を促され、加川君よりは、自己の體驗を通じて計劃の抱負を說かれた。夜は御心盡しの御馳走に與かつて鄉里の幸

福を二人して戴いたやうな氣持で安らかな心よい眠りを貪らせていたゞいた。

明くれば三月二十七日。今日も快晴である。一夜の安眠で昨日の疲れもどこへやら元氣百倍、皆さまの御厚意を無にしてはと心は獨りでに緊張するのである。加川茂平氏は御夫婦御揃にて昨夜來御世話下さつた。鄉里のありがたさが泌々と感ぜられた。朝食を戴いて春光を浴びて麗はしい庭に予等三人を中心に加川君、早朝より案內の爲御出下さつた御令兄並に慰問下さつた星義氏との記念撮影があつて九時御厚意を謝して二日目の見學に向つた。本日の見學案內のために加川茂平氏は前日下檢分をなされて周到なる調査をなされて居た。感激の至りである。池袋驛よりの電車の中でも見學生のために、小石川元砲兵工廠跡、九段下、軍人會館平田東助伯銅像、靖國神社、英國大使館、半藏御門、陸軍省、寺內大將銅像、閑院宮家、李王家、伏見宮家、赤坂見附、秩父宮家、青山御所と指示され色いろと話して下さつた。青山一丁目で下車して曾て氏の創業の青山ヤング軒に刺を通じた。氏の高弟たる店主は見學生の爲に東京名所の繪葉書を記念に贈られた。それより徒歩にて明治神宮外苑に到つて憲法記念館を拜觀して、明治天皇の御聖德を偲び、樺太國境の模型を見、外苑球場等を望見しつゝ青山墓地に入り、乃木大將の墓に額づき、特設墓地を拜し、忠犬ハチ公の墓に興味を深くして電車にて有栖川宮記念公園に到り此處にて東京市鄉土資料陳列館を見學して宮家の御高德を偲び、少年道場、歷史繪畫館の設けあるを見て市民の幸福を感じた。次いで愛宕山放送局の放送狀況を見學し、更に飛行館を見學して銀座の加川君ヤング軒に着いたのは三時だつた。此の時既に大槻博士、三瓶元町長さん、甥星健三殿等待つてゐて下さつた。聞きしに勝るヤング軒の繁榮には、田舍出の予等は入店を躊躇した程であつた。客人の出入繁く三十數名の店員は一齊に働いて居るのである。店內の設備も完備して眼も眩む程であつた。一行八人となつて朝日新聞社見學にと赴いた。本社には隣村大內出身で母校の先輩たる霜山經助殿が販賣部次長の劇職に在られて大いに活躍して居られるのである。帝都見學については尠からず御盡力下さつたので大いに歡迎して下さつた。見學生の爲めには御懇篤なる御諭しを下さつて激勵して下さり、其上結構なる記念品を與へられて社內隈なく案內をいたゞいた。特に記念撮影をしていたゞき、御厚情を謝しつゝ暇を告げて築地の中央市場に向つた。既に閉場の後だつたので事務所魚市場等の大伽藍の見學のみを許されて銀座に出て加川御兄弟と予等三人と大槻博士に案內されて蒲田の大槻邸へタクシーを走らした。時餘にして到着御夫人始め御子樣達に迎へられて御世話になることになつた。

心おきなく御親切に御勞はり下さるので見學生はすつかり疲れも忘れて御子樣だちの御仲間となりすまして昨夜同樣の御厚情に夜の更くるのも忘れたのであつた。

加川茂平氏と我々同窓三人は結構な御馳走を戴きながらも此の度の計畫についての檢討、社會への反響、懷舊談等に時の過ぎるのも忘れたのであつた。博士は見學生に酒飲みになるなどと諭された。加川氏御兄弟は十時過歸宅された。博士は往診されるなど中々の御多忙に恐縮を禁じ得なかつた。十二時過ぐる頃博士の

修養室悠々庵に休息を許された。

三月二十八日午前六時地震に驚いて飛び起きた處へ博士も起きて來られて慰めて下さつた。早朝より博士趣味の盆栽、彫刻等を拜見し、治療室、手術室等を案內され其の完備されて居るのに敬服した。博士の嗜好を凝された食堂にて朝食を馳走され、折柄案內の爲め御來訪下さつた加川君御兄弟と大槻博士竝に御姉妹の御令孃と御長男道夫さんの御六人案內に御立ち下さつたので御禮の御挨拶もそこ〳〵に御暇して羽田の飛行場に向つた。福士飛行場長は博士と懇意な間柄なので場長自ら案內の勞を取られた。廣き場內には數知れぬ樣々の飛行機が長閑な春光を浴びて飛びまわつてゐた。茲處の展望臺で大槻加川兩兄は見學生のために記念撮影をして下さつた。午後一時、御孃さん道夫さん方は歸宅されたので他の一行は川崎市の昭和肥料會社の見學に出向いた。此の會社の硫安の製造には驚かされて暇を告げ途中大槻博士は往診のため歸宅されたので、加川氏御兄弟の案內に依つて深川のルンペン宿泊所を見せて貰つた。こんなに澤山の流浪の徒が集るもの哉と鄉里にあつては想像も及ばぬ事なので尊い經驗を得て最後の日程を終つたのである。

加川氏に導かるゝまゝに銀座の越後屋といふ料亭に入れば鄉黨の先輩元三瓶町長、戶田守一氏、星義氏、霜山氏、星惣次郞氏等ありて大槻加川三氏も加はり予の爲めに慰勞の宴を設けて下さつた。只々恐縮御厚志を謝した。更に夜更くるにも拘らず上野驛まで見送つて下さつた。

以上の先輩諸彥の外に加川茂平氏夫人、星義氏夫人、星正三君星健三君夫妻も親しく見送つて下さつた。

特に加川茂平氏は母校に二宮金次郞苦學の圖の大到額を、大槻博士は圖書館へとて家庭百科全書を予等に託されたのである。

三月二十六日、二十七日、二十八日の東京に於ける三日間は快晴續きで予等の見學は非常に惠まれ、加ふるに鄉黨出身各位の御厚意によつて更に〳〵効果をより大きくしていたゞいた。

二十八日午後十一時三十分の下りにて名殘を惜しみつゝ御別れ申したのであるが、如何にして御期待に副へ御好意に報ゆべきかと心は更に躍るのであつた。常磐線中村驛に下車して白中線省營バスに乘り換へ二十九日午前九時半待ちわびられし學友恩師父兄母姉の歡呼の聲に迎へられて學校前に下車して挨拶もそこそこに無事を鎭守の社に謝したのであつた。

越えて四月一日講堂に予等の報告會は催され、各方面より贈られし記念品等は圖書館樓上に陳列して公覽に供し、見學に依つて現れたる各方面の御厚情を頌つのであつた。

第一回の帝都見學は斯くして行はれたのでありますが三日間を犧牲に供され費用の一切を提供されてひたすら鄉土の振興のために後進を引立てらるゝ兩兄の神の如き御心には儒夫も亦立たざるを得ぬ感を深く致すのであります。兩兄の此の計畫を贊せられて援助の勞を惜しまぬ鄉黨出身先輩各位に對しましても、深甚の敬意を表する次第であります。

阿部守治君は宗七長男で身體强健常に家業の農業を手傳ひ卒業後は一層專念して農業に從事し青年の中堅としてスタートせんとしてゐます。

渡部吉平君は三之助四男で極めて勤勉で、家業を手傳ふは勿論高等一年の時から每朝新聞配達をして通學をつゞけ、學業優等品行方正で卒業時表彰され、又篤行生として特に敎育會長賞に浴した模範生であります。

若き小山義孝君の墓前にて

伊藤悌二

大忠臣楠氏を産みし河內野の花咲く春に葛城をみる
葉櫻の樹かげ腰掛け亡き友の自我の强さを頰笑みにけり
みはるかし淀の川原を隔てたる山崎の邊に霞たなびく
西行の歌ひし如くきさらぎに大人（うし）は河內の丘邊に眠る
竹籔の小徑を辿り義孝の墓にしくれば目裏あつしも
ゐくつきの裏山林竹繁り池邊にすみれわびしく咲きぬ
三十路にて眠るは早し河內野に花もこそ咲け鳥もこそ啼け
君が年に我れは事業を始めしと魂打つごとき恨み言いふ
若ければ若きが儘に算かる暗示與へし君惜しぞ思ふ
倒されて倒れし儘の櫻より萠えし若芽に君しのぶなれ
春の潮光るなぎさに寄するごと友の面影我れを襲ふも
春の野火ふさはしからずと吾が妹は菜の花野邊に我に囁く
亡き友の愛でたる庭の木爪の花母人と今日はかなしく眺むる

樂々園山莊にて（四月十日）

樂々園山は繪のごと谿淨く川澄みて我れの心なごめり
橋傳へ川に我が影うつし居れば鶺鴒飛びて日は傾きぬ
見はるかし溪々越えて流れ行く川邊の櫻吹雪と散るも
風立てば若葉の森は浪皺の如くそよぎき春の黃昏
幾山路越えて訪ふ可き人もなし此の山宿に今宵寢ねなん
春深しふりさけ見れば紺青の空の彼方に御嶽はけぶる
とことはに彌生十日は暮れたりと思へば寂し山莊の雨

子等の歌（四月九日）

曉の電車のひゞきうつら〳〵ききつゝ吾子の盗汗（ねあせ）ふくかも
ちちのみの父の心となりはてゝ吾子と春野に土筆つみける
朝ごとに金魚の衣物洗ふ歌ぢやぶ〳〵と今日も歌へ居るらん
面白き秋田甚句のレコードに足音あはせ子等は踊るも
銀婚の式も間近き春なるに我が友の妻は身ごもりしとや

編輯後記

◉柳は綠、花は紅と云ふ今日此の頃は一年中で一番好きな時候である、四月一日、敏和、順子の二兒を連れ、彼れ等の保證人である須磨の尾崎先生宅に進級の御挨拶にゆく、其の日の午後市民館にかゝつた電話により、東京の大川清太郞氏御來阪の事を知つた、そして同氏の御招待で『大阪夏の陣』を觀たが家康の道德的觀念は實に酷だ、あれでは其の子孫たる人々は定めし眼をそむけるであらうと思はれる。

◉三日は中西女史と共に河內國樟葉の丘陵上の小山義孝君の墓參をなし、歸途故人が生前住んで居られた一室に同家の御兩親のもてなしをうけつゝ木爪の花を飽かず眺めた、八日は保嬰館に西川爲雄博士を訪ふて『愛兒叢書』の中の「小兒結核の豫防」の御執筆を御願ひした、やはり十萬部發行の豫定である。

◉九日に上京、十日は春草會が青梅奧の樂々園山莊ホテル內に開催されるので、西牧兄と出席、其の夜は津田青楓畫伯と二人だけ居殘つて夜の耽けゆく迄繪の御話しを窺ふ、十一日は松岡映丘畫伯主宰の國畫院展にて西牧兄と落ち合ひ、中學時代の先輩である松本貞藏氏宅に至りて饗應をうく、（氏の令妹は西牧夫人）十三日は我等の審査會を其の初期より懇篤に指導庇護されて來た唐澤博士を御訪れし、興味ある九州の旅の御話しをうかがつた、鹿兒島から日向を廻行された由であるが御疲勞のやうでもなかつた、それから午後は久々にて上高井戶に江渡狄嶺氏を御訪れして武藏野の春の氣分を充分味ふ事が出來て嬉しかつた、櫻も木爪も清淨に咲いてゐた。

◉十六日には保尊、吉村兩畫伯を訪問、慶應大學病院にて中鉢博士に御目にかゝる、今回は滯京十三日間に渉つたが、荻窪の木村氏宅（一三）長崎の星氏宅（一七）京橋の富田博士宅（一八）等にも泊めて頂く、昔の俳人のやうに行く先々で話しに興が乘ると、途にホテルに歸る事も忘れて了ふのであらう、兎に角自分は各方面の方々から愛せられる事を常に感謝して居る次第である。

◉十九日、陸軍省に岡江軍醫を、海軍省に高杉醫務局長を御訪れして協贊の件を御願ひした處、いつも御熱誠溢るゝ御助言を賜はるので恐縮の外はない、正午生江先生と青年會館に會談、夜は新婚の大川氏御令姉夫妻の御招待會に出席、在京中嬉しかつたのは寵愛の畫帖に青楓畫伯から蘭の繪と良寬の漢詩をかいて頂いた事である。

◉二十二日の燕號で東都を離れたが、その前日高木畫伯は本誌の表紙繪の揮毫を完成されたのである、それから同鄉の友大槻正路博士（外科專門）を蒲田に訪問、三十年振りにて往時を追懷して時の移るを知らなかつた、高島屢氏は博士の學友であり、夫人は齋藤子の御親類である、博士は常に同鄉の開發と、子弟の指導に熱誠を注がれて居る。

本誌定價　一册金參拾錢　郵稅壹錢
半年分六册　金壹圓六拾錢　郵稅共
一年分十二册　金參圓　郵稅共
誌代郵稅は一切前金の事
前金切の場合は發送中止
郵券代用は一割增のこと

昭和十二年四月廿八日印刷
昭和十二年五月一日發行（每月一回一日發行）

兵庫縣兵庫郡精道村芦屋
發行兼編輯人　伊藤悌二
大阪市西淀川區海老江上二丁目三七番地
印刷人　木下正人
印刷所　木下印刷合資會社
電話福島㊺（一五三四番・二四二六番）

大阪市北區天神橋筋六丁目
大阪市立北市民館內
發行所　大阪兒童愛護聯盟
電話堀川㉟（〇〇〇一番・〇〇〇二番）
振替大阪五六七六三番

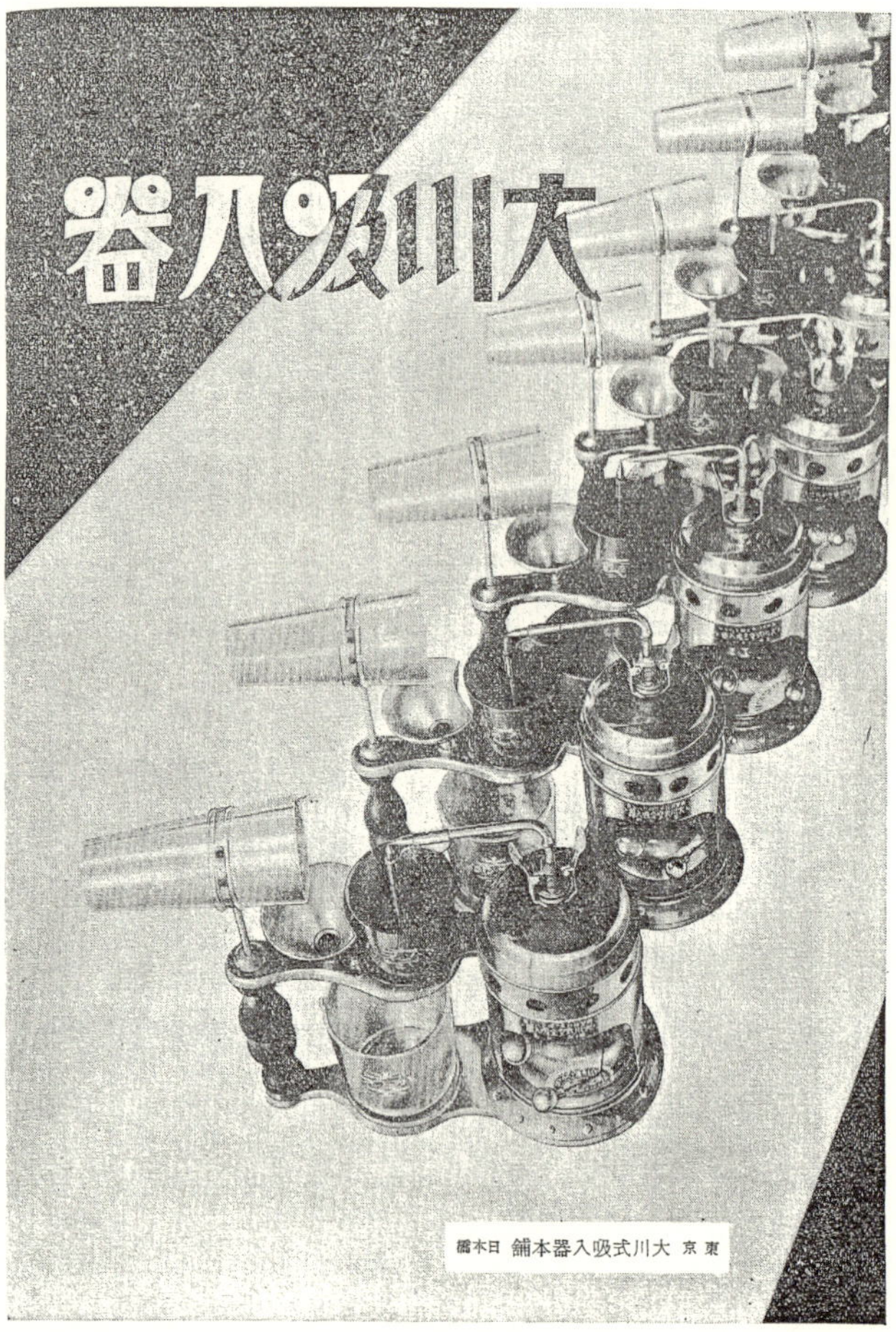

子供の世紀 第十五巻 第五號
大正十三年二月二十日第三種郵便物認可
昭和十二年四月二十八日印刷納本 毎月一回一日發行

【定價 金參拾錢】

36—2060(O)

基礎鞏固　經營眞摯

創立　明治四拾四年

コドモの保険　日本徴兵

入營・嫁入準備　出世・教育資金

子を持つ親心

可愛い子供の爲に何程かづゝの貯金をしてやらうと考へるのは、凡ての親としての至情で、男子ならば適齢迄、女子ならば嫁入迄と誰しも心掛ける所ですが、さて實行はなかなか困難です。

最良の實行方法

徴兵保險、生存保險のコドモ保險は此需用を充たす最良の施設で、一度御加入になれば知らず識らずの間に愛兒の爲に必要な資金が積立てらるゝことになります。

日本徴兵保険株式會社

本社　東京市麹町區内山下町一ノ一

『子供の世紀』（第十五卷第六號）結婚生活の準備號

目次

森永 無糖ドライミルク

世界的優良粉乳

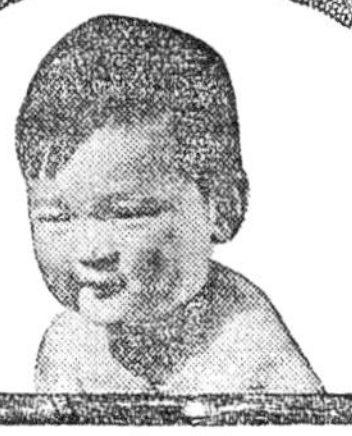

科學は實證す

一、酵素及ヴイタミンの含有量第一位

一、市販粉乳中脂肪量最も多く百瓦のカロリー五二〇・八の豊富

一、水にも湯にも容易に溶け使用極めて簡便

一、生乳よりも安全にして消化良し

森永煉乳株式會社

明治(赤罐)コナミルク
國產噴霧式粉乳の先驅
榮養と經濟とを兼ねた
國產唯一の母乳代用
胃腸の弱い赤ちゃんにもよく消化出來るやう、諸成分を調整してあります。その上値段も、砂糖の入つた牛乳一合に相當するものが五錢の割合にまで引下げてありますから、牛乳代りに召上つて戴いても御德用です
・用ひ方簡便・

・母乳代用添加料・
ママーゲン
當社新發賣ママーゲン(榮養素配合製粉)
を牛乳、ミルク、粉乳に添助すれば體重増
助、腸整作用顯著に、母乳代用品の効果を
完璧にいたします。しかも開纖後吸濕變性
の虞れなく價格も亦至極低廉でございます

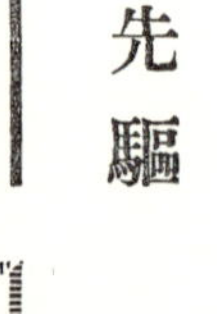

明治製菓株式會社

教育結婚保險
徵兵保險

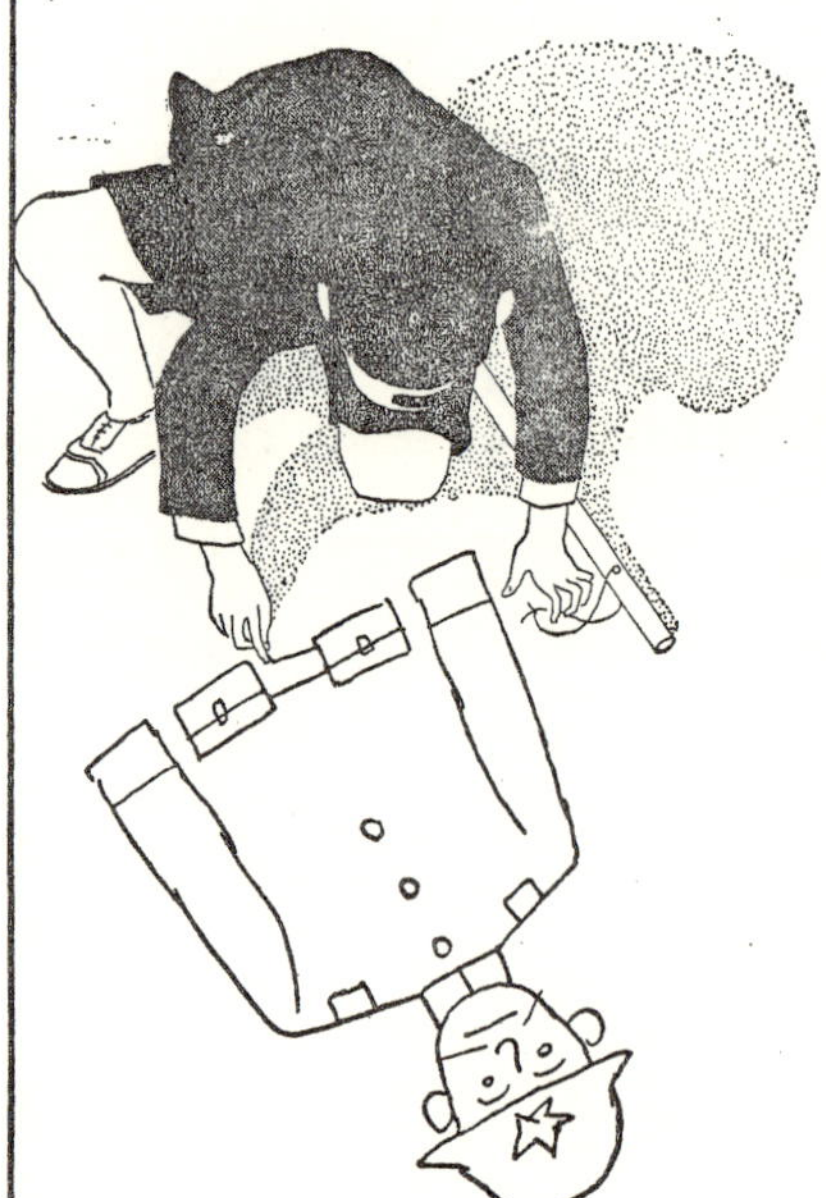

東京 第一徵兵 銀座

喫茶店より美味しい珈琲が出來る珈琲沸器!!

大川パーコー

美味しい香り高い珈琲は
大川パーコーにのみ依つて得られます

全國百貨店に有り

說明書送呈します

關西代理店　大阪市北區梅田新道

ニッポンブラジリアントレーディングコンパニー

東京市日本橋區本町
大川吸入器本舖
大川銀三郎商店發賣

モデル東京松竹少女歌劇聲樂專科對馬洋子さん一人二役

子煩惱な永野海軍大將

海上の御生活から久方ぶりで歸邸されるや必ず幼い御二男の誠さんを抱き上げられて、終日遊び友達となられる提督永野修身閣下の面影は、實に父性愛の權化とも云ふ可きであらう。

閣下は昨年海軍大臣であられた時東京に於ける審査會に際し、優良兒母の會のために育兒の要諦とも云ふべき『嚴而慈』なる扁額を揮毫されたのであつたが、閣下は心から常に本聯盟の發展を喜んで居られるのは感謝に堪へない。

發見創製　醫學博士 太繩壽郎氏　醫學博士 青山敬二氏　醫學博士 有馬頼吉氏

日・英・米・加奈陀・愛蘭　專賣特許

アーオー

結核免疫元

治療的應用

肺結核（潜伏、輕症、中等症）

腺結核、皮膚結核、泌尿生殖器結核、外科的結核、眼科的結核、肋膜腹膜炎、喘息

特ニ小兒ノ淋巴腺結核ニハ手術ヲ要セズ治癒セシムルコトヲ多數實證セラル。

肋膜膜炎、肺炎等ノ恢復期ニ於テ最モ著効アルコトヲ認メラル。

豫防的應用

虚弱兒童、腺病質學童

特ニ感冒ニ罹リ易キ兒童ニハ著明ニ奏効スルコト確實ニシテ是等體位增强ノ手段トシテ最モ適切ナル豫防接種ナリト信ス。

診斷的應用

結核ノ存否病勢並ニ豫後ヲ確斷シ得　而モ無害ニシテ同時ニ治療的効果ヲ有スル方法

（所謂吉田氏反應）

特長

忌ムベキ副作用無ク、吸收容易ニシテ効果確實ナルコト。

製造所　有馬研究所
發賣元　須美商店
大阪市東區北濱四丁目〇

小兒科文獻贈呈

全國醫學界の推獎を得たる完全な榮養食料品

お醫者がスヽメル滋養のお菓子

乳菓カルケット

大人…元氣增進　産婦…榮養補充
小兒…發育旺盛　病後…疲勞回復

本品の特徴は

人體に必要なる**カルシウム**分を有効に配劑す

（衛生試驗所證明）

澱粉、脂肪、蛋白質の外特に健康に必要なる**カルシウム**分を有効に配劑し、砂糖による害を除き、一家の健康を保つ完全食料品として、**カルケット**を常用せられる事は、賢明なる現代の主婦の御役目であり、又お菓子の選擇に滿點といふべきであります。

健康の御家庭は一家に一罐必らず御常備あれ。

美麗包裝各種

御家庭用	角罐	二、二五〇瓦
御進物用	大平罐	七五〇瓦
同	中平罐	五〇〇瓦
同	小平罐	三七〇瓦

◇外に散歩遠足用丸棒包（十錢）有り

東京
大阪
中央製菓株式會社

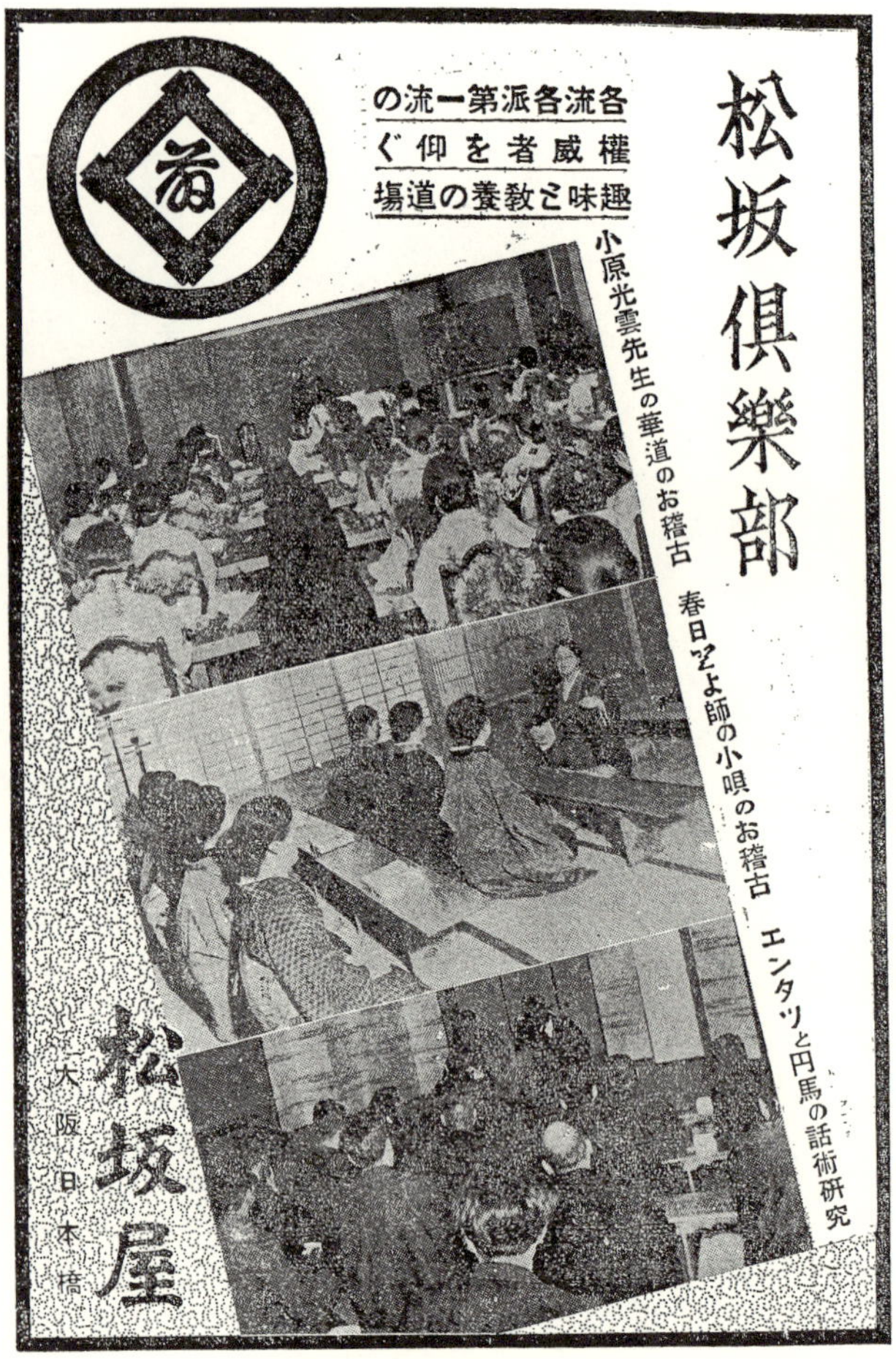
松坂倶樂部
各流各派第一流の
權威者を仰ぐ
趣味と教養の道場
小原光雲先生の華道のお稽古
春日とよ師の小唄のお稽古
エンタツと円馬の話術研究
松坂屋
大阪日本橋

此の効果！
此の香味！
ライオン歯磨は、
品質の優秀を確認された歯磨です。どんな科學的試験も端的に此の事實を裏書して呉れます。殊に原料粉末の微細均等なることは、ライオン歯磨の最も誇とする所であります。
LION
TOOTH PASTE
TRADE MARK
AN IDEAL PREPARATION FOR THE TEETH GUMS AND MOUTH
MADE OF SCIENTIFICALLY SELECTED MATERIALS
ライオン歯磨

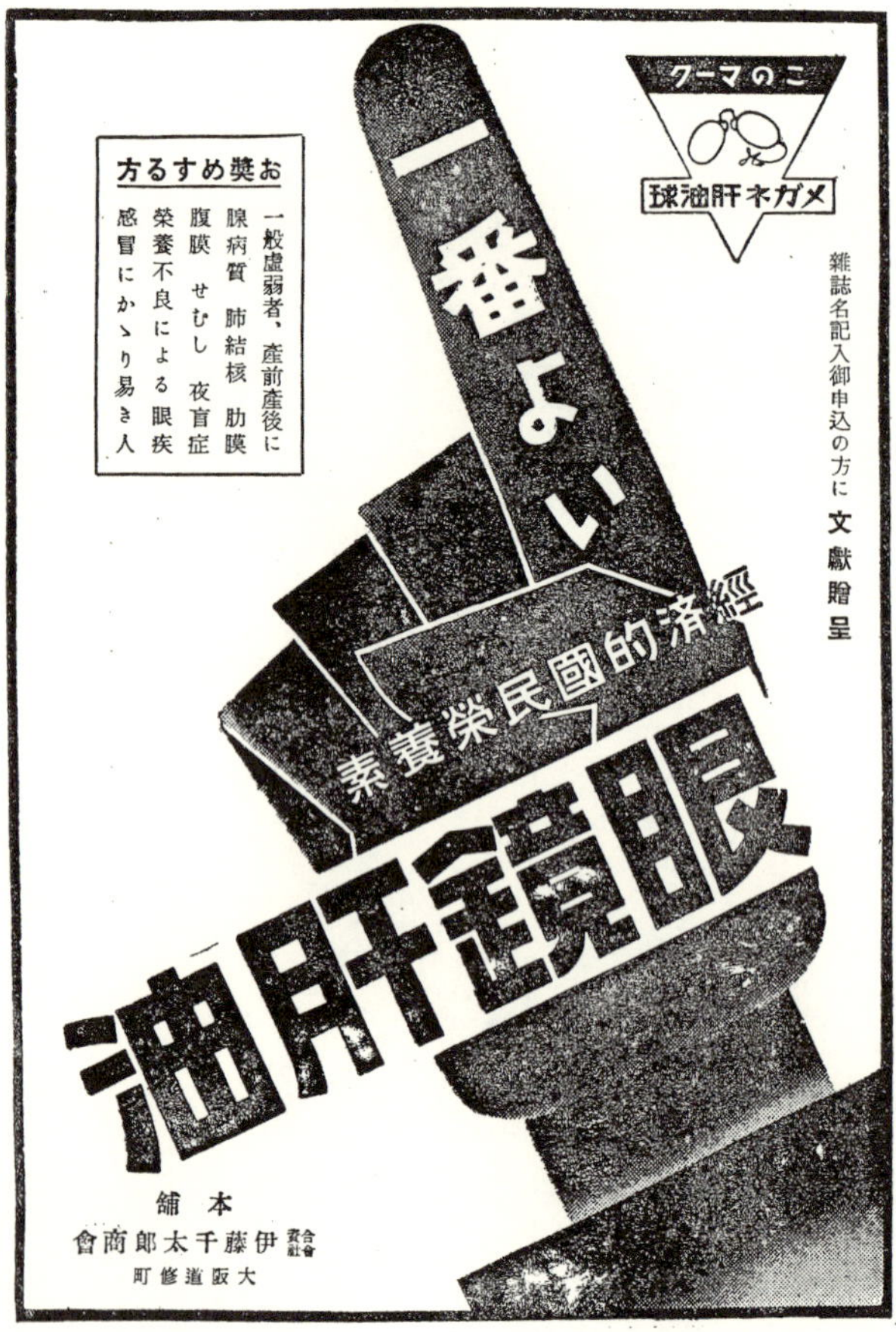
このマーク
メガネ肝油球
お奨めする方
一般虚弱者、産前産後に
腺病質　肺結核　肋膜
腹膜　せむし　夜盲症
榮養不良による眼疾
感冒にかゝり易き人
一番よい
經濟的國民榮養素
眼鏡肝油
雑誌名記入御申込の方に 文献贈呈
本舗
伊藤千太郎商會 合資會社
大阪道修町

便秘性の乳幼兒に
マルツ汁エキス
MALT SOUP-EXTRACT
組成
マルツ汁エキスは易消化性麥芽糖を主成分とし、ヴキタミンB、Cを包含す、
應用
ケルレル教授が治療食餌として創案せるものにして人工榮養に於ける食餌成分の偏重に基因する乳兒榮養失調症（牛乳榮養障碍）常習便秘又は高度の羸痩を伴ふ消耗症、或は慢性消化不良、發育不良等に應用し、消化機能を整正恢復して榮養を佳良ならしめ、よく自然的便通を催進せしむ
用法
人工榮養兒には食餌に添加し、母乳兒には適宜溫湯に溶解して與ふ、又發育不良體重增加不良の場合にはケルレル氏法に從つて使用し、或はビオスメールの適量を添加し用ふ。
包裝 500G ￥1.90　120G ￥.70
文献贈呈
株式會社 和光堂 東京市神田區鍛冶町 大阪市東區南久太郎町
イ.M1

故郷の山 故郷の川

醫學博士　大槻正路氏撮影

澄み切れる幼な心にかへらまし聖き山にて瀨の音ききつ

うらゝなる地平線上にもり上る山紫に色どる黄昏

いみぢくもさびしかりけり故郷の友さみやりし沼土手の月

鶺鴒の後を追ひつゝ渚邊の石ふみ渡り獨りたのしむ

故郷の雉子尾の川や鬼形に咲く山吹を寫して咲くらん

頬笑ましい吉村忠夫畫伯の三愛兒

仲よしの三人兄弟

これは最近東京巣鴨の御宅にて撮影せるもので、記者は御訪れする度にお兄さんの惇さん(七歲)は、幼稚園の遊戲からお辨當のお話し迄くはしく報告されますが、とても可愛らしい。

明さん(五歲)は時々ナチスのやうな服裝であらはれて記者を驚かすのですが、御自身の健康診斷が上手だと云ふから小兒科醫になられるかも知れません。

衞さん(二歲)はお母さまに抱かれて何時もニコ〳〵と、健康を誇るやうなまなざしをされ記者を見て非常に喜ばれます。

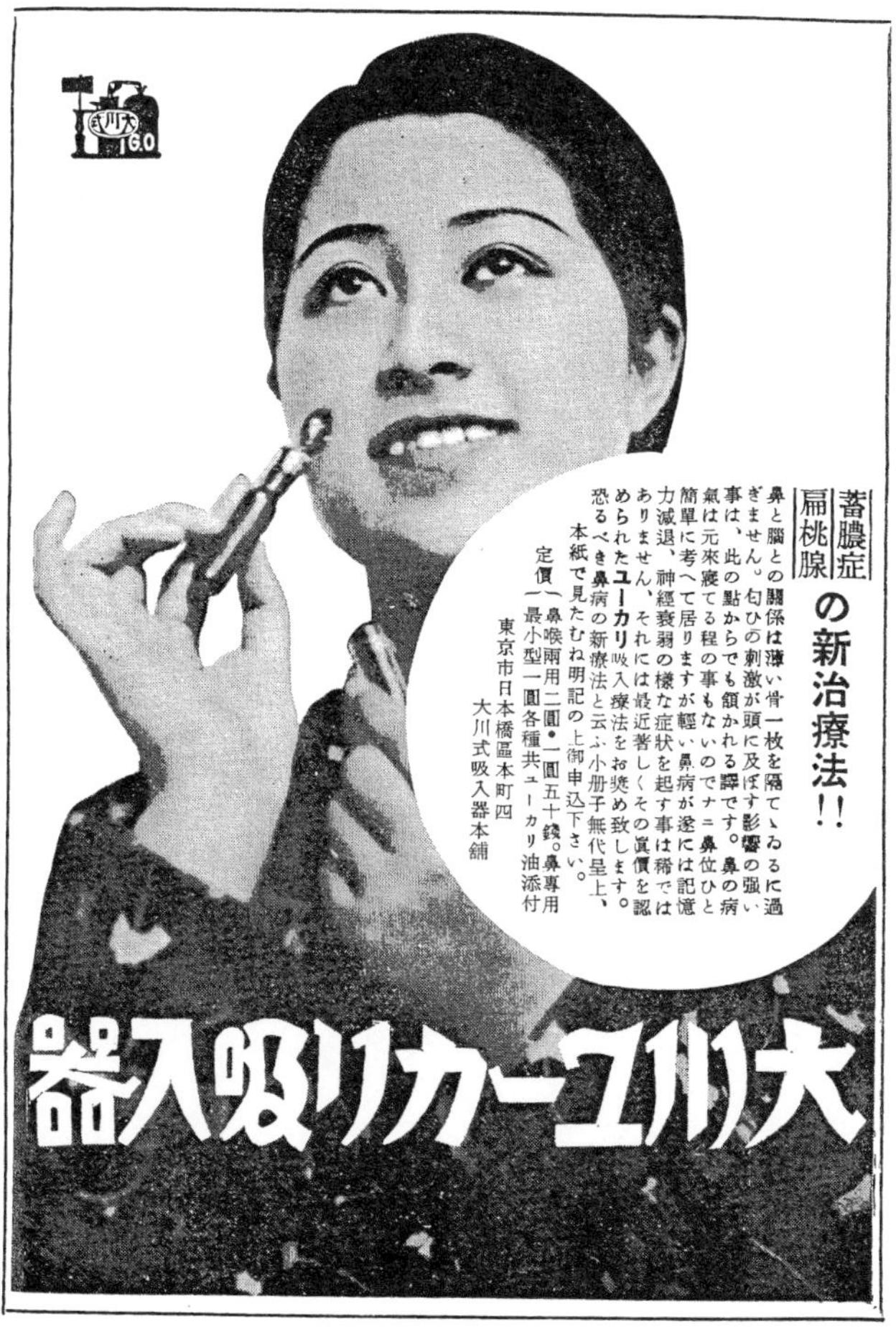

蓄膿症
扁桃腺
の新治療法!!
鼻と腦との關係は薄い骨一枚を隔てゝゐるに過ぎません。匂ひの刺激が頭に及ぼす影響の强い事は、此の點からでも領かれる譯です。鼻の病氣は元來寢てる程の事もないのでナニ鼻位ひと簡單に考へて居りますが輕い鼻病が遂には記憶力減退、神經衰弱の樣な症状を起す事は稀ではありません、それには最近著しくその眞價を認められたユーカリ吸入療法をお奬め致します。
恐るべき鼻病の新療法と云ふ小册子無代呈上、本紙で見たむね明記の上御申込下さい。
定價〔鼻喉兩用二圓・一圓五十錢。鼻專用最小型一圓各種共ユーカリ油添付
東京市日本橋區本町四
大川式吸入器本舖
大川ユーカリ吸入器

仰ぐ風水害の吉岡先生

想出も痛ましい三年前の關西地方の大風水害で、倒壞せんとする校舍の中から敎へ子五人を救出、身は梁の下敷となつて、貴い殉職を遂げた敎育美談の女主人公大阪府下豊津小學校訓導吉岡藤子女史の銅像は、同女史の生地山口縣敎育會の發起で山口市敎育博物館前庭に建立、去る五月九日午前十時から盛大な除幕式が擧げられた。

この日吉岡訓導に救はれた大阪府豊津小學校の兒童五名のうち辻敏子(十一年)石田好子(十一年)小田美穗子(十年)岸田光子(十年)の四孃も岩垣校長、榎谷訓導に連れられて列席、故吉岡訓導の遺兒牧子さん(九年)と揃つて銅像前に立つて除幕の紐を引き參列者の感激の淚をそゝつた。

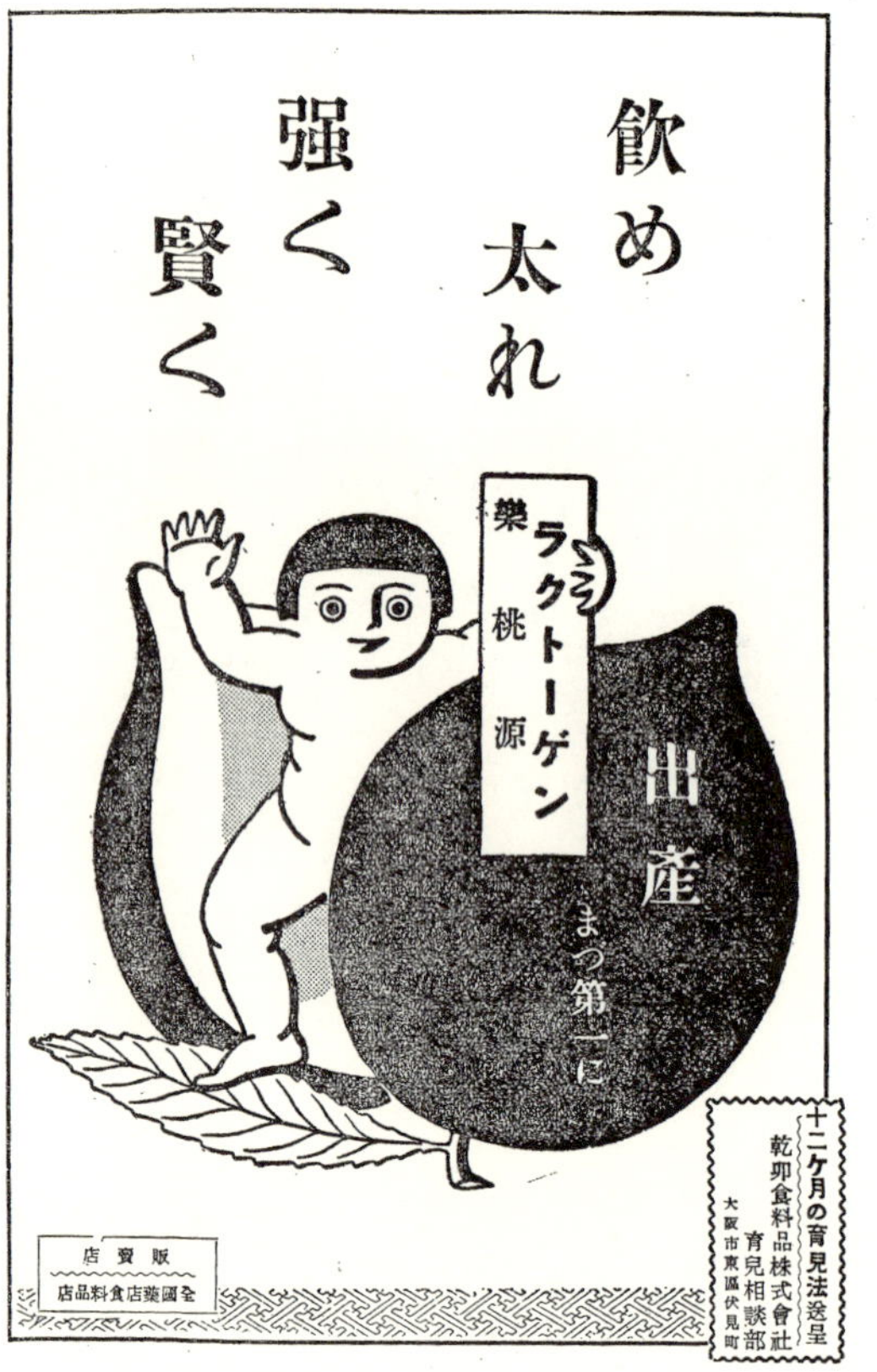

飲ませ易いヒマシ油

ヒマオール

ヒマシ油を必要とする凡ての場合に
用量はヒマシ油に準じて可なり……

厭ふべきヒマシ油臭を去り、芳香と甘味を附し、外觀は美麗なる淡桃色となして小兒にも之が服用を容易ならしめたるものなり…………

30瓦入　¥ .15
500瓦入　¥ 1.30

三 SANKYO 共

東京・室町
三共株式會社

昭和十二年　子供の世紀　六月號

六月の言葉（巻頭言）

六月の異名を水無月と云ふのは、暑熱烈しく水泉盡くるためにこの名がある、亦雷鳴月を略してみな月といふなど諸說がある。

蓮の葉につゝみてひかる螢かな――既に夏ではある、清冽の河に躍る若鮎の銀鱗はいかにも潑剌新鮮――そして街の風景はさん〳〵たる陽光を浴びてガラリと變り、凉味溢るゝ若人の姿は緑增す街路樹に一入映えて男性的にまばゆい、梅雨は人の心を憂鬱にするけれども、この雨の中で植物は密雲の中の日光を慕ひながら水をふくんでのびて行く、此の時期に於て特に注意を要するのは食物の腐敗とお子さんの寢冷えである。

× × × × ×

一回の審査會のために數十人を動員し、一冊の雜誌編輯のために十數人が總がゝりになつてる團體や役所がある、二三人でも出來る事なのに――社會が行詰ると云ふのは斯ふした無駄が積り積るからであらう、法外な豫算とか形のみの財團組織と云ふものは國家に徒食者を多からしむるやうなものである。

× × × × ×

米國の或る大都市の商工會議所が全米に涉る一流名士に向つて、所謂成功の秘訣を尋ねてみたところ、異口同音に「一筋道を歩んで來たのみで他に秘法はなかつた」、と答へて來たとの事である、日本では久々で遭つた友人に對し「君はまあだあの仕事をしてゐるのか」、と云ふ挨拶を平氣で云ふのを不思議とも何んとも思つてゐないが、實に失禮千萬な事だと思ふ、仕事が常に變るのが當然で終始一貫、卽ち一事貫行をやつてる者を餘程の馬鹿者扱にするのは間違つた事である、人物の拂底實に理由なしとしない。

× × × × ×

靑年諸君の爲す可き仕事は街頭に澤山轉がつて居る、仕事が無いのではない爲さないのだ、働く事、汗を流す事を惜しむからである、新しい事業さへ考へ出さうと努力する彈力だになくなつて居る、頭のみ大きく手足が蚊のやうに細くなつて行く怪物、新世紀の特產物――それは懶男、悍夫であらう。

各國ヘルス・センター概況

内務技師 醫學博士　南崎雄七

一、ヘルス・センターの定義

ヘルスセンター Health Centre なる言葉は歐洲大戰前英國に於て所謂母性及乳幼兒健康相談所に Maternity and Child Welfare Centre なる名稱を用ひたのが其の嚆矢らしいのである。卽ち今日に於ても英國でヘルス・センターと云へば乳幼兒健康相談所が其の代表的名稱となつて居る。

而してヘルス・センターなるものが一定地域內の母性及乳幼兒保護の爲めの醫學的相談機關の中心たる關係上かゝる名稱が出たものであらう、而してこの一定地域なる地理的衞生地區の起源としては一八六二年かの有名な訪問看護 District Nursing（地方看護事業とも云ふ）の創始者である William Rathbone ウイリアム・ラスボーン氏ガリバプール市を十八區の訪問看護地區に分ち之に各一名の訪問看護婦 District Nurse を受持たして家庭訪問看護事業を始めたのに基因して居るやうである。

この一定看護地區が卽ち現今の衞生地區なる名稱の發生とも云へるのである。從つてヘルス・センターなる言葉は一定の限られたる地域內の人々に對し醫療的又は豫防衞生的の仕事を行ふ一つの保健機關と解してよいやうである。

又かゝるヘルス・センターなる施設は既に大戰前から識者に依つて考へられて居たのであるが、一九一九年英國衞生省の設置後之が理想的計畫が建てられたが之の方面の醫療的のものは發達するに至らなかつたと云はれて居る。

然し英國に於ては兒童保健事業として母性及兒童福祉

センター卽ち Maternity, Child Welfare Centre の組織が出生四百を一地域とする保健相談機關として發達し一九〇六年にハイングランド・ウエールスに僅に二個しか見られなかつたセンターは今日一九三三年には二、八二〇個所の多數を見るに至り、出生四百に對する一個所の理想を突破したのである。

醫療的の方面のセンターはヂスペンサリーとかクリニツクと云ふ形で顯著な發達を來たしセンターとしての形としては發達するに至らなかつた。

然し今日世界各國に於てヘルス・センターなる意義に就ては種々の考へ方をして居るやうであつて一定の確固不動な定義はなく其の意味を區々に解して居るやうであり、米國に於ては哲學博士タルデイビス氏はヘルス・センターを次の如く定義して居る。

「ヘルス・センターとは廣義に於て公共的施設として特定の病院を中心として醫師、衞生當局及び一般住民に依り組織され、或る特定地區の全住民に對し疾病の豫防並に治療に關する組織的奉仕をなすことを目的とする社會的團體である」と云つて居る、又現在米國に於ける各方面から出來て居るヘルス・センターの實情から觀察するとヘルス・センターは其の活動模樣から見ても、形式から見ても醫藥設備の方面から見ても限定的の定義はつけられないが、然し何れのセンターも共通せる二つの要件は具備して居る、卽ち其の一つは一定の地域と人口の單位とを撰擇して居ること、他の一つは其の地域內の衞生的社會的福祉事業に關する諸團體と連絡協調して仕事をして居ることである。

かゝる理由からして結局ヘルス・センターなるものゝ定義を次の如く集約することが出來るやうである。

「ヘルス・センターとは特定地域に對して醫的施設並に保健衞生の社會施設を供給奬勵し且つ其等の諸施設の協同せる組織體である」と思ふと云ふことをデイビス氏は云つて居る。

更に今一つの農村のヘルス・センターに就て一九三一年ゼネバに開催された歐洲農村衞生國際會議に於て採用された農村のヘルス・センターの定義は次の如きものである。

「農村ヘルス・センターは一定の地域內の住民の健康及び福祉增進を目的とする施設にして、其の目的を達成する爲に保健官の指揮に從ひ一つの特別建物或は之に似たるものゝ方法に依り仕事を集中し、之が統制の下に一般公衆衞生事業團體（各種福祉機關、救助機關等）と協同して其の區域內の保健衞生に關する全般の施設を行ふものを云ふ」と定義して居る又最近米國に於て農村のヘル

ス・センターを次の如く分類して居ることを報告したものに接受した、其れに依るとヘルス・センターを五つの型に分類して居る。

第一型　之は博覽會、講演及印刷物等に依り衞生宣傳のみに限るもの。

第二型　第一型の仕事に加るにクリニツクとヂスペンサリーを通じて治療まで行ふもの。

第三型　農村地方に於ける官憲の衞生課の全部又は或る部分の仕事をなすもので丁度縮少せる衞生課に類似せるもの。

第四型　專門醫に依つて相談的に醫學的診斷のみに限らるゝもの。

第五型　健康者又は微恙者の健康增進を目的とする卽ち身體檢査を爲すことに主眼點を置くもの。

等に分ちて居る。

二、ヘルス・センターの經營主體

ヘルス・センターの意義と目的とは大體前述の通りで大凡の了解は出來たと思ふが、かゝる保健機關は一體誰が經營するのが最も適當であるかと云ふに、是も諸外國の現狀から檢討して見ると種々雜多なるに驚く、然し英國の如く大部分が官權の經營になるものもあるが今之を分類して見ると次の樣に分けられるやうである。

一、或る篤志團體が經營し、同時に其の地域內にある公衆衞生官權、社會事業關係の團體或は警察當局などゝ密接な連絡協調を保ち、政府は之を監督し或は進んで補助を與へると云ふ型式のもの。

二、政府自らセンターの全部に亘る經營をなし又は僅か一部を他に經營させるが大部分は矢張り政府の經營に屬すると云ふ型で、センターが當該官權の公衆衞生制度の一部と認めらるゝもの、この場合に於ける經費は大部分を市町村で支出し、國又は州縣は之に補助金を與へると云ふ型式のもの、之に屬するものにはハンガリー、ポーランド、ユーゴースラビア國に於けるヘルス・センターの經營は大體この式に屬するものである。

三、第三の型は前兩者の混合經營と見るべきもので、政府、公共團體の機關として其の經費を負擔するも一面公私團體其の他より寄附を受くることにして居る組織のものである。英國、佛國、獨逸に於けるものは之の型式のものが多いと云はれて居る。

經營主體から分つと大體前三者の如くなるが、今二三の實例を擧げて見ると、英國（イングランド・ウエールス）に於ける一九三二年のセンターは公立二、〇三四ケ

所あつて何れも地方官權の經營、私立は七四九で篤志團體の經營である、又米國に於てはカリフオルニア州のアラメダ郡のヘルス・センターは郡の公立であり、ニユーヘブンのヘルス・センターは州衞生局の經營に屬し、ボストン市のヘルス・センターは公立、私立諸團體の共同經營、紐育州東ハーレムのヘルス・センターは二十三の加盟施設として經營され之に市衞生局も參加して居る、又紐育市のジヤドソン・ヘルス・センターは經營主體が社團法人で市が補助して居る。オハイオ州のクリーブランド市のヘルス・センターも衞生局援助となつて居る。

ボーランドの如きは其の經營主體は市町村並に郡となつて居るが經費の支出分前は七九%は市、町、村、郡、九%は中央政府、四%は國立健康保險より、二%はロツクフエラー財團、四%は雜收入使用料等、二%は其他からと云ふ風に複雜なものもある。又東洋方面に於て蘭領印度のヘルス・センターは公衆衞生局と縣と村との三者共同經營であり、ビルマのヘルス・センターは其の設立者が縣とロツクフエラー財團とである、支那のヘルス・センターは公立となつて居る。（つゞく）

お醫者さま
……とのお話

どうしたら坊やが丈夫になれませう？

母親「うちの坊やは、夏になると胃腸を害したり、微熱が出たり、夏痩せしたり、どうも體格がもう一つ丈夫でなく、何か新らしい保健劑でも服ませてみたいと存じますが」

先生「ヴィタミンADを充分に補給することですね肝油がよいでせう、あれなら永年の試驗濟みで効きめについては疑問の餘地がなくどちらの學校でも良い成績を擧げて居られるやうですから」

母親「そのことでご相談したいのですが、冬は格別として夏にもなるとあの嫌な臭味が鼻について宅の子供は神經質なものですから服んだ振りして、こつそり吐き出す仕末で……」

先生「それではハリバがよいでせう。毎年夏になると、どちらのご家庭でも液狀の肝油に代へて盛んに用ひられてをるやうですから、これまでの肝油一瓶分に相當するヴィタミンADが小豆ほどの小粒に濃縮されてをり、一日僅か一二粒、どんな夏でも樂に服用させることが出來ます」

母親「これまでにも肝油を與へたことがありますがいつも永續きせず、とりわけ夏になると全々中止しなければならなかつたものですが……」

先生「その點になるとハリバに限るやうです。肝油の樣な保健劑は幾週も幾月も永く連用させて始めて效果的なのです。特に夏は抵抗力が弱りがちのもので一そう肝油に頼らねばならないのですが、坊ちやんが愉快に連用出來るやうにこの大切な夏だけでもハリバに變へてあげて下さい」

一粒肝油ハリバ

演　講

結婚の醫學的條件（一）

醫學博士　土　肥　　衞

意義ある日に理解ある皆樣方の前で『結婚の醫學的條件』と題しまして、結婚の衞生的注意事項を御話申上げる事は私の最も光榮とする處で御座いまして、暫くの間御淸聽を煩はしたいと存じます。

人間は誰でも長生がしたい、長生どころか何時までも永久に死にたくないと云ふ爲めに、不老長壽の藥を探し求めて飮んだり、或は若返り手術をしたり注射をして貰つたり、色々苦心慘憺して居られる樣ですが、如何なる方法を以てしましても、人間は永久に生きて行くと云ふ事は出來ないのであります。必ずや老木が枯れる樣に一度は死なねばなりません。然しながら幸な事には生殖器の作用によりまして我々は種族卽ち子孫を殘して置く事が出來るのであります。

結婚の目的は何かと申しますと純正且健康なる子供、他人の子ではいけません、自分の子供を得るといふ事であると私は思ふのです。從つて結婚といふ事は人間に取つて非常に重大な事でありまして、一歩之を誤りますと祖先に對して申譯がない事になり、動もすれば子々孫々に累を及ぼし、甚しきに至つては全く子孫が斷絕して仕舞ふ事になります、之を思へば結婚が如何に重大であるかゞ想像されると存じます。

1　生殖器の不完全なるものは結婚の資格がない

其處で先づ結婚の目的が良い子供を得るためであるからには、第一生殖器が不完全で子供を拵へる事の出來ない人間は結婚する資格がないわけであります。決して享樂の爲めに結婚するのではないのであります。健康な善

良な子供を得やうとするには最も理想的な配遇者を選び適當な時期を選んで結婚せねばなりません。

之を果物や穀物に譬へて見ますると、如何に良い種子があつても、良い土地がなければ之を蒔く事が出來ず、土のない岩石の上では如何に種を蒔ても生へる氣遣はなく、又如何に肥えた土地があつても種を蒔かねば芽生へもしなければ果實もなりません。又幸に良い土地があり良い種があつても其種を蒔くに適當の季節を選ばねば蒔た種が生へません、從つて良い果實を得る事が出來ません。

人間は婦人の卵巢より出る健康な卵と、男子の方から出る健康なる精子卽ち子種との結合によつて受胎卽ち**みもち**となり、**其みもち**になつた卵が適當な場處で滯りなく發育を遂げ、母の身體の外で育ち得るだけになつて生れて來るのであります。だから女の方から申しますと卵を拵へて出す卵巢がなかつたら子供は出來ない、又卵巢があつても其の卵巢が役に立たないでは子供は出來ません。更に又其の卵を子種卽ち精子と出會せる爲め運んで行つてくれる輸卵管に故障があつては子供は出來ない、又輸卵管は達者でも卵を發育させて吳れる子宮が健全でなければ子供は得られない事になる。更に子種の這入つて來る門口があいて居なければ駄目です。門口があいて居ても子種が子宮の中に入つて其れから卵に出會ふため通つて行く道が塞がつて居るとか、狹くなつて居ては矢張り子供は出來ない。

男の方を申しますと、肝腎の子種を製造する睾丸がないとか、傷んで居て子種が造り出されぬでは子供は出來ない、又睾丸が健全で子種を造出されても之を運んでゆく輸精管が傷んで居れば子供は出來ぬ。其れからいざと云ふ場合にボツ〳〵睾丸で子種の製造に着手すると云ふ樣な事では間にあはぬから、スハ鎌倉と云ふ時には間にあふ樣に子種を製造して精囊といふタンクに貯へて置くのですが、其の子種のタンクが丈夫でなければ駄目である。更に婦人の生殖器に子種を發射する鐵砲に損傷があつては甘く的にうちあてる事が出來ぬ。又睾丸が達者であり、輸精管や精囊が精巧で、鐵砲が完全であつても、之を發射する能力を持たなかつたならば、子供は出來ない。そういふ者は生殖器を持つて居ても持たないと同樣であるから結婚する資格がありません。生殖器に病氣があるものは、男女共に結婚前に醫者にかゝつて、治して

置かねばならず、男子の生殖器の發育が惡いとか、精力が乏しくて結婚しても女を姙娠せしめ得ない樣な人は、今武長さんが賣つて居るエ●●●●●ナルモンの樣なホ●●●●●ルモンでも注射して元氣をつけ、生殖器の發育がよくなつてから結婚する。女子が生殖器の發育が惡くて月々月經も見ないといふ樣な人は、オ●●●●●バホルモンの樣な注射をして貰ふとか、適當な醫療を加へ、姙娠可能となつてから結婚すべきです。之が所謂種と土地とに關する御話であります。

2 結婚の時期

次は季節の問題であります。結婚には時期がある。日本は昔から兎角早婚の弊があつて、老人達は早く孫の顏が見たいとか親達は早く嫁を貰つて安心したいとか、早く娘を嫁がせて安堵したいとか云ふ風で、徵兵檢査が濟むか濟まぬに嫁を貰つたり、未だ女學校に往きつゝある娘を嫁がせたりします。鹿兒島縣や琉球あたりに行くと十二歲未滿の未亡人があると聞きますが、早婚の結果は親の身體が充分發育してない間に子供が生まれる事になり、難產をするやら產道が傷つくやら致しますのみならず、其子は親の身體がまだ良く成熟して居ない時のものですから、成熟した親から生まるゝ者に比べて小さく虛弱なものが多く見受けられます。

西瓜や南瓜は一番なりと云つて一番初めになつたのが實も詰つて居て味も良く、二番なり三番なりと云つて蔓の先きの方になるもの程品質が劣り、實も充分に入らず味も良くありません。瓢簞なども後から出來るものは**うらなり**と云つて酒を入れて樂む樣な良い瓢簞にはならぬが、人間は之と反對で、昔から長男の甚六と云つて一番なりは身體も弱く、學校の成績も惡いのが多く、二男三男と後から生まるゝ子供の方が體格も良く出來るやうで、つまり人間は**うらなり**の方が良いと云ふ事になる。(笑聲)道理で六人兄弟の末に生れた私は亡くなつた兄等より大變賢い樣に自分でも思つて居ります、唯體格の方は餘り大きいとは云へぬが之は五人も出來た後の子で少し材料が乏しかつたのでせう。(笑聲)

獨乙のマールブルグの病院でアールフエルドと云ふ人が三千回の出產に就て調査した處によると、一回、二回三回と出產の回數を重ぬる度に、子供の身長も高く體重も重くなり、一回每に身長が平均半糎體重が百瓦餘りづゝ增して行く事が明らかとなり、丁度上が小さくて下が

太い鏡餠を見る樣なものです。(笑聲)之れ卽ち身體が充分發育してから結婚して子を產めば、丈夫で大きな子供が得らるゝと云ふ證據です。其れなら一層の事お婆さんになつてから結婚したら何うか、(笑聲)之れは又身體がカチ〳〵になつて居るから駄目です。オ●●●●ールドミスになると神經過敏となるのみならず、頭が高くなり、理性が克つて結婚難になる。誰やらさんは幾つで御嫁に行きやはつた。何某さんは二十一でどんな處に御嫁に行かれた、自分はもつと良い處に行つて是れ見よと云つてやらう、折角今迄待つたんだからモー少し良い處に行きたい。彼の男は少し氣に喰はぬ、此男は少し物足らんと選り好みをしても、思ふ樣な處からは貰つてくれません。(笑聲)彼れ是れする間に白髮が生へかける、仕方がないから大に割引して結婚すると、今度は身體が硬くなつてお產の時子供の通る道が開き難くなり、お產が長引く局部には傷が出來る、お產が長引て愚圖〳〵して居る間に子供は窒息して折角生れても泣かない、幸に無事に生れても年取つてからの子には掛る事が出來なくなる。だから女ならば二十二三歲から精々三十歲以下、男ならば二十四五歲から三十二三歲までの間に結婚するが最も理想的かと存じます。

（以下次號）

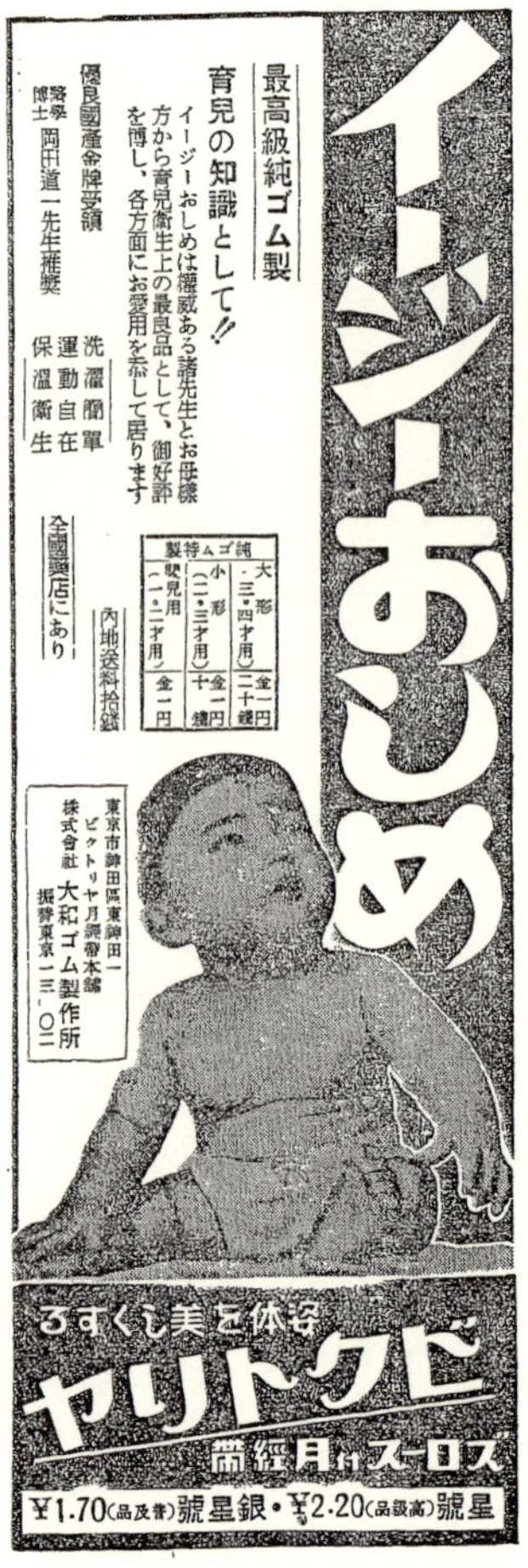

小兒と寄生虫

大阪市立堀川乳兒院長
醫學博士 廣島英夫

苺や淺漬けの美味な季節になると、又色々な寄生虫の感染する機會も多くなるだらうと思はれる。

我國に於て、寄生虫殊に蛔虫を宿してゐるものゝ多いことは驚くべきものがある。殊に發育期にある乳幼兒は諸種の障碍をうけ易い故、乳幼兒の寄生虫による障碍も亦大なるものがある。

今回今宮乳兒院に於て、昭和十二年五月一日より五月十日迄を驅虫週間として、第十一回乳幼兒保護週間の協贊事業を催した。その成績を述べて皆樣の注意を促したい。

調査小兒は當院に來院する乳兒及び幼兒であつて、今宮附近の年收八百圓以下の家庭の小兒である。而かも其の中の多くは今宮及び木津方面の「カード」階級のものである。

調査小兒の年齡は生後六ヶ月以上の小兒で、總數二一〇人である。本調査の目的は

今宮木津貧困階級には、從來機會ある每に叫ばれてゐる寄生虫に關する衞生思想が、如何程徹底してゐるか。

生後何ヶ月より寄生虫が發生するか。その年齡的差異如何。

の二つである。

調査成績を一括して表にすると次の如くである。

虫卵發見數

年齢	檢査人數	蛔虫	蟯虫	鞭虫	合計	%
一歳未滿	三一	ナシ	ナシ	ナシ	ナシ	〇
二歳未滿	七一	四	ナシ	ナシ	四	五・六
三歳未滿	三〇	三	ナシ	ナシ	三	一〇・〇
四歳未滿	二九	八	一	一	一〇	三四・四
五歳未滿	一七	三	ナシ	一	四	二三・五
六歳未滿	一〇	二	一	ナシ	三	三〇・〇
六歳以上	二二	一一	ナシ	一	一二	五四・五
計	二一〇	三一	二	三	三六	一七・一

卽ち二一〇人中虫卵を發見したものは三六人で、一七・一%に當る。證明した虫卵の中、醫學的意味の大なるものは蛔虫及び蟯虫である。從つて二一〇人中三四人が有害な寄生虫の持主である。殊に蛔虫が多く、一五・〇%は蛔虫を寄生さしてゐる。

年齢的にみると、一歳未滿の哺乳兒には全く虫卵を發見出來なかつた。然し既に二歳未滿となると、五・六%の證明率となる。四、五、六歳となると急に增加してゐる。年長兒の調査數が少いので尚多數に就いて調査する必要があるが、ともかく學齢兒迄の幼兒に、寄生虫を證明するものが多いことは注意すべきである。

從來學齢兒に對しては、寄生虫の檢査がよく行はれてゐるやうである。然るに二歳乃至七、八歳迄の小兒に對しては、かゝる調査が十分行はれてゐないやうである。乳兒院、託兒所、幼稚園等でも時々虫卵の檢査を行つて、驅虫を行ふやうにす可きである。又家庭でも注意されて時々健康相談所や保健所にて檢査を受ける必要がある。

エビオス錠
元氣のない子に
エビオス錠
いつも食後に
服ませると
食事がすゝみ
元氣が出て
病氣にかゝらず
すく〱と
若竹のやう
發育する
元氣のない子に
エビオス錠
三〇〇錠 一円六十錢

妊娠中の心得

大阪市立今宮乳兒院長
醫學博士 野須新一

妊娠は婦人に課せられた天賦の生理的現象であつて病氣では無い。然し乍ら非妊娠時の健康狀態とは肉體的にも精神上にも餘程違つた點がある。從つて妊娠中に一定の注意を怠る時は生理的であるべき色々の妊娠徵候が其の程度を進めて病的となり、又新たな病氣を合併して或は母體の健康を害し、或は胎兒の死亡、流早產等を來すものである。故に妊婦は常に適當の攝生法を守らねばならぬ。古來妊娠、分娩に關しては種々迷信が行はれて居るが單に無意味な許りでなく中には却て有害なものが尠くない。是等は靜かに考へて過ちに陷らない樣注意せねばならぬ。今簡單に妊娠中の注意事項に就て記述する。

精神感動 妊娠は諸種の刺戟に感動し易く、時には精神病の樣な狀態を招來することがある。從つて喜怒哀樂共に精神を過度に刺戟し激しく感情の動搖を來す樣な觀覽物、讀書等は之を禁ずべきである。古來我國及支那に於て高唱せられた「胎敎」の効果は今日不明ではあるが劇しい精神感動によつて妊娠中絕を起したり、妊婦の健康を害したりすることは事實であるから、常に胎敎の主旨に從つて精神の修養を心懸けねばならぬ。

運動、職業、旅行 妊娠中の運動は過度に亘つてはならぬ。新鮮なる空氣中を輕く散步する程度に留むべし。競技運動、登山、舞踏は絕對に禁ずるを可とす。尙坂路、階段の昇降、長時間の跪坐、洗濯等有害である。職業も平素から慣れたる平易なるものは差支なきも、重い物を擔いだり、又は曳いたりする樣な下腹部に力の加はる仕事は避けねばならぬ。妊娠中の長途旅行は行はざるを可とす。汽車、汽船、電車、自動車、人力車、馬車何れによるも然り。殊に長途の凹凸甚しい田舍道を自動車（馬車、人力車）に揺られて疾驅するは最も危險である。汽車、或は汽船等により止むなく旅行する必要ある時は靜かに平臥し、且適當の距離の所で時々下車し一日の靜養をとるべし。以上の諸注意は殊に妊娠中絕（流產）を起し易い妊娠三箇月或は四箇月の頃及妊娠八—九箇月頃には一層大切である。又曾て流產を起した婦人では再流產し易いものであるから尙更らに注意が肝要である。

飮食物 平素慣れた食物を攝つて差支なし、成る可く滋養に富み、消化し易いものを撰ばねばならぬ、殊に食物中新鮮なる野菜を忘れてはならぬ。新らしい野菜「トマト」「ホーレン草」「キヤベツ」等はヴイタミンA、B、Cに富んで居る。又食物と胎兒の榮養とは密接な關係がある。特に食物中「カルシウム」燐及鐵の成分が必要であるから日常の食物中是等に富んだものを撰ぶ事が大切である。一般に飮食してならぬものは

（イ）强烈なる刺戟性の飮食物（芥子、山葵、胡椒）

（ロ）不消化物

（ハ）酒精、氷水、濃厚なる茶

（ニ）糖分の多きもの、鹹味の强いものは控え目にし、

一般に水分の攝取も少くせねばならぬ。

衣服は四時の時候に應じて適當に着る事が大切であるが、決して窮屈にならぬ樣に、又清潔に保たねばならぬ。腹帶は妊娠五箇月の末頃からするしきたりであるが、これは巾の廣い「フランネル」又は木綿を以て輕く、廣く寬く卷き、餘り堅くしめては害がある。「コルセット」、股引、大帶等は用ひぬがよい。

身體の淸潔 入浴は隔日位にし身體をいつも淸潔に保たねばならぬ。然し水風呂に入る事、海に入ることは不可ません。又溫浴でも餘り熱いお湯に入つたり、又は長時間の入浴は避けねばならぬ。妊娠中は多量の帶下を分泌するので、外陰部が不潔になり易い。從つて每日微溫湯及綿花を以て外陰部を淸拭しなければならぬ。唯下腹部丈を溫める坐浴（行水）は有害である。

便通 一般に妊婦は便秘し易い、而かも便秘は腎盂炎の原因となつたり、頭痛、嘔氣、嘔吐の原因となる。從つて常に便通を整へ、每日一回はある樣にせねばならぬ。每朝空腹時によく熟した果物を攝り、コップ一杯の湯冷し水、或は冷し牛乳等を飮用し且便意の有る無しに拘はらず、時間を定めて上圊して便通の習慣を養はねばならぬ。飮食物の注意で無効な時には食鹽水、又は石鹼水の灌腸を行ふ。又頑固な便秘には緩下劑を服用する。然し下劑性質によつては流產や早產の原因となる事がある。從つて妊婦自ら勝手に賣藥を服用するのは危險である。

乳房は將來授乳の用あるものであるから、妊娠の初めから壓迫を加へぬ樣にし、其の乳嘴の陷沒してゐるものは、常に指で引き出して勃起させる樣になさい。又乳頭の皮膚の軟弱な時には乳兒の吸吸によつて屢々裂傷が出來、疼痛の爲の哺乳出來ぬ事になつたり、又乳腺炎の原因となつたりするから豫め其の抵抗力を强くしなければならぬ。それには妊娠九箇月から每日一、二回宛酒精を以て乳頭、乳暈を摩擦するのがよい。

健康相談 母體の健康如何が直ちに胎兒の健否に密接な關係があり、分娩の難易にも關係する。從つて妊娠中には時々產婦人科專門醫或は內科醫に相談して健康に注意し、自分の身體の障碍は早く充分に手當をして治して置かねばならぬ。其の中最も必要事項に就き二、三記述する。

（イ）母體の血液檢査　血液の黴毒反應を檢査して若し毒があれば充分に驅黴療法（六〇六號注射）を受けねばならぬ。流產、早產、死產の原因は主に母親の黴毒に原因する。

（ロ）骨盤の檢査　妊娠七、八箇月迄に骨盤の大小を檢査して置かねばならぬ。骨盤の大小は分娩の難易に關係する。

（ハ）尿の檢査　妊娠中殊に妊娠四、五箇月から先きにはよく腎臟が惡るくなることが多いから、必らず每月二、三回は尿の檢査を受ける必要がある。そして若し腎臟に障碍があれば必らず治療を受け養生を守らねばならぬ。腎臟炎は恐ろしい子癇を起す原因となる。

くさ・おできはデンチン
肉芽の上りが早い
局所榮養軟膏

（ニ）妊娠中の脚氣　妊娠すると脚氣に罹り易い。是れは妊娠中には「ヴイタミン」の缺乏を起し易いからである。一旦妊娠中に脚氣を起すと、色々の關係で中々に治り難い。而して重くなり易い。從つて妊娠したならば脚氣の有無を診察して貰ふことが必要である、若し脚氣に罹つて居るときには是非共醫療を受けねばならぬ。特に脚氣劑の內服のみにて効果の尠い時に「ヴイタミン」B劑の注射を必要とする、「ヴイタミン」B劑の製品としては近來强力な立派な製品が出來て居る。

颯爽と
夏へ……
溌剌斬新な夏の御用品がすつかり品揃ひ致しました。
衛生的な
全館冷房
今夏より新しい、衛生的な冷房装置の完成によつて一層氣持よく御買物願へる事となりました、是非御來店の程願上ます。
大阪 三越
昭12.6

母子保護法に就て

社會局

一 母子保護問題の沿革

我國に於て母子保護問題が論議考究される樣になつたのは比較的最近の事であつて、明治初年に「棄兒養育米給與方」、「三子出產ノ貧困者ニ對スル養育米給與方」、「恤救規則」等相踵いで施行にはなつたけれども、之等の法規は不遇兒童のみを保護するに止まつて、其の母に對しては何等保護の手を延ばしてゐなかつたのである。

大正年間に入つて、社會狀勢の變化に伴ひ經濟生活は次第に變化し、子女を擁する婦人にして、貧困の爲勞働市場に參加する者漸に增加し、之等の者に對する根本的保護方策確立の必要が朝野の間に稱へらるゝに及んで、大正七年勅令を以て設置せられた救濟事業調査會は、兒童保護に關する諮問に對し、大正八年十月兒童保護施設要綱を決議答申したが、右要綱中に於て母子扶助に關する法制制定の急務なるを認むるに至つた。之が我國に於て母子保護制度に關し公に考究された最初のものである。

次いで大正十五年に設置せられた社會事業調査會は、內務大臣の兒童扶助制度に關する諮問に對し、兒童扶助法案要綱を答申したが、此の中にも母子保護制度に相當する內容が盛られてゐる。然るに其の後、社會事業調査會は社會事業の體系に關する諮問を審議し、其の中に於て一般救護に關する體系を決議するに至り政府は之に基いて救護法案を立案することゝなり、同法案中に救護の客體として十三歲以下の幼者及幼兒哺育の母をも含め、以て母子保護に關する要旨の一部を採り入るゝこととし、昭和四年之が制定公布を見るに至つたのである。

然るに近時經濟界の不況は益々深刻を加へ、庶民生活の困窮は愈々增大し、殊に子女を擁する母にして夫を失ひ生計維持と子女養育の二大責務に苦惱するものが增加して來たので、救護法とは別個に母子保護のみを內容とする特別法制を確立すべしとの要望が再び擡頭し、昭和六年より殆ど每議會に、母子保護に關する法律案並に建議が提唱され、又一方社會事業に關する各種會合に於ても、母子保護法の制定竝に母子ホームの擴充等の問題が、中心的議題として論議せられ、本法に對する社會的輿論は益々昂揚せられ、只管母子保護法制の制定實施が待望されつゝ今日に及んだのである。

政府に於ても本制度に關しては常に社會の氣運を察し、其の調査研究を續けてゐたのであるが、今回國民生活の安定に資するが爲、多年の懸案であつた母子保護法の實施を圖ることゝなり、昭和十一年十二月社會事業調査會に對し內務大臣より諮問し、其の決議要綱に基いて茲に愈々母子保護法の立案を見たのである。

二 母子保護法制定の必要

四人の子供を揃つて優良兒に

（臺灣）山本きん

私は生れつき人並以上に瘦せては居りますが、見かけによらず至極壯健で、而も四年續けて年子を生みましたにも拘らず、病氣一つせずにはたの人達を驚かせて居ります。その上子供は母親に似ず皆丸々と肥つて居りますので、親しい人は笑ひながらまるで烏が鷹を生んだ樣だと申されます。これは全く「錠劑わかもと」の常用による賜物と深く感謝して居ります。

私は一日も缺かさず健康維持のために、「錠劑わかもと」を服用して居りますが、殊に妊娠中は少し量を增して頂いて居ります。その爲か夏季によくある食慾減退など、ついぞ經驗したことが御座いません。子供にも服ませましたが、面白い事には、四人が四人ともこの「錠劑わかもと」をお菓子代りに爭つて頂くのです。

每年五月五日の子供の日には優良兒に入選し、街長より特別賞を受け公醫樣からは、君はこんな瘦せた身體で四年間に四人續けて入賞したとは、全島未曾有のレコード破りだと激賞されました上に、表彰式には是非育兒經驗の模範者として育兒に關する經驗と方法とを一般に教示してほしいと云はれました。また各方面からは、私の育兒方法に何か秘訣があるに違ひないと屢々問はれますが、私としては唯「錠劑わかもと」を常用するやうにとの外、何の秘訣もありません。

私は產婆をして居りますので方々產家を廻りますが、產婦によつてはどうも腸の具合がよくない、食慾が思はしくないと訴へる場合がありますので、早速「錠劑わかもと」を服んで御覽なさい、とお奬めすることにして居ります。すると、私の勸誘によつて「錠劑わかもと」を服用された產婦は早い方で一二週間遲い方でも一ケ月位の短期間に、その効果をお認めになつて感謝のお言葉を頂戴致して居ります。あるお家などでは、「錠劑わかもと」のお蔭で元來あまり出なかつたお乳が非常によく出るのでこんな嬉しいことは無いと幾度も感謝のお言葉を洩らして居られます。

右の「錠劑わかもと」は東京市芝公園わかもと本舗榮養と育兒の會（振替東京一一〇〇番）から廿五日分一圓六十錢八十三日分五圓の、一日數錢にも當らぬ驚價で、發賣されてゐます。

國家の將來を擔ふ者は兒童であり、兒童の健全なる發育は一に其の母の力に俟たねばならない。故に母たる者の子女敎養の任務は誠に崇高にして重大なものと言はねばならない。而して母をして此の任務を完うせしむるのは、家計を維持し妻子扶養の地位に在る夫の責任であることは言ふ迄もないが、夫を失ひたる場合又は夫が傷病等の爲勞働不能に陷つた樣な場合には、母は子女敎養の任務に加へて、更に家計維持の任務をも負はねばならず、此の兩任務を兩つながら完うすることは容易の業ではない。我國社會の實情を見る時、斯る不幸な母子の貧窮に惱む者甚だ多く、生活の爲子女を犧牲にし、或は子女敎養に追はれて生活不能となり終に悲慘な母子心中の如き結果を惹起する事例多きことは世人の夙く識る所である。

故に斯る不幸な母子を保護すべき制度の必要なることは前述せる如く夙に識者の唱へた所であり、諸外國に於ては早くから種々な形に於て、斯る貧困母子を保護する社會的立法が制定されてゐる。勿論政府に於ても前述した如く、早くから研究を重ね來り、昭和四年救護法制定に當つても其の中に母子保護の趣旨を採り入れ、貧困の爲生活することの出來ない十三歲以下の幼者を救濟し又必要に應じては其の母をも併せて救護することになつたのであるが、勞働能力ある母を保護する場合は極めて制限せられ、幼者の哺育上必要な場合即ち子が一歲以下の場合に限定されてゐるので、遍く貧困な母をして安んじて子女敎養の任を完うせしむるには足らない。

斯る事實に鑑みる時、救護法に對する特別法制として、貧困母子を一體として保護する母子保護法を制定し、夫を失へる母をして其の本分を完うせしむると共に、國家の將來を擔ふ兒童の健全なる發育を圖ることは正に刻下の急務なのである。

三 母子保護法の概要

母子保護法は十五箇條より成るのであるが、今其の概要を解說すれば次の如くである。

（一） 扶助を受くる者

一 扶助を受くる者の資格要件

本法に依り扶助を受くる者の資格要件としては、左の三事項を具備することが必要である。

（イ） 十三歲以下の子を擁する母なること

本法は其の目的とする所が、母をして其の本來の任務である子女養育の大任を完うせしめ樣とするものであるから、先づ本法に依り扶助を受くる者を「母」に限定し、次に我國の家庭生活の實際上、祖母が母に代りて孫を養育する場合が多いのに鑑みて、「孫を擁する祖母」を加へ、我國家族制度の美點を出さんとした。勿論「母と看做される祖母」は命令に依つて規定せられるのであつて、其の範圍は母に準じて適當に限定せられる筈である。

子の年齡を「十三歲以下」と定めたのは、救護法との均衡を考慮したものであり、大體十三歲位迄は兒童の身心の發育上から見ても、之を扶助する必要ありとしたのである。

「子を擁する」とは「子供をかゝへる」との意である。即ち母が子と同一の家庭に於て、其の膝下で子を養育する場合を指してゐるもので、里子に出してゐる如く母が子と起居を共にしてゐない場合は含まない。何故「子供をかゝへてゐる母親」と規定して居るのか。謂ふ迄もなく、子女が母親の膝下に在ることが子女の養育に取つて缺くべからざることだからである。

(ロ) 貧困の爲生活すること能はず又は其の子を養育すること能はざること

本法は固より生活し得る者を扶助せんとするのではない。救護法同樣所謂救貧法制の系統に屬するものであり、「貧困の爲」を其の重大要件としてゐるのである。茲に貧困と謂ふは、社會通念上必要と認めらるゝ生活資料の不足してゐる狀態を指すのであつて、其の爲母が最少限度と認むべき生活を維持することが出來ず、又は子の生活及教育に必要な扶養を爲すことが出來ない場合が要件となつてゐるのである。而して貧困なりや否やの認定は、現代の社會に於ては、消費經濟が多く個人を單位とせず家族又は世帶を單位として行はれてゐるから、通常家族又は世帶に於ける經濟狀態を以て考察すべきものである。

(ハ) 母に配偶者なきか、又は配偶者あるも無きに準ずべき狀態にあること

本法制定の理由は、子女を擁する母が其の家計維持者である夫を失つた場合に、母の本來の任務であり天職とも謂ふべき子女教養の責務を完うせしめんとするものであるから、母に勞働能力ある夫——內緣關係の夫も含む——ある場合は、本法は適用する限りではない。即ち夫は其の勞働能力を失はない限り、家庭に在つては妻子扶養の責任を有するものであり、其の責任を尊重するのは我國家族制度の本旨に適ふ所以であるから、本法に於ては、寡婦又は之に準ずる場合即ち母の配偶者が、(一)精神又は身體の障碍に因り勞務を行ふこと能はざるとき、(二)行方不明なるとき、(三)法令に因り拘禁せられたるとき、(四)母子を遺棄したるときの場合でなければ、扶助を爲さない建前を採つてゐるのである。從つて夫が失業してゐる樣な場合は、夫に未だ勞働能力ありとして扶助しないのである。

二 扶助を受くる者の鉄格條項

本法に於ては、十三歲以下の子を擁して貧困の爲生活することが出來ず又は子を養育することの出來ない母は、原則的には扶助を受けるのであるが、子女の養育を完うせしむるといふ本法の目的よりして、母親が「性行其の他の事由に因り子を養育するに適せざるとき」は扶助を爲さないのである。之は本法全體を通ずる目的即ち其の道德的意義に著眼すれば當然の制限である。而して此の認定は市町村長が爲すのであるが、認定に際しては十分に注意して、實際其の局に當つてゐる方面委員等の意見を參考にすべきものである。

三 扶助を受くる者と扶養義務者との關係

家族制度を以て社會生活の根底と爲す我國に在つては、國家的扶助の制度を樹つるに方りては、扶助と扶養義務との關係は愼重な考慮を拂ふべきものである。民法が人倫の情義と道德の觀念を基礎として家族制度上認めた扶養義務を度外視して、國家的義務として扶助を行ふことは、我國古來の醇風美俗を傷ける惧があるから、本法に於ては、扶養義務に關する民法の家族制度上の美風は之を尊重し、「扶助を受くべき母子に夫々扶養義務者あり而して其の者が扶養能力あるとき」は、其の扶養義務者をして扶助を爲さしめ本法では扶助しないのである。然し乍ら扶助を要する事情が切迫して捨て置き難き場合、例へば扶養義務者は有るも其の者が遠隔の地に在つて、直ちに扶助を開始することが出來ず而もその必要急なる如き「急迫の事情ある場合」は、扶養義務を顧慮する遑がないから、國家が臨機に扶養義務者に代つて扶助を爲すのである。

四 扶助を受くる者に對する注意及制裁

本法に於ては、前述の資格要件を具備する者ある時は、市町村長が扶助を行ふのであるが、少くとも國家が一定の目的の下に義務的扶助をなす爲には、其の目的に適合する樣な處置を執る必要があり、又場合に依つては扶助を爲すことが却て本法の趣旨に反することも有り得るのであつて、斯る場合には扶助の拒否又は取消を爲し、又は一定の制裁を加へる必要があるのである。

(イ) 注　意

本法は扶助を受くる母親に對して、市町村長が「其の子の養育上必要なる注意」を與へる權能を規定し、本法の大目的たる子女養育に對する萬全策を採つてゐる。茲に謂ふ「注意」とは市町村長が子女の養育上必要なりと認めた事項を注意することで、强制的な性質を有するものではない。即ち母は市町村長が與へた注意に從ふべき法律上の義務は負はないが、此の注意を遵守しない時には、第十條に規定するが如く、市町村長は扶助を爲さゞることを得る效果を生ずるのである。

(ロ) 制　裁

一、扶助を受くる母が、(イ)本法に基きて發する命令の規定に依る處分に從はざるとき (ロ)故なく扶助に關する調査を拒みたるとき (ハ)第七條の規定に依る市町村長の注意に從はざるときは、扶助を爲しても結局本制度の期待する效果は生じ難いのであるから、斯る場合は市町村長は初めから扶助を爲さず、又は一旦開始した扶助の取消を爲し得ることゝしたのである。

二、本法所定の條件に適合せざるに拘らず扶助を受け、又は受けしむる爲に欺罔手段を弄する樣な場合は、世上往々にして考へ得る。斯る弊害を未然に防止する爲に、本法は方面委員令に依る方面委員をして、扶助すべき母子の調査に當らしむることゝしてゐるが、多數の扶助事務を取扱ふ市町村長は中には不正手段に欺罔せられて誤つた扶助を行ふ場合も生ずる。斯る場合には之を取消し、或は既に與へた扶助に付其の費用を返還さすべきも、之等のことのみでは足りないが故に、「詐僞其の他不正の手段に依り扶助を受け又は受けしめたる者」に對しては、「三月以下の懲役又は百圓以下の罰金」を課し、以て扶助事務の適正なる運用を期すると共に、一般刑法の詐欺罪に依る刑の輕減を計らんとしたのである。

(二) 扶　助　機　關

一 扶助執行機關

元來救護法に於ては、救護機關として「被救護者の居住地の市町村長、其の居住地なきとき又は居住地分明ならざるときは現在地の市町村長」と定められてゐるが、本法は母親をして其の子を自己の膝下で養育さす趣旨なるに鑑み、一定の居住を有しない母には本法の期待する子女の養育は望み得ないので、居住地ある母のみを扶助することゝし、「母の居住地の市町村長」のみを扶助の執行機關とした。尤も其の居住地に於ける居住期間の長短は問はないから、一旦母の居住さへ定まれば直ちに扶助は開始し得るのである。

二 扶助の補助機關

從來各種社會事業の運用上、補助機關としての機能を最も能率的に果して來たものは、各地に任意的に發達して來た方面委員制度であつて、方面委員は日常貧困者に接して其の生活の各方面に亘つて救濟指導を爲し、相當な成績を擧げて來て今日では救貧防貧事業遂行上不可缺の存在となつてゐる。殊に昭和十一年十一月方面委員令が制定せられてからは、方面委員は法制上の基礎を持つ樣になつたので、救護法に於ても今回從來の委員に關する規定を改正して、法制上當然に方面委員を以て市町村長の救護事務の補助機關とした。本法に於ても同樣に、方面委員をして市町村長の行ふ母子保護事務を補助さすことゝしたのである。

(三) 扶助の種類及方法

一 扶助の種類

扶助の種類として本法は左の四つを認めたが、助產を認めてゐない。之は本法に於ては其の必要も少く、若し必要あらば救護法に於て救濟し得るからである。

(イ)「生活扶助」　母の生活に必要な資料又は之に要する費用を補給することである。其の補給方法は金錢又は物品の給與に依るのであり、其の限度は命令で定められる筈である。

(ロ)「養育扶助」　子の養育に必要な費用、即ち子の生活費教育費等、一切の子の日常生活の費用を補給することであり其の方法も前同樣金錢又は物品の給與に依り行ふのである。

(ハ)「生業扶助」　母に其の家計を助くる生業を得しめる爲に行ふ扶助である。其の方法は生業に必要な器具、資料又は資金の貸與又は給與に依るのであり、其の範圍も亦扶助を受くる者の自營の途を講ずるに必要な範圍に止めるのである。

(ニ)「醫療」　母又は子の疾病傷痍を治癒さす爲の扶助であり、之は醫師をして診察處置投藥等を行はしめるもので、原則として母の居宅に於て行ひ、必要あれば入院も許すのである。

二 扶助の方法

扶助の方法としては、收容、居宅の二方法があるが、本法に於ては扶助は原則として母の居宅に於て之を行ふことゝした。蓋し本法の目的たる子女の完全な養育は、居宅に非ざれば達し難しと認めたからであつて、唯入院等の如く必要ある場合に限り、例外的に「居宅以外の場所」に於ける扶助をも認めたのである。而して扶助を爲す以上、之に依つて少くとも母の生活及子の養育を完うせんとするのは勿論であるが、國家が義務として行ふ扶助には自ら限定がなくてはならない。必要以上の扶助を爲すことは本旨でないから、扶助は「母の生活及子の養育に必要なる限度」に於て行ふことにし、其の範圍程度及方法等に關しては勅令を以て標準を定めることにしたのである。

三 埋　葬

扶助を受けてゐる母又は子が死亡した場合、後に殘つた子又は母が埋葬を行ふことが出來ないのは普通のことであるし、又其の親族等にしても貧困の爲埋葬費用を支出することの出來ない場合は極めて多い。故に斯る場合に在つては、扶助を爲した市町村長は扶助の延長として自ら埋葬を行ふか、又は埋葬を爲した者に對して埋葬費を給することにしたのである。而して其の費用支出の限度又は支出費用の市町村長への請求樣式等に關しては、勅令に規定せられる筈である。

(四) 保　護　施　設

救護法に於ては救護施設を認め、相當效果を擧げてゐるので、本法に在つても救護法の斯る施設に準じて、母子保護の施設を認め以て本制度運用の萬全を圖らんとしたのである。

「母及其の子を保護する爲必要なる施設」とは、所謂母子ホームであつて、母子を居住せしめた上之を保護することを目的とした施設である。勿論此の種施設に附帶して授產、託兒等の施設を爲すことが適切である。而して斯る保護施設の「設置管理廢止其の他施設に關し必要なる事項」は命令で規定される筈である。

本施設の設置主體に付ては、本法は別段何等の制限を設けなかつたが、「市町村及私人」が本施設を設置せんとする場合に於てのみ、地方長官の認可を受けしめることゝした。蓋し此の種施設は多數の母子を收容するものであるから、十分監督を行ふ必要あるのみならず、本法に於ては種々の特典をも與へた故に、不當な目的から施設を設けんとする者、又は不完全な設備を爲さんとする者等を排除せんとしたのである。然らば如何なる特典が與へられるかと言へば、「市町村の設置したる保護施設の費用」及「私人の設置したる保護施設の設備に要する費用」に對しては國庫は「二分の一」、道府縣は「四分の一」の補助を爲し、又「主として保護施設の用に供する建物」及「其の建物の敷地其の他主として保護施設の用に供する土地」に對しては、公共團體は「租稅其の他の公課」を課し得ないことになつてゐるのである。斯る特典を有するが故に、此の種の保護施設が「本法若は本法に基きて發する命令又は之に基きて爲す處分に違反したるとき」は、地方長官は與へた認可を取消し得るのである。

(五) 費用の負擔關係

小兒科

高洲病院

大阪兒童愛護聯盟理事
院長 醫學博士 肥爪貫三郎
顧問 醫學博士 高洲謙一郎

大阪市南區北桃谷町三五
(市電上本町二丁目交叉點西)
電話東一一三一・五八五三・五九一三番

母子保護に要する費用に關しては、本法は救護法の規定を準用してゐる。蓋し特別法とは謂へ本法も一つの救貧法制であるから其の費用負擔の點に付ては、一般救貧法制である救護法と同樣にすべきものだからである。

即ち國庫は、扶助及埋葬に要する費用、方面委員が職務を行ふ爲必要な費用、保護施設の費用に付ては、道府縣及市に對しては其の二分の一、町村に對しては其の十二分の七を補助し、道府縣は前述の費用に付ては、市町村に對して其の四分の一を補助することになつて居るのである。

右の如き本法施行上の費用負擔に關しては、全額國庫負擔にすべしとの議論もあるが、凡そ扶助救濟の如きは隣保相扶の情誼を中心とすべきものであり、且又濫救を防止すると云ふ建前からも本法に於て實際上の扶助機關を市町村長にすると共に其の費用の一部負擔を地方團體に課した次第である。

以上は母子保護法の概說であるが、本法施行に要する費用は一箇年約四百七十三萬圓、此の中國庫補助額は約二百五十九萬圓餘であり、昭和十三年一月一日から施行される豫定であるから、昭和十二年度豫算に於ては、三箇月分の國庫補助豫算額六十四萬圓餘を計上してゐる。而して本法施行の曉には一箇年凡そ九萬五千人餘の母子が救濟されるのであるから、我國の社會立法史上特筆さるべき立法であらうと思ふ。

或る夫婦たち

石原淸子

幾組かの、優れた若い夫婦を私は友達に持つてゐる。最近その人達の間にそれぞれ子供が生れたり、生れようとしてゐる事から、いろ〳〵と面白い、併し考へさせられることを聞かせて貰つてゐる。

私のその友達は、皆せい〴〵六十圓か七十圓の安サラリーマンで、飜譯をしたり、原稿稼ぎの內職をしてどうにか生活の辻褄を合せてゐる人達ばかりであるが、言ひ合せた樣に子供だけはサッサと產んでゐる、今どきの一般的な常識に從へば、こんな低い收入の生活者で子供を持つ事は無思慮に近いものと指彈されるかも知れないのであるが、これについてその人達はこんな風に言つてゐる

「生活の安定がある迄は子供を持つなと言ふなら、自分達には一生かゝつても子供は持てないだらう。それよりも、健康な夫婦で良き次代の人間をこの世に送り出す事は、生活のどの他の面を多少犧牲にしても、自分達に課せられた社會への當然の義務ではないだらうか」

男も女も廿幾年間その事のために用意されて來た肉體的精神的成長であると思はれるのに、生活の壓迫が幾多の若い夫婦から子供を產む事の安心を奪ひ姙娠回避の風潮の事實は寂しい一世相であつた。これにいま根柢からの反駁を加へて、勇敢に子供を產まうとしてゐる幾人かの若い夫婦が現實に現はれてゐる事は、私達に果して何物をも敎へないものであらうか。

一寸悲壯にも思へるこの新らしい意欲を最も聰明に發展させるために、その人達は又子供の誕生に伴ふて、親自らの成長をも同時に熱心に希求してゐるのは、どこまでも正しいと私は眺めてゐる。育兒のことが、ソヴイエト・ロシアのやうなところを除いて、大抵の國では一個の家庭とそこに住む兩親の生活態度や意識が子供の個性を創り上げる最も身近い影響力となるので、內省的なインテリ層の兩親にとつては、之に對する忠實な苦悶と努力がある譯である。

が、實際問題として、經濟的逼迫と育兒の繁忙の中にあつて、どこまで貫き得るその意欲であるか。併し勇氣と自信に充ち滿ちた、こんな夫婦に接するとき、その子供や母親達のためにも成さねばならぬ澤山の仕事を、今更の樣に思ふのである。

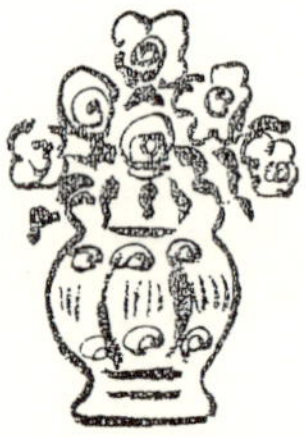

聖女ケラー女史

悲慘な幼少時代
眼と耳とを失ひて

『闇は不滅の魂の躍進を阻むものではない』と、ヘレン・ケラー女史は宣言して居ます、それにしても、見えず言へず、覺えないといふ悲慘極まる運命に喘ぎながら、ついに世界一流の學者になり博士號さへ獲た奇蹟の聖女、ヘレン・ケラー女史の前半生こそ苦鬪と忍耐の連鎖です。日本の春、櫻を懷ひ、多くの友達に逢ふために、この、世界の聖女は去月十五日に來朝した、この機會に、不幸なる一女性が稀有の人間として完成するまでの苦鬪の生涯を眺めませう。

暖い希望の太陽と、香ばしいバラの花咲くアラバマ州(北米)の北方タスカムビアに一八八〇年(明治十三年)に彼女は生れました。

父はメリーランドに植民した瑞西人カスパー・ケラーといふ人の子孫で、南方聯盟軍の大尉で、母のケイト・アダムスは父の後妻でした。

誕生日が過ぎる頃からよちよち步き出して、バラの花咲く庭に出て步いたりして、家人を喜ばせましたが、その幸福な日は長くつゞかず生後十九ケ月の冬二月、胃と、腦髓の急性充血の病氣にかゝり、醫者は到底助からないと悲しい宣告を下しました、しかし、小さな生命は死と鬪つて病氣を克服してしまひました、家中の喜びは大きかつたが、不幸なことには高熱病は彼女の二つの眼と二つの耳を永久に閉し、生れ落ちたばかりの赤ん坊同然の暗黑の底に突きおとしてしまつてゐたのです。

……◇……

哀しい不具になつた少女、物も云へず、耳もきこえず、見ることも出來ぬ少女は自分の意志を他人に傳へるに身ぶりを用ひ始めました。

首をふれば「ノー」、うなづけば「イエス」、引つぱるのが「カム」、抑すのが「ゴー」でした。

パンが欲しい時にはパンを切つてバタを塗る眞似をし、アイスクリームが欲しい時はアイスクリーム機を動かす眞似をして、冷いことを示すために慄へて見せました、永遠の闇の底に手さぐりで生きる少女にとつて唯一の光明は母親の愛でした。

それでも、自分が普通の人と違つて居ることを知らないうちは幸福で

したが、不具者であることを知つた時の驚きと悲しみ——

彼女は、惰なくて、腹だたしくて泣いたり、喚いたりしました、それを見る父や母も涙でした。

……◇……

遊び相手は料理人の子のマーサ・ワシントンといふ黑人の少女とベルといふ老犬でした、マーサは彼女の暴君ぶりに服從しましたが、老犬は不具な主人を馬鹿にしてか、さつぱり命令をきゝません、いくつかの人形もお友達でしたがナンシーと名づけた人形を彼女は一番愛しました、この人形も彼女の癇癪と愛情の爆發の犧牲になつてひどくいたんで居たのです、この壞れた人形となら一時間以上もおとなしく遊ぶことがあつたのでした。

闇を照らす幸福

たとへそこに兩親の溢れるばかりの恩愛があるにしても、見えず、聞えず、言はずといふ、人生の闇の底に生きるヘレン・ケラー孃は兩親の愛のみでは到底今日の偉大な女性となることが出來なかつたでせう、神は不幸な少女に天使を與へました。

それは一八八七年の三月三日、彼女が滿七歲になる三ケ月前、アン・マンスフィールド・サリヴアン孃といふ家庭敎師の訪れでした。

……◇……

『私は近づいて來る足音を感じましたので、それが、母だとばかり思ひ込んで兩手を差出しました。誰かがそれを捉へました、さうして次の瞬間には私は私の先生——私の心の眼をあらゆるものに向つて開いて下さるため、いゝえ、それよりも何よりも私を愛するために來て下さつた

その方の兩腕の中に強く強く抱きあげられてゐました』とケラー女史は「私の生涯」の一節に書いて居ます。

先生は人形を與へて、少女の手に『にーんーぎーやーう』と文字を綴りました。少女はそれを眞似ました、それから先生は每日「ピン」、「帽子」「カップ」などの文字を一つづゝ忍耐強く敎へていつたのです、不具の少女は勿論言葉を綴つてゐることや、文字がこの世の中に存在して居ることも知らず、この指の遊びが面白くて先生の眞似をして、指を動かし上手におぼえると子供らしい悅びと得意さにはしやぎ廻るのでした。

……◇……

ある日、先生は冷たい水を汲みあげて來て、少女の手に「水」といふ語を書きました、少女は突然何かしら忘れてゐたものを思ひ出すやうな神祕な自覺を感じました、この時、

流感・肺炎・百日咳等・特効

吸入藥 カンピロン

合理的吸入療法と其効果ある理由

本品は上圖の如く普通の吸入器で之を吸入して呼吸器直接に作用す、芳香爽快にして、毫も副作用なし

一、せきの出る神經に作用して咳を止め、又痰を溶解して容易く祛痰の効を奏す。

一、心臟を強め抗病力を増進し且つ肺炎、氣管支炎等の炎症を治する効ありて全快を早む。

一、解熱作用あり、卽ち過熱中樞を刺戟して發熱を抑制し又殺菌力あり。

適應症　感冒、肺炎、氣管支炎等の急性病は勿論麻疹、百日咳等の小兒獨特の病に特効あり又肺結核、喘息等の鎭咳、祛痰に適應す

前第四師團軍醫部長　英陸軍々醫監
大阪市民病院小兒科長　谷口醫學博士　實驗
福井赤十字病院長　大野醫學博士
大阪府立保健館前館長　上村醫學博士
大阪醫科大學前教授　辰己醫學博士　推奬

全國藥店にあり

定價　六十錢・一圓・二圓半

御注意を乞ふ　粗惡なる模倣、類似品あり

大阪市東區平野町　道修藥學研究所

日本赤十字社病院　慶應大學病院御用

テツゾール

吉本醫學博士　簡野醫學博士推奬

藥學博士　石津利作先生創製

幼兒の榮養と母體の保健

お茶を禁ぜぬ便利の鐵劑

體内造血器管を鼓舞し其機能を旺盛ならしめ純血を豐富に新生し潑溂たる活力を附與す。故に

貧血の人、虛弱の人、病後の人、不眠症の人、神經衰弱の人、產婦、夏期に衰弱する人、肉體及精神過勞に適し又、登山、旅行、運動競技、試驗前後は常備、携帶の要あり。

愛兒の爲に

今迄小兒に適する鐵劑がなかつたが本品によりて初めて理想が現實したとは小兒科醫の言明である。

發育が遲れたり、虛弱であり、血色肉付わるく、夜尿をしたり、病後の小兒等弱き愛兒の榮養は美味で飮みよきテツゾールの服用に依り効果に直に母親の慈眼に映ずべし。

四週間分金貳圓八十錢　八週間分金四圓五十錢

發賣元　東京日本橋區本町三丁目　里村三治商店

各藥店　三越　松屋　松坂屋　にあり

關西代理店　大阪市道修町一　キリン商會

増量斷行　器械設備の完成と共に定價は元の儘にて二週間分を四週分に増量して非常に御徳用になりました

初めて「水」は不思議な冷たい物の名である事を知つたのです、そして「水」といふ文字を習つて居ることに氣づきました、この生きた一言が少女の魂をめざまし、それに光と希望と悦びとを與へたのです、それから急に熱心になつて澤山の文字を覺えるやうに勵んだのです。この不具な少女に物を教へることがどんなに困難で、忍耐のいる仕事であつたか――よき先生を得た少女こそ幸福者でした。

……◇……

雛菊ときんぽうげの花咲く頃、少女は先生に手を引かれて河の堤に行きました、暖かい草の上に腰を下して、そこで初めて自然のめぐみについての教訓を學びました、どうして太陽と雨とが植物を地中からもえ出させるのか、なぜ鳥が巢をつくるのか、草の一葉にどうして曲線の美しさがあるのか――を學び「小鳥と花と自分とは樂しいお友達」であることを知つたのでした。

先生は今度は手藝も教へ始めました、大きさの異つた南京玉をきまつた順序に――たとへば二つの大きい玉に三つの小さい玉といふ風に――糸に通す練習です。

少女は何度も間違へましたが先生はこの時も優しい忍耐をもつて親切に教へ導くのでした。

動物に對する興味

不幸な少女ケラー孃に對するサリヴァン先生の教育は、耳の聞える普通の子供に話すと同じやうに、話の出來ることを教へるのに努めました、たゞ、ちがつてゐるのは普通の子供には口で話すところを、手に文字を書いて指話するのです、しかし、これも非常な困難な仕事で聾で盲目の子供は二年、三年かゝつたところで毎日の生活に普通に用ひられる熟語を覺えるのさへ容易でないのです、でも少しばかりの言葉を綴ることが出來るやうになつた頃、先生は、點字で印刷した厚紙の小片を與へて單語の點字を教へ、やがて點字の「初等讀本」が讀めるやうに教導しました。

……◇……

でも算術だけが少女の好きになれなかつたたつた一つの學課でした、最初から、數を取扱ふ學問には興味がないのです、先生は南京玉を糸でつなぐ手藝の際、數の觀念を教へようとしたり、又、幼稚園で教へる麥稈を並べて加へ算、引き算を教へたりしたのですが、さらに興味をおぼえません、しかし、遊戯の中で習ふ動物學、植物學は大好きでした、その手記に次のやうなことを云つて居

ます『ある時は硝子鉢に入れた十一匹のおたまじやくしが草花を一杯並べた窓に置かれました。

私はどれほど熱心に彼等について色々の發見をしたかを覺えて居ります、鉢の中に手を差入れて、おたまじやくしがぴく〳〵跳ねるのを感じたり、指の間を滑りぬけさせたりして面白がりました。

ある日、とりわけて元氣な一匹が鉢の縁を飛び越えて床に落ちましたが、床の上で觸つて見ると、どうしても生きてゐるといふよりは、死んでゐるとしか思はれませんでした、生きてゐるたゞ一つの證據は尻尾を微に動かすことだけです。けれども鉢の中に戻されると彼は忽ち底の方へ突進して、さも、うれし氣にいそいそと泳ぎました。そのおたまじやくしはやがて一人前の蛙になるまでガラスの家で靜かに時を待ち、やがて庭はづれの草の生ひ茂つた池に移され、不思議な愛の歌をもつて夏の夜を鳴き明してゐました。』

……◇……

少女はこんな風に生命そのものから動物學を學んだのです、一體、子供を教室に連れて來ることは、どんな教師にも容易ですが、學ばせるといふことは必ずしも誰にだつて出來ることではありません、まして、見えず、聽えず、言へぬ少女を教育することは困難な仕事です。それを、樂しく教育して行つたサリヴァン先生の天才と理解ある同情と愛に滿ちた技巧は、驚嘆に値します。

彼女は一八八八年の夏、先生に伴はれて旅に出て海水浴に行つた時、怒濤の物凄さに怖へましたが、驚きから恢復して一番最初に尋ねたのは『誰が水の中へ鹽を入れたの？』といふことでした。

女學校からカレッヂへ

ヘレン・ケラー女史がものをいふ術を覺えたのは一八九〇年の春十一歳の時でした。以前から、彼女は何でも音を出すものが好きで猫が咽喉を鳴らしたり、犬が吠えたりするのを手で觸つて喜びました。又、歌つてゐる人の喉や彈かれてゐるピアノに好んで手をおいたものです。

又、母や先生の顏に兩手をおいて脣の運動を感じて興味をおぼえました。でフラー發聲の練習を始めました。目が見えぬので先生の顏に輕く觸れ、發音する時の舌と脣の運動を眞似るのです。

長い間の練習ののち「暖かいです」といふ纒まつた言葉を發音することの出來た時の驚きと悅び――でも、話術をおぼえることは容易な仕事ではなく、矢張りサリヴァン先生の獻

身的な努力の賜です。そして、物がいへるやうになつた時に『もう私は啞ではないのだ』と有頂天の悅びでした。

……◇……

一八九四年の夏、先生に伴はれてニューヨークに出て、その秋、ライト・ハマソン聾啞學校に入學しました。發聲法と、手による讀唇法を練習するには便宜の多いこの學校を選んだのでした。しかし、讀唇法と口話術の上達は先生と彼女とが希望と期待とをかけてゐたほどにはすみやかには行きませんでした。

普通の人並にものを言ひたいといふのが彼女の大きな望でした。そして熱心にまた忠實に努力したにも拘らず決勝點に達することは困難でした。その失望が、時として彼女の心を非常に暗くすることはありましたけれど、他の學課、算術、地文學、フランス語、ドイツ語などは非常に進步しました。

……◇……

一八九六年十月、彼女はラドクリフ・カレッヂに入學する準備としてケムブリッヂ女學校に入學しました。女學校ではこんな生徒は初めてでしたが、敎室にサリヴァン先生がついて行つて、授業を一つ一つ指に書いて通譯して呉れたのでした。

この女學校の敎育を彼女に授けることは先生にとつては全く言語に絕した忍耐が必要でした。授業を全部指話する上自習時間には新らしい語を辭書で引いたり、點字でない本や筆記は何度も何度も讀んだり、タイプライターを打つことを敎へたり——やがて一八九七年八月、彼女はラドクリフ・カレッヂの豫備試驗を受けました。

彼女が選んだ學課は、初等及び高等ドイツ語、フランス語、ラテン語英語、ギリシャ語、ローマ史で合計九時間でした。

……◇……

彼女のみは別室で受驗し、問題は全部指話で讀み、その答案はタイプライターでかくのです。でも、幸に優等の成績で合格しました。入學後もつとも困難な學課は幾何、物理學でした。やがて、一八九九年六月、あこがれのラドクリフ・カレッヂの本試驗を受け、第一日目は初等ギリシャ語と、高等ラテン語、二日目には幾何と代數と高等ギリシャ語でした。困難な試驗に合格したのです。

入學後は彼女は一層熱心に勉强し始めました。その頃初めて、美と光の中に開けてゆく新らしい世界を自分の前に見、又、一切の物を知る力の存在を自分のうちに意識したからでした。

豊かな趣味の生活

大學へ入學、そして、學問を修めることは非常に困難な仕事でしたが大學當局の同情と、愛に滿ちたサリヴァン先生の指導で、石にひしがれた不幸な雜草がなほ生命の芽生えを見せるやうに、闇と沈默の中から、今、ケラー女史は光と音の世界へ、人間完成とその文化の故鄕に歸つて來たのでした。かくて最高學府を卒業し、さらに博士號を受ける榮譽を擔つたのでした。

近き將來、ノーベル賞金候補者の一人にさへ數へられ、又、最近十年間に講演と執筆とで約百萬ドルの金を獲得し、これを社會公共事業や、自分と同じやうに不幸な人のために惜しみなく費し、自らは質素なる生活のうちに感謝と喜びを見出して居ます。

……◇……

それにしてもこの不幸のうちに彼女は學問のみでなく、あらゆる趣味を樂しんでも居るのです、もとより讀書は誰よりも樂しみ愛して居ます

文學、科學、物理、劇、あらゆる書物を讀破して居ます、舟遊び、わけて獨木舟を操ることを愛して居ます。

……◇……

あらゆる植物、動物も手の感覺で女史のよき友達です、わけて、犬はよい友達です、犬は彼女の不自由を知つてゐるらしく、いつでも彼女が獨りでゐる時は、その側に寄添つて來ます、道案內もしてくれます、彼女は犬の愛情と深い態度を犬の雄辯な尻尾の動き方で知るのです。

雨のために外出が出來ない日は、彼女は普通の婦人と同じやうに編物をしたり、又友達と碁や將棋をします、そのために特別な將棋盤も出來て居るのです、又獨りかるたをして遊ぶこともあります、そのためには右の上端に點字で札の數を打つた特別なかるたを用ひるのです。

『もし傍に子供が居れば私は何よりも彼らと遊ぶことを好みます』女史は女らしく子供への愛も語つて居るのです。

……◇……

女史にとつては博物館や美術展も悅びと感激の源です、眼の助けなしに、手だけで冷い大理石像の姿勢や感情や美を感じるのです、その指先が直線や曲線を辿るとき、女史の指は藝術家が描き出した思想や情緖を發見することが出來るのです、女史の書齋の壁には詩人ホーマーの像牌がかかつてゐます、わざと低く掛けて、手をのばしその愛と尊敬に滿ちた愁ひをふくんだ美しい額にふれて喜びを感ずるのです。

芝居を見物に行くことも女史の喜びです、見物するといつても俳優の唇と衣裳に觸れて舞臺で演じられる劇を想像するのです。

……◇……

詩は彼女の心のかてです、音樂もヴァイオリンやピアノなどはこの樂器に指でふれることで音を感ずるのです、ハリウッドを訪うてチャップリンと語つたこともあります、人と逢ふことも樂しみです、逢ふ人の手は無言の雄辯をもつて彼女に話かけて呉れるのです。

悅びの感情を缺いでゐる人との握手は北國の寒い風と握手でもしてゐるやうな氣がしますけれど、あたゝかい心の人との握手は手の中に太陽の光を感じ、女史の胸を暖めるのです、又、多くの人から來る手紙も喜びです。

……◇……

日本の大自然と人と思想と藝術を探るために女史は來朝しました、それにしても闇の世界から生れて來た女史は、不幸な者にも努力次第ではこんなにも明るい世界が存在することを世界中の人々に見せてくれたのです、そして、女史の存在こそは世界中の人々の心に映る光りなのです

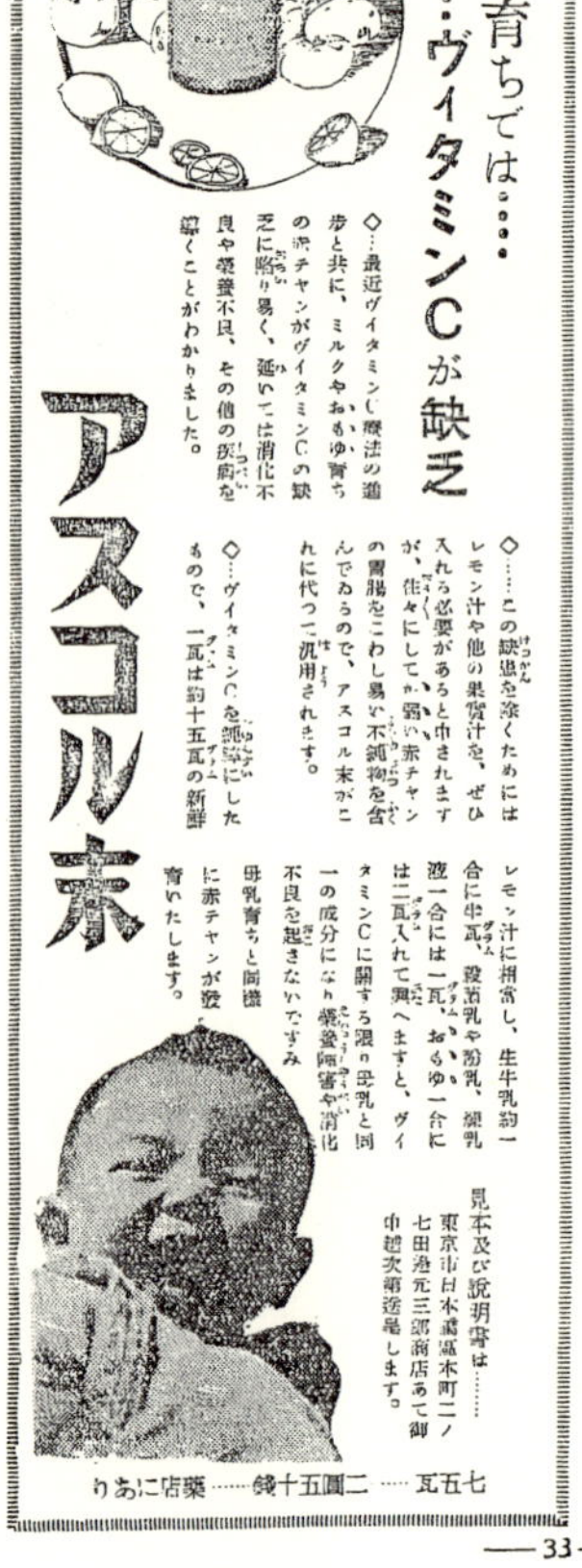

鼻はいばりやさん

醫學博士　川上　漸

鼻といふものは、よく考へながら眺めてみると、まことに奇妙なものであります。皆さん、おひまの時に鏡にむかつて、しづかにご自分のお顏を眺めてごらんなさい……さうしてしみじみ鼻をみてをつてごらん!

なぜそんなに三角の形をしてゐる?——といつて鼻におたづねになつても、鼻はだまつて何とも申しませぬ。眼や唇や頰なんぞは、いろ〳〵に動きますが、鼻はそれほど動きません。無理に動けと申しますと、まん中のところにへんな皺をよせますが、これは他のところがはげしく動きますので、仕方なしに、いや〳〵ながらおつき合ひをするのです。まことに鼻ほど威張りやさんのものぐさやさんはありません。

けれど、鼻でもやはり自分の義務といふことは心得てをります。なぜかと申しますと、部屋の中の空氣が惡くなつたときとか、はげしく運動をした後とか、長い間しづかな呼吸をしてをつた後とか、物に驚いた後、腹をたてたときなんどには、一生懸命に働きはじめます。

さうでせう!小鼻といふところね——鼻の孔のまはりのところ、お醫者さんが鼻翼といふ所、あそこが、息をすひこむたびごとに、ひろがりませう!罎の中へ水を入れるときに、漏斗を使へばらくに水が入ると同じやうに、ま

た煙管の雁首の大きいほど、煙草が喫ひやすいのと同じやうに、鼻の小鼻がひろがりますと、空氣が吸ひこみやすくなります。空氣が悪くなつたとき、運動した後しづかな呼吸をした後なんどは、たくさんの空氣を吸ひこんで、血の中の酸素の補ひをしなければなりませぬ。そこで鼻さんが、小鼻をひろげてくれますと、空氣を呼ひこむのにたやすくなりますから、大へん都合がよいのであります。

また、人間が野蠻であつた昔の時代には、驚いたときや腹のたつたときには、必ず急に、たくさんの空氣を吸ひこんではげしい聲を出すくせがありました。それが私共につたはつて、私共の鼻も、やはり驚いたり怒つたりするときには、小鼻をひろげてたくさんの空氣を一どに吸ひこむ支度をいたします。へんなものでせう！鼻の前へ、何か匂ひのするものを持つて行きますと、やはり小鼻をひろげます。いやな匂ひのするものなんどのときには、特別大きくひろげます。これは衛生に害のある瓦斯が肺に入つたり、また養生の妨げになる食べ物が口の中へ入られるのを防ぐためなのであります。

鏡にむかつて鼻を眺めてゐると、不愛想の形をした鼻がペコ〳〵と小鼻をうごかすのが、何となく滑稽にみえて自分ながら自分の鼻が馬鹿にしたくなります。でもそれは無理です。鼻は一生懸命でその役目をはたしてをるのですものね。いゝえ、をぢさんの鼻ばかりが不愛想の形をしてをるのではありませんよ。それは〳〵鼻筋のよくとほつた小鼻のとほつた上等の鼻なんです。

鼻の孔がなぜ二つできたのか、それは私もよく存じません。でも一つぢや、ちよつとへんでせうね。鼻の孔をよくしらべてみますと、なか〳〵むづかしい形をしてをるものであります。大ていの所までは毛が生えて居ります。それからちよつとした門のやうな境があつて、其奥は大きな空洞になつてをります。毛の生えてゐるところの内がはは、顏や手の皮膚と同じ皮膚でありますが、大きな空洞の内がはは、口腔の内がはと同じやうに紅い粘膜といふ

ものでできてをります。——口腔の粘膜にくらべると、粘液といふねばりけのある液をだす作用が強いので、いつもツル〳〵にぬれてをります。

さてむづかしくなりますよ。顯微鏡で、この空洞の粘膜をしらべてみますと、一ばん表に顫毛上皮細胞といふものがならんでをります。ちやうどペンキ屋さんの使ふ刷毛のやうな形のごく小さい細胞ですが、その細い〳〵毛がいつせいに調子をそろへて、奥の方へは弱く、入口の方へは強くうごきますので、粘膜の表へしみでた粘液が、そろ〳〵と入口の方へ流れて行きます。空洞の入口のところは狭くなつてをつて、空氣がはげしく出入をいたしますから、自然とその處で乾燥いて、それ！皆さんご承知のね、鼻の……それになります。お感冒を引いたときや、鼻の病氣のときには、この空洞の粘膜が腫れあがりますから、息の通ひが悪くなる許りではなく、粘液がたくさんに泌み出すために、境のところでかわききれないで、鼻のもとがそのまゝ 唇 の口まで流れ出てまゐります。鼻の空洞の洪水なんです。をかしいですね。

鼻の空洞の奥にはやはり二つの孔があつて、咽喉の奥へつゞいてをります。お醫者さんはこの孔をヒヨウアナと申してをります。空洞の内にはいろ〳〵の構造物があつて、なか〳〵大切な役目をしてくれます。匂ひをかぎわけるしかけも、その一つであります。空洞の天井から小さな貝殻のやうなものが下がつてをつて、それに匂ひを感じる細胞がついてをります。匂ひといふものは匂ひを出す物質の小さい破片が空氣にまじつて鼻の空洞へまひこんで、小さな貝殻のやうなしかけにさはつて、その構造をさま〴〵にかへるために感じるのであります。

鼻の空洞のことは、もつと〳〵お話したいのですけれど、あまり長くなると給仕君にしかられますから、まづここらあたりでやめませうね。恐いですから。

母の乳が大切です

京大講師　米田正生

無事にお產がすんで、可愛い赤ちやんが生れます。この赤ちやんを新產兒といひますが、新產兒に對する、第一の注意は、まづ目に硝酸銀液を注滴することです。これは恐ろしい膿漏眼の豫防のために是非とも實行しなければならぬ處置ですが、このごろでは、どんな田舍のお產婆さんでも必ずこの處置を勵行してゐるようですから安心していゝでせう。新產兒は廿四時間のうち、廿時間も眠りつゞけます。この時分のお母さんのお乳は、初乳といつて、その成分は蛋白が非常に多く、そのなかでもグロブリン、アルブミンなどの榮養素が多い、この初乳が十日も續くと、こんどは永久乳といふお乳にかはります。

永久乳は赤ちやんがお乳を飲んでゐる間出るもので、その成分は蛋白が一パーセントから一・五パーセント、脂肪が四から五パーセント、乳糖が七パーセントといふ割で、その他にカルシユームなどの造骨成分がまじつてゐます。この母乳は人工乳ではとてもおよびもつかない天惠のお乳で、お母さんのお乳をのんで育つた子供は身體も丈夫だし、全ての點で惠まれてゐるといふことができます。さて、赤ちやんは大體一日にお乳を與へる回數の二倍の排尿をいたします。だからよく氣をつけておむつを取替へることが大切です。生れたてから三ケ月にもなると一日に二、三回、それから一、二回とだん〳〵回數が減つてきますが、大便と小便が時間を選ばず排出されますから、よく注意して、おむつを取替へることを忘れないで下さい。おむつを替へるときは、できるだけ前

の方からお尻の方へ拭いて下さい。かうしないと、いろ〳〵の菌——たとへば大便のなかの大腸菌やその他の菌が赤ちやんの尿道を侵すことがあります。お風呂は一日に一回は必ず入れること、しかもそれを三、四ケ月も續けることが必要でせう。下着はガーゼかさらしでできたものを用ひることが必要です。それは、汗を吸ひ取り易く、また抵抗力の弱い赤ちやんの皮膚を刺激させないからです。

赤ちやんの病氣で注意をしなければならぬ病氣は、まづ風邪、それから便に血のまじるメレナ、臍炎などですが、こんな場合は早く小兒科醫に診せて大事をとることが大切です。さて、厄介なものに出臍といふものがあります。これは必要以上に泣かせたり、あるひは便祕をさせたりすると、腹壓が加はつて臍が出るようになるから注意が肝要です。こんな場合は一錢銅貨をよく消毒してこれを出臍の上におき、バンソウ膏で十文字に貼りつけておきます。かうすれば早く處置をすれば癒ります。母乳の出ない赤ちやんはいちばん可哀想ですから、お母さんはできるだけ手でお乳をもみ、赤ちやんに吸はせてお乳を導くようにして下さい。

さて、赤ン坊の體重は三〇〇〇—二八〇〇グラム、身長は女では四八センチ、男は四九センチ、頭圍は三三・五センチ、胸圍三二・五センチの平均數を示します。生れたての赤ちやんは非常に赤いものですが、外氣にふれるに從つて紅色を增し、約三日間は初生兒紅斑といつて非常に赤い。それからこんどは多少黃色になつて常態にかへつて行きます。

つぎに、赤ン坊にお乳を與へるお母さんがたの、とくに御注意を願はねばならぬことは、授乳の回數です。最初晝間は二時間半から三時間ごとに一回の割合でお乳を吞まし、夜はなるべくお乳の回數を減らす。かうして每四時間以上に與へるようにいたします。この授乳時間を守ることは絶對的に必要なことで、授乳時間が亂れるといろ〳〵の病氣を起します。お乳をのますときは微溫湯かぬるい硼酸水で乳首を洗ひ、お產數日後は横に寢て吞ませますが、起きられるようになつたらできるだけ坐つてのます。

お母さんにつぎの病氣のある方は、絶對に赤ちやんにお乳をのませてはいけません。まづ、その病氣の第一は肺結核、それから重症脚氣、精神病、急性傳染病、そのなかでもヂフテリア、丹毒など、重症貧血——かうした母親がたは、代用榮養として適當な乳母を選ぶか、あるひは貰ひ乳をするか、などを行つて下さい。

ビタミンに就て（二）

醫學博士　芳山　龍

小兒壞血病　本症は四肢骨の如き管狀骨の骨髓に出血性病變が起るのが特長である、臨床上骨端腫脹して疼痛を訴へ所謂假性小兒麻痺の病狀を起す、之に接觸すると火のつく樣に泣く、骨の變化と共に血管壁も脆弱になり出血して來る、殊に齒齦が紫色に腫れて出血します、皮下、結膜下、眼窩內等にも出血を起す事は大人と同樣である、骨に著變がなくて著明な結膜下出血を起し眼瞼が著しく紫色に腫れた子供もありました。

斯の如く壞血病は諸種の臟器に出血性病變を起すもので、病變が進むと貧血が高度となり、血行障害を現はし來るのが常であるが、不思議な事には新鮮なる野菜果實を與へると著効百％であるに拘らず外の如何なる療法も本病を治す事は出來ぬ故に、新鮮な野菜と果實に壞血病を豫防する特異な物質所謂ビタミンＣの含有せらるゝ事は明である。

小兒壞血病は早期に新鮮なオレンジ汁或は密柑汁の如きビタミンＣに豊富な果汁を與へ、且つ適當なる榮養法を講ずれば數日で輕快に向ふものです、乳兒に於けるビタミンＣの一日の必要量はオレンジ汁三〇―一五瓩中に含まるゝも本病を治すには少くもオレンジ汁四〇瓩が必要で、大なるオレンジ九個を要します、但骨に高度の病變を來せる者は治療數ケ月に亘る事があります。

此の如くビタミンＣは壞血病を豫防する作用あるのみならず、ビタミンＡ及びＢと同樣に細菌感染をも豫防する作用ありとせられ、ビタミンＣの缺乏は細菌の感受性を高める樣であります。

一般に傳染病に罹れば體內ビタミンＣの消費が激增しますから多量のビタミンＣを含む果汁の補給が必要であります、殊に腸チフスに對しては腸出血の豫防に役立つものであります。

最近ビタミンＣの研究が進むにつれて壞血病以外の出血性素質にも應用せられ、又百日咳に對しても効果的であることが發表せられて居ます。（京大服部教授）

ビタミンＣの本能　に關し四年前スツエン・ゲオルギー氏によりて左旋性アスコルビン酸であることが發見せられ、其製劑が市場に賣出されて居ます、例へばカンタン（バイエル）アスコルチン（田邊）ビタシミン（武長）ビトン（三共）等であります。

ビタミンＣの性狀は他のビタミンと異り熱に對し甚だ弱く攝氏五〇度にて多少破壞せられ、煮沸すれば大部分破壞を免れず、單に乾燥するだけでも次第に減少して行きますから、牛乳製品は假令低溫乾燥にて製造せられたる物でも貯藏中にビタミンＣが消散して行きますから、人工榮養に就てはビタミンＣの豊富な果汁や疏菜汁を添加することを忘れてはなりません。

ビタミンＣの含有量（東京市立衛生試驗所發表）比例

桑葉	八〇〇	玉露	三〇〇	キャベツ	一七〇―二五〇
菠薐草	二五〇―三〇〇	新鮮ナ茶	二五〇	レモン汁	一六〇
オレンジ汁	一六〇	夏みかん	六〇―八〇	林檎	三五
青豌豆	一三〇	温州みかん	六〇	甘蔗	三五
トマト	一〇〇	桃	五〇	バナナ	一六―三五
大根汁	一〇〇	ネブカ	五〇	葡萄	一五
鷄肝臟	八〇	苺	三五	梨	六

ビタミンＣは穀類及び豆類中に殆ど存在しないが發芽せる者の中には多く之を含んで居る、殊に豆を萠にした發芽直後に最も多いと云はれて居る。

三、ビタミンＤ　は抗佝僂病性ビタミンと稱せられビタミンＡと共に脂肪中に溶存して居ます、肝油が佝僂病に効く事は古から知られて居たが、肝油の中にビタミンＡと共にＤの存在することを發見したのは今から十五年前に「マッカラム」氏が肝油に高熱を加へてビタミンＡを破壞しても猶佝僂病を治し得る事を實驗したのが始めです。

ビタミンＤの食品に於ける分布は全くビタミンＡと一致し動物の肝臟に最も多く次で肝油膽汁バタ、鷄卵等に多い。

植物性食品中には殆んど缺如して居ますが、近年學者の研究によると、ビタミンＤの母體と云ふべき特殊の物質エルゴステリンは、オレーフ油、玉蜀黍油、胡麻油、菠薐草等に含まれて居て、之に紫外線を照射すると、抗佝僂病性物質たるビタミンＤに變ります。

又吾人の食卓に上る天然榮養物にはビタミンＤを含有する物が少量で、生理的必要量よりも遙かに少い程度であるが、此不足は天の配劑たる日光の直射を受けて、皮下組織中のエルゴステリンからビタミンＤが生成せられて、體內に吸收利用せらるゝ事が明となりました。

佝僂病は一名英吉利病とも云ひ、歐洲では普通病の一つであるが、本邦には比較的少ない一種の體質疾患であつて骨及軟骨の石灰化が不完全で、骨格に變化を來すのが特徵であります、生後四ケ月乃至滿二年の乳幼兒に最も多く、日光の不足と通氣の惡い非衛生的生活が大なる關係を持つて居る、本縣の如き明るく暖い地方には輕症を時々見受ける程度に過ぎぬが、石川縣、富山縣、新潟縣等には地方的に存在して居る、殊に日光の照射の少い秋から冬にかけて發生する事が多く、都會の小兒に多くて田舍に少い。

人工榮養兒の罹患率が母乳兒に比べて遙く、榮養品にビタミンＤの缺乏して居る事も一因なして居る。

骨の變化　の最も早く現はれるのは頭部で、後頭骨が軟くなり、厚紙の樣にペコ〳〵音を立てる樣になり、前頭結節が隆起して四角形の頭になる事が多い、胸廓では肋骨の軟骨接合部が念珠狀に腫れるのが特有で、往々鳩胸や漏斗胸を形成し、背柱彎曲や四肢骨の變形を現はして來る。

發病は徐々で、乳兒が本病に罹ると骨痛の爲に機嫌惡く、安眠せず、食慾進まず、瘦せて來るのみならず、頭部の發汗が著しく枕が汗でびつしよりとなり、毛髮が拔ける。

此外生齒遲く、筋肉弛緩し、身體の發育澁滯するのが常にして、神經系統も過敏となり、疳高く、痙攣を起し易くなる。

貧血が高度となれば肝臟や脾臟が腫れ、腹部膨滿（鼓腸）胃腸障害が現はれて來る。

本病の一般療法として、十分なる日光浴と新鮮なる空氣の外に肝油と燐が賞用せられたものであるが、ビタミンＤ發見以來ビタミンＤの應用が盛となり、本病にビタミンＤを與へると、全身細胞殊に腸管細胞の石灰及燐の吸收を良くして血清中の石灰及燐の含有量が正常となり化骨が尋常に行はれる樣になると云はれて居る。

ビタミンＤの母體たるエルゴステリンと云ふ特殊物質は、佛國化學者タンレー氏が麥角より分離したものであるが、その後酵母や茸類の如き下等植物にも含蓄せられて居る事が判り、此等の物質に紫外線を照射して、ビタミンＤ製劑を得る樣になり市場に賣出されて居る。

ビガントール（バイエル）はビタミンＤが空中酸素に對

し甚だ不安定にて空氣との接觸を避ける爲に植物性油に溶解せしめたものである。

オボラール錠（藤澤）純ユルゴステリンに紫外線を照射せるものにて、一錠中に二・五臨床單位を含有す。

オリーゼ末（乾卯）は日本特產の糸狀菌アスペルギルスオリーザーに紫外線をかけ、之に憐酸曹達を配伍したものである。

此等人工のビタミンＤは、天然のビタミンＤに比べて多少性質が異り、過量投與は危險を伴ふと云はれて居る。

四、ビタミンＥ　は、抗不姙性ビタミンと稱せられる。

一九二三年エバンス、ビショップ兩氏から提唱せられたもので體內では腦下垂體前葉及び胎盤に貯藏せられ、筋肉や脂肪組織中にも含まれて居る。

食品中では、米、小麥、玉蜀黍等の胚芽、發芽豌豆、チシヤ、牛酪、牛乳、卵黃等に豊富に含有せらる。

ビタミンＥの缺乏食を攝取して居ると、睪丸萎縮して陰萎となり、婦人では乳汁分泌が減少し不姙症を招く、假令姙娠しても胎兒の發育惡しく、胎內で死亡するか、若くは流產する事あり、生しても虛弱であつたり、又往々不具者の子供を產む事があると云ふ。

ビタミンＥ製劑　ペットは一錠中二五白鼠單位のビタミンＥを含有す、一回二錠宛、一日三回に分服す、適應症として流產の習癖ある者には、姙娠初期より分娩に至る迄連用し、乳汁分泌の不足、姙娠中毒所謂惡阻ある婦人には一、二週間連用を推賞して居る。

五、ビタミンＦ　一九二八年エバンス氏等の發見する所にて、脂肪溶性であるが、外のビタミンとは化學的性狀が全く異るもので、動物の一般發育殊に性的能力の發育に心要な物だと云はれて居る。

六、ビタミンＨ　は抗皮脂漏性皮膚炎ビタミンと稱せらる、酵母や肝臟に含まれて居る、母乳榮養兒に皮脂漏性皮膚炎の多いのは母乳にこのビタミンが乏しい故であると云はれて居る。

青立てゝ水車廻れり春の水

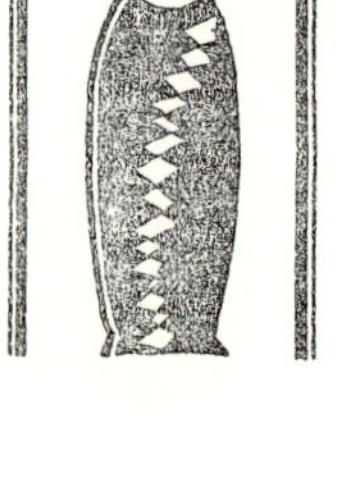

東京の審査會に於ける

母親のメンタルテスト（六）

伊藤悌二

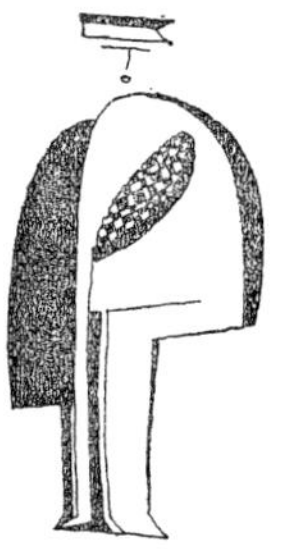

庭の坪數

坪數	男	女	各計
一坪	二二	一一	三三
二〃	六一	三五	九六
三〃	五八	三〇	八八
四〃	四五	一一	五六
五〃	五〇	三五	八五
六〃	一八	一二	三〇
七〃	七	一四	二一
八〃	一二	一〇	二二
九〃	一	二	三
十〃	三七	二四	六一
十一〃	一	〇	一
十二〃	一〇	八	一八
十三〃	六	〇	六
十四〃	一	一	二
十五〃	二三	一一	三四
十六〃	一	二	三
十七〃	一	一	二
十八坪	二	二	四
十九〃	一	〇	一
二十〃	一二	一四	二六
二十二〃	三	二	五
二十五〃	一〇	四	一四
三十〃	二六	一五	四一
三十五〃	五	二	七
四十〃	一二	六	一八
五十〃	一一	一一	二二
六十〃	八	二	一〇
七十〃	七	四	一一
八十〃	九	四	一三
百〃	一四	四	一八
百二十〃	四	四	八
二百〃	五	六	一一
三百〃	四	三	七
無シ	一九三	一一八	三一一
合計	六八〇	四〇八	一、〇八八

お住居の方向は？

調査人員總數　一、〇八八名（男 六八〇名　女 四〇八名）

家向 方向	男	女	各計
南向	二八〇	一五九	四三九
東〃	一三七	八五	二二二
北〃	六八	四五	一一三
西向	六七	四六	一一三
東南〃	五五	三一	八六
西南〃	二九	一七	四六
西北〃	二一	六	二七
東西〃	八	五	一三
東北〃	八	九	一七
南北〃	七	五	一二
合計	六八〇	四〇九	一、〇八八

榮養劑は何を御使用になりましたか

調査人員總數　一、〇八八名（男 六八〇名　女 四〇八名）

種別	男	女	各計
わかもと	六〇	二八	八八
エビオス	四四	二七	七一
牛乳	二四	一四	三八
カルシユーム劑	二三	一四	三七
肝油	二三	一三	三六
乳酸石灰	八	三	一一
オリザニン	七	四	一一
葡萄酒	八	二	一〇
ブルトーゼ	五	五	一〇
照内末	三	五	八
ヴイタミン	五	二	七
ネオネオギー	五	一	六
果汁	四	一	五
鷄卵	二	三	五
滋養糖	四	〇	四
ドリコノ	三	一	四
藥用胚芽	三	〇	三
スープ	三	〇	三
カルピス	三	〇	三
米の母	一	二	三
サロミン	二	〇	二
バター	二	〇	二
乳酸菌メデア	〇	二	二
理研ノレバリ	一	一	二
デリカ、	〇	一	一
オスゲン	〇	一	一
養命酒	〇	一	一
へびの黒燒	〇	一	一
こうもりの黒燒	一	〇	一
使用せず	四三六	二七六	七一二
合計	六八〇	四〇八	一、〇八八

室の間數

調査人員總數　一、〇八八名（男 六八〇名　女 四〇八名）

間數	男	女	各計
一間	七	五	一二
二〃	七四	五〇	一二四
三〃	二一三	一一二	三二五
四〃	一七一	一二五	二九六
五〃	一〇五	五三	一五八
六〃	四〇	二四	六四
七〃	三一	一四	四五
八〃	一五	五	二〇
九〃	六	三	九
十〃	七	九	一六
十一〃	四	六	一〇
十二〃	三	〇	三
十三〃	二	〇	二
十五〃	一	一	二
十六〃	一	〇	一
十八〃	〇	一	一
合計	六八〇	四〇八	一、〇八八

母と子

文學博士　下田次郎

一六、母子の救濟

一

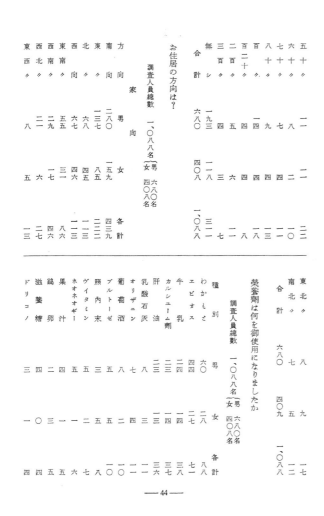

人の子は皆貴いものであります。無價の寶石に譬へた者もありますが、人の子は寶石の如き貧弱なものではありません。各々の子は神性の發現を待てる一の生命で、映えある花の開くべき靈の蕾であります。誰の子として何處に生るゝかは、毫も人の子の價値を左右するものではありません。釋迦は王城に生れ、キリストは厩に生れました。厩に生れることは、人たる事を妨げません。四百年前歐洲に宗教改革を行つたドイツの傑僧マルチン・ルーテルの母は鑛夫の妻で、田舍の町に市が立つて、夫と買物に行つた出先で、ルーテルを生みました。「此日全世界に於て、この鑛夫と妻ほど、目立たない一對の人はなかつた。しかしこれに比べて、王侯も法王も何であるか。こゝに今一度偉大なる人が生れた。その人の光は永く世界の炬火として輝き、全世界及びその歴史は、その人の出現を待つてゐたのである。ルーテルの出産は、千八百年の昔に溯つて、一層賤しい境遇に於ける、他の出産を想はしめる。不思議の時代は去つたか。不思議の時代は永久に在るのである」と、カーライルは言ひました。何の母の子に、何んな偉人が生れるか分りません。貧しい女であるから、豪い人の生めない譯はない。否昔から豪い人の、貧家から出た例は少くありません。されば姙婦は貧しくとも自重せねばなりません。たとへ豪い

人が生れずとも、唯人の子を産むといふことその事に大なる意味があります。「雑草とはその意義も効用もはたその美も、なほ未だ發見せられざる一の植物なり。」況んや人の子であります。生れた如何なる子にも、その存在の理由と價値とはなくてはなりません。

二

「富める夫妻には、姙娠は身體の自然の惱みの外感謝の盡きざる泉である。産るべき各々の子は、家の飾を加へ心の喜びを増すものである。姙娠の最初の徵候より夫妻の幸福は始まり、夫はやさしさを倍し、全家族は喜びの興奮に於て、未來の豫想を語る。貧しき女は、これに反して、姙娠は唯驚きと心配の種である。胎動が始まると彼女は戰慄する。どうしてこれを育てやうか。姙娠は體力を減ずるに反し、勞働は倍加せねばならぬ。それでも追つかないで、貧乏は増すばかりである。重い體をして工場に通ひ、終日立ち盡して、姙娠の重荷に、他の重荷を加へる。終に産の紐を解いた。何處で。多くは火もない室で、時には工場で。森の中で産む事も少くない。赤兒を包む布、赤子を養ふ乳のない女がどれだけあるだらう。その惱みと疲れは、憐れな母の最後の富なる乳すらも出なくした。月日の立つ中に又新しい惱みが起つてくる。二歳になつた幼兒は一人で留守をせねばならぬ。往來で遊べば、絶えず車に轢かれる恐れがある。母は全家族の心配の重荷を、その肩に擔はねばならぬ。父は滅多に家に寄りつかない。錢があれば持つて來るが、なければ子は母に投げ放しである。見すぼらしい屋根裏の狹い部屋に、四、五人の小兒が閉ぢ込められ、痩せた蒼白い母親に、腕を擴げて、「お母さんひもじい」「お母さん寒い」と叫んで居るのを見たものは、その憐れさに、胸が一杯になるだらう。こんな時に、子を毆る母も居る。怒つたのか、邪慳なのか。決してさうではない。子が苦しむのを見ても、仕方のない絶望からである。心臟を貫くやうな苦の叫びを聞くまいために打つのである。かくしてやさしい母が、むごい母になるのである。又他の母はやつと十位の長女に、ひもじさを紛らすために、小さい弟や妹を公園に連れて行かせる。十歳の母は幼兒の手を引いて、一緒に泣きながら公園をさまよふ。長女もひもじいが、夕方でなくては麵麭がないからと母に言はれて、家に歸れないからである。

子等は歸つて來た。されど、あゝ父は日當が貰へなかつた。或は丸つきり戻つて來なかつた。一人分にも足らぬ野菜の一皿で、全家族は一夜を淩がねばならぬ。母はどうしたか。母は食べない。長女は、幼兒の一人分にも足らぬだけを取つて、「私はひもじくない」と母に言ふ。母は悟つて、長女に抱きつく。かくて飢えた二人は、堅い寢床に横はる。」（ルグーベ）

　母親を霜よけにして寢た子かな　　一茶

斯る可憐兒はこれを譬ふれば、庭園の外にて縱まゝに踏みにぢられ、もしくは一顧だに得ること能はざる雜草の如し。何ぞこれを取りて、園の中に移し植ゑざる。何ぞ愛養して、その天性を完くせしめざる。彼等と雖も春光の雍々たるに逢はば、やがては心の花美を競うて綻びまた神の御園を飾るべきなり。」（デビス）

富裕の家では姙娠ときまれば、風邪をひかぬやうに、轉ばぬやうに十分滋養を取つて、早く休むやうにと、大事の上にも大事にされますが、貧しい暮しでは、背に腹は代へられず、重い體を引ずつて、日傭にも出ねばならず、留守の子はどうして居るか、明日の米はどうしようかと心配苦勞の絶間はない。「唯さへ産は女の大事、心に苦を持つ自らが、よも生んとは思はれず。」闇から闇へ子をやつたり、母が斃れたり、乳が出なかつたり、子を乾干にしたり、人生の悲慘の限りを盡します。

あはれさよ夜半にすて子の泣きやむは
　母に添乳の夢やみつらん
拾はれてよその乳房に笑ふ兒の
　母は泣きやむをりなかるらん

棄てる母も棄てられる子もあはれなものであります。

三

大正十年の調査に據ると、我が國內地に於ける出生總數は一、九六九、三一四で死産數が一三二、二四四であります。今人口千につき、各國の死産數を見ると、

日本　二・二九　　オランダ　一・一　　イタリヤ　一・〇
フランス　〇・九　　ドイツ　〇・八　　ノルウェー　〇・七

で何れも我が國より遙に少い（日本とフランスは大正十年、他は九年の調）。又大正九年に、我が國では一年未滿の小兒死亡數が、三三五、六一三であります。かやうに多數の死産や、嬰兒の死亡のあることは實に傷ましいことであります。嬰兒死亡率の大小はその國の文明の一斑

を示します。それで歐米では、母としての教育には大に注意し、又貧困なる母子の救濟といふ事に大に力を盡して居ります。姙婦を引取つて安全に出産させたり、母が仕事場で働く間、乳呑兒や幼兒を預つて、世話をしたり衞生的な住居を與へたり、子供の醫療や食物の供給をしたり子供の遊び場を拵へたり、種々母子の救濟、改善の事業を、公私共にして居ります。この點に於てまだ〳〵我が國は後れて居り、大勢の母子を見殺しにして居るやうなことがあります。これに就いて、エレン・ケイは次のやうに言つて居ります。

出産は男子の戰場に於て、命がけで戰ふやうなものである。男子に兵役があり、女子には出産がある。男子に兵事の教育を施すやうに、女子には母としての教育をせねばならぬ。どちらも公益のためである。それで若い女子に母としての教育を施して、家事と育兒のできることを、結婚の權利を得る必要條件としたらば好いであらう。或母は生活上餘儀なく孤兒の多い學校の寄宿舍に我が子を入れて置いた。或時母が子を學校に訪ねたところが他の子供が我が子と共に母の膝を爭つた。それほど彼等は、母の愛に飢ゑて居るのである。子供が大勢一所に生活して絶えず人目に曝されて居るのはつらいものである。やはり子供も一人づつ、自分の部屋をもつて居るのがよい。一番好いのは生活狀態を改良して家庭に母と子を居らすことである。それで母の保護救濟を公共の事業として、國家はその指導監督をすることにしたい。母が子供と家庭の務を放棄し從つて墮落、犯罪を増加し、また子供が國家社會や慈善團體の世話になる費用の嵩むのに比べれば、母が外に出て儲け仕事をすることは、國家經濟から考へても差引損な事であらう。

ケイの說は大に注意すべきであります。理想通りには行かぬとしても、その考へですれば、憐れな母子の仕合せはいふまでもなく國家のためにも非常な利益であります。自分が何不足なく平安幸福な生活をして居る母達には、世にはかゝる母子もあるものかと思はれるかもしれませんが、事實は話よりも遙に悲慘でありますから、相身互ひ身で、世の氣の毒な母子に同情し、物質的精神的に相當な助力をしたいものであります。

四

貧困は身體を害ふのみならず、又精神を害ひます。身

體は生きて居て、精神の死んで居る者ほど、傷むべきものはありません。「罪の價は死なり。」この死こそは永劫の死であります。「善は易くして惡は難し」で人間が惡いことをするといふのは、よく〳〵の事で、實に氣の毒なものであります。その罪を憎んでその人を憎まず。親がないか、人並の教育を受けることが出來なかつたか、貧乏に迫られたか、兎に角靈性の曇りであつて、それを拭ひ磨けば、光明の輝き渡るものであります。

私の實驗によれば、盗賊と云ふ犯罪行爲は、確に犯人その者の性分ではないと思ひます。つまりかう云ふ所作を爲るやうになつた性情には、親の遺傳もありませうけれども、その罪を犯すのは、幼年よりの境遇、習慣に因つて造られたものでありまして、決して性分で泥坊をするものは無いと思ひます。

私の家內には二十餘年間、幾千とも數知れぬ强盗や、竊盗、放火、殺人を置いたのですが、その間の容子は如何でしたらう。私の居間にだつて、家族の居る處にだつて私の寢間にだつて何處から何處まで開つ放しで彼の强盗、竊盗どもが、寢起して居るのです。毎度皆さんにお話して笑はれる事ですが、私共が夜分眠る頃になると、妻の命令を聞いて、彼の男共が「奥さん裏口はもう大丈夫です。聢りと戸締をしました。御安心下さい。左樣ならお休みなさい」と、家內は大安心で緩り眠るのです。即ちこの戸締內の安樂城は、放火、盗賊、殺人をやつた者共が枕を並べて、私共家族に安心を與へて居る場所なのです。處がこの長い年月の間には、私の家から逃亡した者もあつたのですから、往き掛けの駄賃に搔淩つて往かうと思へば、譯もないことですが、唯の一度も私共の金でも、品物でも、「ア、そんな彼奴が盗んで往つたかと云ふ樣な事はありませんでした。若しも盗むのが天性性分ならば、この樣な事實には成り行くまいと思ふのであります。」

これは多年出獄人保護事業に盡して居られる原胤昭氏の實驗談であります。我々は救ひ得べきものを、救はずに居るのであります。子を救はうと思へば、先づ母を救はねばなりません。人を造る姙婦、百までの魂を作る母親を、無知、貧困、助けなさの有樣に放つて置いては濟まぬことゝ思ひます。

「貧者はその鄰にさへも惡まる。されど富者を愛する者はおほし。その鄰を藐むる者は罪あり。困苦者を憐むものは幸福あり。」（箴言一四、二〇—二一）（終り）

名作曲家の列傳（五の一）

ヴルフガンク・モツアルト Wolfgang Amadeus Mozart

秋保孝藏

ある十二月上旬の黄昏時、ザルツブルヒの城壁は夕日を浴びてきら〳〵と光つてゐたが、城下の町々は、既に夜の幕にとざされてゐた。本街道には中流の家々が並んでゐるが、その一つの三階からは常ならぬ華やかな燈火が薄暗い夜道に洩れてゐた。この家では、今しもモツアルトの父レオポルドの第四十回の誕生日の祝宴を張らうとしてゐるところであつた。室内は小綺麗に飾り立てられ、その妻と七歳になる娘マリアネは晩餐の準備で忙しく立働いてゐた。當家の愛兒ヴルフガンク・モツアルトはまだ三歳であつたが、家庭の時ならぬ賑ひが何よりも嬉しくて、あちらこちらへと駈廻り、みんなを邪魔しては子供らしい無邪氣な惡戯に餘念がなかつた。

やがて晩餐は始まる。父モツアルトは來客や家族のものから祝賀の挨拶を受ける。ヴルフガンクは父の膝に這上つて、柔い兩腕でその首にしがみつき、

『お父さん、僕はね、お父さんが大の大好き、神樣の次にはお父さんが一番好きだよ、』

とあまへるのであつた。

父のモツアルトは宮廷の副樂隊長であつたが、この日同僚二人を招待した。この家では音樂が非常に尊ばれ、その晩も音樂の話で持ちきつてゐた。彼は二人の子供を顧みながら、

『私共の音樂趣味が、子供達にも傳はつてくれゝば好いが、』

と口走つた。母はこれを聞いて怪訝に思ひ、

『どうしてなんです、貴方はマリアネに音樂を敎へ込まうと、いつぞや仰しやつたぢやありませんか、今晩からでもお始めになつてはどうです、』

と答へた。

『さうだわ、お父さん、ピアノを敎へて頂戴な、私はよく勉强するわ、』

と側で聞いてゐたマリアネが歎願する。

『あ、さうだ、今晩お前方が私を祝つてくれたのは實に有難い、その御禮に今晩からでも敎へて上げようかね、』

と父は答へる。『お父さん、僕にも敎へて頂戴』と輝く瞳を父に向けながらヴルフガンクがねだる。一同どつと笑ふ。

『お前はもう少し大きくなつてからでよろしい、お前のお手々はまだピアノに屆かないんぢやないか、』

と父は靜かに言つて聞かした。

かうしてその晩練習を始めた。マリアネは初めから音樂の呼吸を吞込む氣敏さと忍耐とをもつてゐた。弟のヴルフガンクは姉の側に立つて燈火の光を浴びながら身動きもせず、姉の指が白と黑との鍵盤の上を往來するのを熱心に視つめてゐた。姉が指の運びを鈍らす時など、弟は何處を彈いてよいか、ちやんとそれを知つてゐるやうであつた。姉が練習を終へて席を離れると早速、弟はこつそりその跡に腰をかけて姉が敎はつた曲を復習する。そして簡單な曲は直ぐ覺えてしまつた。兩親はこれを聽いて感激の涙を禁じ得なかつた。父はヴルフガンクにも姉と同じやうに音樂を敎へねばならないと思つた。

やがて客は去つた。彼等はこの家庭の惠まれてゐることをしみじみ感じた。マリアネは初めてピアノを敎へて貰つたのが嬉しかつたし、ヴルフガンクは好きな音樂を聞くばかりか、自分も彈いて見て滿足した。兩親は愛兒二人が音樂に對して優れた天分のあることを初めて知つて、前途に非常な光明を發見した。

家庭に於ける音樂の日課は大いに進んだ。父は娘の練習のために二三のミニユエットを作つた。ヴルフガンクは僅か半時間でそれを覺えるのみか、自分でもミニユエットを作るやうになつた。彼が五歳の時に作曲したものが今日まで遺つてゐるが、その形式體裁に於て殆ど完全なものであるといはれてゐる。

或る日、父のモツアルトは友人のシヤクトネルを伴れて家に歸つて見ると、室にヴルフガンクが父の机の上で何か書いてゐる。『坊や、お前は何をしてるんだ』と机の上を覗きながら尋ねた。子供はインクに染まつた紙片を小さな手で隱さうとして、

『お父さん、これはピアノのソナタなんです、まだ出來てませんけれど。』

『いや構はない、一寸見せて御覽、良く出來てゐるだらうから。』

父はその紙片を手に取つて見た。インクにぽた〳〵染まつてゐて明瞭に判らないので、初めのうちは笑つて見てゐたが、段々父の兩眼は喜悅と滿足とで潤んで來た。

『御覽なさい、シヤクトネルさん、中々良く出來てるぢやありませんか。ちやんと法則に適つてますよ、たゞ一個所變なところがありますがね、それはむづかしくて彈けまい。』

『お父さん、これはソナタなんですよ。一度彈いて見ないといけません、まだ彈いて見ないんですもの、』

といつて、ピアノに飛び寄つて彈き始めた。指が短くて屆かないところもあつたが、充分要領を得てゐた。二人はその奇才に驚いて、沈默したまゝ暫く身動きもしなかつた。父は子供を抱きしめて接吻しながら思はずかう叫んだ、

『ヴルフガンク、お前はきつと豪い音樂家になれる。』

彼は單にピアノだけでなくヴアイオリンも習ひたかつたので父に賴んで見たが、これは許してくれなかつた。或る時父は二人の友人とヴアイオリンの三部合奏を練習してゐた。ヴルフガンクは傍で見てゐて、自分も彈きたくて堪らないので、父に第二番目を彈かしてくれと賴んで見た。無論拒絕された。たゞシヤクトネルの傍に坐して彈く眞似をすることだけ許された。練習が始まつた。その時眞似してゐる筈のこの少年が本當に第二番目を一緒に彈き出した。しかもそれが正確であつた。シヤクトネルは驚愕の餘り、手を休めて子供が彈くまゝに任して聽いてゐたが、難なくそれを彈き終せた。その後ヴルフガンクは第二番目を受持つてゐたが、今度は第一番目を彈かしてくれといふ。これも嗤笑の裡に葬られようとしたが、彼は何といつても肯かなかつた。勿論二三個所間違つたところはあつたが、大體正確に彈いた。

父の四十回の誕生日にモツアルトが音樂の練習を始めてから、三年の月日は瞬く間に過ぎた。進歩は著るしかつた。父は充分音樂敎育を授けたかつたが、定つた俸給では足りなかつた。彼は子供を伴れて、演奏旅行に出懸けようと決心した。一七六二年、最初の試みに成功したのに勵まされ、その翌年ヴエンナに行つた。ヴルフガンクは六歳、マリアネは十一歳であつた。

一行はリンツで成功ある演奏會をなし、途中イツプスの修道院に一夜を過ごす積りでダニユーブの大河を下つた。やがて灰色の高い城壁が聳えてゐる岸邊に到着した。父は修道院の大きなオルガンを見せようと思つて、ヴルフガンクを講堂に伴れて行つた。子供は大きなこの樂器のパイプや鍵盤や踏板を見て驚いた。父はその用法

をいろいろ說明した後で鞴(ふいご)に空氣を一杯入れて見せた。この少年音樂家は急いでオルガンの腰掛に飛上ると思ふと、鍵盤の上に立つてそれを思ふ存分踏んだ。時ならぬ奏樂の響を聞きつけて、修道僧が講堂に駈込んで來た。見知らぬ少年が鍵盤の上に立つてゐるのを見て驚いたがその足元から起る妙音に何れも思はず立ちすくんで耳を傾けた。そして不思議さうに互に顏を見合せた。

やがてヴヰンナに着いた。少年モツアルトの名聲は既にこの地に屆いてゐた。シヤンブルンの宮殿を訪ねた時一行は非常な歡迎を受けた。この少年の音樂を聽いた皇帝フランツ・ヨセフは彼を「小奇術師」と呼んでいろいろ試驗をされた。むづかしい譜を卽座に讀ましたり、一本指で彈かしたりして見られた。最後の試驗は最も奇拔なものであつた。樂器の鍵盤が悉く布片を以て蔽うてあつたのを、彼は間違ひなくその上から彈奏した。皇帝と皇后とはわが子のやうにこの少年を待遇した。少年も皇后の膝に飛上つたり、接吻したり、全く母に對するやうに馴れ親んだ。皇女マリー・アントアネツトは當時ヴルフガンクと同年輩であつたが、二人は親しい遊び友達となつた。

モツアルトの一行はヴヰンナの交際社會の呼物となつて招待狀が引切なしに舞込んで來た。ヴルフガンクも姉のマリアネも皇室からいろいろ貴重な贈物を頂戴した。その中に美しい衣服とダイヤモンド入の指輪があつた。その時のヴルフガンクの立派な肖像は今でも遺つてゐる。

翌年一行は巴里に向つて出發した。途中諸所に立寄つて演奏會を催したのであるが、フランクフオルトでは非常な成功で三回も繰返した程であつた。當時の或る新聞の如きは少年モツアルトは何の音響でも遠方でそれを聽取つて樂譜に書きあらはすことが出來ると報道した。

巴里に五個月滯在したが、彼等姉弟はヴエルサイユ宮殿でも演奏した。到る所で喝采を博したのである。一七六四年四月一行はロンドンに入京した。音樂好きのジヨーヂ第三世と皇后とはヴルフガンクを招き、バツハやヘンデルのむづかしい曲を歌はしたり、オルガンを彈かしたりして、非常な感動を受けられた。その年の六月四日王の誕生日が祝はれた。その折一行は大演奏會の開催を許されて滿場立錐の餘地なき盛況を呈した。一七六五年七月この一行はロンドンを去り、和蘭を經て巴里その他に立寄り、翌年十一月サルツブルヒに歸つた。

當時音樂に志すものは、伊太利に行かなければ修業が完成されないとまでいはれてゐた。伊太利は本家本元であつた。一七六九年十二月彼等親子は南方藝術の國へ向けて出發した。快活なこの少年には見るもの聞くもの皆

登録商標
ギンザトップ二十番

【特長】
一、最上原料を特殊技術により製せらるゝ本品は、彼の高價なフイッシユスキン（魚皮）以上に嗎呆を博して居ります。
二、感觸が柔かで滑らかで抵抗尠く、使用者自らがその使用に氣付かぬほどであります。
三、それでゐて他の厚手のサックよりも遙かに丈夫で數回の使用に耐へます。
四、形態も微妙な技術に成功し殆んど萬人向に出來て居りますから、使用中亂暴があつても何等そうゝの心配がありません。
五、各個につき送氣檢査耐力試驗がしてありますから、疵物や孔アキがなく絶對責任の保險證付嚴選品であります

産兒調節とコンドーム
性病豫防にコンドーム
感じを妨げず…………
薄く……柔かく………
それで丈夫な
最高級コンドーム!!!
ゴム製品の目醒ましい發達の所産としてサックもギンザトツプの如き完璧品が生れました！

―定價―
◎ギンザトツプ二十番

	一打	半打
▲C品（透明）	二・〇〇	一・一〇
▲B品（眞珠色）	一・五〇	・八〇
▲A品（櫻色）	一・〇〇	・五五
組合せ（一箇宛）	〇・四五（携帶用ケース入）	
C品（三箇入）	〇・六〇（同 〇）	

―送料―
内地十錢、市内六錢、（代金引換は切手廿錢前送願ひます）新領土四十二錢、代引四十七錢
見本品御入用の方は小爲替五十錢又は三錢切手十七枚封入お申越下さればＡＢＣ三種セル容器入をお送りいたします

東京市銀座西一丁目七番地
島津藥局
ギンザトツプ本舗
電話京橋六五二六番
振替東京四二四八九番

珍しくて愉快な旅行を續けた。この旅行中少年音樂家には澤山の仕事があつた。いろいろな試驗に應じなければならなかつたし、又名聲が弘まれば弘まる程一生懸命演奏しなければならなかつた。レヴェレドの聖トマス教會で催された演奏會なぞでは、演奏者たる彼がオルガンのところに進めない位大入であつた。聽衆はこの少年音樂家の顔を見なければ承知しないと敦圉いた程である。ヴエロナでは自作のシンフオニーを演奏したが、大した成功で、或る人がその肖像を描かしてくれと迫つた位である。

當時ボログナにパドレ・マルテニといふ有名な作曲家がゐた。彼は伊太利で好樂家の崇拜の的となつてゐた。老衰のためでもあつたらうが、どんな演奏會にも滅多に臨んだことがない。然るに少年モツアルトがパラヴイシニ伯爵邸で演奏すると聞込んで、彼は慣例を破つて出席した。これを聞いたモツアルトは、大いに感動し、此日は特に熱誠を込めて彈奏した。マルテニは大に感動し少年を抱きしめて其技を稱讃した。そして滯在中は幾度でも訪ねて來いと言はれたので、モツアルトは彼の指導を受ける機會を得た。其際マルテニは、モツアルトの作曲の技能を稱して何等缺ぐるところがないと公言した。

（續く）

小説 傳記

高橋是清（廿）

小杉健太郎

地獄で佛

或日、前田正名が突然陋屋へやつて來た。

「高橋君、君に日本銀行總裁の川田さんが、ぜひ逢ひたいと云つてるんだ。すぐ訪れて行き給へ。」

「川田小一郎さんが！ 僕はまだあの人に會つたことがないんだがなあ。」

「品川さんや松方さんから、いろ〳〵君の事を聞いてるらしいんだ。僕が一寸用件があつて今日お訪れしたら、君に是非會つて話しを聞きたいことがある。遊びにくるやうに傳へてくれと云ふことだつたよ。」

「さうか、僕も、一度はお眼にかゝりたいと思つてゐたんだ。」

その翌日の朝、是清は、牛込大曲りの川田邸をおとづれた。初對面ではあつたが川田總裁はデップリした温顔に微笑を湛えながら、距てない態度で迎へてくれた。

「實はあんたのことを、西郷從道さんや品川彌二郎さん、それに松方正義さんなどから聞いてますし、殊にペルー銀山の話も世間の噂もちよい〳〵私の耳に入つてゐる。しかし、實際はどうなつたのか、詳しい話をあんたの口から直接聞きたいと思ひましてな。」

「お尋れにあがりまして有難うございます。私もぜひ顚末を殘らず申上げたいと存じますから、時間は少し長くなりますが……」

「差支へありません。」

そこで、是清は事件の發端から語り始めた。庭の櫻の老木は一ぱいの花をつけて、散りも初めない眞つ盛り。客の話にぢつと聞き入つてゐる床しい主人の俤をそのまゝ無心に寫してゐるやうであつた。

聞き終ると川田總裁はニッコリ頷いて、

「よく解りました。世間の噂といふものは實に當てにならないもんですな。いや有難う、それだけ周到に片づけて引揚げて下すつたのに對しては、私も日本人の一人として、あんたにお禮をいはればならない位だ。」

「いや飛んでもない――」

「あんたは今、何をしてるんです？ お仕事は？」

「只今のところ、實は何も……」

と是清はいまの苦境を包まず打明けたのであつた。

「さうですか。ぢや兎に角あんたの體は、わたしにお委せなさい。及ばず乍ら、わたしがお引受けいたしませう。それについて何かあんたに希望でもありますか。」

「いえ、有難うございます。實業界の大御所といはれる貴方にお引立てをお受けますことは、全く私にとつてこれ以上の幸ひはございません。」

是清は滿面に喜びの色を浮べて、心から叮寧に頭をさげたが、

「しかし私はもう官途や教職につく考へはございません。實業界に入りたいと思ひます。實業界に入る以上は、丁稚公儈から踏出すつもりでございますから、どうぞその點をお含み願ひたう存じます。」

「なるほど、その言葉が氣に入りました。ぢや、わたしが土木人足にでもなれと云へば、あんたやんなさる積りか。」

「勿論、結構ですとも。」

「よろしい。わたしも心懸けておきませう。」

地獄で佛にあつたとはかういふ場合であらう。是清は思はずこみあげる嬉し涙をグッとこらへながら、胸一ぱいに大きな呼吸をした。四、五日すると、川田氏から一寸來てくれといふ葉書が屆いた。是清は取るものも取りあえず、出かけて行くと、

「外でもないが、いま日本銀行の建物を新築してゐることは、あんたも御存じだらう。その總監督は安田善次郎さんだが、その下の技術部長は辰野金吾博士だ。そのまた下に事務部といふものがあつて、技術以外の建築事務を處理してあるのだが、そこの主任に君を据えたいと思ふがどうかね。聞けば辰野君はかつて唐津英語學校で君の生徒だつたといふことだから、君はその下で働くことをいさぎよしとしないかも知れん。それなら遠慮なく云つてくれたまへ。」

「そんな事は少しも構ひません。ぜひ働かして頂きたいと思ひます。」

と、是清は膝を進めるのであつた。

かくて、六月一日附をもつて彼は日本銀行から年俸千二百圓の辭令を貰つて、建築事務主任を命ぜられた。が、それはまだ正式の日本銀行員ではなかつた。といふのは、ペルー事件のほとぼりが冷めない中に、實情の如何に拘はらず、固いが上にも固い人物を必要とする銀行に正社員として入れるといふことは、世間の思惑を憚つた川田氏の深慮によるものであつた。

是清が事務主任になつたころは、もう基礎工事はすんで、一階の石積みにかゝつてゐる所であつた。是清は何氣なく工事豫定表と現場の樣子を比較して見ると、意外な事實を發見した。それは工事の進捗程度が豫定よりも一年以上遲延してゐるのであつた。

「辰野君、餘計なことを訊くやうだけれど、これは一體どうしたんですか。何か理由はあるんでせうか。」

乾燥粉末重湯
ペツソー氏重湯療法に基準せる學術的創製品
ビオスメール
BIOCEMAEL

胚芽ヴキタミンを加へ低温無菌的に操作乾燥せるものにして、穀粉の如く粗纖維を含まず溶解佳良・使用法簡易・五六分にして正確に所要濃度のおもゆを調製し得らる。

應用　特に乳幼兒の榮養と疾病……………………に

榮養
牛乳粉乳煉乳に添加して與へ、醱酵下痢を豫防するのみならず體重を增加し、發育を優良ならしめ、且つ赤血球の增加を助長す。

疾病
乳幼兒下痢・消化不良・腸炎・消耗症・傳染病腸疾患其他の榮養障碍の食餌として用ひ消化機能並に榮養を調整す。

包裝　大 1/3 瓩 一・二〇圓　小一〇〇瓦 ・五〇
文献贈呈

株式會社 和光堂　東京市神田區鍛冶町　大阪東區南久太郎町

イ.BM.1

「さうです。今までは豫定よりもズッと遲れてゐるが、二階以上の工事で充分に取り返すことになつてゐるんです。つまり始めの設計は全部石造の計畫だつたが、岐阜の地震の經驗から日本では上になるほど重量の輕いものを使用しなければ危險です。で二階は石の代りに普通の煉瓦を使ひ、三階にはそれよりもつと輕い穴開き煉瓦を用ひることになりました。だから工事の手間もよほど樂で、二階からは遲れた分を充分に取返すことが出來るわけです。」

「あゝ成程、さうでしたか。」

是清も辰野博士の説明を聞いて、始めて得心することが出來た。

そのころ川田總裁は病身で、滅多に銀行へ出勤されないから、是清が時々工事の模樣を報告しに行つてゐた。辰野博士の説明を聞いてから二、三日目に、かれは例によつて總裁邸を訪問したのである。

「工事はうまく行つてるか。」

いきなり總裁は是清に訊いた。

「この間伺ひました時から、よく雨が降りまして餘り捗りませんでしたが、一階の石積工事はもう終りました。昨日から二階の方にかゝつてをります。」

「遲いな、それぢや、とても豫定通りに完成すまい。困るな君、あまり竣工がおくれると株主總會の問題になるぞ。」

總裁は廣い額にキュッと八の字をよせた。

「いえ、それは大丈夫でございます。御承知の通り、二階以上は煉瓦にしますと、殊に三階は穴開き煉瓦ですから、今迄のやうに手間がかゝりません。これから遲れた分を……」

「なに、二階以上を煉瓦にする！誰がそんなことを云つたか。」

「辰野君が云ひました。」

「馬鹿なことを云つてはいかん！辰野は一體誰の命令を受けてそんな勝手なことをするんだ。」

「えッ、ぢや、總裁は何も御存じないですか。」

「知るもんか、全部石造りにするといふ設計は、株主總會の議決を經てゐるんだ。それを技師が一存で變更することは怪しからん。辰野を呼べ！辰野を！」

川田氏は銀煙管でカチカチと續けざまに吐風峰（はいふき）を叩いた。珍らしい總裁の激怒に是清はすつかり應待の接穗を失つて、たゞうなだれて了つた。が忽ち何か思ひ入つた面をあげて、

「閣下、こゝへ辰野君を呼びましても、すぐに名案がある筈はございません。」

「いや、いかん、よべ！辰野を呼べッ」

「でも、これから私が歸つて皆とよく相談した上、何とか適當な方法を講じて見たいと思ひます。その上でまた申上げに參りますから、どうかそれまで御猶豫を願たう存じますが。」

「ぢや、明日までその返事を待たう。明日が切れたらわしは建築の責任を負はないぞ。みなにもさう云へッ。」

「は、かしこまりました。」

是清は這々の態で引き下ると、門前で丁度そこへ通りかゝつた空人力車に飛び乘つた。かれは車に搖られながら工事の打開策を

一心に考へつゞけた。トンと轅棒が下りたのにハッと吾れに返ると、そこはもう建築事務所の前であつた。

「やあ高橋君ご苦勞さん、どうだつたね、總裁の御病氣は。」

と何か辰野と帳簿をひろげて打合せをしてゐた安田監督が、のんきさうな顏を振り向けてから訊いた。

「それどころぢやありません、大變なことが起つたんです。」

「ほう、だいぶお惡いのかね。」と心配さうに眉をひそめた。

「いや御病氣の事じやないんです。總裁は大變怒つてゐらつしやるんです——二階以上を煉瓦にするつて誰が許下した、技師の一存で勝手に計畫を變更しては困るではないか。株主總會できめたものだから、設計も期日も無暗にかへるわけには行かん。そのつもりで明日までに適當な案をたてゝ來い。さもなければ、わしが建築の責任を負ふのは困る、と仰有るんです。」

少し語氣を柔げて取次いだつもりだが、辰野は忽ち蒼白な顏になつて、

「安田さん、あなた、總裁の許下を得てくれたんぢやないんですか。」

と詰るやうに云つた。

「いや、私こそ、あんたが總裁の御承諾を得て變更したものだとばかり思つたもんだから、贊成したやうな次第ですよ。——そいつあ弱りましたなあ。」

と安田監督はヂッと空の一點を見詰めた。

「一體最初の設計通りに石造りでやるとすると、竣工はどれ位遲れますか。」

是清は辰野に訊いた。

「少くとも一年半は遲れます。いやそればかりではない、經費も二十七八萬圓は增加しなければなりません。」

「二十七八萬圓ですつて——そいつあ總裁に申上げなくてよかつた、申上げやうものなら叱られるところだつた。」

一層重い沈默が三人の上に落ちた。その沈默はしかも是清の聲ですぐに破られた。

「ぢや、かうしたらどうでせう。實は人力車の上で考へて來たんですが、芯を煉瓦にして、外側だけを薄い石で貼りつけたらどうでせうか。これはまあ素人考へですが、專門的に見てどう思ひますか、辰野君。」

「なるほどそれあ思ひつきですね。技術的にだつて堅牢にできますし、日數もさうかゝらない。それに第一經費も六七萬の不足ですみますから……」

嬉しげにさう云つたが、すぐ心配さうに、

「だが、總裁が許してくれるでせうか。」

「それは何とも受け合へないが、君は確かに豫定の日限までに堅牢に竣工させるといふなら、もう一度僕が總裁にお願ひして見ませう。」

「ぜひ、ひとつお願ひします。その點は僕が責任をもつて引き受けますから。」

「高橋君、ほんとに宜しく賴みますよ。」

と、安田監督も拜まないばかりに云ふのであつた。

有難くない役目だが、行懸り上それを引請けて了つた是清は、

念のため、建築の現場を丹念にしらべて見たのであつた。その建築は大倉組の請負ひで、そのまた下請を四人の土木業者にやらしてゐる。石工や人夫は監督の目のない所では、ノロノロ仕事をしてゐるのであつた。

翌日、是清が總裁邸へ行くと、川田氏は非常に不機嫌な樣子であつたが、是清がおそるおそる三人で協議した結果を逃べて伺をたてると、總裁は餓に顏色を和げて、

「ほう、それは面白い所へ氣がついたのう。期日は豫定通り、堅さも石造りに劣らないんだね、費用は六七萬の不足ですむかよからう、ぢやそれでやつて貰ひませう。」

「早速の御承諾で有難うございます。つきましては、私に一萬圓だけ特別に使はして戴きたいのでございますが。」

「一萬圓！何にするんだね。」

と總裁はいぶかしげに訊ねた。

「大倉組の人から聞きますと、四人の下請けに使はれる人夫が、時々相談して賃銀の値上げを要求するんださうです。もし大倉組が拒絕すると、彼等は仕事を休んで了ふので、大倉組もこれには手を燒いてるさうです。だから工事も自然に遲れるんだらうと思ひますから、此際思ひ切つて大倉組の請負ひを斷はり、四人の下請け人と直接に契約を結ぶんです。そして、四角い建物ですから一人に一面づゝ請負はせて競走させるんです。もし豫定日より遲れたものには、一日五百圓づつの罰金を取り、期日前に仕上げた者には一日五百圓づつの賞與金をやるといふことにします。一萬圓はその賞與に使ひたいんですが、さうすると、四人の間に競爭が起りますから、めいめいが人夫を督勵してきつと工事がよほど進捗すると思ひます。」

「名案だ、さういふ金ならば喜んで出しませう。」

と、總裁の聲は朗かだつた。

その日から直ちにこの新方針に基いて建築關係の事務を斷行したので、工事はダンダン捗つて、果して豫定日より二日も早く竣工したのであつた。

間もなく、是清は日本銀行の正社員に取立てられた。

中等學生の不正乘車

東京府保導協會 藤岡愼一郎

若葉時は他のどの季節よりも不良の芽生えの多いことは誰でも知つてゐる筈です。不良化を防ぐ第一步は、兩親が子供のあらゆる細かい點まで知つてゐることですが、家の子供に限つて——と安心し切つてゐる兩親の方がいまでも多いのではないでせうか。兩親が子供の行爲を知らないでゐる例として、中等學生の不正乘車を擧げることが出來ます。

◇

田端、秋葉原、兩國間を除く中央、山手、京濱三省線の不正乘車件數を新橋運輸事務所に就て、昨年度だけを調べてみましても

△一月　總數五二七人（中等學生一三七人、二割五分五厘）

△三月　一二一二人（中等學生四六三人、三割八分二厘）

△四月　八五四人（中等學生二二六人二割六分）

△五月　一〇八九人（中等學生三六〇人、三割三分）

△六月　一〇九四人（中等學生三五一人、三割二分）

と、常に中等學生が不正乘車の最高位を占めて居り、而も三月から六月にかけて特にその數が多くなつてゐます。

◇

學生が二位に下るのは

△八月　總數六三二人（中等學生九二人、一割四分五厘）

△九月　七三七人（中等學生一四三人一割九分二厘）

この二ヶ月、つまり暑中休暇の間だけなのです。十月から十二月までの間は再び學生が首位で二割三分から三割二分といふ率を示してゐます。

◇

兩親方の中で子供が不正乘車をしてゐることなど知つてゐる方は勿論一人もゐません。パスを買ふお金だよ——と子供達に渡せば、親の義務は濟み、子供は必ずパスを買ふものと安心してゐるからです。この數字を兩親方は何と見るでせうか。

◇

若い中等學生のことですから、初めから慾のためにやるわけではありません。パスを買ふ金をタカられて了つた友達の僞造パスを使つてうまく乘れた——等の事が原因となつてゐるのです。併し、最初の動機に惡心はなくとも、不正行爲に馴れることは子供にとつて怖しいことです、殊に既に不正を行つてゐる者の大半は不良がゝつた者であるとき、猶更らこの感が深いわけです。買物の金錢を渡したならば、買つた品物を調べて見ることが敎育者としての親の當然の義務ではないでせうか。

◇

親が額を出しては窮屈だらう——と友達が來れば女中に用事を云ひつけ、親は座敷を覗かぬ妙な美風？がどの家庭にもありますが、親の眼で公平に批判的に友人を觀てやることも親の當然爲すべきことです。この不正乘車の例を參考として青年期にあるお子さん方を特に春先は注意と愛とで見て貰ひたいと思ひます。

健康の里の建設

社團法人 大阪府衛生會
大阪結核豫防協會

1　何が國民保健問題の根幹であるべきか

帝國日本を劃期的興隆に導いた日露大戰の尊き護國の人柱は約五萬人でありました。

然るに年々我が國で、結核で死亡するものゝ統計上の數は十二萬人に達し、實際は二十萬人もあらうと云はれてゐます。

結核は數年患つて遂に死亡するのでありますから、二十萬人の死者があるとしますと、患者は其約十倍の二百萬乃至二百五十萬人位あるものと考へられます。それで我が國の現狀では全國津々浦々の町や村で百軒の人家があれば毎年結核で十人乃至十二三人が病蓐に臥して居り、其の中から一人づつ死亡して居る事になります。殊に大阪のやうな大商工業都市では更に驚くべき數に達してゐるのであります。其の爲め我が國の結核死亡率は世界の文明國中第一位となり、英、米、獨などの三倍に及んで居ります。

このやうな譯で我が國民は劣惡な體質となつてゐますから、大人に發生する結核の八〇%迄が兒童期に感染するのであります。

2　教師と學童との健康問題の相關性

それで大阪市の如きは七千人の敎職員中約七百名の不健康な敎員があり、三十六萬の學童中四萬乃至五萬の虛弱兒童があるのであります。

3　國民道德の上から見た敎師の健康問題

尙、茲に深く考へればなりませぬことは、この敎育者が國家的重責を負つて、崇高純眞、最後まで其の職分の爲め獻身せられ、遂に適當な療養の機會を缺き、かへつて、救ふべからざる悲痛の境遇に陷つてゐられる實例が甚だ多いことであります。

これは實に我が國の大なる社會的缺陷でありまして、師の恩は山よりも高く海よりも深しとする者の齊しく忍び能はざる所のもので、その影響が學童の體質や、國民道德の上に及ぼす重大性から考へまして、洵に憂慮に堪へぬものがあるのであります。

4　「健康の里」と大阪府衛生會と大阪結核豫防協會

深く思を此處に致しました我が大阪府衛生會並に大阪結核豫防協會は、斷然主力を傾倒し、大阪府市當局と協力し、府下一萬の敎職員と五十萬學童の健康擁護の爲め、發病一歩前でこれを完全に防止すべき最善の方策を講じ、景勝地をトし「健康の里」の創設事業を興したのであります。

健全なる精神は健康なる身體に宿るとは千古の眞理でありますから、學童にあつては殊に色々の不良習慣例へば偏食癖など敎育的に矯正し、敎師にあつては身體的故障など醫學的に檢査し、それぞれ個人的にも或は集團的にも、その據つて來る所に對應する明朗にして正しき生活方法を修練せしめ、わが國固有の風土的諸條件を考慮し、徹底的に外氣浴・日光浴、榮養改善等を以て、その體質の良化を圖ります。而して猶この外に特別の治療などが必要であれば、帝大病院、市民病院、赤十字病院などは勿論それぞれの權威ある公私立病院の診療を受けさせ、その他あらゆる努力のもとに、誠意最善を以てする眞の愛國的事業と致します。

素より「健康の里」は健康なる身體の養成場でありますが、特にその適地の選定に多大の苦心を拂ひましたのは、同時に高潔熾烈な國民精神の涵養場とするためであります。

5　「健康の里」の特色と其の施設

現代の一大特徵は科學的にして所謂自然征服にありますが、それが人間を驅つて偏智的ならしめ、人間の機械化を助長し、幾多の陷穽を造つて居ります。之に對して「健康の里」は、天を敬ひ人を愛し、一木、一草、一石、一鳥も尙び、之を偉大なる師とし自然愛の情操生活に導き、適宜の運動に、作業に、觀察に、さながら和樂の原始の生活に復り、或は單一孤獨に、或は多衆一齊に精神と身體を鍛錬し、人間として、大和民族として本來の面目を發揮せしめ得べき大修養場——大敎材園——宗敎々育園——人生指導の靈園たらしめます。

(1)丘陵起伏の林間に散在的に虛弱なる敎師學童のための保養室と、本莊園獨特の外氣室を設けます。

(2)主として敎師の爲めの娯樂、集會等の諸室、研究室、作業室、また學童のための外氣室、敎室、露天林間敎室、雨天體操遊戲室、作業並に實驗室、音樂唱歌室等を設けます。

(3)一般運動場、逍遙路、既設葡萄柿栗の七町歩の果樹園は敎育的樹園とする外花壇、蔬菜園、小植物園、花卉の溫室、小鳥の家、釣魚池陶工場などを設けます。

(4)清新明朗の大食堂を設け、榮養の充實に特別の努力と充分の設備を加へます。

(5)浴室は天然の溫泉を擬し、シャワーには特殊の醫學的考察を加へ、プールをも設けます。

(6)醫療室にはX線、紫外線、赤外線裝置などは勿論、電化空氣浴、諸種の理學的療法裝置を設備します。

(7)小「サンマー・ハウス」を多數に配置して小家族的入園を可能にしまた簡單にして衛生的の小住宅を逐次に建設して長期の家族的莊園をも可能ならしめ、やがて健康の村の建設をはかります。

(8)園内清淨な場所に皇太神宮遙拜所を設けます。

(9)莊園には蒸氣機關と地水を吸上げる水道を設備し、また輸送自動車をも備へます。

(10)莊園の經營に任ずるものゝ住宅も設けます。

(11)職員の宗敎化のため敎會堂を建てます。

6　「健康の里」の位置其の他

幽邃と閑寂を誇る丹波高原が南進して攝津耶馬溪と握手したところ、海拔二百米風光明媚靑巒の氣みなぎる廣袤十萬坪、繼體天皇三島藍野御陵の北二キロ、大職冠藤原鎌足公の舊邸趾に近く、大小無數の古墳に抱かれ、「大化の改新」の夢になほつゝまれてゐるといふ丘陵と盆地がそれで、太古より神々に奉仕した敬虔な人たちの子孫が住み、地名のゆかりも床しく「ゐさはら」と呼んで來た淸淨な地域であります。

北西の高燥な松柏樹の森林帶から、無數のスロープが鹿の背の如く蜿蜒して東奔し、眼下の南方には、茨木、富田、高槻の小都邑が點在し、遙に大淀の淸流を隔てゝ大河內平野が詩的な風景を見せ、翠屛のやうな信貴生駒の連山を模糊の裡に仰ぐ、この雄大な景觀を坐ながらにして恣にしかも冬は暖く夏は涼しい關西の輕井澤とも謂ふべき景勝地であります。

省線大阪驛より二十分、富田驛に下車、タクシーで西北に進むこと十分綠濃き阿武山の中腹に聳ゆる白塔、京都帝大地震研究所の隣接地區で、省線汽車よりも新京阪電車よりも指呼の間に眺め得る所であります。

7　あなたにお願ひ

最近我が國は燎原の火の如く朝野を擧げて國民體質の强化が叫ばれてゐますが、本事業の如きは創設費に數十萬圓といふ巨費を要し其の上幾多の困難が橫たはつて居りますから、廣く江湖の篤志家に愬へますと共に、特に理解ある貴下の御支援を仰がねばなりませぬ。

體位非常時

稻原勝治

☆

吾が國民體位の低下は近年頗る顯著なるものがあると云ふ。徵兵檢査の結果として、軍部から發表されたものを見ると、大正五年頃の不合格者は千人に二百五十人であつたものが、近頃になつては三百五十人、甚だしきに至つては四百五十人にも上ると云ふ。その內でも學生が最も高率、不合格者五百人、すなはち半分を計上し、而もその多くは結核患者であると云ふのであるから、これは到底棄て置くことの出來ない現象である。

☆

原因としては、種々なものを算へることが出來るだらう。都市集中とか、生活難とか、惡質遺傳とか、或ひはさらに醫術が進歩して、ロシア邊りなら當然死んで終ふ筈の子供が、弱體ながらも成長すると云ふやうなこともあらう。併しながら原因は何れにあるにせよ、我國は、今や體位非常時に直面して居ることは、爭ふべからざる事實であり、これが救濟は一日を空しうすることの出來ないほど重大なものである事は、明らかである。

☆

我が國の數多き强味の內の一つは、云ふまでもなく高率なる人口增殖である。何となれば一國の富源にして、その擁するところの人口に勝るものはない筈だからである。然るにその人口なるものが『如何なる勞働にも耐へ得るもの百人の內二、三人。病人同樣のもの三、四十人』と云つたテイタラクでは果して富源と稱すべきか、それとも貧源と云ふべきか、分つたものではないと云ふ結論に到達せざるを得ない。

☆

スポーツなどは、今は昔に較ぶれば夥しく盛んである。生命を賭けてまで山に登つたり、銀盤と稱して、長い木片を穿いて雪の上を滑つたり、更に毎朝ラヂオ體操までが、吾等の生活を複雜化するまでになつて居る。それだのに體位は毎年グン〳〵下降すると云ふのであるから、これはスポーツや、スキーや、ラヂオ體操位では到底相殺出來ない何等か重大なる原因が、潛んで居るものと考へなければならぬ。この原因の首根つこを抑へ、これを叩き潰して吳れよと云ふのが、當路に對する吾等の註文である。

☆

文敎審議會も善からう。國體の明徵もとより不可な譯はない。精神作興さらに妙である。非常時卅億の豫算に至つては、双手を擧げて賛成しても善い。併しながら國體の明徵等々の肝腎の相手が、靑い顏をした半病人の國民だと云ふことになれば、吾等は夥しく考へさせられざるを得ない。外に對する非常時も非常時に相違ないけれども內に於けるそれこそは、實に根本的なものではあるまいかと。

街頭醫學

人工榮養の場合大切な問題

粉ミルクは今日二十種以上のものが市販されてゐる、この粉ミルクには全乳粉といつて牛乳の水分だけ除いたものと、この粉乳に糖とか或は澱粉質などを加へて調合したミルクフードとがあるが、これらの粉乳にはそれ／＼その種類に應じて、各製造會社からレッテルなりパンフレットなりに、一ケ月にどれだけの量を、どれだけの水にうすめて何回のませたらよいかといふ使用法が書いてあります、一方こども自身についていふと赤ん坊は月齡に應じて一定量のカロリーを攝る必要があるわけだが、この必要量と各粉乳に指定してある量とを比較した結果そこに非常に差のあることを發見した。

たとへば同じ月齡の大きさのこどもに對して、種類によつては三百カロリーから三百五十カロリーも違つてゐるものがあり小兒科や榮養學と標準一致してゐないものが全體の八〇パーセントに達した。

さういふことは結局會社の指定が適當でないといふことになるわけです。

◇

粉ミルクをうすめる水分の量は、大體は一定してゐて、最高限度は一日に一千グラムから一千二百グラムまでゞすが、或る種類は二千から三千グラムになるやうに指定してあるものがある、結局水分の多いのはそれだけうすいものを赤ん坊にのませることになる、いひ換へると水を多くのむことゝなり、害あつても益がありません、また種類によると蛋白質が多く、脂肪の少いものがあり逆に蛋白質が少く脂肪の多いものがあり、さらに本來の目的に反して他の含水炭素を特別に加へて標準必要量を保たせて行くやうにつくられてあるものがあるといつたやうに、いろ／＼の缺陷がそこに出て來てゐます。

◇

そこでかういふ粉乳を實際に使用するときは、その多少に應じて使用量を矯正する必要があります。

矯正の仕方は簡單にはいへないが、一例をあげれば、或る粉ミルクをレッテルに指定されてある通りに與へて赤ん坊の發育が惡かつたときは、その指定量に間違ひがあるのではないかに注意し、それによつて他の粉ミルクにかへるとか、またはその中へ糖分或は澱粉質のものを加へてカロリーを高めるといつたことをやる。

現在煉乳については法律で、これに含有する糖分量が一定されてをり、生乳については檢査が行はれて不正が防止されてゐるが、ひとり粉乳には取締りが行はれてゐない。

小兒の榮養に關することだから、これは何とか考慮する必要があると思はれるが、それはそれとして自分としては以上のやうな點から、一般の使用者も注意が必要だが、特に小兒科醫の注意を喚起する次第です。（日本醫大教授醫博平澤精藏氏）

小さい子供は何故水を欲しがるか

まだ乳を飲んでゐる赤ちゃんの場合

赤ちゃんが泣きさへすればお母さん達はついその可愛さに負けてしまつてやたちに乳を飲ませる、これで水分も補へるわけですが、これだけではまだ足らないのです、なぜか――▲赤ちゃん達は體こそ小さいが、その表面積は內臟その他の臟器に比較してうんと廣いものです、それで體內から皮膚を通じて放散される水分、即ち汗その他の分泌物の量は大人より多いほどです▲その上赤ちゃん達の體溫は大人より高く三十七度位が普通で、なほ三十七度二三分でも赤ちゃんにとつては熱の數に入りません▲我國のお母さん達はまた着物を着せ過ぎる、そのため寒い冬の間でも熱射病（熱の中毒）を起す赤ちゃんさへある位です、從つて赤ちゃん達はどうしても乳だけでは水分の分量が足りない、咽喉がかわいて多量の水分を要求する譯です、しかしまだ小さい赤ちゃん達はいくらこの水分が欲しくなつても、口に出して求めることは出來ないのです、それで若し乳の時間

外に赤ちゃん達が泣いたときは先づ咽喉がかわいてゐないかまたはおしめがよごれてゐないかの二つを考へることが何より大切なことです、こんなときよく『泣けば乳』といふやうにするのはよい赤ちゃんの育て方を知らない母親といはなければなりません。

ではどんな水分を與へたらいゝでせうか――薄い番茶、麥湯湯冷しに何か少しまぜたもの、牛乳に水をまぜたもの等を與へて下さい、何もまぜない純粹の白湯――生水はもちろん感心しません――ではかへつて浸透性の關係で胃の粘膜を刺戟し、その中からいろ／＼の養分を吸收して胃の粘膜を痛めますから御注意、そして與へるときは一回に十グラムから二十グラム位宛さじではうまく行きませんから普通の瓶にお乳首をつけて飲ませるか、消毒綿をガーゼで包んだ小さい綿の玉を作り、これをも一度煮沸して消毒し、飲物を含ませて與へます。

外に果物（リンゴ、これは殊にお腹をこはした場合によい、梨、蜜柑等）の汁も結構です、しかし分量を定めないとお腹を痛め易いものですから、一日の分量は半個か一個位でこれを何回でも分け水で薄めて與へます

元氣で遊ぶやうになつた二三歲のお子さん

水分を要求するわけは赤ちゃんの場合と同じですが、盛んに遊び廻るときは汗などは赤ちゃん以上に出ます、その結果お子さんの體質にもよりますが大人と同じ位の分量を與へても差支へありません、よく元氣で遊び廻るお子さんほどよく欲しがるものです、普通の食事の時でも構ひません、朝ならすゝめて飲ませてもよく便通を整へる効果があります、しかし夕方からはつゝしむこと、與へるものとしては大體赤ちゃんの場合と同じですが生水でも水道の水でも一度煮沸したものなら結構です。（醫學博士吉原リュウ女史）

子供の寄生蟲の豫防法

普通寄生蟲病といはれて居るもので本邦に多いのは、蛔蟲、十二指腸蟲、鞭蟲、蟯蟲、肝臟ヂストマ、肺臟ヂストマ、横川吸蟲、日本住血吸蟲、無鈎條蟲有鈎條蟲、廣節裂頭條蟲等で、この寄生蟲の多くは口から感染するから、口は愼しまればなりません、一般には蟲がわいたか位で、餘り感じない人が多い樣ですが、そのために色々の故障が起つて苦しむことが相當に多いのです。

例へば蛔蟲が人の腸內に寄生した際には、食慾がなくなつたり、お腹が痛んだり、下痢をしたり、吐氣、嘔吐を催したり、烈しくなると幼兒では痙攣を起したり、腸閉塞や腹膜炎を起して死ぬやうなこともあります、又蛔蟲、十二指腸蟲等の寄生した場合は異味症といふて自分の爪を嚙んだり、土、壁土、白墨線香等を喰べるものもありますそれで蟲だからと謂うて却々に油斷は出來ません、又蟯蟲が寄生すると小兒が夜中に泣いて困る樣なことがあります、これは蟲が夜になると肛門から這ひ出て來て、其附近を歩き廻るために痒くて眠られないためです、肝臟ヂマストマ、日本住血吸蟲横川吸蟲、各條蟲が寄生すると同樣に胃腸の障害を起し、中には黄疸を起すものもあります。

斯樣な恐ろしい病氣を起す寄生蟲は勿論治療して驅除する必要がありますが、その豫防も必要です、即ち野菜物殊に漬物を食べることによつて蛔蟲、十二指腸蟲、鞭蟲、蟯蟲等が口から感染し、アユ、ハヤ等の淡水魚類を生で食べることによつて肝臟ヂストマ、横川吸蟲が感染し牛肉を生食するために無鈎條蟲豚肉から有鈎條蟲、鱒、蛙から廣節裂頭條蟲が感染します、其他土に親しむのはよいが、田畑等の中へ跣足で這入ると十二指腸蟲、日本住血吸蟲が皮膚から侵入して感染することもあります。

寄生蟲病に罹つたならば早速治療をしなければなりませんがこれに罹らないやうに豫防することが更に必要ですから、前述の食物その他に注意して、生の野菜や生の魚類肉類を食べぬ樣にするのが萬全の策です。（醫博石井信太郎氏）

子寶のない淋しい親達へ

こどもがほしくても出來ない

原因にはいろ／＼ありますが、それが男と女とでどちらに多いかといへば婦人に原因がある場合が約三分の一、また男に原因のある場合が同じく約三分の一で、あとの三分の一は男の病氣のため婦人をして不妊に陷らしめてゐるといふことになります、さういふいろ／＼のことのために、こどものない夫婦はどの位あるかといへば大約十分の一に達します、即ち十組の夫婦に對して一組はこどものない夫婦があるのです。

女に原因がある場合

そこでこどものない婦人で妊娠をのぞむ場合どんな方法をとつたらよいかといへばまづ第一には婦人にその原因がありはしないかをさがすのが必要な手段です、そのためには婦人科的の診察が必要となります、この場合往々耳にするのは婦人が妊娠しないのは發育不完のためだといつて、この方に原因を持つてくるものが多いやうですが、これはあやまりで、一年に月經が二度か三度くらゐしかないものは別として、月經は普通にあつて發育不完の自覺症狀のないものでしたら妊娠のさまたげにはなりません、この婦人科的診察にはどんな點に特に注意しなければならないかといへば、卵管の造影といふこと、內膜檢査をして結核性疾患があるかないかといふことです。

男に原因がある場合

以上は婦人側ですが、つぎは男子側の檢査が必要です、それは精子の專門的檢査ですが、この場合はたゞあるかないかの單純な檢査でなく、數がどうか、運動狀態がどうか、なほ進んでは形態なども十分に檢査をするといふことが必要なのです。實際不妊をうつたへるものゝ中には精子の形態が惡かつたり、數も少かつたりすることが非常に多いものです。

その他の治療法は

以上双方の檢査の結果特別の變化があるときはその惡いところを治療するのですが、ない場合は節制といふことゝ一方では赤外線、超短波の照射、ごく巧な內膜掻把がよい結果をもたらします。また温泉なども物質代謝を高め輕微な慢性の炎症の治癒、家庭を離れて精神的安靜などの結果からよい影面を來すことが多いので適當な温泉に入ることは結構です。

この頃はビタミン研究の結果抗不妊ビタミンのEが不足すると妊娠しないといふことがいはれてゐますが、これを含んでゐるチシヤのやうな手近かにあるものをとり、またA、Bも關係があるのでこれらも不足せぬやうに心掛けることもよいことです、そうして以上のやうな方法でも駄目な場合、そして男女のどちらにも缺陷がない場合には人工妊娠が行はれますが、この方法は不適當でおすゝめは出來ません、なぜかといふに不妊のものに人工妊娠をしてはそれは成立しないからです、むしろこれによつていろ／＼のバイキンを繁殖させ、炎症性の婦人病を起すもとにさへなることがないではありません、もしもこれで成功する人でしたら普通でも十分に妊娠するはずです。

たゞ人によると精子があつても出て來ぬものがあるのがあつて、この場合の人工妊娠についてはいろ／＼の報告が行はれてゐますが、これとて實際に臨床的成功した報はほとんどきゝません。（醫學博士鈴木甚吉氏）

なか／＼効果の多い灸

灸の作用については今日醫學的にもいろいろの實驗が行はれその効果が認められてゐますがそのうちでも婦人に多い腎盂膀胱炎や瘻小便に對しては大變によく効目を現します。

元來腎盂膀胱炎の慢性になつたものは現代醫學でも漢方醫學でもなか／＼根治し難いもので、ひと通りは治つたと思つても過勞したり冷え込んだりすると再發しやすい。長い人になると五年も六年もかういふ狀態でゐますが、これに對して灸を用ひますと再發せずに根治する場合が多い、灸をすゑるといつても、無暗にどこでもいゝといふのではなく、その人の體質症狀によつてすゑる場所を異にし、また一ケ所にすゑる火の數にも增減があり、經絡上に現れる變化反應によつても場所が違つて來ます。

經絡といふのは內臟疾患の場合に、體表に現れる反應點を連

絡したものです、この經絡上でよく反應の現れるところを選んで、灸をすゑるのですが、これを坪といつて腎盂膀胱炎の場合では、腹の方では臍の下の正中線の左右にある水道、臍上の正中線の上にある下脘、臍の上で正中線の左右にある滑肉門、臍の下の正中線にある氣海、同じく關元など、背部では第二腰椎の左右にある腎兪、その外側の試室、腎兪の上部にある三商兪腎兪の下にある小腸兪、つぎに手では肘の關節の曲池、肘の關節から少し下つたところの手三里、足では內くるぶし上部の三陰光などが主なものです。

大體以上の個所に一日一回、一回に一ケ所に三つから五つの火をすゑますと、二―三週間で肩が張つたり寒氣がしたり、腰が痛い、或は汗が出るといふやうな症狀は消えてしまひます、しかし根治再發を防ぐには少くとも二ケ月位持續するとよい。

◇

瘻小便に對しては、これは女の子供に特に多く、女學校を卒業する年頃になつてもまだやまぬものが珍しくありません、これも現代醫學や或は漢方でもなか／＼やまぬ事が多いが、さういふものに灸をすゑると大抵の場合は非常によく効いてくれるものです。

これに使ふ坪は比較的少くてまた一ケ所の火の數も少くて効果のある場合が多い、腎盂炎や膀胱炎の場合はなるべく坪を澤山に、そして一ケ所の火數を少くする方がよいのですが、瘻小便の方は逆です、場所は腹の方では氣海、關元、背部では腎兪正中線で腎兪の中間の命門、腎兪の下方で背部の正中線の上膠正中線の身柱、身柱の兩側の肺兪、足では膝關節の下の足三里足の小指の先の至陰といつたうちから、適宜に五―六ケ所以內を使ふだけで十分に効果をあげます。

何回も遺尿したものが、すゑたその夜から一回に減じたといふのがあり、一ケ月前後で大抵は治ります。

◇

かやうに灸の効力は著しいものですが、さやうな婦人に多い病氣は灸のあとのつくといふことゝ、すゑる場合に熱いといふことから、本人も親も躊躇しますが、それにはあとのつかぬ方法で行へばよい、その方法としては藥を浸めした紙を置き、その上からもぐさに火をつけるのですが、また別に電熱によつて熱刺戟を與へるのも一つの方法です、それらによるとあともつかず、熱くもなく快温で同じ効果をあげられます。

◇

なぜ灸はきくか、これによつて血液の成分に變化が起り健康を回復するといふことゝ、神經の刺戟傳導によつて內臟機能の亢進が行はれるといふこと、その他いろ／＼のことが研究證明されてゐます。（醫學博士 伊藤是氏）

蕁麻疹の正體

蕁麻疹といふ言葉は蕁麻といふ植物があつて、これに觸れると皮膚が赤く腫れ上る、それから來て居ります、蕁麻疹の正體は？神經質の人は血管運動神經が過敏で毛細血管が收縮しやすくこれが強く收縮した場合に水分が上皮組織中へ浸み込むために出來る、病狀は小さいのは小豆大、大きいのは五十錢銀貨大の赤い斑點が皮膚から少し持ち上つて出來るので上面は柔かくて平滑です、赤く腫れた廻りには貧血性の白いふちが出來るのが普通です、極大きいのになると、蕁麻疹は白色を呈しますがこれはその局所が水分のために毛細管が壓迫されて貧血するためです。

內臟から來る蕁麻疹

タコ、エビ、カニ等を食べて蕁麻疹が出來る特異性體質の方もありますが、多くは便秘、胃腸障害から來るのが多い、便秘は腸內の排泄物が醱酵して中毒症狀を起す結果で、子供等は單に食べ過ぎから食べた物が腐敗して蕁麻疹を起します、その他萎縮腎、慢性腎から來る事もありますが、實は蕁麻疹は皮膚に出來るばかりとは限らず體內に出來る事もあるので、たとへば咽喉に出來ると呼吸困難となり胃に出來ると吐氣を來し、腸に出來ると下痢を起します。

外部から來る蕁麻疹

平易にいふとかぶれるのですが、かぶれるのに二種類あつて

一つは瀉參（水疱が出來る）他は蕁麻疹となります、これは神經質の方に多いのでたとへば漆にかぶれた時・海に入つて蟲の刺戟で、ハゼの木の油で、あるひは毛虫に遣はれた等、甚だしい方は毛虫を見たゞけまたは毛虫の話を聞いたゞけで蕁麻疹が出來ます、これはすべて特異質による神經作用の結果で、出來ると非常にかゆい、かくさなほふえる、即ちその局所の水分が末梢神經を刺戟するからです。

人工的蕁麻疹皮膚圖紋症

爪等で皮膚に線を引くとそこが赤く膨れて來る、これも一種の蕁麻疹で神經衰弱の方にはよくあります。

＊

療法　蕁麻疹の出來た原因によつて各々その療法は異なりますが、外部的に來た場合には薄荷、オレーヴ油、石炭酸オレーヴ油等を塗つてかゆ味を止めます、消化不良から來た時はザロール等の整腸劑、便秘の時は下劑及び灌腸、そして常に蕁麻疹の出來る方には神經衰弱のホルモン劑を注射するのがよろしい

（醫學博士木村儀作氏）

×　×　×　×

どんな人に……どのヴィタミンが良いか

ヴィタミンの知識

種類	含有物	性質	作用	どんな人に良い	製品と用量
A	肝油	油に溶け酸に弱い	皮膚と粘膜を外來の病菌感染から防禦する	呼吸器の弱い人發育期の兒童妊婦、授乳婦	ハリバ 大人一日量四粒 小兒一日量二粒
B	酵母	水に溶けアルカリに弱い	米飯の榮養化を助け食慾、消化便通を整へる	胃腸の弱い人脚氣、運動過勞、食慾不振	エビオス錠 大人一日量三〇錠 小兒一日量一〇錠
C	レモン	水に溶け熱に弱い	血流を良くし體内病菌の毒作用を和らげる	人工榮養の乳兒、老人、傳染病高熱病の人	アスコル末 大人一日量六瓦 小兒一日量三瓦
D	肝油	油に溶け酸に弱い	カルシウムと燐の齒牙化と骨格化とを助ける	呼吸器の弱い人發育期の兒童妊婦、授乳婦	ハリバ 大人一日量四粒 小兒一日量二粒

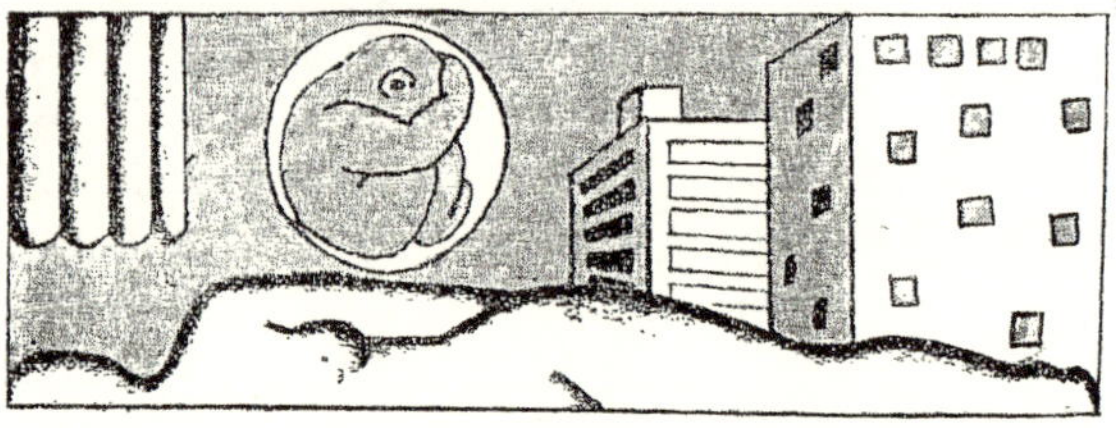

大島遊草

本圖晴之助

はしけやし島の乙女の漆黑のさいそく髷はなにか迷めく（未婚の處女のまげをさいそく髷といふ）
歌茶屋のアンコが唄ふ唄聲にほろろこぼれぬ丹の花椿
末法の世を知らぬがにこの島のしがなき生活に堪ふる羨しさ
椿戸の外に立つ人の七尺のかぐろの髮を風のなぶられる
島原の若葉あかるしあしたばや食まれながらも芽をふきにつゝ
春潮のはて茫として月くらし船に雜魚寢の夢のはかなさ
三原山榛の林の花ざくら咲ききはまりて風の白しも
青ぐろく天城山脉裾ひきて退方に秀でし富士眞白なり
椿のかげ頭に物のせて運び居り牛のつそりと反芻につゝ
おづ〳〵と足ふみしめて歩みけり神の火吐きし溶岩の石稜
空ひくゝ硫黄の煙きらへたれ顏をうつ向け歩みなづめり
駱駝はも膝折りふせて下ろしけり馬子の言葉をきゝわくらしも
山頂の沙漠の路に鈴ならす駱駝の腹よ見ゆる海空
三原嶺は天の火の山いただきに人死なしめぬ埒はりにけり
噴火口の上に疊まれる白雲に吸はれ消にけり三原の煙

紙芝居

平竹辰

煤と煙と泥との中に、
工場街の子供等は、
太陽のない街の中で、
しひたげられ、
ゆがめられ、
青い顏して
白眼でにらむ。

頭腦線には
酒毒の遺傳、
心情線には
梅毒の遺傳、
顏によまるる
夭死の相、
手によまるる
早發性、
わたしは　此子が
可愛ゆてならぬ。

濛々と魅惑感ずる三原嶺に身をし投ぐるも嘲みかねつる
累々と赤く崩えたる燒石原火坑の底の張りの大きさ
胸つき坂喘ぎのぼればあなさびし赤崩えなだる溶岩の原
夕やけの波浮の港は詩の港うかれ男あそぶ小唄の港（以下五首波浮港にて）
廣重の海に飛びかふ白鷗人になよりぬ春の小港
鷗鳥はなれ小島の小港にあさましく身を波にまかせつ
この此處に船首ならべて默ふかし深き谿底靜なぎにつゝ
噴火口の海をかゝへてたむろする高き谿家の目路はるかなり
黑潮のかこむ大島靄ごめに萠えてかがやく榛の木々の芽
放牧の牛はかなしも野は春の日かげに明し耳の斷ちあと
あらがねのあひにしみ出る眞清水や椿の精もこもるなるべし
飛行機は今し落ちけむ起重機にそゝぎて光る夕映えの海
海をちの端山の鼻に時おきてかそか光るは觀音崎か
勝太郎のかなしき唄の石碑に夕日反せりヒヤシンス花
客人はみな嘔吐はきぬ朧夜の潮すさまじき船にゆられて
眞夜中をとどろ寄せ來る潮騷に呉越同舟人みな親し
荒潮の潮の尖りの水けむり亂れて眞日にきらゝ光りぬ
岸壁に碎けて上る潮飛沫退きしひまにあわてて通る

神の世界だ
因緣因果があるものか
宿命なんか
ふみにじれ
信仰は
どんな遺傳でも中和する
遺傳を聖めねば
神の國は來ない。

私は一管のコルネツトに
身を托し
晴れては街頭に
子供と歌ひ
降つては祈る
神の國、
パトモスの
聖者の幻
今も見。

私の可愛い
子供等よ
あすも語らう
神の愛
あすも來よかし
紙芝居。

皆さんは間違つてゐる赤ん坊のあやし方

泣き出してからでは手遲れ

成城學園教授　細井次郎

子供が成長して學校へ上るやうになると、同年位の友達と遊ぶことを無上の樂しみとしますが、五、六歳頃までは、其の遊び相手として辛抱強い、同情心ある、ユーモラスな成人を望んでゐます。無心で威張らずに子供と遊ぶことの出來る父母は、子供には誰よりもよい友達なのです。

成人と遊び始め

では子供が成人と遊び始めるのは何時頃からかと云へば、生後三ケ月か四ケ月頃が先づ普通です。大人の微笑に對して發動的に親しみある關心を持ち始めて自分の方からも一種の顏の歪み―微笑―を以て報ひるやうになるのが抑々の遊びの現れですが、そろ〳〵可愛くなり出したこの赤ン坊に對して、與へる刺戟や御機嫌とりには、隨分とその時期と方法を誤つたものが多いやうに思はれます。

大抵は手おくれ

先づ第一に大人達の機嫌とりの時期は、大抵遲れ過ぎてゐます。赤ン坊が怒つたり、眠くなつたり、お腹をすかしたり、或は泣き出して了つてから初めて氣が付いて、これを抱き上げ「あゝよし〳〵」と擔ぎ廻つたり「バ、、、よし〳〵」とガラ〳〵を振つて見せたりして御機嫌をとつてゐるやうですが、これは無駄なことです。大人に氣付いて貰ひたいのはこの一歩前の時でかうなつて了つてからではもう遲いのです。こゝまで來て了つたなら、ヨシ〳〵や、アイ〳〵は最早すべきでなくどこか痒い所はないか、お腹の工合はどうか、オムツは……と頭腦を働かして赤ン坊の要求を充たしてやつたら後は靜かに放置して別な環境の中で平靜を取戻すのを待つのが宜しいのです。泣き叫び喚いてゐる時は、決してこれに大きい注意を向けてはならないのです。

子供を惡い癖へ

泣き叫び喚けば、大人が自分をヤイ〳〵してくれると赤ン坊が思ひ込んで了ふからです。これが大人の注意を惹く唯一の手段だと思ふ習慣をつけて了つては、子供を破滅に導きます。

子供を喜ばすやうなことを工夫するのは、子供の機嫌のよい時、よく眠り休息してお腹も一パイで凡てに滿足してゐる時です、喜ばし機嫌をとり、赤ン坊に幸福を感じさせる機會は此の時なのです。唇をまげ、手を鳴らし頰を膨らますことを赤ン坊が模倣し、考へ答へをすることに馴れゝば、赤ン坊は幸福の裡に引込思案、恥しがり、神經質、興奮性などをなくすことが出來るのです。

大事にしすぎて無邪氣な喜びを奪ひ、精神發達までも遲らすことも勿論禁物ですが、子供を害ふものは、子供に注意を働かしすぎることではなく、誤つた時期に誤つた方法で注意を働かされるからであることを知るべきです。

押すな〳〵の動物園！
子供はナゼ動物園が好きか？

上野動物園長　古賀忠

春陽うらゝかなこれからの日曜、祭日には、子供たちの人氣の中心である動物園は愈々賑ひを呈してきます、一體なぜあのやうに熱狂的なまで動物園は子供らに愛されるのでせうか、その理由を茲に少し探つてみませう。

發育段階が相似

子供が動物園、即ち動物を好む理由として、先づ進化遺傳學的の立場から子供はちやうど發育の段階がまだ多くの動物に近い狀態にあるので、それで兩者が互に友達同士のやうに親しく感じあふのだと說く學者があります。これに就て或る外國の學者が一つの實驗的報告をなしてゐますが、それは生れて四ケ月の子供と六歲に相當する成年期に近いオランウータンとを一緒に觀察して、兩者の發育の狀態を調べたものですが、その結果は、四ケ月の子供の方がやゝ動作、その他の點でオランウータンより勝れてゐたとのことです。

この報告は、大體子供と動物とが同じ發育の段階にあること、從つて一部の學者の說のやうに、そのために動物と子供とが或る種の親和力を感じあふのだとの歸納がえられないでもありませんが、併し一概にさう言ひ切れない事實も多いのです。

この說の反駁論

若しも動物と子供とが同じ發育の段階にあるから親しみ合ふのだとすれば同じく進化發育の段階にあるところの動物同士—例へばライオンと虎とを一つ檻の中に入れても睦み合ふべきですが、實際は勿論さうでなく、互ひに激しくいがみ合ふに定つてゐます、また動物の中でもチンパンヂーや猿のあるものゝ如きは、人間の子供と婦人に對しては却つて反抗的姿勢を示し、また惡戲を始めたりします、だから子供と動物とが進化發達の同段階にあるから子供が動物を好むとする說は、理論としては興味が感ぜられても、必ずしも當を得たものとはいへません。

自由解放の喜び

次に大人たちの世界から、無意識的に常に壓迫乃至冷淡を感じとつてゐる子供たちは、動物を對象とするとき初めて自由乃至解放の喜びを感じ得るので、そのため子供が動物を好むのだとする說もあるやうですが、これの當らないことも前述の一斑により理解されるでせう。

動くものに興味

子供はなぜ動物園を好むか？私の觀るところでは、それは多くの子供が動かないお人形の類より、汽車や飛行機のやうな動く玩具に對して遙かな關心を示すと同じく、子供の本能によるのだと思ひます、即ち子供といふものは、最も多く變化や動きを示すものに興味を感ずるもので、動物園でも、猿や象やあざらし等が最も愛されるのもこのためであります。

ところで、子供が動物園を愛するのは大體以上のやうに理解されますが、動物園の實際の入場者の八割までが、大人によつて占められてゐる現象は、一體何によつて說明さるべきでせうか、益々加重されんとする時代苦から逃れる爲めの一つのオアシスとして動物園が見出されてゐるのではないかと私は思つてゐます。

若い女性のなやみ
『ふき出もの』

東京女子醫專皮膚科　田村一

にきび

『ニキビ華やかなりし頃』といふ言葉が說明してゐるやうに、これは一種の靑春病で三十過ぎて出來るのはまれです、思春期には皮脂の分泌が旺盛となる結果、餘分に分泌された皮脂が毛穴にたまり、一方老廢した皮膚の角質も同樣毛穴をふさいだりして、ニキビを起します、この毛穴のふさがる結果は種々化膿菌の傳染を受けやすく、毛穴を中心として赤く腫れ、その頂點に膿を持つことさへあります、これを痤瘡といつて治つた後も小瘢痕や色素沈着を殘して美容を害なふ事また甚だしいものです。

豫防法　ニキビは體質遺傳にもよるものですが內分泌異常特に生殖腺の分泌異常常習便秘、消化器疾患、貧血、肥滿等が多く原因となるものですから、これ等疾患のある方は强いコーヒー、酒、その他刺戟性のものは避けて特に胃腸の正調を保つやうに御心掛けになる事、適當な運動も結構で、あるひは酵母劑の內服も効果あります。

療法　毎日一、二回充分石鹼で洗滌して（微温湯がよろしい）過分な皮脂を除去した後ピロカルピンラノリン、ヒスタミンラノリン、チオールラノリン等を塗つておきます、またクンメルフエルト氏液も有效です、ニキビ自身は面皰壓出器で壓出すれば治りますが、徹底を期すればホルモン療法を行ふか、化膿の甚しい場合にはワクチン注射やエタイノ・キシールの內服がよろしい、しかし一見痤瘡のやうでも結核性のものなどあつて、治りにくいのがありますからその點御注意下さい。

あかはな

（酒皶）鼻の先が赤くなるのですが兩頰まで赤くなる事があります、これは毛管が擴張するためで同時に脂顏になります、これは大酒飮みの結果とか、ニキビ同樣思春期の生殖腺の分泌異常、胃腸障害等から來ます、療法としては水銀石英燈の壓抵照射などがあります、また五、六歲の幼兒の頃鼻部紅色顆粒といつて、鼻が赤くなり汗かきになる事がありますが、これは二十歲前後になれば自然に治るものです。

はたけ

學齡兒童に多いはたけは、白癬菌といふ一種の黴で硫黃劑を塗るとよろしい。おしろいまけは粗惡な化粧品による肌の荒れが原因するので、刺戟のない油性クリームを塗れば充分です。

そばかす

ソバカスはやはり思春期に多く發生するものです、紫外線はソバカスの發生を促すものですから日光に直射されないやうに氣を付ける事と紫外線除けの酸性硫酸キニーネを顏にお塗りになるとよろしい、ソバカスの療法は從來難事とされてゐましたが、最近ビタミンCの補給が有効だといふ研究が行はれてゐます、藥品で腐蝕する方法もありますが、ソバカスの出來る人は元來皮膚が弱いのでかへつて顏にしみが出來る事があります。

しみ

婦人の生殖腺分泌異常に基づく淡茶色の斑點で頰、額、眼瞼に多く出來ます、ホルモン劑の注射、ビタミンCの補給、腐蝕法等が療法として選ばれます。

ほくろ・いぼ

普通は腐蝕、電氣分解等で除去出來ます子供さんによく出來る、中央がくぼんだ光澤のあるイボ（傳染性軟屬腫）は、中に白い汁があり、これが傳染しますから、これを押し出せば治ります。また若い女性によく出來る若年性扁平疣贅は色が皮膚と同樣若くは淡紅色であまり目立ちませんが、やはりイボには違ひありません、砒素劑の注射か薏苡仁（じゆず玉）を煎じて飮むとよろしい。

結核
貧血
胃腸
強化

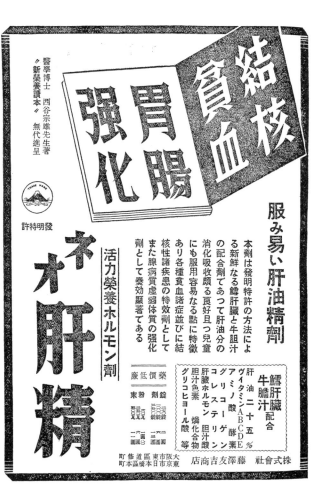

醫學博士　西谷宗雄先生著
〃新榮養讀本〃　無代進呈

發明特許

服み易い肝油精劑

本劑は發明特許の方法による新鮮なる鱈肝臟と牛胆汁の配合劑であつて肝油分の消化吸收頗る良好且つ兒童にも服用容易なる點に特徴あり各種貧血諸症並びに結核性諸疾患の特效劑としてまた腺病質虛弱体質の强化劑として奏効顯著である

活力榮養ホルモン劑

ネオ肝精

鱈肝臟
牛膽汁　配合
肝油　二十五％
ヴイタミンＡＢＣＤＥ
アミノ酸　酵素
グリコーゲン
コレステリン
肝臟ホルモン　胆汁酸
胆汁色素　燐化合物
グリコヒヨール酸　等

藥價低廉
錠劑　二七〇錠　一〇〇錠　三五〇錠
粉末　六〇瓦　二五〇瓦　五〇〇瓦

株式會社　藤澤友吉商店
大阪市東區道修町
東京市日本橋區本町

五月の日記（後記）

◉五月十二日、濟生會病院に原田龍夫博士を訪問、共に日生病院に入院中の高洲病院長肥爪博士の御病氣を見舞ひ、同病院の小兒科醫長奥野博士に御目にかゝる、博士は本聯盟が去る大正十一年、北市民館に於て第一回の審査會開催の節、前田博士等と共に審査員として奮鬪された追懷談をなされたが、至る處にて因緣の深い方々にめぐり遭ふ事は實に嬉しい極みである、十三日は土肥衞、原田達三兩博士を御訪ねして原稿を頂き、梅田驛に下田博士の渡歐を見送り、午後は南海高島屋のライオン齒磨本舖主催にかゝる健康展を觀て益する處多かつた。

◉十五日は大阪市產婆會第十八回總會が浪花座に施行されたので、朝から末席をけがした、府社會課の福岡氏、大阪朝日の眞島女史や、佐伯會長、三宅前會長、川端、山本女史等幹部の方々にも久々にて面會する事が出來た、餘興として前進座所演の「百太郎騷ぎ」「三人片輪」等があつたがいづれも深刻に敎訓的なもの計りであつた、本會が年々盛況に趣くのは實に同慶の至りである、此の日讀んだ週刊朝日初夏號の吉川英治氏の「旗岡巡査」は近來の傑作だと信ずる。

◉十七日、天王寺美術館に三聖代名作美術展を觀る、これで四回目である、浪花の產んだ街頭の哲人岡田播陽翁に偶然遭ひ久々にて種々名論を拜聽した、場中の壓作は何んと云つても春草の「落ち葉」、芳崖の「悲母觀音」であらう、無論現に地上にある人々にも絕品があるが、いかにも野心的なものや、迫力の弱いものが多い、黃昏、新大阪ホテルに日本貿易振興協會の木下氏を訪れた、幸ひ大阪每日の速水氏も來て居られ世界の大勢を窺ふ事が出來た、來月は第四回目の世界一週だとの事である。

◉十八日、大阪市立今宮乳兒院長野須博士は、本聯盟のために御執筆中の、愛兒叢書『新母性の育兒知識』が完成したので誠に感謝に堪へない、例によつて十萬部を印行し、兩都の審査會に一般母性の爲め有効に使用したい所存である。

◉二十日、燕號にて上京、東京優良兒母の會が東京高島屋の村松理事に贈呈する肖像畫を、兼れて洋畫家西牧恭平氏が揮毫中のところ、愈々二十二日に出來上つたので、同理事に贈呈した、理事は本審査會のため陰に陽に御盡力になつた功績は筆舌に盡されないのである。

◉二十四日は春草會に出席、二十五日は武藏野の百姓愛道場に饗應を受け、夜は木村氏と津田青楓畫伯を訪れ、二十六日は木村氏とライオン本舖に神谷專務を訪問、尙高島屋にて仙臺市助役高橋氏に偶然面會した、記錄は前後するが、四月二十四日は箕面の桑田氏の御案內で近郊萱野村に忠臣藏の萱野三平の住宅を訪れ、墓へも參拜したのであるが、劇にあるやうなおかる女との情事はなく、極めて潔白な若き才人であつた由である。

本誌定價　一册金參拾錢　郵稅壹錢
半年分六册　金壹圓六拾錢　郵稅共
一年分十二册　金參圓　郵稅共
誌代郵稅は一切前金の事
前金切の場合は發送中止
郵券代用は一割增のこと

昭和十二年五月廿八日印刷
昭和十二年六月一日發行（毎月一回一日發行）

兵庫縣兵庫郡精道村芦屋
發行兼編輯人　伊藤悌二
大阪市西淀川區海老江上二丁目三七番地
印刷人　木下正人
印刷所　木下印刷所
電話福島㊺（一五三四番・二四二六番）

大阪市北區天神橋筋六丁目
大阪市立北市民館內
發行所　大阪兒童愛護聯盟
電話堀川㉟（〇〇〇一番・〇〇〇二番）
振替大阪五六七六三番

大川吸入器
東京 大川式吸入器本舗 日本橋

明色美顔白粉
專賣特許品
あまり美しく附くのでどなたも驚く！
明色美顔白粉のお化粧の美しさにはどなたも驚かれます。
しかも
お化粧して時間が經つほどサエて一層
美しくなるのが此の白粉の特長です
未だの方は一日も早くお試し下さいお喜びキット滿點です！
明色とは……眞に明麗なこれまでにない美しいお化粧が出來るので附けた名です。
色味には白色・肌色・濃肌色・淡黄色などの種類があります。
明色美顔水（明色水白粉）
明色美顔粉白粉
明色美顔固煉白粉
明色美顔煉白粉

子供の世紀 第十五巻 第六號
大正十三年七月二十日第三種郵便物認可
昭和十二年五月二十八日印刷納本
毎月一回一日發行
【定價金參拾錢】
育兒糖
ロロン
冊子「育兒の知識」無代送呈
母乳の代用に
牛乳だけでは、丈夫に育たぬ
赤ちゃんを人工榮養で育てる場合、牛乳や粉ミルクだけを用ひますと、大切な榮養分が足りないために、思ふやうに肥らず、色つやもわるくなり、それに消化不良になりやすく、いろ〳〵の發育の障害をおこしますから、牛乳には必ずロロンを加へて下さい。ロロンは牛乳に足りないすべての榮養分をおぎなふだけでなく、牛乳の消化をもよくします。
五〇〇瓦入（一圓五〇）
發賣元 大阪市道修町 株式會社 武田長兵衞商店
製造元 大阪市上福島 大五製藥株式會社
ロロン Roron 育兒糖

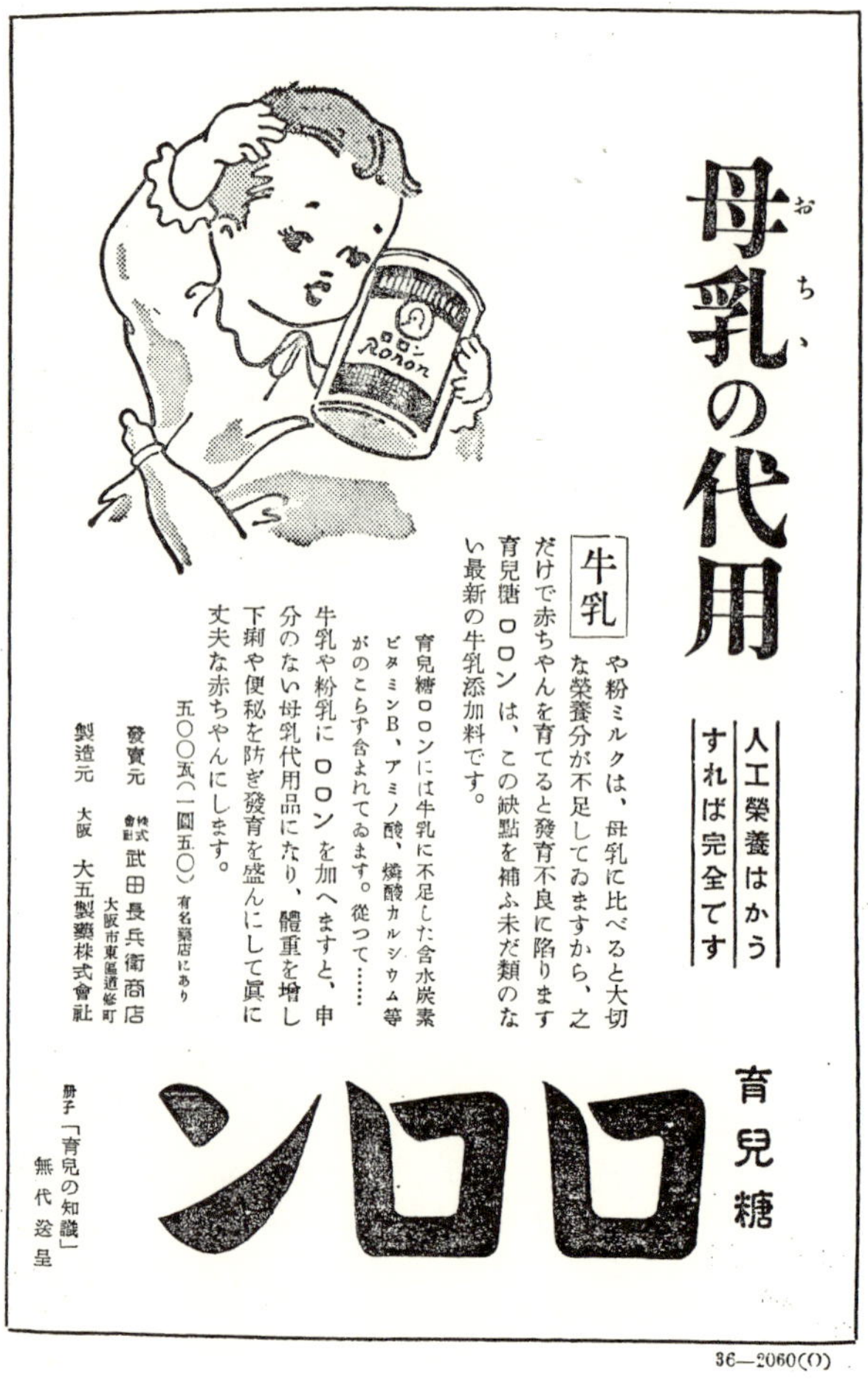

母乳の代用
人工榮養はかうすれば完全です
牛乳や粉ミルクは、母乳に比べると大切な榮養分が不足してゐますから、之だけで赤ちゃんを育てると發育不良に陥ります
育兒糖ロロンは、この缺點を補ふ未だ類のない最新の牛乳添加料です。
育兒糖ロロンには牛乳に不足した含水炭素ビタミンB、アミノ酸、燐酸カルシウム等がのこらず含まれてゐます。從つて……
牛乳や粉乳にロロンを加へますと、申分のない母乳代用品になり、體重を増し下痢や便秘を防ぎ發育を盛んにして眞に丈夫な赤ちゃんにします。
五〇〇瓦（一圓五〇） 有名藥店にあり
發賣元 株式會社 武田長兵衞商店 大阪市東區道修町
製造元 大阪 大五製藥株式會社
育兒糖
ロロン
冊子「育兒の知識」無代送呈
ロロン Roron

36—2060(O)

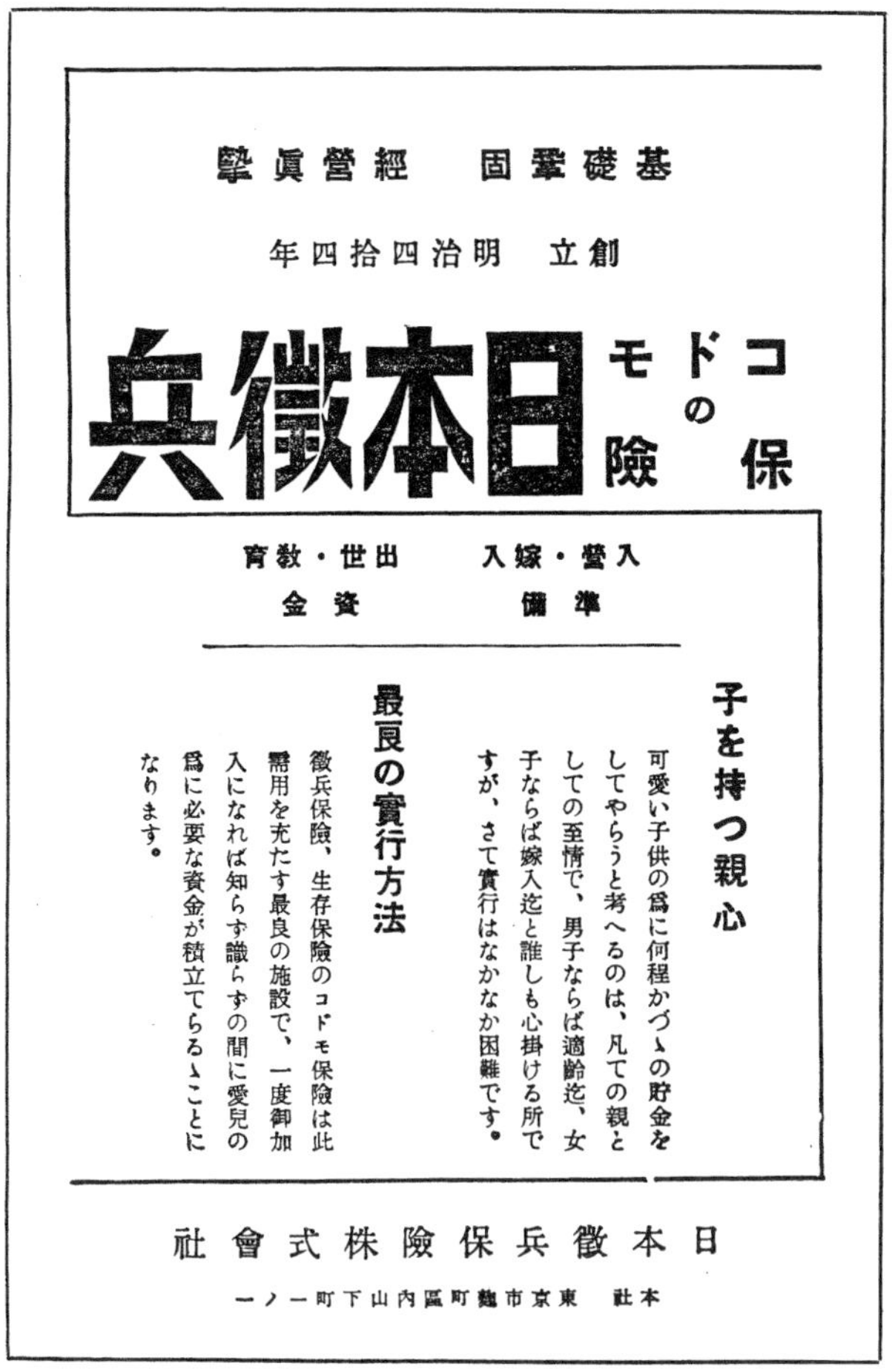

『子供の世紀』（第十五卷第七號）乳幼兒の衛生問題號

目次

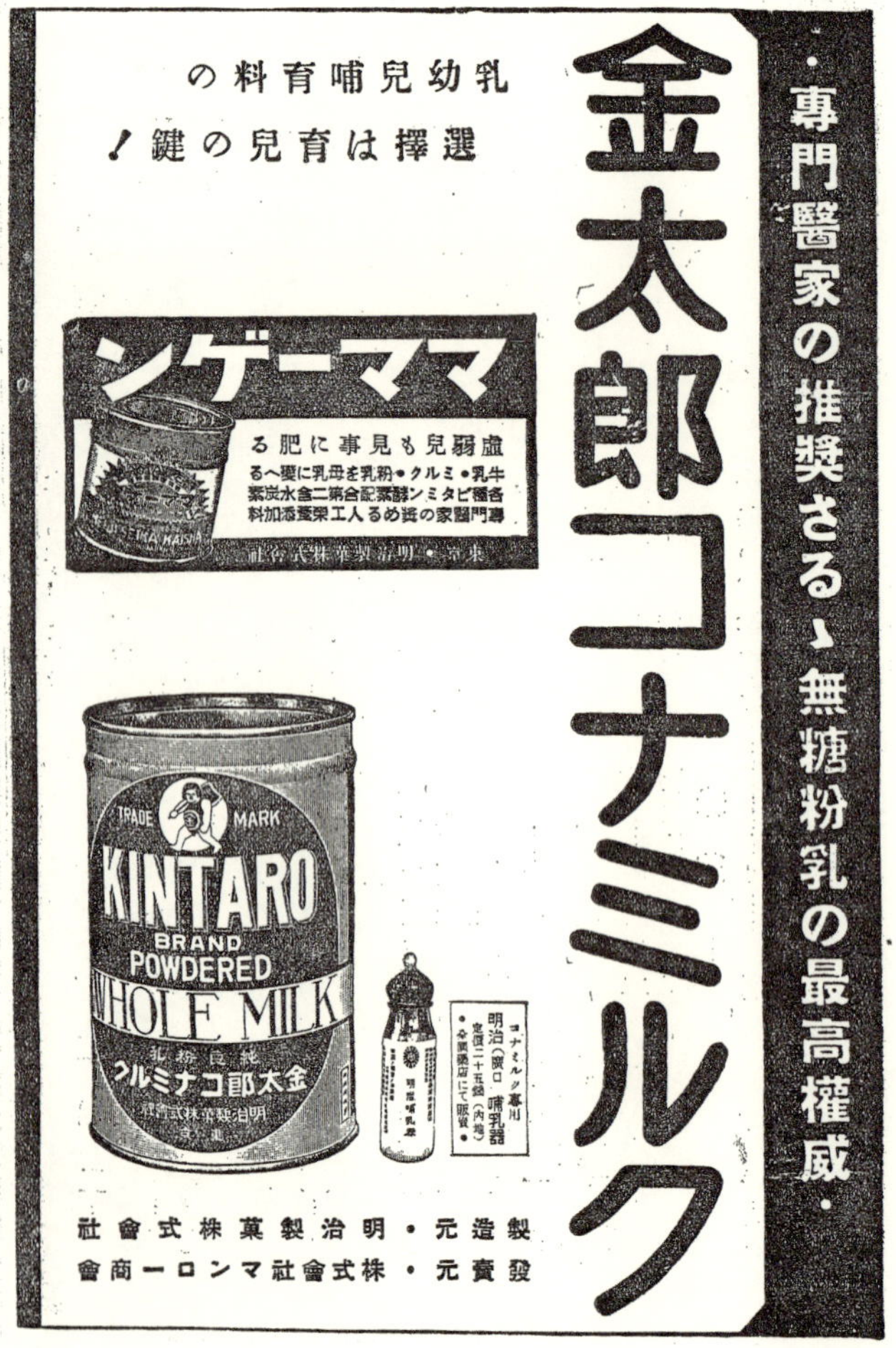

乳幼兒哺育料の
選擇は育兒の鍵！
金太郎コナミルク
・專門醫家の推奬さる〻無糖粉乳の最高權威・
ママーゲン
虛弱兒も見事に肥る
TRADE MARK
KINTARO
BRAND
POWDERED
WHOLE MILK
金太郎コナミルク
製造元・明治製菓株式會社
發賣元・株式會社マンロー商會

敎育結婚保險
徵兵保險
東京 第一徵兵 銀座

喫茶店より美味しい珈琲が出來る珈琲沸器!!

大川パーコー

美味しい香り高い珈琲は
大川パーコーにのみ依つて得られます

全國百貨店に有り　說明書送呈します

關西代理店　大阪市北區梅田新道
ニッポンブラジリアントレーディングコンパニー

東京市日本橋區本町
大川吸入器本舖
大川銀三郎商店發賣

モデル　東京松竹少女歌劇聲樂專科　對馬洋子さん一人二役

日本兒童愛護聯盟
全東京乳幼兒審査會　名譽會長

永井遞信大臣御一家の團欒

過般近衞公に組閣の大命降下ありし砌、全國民の信望をになはれ、遞信大臣の重任に就かれた我が永井名譽會長の、輝く人格と麗しい家庭生活は世人の周く知るところであります、殊に御母堂を中心に日々の生活を營まれる閣下の御孝心は私共の學ばねばならぬところであります。

本寫眞は、さき頃遞信大臣御拜命記念に撮影されたもので、特に本聯盟に御寄贈になつたのであります。

百日咳特効薬

アンタゴニン

ANTAGONIN

論文並に說明書送呈

醫學博士　渡口精鴻氏　發見創製監督製劑

一、現治療界に於ける、多數の百日咳治療藥は悉く單なる鎭咳祛痰藥にして、一つも其の原因治療を企圖したるものなし、故に其の効果も亦確實ならざるは當然の歸結なり。

尚ほワクチン・エーテル等の療法あるも奏効適確ならざる爲にや主唱國たる歐米にても最早顧みる醫家もなき現狀たり。茲に於て我が細菌學者醫學博士渡口精鴻氏は夙に之れを遺憾とせられ、多年苦心硏鑚の結果、遂に拮抗菌應用の世界的新療法を發見され我が醫學界に絕大なる興味と期待とを喚起せしめたる新學說なり。

一、而して本品が現治療界唯一の原因的治療藥として醫家の激賞を博する所以は實に本品が直接『百日咳菌』を死滅せしめ、然かも全く人體に無害にして、其の治療成績も、常に驚異的記錄八十八%以上の實績を擧げつゝあるが故なり。

東京市牛込區富久町・大阪市東區高麗橋詰
アルゼール・トミイ合資會社

ライオン齒磨

ライオン齒磨は

品質に於て斷然優れてゐると共に、その香味また清新優雅、而かも豊かな近代趣味を盛つて、どなたの御好尚にも適し、飽かれることがありません。ライオン齒磨が、御家庭の齒磨、國民の齒磨として推奬せらるゝ所以は、茲に在るので御座います。

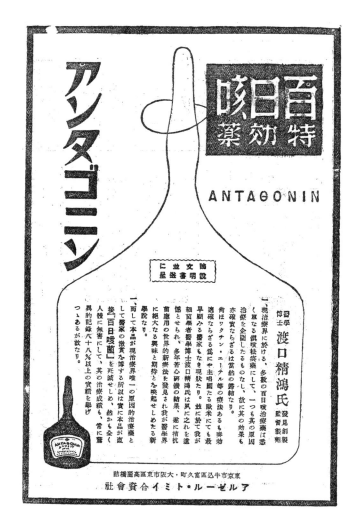

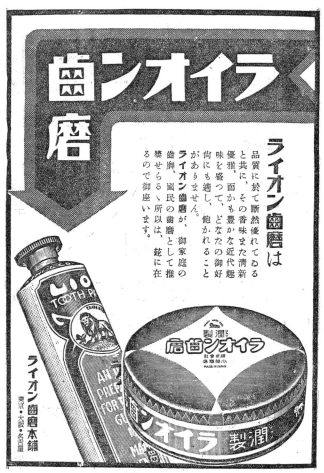

ライオン齒磨本舖
東京・大阪・名古屋

醫學博士 有馬頼吉氏 醫學博士 青山敬二氏 醫學博士 太繩壽郎氏 發見創製
日・英・米・加奈陀・愛蘭 專賣特許
アーオー
結核免疫元
治療的應用
肺結核（潜伏、輕症、中等症）
腺結核、皮膚結核、泌尿生殖器結核、
外科的結核、眼科的結核、肋膜脫膜炎、喘息
特ニ小兒ノ淋巴腺結核ニハ手術ヲ要セズ治癒セシムルコトヲ多數實證セラル。
肋腹膜炎、肺炎等ノ恢復期ニ於テ最モ著効アルコトヲ認メラル。
豫防的應用
虛弱兒童、腺病質學童
特ニ感冒ニ罹リ易キ兒童ニハ著明ニ奏効スルコト確實ニシテ是等體位增强ノ手段トシテ最モ適切ナル豫防接種ナリト信ス。
診斷的應用
結核ノ存否病勢並ニ豫後ヲ確斷シ得　而モ無害ニシテ同時ニ治療的効果ヲ有スル方法
（所謂吉田氏反應）
特長
忌ムベキ副作用無ク、吸收容易ニシテ効果確實ナルコト。
製造所 有馬研究所
發賣元 須美商店
大阪市東區北濱四丁目四〇
小兒科文献贈呈

飲め
太れ
強く
賢く
ラクトーゲン
樂桃源
出産
まづ第一に
十二ケ月の育兒法送呈
乾卵食料品株式會社
育兒相談部
大阪市東區伏見町
販賣店
全國藥店食料品店

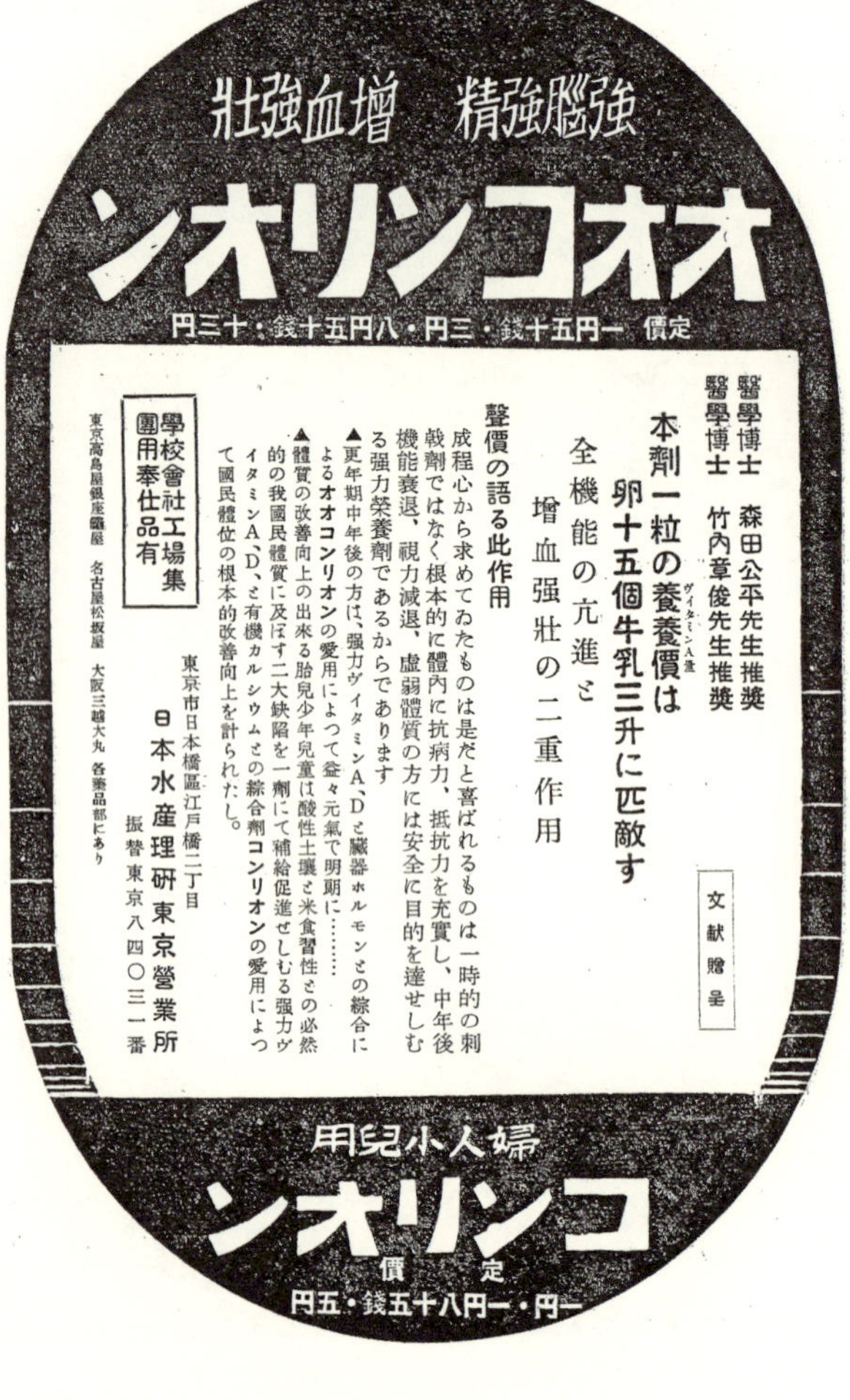
強腦強精　增血強壯
オオコンリオン
定價 一円五十錢・三円・八円五十錢・十三円
醫學博士 森田公平先生推奬
醫學博士 竹内章俊先生推奬
本劑一粒の養養價は
卵十五個牛乳三升に匹敵す
全機能の亢進と
增血强壯の二重作用
文献贈呈
聲價の語る此作用
成程心から求めてゐたものは是だと喜ばれるものは一時的の刺戟劑ではなく根本的に體内に抗病力、抵抗力を充實し、中年後機能衰退、視力減退、虛弱體質の方には安全に目的を達せしむる强力榮養劑であるからであります
▲更年期中年後の方は、强力ヴイタミンA、Dと臓器ホルモンとの綜合によるオオコンリオンの愛用によつて益々元氣で明朗に………
▲體質の改善向上の出來る胎兒少年兒童は酸性土壤と米食習性との必然的の我國民體質に及ぼす二大缺陷を一劑にて補給促進せしむる强力ヴイタミンA、D、と有機カルシウムとの綜合劑コンリオンの愛用によつて國民體位の根本的改善向上を計られたし。
學校會社工場集團用奉仕品有
東京市日本橋區江戸橋二丁目
日本水産理研東京營業所
振替東京八四〇三一番
東京高島屋銀座龜屋　名古屋松坂屋　大阪三越大丸　各藥品部にあり
婦人小兒用
コンリオン
定價 一円・一円八十五錢・五円

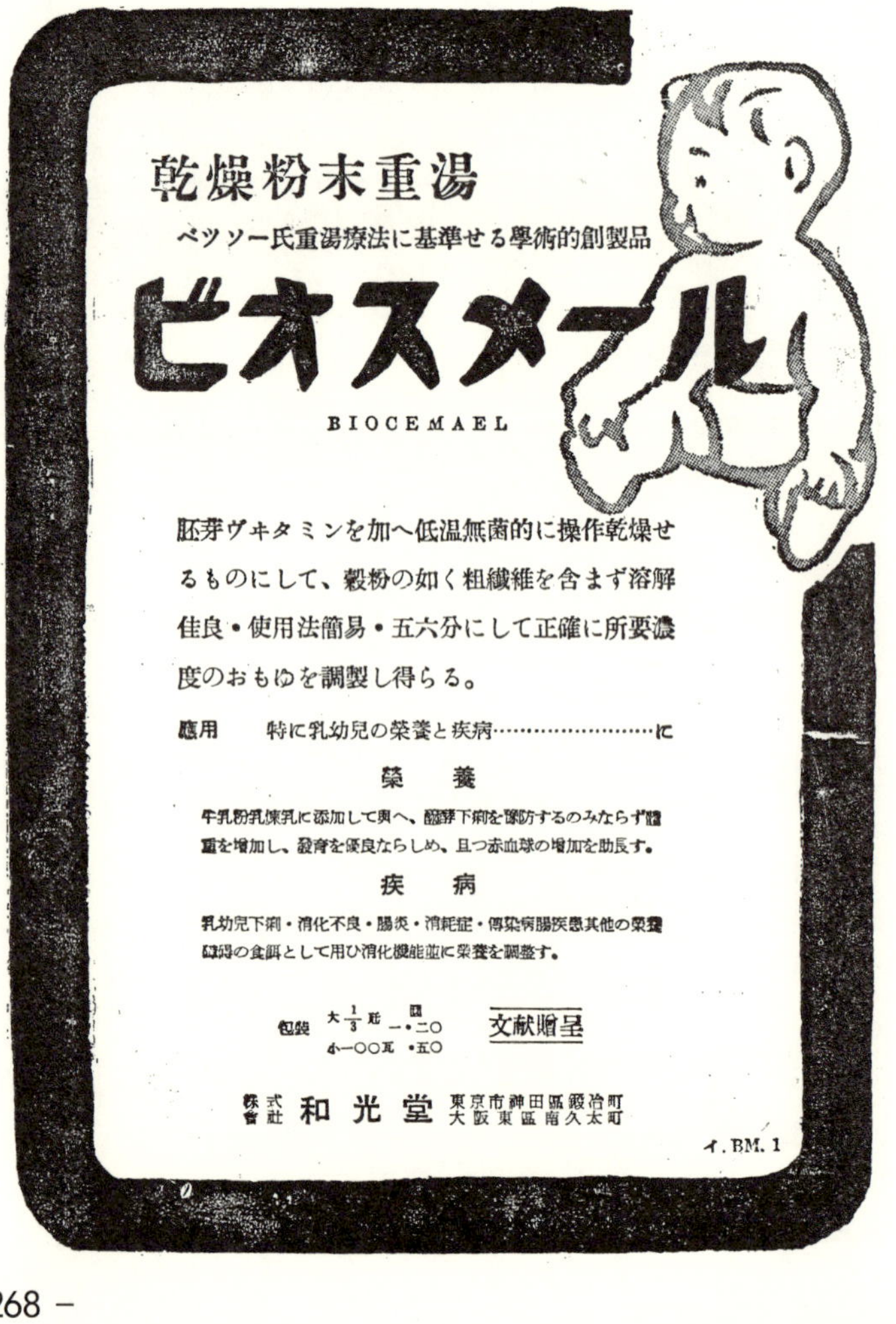
乾燥粉末重湯
ベツソー氏重湯療法に基準せる學術的創製品
ビオスメール
BIOCEMAEL
胚芽ヴキタミンを加へ低温無菌的に操作乾燥せるものにして、穀粉の如く粗纖維を含まず溶解佳良・使用法簡易・五六分にして正確に所要濃度のおもゆを調製し得らる。
應用　特に乳幼兒の榮養と疾病……………………に
榮養
牛乳粉乳煉乳に添加して與へ、醱酵下痢を豫防するのみならず體重を增加し、發育を優良ならしめ、且つ赤血球の增加を助長す。
疾病
乳幼兒下痢・消化不良・腸炎・消耗症・傳染病腸疾患其他の榮養障碍の食餌として用ひ消化機能並に榮養を調整す。
包裝 大 1/3 瓩 圓 一・二〇
小一〇〇瓦 ・五〇
文献贈呈
株式會社 和光堂 東京市神田區鍛冶町 大阪東區南久太町
イ.BM.1

薫風を浴びて

軍艦龍驤乘組海軍機關少佐加藤武夫氏の愛兒陽子さんと孃子夫人、
東京市目黒區柿ノ木坂夫人の實家國司邸前の綠草馨るお庭にて

昭和十一年十月二十七日出生
昭和十二年五月十六日撮影

令孫の教育に熱心な望月圭介翁

東京澁谷原宿の綠樹繁る御屋敷の奥の涼しい一室で、今しも翁は令孫たちをお相手に閑談されてゐます。

翁の教育方針は個性尊重を第一とする開發主義、自由主義であります、だからのびやかな童心をまげないで、自發的に成長せしむるためには日常談笑の中に多くのヒントを與へらるゝと承ります。

大川式
G.O
蓄膿症
扁桃腺
の新治療法!!
鼻と腦との關係は薄い骨一枚を隔てゝゐるに過ぎません。匂ひの刺激が頭に及ぼす影響の强い事は、此の點からでも頷かれる譯です。鼻の病氣は元來寢てる程の事もないのでナニ鼻位ひと簡單に考へて居りますが輕い鼻病が遂には記憶力減退、神經衰弱の樣な症狀を起す事は稀ではありません、それには最近著しくその眞價を認められたユーカリ吸入療法をお奬め致します。恐るべき鼻病の新療法と云ふ小册子無代呈上、本紙で見たむね明記の上御申込下さい。
定價（鼻喉兩用二圓・一圓五十錢。鼻專用最小型一圓各種共ユーカリ油添付）
東京市日本橋區本町四
大川式吸入器本舖
大川ユーカリ吸入器

十六年前・有馬頼寧伯を圍んだ大阪の舊友達

此の寫眞は、大正十一年の或る春の夜、難波驛近くの故六人部醫師宅で開催された愛生敎會の會合に、恰も西下中の有馬伯を迎へ、融和問題に關して意見の交換をした時のものだ、この敎會は宗敎・思想・文藝その他社會問題を懇談研究する團體であつて、當時は關西の思想界をリードしてゐた、東京の名士はほとんど此の會に出席して腹藏ない意見の發表をしたものである。

有馬伯は我等の會合を愛され、歸京の途次には記者を案內役とし、京都の水平社執行委員長の村を訪れたりして、田中村に泊り共に講演などされたものだ。（伊藤生）

（寫眞向つて左より）實業家杉山武夫氏、故飯島醫學博士、故木村藥學博士、故靑木律彥氏、有馬伯、志賀大阪市社會部長（當時は市民館長）故六人部醫師、伊藤悌二――半數は旣に故人となつた。

結核
貧血
胃腸
強化
醫學博士 西谷宗雄先生著
〝新榮養讀本〟無代進呈
TRADE MARK
發明特許
ネオ肝精
活力榮養ホルモン劑
服み易い肝油精劑
本劑は發明特許の方法による新鮮なる鱈肝臟と牛胆汁の配合劑であつて肝油分の消化吸收頗る良好且つ兒童にも服用容易なる點に特徴あり各種貧血諸症並びに結核性諸疾患の特效劑としてまた腺病質虚弱体質の强化劑として奏効顯著である
鱈肝臟 牛膽汁 配合
肝油 二十五%
ヴイタミンABCDE
アミノ酸 酵素
グリコーゲン
コレステリン
肝臟ホルモン 胆汁酸
胆汁色素 燐化合物
グリコヒヨール酸 等
藥價低廉
錠劑
粉末
株式會社 藤澤友吉商店
大阪市東區道修町
東京市日本橋區本町

このマーク
メガネ肝油球
雜誌名記入御申込の方に 文獻贈呈
お奨めする方
一般虚弱者、產前產後に
腺病質 肺結核 肋膜
腹膜 せむし 夜盲症
榮養不良による眼疾
感冒にかゝり易き人
一番よい
經済的國民榮養素
眼鏡肝油
本舗
合資會社 伊藤千太郎商會
大阪道修町

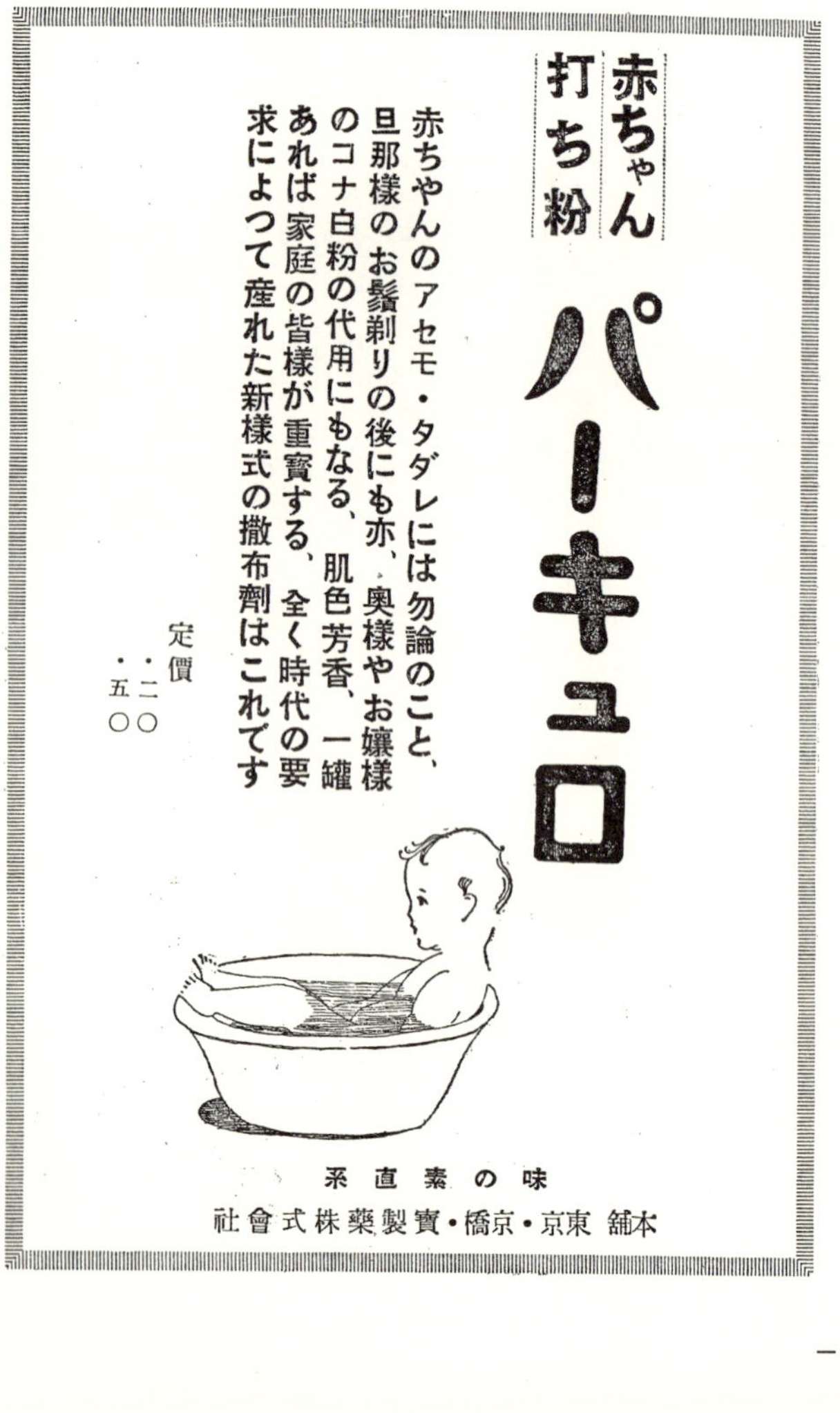

赤ちゃん打ち粉
パーキュロ
赤ちゃんのアセモ・タダレには勿論のこと、旦那様のお髭剃りの後にも亦、奥様やお嬢様のコナ白粉の代用にもなる、肌色芳香、一罐あれば家庭の皆様が重寶する、全く時代の要求によつて産れた新様式の撒布劑はこれです
定價 ・二〇 ・五〇
味の素直系
本舗 東京・京橋・寶製薬株式會社

松坂倶樂部
各流各派第一流の
權威者を仰ぐ
趣味と教養の道場
小原光雲先生の華道のお稽古
春日とよ師の小唄のお稽古
エンタツと円馬の話術研究
大阪 日本橋 松坂屋

昭和十二年 **子供の世紀** 七月號

林間學校の再吟味

今日程林間學校の氾濫流行の時代はない、然し乍ら私共は在來の林間學校をして、子供の幸福のために、再吟味再檢討をなし、よりよく改善し、意義あらしめたいものである。

每年或る地方の海邊では、一個村平均十數ケ所の林間學校が開設されると云ふ盛況振りである、けれども其の總てが淸潔で、秩序正しく、朝夕の生活が、子供の精神と肉體とに、よき影響感化を及ぼし居るであらうか。

子供は父母の膝下を離れ、家庭から開放された時に、誤つた自由な生活に浸る事を好み、むさぼり、取りかへしのつかぬ習性を心に身につけるやうになるものである。

尙亦、空氣の淸淨と環境の麗しさに惠まれてゐても、水道や寢室等の衛生設備の不完全な爲めに、子供の健康を害し、甚しきは傳染病に感染するやうな事を往々にして耳にするのであるが、此の點當事者はもとより保護者の反省する餘地があると思ふのである。

集團的生活の訓練と統制は、時節柄極めて必要な事に相違ないが、誤つた劃一主義による方法は寧ろ警戒を要するやうである。

如何なる場合に於ても、現代の眼醒めた文化生活を營むに當つては、道德と保健の二方面を閑却し無視してはならない、亦如何なる生活にも堪え得る人間を養成するためには、自然に歸る生活、風雨にも、激浪にも、炎熱にも逆つて堪え得る事の出來る生活に慣れしむるのはもとより肝要であつて、私共は常に百尺竿頭一歩を進め積極的な健康を奬勵して來たのであるが、保健問題は仁を觀て法を說かねばならない、卽ち大都市の煤煙下に成長して、總てに抵抗力の弱い子供を、直ちに海邊なり山谿なりに移住せしむる事は、醫學上の見地からのみでなく常識的に道德的に見ても再認識の必要多々あるであらうと考へられるのである。（六月十日記）

通學兒童の榮養辨當

大日本學校衛生協會主幹
本 圖 晴 之 助

榮養の良否

先年大阪市の衛生試驗所に於て、同市小學校兒童の携帶する辨當が果して兒童の發育に差支がないかどうかを調べて見たことがありました、その調査によると、完全な榮養のある辨當を携帶する者が百人の中二十五人で、あとの七十五人といふものは、辨當は携帶してゐても、頗る榮養が不完全で兒童の發育上大に差支がありますので、大阪市の當局者も今更の如く大に驚かされたさうであります。大阪市のやうな大都市でさへ右の通りですから、地方の小學校兒童の携帶する辨當は、殆んど百人が百人まで榮養の不完全なものばかりでありませう。

然らば榮養の十分な辨當とその然らざる辨當とでは、兒童の發育にどの位の相違があるかと云ふに、その實驗があります故、それをお目にかけませう。之れは仙臺市東六番丁小學校の兒童に就て、縣の榮養技手が實驗されたもので、僅々五十八日間の試驗でありますが、結果は明かにはつきり判りました。

（甲）給食兒童二十七人男子

	平均身長 センチメートル	平均胸圍 センチメートル	平均體重 キログラム
給食直前	一三三、一四	六三、三七	三三、七〇
五十八日後	一三四、三六	六六、〇九	三四、四〇
增	一、二二	二、七二	〇、七〇

（乙）家庭辨當三十八人男子

	平均身長 センチメートル	平均胸圍 センチメートル	平均體重 キログラム
給食直前	一三二、四四	六三、八七	二九、三二
五十八日後	一三二、九五	六四、九四	二九、七〇
增	〇、九一	一、〇七	〇、三八

前表中（甲）の方は學校から榮養的に晝食を拵らへて食べさせ、（乙）の方は從來の通り兒童が任意に携帶した辨當であります。しかも僅々五十八日間の實驗でありますのに、榮養を合理化すると、しないとでは實に大きな開きがあるのが判りませう。前表中の「增」とある下の太文字を（甲）、（乙）互に對照して比較して見て下さい。

一體、發育のよしあしと云ふことは、第一に遺傳が大なる原因をなします。第二には環境であります。遺傳の方は今遽に改善することが出來かねますが、第二の環境とひふのは、榮養と體育と衛生とが其の主なるものでありまして、わけても榮養は發育の根本であります。人が一度此世に生れて來た以上は、第二の環境を改善するのが最も近路であります。就中、榮養を改善するのが最も效果的であります。

榮養辨當の注意

然るに、多くの家庭では、第一主婦に榮養の感念が乏しいのと、第二に多年の傳統にとらはれて、兒童の携帶する辨當の多くは、何れも一品物の副食物が多い、二種以上添へることをしない。然らば榮養的に辨當を作るには、如何なる點に注意をすれば可いかと云ふに、左にその要點をわかりやすく箇條書にしてお目にかけませう。

一、米は無砂搗七分搗米を用ふること。
一、動物性食品（肉、卵、魚、鳥、乾魚、鹽魚、佃煮、貝類等）を用ふること。
一、豆類及び其の製品を用ふること。若し動物性食品を得られない場合は、必ず之れを用ふること。
一、野菜を相當澤山用ふること。
一、一品料理は絕對に避けること。

右の要點に基き、左に尋常科三、四學年程度の辨當副食物の獻立並にその調理法を示して置きませう。

品名		數量 グラム	蛋白質 グラム	カロリー
唐揚げ	鰯めざし	八〇	一二・一	一一三
	油	三〇	ー	二八
塩ゆで	キャベヂ	八〇	一・〇	一七
	人參	一〇〇	〇・一	三
計			一三・二	一六一

（1）めざしはそのまゝからりと揚げる。
（2）キャベヂ、人參は千切りにして、塩茹でにし、（1）の付合せとする。

品名		數量 グラム	蛋白質 グラム	カロリー
佃煮	みがき鰊	三〇	一二・一	九五
	昆布	一〇〇	ー	ー
粉吹芋	馬鈴薯	八〇	一・六	六三
計			一三・七	一五八

（1）みかき鰊は洗つて一夜水に浸して置いて一寸位に切り、昆布と共に佃煮とする。
（2）馬鈴薯は亂切りにして充分水煮し粉の吹く程度に煮えたとき、醬油、砂糖で調味する。

以上僅に二例しか揭げませぬが、之れによりて凡その想像がつく事と存じます。品物は有合せの安價な物を揭げて置きました、品名の下の數字は參考のために揭げたので、數字の末にとらはれては不可ませぬ。

要するに、副食物は蛋白質の多いものを少し餘分につけて下さい。それに必ず野菜を加へて下さい。蛋白質と云ふのは、牛豚肉、卵、魚肉、干魚、味淋干、蒲鉾、てんぷら、竹輪、高野豆腐、油揚、湯葉等であります。

米飯の量

次に米飯の量でありますが、之れは私の著書『**榮養辨當 學校給食の研究**』の第三三六頁に各學年兒童の辨當の獻立例と共に、幼稚園の兒童から高等二學年迄の兒童に要する量を男女別に揭げて置きました故、志あるお方はそれを御覽下さい。

簡單を主とする意味から、詳細の事は私の著書に讓るとして、玆には判りやすく左の事柄に止めて置きませう。

一體、食物の量と云ふものは、年齡と男女の性別によつて異るものであります。故に辨當箱も亦各學年別に作るべきでありませう、しかしそれでは各學年每に辨當箱を新規に買入れねばならぬので不經濟でありますから、尋常一、二年用、尋常三、四年用、尋常五、六年用の三種に分ければ可いと思ひます。

市中に販賣してゐる辨當箱は大抵うまく出來てゐますが、父兄は之れを利用しないで、單に價額の多少によつて大小に頓着なしに求めて居るやうであるが、之れは大に間違つてゐます。

辨當箱			
角型	大	男女兒	尋常五、六年用
	中	男兒	尋常三、四年用
	小	男兒	尋常一、二年用
同丸型	大	女兒	尋常三、四年用
	中	女兒	尋常一、二年用
	小	男女兒	幼稚園兒用

パン食の改善

冬季學校に辨當の保溫器の設備がない爲と、携帶に輕便な爲と、家庭の無理解から晝食辨當の代用として「パン」食を攝るものが少くない。都市の小學校の賣店や、學校附近の店には辨當用の「パン」を賣つてゐる所が多い。又遠足等にも能く「パン」を携帶する者が多數であるのを見受ける。單なる「パン」食は榮養上大に考慮せねばなりませぬ。故に辨當食として「パン」を攝らしむるならば、單に「パン」のみでなく、必ず適當の副食物を添へなくてはなりませぬ。例へば卵燒、味淋干、目刺鮭、牛肉等を添へ、尙野菜をも添へて下さい。單に「バター」や「ジャム」をつけた位では榮養の補充にはなりません。少し面倒でも肉と野菜とをはさんで「サンドウヰッチ」を作つてやれば大に結構であります。

之れは餘談ですが、「サンドウヰッチ」と云ふ名の起りは、英國のサンドウヰッチ伯爵が、賭博に耽つて居るときに、肉片を「パン」で包んで食べたのが始まりであります。

○童　誕　生　日　　　　佳田睦風

今日はわたしの
誕生日
母さん朝から
忙しい
晩のごちそう
待ち遠い

今日はたのしい
日曜日
赤いカレヘダも
なつかしい
本をよんだり
座つたり
なんだかうれしい
誕生日

お醫者さま
……とのお話

どうしたら坊やが丈夫になれませう?

母親「うちの坊やは、夏になると胃腸を害したり、微熱が出たり、夏痩せしたり、どうも體格がもう一つ丈夫でなく、何か新らしい保健劑でも服ませてみたいと存じますが」

先生「ヴィタミンADを充分に補給することですね　肝油がよいでせう、あれなら永年の試驗濟みで効きめについては疑問の餘地がなくどちらの學校でも良い成績を擧げて居られるやうですから」

母親「そのことでご相談したいのですが、冬は格別として夏にもなるとあの嫌な臭味が鼻について宅の子供は神經質なものですから服んだ振りして、こつそり吐き出す仕末で……」

先生「それではハリバがよいでせう。毎年夏になると、どちらのご家庭でも液状の肝油に代へて盛んに用ひられてをるやうですから、これまでの肝油一瓶分に相當するヴィタミンADが小豆ほどの小粒に濃縮されてをり、一日僅か一二粒、どんな夏でも樂に服用させることが出來ます」

母親「これまでにも肝油を與へたことがありますが いつも永續きせず、とりわけ夏になると全々中止しなければならなかつたものですが……」

先生「その點になるとハリバに限るやうです。肝油の樣な保健劑は幾週も幾月も永く連用させて始めて効果的なのです。特に夏は抵抗力が弱りがちのもので一そう肝油に頼らねばならないのですが、坊ちゃんが愉快に連用出來るやうにこの大切な夏だけでもハリバに變へてあげて下さい」

一粒肝油ハリバ

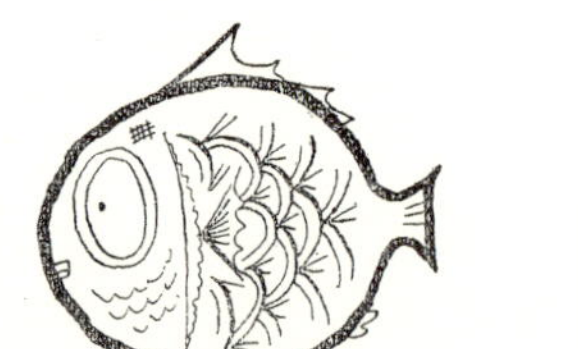

各國ヘルス・センター概況（二）

内務技師 醫學博士　南　崎　雄　七

三、ヘルス・センター治療問題

ヘルス・センターが醫療を行ふか否かに就ては歐米に於ても相當議論された點であつて、メヂカル・センターとして病院等が其の中心をなす場合等は別として、ヘルス・センター本來の機能としては先づ醫療は之を行はないのを原則とする、但し醫療の普及せざる僻村などではセンターに醫療の設備は望ましいことであるとされて居る、一九三一年の歐洲農村衛生會議の際にも此の點大いに議論されて、大體上述の如き結論に達して居たやうである。

現在の狀況から見ると獨逸は何れのヘルス・センターに於ても治療は行はない、佛國にては花柳病豫防センターに於ては治療を行ふ、ユーゴースラビアにては農村のヘルス・センターに於ては數個のベッドを有し、病院代用として治療を行つて居る所もある。米國に於ては所謂第二型のセンターに於てクリニックとヂスペンサリーを通じて治療迄行ふ。英國では專らセンターが母性乳幼兒の福祉センターである關係上相談、指導教育が主であつて治療は極めて輕微なる補助として認むべき以外之を行はない。

又衛生省の通牒によるもこの點は明記されて居る。東洋に於ては一九三二年アフリカに於て、東洋諸國の農村衛生會議が行はれた際にセンターの治療問題が論議された。東洋諸國では治療が必要であらうと云ふことが提議されたやうである。又現在に於てもビルマではセンターが豫

防醫學を主とするも治療迄も行つて居り、海峽殖民地シンガポールのセンターでは豫防事業と治療事業とを併用して居る。蘭領印度ではセンターでは可成治療を行はないことにして居り、ペナンでは兒童健康增進が主であるが微恙の治療と驅蟲劑に依る寄生蟲驅除を行つて居る。

ヘルス・センターの事業中醫療は別として其の他の公衆衛生教育、豫防醫學に關するものは總て無料なることを原則とする、唯除外例としてX光線裝置の使用、分析試驗等は低廉の料金を徵して居るやうであり、又特別な建物を有するもので、講演會、シネマ等の爲め其の場所の貸與に對する料金を取つて居るセンターもある。又醫療を行ふ時には患者の資力に應じ、治療代と藥代とを徵收するのが望ましいと云はれて居り、又ヘルス・センターは診斷設備、研究室設備等を完備し開業醫師に自由に利用せしめて其の料金を取るセンターもある。

四、ヘルス・センターの規模

ヘルス・センターの規模に就ては小なるものは其の地域内の人口僅に四〇〇に過ぎないものもあるが、大なるものでは五萬、十萬に達するものもある。

農村ヘルス・センターでは村や小地域に設置すべきものを第一級ヘルス・センター Primary Health Centre と稱し郡や其の他の大地域に亘るものを第二級ヘルス・センター Secondary Health Centre と稱する、ことに一九三一年のゼネバに於ける歐洲農村衛生國際會議で決議されて居る。米國にある郡のセンターの如きは人口十萬以上のものもある。

ルーマニアにては人口一萬に對し第一級センターを、人口五萬に對し第二級センターを設置することを法令に規定して居ると云ふことである。

ポーランドにてはワルソー外二十一郡を二百四十一地區に分ち市郡の平均人口約十二萬五千を三又は四分し、之をセンター地區として各一區一センター宛を設置する方針の下にセンター建設を促進して居ると云ひ、現在約二百十のヘルス・センターが出來たと云はれて居る。

イングランド・ウエールスに於てはかの乳幼兒福祉センターを出生四〇〇のある地域を一センターの標準として設立計畫し現在は既に是の單位は突破してゐる狀態である。

五、米國のヘルス・センター

米國に於ては過去二十數年間に於て小兒問題は小兒の專門職員、精神病は精神病の專門家、花柳病は花柳病の

專門家と云ふ工合に各種多數の施設が狹小な地域の住民に對し、個々別々の立場から夫々の活動を爲すことは相互の混雜を來たし成功し得なかつたと云ふ經驗から醫學的施設及び衛生的施設を組織的に形成することが國民保健發達の重要なる點であると云ふ觀念が釀成し、其解決策として問題となつたのがヘルス・センターであつた。殊に一定地域内にある診療施設、巡回看護婦の家庭訪問其他直接的施設の協力と云ふ問題は既に大戰以前から相當識者の問題視した所であつたが、一九一〇年頃から一定の住民又は地域内に於ける或る保健衛生的施設を爲さむとする努力が實際的の行動となつて現れて來た、卽ちペンシルバニア州のピッツバーク市では、ウイリアム・チャールス・ホワイ博士指導の下に結核豫防事業の有意義な活動を始め其理想の實現したものがヘルス・センターとなつた。又シンシナチーノにても同じく結核撲滅事業家の手に依つてヘルス・センターが計畫された、紐育市にては、牛乳關係の團體が小兒保健區域内にヘルス・センターを設立し、ミルウオーキーにてはウルバー・シー・フリツプ氏指導の下に市役所に於ては小兒保險區域内にヘルス・センターを設けた、フイラデルフイヤ市に於てはサミユル・エム・ハミル博士指導の下に小兒保健事業家に依つて同樣のヘルス・センターが設立された、殊に戰後に於てはメトロポリタン生命保險會社や、アメリカ赤十字社等に依り多數の都市にヘルス・センターの計畫が樹てられた。

大戰中は是等の計畫も中絕されてゐたが、戰後は再興し、殊にアメリカ赤十字社がヘルス・センターの觀念と保健智識の宣傳に努めた結果このヘルス・センターなる言葉が民衆化されたと云はれて居る、當時のアメリカに於ては一般開業醫師から相當反對の聲が盛であつたと云ふことである、而して一九一〇年から一九一五年の時代に於ては、各都市に出來たヘルス・センターは一九一九年は僅かに七二に過ぎなかつたが、一九二六年には千箇所以上に達したのである。

今二、三の主なるヘルス・センターに就き其の規模と事業とを簡單に例示して見るに次の通りである。

イオワ州デスモイネ・ヘルス・センター

一九一九年の創設で豫防と治療の兩方面の事業を行ひ一般治療、小手術、眼科、耳鼻科の診療と公衆保健方面の仕事は幼兒保護、學齡前の幼兒、學齡兒童の爲めの病院、姙婦、專門病院、豫防治療（齒科、結核、花柳病、精神病）健康診査等を行ふ、又衛生試驗、並X光線の利用設備を有して居る、巡回看護婦を有して居る。

紐育市ジャドスン・ヘルス・センター

一九二〇年の創設人口四萬の地域を有し（大部分伊太利人）仕事としては住民の年々の定期身體檢査の奬勵、診査後發見された身體的缺陷の矯正、豫防保健敎育、榮養、運動、休養、淸潔、衞生習慣の宣傳敎育指導、等を行ふ、毛色の變つた職員として家庭保健係、榮養監督、食事調理人等があり家庭訪問看護婦四名を有してゐる。

オハイオ州クリーヴランド市は一市全體を對象とするヘルス・センターを試み好結果を收めた、同市では衞生當局援助の下に市を八區に分ち各區にヘルス・ステーションを設け始め結核病を專門に取扱つて居たが、現在では乳幼兒保護其他の仕事をも行ひ、又齒科の仕事もしてゐる。

カリフオルニヤ州アラメダ郡立ヘルス・センターは一郡全體を對象とせるセンターで面積百七十二平方哩、人口約五十萬である。一九一八年の創立で、目的は診療所の統制、試驗所、藥局の利用衞生思想普及敎育、保健救恤福祉機關の連絡協調等を目的とするセンターで公私の地方施設團體より選出せる九名の代表者がセンターの實行委員となつてゐる。

バツフアロー・ヘルス・センターは一九一四年試驗的に一箇所を設け一九二〇年に全市を七區に分ち一區平均人口約八萬各區衞生局員たる市醫之を擔任し、市立病院は各科の疾病に對し千五百床を有し、同時に豫防的仕事も病院で行つて居る。

紐育市の東ハレム・ヘルス・センターは二十二の加盟團體からの支出經營になるもので東マンハツタン北部地方約十二萬の住民を對象とす、一九二一年の設立で米國赤十字の計畫になるものである、仕事としては結核クリニツク、一般診査、乳兒保健所、眼科クリニツク、種痘シツクテスト、產科クリニツク、健康相談所、精神病、齒科、小兒科クリニツク、保健調査、巡回看護、衞生敎育、榮養指導等を行つて居る。

以上はアメリカに於けるヘルス・センターの仕事の大要を擧げたのである。

六、歐洲のヘルス・センター

英國に於けるヘルス・センターは專ら母性及び兒童の福祉センター Maternity and Childwelfare Centra なることは前にも屢々述べた通りであるが、英國衞生省の覺書 Memarandum に依ると母性及乳幼兒福祉センターと云ふのは母性又は姙婦センターと小兒センターと云ひ地方廳又は私設團體がセンターを設置、經營する場合之に財政上の補助金を與へると云ふことになつて居る。

而して母性センターの機能は姙婦に對し其の身體の安全一般榮養、健康に關聯する事項を助言する敎化的且つ豫防的事業であるとされてゐる。而して衞生省が母性センターに對する補助金を決定するに考慮さるべきで條件は職員が醫師たるべきことであり、センターは醫師の監督下にあること、保健訪問婦のあること、建物は待合室更衣室、診察室あること、又尿を檢査する設備のあること、事業の規模は相談家庭訪問敎育、姙婦及產婦に對する食事又は牛乳の敎示供給等のあることを必須條件として居る。又小兒センターは奉仕地域卽ち衞生地區を大體一ケ年出生四百を以て一地域とせること、醫員は衞生技術官たると開業醫たるを問はず乳兒及幼兒の相談を擔當する者なること或程度迄小兒科の專門的素養あることを必要とする。建物は控室、相談室、乳母車置場等あること、事業範圍は相談は勿論家庭訪問、多數の母親に對する敎育、牛乳調理供給、微恙に對する治療等を要求してゐる。

而して今イングランド・ウエールスのみに於けるセンターの發達と乳兒死亡率の累年比較を觀察して見るとセンターの增加に乳兒死亡率が反比例して減少して居るのを知るのである。

イングランド・ウエールスのセンター數

年次	センター數	乳兒死亡率（生產千ニ付）
一九〇六年	二	一三二
一九一〇年	九〇	一〇五
一九一四年	二五〇	一〇五
一九一五年	四〇〇	一一〇
一九一六年	七二〇	九一
一九一七年	九七〇	九六
一九一八年	九五三	九七
一九一九年	一、三三二	八九
一九二〇年	一、五七四	八〇
一九二一年	一、七八〇	八三
一九二二年	一、八七〇	七七
一九二三年	一、九五〇	六九
一九二四年	二、〇一一	七五
一九二五年	二、一二二	七五
一九二六年	二、一九五	七〇
一九二七年	二、三二四	七〇
一九二八年	二、四三一	六五
一九二九年	二、五二二	七四
一九三〇年	二、六五八	六〇
一九三一年	二、七五一	六六
一九三二年	二、七八三	六五
一九三三年	二、八二〇	六四

佛國に於てはセンター又はセンター類似の型式の下に乳兒相談センター四一〇〇、母性センター四〇〇、又結核ヂスペンサリー六五〇、花柳病豫防センターと認むべきもの四一〇を算して居る。又ヂスペンサリーにして結核豫防を以て發達したるものが他の社會疾病豫防や兒童保護を加へ大ヘルス・センターの型式をとつて發達せるものが相當多い。例へば縣に中央ヘルス・センターを設け結核、花柳病、癌、小兒保護等を行つて居るムールト・エ・モゼル縣の如きあり、又著者の訪問視察せるモア Moy の模範ヘルス・センターの如きは產前相談、小兒相談、產科婦人科、外科、眼科、耳鼻科、ラヂウム科、公衆浴場等を設けて治療、豫防、公衆衞生の各方面に亘る仕事を行つて居る。又 Fargniers の工場地にあるセンターはカーネギー財團の助力に依り結核ヂスペンサリーとしてセンターの働きをなし、内部は醫務部、相談部、藥局部に分たれ訪問看護婦は自ら小型の自動車を操縱して患者の家庭訪問をなしてゐる。

（以下次號）

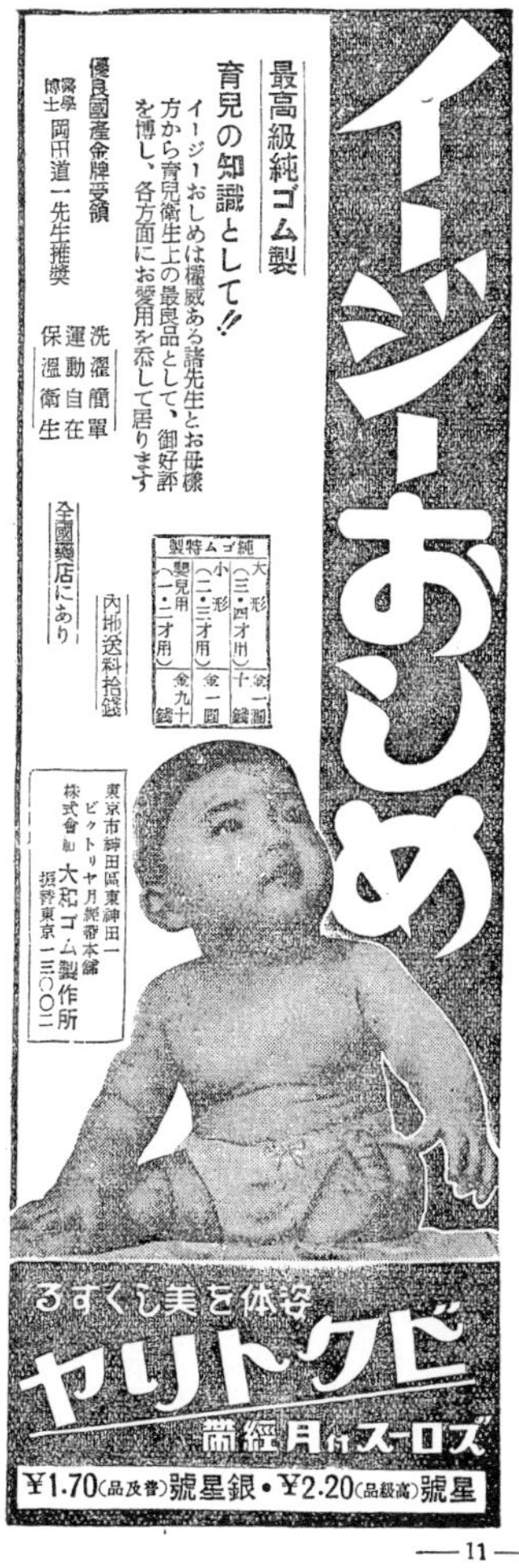

大阪の審査會に於ける母親のメンタルテスト（一）

伊藤悌二

第一問　このお子さんは何番目ですか

調査人員總數　一、六〇〇名　男一、〇〇〇名　女六〇〇名

順位	男	女	各計
一番目	四三八	三〇七	七四五
二番目	二四七	一三九	三八六
三番目	一四六	八〇	二二六
四番目	八六	三八	一二四
五番目	四二	一七	五九
六番目	二六	一〇	三六
七番目	七	七	一四
八番目	三	一	四
九番目	二	一	三
十番目	二	〇	二
十一番目	一	〇	一
合計	一、〇〇〇	六〇〇	一、六〇〇

第二問　このお子さんのお名前は何に因んでつけましたか

調査人員總數　一、六〇〇名　男一、〇〇〇名　女六〇〇名

種別	男	女	各計	備考
姓名學	四九一	二五九	七五〇	◎健一（健康第一）
字義	九三	六二	一五五	◎長生（長生する樣）
父の名	六七	二〇	八七	
祖先の名	五八	二二	八〇	
祖父の名	二六	一一	三七	◎二三子（上が二人で本人が三番目）
出生順位	二八	九	三七	◎順一郞（出生順第一位）

呼び易く書易い	一一	一六	二七	
生年月日時	一四	一〇	二四	◎美奈子（三月七日生）◎登（十日生）明男（夜明生れ）
友人知人の名	一三	八	二一	
祖母の名	三	一六	一九	
年號	一四	二	一六	◎昭（昭和の生れ）◎和子（昭和の生れ）
祝祭日	三	八	一一	◎武男（神武天皇祭生れ）◎佳子（紀元の佳節生れ）
子供の兄姉の名	六	五	一一	◎義男（兄が忠男）◎節子（姉が貞子）
出生地名	四	六	一〇	◎博（博多で出生）◎京子（京都で生れた）
論語	六	四	一〇	◎成美（子曰君子成人之美）
父と母の名	四	四	八	
母の名	二	六	八	
歴史上の人物	四	四	八	◎正弘（楠正行）◎道子（菅原道眞）
聖書	六	二	八	◎和男（和あるものは幸なり）
祖父と父の名	六	一	七	
父の職業	三	四	七	◎洋子（父が洋裁をやつてゐる）
聖人	三	四	七	◎弘子（弘法大師）
姓とのつりあひ	六	一	七	◎奥山茂樹（姓が奥山だから奥山に樹が茂る）
軍人	五	〇	五	◎貞夫（荒木貞夫大將）◎信義（武藤信義大將）
勅語	一	四	五	
偉人	四	〇	四	◎博（伊藤博文）◎隆（西郷隆盛）
神樣の名	二	二	四	
神社名	三	一	四	◎檜壽（奈良縣檜神社）
伯父の名	二	二	四	
運動選手名	三	一	四	◎秀子（前畑秀子）
節句	〇	四	四	◎節子
詩經	三	〇	三	
生れ季節	〇	三	三	◎早苗 ◎春美
時局	一	二	三	◎貴一（總選擧の際にて貴き一票）
政治家	二	〇	二	◎勇毅（廣田弘毅）◎啓文（岡田啓介）
名士の名	一	一	二	
宮殿下の御名	一	一	二	
第二王子殿下の御名	一	一	二	◎昌子
俳優	一	一	二	
學者	一	一	二	

十二支	一	一	二	◎忠雄（子の年生れでチユウ）◎亥佐子（亥年生れ）
洋行	一	一	二	
古書	〇	二	二	
祖母と母の名	〇	二	二	
父の主人	〇	二	二	
學位獲得記念	〇	二	二	◎博子（醫學博士）
宗教	〇	二	二	
同名を避る爲	〇	二	二	◎左巳惠
御製	一	〇	一	
俳句	〇	一	一	
額の題字	〇	一	一	
賢夫人	〇	一	一	◎乃ぶ子（乃木夫人）
山	〇	一	一	
由來なし	九三	七六	一六九	
合計	一、〇〇〇	六〇〇	一、六〇〇	

第三問　このお子さんのお名前は誰がつけましたか

調査人員總數　一、六〇〇名　男一、〇〇〇名　女六〇〇名

名付人	男	女	各計
父	六〇〇	三五〇	九五〇
祖父	一〇〇	六一	一六一
姓名學者	六四	二二	八六
友人、知人	四六	一八	六四
父と母	二一	三六	五七
父の先生	二三	一一	三四
伯父	一九	一一	三〇
叔父	一六	一二	二八
神主	一四	一一	二五
名士	一一	一〇	二一
祖父と父	一〇	九	一九
母	六	一二	一八
家族一同	九	九	一八
祖母	一一	六	一七
教會主	九	三	一二
父の主人	八	三	一一
叔母	五	五	一〇
住職	七	二	九
易者	四	四	八
産婆	四	一	五
近所の人	三	二	五
祖母と父	四	一	五
祖父と母	四	〇	四
仲人	二	〇	二
漢學者	〇	一	一
合計	一、〇〇〇	六〇〇	一、六〇〇

全館・最新式
冷房完備
爽涼の三越
御中元に
三越の品
御進物の まごころ は 良い品 によつてこそ 始めて 完全に 表現されます。
御安心願へる
三越の品
三越
大阪

男と女ではどちらが早く生長するか

帝大理學部 理學博士　篠遠喜人

小學校や中學校の兒童、生徒の身體生長の有樣を知るために一つの統計學的の調査を行なつた。調査に用ひたのは東京高等師範學校の附屬中學校及び小學校の兒童、生徒三百卅名で、これらの生徒の各人連續十一年間（一部は中學五ヶ年間）における身長と體重の變化を調査したのである。曩に保井コノ博士は東京女子高等師範學校付屬校園の幼兒、兒童、生徒に就て同樣の調査をされた。この場合は同一人の連續年間によらなかつた。併し兩者は男女の差はあるが學校としての環境は似てゐる點が多いので兩者を比較するのは興味のあることゝ思ふ。詳しい統計學的な數字上の事柄は省いて結果だけを男女に就いて比較してみると次のやうである。

男子と女子との身體の生長の週期は男子が女子よりも一年か二年おくれる。即ち身長の生長に就いては生長量の最低は女子は八歳と十六歳とにあり、男子は十歳と十六歳で、最高は女子の十二歳に對する男子の十三歳である。而も女子が十二歳以後急に生長を減じ十六歳に至つて二百名中卅九名の生長停止者を出したに係はらず男子は生長量の最高を示す十三歳以後は次第に生長を減ずるが、十六歳において生長を停止する者は一名もなかつた。男子の第二期生長の週期は女子より倘延長すると思はれるがどの位かはまだ分らない。

體重の生長に就ては、女子の生長量の最高は十三歳で、男子は十四歳である。男女いづれも體重生長の最高は身長生長の最高の歳よりも一年遅れて來る。十三歳の女子の體重の最高生長量は四・七六キログラムであるが男子は同年齢に於て五・〇〇キログラムで已にこの時期に女子を凌駕してゐる。

身長の平均數は六歳に於て男子一一一・三三センチ、女子一一〇・五九センチで、十六歳において男子一六三・四二センチ、女子一五三・五四センチであり、體重の平均數は六歳において男子一八・六〇キログラム、女子一八・一八キログラムで、十六歳において男子五三・〇二キログラム、女子四七・一三キログラムである。このやうに六歳に於いては男女の身長と體重との各平均數の相違は僅かであるが、十六歳になると著しく大きくなるのは第二生長期の男子の生長量が大きい爲である。即ち六歳乃至十三歳頃までは一時的に女子の身長と體重が男子より僅か乍ら勝れてゐる場合もあるが、十三歳後に男子の生長量が特に大きくなるから男子の身長と體重とが遙かに女子を凌駕して來るのである。

生長量の變異を比べると同年齢では男子は女子よりも個人差の大きいことを示してゐる。

以上は男女の比較であるが、男子の場合に就て尙二、三記して見ると、六ケ年の隔を置いて行つた二回の調査を比べて見ると一般に現代に近い方が長身も體重も増してゐる。併しこれは僅かであるし調査數も少ない上に胸圍なども考慮しなければならないから、體格がよくなつたとも言へない。男子の身長の生長は年齢に應じて非常に規則的であるが、體重の生長はそれ程に規則的ではなく、第二生長期においては個人的に非常に不規則である。體重の生長が身長の生長よりも複雜な條件に支配されてゐるものと見える。東京高等師範學校付屬校園の兒童生徒の身長及び體重は一般公私立小學校の男子のそれを遙かに凌いでゐて、その差は年齢の進むに從つて大きくなるのが分つた。

同一人の連續長年間の身體生長の變化を調べることは國民保健の上からも重要なことであり乍らこれを行はうとして遭遇する困難は材料を得ることである。筆者は今後もこの種の調査を行ひたいと思つてゐるので、この機に各學校にお願ひ致し度いことは學生の體格檢査の記錄を保存され隨時調査資料として提供されたきことである。

夫と子供たちと私

柳原燁子

私の夫がまだずつと弱くて、ぶら〳〵してゐた頃、ふと「錠劑わかもと」を用ゐ初めました。ふだん藥といふものに、あまり信用をなくしてゐた人ですから、それを服んでゐるのを見た私が不思議に思つて

『あなた藥をのみ初めたの？』

と申しましたら

『これは藥ではない、人體に必要な酵素といふものだ』

と云つてゐました。その後はかけ引きなしにずつと長くのみつゞけ、工合が良いと云つてゐました。

そして今でも會ふ友人ごとに「錠劑わかもと」の効能を吹聽してゐます。勿論家の子供達にも時々のませてゐます。弱かつた彼が大變丈夫になつたので眞似する人も多い様です。

『まるで身を以つて頼まれもせぬ廣告をしてゐる見たいね』

とよく笑ひました。私もお腹の具合が氣候の變り目など變な時がありましたが、そんな時これを服んで癒りましたので

『「錠劑わかもと」は藥ぢやないと仰言つたけれど、やつぱり藥よ、お腹の具合がこんなによくなつたもの』

と申して笑ひました。この頃は主人を初め、子供達や私も皆揃つて丈夫になり、いつも朗らかに過して居ります。

「錠劑わかもと」は、廿五日分一圓六十錢、八十三日分五圓の一日數錢に過ぎぬ廉價で、東京市芝公園、わかもと本舗榮養と育兒の會（振替東京一七〇〇番）の發賣で、全國藥店にて取次で居ります。

小學校のために

『錠劑わかもと』についてゐる掛圖引換券を先生に差上げませう。それと引換へに美くしい掛圖が小學校へ贈呈されます。

年少者の犯罪

神近市子

最近また年少者の犯罪がつゞく。ついこないだ、十七の少年の若い結婚直後の婦人殺しがあつたばかりなのに、今又十五の少年が主家の人を三人殺傷したといふ事件があつた。

× ×

この種の少年犯罪の特質ともいふべきものは、その動機が比較的小さいのに、犯罪の行爲そのものは殘忍を極めることである。前の若婦人殺しは、五十八ケ所かの疵があつたと傳へられた。そして動機といへば、單純な美望とか怨恨とかに過ぎないで、今度の事件こそ二百五十圓窃み出してゐるが、前の事件では僅か數十錢在中のガマロを持ち出したに過ぎない。職業的な犯罪者は、何時でも得られる効果に對して犧牲を、したがつて捕へられた時の刑罰を計量してゐるから、決してこんな犧牲を出すことはない。

× ×

自分で子供を育てゝ見、よそで子供が育つてゐる樣子を見てゐると、子供を育てる要點といふものがあるやうである。多少の遺傳とか先天性による變態とかはあるとしても、普通の子供なら時期が遲れないうちに半ば敎育をしてしまうことが必要のやうである。小學校の低學年の中に、勉强とか學問とかに心を集中する習慣を與へること、小學校敎育が終る時期に大體その子供が生きて行く人生といふものゝ方向と順序とを決定してやること、これである。それが決定すれば、子供の敎育は半ば終り、その人生は半ば決定したのであつて、あとはその準備されたものが軌道を辷るのを親なり保護者なりは靜かに注意ぶかく見てゐればよいやうである。

× ×

勿論、思春期はそのあとに來る。しかしこの危機も前に云つたやうな準備が完了して居れば、子供の理性はこれを克服するに充分に役立つであらう。周圍のものは、時に應じて必要な知識を與へ、この時子供の心に生ずる道德的な矛盾をとり去つてやればよいやうに私は決心してゐる。鐵は熱いうちに鍛へろといふのはこゝのところだらう。もう少年後期に入つて、すべての危機が一度に集まつてはおそいのである。かうした不幸な少年達の人生再建には、却々多くの困難が伴ふものであらう。

幼稚園の衛生問題に就て（一）

文部省體育官　大西永次郎

一、はしがき

幼稚園幼兒を對象とする敎育施設の衛生については、今日未だはつきりした見通がついてゐない、文部省體育課においても指導精神はあるけれども指導すべき具體案が定まつてゐないといふ狀態である。小學校の衛生施設については既に色々細かな點まで注意を拂ひ、小學校令に半然と規定せられてゐるが、これは國民發育の見地から當然さうあるべきで、幼稚園衛生施設に至つては、なほ將來に俟たなければならないのである。併しながら、彼の五・六歳の幼兒を保育する幼稚園においては、保育の方針として勿論幼兒の身體を基礎にその發育を助け、健康を養護するといふことが非常に大なる部門であると思ふのである。斯かる意味からいへば、現在小學校或はそれ以上の學校でやつてゐる色々の衛生上の問題が當然幼稚園にも擴充さるべきものではないかと思ふ。

二、幼稚園醫、幼稚園齒科醫

今日文部省の規程で幼稚園の衛生につき具體的に規定されてあるのは、幼稚園に園醫を置くと勅令で定められてあることである。幼稚園が公立たると私立たるとをとはず、またその規模の大なると小なるとをとはず、幼稚園と名のつく處には必ず醫師たる園醫が一人宛囑託されてゐることゝ思ふ。園醫の外に、幼稚園齒科醫令が同じく勅令で規定されてゐる。幼稚園齒科醫の方は、色々の關係で今日のところ各幼稚園に必ず置くといふことには規定されてゐない。しかし都會地の幼稚園ではだん〳〵齒科醫を囑託する傾向にあることはいふまでもない。この幼稚園に幼稚園醫、幼稚園齒科醫を置くといふことを勅令によつて定められてあるのは、國家の保育方針として大いに幼稚園幼兒の身體を重要視するといふ意味がはつきりしてゐるわけである。幼稚園における保育事業に携はる方が、この幼稚園醫、幼稚園齒科醫の方々と聯絡をとつて、專門の醫學的若くは齒科醫學的見地から幼兒の身體をよく檢査して、幼兒の身體狀況に適應した色々の體育的なり衛生なりの施設をやつて行くといふことが極めて大切である。

それから、最近では幼稚園にも保姆の外に幼稚園看護婦といつたやうな方で、主として醫學的方面の技術や、衛生養護の實務に直接從事する方が設置される傾向にある。その方は幼稚園醫若くは幼稚園齒科醫の指導の下に衛生養護の方面を擔當するといふわけである。

三、幼兒の身體檢査

幼稚園においても、やはり小學校やその他の學校と同樣に、文部省令によつて少くも毎年一回幼兒の身體檢査をやることになつてゐる。この身體檢査は無論幼稚園醫並びに幼稚園齒科醫の方が行ふのが當然である。一體この身體檢査は、幼稚園も小學校と同樣、幼兒個々の身體狀況をよく醫學的に見る必要がある、即ち一は幼兒の身體の發育方面、つまり成長發達が順調に行つてゐるかどうかを身體の外形から檢査するのである。他は幼兒の健康狀態、つまり身體の何處かに缺陷があるか、病氣があるか、それとも普通の健康體であるかなどの點を診査するのである。換言すれば、まづ發育方面としては身長は何センチあるとか、體重が何キログラムあるとかいふやうに、主として身體の外形的量的方面と、それから健康の程度とか疾病の有無とかいふやうな身體の內部的質的方面、即ち幼兒の身體の狀態を量的と質的の兩方面から醫學的に見るので、これによつて、廣い意味における幼兒の健康狀態が、具體的にはつきり現はれてくるのである。斯やうな意味で、幼稚園においては文部省で定めた規程により毎年一回一齊に身體檢査をやるのである。

この檢査によつて初めて一人一人の幼兒の發育の程度はどうか、健康の程度はどうか、更に病氣があるかないかといふことがはつきりわかつて、それに基いて幼稚園における保育の具體的方針は勿論、更に特別に衛生養護の施設を講じてやらなければならないとか、或は病氣の治療は如何にすべきか、などいふことが考へられるので

あつて、幼稚園の行事としては非常に大切に取扱はなければならない。それ故、文部省としては、省令によつて全國の公立の幼稚園たると私立の幼稚園たるとをとはず、必ずこの規程によつて身體檢査をやることになつてゐる。

ところで、この身體檢査によつて一人一人の幼兒の健康狀態がわかると、その結果として或る場合には、疾病の治療を專門醫家や專門の齒科醫の方に託さなければならぬ場合もあるが、身體檢査の本來の目的は、醫療衞生の方面よりも、むしろ幼兒の保育の上にこれを應用することにある。つまり毎日の幼兒保育の上に、一人一人の幼兒についてその發育の程度、發育の特徵を知るとか、或は健康の狀態を知つておくことが必要であり、保育の指導狀況を基礎にして具體案が計畫されるわけであるから、幼兒の身體檢査といふものは、幼稚園の保育そのものに應用するために行はれるのである。斯うした見地からすると、身體檢査に際しては、保姆の方がそれに立合つて一人一人の幼兒を裸にして發育の狀態をはつきり見ると同時に、身長や體重や胸圍などを自からの手で測定する必要がある。なほ進んで幼兒の身體の何處に缺陷があるか、疾病を有するかなどを知るためにも、一人一人を見てゐればこそ、その幼兒の將來の保育方針が確立するわけである。

斯く身體檢査は、幼稚園醫若くは幼稚園齒科醫が技術的にはこれを行ふのであるが、實際はやはり保姆の方が中心となつて檢査に關係し、或る場合には檢査の補助者としての役目を果す必要がある。また幼兒を裸にしてその身體狀況をよく見ておくことは大さう必要だといふたが、かゝる際に父兄の方にも立合つて貰ふことが、なほ一層必要であると思ふ。小學校兒童になると實際は中々さういふわけにはいかないが、幼稚園幼兒の時代にはさほどむづかしいことではない。幼兒の健康狀態を保姆が知つておくと同時に父兄の方にも知つておいて頂くといふことは極めて望ましいことである。親として自分の子の健康狀態に無關心な者はないが、それが實際問題としては、そこまで技術的に手が屆かないとか、或は事實は何ともないのに家の子は身體が弱いと考へてゐる方もあらうし、或は非常に丈夫な子だと思ふてゐても案外醫者に見て貰ふと異常のある場合のあることもある。

斯ういふことは、どうしても專門の技術者に見て貰はねばならぬのであつて、そこに身體檢査の重要性があるのではなからうかと思ふ。

四、傳染病の豫防

幼稚園は極めて小さい子が一つ處に集つて集團的生活をして居り、しかも、それらの子は各家庭から毎朝出かけて來て、午後になると別れて歸宅する、つまり各家庭から一時的に集つてはまた家庭へ歸る。毎日さういふことを繰返してゐるのであるから、若し子供に患者はなくとも、家庭に傳染病の患者があり、子供の兄弟とか、その他の家族の者に傳染性疾患でもある場合には、それが幼兒を介して幼稚園に傳染病の蔓延流行を見ることがありうるのである。斯うした見地から、これも文部省令の學校傳染病豫防規程により幼稚園でも幼兒の傳染病を豫防しなければならないのである。

學校傳染病といふのは、四類に分けてあつて、第一類は法律で定められてある謂はゆる法定傳染病である。しかし幼稚園の實際において斯かる場合に遭遇することは極めて稀のやうに思はれる。卽ち保育の實際において第一類の傳染病を取扱ふことは極めて少いのである。

次に第二類は子供に非常に多く發生する傳染病であつて、幼稚園の實際において取扱ふ場合が非常に多いと思ふ。この第二類の傳染病といふのは百日咳、麻疹、流行性感冒、水痘、風疹、流行性耳下腺炎の六つである。百日咳といふのは特異な咳をする病氣で、中々癒りにくゝ百日もかゝるといふので百日咳の名がある位で、發熱はあまりないが、特異の痙攣性の咳嗽が容易に止らない病氣である。麻疹は俗に謂ふ「はしか」で、特異の發疹が出ると同時に高熱を伴ひ、中々傳染力をもつてゐる病氣である。流行性感冒も人の輕視する割合に傳染力のあることにおいては同樣である。水痘は謂はゆる水疱瘡また は飛火といひ、特異の水疱ができて、それが直ぐ凹んで全身の皮膚に容易に傳染する。風疹は麻疹によく似てゐるが、一般に輕症で免疫性がなく幾回でも罹る。流行性耳下腺炎は謂はゆる「おたふくかぜ」で、これは一度罹ると大抵一生免疫となる。これ等の疾患は何れも小兒に特有の傳染病であつて、殊に幼稚園から小學校低學年の間に最も多いのである。例へば麻疹の幼兒が一人幼稚園に出てくると、まだ麻疹に罹つてゐない他の幼兒があるとすれば、大抵はこの幼稚園を通じて感染する、麻疹は今日の日本では、どうしても一生に一回は罹らなければならないやうになつてゐて、麻疹から完全に免かれることは中々困難である。そこで適當な時に麻疹に罹るといふことを諦めなければならない。隨つて幼稚園若くは小學校で麻疹の流行を絕對に防ぐといふことは困難であるには相違ないが、幼稚園における麻疹の流行が幼稚園幼兒を介して家庭の乳幼兒に感染する場合がある。麻疹は滿三歲以上の子供には割合に危險が少いが、滿三歲以下の子供には非常に危險であつて、死亡率も相當高い。また不幸にして幼稚園幼兒が麻疹に罹つた場合に自覺症が尠いために無理をして幼稚園に通學する場合、屢々合併症を起すことがある。卽ち麻疹性肺炎を起したり、中耳炎を起すことがあり、それ等の合併症によつて死亡するやうな場合が稀でないのである。斯かる意味において麻疹そのものを豫防し、或は麻疹そのものゝ經過を輕く濟ますといふ見地から、患兒は成るべく遠慮して通學を差控へさせる必要がある。學校傳染病豫防規程では、斯かる患兒は原則として學校に出てこれないやうになつてゐる。しかし百日咳などは中々問題であつて、全治が困難とすれば、これ等の幼兒の通學については、それこそ幼稚園醫の方と相談の上、それ〴〵決定せらるべきであらうと思ふ。流行性耳下腺炎などでも傳染性の强いもので容易に子供から子供に感染するものである。

要するに、これ等の傳染病は子供に多い病氣であるから、子供が多人數一つ處に集つてゐる幼稚園小學校などでは嚴格に健康兒の中に一名もかゝる患兒が存在しないやうにするといふのが、本規程の原則でめる。第三類、第四類の傳染病のことは省略する。

小兒科
高洲病院
大阪兒童愛護聯盟理事
院長　醫學博士　肥爪貫三郎
顧問　醫學博士　高洲謙一郎
大阪市南區北桃谷町三五
(市電上本町二丁目交叉點西)
電話東一一三一・五八五三・五九一三番

新生兒哺育法について

醫學博士　岡田春樹

近來社會衞生は凡ゆる方面で關心を持たれる樣になり、國民體位向上、豫防醫學等に關して殊に喧しく唱えらるゝに至りました。之れがため諸種の衞生施設を計畫し、榮養食を指導奬勵したりして一般體育保健のため色々と刷新改良が行はれてゐます。其他疾病を未然に防止するためチブス、ヂフテリアーアナトキシン、百日咳ワクチン等の豫防注射等も擴く市町村で施行せられてゐます。又醫療費の無い方々のため無料診療所等が各所に設けられて治療に從事してゐます。

然し乍ら是等の衞生機關は些か統制を缺き或は重複して其の根本問題に觸れてゐない嫌ひがないでもありません。故に政府では新たに保健省設置と云ふ運びになつたのであります。つら〳〵考へますに國力の充實とか國民體力の向上とかは健全なる第二國民を育成するのが先決問題であります、健全なる第二國民を育成するためには先づ姙婦、出產並びに新生兒の問題から解決すべきであると存じます。

如何に機械力が發達しても人間が不足ではどうにもなりません。又生れ出づる乳兒が虛弱では成人することも覺束ないし、又成人しても病氣勝ちでは御國の役に立つわけには參りません。ドイツ、イタリー等の先進國に於きましては夙に此の點に着眼して國家で多大の援助をして生めよ殖せよと奬勵して居ります。我國も早く此等の問題に留意せられて國民體位向上の第一步とすべきであると思ひます。

卽ち姙婦の健康相談、疾病治療、產院の設備、新生兒

流感・肺炎・百日咳等・特効

吸入藥 カシピロン

合理的吸入療法と其効果ある理由

本品は上圖の如く普通の吸入器で之を吸入して呼吸器直接に作用す、芳香爽快にして、毫も副作用なし

一、せきの出る神經に作用して咳を止め、又痰を溶解して容易く祛痰の効を奏す。

一、心臟を强め抗病力を增進し且つ肺炎、氣管支炎等の炎症を治する効ありて全快を早む。

一、解熱作用あり、即ち體熱中樞を刺戟して發熱を抑制し又殺菌力あり。

適應症 感冒、肺炎、氣管支炎等の急性病は勿論麻疹、百日咳等の小兒獨特の病に特効あり又肺結核、喘息等の鎮咳、祛痰に適應す

前第四師團軍醫部長 英陸軍々醫監
大阪市民病院小兒科長 谷口醫學博士
福井赤十字病院長 大野醫學博士
大阪府立保嬰館前館長 上村醫學博士
大阪醫科大學前敎授 辰己醫學博士
實驗 推奬

全國藥店にあり

定價 六十錢・一圓・二圓等

醜惡なる模倣、類似品あり 御注意を乞ふ

大阪市東區平野町

道修藥學研究所

日本赤十字社病院　慶應大學病院御用

テツゾール

吉本醫學博士　簡野醫學博士推奬

藥學博士　石津利作先生創製

幼兒の榮養と母體の保健

お茶を禁ぜぬ便利の鐵劑

體内造血器管を皷舞し其機能を旺盛ならしめ純血を豊富に新生し溌剌たる活力を附與す。故に

貧血の人、虚弱の人、病後の人、不眠症の人、神經衰弱の人、産婦、夏期に衰弱する人、肉體及精神過勞に適し又、登山、旅行、運動競技、試驗前後は常備、携帶の要あり。

愛兒の爲に

今迄小兒に適する鐵劑がなかつたが本品によりて初めて理想が現實したとは小兒科醫の言明である。

發育が遲れたり、虚弱であり、血色肉付わるく、夜尿をしたり、病後の小兒等弱き愛兒の榮養は美味で飲みよきテツゾールの服用に依り効果に直に母親の慈眼に映ずべし。

四週間分金貳圓八十錢　八週間分金四圓五十錢

東京日本橋區本町三丁目

發賣元　里村三治商店

各藥店 三越 松屋 松坂屋 にあり

大阪市道修町一

關西代理店　キリン商會

增量斷行

器械設備の完成と共に定價は元の儘にて二週間分を四週分に增量して常に御徳用になりました

並に乳幼兒の保育等は宜しく國家で指導統制を行ふ必要があります。大方諸賢の御一考を切望する次第であります。

次に哺育法について特に氣付いた事項を少々お話いたします。

一、新舊思想の衝突

さて私の領域といたしまして新生兒並びに乳兒哺育法でありますが、一般の方にはまだ其知識を充分にもつて居られない樣に拜見します。乳兒に與へる榮養品で新舊思想の衝突とでも申しませうかお年寄の方と若い方とでは其の見解を異に致してゐます。義理人情に從ひ、盲目的にお年寄に從ふが爲め遂々愛兒の哺育を間違つてしまふ方があります。

近代的育兒法に從ひ確固たる意志を持たれて育兒に專念さるゝことは正しいことです。

例へて申しますと昔の方はよく磨粉、重湯、煉乳等を慫慂されますが、愛兒は之がため穀粉榮養障害（或は壞血病、紫斑病、佝僂病）となり、太つた〳〵と喜んでゐる中に瘦せて來て取り返しのつかぬことになるのは屢々であります。頑健な乳兒であれば是等の榮養食でも育つ事がありますが、よく下痢をしたり、風邪を引く乳兒では甚だ危險なることは申すまでもありません。

磨粉、重湯、煉乳等の榮養價は人乳、新鮮牛乳、精製ドライミルク等の榮養價に比して、乳兒に對しては遙かに以下のものである事は皆樣の常識と思ひますから此の榮養問題に關しては省略いたします。

二、下痢に注意せよ

新生兒並に乳兒の下痢症は漫然として傍觀してゐてはなりません。下痢は覿面に水分喪失し榮養不良を來しますから放任して置くとどし〳〵體重は減退いたします。感冒、中耳炎、化膿竈のある時又は敗血症の時には特に下痢を起し易いから注意を要します。

母乳分泌旺盛なる時も屢々過剩榮養となり下痢をおこします。母乳榮養で乳兒が元氣であつても下痢のある場合は母乳を制限するとか整腸劑を飲ませるとか方法を講じなければなりません。

近來綠便をすると直ちに脚氣と云ふ人があります。乳兒脚氣は綠便位で早計に診斷さるゝものではありません。然し乍らヴイタミンBは生活必需榮養品ですから常に少量飲ませてゐて結構であります。

夏季に於ける人工榮養乳兒の下痢は直ちに消化不良症を發生しますから早期に榮養法並に處置を專門醫に相談すべきは勿論のことであります。

三、新生兒の下痢

出産後二—三週間を所謂新生兒又は初生兒と申します。此の新生兒の間は諸種の疾病に對して抵抗力の薄弱なものですから充分注意が肝要です。此の期間には一般に毎日入浴させて皮膚を清淨にし、或は皮膚刺戟を與へて新陳代謝を旺盛ならしむる樣にする習慣ですが新生兒の容態を顧慮せず無暗に入浴させる事は危險です。生後二三日してよく饑餓熱を發しますが此の時は入浴を差控へた方がよろしいし、其他すべて有熱時には入浴を禁止すべきであります。胎便の後に屢々劇しい下痢を起して來る事があります。多くの場合細菌性感染による急性腸炎でありまして膽汁又は血液を吐瀉する時は重態ですから充分心得ておく必要があります。此際早期に注意して治療すべきでありますが一般の方は甚だ無關心の樣に伺はれます。下痢から引續き次第に熱を發し、嘔吐を催す樣になつて、半月餘りも放任しておき、衰弱し切つてから始めて相談に來られる方があります。出産時體重二瓩内外の場合には下痢の影響は甚大であります。殊に早産兒に於きまして衰弱虛脫に陷つてからでは幾ら惶てゝも取り返しのつかぬものであります。新生兒に於きましては其哺乳量の減少によりましても直ちに衰弱をおこして危險となりますから特に虛弱新生兒の哺育榮養量並に便通は充分警戒しなければなりません。哺乳量の減少、下痢等のある際に入浴して過勞せしむるならば一層狀態を惡化せしむることは自明の理であります。

四、新生兒の哺乳量

虛弱新生兒に於きましては哺乳力薄弱なるため哺乳量減少し又は哺乳を中止して睡眠し、其運動不活潑となり微かに啼泣するやうになります。元來榮養物は消化器を通じて吸收されないと榮養狀態は保持出來ないものであります。故に一・五瓩乃至二・五瓩の新生兒に於きましては特に其の哺乳量の如何を注意する事が必要であります。哺乳量が充分でない時には匙、哺乳瓶、ピペット等で出來得る限り經口的に哺育、給與する樣に心掛け、或は更に取敢へず哺乳を補ひ刺戟するやうな注射をすべきであります。乳幼兒が生理的に發育を遂げるには體重一瓩につき一日一〇〇—一六〇カロリーを要します。人乳又は牛乳の一〇〇瓩は約七〇—六〇カロリーであるとされてゐます。例へば體重二瓩の新生兒の一日の哺乳量は約三〇〇—二〇〇瓩の人乳又は牛乳を要します。故に哺乳量が二〇〇瓩以下の時は充分警戒する必要があります。

飛行機もガソリンが無ければ飛べません。ガソリンが缺乏したら直に不時着して補給しなければなりません。

又ガソリンを積み過ぎても飛べぬと同樣乳兒の哺乳量も不足しても飲ませ過ぎても不可と云ふことになります。故に哺乳量は過不足なく與へなければなりません。

五、カテーテル强制榮養法

早產兒並に虛弱新生兒は以上述べた樣に生活力微弱なるため生活に必要哺乳量を飮まなくなる事があります。

如何に匙やピペットでやつても二口三口で飮む事を止め吐乳することがあります。此際注射等によりまして或は榮養を補給し或は生活力を刺戟しても充分な効果を擧げないことがあります。

從つて此の場合には早期にカテーテル强制榮養を行ふべきであります。卽ち細いネラトン氏カテーテルを胃の入口、卽ち噴門に達するやう挿入して强制的に人乳又は牛乳を注入するのであります。一回に三〇―四〇竓宛を强制注入して必要な榮養物を腸管に補給して置きます。其の中に體力は次第に恢復して哺乳力がついて來ます。充分哺乳するやうになれば其から先の治療法は比較的容易に出來ます。

數年前より我國に於きましても早產兒並に虛弱新生兒に强制榮養を行ふ樣になりましてから、之等の死亡率は在來の夫に比較して激減するに到りました。卽ち體重二瓩乃至二・五瓩の早產兒の一年後に於ける死亡率は三三・五%とされてゐましたが、以上の强制榮養並びに保溫並びに注射等が工夫さるゝやうになりましてからは、其の死亡率は約三分の一に減少いたしました。月足らずの小さい子供も必ずしも悲觀するに當らないので有りまして、以上の諸點に御注意さるれば、あたら命を失はずに濟むわけであります。

（十二、七、一）

どんな人に……どのヴィタミンが良いか

ヴィタミンの知識

種類	含有物	性質	作用	どんな人に良い	製品と用量
A	肝油	油に溶け酸に弱い	皮膚と粘膜を外來の病菌感染から防禦する	呼吸器の弱い人發育期の兒童妊婦、授乳婦	ハリバ 大人一日量四粒 小兒一日量二粒
B	酵母	水に溶けアルカリに弱い	米飯の榮養化を助け食慾、消化促進を整へる	胃腸の弱い人脚氣、運動過勞、食慾不振	エビオス錠 大人一日量三〇錠 小兒一日量一〇錠
C	レモン	水に溶け熱に弱い	血流を良くし體內病菌の發作用を和らげる	人工榮養の乳兒、老人、傳染病高熱病の人	アスコル末 大人一日量六瓦 小兒一日量三瓦
D	肝油	油に溶け酸に弱い	カルシウムと燐の歯牙化と骨格化とを助ける	呼吸器の弱い人發育期の兒童妊婦、授乳婦	ハリバ 大人一日量四粒 小兒一日量二粒

劣等兒の多くは環境と肉體の影響

普通劣等兒といふのは、小學校の成績が標準以下のものを指していふことですが、かういふこどもが義務教育の尋常六年を終了するまでに、どれだけの知識が得られるかといふことは、大人になつてからの社會生活と密接な關係があるだけに敎育上重大な問題とされてゐます、これについて最近日大の柳田重久氏が大變興味ある研究を行ひました。

柳田氏のはいろ〳〵な知識のうち、特に讀方の能力を東京市內の小學校尋常六年生につき、成績の惡いもの約一割を選んで、漢字を讀む力と漢字を書く力をテストしたのです。

その結果は、平均して尋常一年を終了した程度の知識であり、また語句の解釋や文章の理解力は大體三年終了程度で、結局その綜合した讀方能力は尋常二年を終了した程度だといふ成績が現れたのです。◇

どうして人並に六ヶ年間も教育を受けながら尋常二年を終了した程度にしか達しないか、これらのものゝ智能指數を調べてみますと、大部分のものは普通以下で、これが成績の惡い重大な因子であることは分りますが、しかし劣等兒の中からは普通の智能指數を持つてゐるものが二五パーセントも發見されてゐます、そこに劣等兒の原因として智能以外の作用が考へられることゝなります。◇

では何がその原因であるか、柳田氏は環境と身體的の影響にこれを置いてゐます、卽ちかういふ劣等兒の環境を調べて見ると、家が貧困であるとか、家族の數が多いとか、兩親の教養が低いとかいふものが非常に多い。

家族數を例にあげると、兄弟の數は平均五人となつてゐます、また職業の關係では職工、職人の階級が總數の四〇パーセントに達してゐます、つぎに身體的の影響としては眼や耳に障害があつたり、全身の發育が不良だつたりするものが多く、性格的には心性が粗大で怠け性で學習に興味を持たぬもの內氣なものなどが多い。結局さうしたことが、智能が普通でありながら成績を劣等にする原因になつてゐるのではなからうかといふわけです。◇

そこで問題は、かういふ劣等兒に對してはどう處置すべきか、これは教育者のみならず、家庭の父兄にとつても大切な問題ですが、これには個人々々に適應する治療的教育を施すことが必要です、それにはこどもが興味をもちまたこどもが本當に必要とする事を利用して、自發的に學習させるのが一番よい方法です。

例へばかういふ劣等兒の課外讀物を調べて見ると、子供の雜誌やマンガ、講談本などに興味を持つて讀んでゐるものが非常に多いが、適切な課外讀物などによつて學習させることは大變結構で、實をいふと劣等兒が尋常二年終了程度の成績をあげてゐるのも、この課外讀物のためだと見てよい。

そして一方では、かういふこどものために小學校では新しい教授要目をつくり、補助學級、促進學級を增設する必要があると同氏は結論してゐます。

お產前後の注意

大阪市立今宮乳兒院長
醫學博士　野須新一

お產の時の心得

分娩の際及び分娩直後に必要な準備に就て記述する。

（一）嬰兒及產婦用の衣類　赤ん坊に着せる衣服や襁褓などで直接皮膚に觸れる布は白い柔い木綿が良い。毛織物や絹物は用ひぬがよい。又衣服はごく寬く大きく仕立て、餘り厚着させぬ樣にせねばならぬ。產婦の產衣は淸潔な單衣の寬濶なのが良い。分娩時は發汗强く熱いから厚着は害がある。且羊水や惡露等で汚染されるから裾を折り揚げ、冬季などには必ず「フランネル」等の寬い分娩用股引を準備する必要がある。尙分娩が終了したならば、淸潔な乾いた他の寬い衣服に換へる準備を要する。

（二）產　床　室が廣ければ中央に置き、狹き室なれば枕を壁に接して足の方を廣くし、且つ最も明るい方に向はして三方から產婦に近づける樣にする。產床は寧ろ硬くして淸潔なるを良しとす。柔くして厚い立派な布團は却て不便である。尙布團の上には護謨布、又は桐油紙を敷き、更に其の上に淸潔な敷布を敷く。尙腰部には片側全面に油紙を縫着けた薄い布團を入れて、其上に更に淸潔な脫脂綿及び「ガーゼ」の數層を置いて分娩時の流出物を吸收させ分娩後は腰部に敷いた薄い布團に汚物を凡て包んで處置すれば便利である。

（三）產　室　餘り狹くては不可ぬ。尙閑靜で淸潔な明るい部屋を撰ばねばならぬ。又夜間は充分に照明を足端に近く準備する。室溫は攝氏二十一度（華氏七十度）內外とし、空氣の流通を良くし換氣に注意せねばならぬ。然し隙間風は防がねば風邪を引かせる懼れがある。又室內には不要の器具或は惡臭あるものを置かず。出來れば副室或は椽側に一切の必要品を置き、殊に湯水等を直ちに得られる樣に準備する。尙產室へは醫師、產婆、看護婦及び產婦近親婦人一名以外の外は成る可く入らざるを可とする。

（四）產　位　分娩時に產婦の取るべき身體の位置は昔から各地の風習により色々の方式が用ひられたけれ共現今專ら用ひられる位置は仰臥位と側臥位である。

（イ）仰臥位とは平に仰に臥し兩足の股と膝とは屈して膝を立てた位置であつて、本來は之を臀背位と云ふて居る。此臥位は最も良く用ひられ色々の點で都合が良い。

（ロ）側臥位横に寢る位置であるが之は分娩介助に際し色々の不便を伴ふ、特別な場合に用ひられる。

（五）產家の準備すべき分娩器具　（イ）手洗鉢三個（二個には溫湯を入れ一個には消毒液を容る）。（ロ）腰枕と言つて分娩時臀部と臥床との間に隙を作つて分娩を介助し、便器を挿入するに便ならしむる爲に腰の下へ枕を挿入するのである。此爲に座布團などを細く卷いて更に之を淸潔な布片で卷くなどして作る。此の枕の高さ等は產婆などが場合に應じて作るから產家は其の材料だけの準備をして置けば良い。（ハ）氷嚢及氷、此は分娩後に子宮の收縮を促す爲に下腹壁上に貼付するものである。（ニ）差込便器。一端が薄くなつて臀下に挿入するに便利な便器である。（ホ）嬰兒の浴槽。桶又は大なる洗面器及び沐浴用大タオル。（ヘ）產婦の飮料及び飮料容器。吸吞と稱し細長い口の附ける容器と番茶及葡萄酒、氷、鷄卵等。（ト）多量の熱湯と冷湯及冷水。此の內冷湯とは一度沸騰させた熱湯を他器に移さず其儘固く蓋をした儘冷却したものであつて冷却した時も無菌であることを必要とする。卽ち使用時には熱湯中へ此の冷湯を混ぜて手など消毒に使用するのである。然し之れを作る事が困難な時には熱湯に冷水を混ぜ其中へ消毒液を加へて使用することも出來る。湯は消毒用のみならず嬰兒の沐浴などにも多量に必要であるから大きい釜で沸す必要がある。

以上の他に必要なる物は尙多數にあるけれども之等は產婆や醫師が持參する筈であるから產家には準備する必要はない。

產後に就ての心得

產後約一ケ月乃至一ケ月半は姙娠及分娩による疲勞を回復する大切なる時期であるから此間特に產後二週間は周到なる注意を要する。又姙娠中並に分娩中に病氣（腎臟病、脚氣、肺尖加答留症等）のあつた婦人は產後の療養を一層注意せねばならぬ。

(一)褥床は清潔にして汚辱せる敷布等は速かに代へ、被覆は清潔、柔軟、且保温に適するものを撰ぶ。然し褥婦は發汗し易いから徒に重ねては害があり。尚餘り重い被布團は腹壁を壓して恢復を害する。

(二)褥衣、寛濶、温暖でなるべく白色の物を用ふれば清潔を保ち易い、殊に惡露の汚染せるものは速かに取り換へねばならぬ。尚乳房、及腹部を冷さぬ樣にせねばならぬ。

(三)腹帶を用ひること。通例は産後第八週までは廢めぬことです。

(四)食物、一般に刺戟性の或は興奮性の香味料や、濃い茶、コーヒ、及び「アルコール」性の飲料消化不良性の食物、又は脂肪の多いものは禁ずる。

(五)便通、褥婦は概して便秘の傾向を有するから、産褥第三日迄に自然便通の無い時は石鹼、又は「リスリン」水を以て浣腸をする、其の後は緩和下劑を以て毎日又は一日おきに一回の便通を計る。下劑の使用は醫師の指導によらねばならぬ。

(六)精神の安靜。褥婦の精神作用は甚だ不安で感動し易いから、總て精神の興奮を來す事柄は少くとも産後一週間は避けねばならぬ。例へば

(イ) 産褥婦の部屋へ多人數の訪問

(ロ) 家事に關する心配事

(ハ) 讀書

(七)入浴、褥婦の入浴は分娩時に出來た創傷が完全に治癒した後にせねばならぬ從つて産後早くとも二週間多くは三週間後に入浴する。

(八)床離れは早過ぎてはなりませぬ。産後は心身共に最も安靜にたもち七日目位から經過よくばしばらくの間座り、十日目頃から立ち始め、一、二時間づゝ床を離れ次第に其の時間を長くし二三週間後に全く床を離れてよろしい。

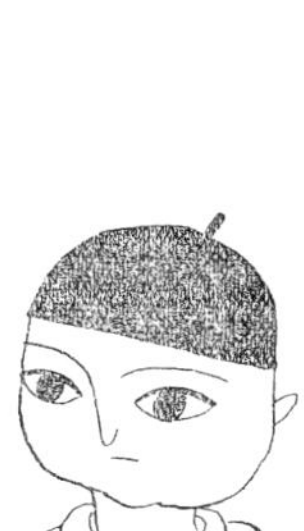

都會の子供

谷川多喜子

インテリの家庭や行届いた幼稚園などで「うちでは子供に就寢前には必ず齒を磨かせます、食前には手を洗はせます」といふ風に標榜してゐられるのをこの頃よくきく。

ところが田舍の子供と都會の子供とを比較してみると、齒も磨いたこともなく、手も洗つたことのない田舍の子供の方が、齒も磨き手も洗ふ都會の子供より遙に虫齒も少く、傳染病も少いといふ統計が出てゐるのださうである。これはなか〳〵面白いことだと思ふ。勿論、田舍の子供より都會の子供の方が甘い菓子を多く食べるとか、病氣の傳染にしても都會だけにいろ〳〵複雜な仲立があるとか、さういふ直接な原因はあるだらうが、齒を磨いたり手を洗つたりすることが實際の子供の健康に效果の擧つてゐないことは否むことのできない事實である。

つまり齒を磨いたり手を洗つたりしてゐるのは形式でほんとには洗つてゐないことになるのである。

「さあみなさん、お手洗ひですよ。」

子供たちは一齊に水道のまはりに群がる。

二月といへば水道の水も凍らんばかりの寒さである。おまけに大勢の子供が一つの水道口にたかまるのであるから、手がぬれたかぬれない程度の形式である。

これで「手は洗はせてゐます」と自他共に安心してゐるのであつたら、もはや「おまじない」と同じである。

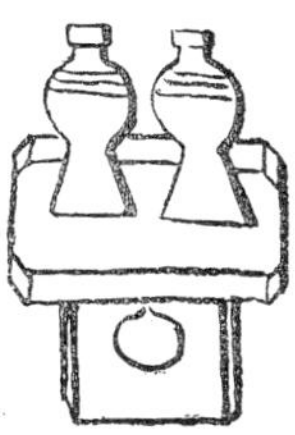

演講

結婚の醫學的條件(二)

醫學博士 土肥 衞

3 結婚が動機となつて身體を弱め易い

次に結婚と云ふものは身體にも精神にも一大變動を來すもので男子はお婿さんらしくする位の事で大した影響はないが、女は結婚が動機となつて病氣になる者が少くありません。昨日までは御孃さんで飛んだり跳たり比較的自由の生活をなし、運動も充分出來て居たものが、一度び結婚したら其日から起居動作にも奥樣らしく氣を附ねばならず、氣心の判つてない舅、姑、小舅に仕へ御機嫌を損ぜぬ樣にせねばならず、一生を託する夫の氣心も充分に判らず、如何にしたら夫に氣に入らるゝか愛して貰へるか、其等の氣苦勞は一通りではない。夜は舅姑よりも後に、又夫を寢させて蒲團をきせかけ四隅をおさへ其れから靴下のつくろひ等して一番後から寢ねばならず、朝は一番先きに起きて茶を沸したり食事の用意をしたり、寢亂れ髮や剝げた化粧を夫に見られぬ樣に、夫が起きる前に髮も結ひ直し化粧も濟して置かねばならず、自然睡眠不足となる。魚一尾買つても頭のうまい處は御婿さんに、中程の肉の多い處を舅姑に、其次を小姑にあげねばならず(笑聲)、そんな事で下手に切ると尻尾の先きが自分の口に這入るか這入らない事になる。其處で榮養不足となります。舅姑に留守番させて家の用事は放て置いて、若い二人が登山やハイキングに出かけると云ふ譯にも行かず運動が不足致します。だから嫁入り前は膝が山の樣に盛り上る位に肥えて居たものも、嫁入して暫くすると足が瘠せて膝がペシヤンコになる。かくして豫て引込んで居た結核等がボツ〳〵頭を上げ、『娘時代は達者な子だつたがなー』と云ふ樣な事になります。

扨て妊娠すると、惡阻でゲー〳〵吐かなければならぬ(笑聲)、平時好きだつたものは見るも厭と云ふ樣になり、結局收入が減つて支出ばかりとなるから身體が衰弱するだから結核を持つて居るものが妊娠すると七八十％までも病が進むと云ふ結果になります。幸に無事に妊娠を經過しても軈てお産をせねばならぬ。此お産が又婦人に取つて大仕事です、陣痛と云ふ痛みを堪えねばならぬ、隨分つらいものです。痛みの烈しい時は障子の棧が見えなくなる相です。いざ子供が出る時は青竹でも握り割る程の力を出して氣張らねばならぬと申します。やつと子供が生るゝと同時に二百から三百瓦の大切な血液を失ひ貧血や、局部に傷が出來ます、是等妊娠と出産との爲に出來た身體の變化は産後少くとも五十日は養生せぬと恢復致しません。其處で又潜んで居る結核が頭を上げます。

其れのみならず更に出來た子を育てなければならぬ。サー赤ん坊を育てる爲めには夜中も起て乳を哺せねばならず、度々起てお襁褓を取換てやらねばならず、お母さんが眼を醒すのが遲いとギヤー〳〵泣き出す、子供が泣くと『泣かすな喧しい！』と婿さんから叱られる(笑聲)と云ふ風で、睡眠が不足します。だから子供を産むと其れまでは隨分氣の張つて居た婦人でも、晝でも乳を哺ませながらコクリ〳〵と居眠りをして居ます。滋養物は喰べても乳になつて子供に吸はれるので榮養は衰へ、其處に子供が病氣でもすると自分が病氣した以上に心配すると云ふ具合で、妊娠中無事だつた者も産後になつて俄に結核病となつて生命を失ふ者が澤山ある。殊に子供を産むのが一度で濟めばまだしも、五人六人一ダースとだんだん子供を澤山産み、動もすれば一年に二人産んだり、一度に双兒や三つ兒を産んだりするから(笑聲)餘程身體が丈夫でないと結婚して健康を保つて行く事は出來ません。

處が世間では結婚を急ぎ結婚したら達者になるだらうなどゝ、弱い者を丈夫にする心持で嫁入らす親もある。一旦婚約して結納の取交せも濟した後に病氣にかゝりなどして延々になると、折角定めた事であり、人樣から御祝まで頂いてあるのに、斯く結婚式が延々になつては世間體が見苦しいから、後は養生はするとして、式の時丈け座つて居れば宜いから式を濟ませやうと擧式を急ぐ人があります。又肺炎加答兒や肋膜炎等に罹り未だ恢復し

て居ないので、今結婚させたら身體に障りますから、一二年延して空氣の良い處で靜養させ、充分健康が恢復してから結婚させては如何ですかと忠告しても、必ず治ればよいが萬一治らずに死にでもすると、可哀相に人の爲すべき事も知らず一代を終らせる事になるから、寧ろ運は天に任せて結婚させたら、萬一死んでも人生に經驗すべき事を經驗した上の事だから心殘りが少ないなど〻云つて結婚さす親達もある。是等は實に間違つた話で遺憾に思ひます。か〻る場合は少くとも充分養生して、醫者が診斷して是なら結婚しても身體に障る事はないと云ふ證言を得てからせねばなりません。

殊に**花柳病**、黴毒の如きは結婚に依つて夫婦間に感染し、花嫁や花婿の鼻が落ちるのみならず、姙娠すると母の血液の中に居る黴菌は胎内の兒に移り行き、遺傳黴毒の爲めに兒は死んで流產や早產をします。夫婦間に黴毒があると其七八十%まで兒は姙娠中に死亡します。幸に生きて生れても遺傳黴毒の徵候を具へて居り、仲々生育し難い。例之生育しても低能兒か啞か聾になるものが多く子々孫々にまで累を及ぼします。又淋疾に罹つた男子が養生して治つたと思つて結婚しますと、其病毒はまだ殘つて居て忽ち妻君に感染する。淋疾は慢性になると本人はモー充分治つたと思ふものです。これは免疫の關係であつて、段々日が經つ間に膿も出なくなり、痛みもなくなり、何ともないやうになる。（つゞく）

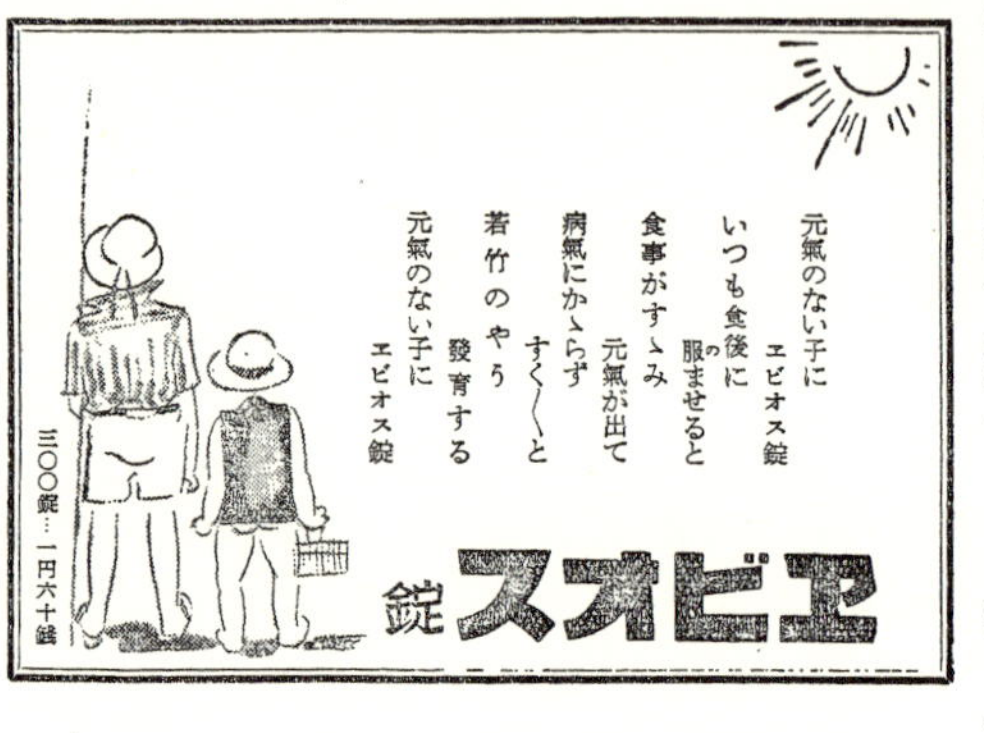

常春の父母

納　秀子

よしえやしこの世のかりの契より末長く結ぶ常春の父母
かりそめの姑と嫁とのゑにしながらかく嘆かひの深き日つゞく
肅然と襟を重ねて夏風の吹くがまにまに御墓へいそぐ
折くれの御手御足生くる日はかりそめならず尊き御母
ありし日の世にも愛でたき御笑顏初夏の空にまぼろしと見る
あの世にてふかくよろこび在するや逝き御父といまゆける母と
この世なる大日輪の光隕ついま常暗の骨壺の上
小豆島夏の朝霧けぶりみゆわが父母の奧津城の下
朗たけきおんなきがらの髮を梳き衣をかへまつる初夏の夜半
心ふるへ花の落ちしも袖に抱くましてや尊しかなし母はも

白き百合海より這ひて吹く風に涙してゆるるおん母の墓
はるかなるむかしの父と母上といまぞ相逢ふ奧津城のうち
夏山のみどりをわけて啼きしきる鳥のともしさ奧津城どころ

×　×　×　×

黑すめるゼラニアムなり緋紅いろのむかしをいまになすよしもなき
ゼラニアム髮にかざしてやゝ笑めるこの吾は誰れ溫室の戀
生毛をばみどりにそめてゆれ泣くやうまれぬ吾子とアスパラカスと
七月は水に咲く花ゆらゆらにみやこ乙女のうつくしきかな
音もなく草より飛びし山兎あなやと轉ぶ七月の旅
猫と遊び犬とたわむれ七月の子等の聲なきのちの母はも
朝露は足の小指に玉とちりこゝろ淸らに七月となる
うすものゝそでをかへしてふく風に戀のかをりす夜の銀座は
花びらの一ひらごとにかくことば戀と涙とまたの遇ふ日と

溢るゝ感謝の聲（育兒ページ）

神經質で病弱だつた子が 見事オール九州赤ちゃん大會に 榮冠輝く特等賞に!!

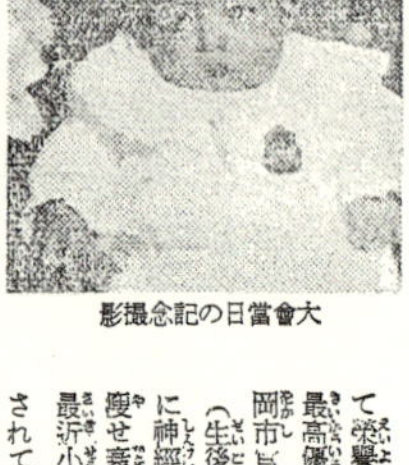
大會當日の記念撮影

去る五月十六日、福岡日日新聞社主催の下にオール九州赤ちゃん審査會が盛大に擧行された事は、國民體位低下の喧傳される折柄、洵に喜ばしい企てとして識者間の好評の的となつて居りますが、同審査會に於て榮譽に輝く一等入選者四十餘名の中から最高優良兒として、特等賞を授與された福岡市宮内町武田準吉さんの赤ちゃん、幸信（生後百三日）さんは、生れつきひ弱の上に神經質で夜泣きがひどく、身體が次第に瘦せ衰へて行くのに心配された御兩親が、最近小兒の諸病と發育に確かな藥效を稱讃されてゐる「慈童」を知つて服用させ初めて以來、ミル〳〵裡に丈夫になり服用後二ケ月位で、特等授賞を得られる程の健康兒になられたのです。

病弱なお子樣にお惱みの世のお母樣方のために少しでも貢獻出來たならと、お寫眞と一緒に禮狀を寄せられました。謹んでお寫眞を掲げさせて戴きました。胸に輝いてゐるのは特賞恩賜記念巾着型メタルです。

貧血で瘦せ衰へ 恐怖性の子が丈夫に

釜山府谷町二丁目　河　虎龍

貧血質にて顏色が蒼ざめ、身體が虛弱し且つ極度の恐怖性なり前記の樣な弱い子供で、色々な榮養劑等を服用せしめたが、何等効果を見なかつたが或藥局主から『慈童』の服用をすゝめられたので早速服用せしめてから約二十日餘り連用しました處、近頃顏に血色を帶びて來たのが見える程元氣になりますので、成程之はと思ひ三人の子供に皆服用させて居りますので、今更乍ら『慈童』御製劑になつた貴社に對して、感謝の外はありません第二國民の健康增進上、必要缺く可からざる良劑として、誠に推奬に價す。（原文のまゝ七月六日受付）

育たぬと諦めた病弱の子が 慈童で助かつたのも佛の手引

岐阜縣不破郡岩手村 長正寺住職 土井鐵司

拜啓、貴社益々御清榮奉賀候扨、小生次男跡融こと（本年三歳）昨年七月大病にて危き命を取止め其後發育不良にて主治醫大垣市山本先生の御指導の下に一意養生仕り候て、病氣は全快仕り候へ共はかぐしく育たず、一家は暗のドン底に毎日嘆き悲しみ居り候。病狀は疳虫にて夜はヒキツケ、晝は怒りつぽく一寸しても熱が出て其上下痢を致し、誠に誠にヤセ衰へ最早死を覺悟致し居り候處、計らずも婦人倶樂部六月號四七四頁の「慈童」の廣告を見、早お送り願ひ服用致させ候處が二圓分半分程使用の處にてニコニコ笑ひ這ひ出し元氣餓に出で來り、誠に佛の御手引と一家を擧げ喜びの光明に照され其後垂井町の北島藥店にてお取次を願ひ、三瓶使用の結果ムクくと肥り、障子を傳ひ走り廻り昨日の疳虫やヒキツケも何處へやら消し飛んで了ひ、一家は幸福その物に有之候。

これも一重に貴藥のお蔭と喜び會ふ人每に宣傳致し居り候（六月二十四日受付原文のまゝ）

劃期的小兒藥の發明

この素晴しい治驗成績を擧げてゐる小兒藥「慈童」は、從來の藥理的根據の薄弱な一時的姑息的な對症療法のみ多かつた小兒藥界に劃期的發明として驚嘆されて居る小兒藥です。

即ちその主成分とされてゐる皇漢藥エレキシール、特殊カルシウム、ヨード、燐、タンニン其他小兒の發育成長に必須の諸榮養素と治療劑が綜合的に作用して、治病を促進する許りか身體の芯から健康にする美味しいシロップ劑の小兒藥です。目下至る所で大評判です。早速御試用になりたい方へは本誌愛讀者と書いて大木合名會社へ御申込みあれば一名樣一回限り先着五百名樣へ試藥と詳しい說明書を無代進呈致します

ジドウ
慈童

〔慈童〕は小兒科のお醫者樣、やさしい親切な名醫です。赤ちゃんの病氣は先づ慈童先生におかゝり下さい。

こんな時トテモよく効く
消化不良、偏食、かん、むし、ひきつけ、ね小便、夜泣き、虛弱質、貧血症、恐怖症

定價
六五瓦入 一圓
一四〇瓦入 二圓
二二〇瓦入 三圓
四〇〇瓦入 五圓
送料（内地十五錢 滿鮮四十二錢）

大木合名會社
東京市神田區鍛治町
振替東京五四〇番

名作曲家の列傳（五の二）

ヴルフガンク・モツアルト Wolfgang Amadeus Mozart

秋保孝藏

彼等が羅馬に入京した時は受難週に當つてゐて、全市は擧つて嚴肅な雰圍氣に充たされてゐた。一日聖ペテロ寺院の集會に列した。父はこの寺院の寶物などを說明しながらシステン會堂に入つた。ミケロ・アンゼロの有名な『最後の審判』の壁畫があるのも此處で、又伊太利の作曲家アレグリのミセレレが演奏されたのも此處である。この音樂はこの會堂以外では絕對に演奏することを許されない。樂才モツアルトに取つては到底無關心で通過される處ではない。憧憬の世界、思慕の境域であつた。今回の旅行中彼はこれを一番樂みにしてゐたのである。これはテネブレ（暗黑）といふ禮拜式の後に演ぜられる奏樂であつて、禮拜の終る頃聖壇の六本の蠟燭は次から次へと消えて行く。そして最後の一本が消え落ちる頃、この奏樂が始るのである。殆ど眞の闇にならうとする時、靜かな重々しい肉聲の交代歌唱が滿堂に響き渡る。間もなくその響は靜かに、また靜かに闇のうちに消えて行く。聽衆の幽かな呼吸さへ、この靜寂を破りやしないかと氣遣はれるくらゐ森嚴なものであつた。やがて哀願するやうな靜かな交唱を以て堂內の空氣が再び震動を始める。と次第にその音響が高まる。滿堂ために搖ぐかと思はるゝ程、深い強い樂音を以て充たされるのである。

親子二人は感動の餘無言で宿舍へ歸つた。十四歲の少年モツアルトの若い心に受けた印象は、極度の亢奮と變じ床に就いても寢つかれない。靜かに起上つて燈火を點

じ、ペンと五線紙とを取出して熱心に記憶のままを書下した。夜は明けた。音譜を以て染められた五線紙の上に兩腕を組みながら、綺麗な頭を俯せて寢てゐるのを發見された。

翌日は受難の金曜日であつた。其日もミセレレが繰返される筈になつてゐる。彼は帽子の中に自分の書いたノートをしまひ込んで再び會堂に行つた。昨日と同じ演奏を聽き、自分のノートと比べて見たが、二三個所の訂正を要するのみで、殆ど完全に出來てゐたことを發見した。

この不思議な藝當が好樂家間の評判となつて、彼は羅馬に於て手厚い歡待を受けた。親子の滿足はこれに過ぎなかつた。

次にネープルスを訪問した。ある高貴な團體に請はれて彈奏した。聽衆はその技倆に驚き、これは屹度指輪の力ぢやないかと噂するので、彼は笑ひながら指輪を取りはづして以前よりもつと巧妙に彈奏した。この地の人々は一行を遇すること極めて厚く、親子が自由に用ゐるやうにと立派な馬車まで提供してくれた。

彼等が再び羅馬に歸つた時法王は爵士の稱號を與へ、ボルグナに於ては、フヰルハルモニ會の會員に推薦された。

一行はミランに到着した。此處で彼は最初の歌劇を作ることを依頼された。これは中々困難な仕事なので、鄕里の母と姉とに手紙を出してどうか成功するやうに神に祈つてくれと賴んだ程である。三個月の非常な努力によつて歌劇『ミトリダーテ』が出來上つた。一七七〇年十二月二十六日作曲家自身の指揮の下に上演された。豫期以上の成功を擧げたので、彼は近く擧げらるゝ皇室の御成婚のために歌劇を作曲するやうに依賴された。これ又非常な成功を見たのである。皇后は滿足の餘、約束の報酬の外に金時計の裏側に自分の肖像を彫つたのを彼に贈られたのである。

その後一行は久振にサルツブルヒに歸つて來た。その時は既に周圍の情況が變つてゐた。旅行中の輝かしい運命は何だか薄暗いものになつた。以前の擁護者や、朋友や、善良な大監督は留守の間に他界してしまつてゐた。彼等は無理解な次の大監督に豫期しない壓迫を蒙つた。大監督は職業的音樂家を嫌つたので、この若い天才も一向その天分を認められなかつた。それで彼は暫く靜かに作曲に從事した。齡僅に二十一歲、音樂に關するすべての方面の智識は既に此時蘊奧の域に達しゐたといふことである。作曲家としての名聲は擧つたが未だ將來進むべき道は開けさうにもなかつた。その頃生計も不如意であ

つたので、父はモツアルトを伴れて再び演奏旅行に出懸けようとしたが大監督は之を許さなかつた。仕方がないので、今度はモツアルトが母を伴れて出懸けることにした。一七七七年九月二十三日再び運命開拓の旅へと出懸けたのである。

併し今回の旅行は以前のそれとは違つて、甚だ思はしくないものであつた。ミユンニツヒでも、マンハイムでもあまり歡迎もされなかつたし、又その才能も認められなかつた。鄕里にゐる父に仕送を賴まなくてはならない有樣であつた。けれどもマンハイムでは父の知らない一つの樂みがあつた。それは音樂家ウエーベルの家族と懇意になつたことで、其家には當時十五歲のアロイシアと十四歲のコンスタンザと云ふ二人の美しい娘がゐた。度々訪問するうちに段々親しくなつて彼はアロイシアに歌曲を作つてやつたり、音樂の指導に當つたりした。若い者同志の親しい交際が熱して戀になるのは極めて自然のことである。當時窮乏のうちに在つたウエーベル家を助くるため、モツアルトはその主人と娘とを勸誘して伊太利演奏旅行の計畫を立てた。鄕里に在る父の許には其理由を告げ、途中立寄るからウエーベル父子を溫かく迎へてくれと賴んでやつた。父はこの計畫に對して全然反對で、彼の通信を手にするや否や、そんな事は中止して巴里に行つて名を擧げろと、可なり手強い勸告をしたのである。親思ひの彼は父の意に背く譯にもゆかず、涙ながらに愛する戀人に別れ、親しきウエーベル家に暇を告げて去つたのである。

巴里に行つたが彼は思はしい成功を見なかつた。奇才とまで云はれたその子が成人して同じ名聲を博すとも限らないと思つて父は多少失望した。彼と同道した母は其後重病にうち臥し一七七八年七月三日彼の腕を枕にして遂にこの世を去つた。

彼は直ちに巴里を去らうと思つた。父からも大監督が宮廷オルガニストとして五百フロリンを出すさうだから歸つて來いといつて來た。これは彼に取つて決して好ましい提言ではなかつたが、父の切なる勸告を拒みかね、サルツブルヒに歸ることにした。途中マンハイムでウエーベルの家庭を訪ひ戀人に會ふのを唯一の樂みとした。母を失ひ、職に離れた彼に取つては意中の人より他に哀傷を慰むるものはない。マンハイムに着いて見ると、ウエーベルの家族はミユンニツヒに移轉した後であつた。更にミユンニツヒに彼等を追うてその家庭を訪うた。家族は溫かな心で彼を迎へた。併し戀人アロイシアの態度には普通の挨拶以外何物もなかつた。數個月の間に彼女の心は冷却してしまつたのだ。モツアルトは失戀と失意の痛

手を負うて悄然としてサルツブルヒに歸つた。

郷里に於ては家族や舊友から非常な歡迎を受けて淋しい心を漸く慰むることが出來た。彼は大音樂家として重んぜられた。然し宮廷に於ける勤務を何としても厭だと思つた。當時彼の唯一の樂みは翌年開かれるカーニバル祭の歌劇完成のため一七八〇年十一月ミユニツヒに行くことであつた。

彼の新しい歌劇『イドメネオ』は豊かな天才的色彩を帶びて完成された。人々はその成功を疑はなかつた。一七八一年一月廿九日愈々上演されることになつた。父のレオポルドと姉のマリアネはその成功を見ようとしてミユニツヒにやつて來た。『イドメネオ』は上出來であつた。聽衆の喝采は堂も搖ぐ程であつた。父は感涙に咽びながら拍手の波打つ群衆の海を眺めて、わが子の前途は大丈夫だと心の中に叫んだ。

サルツブルヒの大監督はその配下にゐるモツアルトの非常な人氣を聞いて不快で堪まらなかつたと見え、彼に對する壓迫は益々酷烈になつて來た。モツアルトは到頭その職を去ることにした。何處までも獨立でやらうと決心した。父はその無謀を責めたけれども、『お父さん、私にサルツブルヒに歸れと決して仰しやらないで置いて下さい、どうぞ此事だけは……』と書きおくつて父の命に從はなかつた。

彼は暫くウエーベルの家庭に滯在することになつた。アロイシアは既に他に嫁してゐた。當時の作にかかる歌劇『亡命』はヴヰンナに於ても、プラーグに於ても喝采を博して高貴の人々の間に擁護者を得るに至つた。モツアルトは當時家庭を持つ必要を感じ、父の反對にも拘らず、一七八二年八月、ウエーベルの次女コンスタンザと結婚した。彼女は善良なる妻であつたが、家計上の經驗に乏しいので、とかく臺所方面の不如意を免れなかつた。

一七八七年五月二十八日彼の身の上を絶えず案じてゐた父は死んだ。それが恰度彼の歌劇『フヰガローの結婚』が上演されて、ヴヰンナ、プラーグ兩市で豪い人氣が引立つてゐる時であつた。彼の歌は町々辻々で歌はれた。當時のある人の記錄の一節に、『この時彼の「フヰガローの結婚」（Nozzi di Figaro）の勝利くらゐ豪いものはなかつた。モツアルト自身はどうかと言へば、此時彼の輝いた額は到底忘れることが出來ない。』とある。かくまで名を成しながら相變らず貧乏であつた。時には毎日の糊口にも事缺き、朋友の援助を受けたこともある。

一七八七年九月彼はプラーグにゐたが、彼の最も名高い歌劇『ドンジオヴアンニ』は此地で出來たものである。この歌劇は最初十一月二十九日までに仕上げねばならないのに、その前日二十八日になつてもまだ序曲さへ出來てゐなかつた。其夜彼は既に頭のなかに纒まつてゐたものを一生懸命書下さうとした。妻は主人の目を醒して置くやうにその側で面白い物語を聲高々と讀んだり、また彼がペンを休めるやうな場合にはやかましく注意を與へたりした。翌日の朝七時にやつと出來上つて、まだ紙面のインクが乾かないうちに練習に取りかかつたといふことである。

『ドンジオヴアンニ』の成功は非常なものであつたけれども、一家を財政上の困難から救ふには足りなかつた。その後カール・リクノスキー公にベルリン行を勸められ何か新しい道もあらうかと思つて同伴した。プロシア王は喜んで彼を迎へ、三千弗の俸給で宮廷樂隊長に雇はうとした。これには心を引かれたけれども、故國の皇帝ヨセフに對する恩義を考へてそれを斷つた。

一七九一年七月再びヴヰンナにゐて、ヴヰーデンの郊外に一劇場を有つてゐるサリエリを助けようとして、一の喜歌劇を力作中、ある日見知らぬ人が訪ねて來て、彼に是非弔魂曲（Requiem）を作つてくれと依賴して行つた。その男は自分の姓名も明さなければ、依賴主が誰であるとも言はなかつた。此不思議な依賴には少からず困らせられた。折角賴まれたのだから早速取りかかつた。然るにこの方も他に至急の依賴があつて妨げられた。それはプラーグに於けるレオポルド第二世の即位式に用ゐる歌劇を作ることであつた。その式は九月六日と定まつてゐて猶豫は出來ない。彼は直ちに待つてゐる馬車に飛乘らうとした時、例の見知らぬ人がやつて來て、依賴して置いた弔魂曲は出來たかと迫つた。彼は今急用でプラーグに行くところだから、歸るまで待つてくれと漸く斷つた。

新しい歌劇『ラクレメンツアデテト』は豫定通りに出來た。然しこれは大した稱讃を贏ち得なかつた。彼は疲勞しきつて歸つて來た。それでもやりかけた例の喜歌劇『不思議の笛』を九月三十日に仕上げた。これは上演を重ぬる毎に段々高評を博した。

最後に彼は例の弔魂曲に取りかかつたが、數個月間の過勞の結果、心身共に非常な疲勞を來たして再び起てない程になつた。彼は嘆息して妻にかう言つた、『俺は自分の爲に弔魂曲を作つてるやうなものだ。』

十二月四日の夕友人等は彼の病室に集つた。彼の望みによつて弔魂歌の音譜表は彼の手に渡された。彼は靜かに枕に倚つて起上りながら、其弔魂歌を唱はうとした。彼は最後の努力をなすには餘りに衰弱してゐた。音譜表は力なき手から落ちた。彼は無言のまま寢床の上に倒れた。數時間後、彼は奮鬪勝利の裡に不歸の客となつた。これは一七九一年十二月五日の朝である。

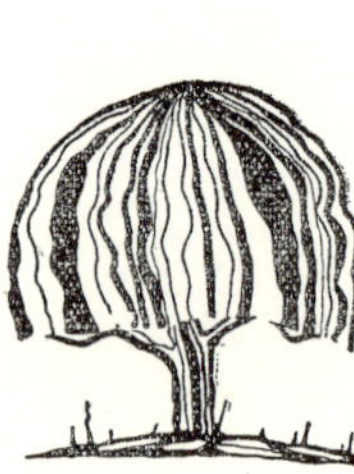

「菊の香」と「渡鳥集」

兒童に關する俳句評釋（一一）

岡本松濱

「菊の香」は風國の撰に成り、元祿十年刊行されてゐる。兒童の句は僅かに四句しか載つてゐない。

白河のささの童ならん、花うる聲のしければ

穐來ぬと桔梗刈萱賣りにけり　　風國

詞書と句と讀めば、意味は分りすぎる程はつきりとしてゐる。白河あたりの少年が、しつとりと朝露にぬれたやうな姿をして、京の町々に花を賣り歩いてゐる。賣つてゐる花は桔梗、刈萱、女郎花と云つたやうな、さながら秋を思はす花であり、それを呼んでゐる少年の聲は、爽やかに澄み切つてゐて、京の巷にもはつきりと秋が來たことを感じさすに充分である。

名月や晝見ぬ形の松が出る　　イガ少年 花幸

仲秋の名月は鏡の如く大きく明らかであつて、地上一切のものは、其の光りをうけて澄んでゐる。月光白晝の如しと云ふが、月の光りと、晝の明るさとは、全然違つてゐて、そこに映し出された物の姿、形は、多くの陰影を持つてゐて、晝見た物の感じとは自づから異るものがあるのは當然である。そこらにある凡ての樹の形、草の姿の如き、太陽の光線下にあるのと、月光の下にあるのとでは、すつかり違つて見える。斯樣に名月に照し出された樹木の形の違つてゐる場合、大人はどう云ふ表現形式をとるかと云へば、十人が十人まで、松の姿が異つて見えると云ふに極つてゐる。然るに、この句は左樣ではない。「晝見たこともない松が出た」と、大膽率直にうち出してゐる。まるで松が生物の如く躍動して描き出されてゐるのは、實に痛快であり、そこに千鈞の重みがある。大人は一旦理性の膜を透してゞなければ表現し得ないが、子供は神さまのやうなもので、思ふまゝを無遠慮に云つて退ける大勇猛心を持つてゐる。だからこの句の如く光景なり、感情なりが、羨ましいまでに活躍してゐるのである。

ひがし山の花ざかりなる比遊行しけるに、片輪車もむかししのぶばかりのそめ小袖、ぬり笠の内に髮ゆひなせる風情の今めかずして、たゞ世を恥て身を賤しくは今さらすてがたくぞ見ゆ。はやつる〳〵と獨り手を離れて走れる兒に、箔のつる龜も處々にのこり、さもよごれし產衣着せたるを先にたて、花あるかたへさあいをなしつゝ、おもむろにして行きけり。其姿なんぞ花に出るをほいさは思ふまじ。こゝろよく此兒を步ましめんがためなるべし。子をもたぬ人は此あはれはしるまじく、ひたすら感をもようし侍りぬ。佐野のつれよが妻か、朱買臣がつまにてはなからんさ、しばし行をさゝめて見過る。

笠のはのあらはれうせつ花の中　　風國

以前は相當の生活をした人であらうことは、子供に金銀の箔うつた着物を着せてゐるのを見ても、凡そは想像される。併しその箔の鶴龜は、半分は消えうせてゐる程古びたものであり、母と思はる人の染小袖も、すつかり時代のついた古めかしい物である事から、現在の境遇は甚だ不如意であつて、恐らく斯樣な花見の場所に來る氣持も起らないであらう。それは行人のけばけばしく着飾つた中に交つて、伏見勝に步いて行くのを見ても、其の氣持は察しられる。それにも拘はらず、この花の賑はひに揉まれて步くのは、たゞいとしい二人の子供に花を見せたいため、思ふまゝに東山の春色にひたらしたいためである。作者は具さにその樣子を眺め、母なる人の心持を察し、いつまでも其のうしろ姿を見送つて、花の木陰に彼女の笠の隱れたり現はれたりするのを、哀れにも奧ゆかしくも感じたのである。前書に全部說明してしまつたので、俳句は唯つけたりの輕いものにしかなつてゐない。

朝かすみ須磨をみてとる舟の上　　少年 助童

船中の旅である。中國から兵庫、大阪を志して進んでゐるのであらう。海上穩かにして風もなく、舷には僅か

にさゞ波がよせるばかりである。左の方播播の山々から、遠近に點在する村々も、一刷毛かけたやうに薄墨色にぼやけてゐる。近くの白砂青松、それもうすい絹をかぶせたやうに、ぼうと霞がかゝつてゐる。其の霞のたな引いてゐる中でも、もうこの邊は須磨の浦であると、早く も見てとつた程、濱の景色、松のたゝずまひなどが、如何にも須磨の浦らしい感じに包まれてゐたのである。「須磨をみてとる」とは巧みな言ひ現はし方である。

「渡鳥集」は去來と其の弟卯七との共撰である。去來は京都、卯七は長崎に住んでゐて、二年か三年に一度位しか顔を合してゐないが、之は或る年去來が展墓のため歸省した其の記念として編纂されたもので、寳永元年の板行である。

猫出して火燵の上のかざり哉　　小僧

去來と卯七とは打ち連れて風叩庵（長崎の人）を訪れ、其處で俳諧を催した。其の日は寒かつたので、主客皆火燵に足をさし入れ、うちくつろいで俳諧に耽つたが、たまく火燵の中に丸くなつてゐた猫が、邪魔にされて火燵の櫓の上に放り出された。それを風叩庵の小僧が目ざとく見つけて、この句をなしたのである。猫を火燵の飾りと見たのは面白い。

定まらぬ朝の曇りやきりぐす　　少女 梅

卯七の妻も、其子勝之介、梅など、みな句を作つた。卯七一家は悉く俳人である。この句は文字に現はれた通り、秋の日和の定まらず、けさは朝から曇つてゐるうつとうしさを、きりぐすに托して訴へたのである。

蜑の子のかじけて寒し磯馴松　　野明

風に馴れ、波に馴れて、一向寒さにおびえぬ漁村の子も、今朝の腹の底まで浸み渡るやうな冱寒には、さすがにかじけてしまつて、ブルく してゐたのであらう。三本五本と齒の拔けたやうに交つてゐる磯の松さへも、この場合一層强く寒さを感ぜしめる。

雪あれや舟に鷗のよりかゝり　　少年 勝之介

之も平明な句である。雪が降つて、おまけにひどい嵐まで吹いてゐる荒天である。いつもは沖遠く、或は磯波に飛び狂つてゐる鷗どもゝ、今日は舟をたよりにして、其の周圍ばかりを飛びめぐつて、中には舳に翼を休めてゐるものもあるのであらう。

雪の篠さがせどおらぬ小鳥哉　　少年 太助

小鳥が餌をあさりにも出られぬほど、ひどい大雪である。こんな日は小鳥どもは多分樹木や笹叢に居すくんで、飛ぶ力もなく弱つてゐるであらうと、雪を搔き分けて、篠の中を探し廻つたが、豫期に反して一羽も小鳥は見つからなかつた。三羽や五羽は手捕りにする積りであつたのが、一羽も居なかつたことに、いたく失望を感じたのに相違ないが、その失望は極めて明るい。少年の無邪氣な心が、はつきりと表現されてゐる。巧む心飾る心がないからである。

大風の落ちたやう也年のくれ　　島屋少年

島屋といふ家の無名の少年の句。大人も子供も、主人も召使も、男も女も、目の廻るやうな慌たゞしい年の暮の感じを、斯くは表現したのである。

破魔弓で殿様事をはじめけり　　勝之介

破魔弓は新年の床の飾りである。今も男山八幡などでは、厄除けとして一月の十五日には參詣者に破魔矢を授けてゐる。少年勝之介はこの破魔矢を見つけた嬉しさに、それを肩に負うて殿様ごつこを始めたのである。破魔矢から殿様遊びを思ひついたのは奇拔である。

鶯の來たとてだまる子ども哉　　諷竹

鶯が庭の樹にとんで來て、美しい聲で鳴いた。それを珍らしがり、嬉しがつて、今までわやく騷いでゐた子供が、俄かにだまりこんで、じつと鶯の樣子を見入つてゐる。

うぐひすの松にとまつて鳴きなをす　　勝之介

前句の續きのやうな句。庭の樹に來て鳴いてゐた鶯が今度は松の木にとまつて、改めて又美しい聲で鳴いたと云ふ句。全體が率直に出來てゐる。

馳走する身も我なれや雛の客　　梅

雛まつりは女の子の一年中の一番樂しい遊びである。近所の友達を呼び集めて、雛の前で御馳走するのであるが、自分もその客の一人となり、又主人ともなつてゐるその紛らはしい氣分を詠つたものであらう。前句のさらりとしたのに比較すれば、何處にねばりがある。

どれもかも雛の男は烏帽子哉　　勝之介

最上段の男雛と云ひ、中段左右の隨身と云ひ、下段の仕丁と云ひ、形は異つてゐるが雛段にある男は、皆烏帽子を着てゐる。その烏帽子姿を好もしくも思ひ、又そこに男としての輕い誇を感じたのでもあらう。

暗がりを蚊に取られたる小僧哉　　霜林

晝は使走りや小用に追ひ廻されて、疲れ切つた小僧はぐつたりとなつて隅の暗がりでひそかに居眠りをしてゐたのであらうが、その暗がりの安息所さへ、攻め寄せる蚊のために居たゝまらなくなつて、明るい處へ逃げ出したのである。僅かの休息さへ與へられぬ小僧勤めの哀れさに同情する。

夕立や戸板おさゆる山の中　　少年 助童

夕立が俄かに沛然として降つて來た。何か物を干してゐたのか、山中の小家の戸板が一枚表に置いてあつた。吹き募る風のために、其の戸板を谷へ吹き飛ばされさうになつたので、少年が走り寄つて力一ぱい戸板を押へてゐるのであるが、風雨もの凄くやゝもすれば自分も戸板と共に吹き飛ばされさうである。山中の少年が風雨と戰つてゐる光景であるが、戸板を飛ばされまいとする少年は、他を顧みるいとまなく、一生懸命である。

駕籠かきの待たする森の涼み哉　　梅

駕に乘つて道中をしてゐる。餘りの暑さのため、駕舁は固より、乘つてゐる客までもすつかり參つてしまつて折から見出した森の下陰に立ち寄つて、暫らく涼を納れた。客はすつかり涼しくなつて、もうそろく出かけやうと云ふので、旣に駕に乘つて用意をしてゐるのに、駕舁は返事ばかりしてゐて、一向立ち上らうとしない。一體いつまで待たすつもりか、よい加減にしたらよさゝうなものと云つた、いくらかいらく した心持である。

以上「渡鳥集」終り。

傳記小説

高橋是清（廿二）

小杉健太郎

田尻次官へこむ

それから二ケ月程後だつた。明治二十六年九月に日本銀行では職制改革が行はれたので、その機會に正社員になつたばかりの是清が、一躍支配役に引上げられ、年俸二千圓の西部支店長（馬關詰め）を命ぜられた。その時一しよに支配役格になつたものの中には、山本達雄や鶴原定吉などがゐた。

西部支店は今度始めて九州方面の金融開發のために創設されたものであるから、いろく準備のため是清はすぐ出發しなければならなかつた。それで、任命されて間もなく日本銀行の幹部に別れの挨拶に行くと、總裁秘書の三田がいきなり是清の肩を叩いて

『實は、君の來るのを待つてゐたんだ。おい高橋君、奢つてもいゝぞ。』と笑ひながら云つた。

『なんだい、唐突に……理由があれば大いに奢るさ。ハハ』

『あるとも大ありだ、いや實際だよ君、まあ聞き給へ。』

三田が一種の感激に聲をふるはしながら語りだした話は、次のやうなことであつた。

大藏次官の田尻稻次郎が、是清の正社員としての日本銀行入りに反對して、近頃、銀行界の或る有力者に、

『あんな山師を日本銀行へ入れては困る。銀行の信用にかゝはるぢやないか』と放言した。

その聽役だつた某有力者がこのことを川田總裁の耳に入れたので、嚇ッとした總裁は病中にも關はず、その翌朝早くムックリと起き上つて袴をつけ、自用車にのつて田尻次官の私邸にのりつけた。

まだ出勤前だつた次官は、何事かと思つて座敷へ招じ入れると總裁は座につくが否やお茶も飮まずに開き直つた。

『田尻さん、あんたは高橋のやうな山師を日本銀行に入れるのは不都合だ、あんな山師を入れては銀行界の信用にかゝはると仰有つたさうですが、確にさう仰有つたのですか。』

『いや、それはその……』

思ひがけない質問に、次官はちよつと口籠つて照れた笑ひを浮べた。

『確に、仰有つたでせうな。』

『あれは世間の噂を聞いたまゝに云つたまでで、決して深い意味があるわけではありません、まあいはゞその場の座興といふ程度で……』

『田尻さん』

と。改つて鋭く呼んだ。

『あなたは現在大藏次官といふ責任のある地位にをられる方だ。その方が世間の噂を信じて、かるぐしく人の一身上に關し口外せらるゝといふことは、餘り輕卒ではありませんか。』

『だから座興だと云つてるぢやありませんか。さう堅いこと云はれちや困りますな。川田さんのやうな通人にも似合はない。ハハ。』

『いや、私は眞面目に申し上げてゐるんです。』

相手が冗談にして了はふとするのを、總裁は飽まで抑へて放さなかつた。『あなたは、じぶんの言葉によつて生じた結果には、口責任をお持ちでせうな。』

『困つたね、どうも。』

『困るのは吾々の方です。あなたのやうな當路の大官が、無責任な放言をなさるからその結果、思ひもよらない身の破滅となるものゝことを、少しは考へて下さい。しかも、高橋は世間の噂のやうな人物ではありません。不肖川田が見込んで自分の銀行へ入れるには入れるだけの理由があるんです。』

『いや川田さん、わるかつた。』

『悪いと御氣づきでしたら、今度は、左様なことを云はれないやうにお願ひします。では、御免下さい。』

そのまゝ川田總裁は引きあげてきて了つた。

かう身振りまじりで熱心に話をした三田秘書は

『僕は、昨夜この話を總裁から伺つて、自分のことのやうに感激して了つてね、今朝早くから君に話さうと思つて待つてゐたんだ。高橋君、總裁は君のことをこんなに想つてゐられるんだ。おろそかに思つちやいけないよ。』

『有難う、ありがたう。』

是清は思はず三田の手を固く握つた。二人はそのまゝ影像のやうに凝乎として大きな感激に浸つてゐた。

四面楚歌の苦境から救ひだしてくれた川田氏が、どこまでも自分を庇護してくれる深い温情——この人の期待には、一身をすてても副はればならないと、是清は一層かたい決心をしたのであつた。

正金銀行へ行つて西郷從道に褒めらる

是清が日本銀行の馬關支店長となつてから俄に西部金融界の面目は一新した。當地方の銀行家は、自分の利益をうばはれるといつて始めは喜ばなかつたが、却つて西部支店によつてだんぐ便宜を得る事ができるやうになつたのと、是清の圓滑玲瓏な人德によつて、途には非常に歡迎するやうになつた。そのために九州の金融界は頓に活況を呈するに至つた。

また、日清戰爭中は範圍は狹いが、募債に、民力涵養につくした是清の功績は相當顯著であつた。

明治二十八年の八月、是清は日本銀行總會に出席のため馬關から上京した。或日、かれは總會の暇を見て川田總裁を訪問すると總裁はまだ健康を回復しないので、床の上に起き上つた。それでも、だいぶん顔色のいゝのが是清には嬉しかつた。

『高橋、丁度いゝ所へ來てくれた。君に折入つて相談したいことがあるんだ。』

『何でございませうか。』

『この間正金銀行の支配人の小泉信吉が死んだので、その後釜を決定しなければならないんだ。わしは、その後任に君を据へたいと思ふから、御苦勞でも、君ひとつ正金へ入つて大いに手腕を揮つて貰ひたいんだ。』

そして、總裁が是清に白羽の矢をたてた經緯を諄々と說明するのであつた。それによると、日本銀行は低利資金を正金銀行に融通して、わが國の貿易の發展に力を致させやうとしたが、あまり成績が擧らない。最初、低利資金を融通するときに、正金本店の支配人は、日本銀行總裁が指名するといふ條件をつけて置いたので、小泉を入れたのだが、正金内にいろぐの舊勢力が蟠つてゐるために、小泉は手腕を揮ふ餘地もなく、悶々の中に憤死して了つた。ついては、是清に快刀亂麻を斷つごとき腕前を發輝させ、その相談相手として山本達雄を平取締役として正金に入れ、かたぐ日本銀行を兼務させたいといふ總裁の意向であつた。

『銀行家としては日も淺く、未熟な私ではありますが、總裁に一身を捧げてゐるつもりですから、仰せに從つて最善をつくしてみませう。』と是清はその場で承諾した。

かれは家族を本所の家にのこし、單身、横濱へ移つて野毛の知人の二階に下宿しながら、正金へ毎日出勤するやうになつた。その頃、正金の頭取は園田孝吉、專務取締役相馬永胤、支配人には山川勇木、戸次兵吉、川島忠之助の諸氏がゐた。

是清はそれとなく探つて見ると、内部の勢力關係が非常に錯綜してゐるが、殊に相馬、戸次の二大閥が最も勢力を張つてゐた。行員達は互にかうした閥によつて結束をかため、たまぐ閥外のものが來ると、それがどんな秀才でも、重用される機會はいつまでも來ないのであつた。

まづこの弊風から打破しなければならぬと考へた是清は、直ちに人物主義の行員登用案を提出した。その結果、戸次支配人を委員長とする調査委員まで設けて大いに人事に刷新を斷行した。

すると間もなく、彼は第二段の行務擴張に歩を進めた。即ち、主なる日本商人や外國商館を得意先として吸收する方策である。これまで内地商人——例へば郵船會社や三菱造船所のやうな大會社でも、新造船及び造船材料を英國へ注文しながら、その取扱ひに少しも正金を利用してくれないのであつた。まして外人の利用は誠に寥々たるもので、これは畢竟、正金の信用が薄いからに違いない。

これでは國家的金融機關の理由がないわけだから、まづ、日本商人を得意に取りいれ、つゞいて外國商館に手を伸ばすと云ふ方針を定めた。そこで、是清は第一着として郵船會社を口說落しに出かけたのであつた。

副社長の加藤正義に面會して『どうも、こちらは冷淡だよ。』國家のために正金を利用してくれるのが當然だと思ふが……』と舊知の仲だけに遠慮なく不平をもらすと、加藤は眞面目くさつて手を振つた。

僕だつてその位の事は心得てゐるさ。しかし、うちの社員が正金と取引きするのを嫌つてるんだ。あすこへ行くと、まるでお役所氣取りだから嫌だといふのだ。そこへ行くと香上銀行やチアタ一銀行は親切で、丁寧でね。とても氣持ちよく爲替が取組めるから自然脚がそつちへ向くといふわけさ。そこは人情だよ。つまり非は君の方にあるんだ。』

『なる程さうであつたのか。今日はいゝ學問をした。ぢやこれから、充分行員に注意して態度を改めさせるから、ぜひ正金を利用してくれ給へ。送金爲替についても、外國銀行よりは十六分の一だけ勉强するから』

『うむ、そんなに君が云ふなら、今後は正金へ頼むことにしやう。うちの方だつて國家的會社だから、好んで疎外してゐたわけぢやないんだ。』

と加藤はハッキリ約束した。

これに勢ひを得た是清はつゞいて三菱の豊川良平を訪れて行つた。そして前と同じやうなことを云つて懇々と頼むと、豊川も是清とは親しい仲であつたから、彼の云ふことをよく諒解して、

『よろしい、神戸の會社の方は全部君の方へお願ひしやう。川崎造船の方も頼むことは頼むが、これまでの取引關係もあるからいま直ぐと云ふわけには行かん。しかし、これも追々君の方へ廻す事にするよ。』

とこゝろよく承諾してくれた。

かくて、内地の二會社をまづ藥籠中に收めた是清は、外國商館にも手を擴めて次第にそれにも成功したのであつた。正金銀行の業績は着々と發展して朝野の心ある人々に眼を瞠らしてゐた。

それは冀のふる日曜日であつた。是清は週末の家族訪問にでかけるために、横濱驛のプラットホームを歩いてゐると、背後から

『高橋どん、高橋どん』

と聞き覺えある太い聲がした。振向いて見ると、久しぶりに會ふ西郷從道侯が、頰鬚の間から微笑を見せながら、ツカぐと近づいて來た。

『閣下！御機嫌よろしう……』

と、懷しさの餘り叫ぶ樣な是清の大きい聲を、從道は中途で引取るやうに、グット手を握つて云つた。

『おはんの評判がえゝぞう。今日の閣議でおはんの話が出ての、正金の仕事がおかげでよくなつたといふて、みな、喜んでをつたぞ。』

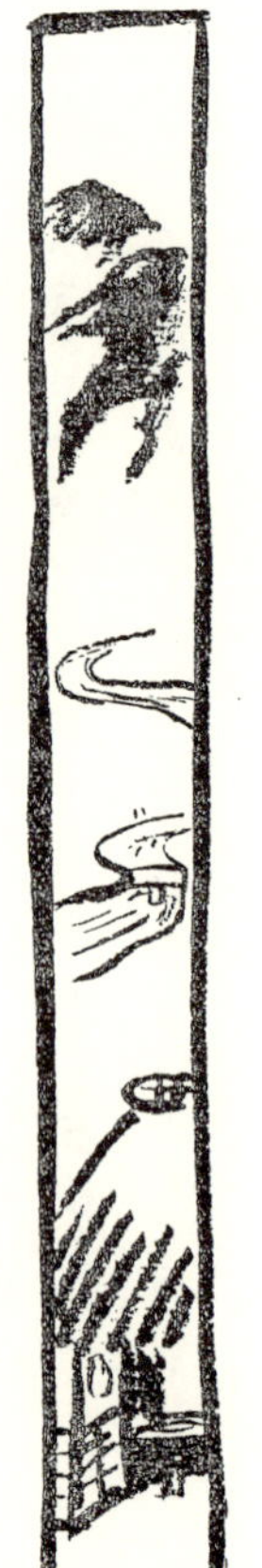

忘れられた教育（四）

塚田喜太郎

◎性教育

「私の子供は今、中學校一年生ですが、性教育について、御教えを煩はし度う存じます。それは他でもありませんが、私に時々こんな質問をしますので、何と答えてよいか困つて居ります。

一、僕は何故お父さんに似るのか。（お母さんから生れた筈だのに）

二、混血兒は、何故あんなになるのか。（母親丈けに似る筈だのに）

三、僕等は、どうして生れるのか。（出生の神祕は、實際どんなか）」

こんな手紙を或るお母さんから貰つて閉口頓首した事があります。

勿論、御當人の母親なる方には、長い手紙を書いて、私の意見も添えて、最も私の尊敬してゐる「性教育の意見」を御返事をしたのでありますが、實際上今日の教育が忘れてゐる大問題があるのは、この「性教育」の問題でありませう。敢えて天下の教育者諸君に聞き度い事は、この母親ならずとも、諸君がこの子供の質問に、明答を與え得るの自信がありや否やです。全くの處私には、其の自信がないのです。

私の母親に返事したのは、

「質問に對して、私は返事をする事が出來ませんので、そのまゝにしてゐます」

と云ふ點に對してであります。

子供の質問と云ふものは、既に諸君の御承知の通り、その場限りのものであります。即ち、大人の如く、前から準備

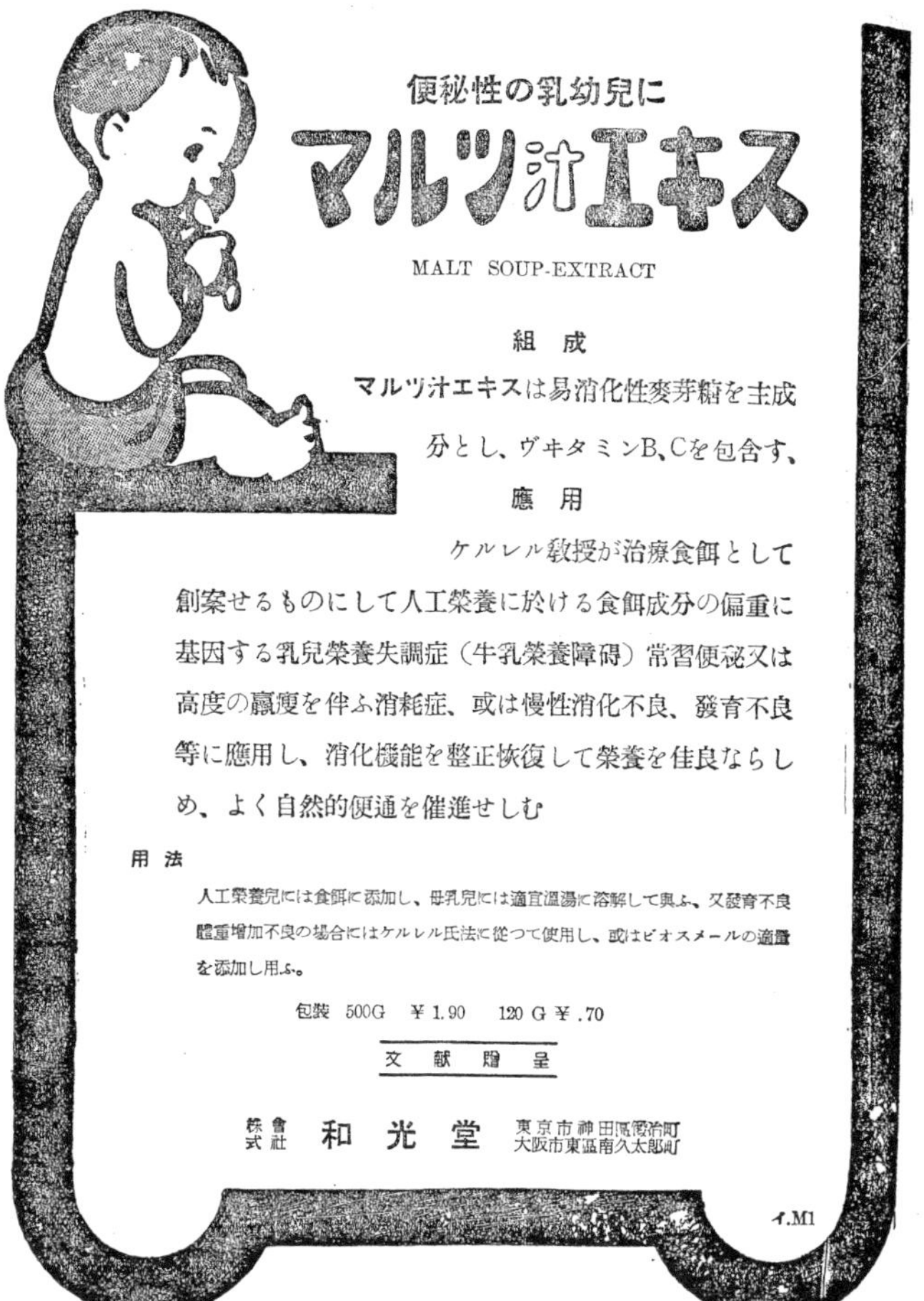

して質問するのでは無く、突發的に必要に應じて質問し、興味に乘つて發問するものなのであります。

便秘性の乳幼兒に
マルツ汁エキス
MALT SOUP-EXTRACT
組成
マルツ汁エキスは易消化性麥芽糖を主成分とし、ヴキタミンB, Cを包含す、
應用
ケルレル教授が治療食餌として創案せるものにして人工榮養に於ける食餌成分の偏重に基因する乳兒榮養失調症（牛乳榮養障碍）常習便祕又は高度の羸瘦を伴ふ消耗症、或は慢性消化不良、發育不良等に應用し、消化機能を整正恢復して榮養を佳良ならしめ、よく自然的便通を催進せしむ
用法
人工榮養兒には食餌に添加し、母乳兒には適宜溫湯に溶解して與ふ、又發育不良體重增加不良の場合にはケルレル氏法に從つて使用し、或はビオスメールの適量を添加し用ふ。
包裝 500G ¥1.90 120G ¥.70
文獻贈呈
株式會社 和光堂 東京市神田區錦町 大阪市東區南久太郎町

それですから、丁度花火線香の樣なもので、その場限りのものでありますから、答えは卽刻を要するものである事を知らねばなりません。

「後で」と云ふ事ほど、子供の質問に對して拙い取扱はないのです。質問した時、滿足な答えを與えなかつたならば、後刻如何ほどの名答を與えても、少しも價値のないものである事を承知せねばなりません。

「今はそんな事を知らずともよろしい」と云ふ返事をよく親達が、其場のがれに用いますが、これ程危險な事はないのです。

子供が質問に對して、滿足な答を得なかつた場合は、疑問を生じます。そしてその疑問は、邪推に發達します。そして、非常な精神的障害を來すのみならず、無判別に「他に聞く」傾向を生ずるに至ります。

多くの若き男女性が、無責任な雜誌の記事に回答を求めたり、低級な人々の會話に耳を傾けたり、新聞紙の社會面に眼をさらすのは、些かこの「質問の滿足せられざりし疑問」を充たす爲めに他なりません。

これは性問題に關し特に申す事が出來る事實であります。少くも性問題に關しては、是は理論で無く、事實そのものであるのです。

斯くの如く考えて來る時に、汚きものとしてこれを排斥し、或は神祕なるものとして、不可解に扱ふ事は、甚だ危險にして不幸なる結果を來す事を知らねばなりません。

と同時に、今日の若き人々が、如何に性問題に關し無智であるかは、日常の新聞紙の社會面が雄辯に物語つて居ります。

基督敎婦人矯風會の本部には、性問題の相談部があつて、若き男女性の爲めに、その惱みを解決し指導して居られますが、私はその主任の（勿論外國の婦人の）意見に、全く敬服させられて居ります。

外國の男女間の交際に關して、種々の非難の聲を聞きますが、事實はこれを模倣してゐる我が國の方が、より以上の性的悲劇を有してゐる事實は、實に性敎育の普及徹底の差にある事を知らねばなりません。

性敎育を施さずして、若き男女性を解放する事は、虎を野に放つ以上の危險さである事は明白であります。然も、今

日の我が國の現狀は、甚だ殘念乍ら斯くの如き狀態なのであります。

法律は發布されたる以上は、「知らざりし」との理由で、その罪を逃れる事は出來ぬと聞いてゐますが、敎育は施され無い限り、これを行ふ事は出來ぬものであります。

「知るは行ふの初めなり」とか。

敎えざる事は、行はしめ難きものである事を知らねばなりませんが、今日「性敎育」の忘れられてゐる事は、多くの悲劇を續出させる原因であります。

吳々も忘れてはならぬ敎育問題のその四は「性敎育」であります。

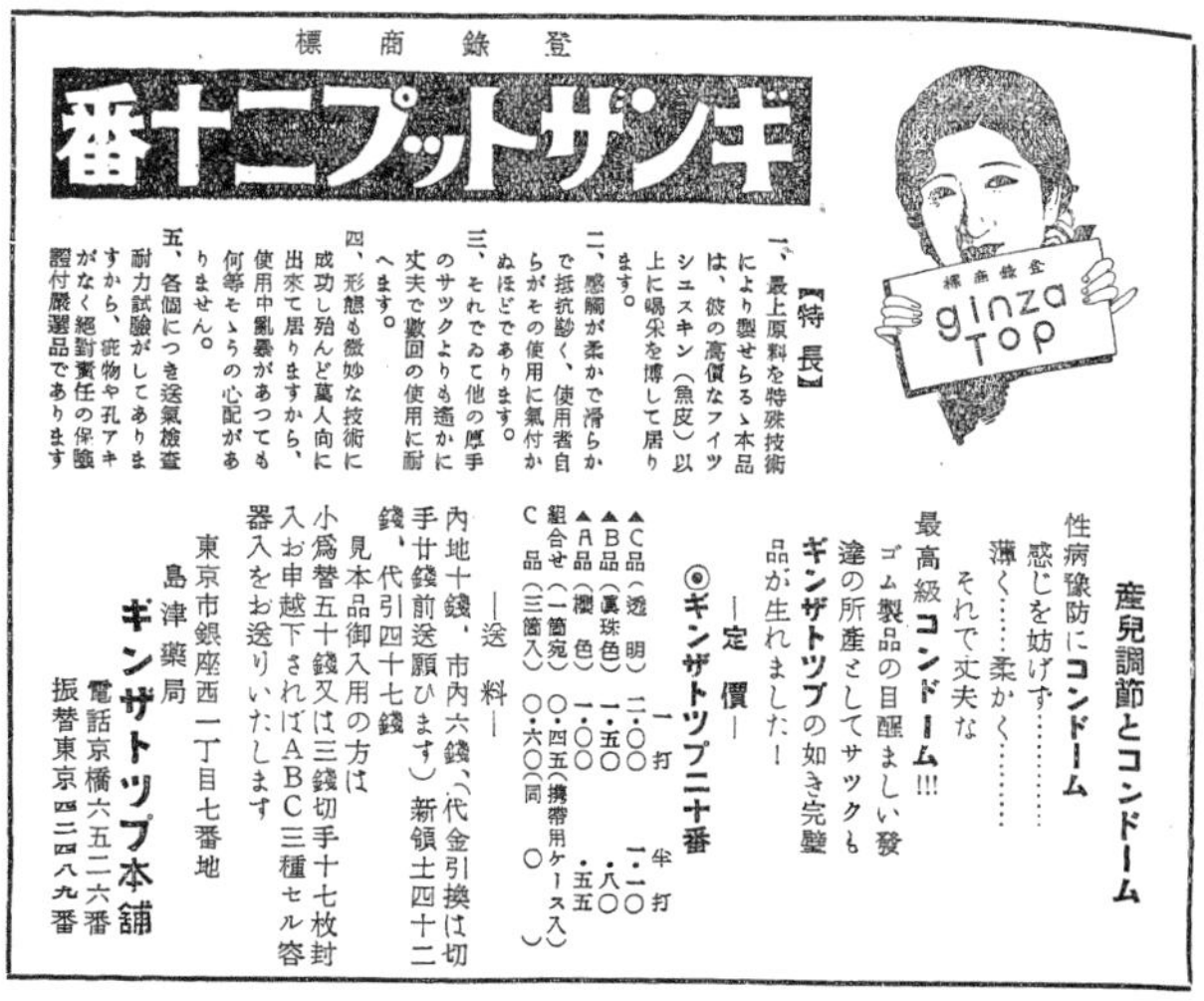

東京珍風景

經堂にて　桐野葉子

亂稚氣行軍

長男の緣談のため會津から出て來た三日目頃の夕方、新宿に出た。折柄早慶戰に勝つた早稻田の學生が、皆んな金時の火時見舞の樣な赤い顏をして、表通りと云はず街裏と云はず、隊伍を組んで堂々と押し步いてゐるのである。

五色のテープを、黑い服の上から體中捲きつけてゐるのや、短く切つたテープを帽子の横にだらしなく振り亂してゐるのや、そして三人五人スクラム組んで、さも愉快で愉快で堪らないといふ樣に足踏み鳴らして、

愉快だね、　愉快だね、
愉快だ、　愉快だ、　愉快だね、

と、「モシ〱龜よ龜さんよ」の節で怒號して步るき廻つてゐるのである。

田舍者の私は、片隅を小さくなつて步いたのであるが少しも不愉快でなく、却つて學生の天眞爛漫な情景を目のあたりに見て、微笑を禁じ得なかつたのである。

白虎隊の劍舞

何氣なしに入つた、新宿のムーランルージユで、偶然にも白虎隊の劍舞を觀た。多分にユーモア化され、舞踊化されたものではあつたが、ふつと懷しさを感じたのであつた。

少年團結白虎隊
國步艱難戍堡塞
大軍突如風雨來
殺氣慘澹白日晦

是丈で後は省略されたのであるから、眞面目な批評の餘地は無いのであるが、白虎隊の眠る飯盛山下から出て

來て、三日目の夜の事で少し腹立しかつた。が腹を立てる方が或は如何かしてゐるのではあるまいか。つまり考へて見れば古い因襲に囚はれて、近代的な眼が開けないで居るのが、うら恥かしいやうでもある。匂やかな少年白虎隊を餘りに偶像化し、渇仰してゐるのが會津人本來の姿ではあるまいか、など反省したのではあるが、私は往年白虎隊墓前で、會津中學生數十人が、觸れゝば鮮血ほとばしるやうな鋭い秋水三尺を、折柄の赫々たる夏空に、閃めかして舞つた劍舞が忘れられないのである。

それは、秩父宮妃殿下御慶事の前年、英國から御歸朝間も無い夏の頃、御兩親樣、御兄弟樣共に御展墓がてら會津を御巡歷遊ばされた時の事である。

白虎隊墓前に香華を手向けられると、直ちに炎天下に御直立遊ばして、會津中學生の劍舞を御覽遊ばしたのであつた。

詩吟は朗々と飯盛山にこだまして

時不利兮戰且却
身裏瘡痍口銜藥
腹背皆敵將安之
杖劍閒行攀丘嶽
南望鶴城烟焔颺
痛哭呑悌且彷徨
社稷亡矣可以止
十有九士屠腹死

といふ悲壯なる條になると、現松平宮內大臣始め、並び居る御一行の方々や舊藩の人々たちは、實に慟哭したのであつた。

私共拜觀の人々も、武者振ひといふ樣な感動が、ぞく〳〵背中を寒くしたのであつた。

餘りに強い刺戟と、餘りに切實な生活に、喘いでゐる都會人には、ムーランルージュのあの夢の樣な白虎隊劍舞の一場が、恰度中和劑の樣にいゝのであつて、それを本氣になつて云々する田舍者の方が如何かしてゐるのかも知れない。

森に啼く閑古鳥

曉方、閑古鳥の啼くのを、三聲夢の樣に聞えた。故鄉を離れて二十年、生家の裏の森からよく聞こえたものであつたが、東京に來ての翌朝聞こえたので少なからず驚き、且つ喜んだのであつた。

窓を開けて見ると、靄がすつかり町を包んで、木立や森が薄紫にこんもりと、靄の中に浮んでゐる。栗の花の匂が、靄と共にスウスウと部屋の中に流れて來る。

再び三たび閑古鳥に聞耳を立てたがもう聞えない、薄いベールをはぐ樣に、靄がそろ〳〵晴れて來た。見渡すと、森、森、森、實に森が多い、町並の家も、裏通りの住宅も、青い青い木立に埋もれてゐる。東京にもこんな閑寂な土地が置き忘られてあるのかなあと、アパートの窓から好ましくも眺めたのであつた。

それから日數が過ぎたある黃昏時、此の町の北端にある、惠泉女學園のあたりまで散步した。

麥が、黃金色に熟れ、廣い畑に波打つてるのを見た、よく手入れの屆いたトマトの畑も見た。白い可愛らしい花をつけてゐるジヤガ薯の畑も見た。こゝに至つて私は生れ故鄉に歸つた樣な懷しさと、親しさに溫かく包まれたのであつた。

かうした畑の中の小徑のつきた處に、惠泉女學園の樺色の壯大な建物が、矢張り青い大きな森を背景に、どつしりと立つてゐた。前庭が心憎いまでに整調されて、棕梠の樹が、數々くつきりと植えてあつた。

裏のコートには、ボールが見えるか見えないかの夕暮れなのに、ポン〳〵テニスをやつてゐる乙女達を見た。

私は自分の病氣を忘れて、柵にもたれて眺め入つたのであつた。

丹下左膳

つゆも上がつた蒸し暑い午下り、芝居の觸大皷らしいのが、一筋道の町を、盛んに鳴らして來るのが聞えた。だん〳〵間近に聞えて來るので、輕い好奇心が、退屈な私をそゝつた。來た。丹下左膳が來た。女に扮した左膳より大きい女形が、赤い帶を締め、男下駄をつつかけて來た。名も分らない劍客が黑紋付の長着で、額を厭に白く塗り、目張りをどぎつく入れたのが三人、扇子を振り振り續いた。

白いエプロンを掛けた町のおかみさん見たいな女が、ポスターを前後に着けて、大皷を載せたリヤカーを勇敢に引いて來た。其の後にピツタリついて、大皷を打鳴らす山賊を見た。

誰も居ないアパートの二階で、獨りで聲を立てゝ笑つたのである。

其の夜町を步いてたら、字も讀めない程くたびれ切つた幟が二本、ハタ〳〵と町角にはためいて居た。驚いた事には、莚で圍つた村芝居のそれよりも酷い、堀立小屋から、出の拍子木がチヨン〳〵聞こえて來た。

立看板に、若衆劇一黨大歌舞伎、大人金十錢、小人金五錢と麗々しく記されてゐた。

私は年が三十五年も逆轉した樣に思つた。土間に敷いた莚の上で芝居見た經驗は五つか六つの頃、祭りの宵にしきあ持合せがなかつた故。

太陽をつかむ

醫學博士　川上　漸

九三に〇を六つ附けてごらんなさい！いくつといふ數でせうね？ね!!九千三百萬でせう!!私どもの住まつてゐる世界から太陽までは、九千三百萬マイルあります。九千三百萬マイルは記憶えやすい數であります。皆さんは割算の九九を御承知ですね。九で三を割る時には、九三下加六と申すでせう。―九三！その次に下加六で六つの〇がつゞくと記憶えればよいのです。

九千三百萬マイルといふと、いかにも遠いなとは思ひますけれど天氣のよい日に太陽を見るとすぐ近くに見えますので、一億マイル近く隔つてゐるとは思はれません。九千三百萬マイルに八百八十五間を乘けて、それに六尺を乘けて、出來た數のおしまひに〇を一つ附けますと、私どもの世界―地球と太陽との距離が尺寸の寸の單位で出てまゐります。―四九三八三〇〇〇〇〇〇〇寸あります、これでお話はまづ〳〵一段落。申しました事はチヨイと頭の中へ預けて置いて。

さて私どもには神經といふものがあつて、腦髓から體の隅々へ電線を張つた樣になつて行き渡つて居ります。體の種々の處で受けた「感じ」は、神經を傳はつて腦へまゐります。腦の中に起つた「思ひ」は、神經を傳はつて樣々の處へまゐります。物を握つたと思ふのは、掌で觸つた「感じ」が神經を傳はつて腦へ屆くからです。手や足が樣々に動くのは、動かしたいといふ「思ひ」が、神經を傳はつて手や足へ行くからであります。いろ〳〵の感じや「思ひ」が神經を傳はつて行く速度は、平均一秒時間に三十三メートル―一千〇八十九寸であります。これでお話の第二の段落がおしまひ。

私どもの住んで居る世界―地球は一分間に大凡十七マイルの速度でクルクル廻轉つて居るのでありますがかりにヂツとして動かぬものと想像つて下さい。それからもう一つ、それは〳〵非常に長い手をもつた人があつて、その手の長さが九千三百萬マイルだと想像つて下さい。さうしてその人が、長い〳〵手を伸ばして太陽を把んだと想像つて下さい。掌で觸つた「感じ」が、神經を傳つて腦へ屆くまで、その人は太陽を把んだとは思ひません。一千〇八十九寸で四九三八三〇〇〇〇〇〇〇寸を割つてみると、ザツト四五〇〇〇〇〇〇〇〇、これは「感じ」が掌から腦まで屆く秒數であります。一年は二千百五十三萬六千秒でありますから、四十五億秒は、ちやうど百四十二年餘になります。手の長い人が、八歲の時に太陽を把んでも、「確につかんだな」と思ふのは百五十歲になつた時であります。人間は大抵七十歲か八十歲ぐらゐで死んでしまひますから、太陽を把んだ「感じ」が臂の邊まで屆かぬうちに、ご本人の壽命はおしまひになつてしまひます。

ね、皆樣!!太陽なんか把んでみてもつまりませんから、そんな望みはおこさぬ事にいたしませうよ。

疫痢の話

醫學博士　鈴木孝二

夏季に多い小兒傳染病として、小兒をもつ親達から、常に怖れられてゐる病氣の一つに疫痢がある、それは經過が極めて急劇で、發病後一兩日の中に死亡することが少くないからである。

疫痢といふ名稱は、わが國では既に平安朝時代からあるようであるが、その內容は今日の疫痢と赤痢とが混同されてゐるらしい、これが科學的に研究され、學術的に詳細報告されたのは、明治の中葉以降のことである。

疫痢は一種の細菌が腸內に繁殖して、その毒素の中毒の爲めに起る急性傳染病で、わが國現行傳染病豫防法によれば、赤痢に準じた取扱ひを受けてゐるのである。

本病の發生は夏季に最も多いが、冬季にもないではない、專ら小兒が罹り、殊に二歲から六歲位のものに多く年齡の長ずるに從つて次第にその數を減ずる。

疫痢は小兒の體質に關係があるようで、同一小兒が繰返して罹病したり、同一家族の小兒が、みな疫痢に罹つたといふ例も少くない、又同じ種類の細菌の感染によつて、一時に一家族の小兒が多數侵されても、皆一樣の症狀を呈するとは限らず、或者は劇症となり、ある者は輕症ですんだといふように、夫々程度を異にする場合が多いのである。

小兒が疫痢に侵されると、突然三十八九度から四十度位の高熱を發し、軟便を出すと共に嘔吐する、多くは腹痛を伴ひ、欠伸をしたり、溜息をつく、急に元氣がなくなり顏貌は憔悴してくる、次で全身の痙攣を起し、意識がなくなり、四肢の搐搦を起すことが多い、脈搏は著る

しくその數を増し、緊張が弱くなる、往々手足が冷却し口唇は紫藍色を帶びるようになる、便の回數が多く、一日數回或は十數回に及び、粘液便で少量の血液を混ずることが多い、吐物は黃色の膽汁を混じ、時には血液を混じて暗褐色を呈する、劇症のものはこのような狀態で一二日中に死亡するものが少くない、幸ひに適當な手當により、この時期を經過して比較的早く快癒することもあり、又一二日後に便の回數は更らにその數を増し、膿樣血便を漏し、裏急後重を訴へ、一二週の內に漸次に回復するものもある、或は全身症狀は輕快しても、依然として食慾なく、衰弱の爲め死亡するものもある。

本病の死亡率は相當に高く、嘗ては全罹病者の六割位とされてゐたが、近來治療法が進步せる結果、死亡率は著るしく減少してきた。

疫痢は急劇の病氣であるから、疑はしい場合には一刻も速かに專門醫の診斷を仰ぐ必要のあることは勿論であるが、醫師の來るまでの應急處置としては、小兒が軟便又は下痢便を漏らすと共に嘔吐し、突然高熱を發した場合は、先づ本病を疑ひ、直ちにヒマシ油の如き下劑を十瓦から二十瓦位呑ませるか、リスリン浣腸によつて腸の內容を排除するに努め、同時に極めて薄い食鹽水（〇・五%位卽ち一合の水に食卓鹽一瓦を溶かす）を數回に亘つて多量に飮用せしめる、この場合患兒は大抵口喝を訴へるから、好んで食鹽水を呑むものである、更に頭部を氷で冷やし、若し痙攣が現はれて齒を喰ひしばつてゐるような時は、箸の先に綿を適當に捲き付けたものを上下の齒の間に挿入して舌を嚙むことを防いでおく。

食物は嘔吐の烈しい間は、前に述べた〇・五%食鹽水のみをたび〳〵飮用させるだけでよい、次で吐氣が多少治まれば、重湯、葛湯、牛乳、スープ、林檎汁又はおろし林檎等を少量づゝ與へ、病勢の衰へるに從つて漸次食物の量も種類も増してゆくことにする。

疫痢は飮食物と共に病原菌が口から侵入して起る病であるから、これが豫防法としては飮食物に注意し、殊に夏季には氷水の亂用、未熟或は腐敗せる果物、不消化物を與へぬように心懸け、又夜間寢冷えさせることは消化器を弱め、病原菌の感染を容易ならしめるから、常に腹卷をさせて腹部の冷却を防ぐことに努めることが肝要である、疫痢に對する豫防藥の應用も流行時には必要なことである。

ママーゲンの臨床實驗に就て

東京乳兒人工榮養臨床研究所ドクトル　黑須鬑

緖言

余は新製品ママーゲンの內容、構成が吾人の意を得たるを以て余の稀釋法により榮養中の乳兒につき余の玄米粉をママーゲンに換へ昭和十一年六月九日より同七月二十二日迄、四十四日間、換言すれば乳兒體重の二貫百六十四匁より二貫四百七十二匁に達する期間中哺育觀察せしに其効果頗る良好なるを認めたり。

之れ主として內容の大部分を占むる含水炭素の性能上可溶性に富むが上にとくにヴイタミンBC及酵素に對し考慮せる點想像に難からず。

加之本品は其の水溶液を加熱するに當り容易にコロイド狀となるのみか、白糖並びに酵母との包容力亦大なるものあるを認む。殊に本品が吸濕性無く開罐後長期の保存性に富むは蓋し獨特の製法に因るものなる可く既に販賣せらるゝ此種製品に比し長足の進步の跡を認めらる。

ママーゲンP_Hは六・四とす。

實驗

西〇〇三、昭和十年十二月二日生、第三子、男、正規娩出、初重一・〇〇〇匁。

乳兒脚氣（斷乳を餘議なくせられし程度のもの）

初診當時所見。三月二日、榮養やゝ衰へたるも他に特記す可き條項なし。頭圍三九cm、胸圍三七cm、身長五八cm、體重一、三五三匁。

既に人工榮養を開始し居れるも食欲餘り振はざりしものと認む、主婦の要望により金太郎コナミルクを主榮養品となせり、開始後加工乳の製法は次葉の余の稀釋法を以てせり。

四月四日。一、五八〇匁、二二七匁增加、一日平均六匁强增加。

五月二十五日。二、〇三六匁、四五六匁增加、一日平均九匁强增加。

六月九日。ママーゲン開始、生後七ケ月に入り、二、一六四匁、一二八匁增加、一日平均八匁强增加。

六月二十三日。二、三一八匁、一五四匁增加、一日平均一〇匁强。

七月八日。二、三九三匁、七五匁增加、一日平均五匁强增加。

七月二十二日。二、四七二匁、七九匁增加、一日平均五匁强增加、頭圍四六・〇cm、胸圍四六・五cm、身長六八・五cm、體重二、四七二匁。

講評　四十四日間に三百〇八匁の增加體重を見、一日平均七匁强を順加し居れり、こは六ケ月以後の乳兒の猛暑に於ける體重增加狀況としては頗る優良なるものと認むるを得。然かも正規乳兒に比し、初重に於て既に優れるものありとは言へ概して加工乳によりしも、幸ひ其の發育上何等の支障なく、常に勇大且つ强健、しかして明敏、門齒正に膜を排して表はれんとするもの二つと言ふ現況である。

以上の所見よりせば主榮養品に配せられたる、ママーゲンの能力亦全きものありと信ずる事ができる。

結論

ママーゲンは能く育兒上の使命を果たし、長期連用に堪へ、本品の最終運命としてのグリコゲーンが諸內臟組織內に於ける生成、貯藏、又正規なるを知るに足る、仍て余は人工榮養に際し缺く可らざる第二含水炭素屬の高峰に位するものと信ず。世人尚ほ且つ重湯作製に當りヴイタミン皆無の白米を以てす、思はざるの甚だしきものか。速かに其の非を捨て轉換一番ママーゲン道に進出あれ。

應用一つ二つ。離乳前に重湯作製の際、味の素、醤油食鹽等と配し三%濃度となし常用せしむるも可、離乳期に於てはスイトンとなして用ふるを得。殘りしものはフノリ或はコナミルク等と混じ髮洗粉となさば更に妙。

實驗に適用せし余の稀釋表　金太郎粉乳稀釋表一例（黑須案）

生後日數		一回分金太郎コナミルク（瓦）	一回分添加糖量（瓦）	一回分ママーゲン量（瓦）	一回分麥酒酵母劑量（瓦）	一回分加水量（竓）	一日回數
二ケ月	前十五日	一三・〇	三・〇	〇・五	〇・一五	一二〇	六
	後十五日	一三・〇	三・〇	〇・八	〇・一五	一二〇	六
三ケ月	前十五日	一三・五	三・〇	一・二	〇・一五	一三〇	六
	後十五日	一四・〇	三・〇	一・五	〇・一五	一三〇	六
四ケ月	前十五日	一四・五	三・〇	一・五	〇・一五	一四〇	六
	後十五日	一五・〇	三・〇	一・五	〇・一五	一四〇	六
五ケ月	前十五日	一六・〇	三・〇	一・五	〇・一五	一五〇	六
	後十五日	一六・五	三・〇	二・〇	〇・一五	一五〇	六
六ケ月	前十五日	一七・〇	三・〇	二・〇	〇・二	一六〇	六
	後十五日	一八・〇	三・〇	二・〇	〇・二	一六五	六
七ケ月	前十五日	一九・〇	二・五	二・〇	〇・二	一七〇	六
	後十五日	一九・五	二・五	二・〇	〇・二	一七五	六

小兒結核に就いて

醫學博士　芳山　龍

死亡率　我國民の結核性疾患で死亡する數は、近年統計上毎年十三萬內外に上り總死亡數の一割一分に相當して居る、年齡の上から眺めると、十五年乃至廿四年の年頃が最も高率で同年代死亡數の約半に垂んとする程である。

年齡の幼少なる者程結核性疾患による死亡數が少く、昭和九年度に於ける滿五年未滿の結核性疾患の死亡數は五千二百餘名に過ぎないが、實際は之よりも遙に多いことは乳兒の剖見例を見れば明かであります、乳兒死體解剖例にて結核性病變を證明するものが、約二〇%に上つて居る報告がある。

感染率　昭和八年度內務省衞生局調査會の發表によると、「ツベルクリン」反應の陽性率は大都會に就ては一年未滿五%、二―三年二〇%、五年三〇%、小學校入學當時五〇%、同卒業頃五五%に上つて居る。

小都會及村落に就ては、入學當時二〇%、卒業頃三〇%內外にて大都會より小都會の方が感染率が少く、小都會より村落の方が尚稀少であります。

結核性疾患の大都會に多いのは、日光と空氣に惠まれず、生活狀態が自然より遠る爲めであつて、體質や環境に大なる關係をもつて居る事は云ふ迄もありません。

ツベルクリン反應　結核菌毒素液を皮膚に植えて皮膚の潮紅するや否やを見るもので、結核に感染せる者の多くは陽性に現はれますが、潛伏性の者や既に結核の治癒して居る者にも發現しますから反應が出ても無症狀の者は心配はいらぬ、但し未だ結核菌の洗禮を受けた事のない乳幼兒に發現しますと警戒せねばなりません。

前述の如く學童の幾割かはツベルクリン反應が陽性であるに拘らず、其大多數は殆ど無症狀に經過する所から考へると學童の結核性疾患の多くは潛伏性であつて、結

核菌の繁殖力の極めて鈍なることを看過し得る譯であるが、春季發動期から俄に結核疾患による死亡率の增加する事言を顧みれば小兒結核の如何に根治し難い者であるか想像せられます。

感染經路　結核桿菌は結核患者の喀痰から排泄せらるゝ事が最も多く、蠟樣の被膜を有し抵抗甚だ強く、日光の當らぬ所では一年以上も生存して居ます、水中でも土中でも同然である。

喀痰中の結核菌は喀痰の乾燥するに從ひ、塵埃に附着して空中に飛散しますから、結核患者の居る所には到る處に結核菌が居ると思はねばなりません。

結核菌感染は、結核菌の附着した塵埃を吸込む事によつて起る事が多いが、此外屢々直接患者の咳嗽を受けて飛沫を吸込んで感染する事あり又食器や飲食物を介して間接に感染する場合も少くない。

乳兒の結核は概ね家族より感染す、殊に結核に罹つて居る母親より感染するものであるが、年齡の長ずるに從ひ家族傳染以下に屋外で塵埃傳染や經口的傳染を來す機會が多くなります、小學校の職員や又遊びに行く家の人に結核患者があれば此危險が多い。

病　理　結核菌を吸込むと先づ、氣管枝の淋巴腺殊に肺門部淋巴腺に附着繁殖して病竈を作ります。

結核菌の進入を受けると、其部の組織は炎症を起して病竈を包圍し之を擊退せんとして、菌と細胞との間に戰鬪が開始されます。

幸に進入した菌數が少く組織の防禦力の方が旺盛なれば抗體を產生して菌に對抗し病竈は擴がる事を得ず長い間に死滅します。

不幸にして多數の結核菌が進入し、組織の防禦力が薄く抗體產生能力が痲痺して居れば、病竈は段々增大して肺門部附近に浸潤が擴がつて行くのみならず、之から肺實質內に肺炎を起して來る多くは小葉性肺炎（カタル性肺炎）であるが普通のカタル性肺炎に對して乾酪性肺炎と云ひます。

病竈が肺門部附近に限局して居る間は初期にて、肺實質內に炎症の起つた場合には第二期である、更に病變が長引いて肺實質內に相當大なる空洞を形成するに至れば第三期と呼稱されて居ますが、小兒の肺結核は比較的急劇であるから空洞を形成する迄に病竈が血管內に破れて結核性腦膜若くは全身粟粒結核を起して終を告げる者が多く、從つて第三期は小兒に稀であります。

一般に小兒の結核の經過及び豫後は年齡によつて大きな相違があり、生後一、二年の乳兒に在りては、身體の構造が不完全で結核菌に對する免疫力が乏しいから、一

朝結核に感染すれば反應が強く病竈が急劇に擴大する傾向がある。

臨床上初期症狀を呈せずに、初めより第二期の肺炎症狀を現はして來るのが特徵であつて、大低腦膜炎を起して死亡するが、年齡の長ずるに從ひ抵抗力が增大するから感染率の多くなるに反し、死亡率は減少して行く。

乳幼兒の初期結核症狀

機嫌惡く、不活潑にて疲勞し易い

食慾が進まず、體重が增加せず

盜汗をかく

時々不正の熱が出る

氣管枝が壓迫せらるゝ爲めに百日咳に似た痙攣性の咳嗽が出るが、百日咳の樣に引込まない、晝に多きも夜には少い、壓迫が強くなつて氣管が壓迫せらると喘鳴を伴ひ喘息樣の發作が現はれて來る。

血管が壓迫せられる結果、背部脊柱の兩側に毛細管が怒張して、靑筋が立つて來る。

大きな胸部の靜脈が壓迫せられると、顏面が浮腫して來る、年長兒では肩の凝りを訴へる。

肺門附近の神經が壓迫せられると、心悸亢進を訴へる、頸、顎下、腋窩等の淋巴腺が、豌豆大乃至蠶豆大等の大さに腫れて、累々として連つて來る

脾臟が腫れて手に觸れる。

以上の樣な症狀は一進一退して長日月に亘る比較的抵抗力の強い子は輕快に向ふが、抵抗の弱い乳幼兒は容易に第二期に移行する傾向あり、其約半數は、痲疹、百日咳、流感其他の急性傳染病等から俄に第二期症狀を誘發し、又往々結核腦膜炎の如き恐ろしい併發症を引起して死亡する事がある。（つゞく）

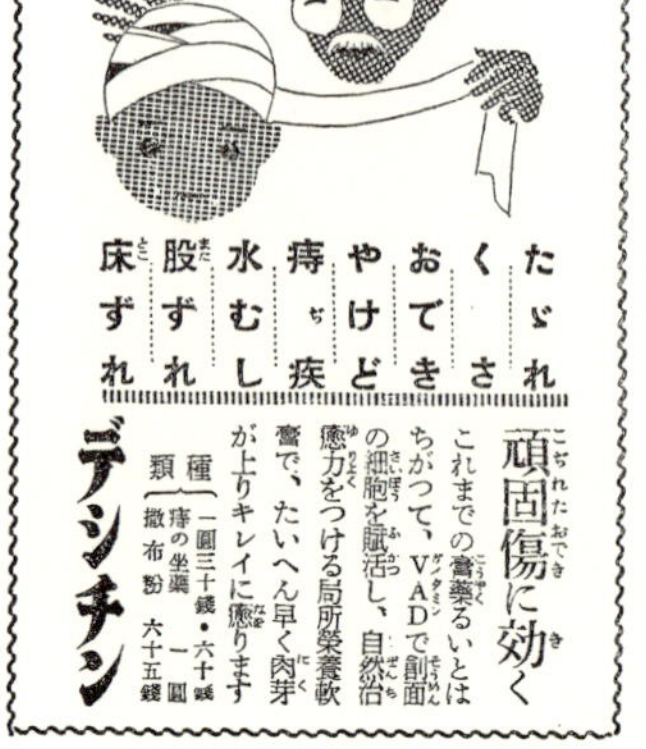

街頭醫學

お乳の出をよくするには？

赤ちやんにとつて人工榮養よりも、母乳榮養の方がすぐれてゐることはいふまでもありません、このためにお乳の出の惡い場合はいろ〳〵の方法を講じて乳汁の分泌を促します、お乳の出の惡い原因としては乳腺の發育が惡くて出ぬ場合、母體の榮養が不足であつたり、精神感動があつたり、或はお乳の飲ませ方が下手なために分泌の惡いことがあるといつたやうにさまざまです、まづ乳腺の發育が不全の場合ですが、これには理學的機械的の方法が行はれます、理學的の方法としては太陽燈やヂアテルミーをかけるのですが機械的には主にマッサージです、マッサージといつてもいろ〳〵ありますが催乳を目的とする場合は普通のマッサージの仕方では効果が期待出來ません、これには乳もみ專門のマッサージであることを要します、つぎはホルモンの注射が効果があります、この方面のことは目下研究中ですが新しい學說では腦下垂體のホルモンが有効だとされてゐます、また動物の胎盤實質を粉末にして服用したり、搾り出したエキスを注射するのも効があるといはれます、母體の榮養が不足してゐてそのために分泌が過少の場合は榮養をよくすればよろしいのですが、それには特にビタミンEを多く含んだものを攝つて行くやうにするとよろしい。

日本では昔から綿の實が催乳によいといはれてゐますが、これはその成分にEを多く含んでゐるためです、それに普通の榮養素では蛋白質が割合と汁分泌を促進します、これに反して含水炭素や脂肪は分泌を減退させるといはれます。

つぎに飲ませ方が惡いために出ない場合ですが、これは初產の婦人に多い現象です、こどもに乳嘴を吸はれますと非常にいたい、龜裂の出來ることがありますが、このいたいために飲ませることをおろそかにしますとはじめは張つてゐるお乳も次第に無刺戟のために出が惡くなつて來るものです、それには引續いてのませて行くのが一番よろしいわけです。

お乳の出の惡いとき、さやうにして催乳して行きますが逆に早產で赤ちやんが死んだりした場合は非常にこまります、お乳が張るだけでなく時には發熱することもありますがこの場合は氷嚢をあてますと割合簡單に分泌をとめることが出來ますが、しかしそれでもとまらぬ場合が少くありません、このほかには副腎皮質部のインテレニンの注射が効果をもたらします、なほ一般にはお乳が張りますと搾るのが普通ですが、これはかへつてお乳に刺戟を與へて分泌を促進することでもあるのでとめる場合はやめた方が賢明だと思ひます（東大講師醫博中山榮之助氏）

乳兒脚氣の手當

乳兒脚氣は殆ど母乳榮養の赤ちやんにのみ見られる病氣で、母乳中のビタミンBI缺乏が最大の原因ですが他にも原因が加はつてゐるかどうか現在の處は明かではありません、大抵生後二―八ケ月の乳兒殊に四ケ月迄の子供がかゝり易く時期は大人と同樣六月か九月に現れるのが多いのですから、これからが消化不良と並んで乳兒脚氣の季節であると云へます。

素人の方はこの病氣に就て考へ違ひしたり一人決めで診斷して母乳をやめたりする方が少くないやうですが、母親に脚氣があるからと云つても子供が罹らぬ事もあり、反對に母に脚氣がなくても赤ちやんが病氣になる事もあつて必ずしも一致しません。つまり母の脚氣の有無で子供の脚氣であるかどうかは俄に決められないのです、愈よ乳兒脚氣と定まつた時には、適當な貰ひ乳が出來れば理想的ですが普通餘程の重症でない限り、母乳はそのまゝ續けて母子共に脚氣の治療を受けるのが一番安全でもあり効果もあります。たとへ相當の重症の場合でも全然母乳を止める事なく一―二回の人工榮養で補ふだけで十分な事が多いのです。母乳を全然止めて幸、乳兒脚氣が治るとしても急

に人工榮養に變へる事は不馴れの點や人工榮養本來の缺點から非常に危險に曝される事が多く一般に抵抗力の弱まる夏季に向つては重症の消化不良榮養失調症に罹る惧れが少くない。

たゞ漫然と脚氣らしいからといふので乳兒の最高至上の榮養品である母乳を止めるのは甚しい冒險です。

そこで母親は授乳を續ける一方ビタミンBを澤山含んでゐる食物――例へば胚芽米、豆類、菠薐草、トマト等を十分とれば治療の上にも豫防上にも非常に効果があります。（聖路加病院小兒科長尾貞一氏）

牛乳がはりの飲物は何を選ぶべきか

牛乳の代用品としては、コナミルク、コンデンスミルク、クリーム等の乳製品があるが、最近製造方法が非常に進歩して、國產品でも外國品に優るともおとらぬものが現れてゐる。しかもこれ等の乳製品は牛乳におさらぬ榮養をもつてゐて、使用上なか〳〵便利である。製造工程の關係から、幼兒の榮養に必要なビタミンCが殘つてゐるかどうかゞ問題である。

或るコナミルクにはCがあると書いてあり、非常に敏感な方法によれば明かにCの化學反應があつても、實際にはCの効果がない場合も考へられる。

よつてどの種の乳製品を使用する場合でもビタミンCの補給をすることが安全である。Cの補給としてはオレンヂ、リンゴナシ等の果物、大根汁等も相當Cを含んではゐるが味に刺戟がなくてしかも手取り早い上にCを多量に含んでゐる點でトマトのしぼり汁が一番よいと思はれる。個々について言へば、先づコナミルクであるが、これが何と言つても牛乳の代用品としては第一である。

細菌の數は極めて少いが、一グラムに六〇〇から五、四〇〇位はゐるから一度罐の口を開けたら長くおくのは危險であるから出來るだけ早く使つて了ふことが肝腎である。

口を開けない罐でも製造後三ケ月以上もたつたものは大體に危險が多い。殊にこれからの如く濕氣の多い時節には、それ等の細菌のために腐敗し易いから注意しなければならない。腐敗したものは脂肪が分解して特有の臭ひを發するし、お湯に溶け難いから直ぐ解る。溶け難いものは先づ古いものと見て差支ないわけである。

コナミルクに砂糖を加へたものもあるが、これは相當大きくなつた子供には大したこともないが幼弱な時にはやつぱり無糖の方がよい。

コンデンスミルクは砂糖を四十パーセント加へ、高熱で牛乳を約三倍の濃さにしたものであるが、これを普通の牛乳並に三倍に薄めても砂糖が多すぎて、幼兒には殊に初期には不向きである。このコンデンスミルクの砂糖を加へないものが、コーヒーなどに入れるクリームであるが、これも高熱のため榮養が足りなくなつてゐるから、コンデンスミルクよりはましだが、やつぱり穀粉その他色々なものを混ぜて與へなければならないから、他の物で榮養を攝り得るやうになつた離乳後の子供の飮みものとしてよい。（東大醫學部小兒科醫博武田幸夫氏）

幼兒に必要な正しい間食の與へ方

小さいお子さんにつきものゝ間食の御注意――いはゆる間食といつても、よい意味の間食とさうでないものとの二つあることを注意しなければなりません。

×

よい意味の間食といふのは……三度の主食の合間にたとへば午前中一回、午後に一回といふやうに時間を定めて、主食よりも分量を少くして與へるもので三度の主食だけでは必要なだけの榮養をとるに不充分な子供時代には、是非與へなくてはならないものです、それに適する食物としては……滿二歳前後の幼いお子さんには牛乳、粉ミルクビスケット、ウエファース、衞生ボール、馬鈴薯の裏漉し等が適當で、パン類もジャムかバターをつけて與へればよく、外に輕い鹽煎餅、カルルス煎餅、磯部煎餅、カステーラ、果物、甘藷等與へ、それ以後は段々菓子類の種類も廣くして牛皮、おこし、切山椒、ホットケーキ、スイートポテトー、ラスク、五家

寶、プッテイング、パイ等も結構、時には餅菓子類を與へてもよろしい。

ついでに間食としてあまり感心しないものを二、三お知らせしませう……一般に豆類はよく腸カタルの誘因となつてゐるのを見受けますから小豆、南京豆等は注意すること、甘栗等も食ひ過ぎないやうにすること、また都會の子供達が好んで食べる鹽煎餅、これも小さいお子さん達の胃をそこなひやすいものです、飴類は比較的幼時から食べさせてよいもので、乳兒でも便秘するときこの飴を牛乳に入れて用ひるほどですが、しかし下痢の場合には與へてはいけません、あんころも同じことです。

次に惡い意味の間食……時も定めず量も構はず、ほしがるまゝに與へて無意味に口を動かすだけに過ぎないもので、これは徒ら食ひとして前の間食と區別しなければなりません、それがしよい食物であつても徒ら食ひ式の間食の習慣は、知らぬ間にお子さん達の胃腸を弱くし、ひいてはいろ〳〵な病氣の誘因を作つたり、あるひは必要以上に胃腸の働きを重くして、かへつて榮養を害する結果になりますところがこの徒ら食ひと間食とを混同して考へ、一方では間食といへば惡いからとて、大切な間食まで制限したり、また一方では三度の食事だけでは足りないからとて始終徒ら食ひをさせてゐる母親達を多く見受けますが、いづれも間食の眞の意味を知らない大きな誤りといはなければなりません。

×

なほ正しい間食とゝもによい咀嚼の習慣をつけるよう……小さいお子さん達―殊に奧齒の生えるまでは―とかく食物を鵜呑みにしたがるものですから（この有害なことは今更いふまでもない）臼齒の發生する頃の幼時から充分に咀嚼する習慣をつけることを忘れてはなりません（醫學博士田村均氏）

百日咳の豫防と早期診斷

暑さに向つての百日咳は冬のものよりは一般に輕くて死亡率も低いのですが、それかと云つて放擲することは危險です。大體、百日咳は百日菌が咽喉をおかして起る傳染病で、痲疹と同樣に小兒の大部分が罹ります。極まれに大人も罹ります。

そして一度罹ると免疫を得て二度とは滅多に罹らないのが普通です。

豫防としては百日咳のワクチンを注射しますが、これは大體六ケ月位の効果があります。

豫防注射をしなければ勿論のこと、注射をしても萬一を考へて、咳の出る子供の側に寄らせないやうに注意し、外出から歸つたら必ず嗽ひすることが大切です。

子供が咳をするやうでしたら百日咳かどうか早く知れば知る程治療も容易なわけですから、百日咳の咳の性質を心得ておくことは特に母親に必要です。

咳の性質は晝間に出ないで夜寢ついてから出るのが初期の特徴です。この咳の數がだん〳〵多くなり、咳をする時顏を赤くし、更に夜明けに一層多く咳をするやうになり、之が一週間もつゞいて遂に百日咳特有のあとへ引く咳をするやうになります、その頃初めてそれと氣付くのが普通のやうですが、少し咳込む頃に注意して醫者の手當を受ければ早く治るのですが、あとへ引くやうな咳が出るやうになるとなか〳〵治り難いものです。

肺門淋巴腺のはれてゐるやうな子供は、結核性のものが多いし、百日咳に罹つたためにいよ〳〵惡くするから十分注意して罹らないやうにつとめなければなりません。

一年未滿の乳兒が罹ると咳のために飮んだ乳をはきだして榮養がとれず、發育が惡くなりますからこれも出來るだけ罹らないやうに注意しなければなりません。萬一百日咳に罹つた場合治療として、一度百日咳に罹つたことのある人の血清をとつて注射しますと、病氣の經過が短くてしかも輕く治るやうです。

食物は輕い消化のよいものを少しづつ食べさせ、三回を四回に分けてやるやうにして榮養を攝らせることが大切です。（赤十字病院小兒科部長醫博平野忠七氏）

公衆衛生官と黴毒の撲滅（一）

一九三四年サラトガスプリングに開催された健康官と公衆衛生看護婦會員の總會にての講演

ジョセフ イー モーレ

大阪市保健部 武谷等太郎抄譯

私は多數の醫師諸君を前にして自信の無い事を申上げればならぬ事は甚だ慚愧に思ふ次第であります。私は元來一介の臨床醫に過ぎません。本日私の演題は「公衆衛生に關する黴毒の撲滅」といふのでありますが、此は恰もニューカッスルに石炭を運ぶが如き感が致します。諸君の健康委員であるパラン博士は此の問題に關しての權威者であることは疑ふ餘地はありません。私は私の述べんとする主旨をより一層正確ならしむる爲に、三年以前に發行されたパラン博士の著述「公衆衛生の見地よりの黴毒の撲滅」を逐語的に引用することがあるから御承知を願ひます。

私は行政的政治的方面の事柄に就ては全く無知であります、されども隨分思ひ切つて此の方面の事に就いて大膽に申上げますからどうぞ寬大なるお心を以てお許しをお願申上ます。

尙又私は私の居住せる都市バルチモアを例によつて種々申上ればなりませんが、此れもお許しを願ひます。或る大都市にて應用されてゐる事は他の大都市にも亦均しく應用する事が出來るものであり否當然應用せられればならぬのであらうと存じます。

私は梅毒の臨床的方面に約十五年間の永きに亘つて關係致して居りますが、私の經驗に依りますと次の事は確信を以つて言ひ得るのであります。

(一)梅毒は成年者の間に容易に流行する傳染病であること

(二)梅毒は他の傳染病よりもより以上に直接間接に多くの費用を納稅者に負擔せしむる樣になること

(三)既に比較的に良き治療方法があるのであるが、それにしても全然撲滅する事は到底出來ない、それは比較的に重要視せられないのかも知れない

(四)治療法があるとは言へ少しも進歩がない否寧ろ退歩である

實際に於いて我米國にては梅毒は增加こそして居れ減少はしてゐないのであります。

(五)此の逆説的狀態に對する責任の一半は健康官が負はればならぬであらうと思ひます。

今申上げました內で最後の一項は甚だ大膽卒直な言ひ方で聽衆諸君を驚かす爲に誇大に吹聽したと思はれるかも分らないが、私は遺憾ながら此れは眞實であると考へます。其の證據として五、六の要點を敷衍して見たいと思ひます。

一九二九年から一九三三年に至る五ケ年間にバルチモア市の健康局に報告されたる疾病の內、最も多いのは梅毒にして此れは他の如何なる傳染病よりも多かつたのであります。

梅毒の次は水痘、痲疹、インフルエンザの順位でありました。此の五ケ年間にて梅毒の數は一八、〇〇〇名以上ありました。尙未發見の患者が多いだらう事は察知されますが勿論其の確かな數は不明でありますが恐らく其は遙かに多いだらう事は次の三理由から推定されます。

(一)此等の報告は患者の氏名及び住所を記入する病院その他の診療所から集めた統計であつて自宅開業の個人醫師の分は報告されてゐないのであります。假令報告があつてもその數は極めて少數であつたこと

(二)健康局の此の報告は極めて最近に罹患した者のみを取扱つてゐて初診と雖、潜伏梅毒等は登錄されてゐない事

(三)北米公衆衛生會及アメリカ社會衛生會は嘗つてバルチモアに於ける性病の流行の有樣を研究したことがあつたが、それによると一九三〇年に梅毒患者は八、四六〇名を報告されてゐるが、此年の「健康省」の報告は三、二七六となつてゐる。約二倍半以上前者は多く報告してゐる。潜伏性の梅毒であらうと急性のものであらうと兎に角、新に診斷された梅毒患者數が悉く報告されたならば過去五ケ年間に於いてはバルチモアにて水痘患者―梅毒に次いで發生數の多い―數の約三倍に達するでありませう。

又一九二九年より一九三三年の五ケ年間に顧るに梅毒患者の數は年々增加する一方であります。即ち一九二九年には三、一〇〇名でありましたが、一九三三年には四、五〇〇名と報告されてゐます。

尙戰慄すべき一事があります。それは梅毒による死亡であります。健康省の報告によると梅毒にて死したるものゝ數は肺炎及肺結核を除くの外、其他の傳染病に因る死亡よりも多いのであります。此の統計には梅毒が原因となつて死亡したる者は含まれてゐないから第三位を示してゐるが若し此等を含めたならば恐らく傳染病中第一に位するであらうと思ひます。ヂフテリアに因る死亡率は比較的に僅少であるにも拘らず其の疾病の豫防宣傳に躍起となつてゐるが、吾人は梅毒の流行狀況及びそれに依る死因統計を觀るに實に戰慄を禁じ得ないのであります。然るに彼の公衆衛生官の恰も拱手傍觀的態度を取りてゐるのは彼等の健在を疑はざるを得ないのであります。

私は第二の要點に就いて申上げます。社會全般から見るに梅毒の治療に關して如何に多額の費用を徒費してゐるかであります。尤も此の事は正確に決定することは殆んど不可能であります。何故なれば治療の分野が甚だ廣範圍に亘つてゐるからであります。

例へば個人の開業醫師の診察を受けてゐる者、無料診療所及有料の病院にて治療を受けてゐるもの、國立の癲狂院にて入院してゐる者、聾、啞、盲院に入院してゐる者等があるからであります。されど一九三二年にローフラー氏はセントルイスに於ける性病の費用の研究を發表したことがありますが、これは略ぼ正確に近い數字が表はれてゐると思ひます。以下それによつて說明して見たいと思ひます。但し此の統計は淋病と梅毒とを一諸にして調査してあります。今彼の論ずる所から見るに梅毒の治療には隨分と莫大なる經濟上の重荷が負はされてあることが判ります。梅毒罹病のための精神的身體的の苦痛及びそれによる不具廢疾、それから死亡等の事を思へば社會及び產業に及ぼす影響は蓋し莫大なるものでありませう。此處では此等は計上しません性病―殊に梅毒―治療に費される官公署の費用は判るが、患者の開業醫へ支拂ふ治療代私立病院の經營費、慈善團體經營の病院の費用等は計上することが不可能であります。納付してゐる稅金の內、梅毒治療の費用に供される金額は、恰もバケツの中の一滴の水に過ぎない程の六萬弗であります。此の金額は早期の梅毒治療といふ最も有效なる方面に使用されてゐます。殘金は盲目、風癲等最早此等の者は一般公衆に危害を加へる事がない、又感染の懼のない者の生計の資として支給されてゐます。

私の言はんとする第三、第四の要點は梅毒の制御は不可能なるものにあらず、梅毒は制御することが出來る。且「全治」させることが出來る事は周知の事である。そこで次の事柄があります、(一)は醫師に醫學的智識乏しきため適切なる治療方法を誤ること これは健康省にて經營されてゐる診療所にても此感が深い。(二)全治する迄治療を續けぬこと。即ち今一息といふ所で患者は治療を放棄する者が多い事。

私は公衆衞生官が遭遇するだらう二個の困難に就いて實際的の方法に就いて私見を述べて見たいと思ひます。有效なる方法を使用しない爲の我等の失敗に就いて私は詳細なる統計類を揭げたくは無い。バルチモア及北方の紐育州にては梅毒は增加の傾向にあるがイングランド及デンマークにては減少の傾向であります。

此等を彼此對照比較することは必要なこと〻思ひます。

第五は責任の一半は公衆衞生官が負ふべきものであるといふことであります。公衆衞生官は梅毒問題を閑却してゐるとは思はない。されど事實を觀て戴きたい。梅毒は元來隱蔽したがる傾向があります。而して醫師、公衆衞生官、一般の人々は總て梅毒罹患者を目するに啻に同情せざるのみか愚昧不行跡の結果だ、當然の報酬だ、天罰だとして之を輕蔑してゐます。それ故に患者は自分自心苦しむのみならず、梅毒は家族をも容易に襲ふものであり、實に恐るべき傳染病ではあると知つてゐても、どうも公然と發表する事を忌み憚る傾向が濃厚であります。彼の歐洲大戰中或る短期間梅毒患者數を公表したことはありましたが、近來にはバルチモアの新聞紙上にも少しも表はれない、たゞ噂によると社會病なるとと比喩的言葉を以て僅かに公表さる〻ことはありました。彼のパアラン氏が新聞紙の第一面に思ひ切つて梅毒なる文字を揭げその恐るべきものたるを一般に知らしめたることは公衆衞生の見地より誠に意義深き事でありました。又此れは新聞紙の成功でもありました。それから既報の通り、表面性病に就いて沈默してゐるのは其の責任の大部分は公衆衞生官が負ふべきものと思ひます。彼等は其の責任の大半を歸するのは私は事實に基いて斯く言ふのであります。即ち公衆衞生官は一般開業醫師よりも大衆により多く接觸してゐるから傳染病に關しては醫師の代辯者たるべき位置にあり責任があるからであります。

諸君よ、沈默者はそれのみに限つてゐません。衞生及公衆衞生の學校でさへも、一般大衆と同じ樣に堅き沈默を守り續けてゐます。實に不都合不親切な事と謂はねばなりません。衞生學校及び公衆衞生大學に於ても一九三三年及び三四年の二ケ年の講義課目の內、此の性病の撲滅に關してはほんの僅かばかりで僅に寄生體學、細菌學、人口統計、衞生等の講義の節は布衍的に述べられてゐるに過ぎません。性病の臨床的―それは公衆衞生醫が梅毒問題は將來最も重大なるもの〻一つである事を知るならば、性病の如何なるものたることを熟知するのが根本的に必要なることであります―然るに此の方面の研究は殆ど全く棄て〻顧られないといふ狀態であります。(以下次號)

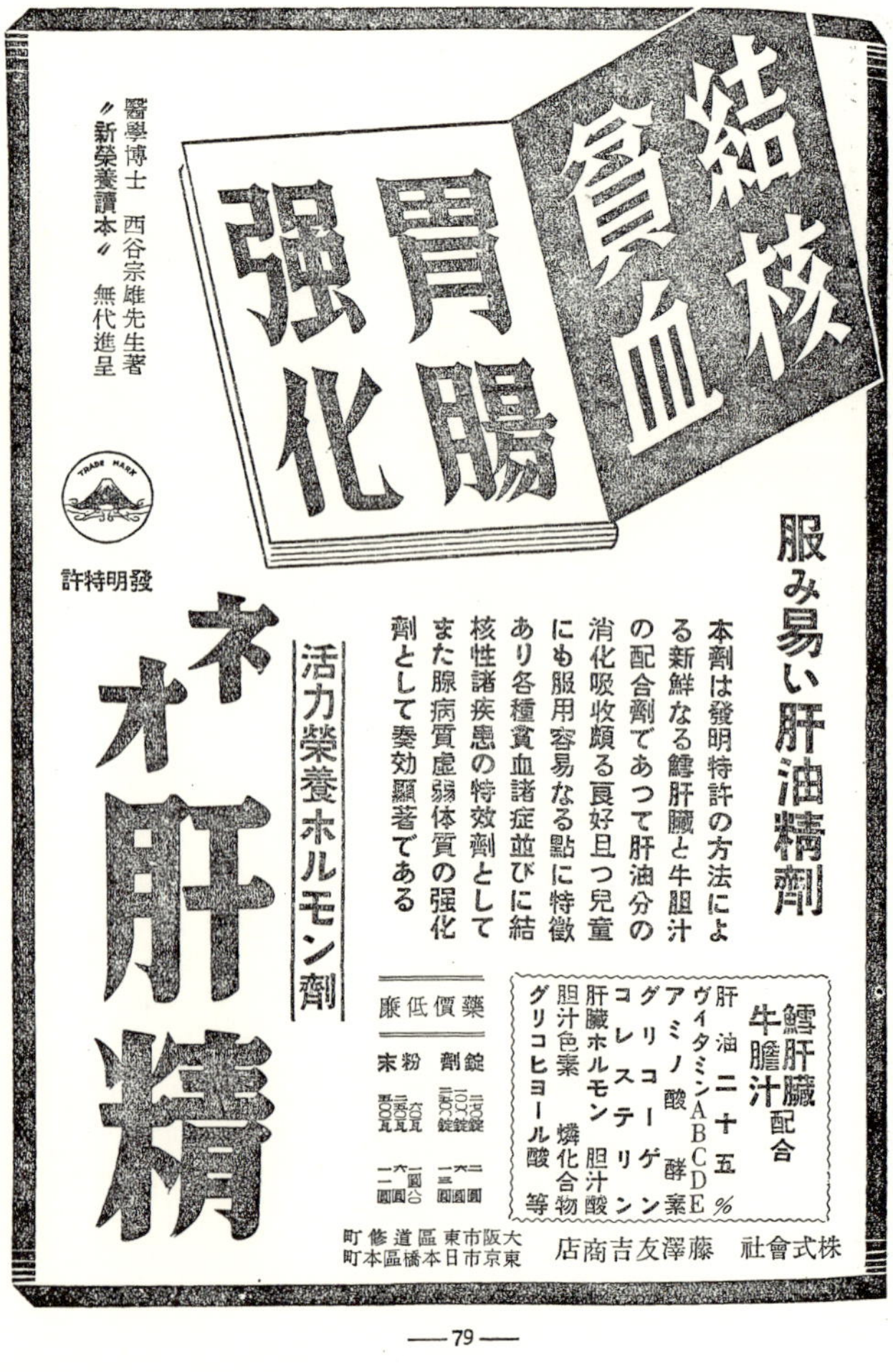

編者の日記(後記)

◉五月二十八日、內務省に南崎博士を御訪れして本年度の東京に於ける事業の協贊を御願ひし、それから日本文化聯盟に松本學氏を御訪れした、氏はいかにも十年の知己のやうに言外の親しみを以て迎へられ、本聯盟が永年の間邦家の爲めに貢獻して來た勞を心からられぎらつて下した、氏は和光堂社長との御親戚に當る由、今更世間の狹い感に打たれるのである、午後は吉村忠夫畫伯を、夜は星健三氏を訪問した、二十九日淺野兒童劇學校の試演會を觀る、倘ホテルへの歸途沖山熾基氏宅に立ち寄り、三宅島からはる〲上京された御嚴父に二十五年振りにて面會し今昔の感に堪へない。

◉三十日、中學時代の先輩松本貞藏氏宅にやはり同窓の友竹谷榮治氏の令息(帝大生)に遭つた、自分等の年をとるのは當然のやうな氣がする、榮治氏は其の昔、大阪高工在學中、共に大隈伯、坪內博士等の演說をきいて感動したものであつた、午後は上野の大日美術展にて主宰者青木氏に面會し、それから富田溪仙遺作展を觀て居ると偶然、海軍省醫務局長高杉中將に御目にか〻つた、「あなたも斯う云ふものが御好きですか」、と尋ねられて恐縮せざるを得なかつた、期くして三時には東京驛に市川左團次丈の西下を見送つた。

◉三十一日午前十一時、永井先生に御目にか〻つて、來る七月の審査會に就き種々御報告をなし、御示敎を仰ぎ、正午、山崎農林大臣官邸にて保利秘書官と懇談したのであるが、よもや此の日の午後、林內閣總辭職の號外は市中に配布されるとは、日本國中林さん以外には、恐らく誰れも知る者がなかつたらう、それから一時頃慶應大學に中鉢博士を訪れて種々協議をこらした。

◉六月二日、聖路加病院に小兒科醫長齋藤博士を、亦市保健館に野津謙博士を訪れ審査會に關する御願をなし、且つ林間學校に就いて御意見を拜聽した、愈々近衞公に大命降下となり、號外に印刷された各大臣の顏ぶれをみると交涉中、有力、決定と云ふ有樣で、組閣を終る迄には時日を餘り要さないだらうが、街頭の噂はとり〲であつた。

◉本聯盟名譽會長永井閣下の御就任の御祝に木村氏と共に參邸したのは、三日の朝であつた、夜は風見代議士の御令姉風見會長邸に御祝ひに行く、四日早朝、優良兒母の會の役員會を開く、在京中、煌土展(二七)稻門氏展(二九)養生堂展(三)希望一門展(四)東臺邦畫展(五)等を觀たが印象に殘るものは一つもなかつた、愈々五日の櫻號で東京を去つた、大阪と蘆屋には十日間滯在して、倘亦六月十五日の櫻號にて東上の豫定である、七月號の編輯も漸く終つたので、今日神戶大丸に春世と夏帽を買ひに行つた、昨日は親友村島歸之氏の病床を見舞ふて三時間程快談し、實に愉快だつた、野崎氏は夙川驛迄見送つて吳れた。(十三日記)

本誌定價 一冊金參拾錢 郵稅壹錢
半年分六冊 金壹圓六拾錢 郵稅共
一年分十二冊 金參圓 郵稅共
誌代郵稅は一切前金の事
前金切の場合は發送中止
郵券代用は一割增のこと
昭和十二年六月廿八日印刷(每月一回)
昭和十二年七月一日發行(一日發行)
兵庫縣武庫郡精道村芦屋
發行兼編輯人 伊藤悌二
印刷人 木下正人
大阪市西淀川區海老江上二丁目三七番地
印刷所 木下印刷所
電話福島(45)一五三四番 二四二六番
大阪市北區天神橋筋六丁目
大阪市立北市民館內
發行所 大阪兒童愛護聯盟
電話堀川(35)〇〇〇一番 〇〇〇二番
振替大阪五六七六三番

子供の世紀 第十五卷 第七號
大正十三年二月二十日第三種郵便物認可 昭和十二年六月二十八日印刷納本 毎月一回一日發行
【定價金參拾錢】

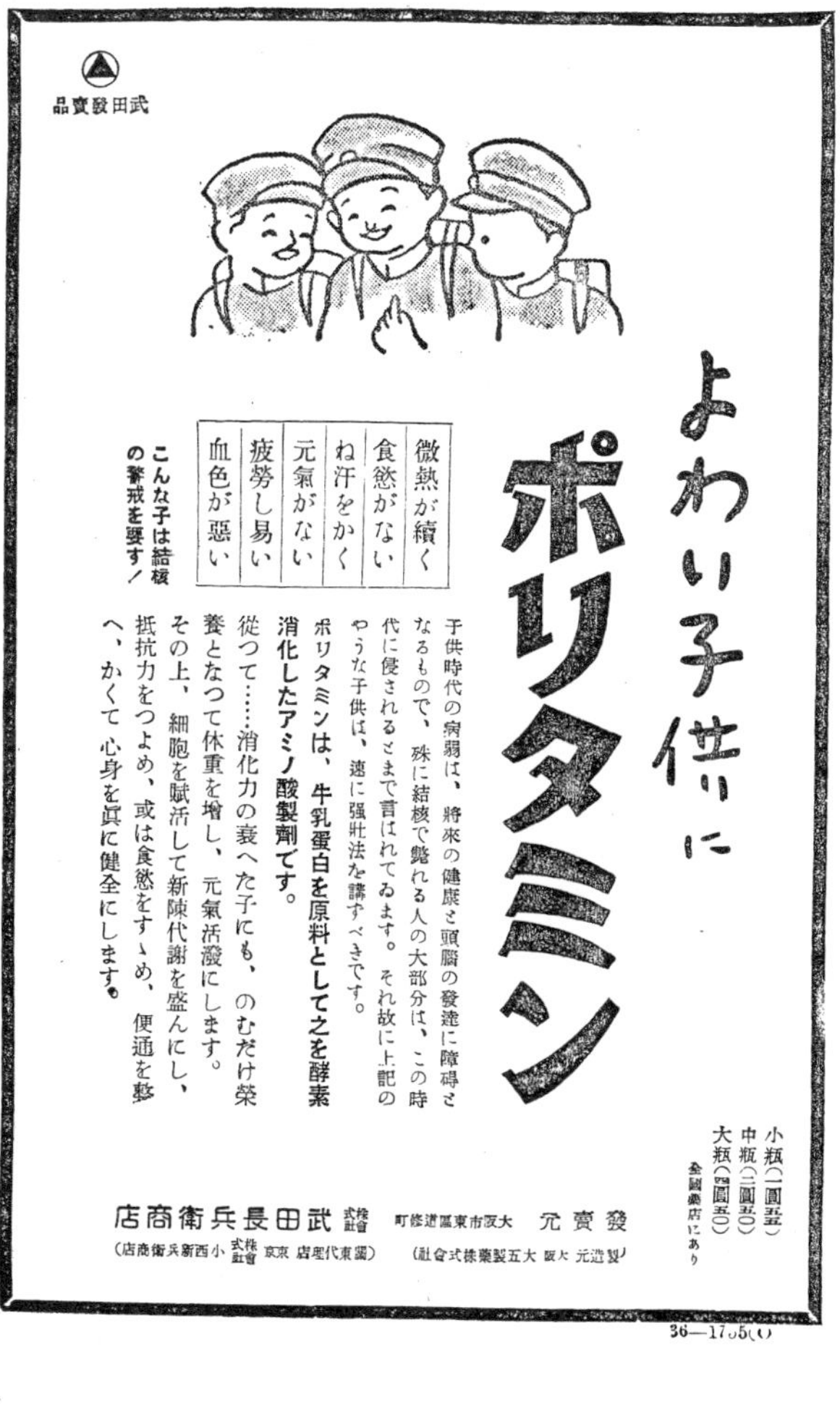

36—1705(1)

基礎鞏固　經營眞摯

創立　明治四拾四年

コドモの保険
日本徴兵

入營・嫁入　出世・教育
準備　資金

子を持つ親心

可愛い子供の爲に何程かづゝの貯金をしてやらうと考へるのは、凡ての親としての至情で、男子ならば適齢迄、女子ならば嫁入迄と誰しも心掛ける所ですが、さて實行はなかなか困難です。

最良の實行方法

徴兵保険、生存保険のコドモ保険は此需用を充たす最良の施設で、一度御加入になれば知らず識らずの間に愛兒の爲に必要な資金が積立てらるゝことになります。

日本徴兵保険株式會社

本社　東京市麹町區内山下町一ノ一

『子供の世紀』（第十五巻第八號）全東京乳幼兒審査會記念號

目次

鮮にして世界最良の自信を有す

森永無糖ドライミルク

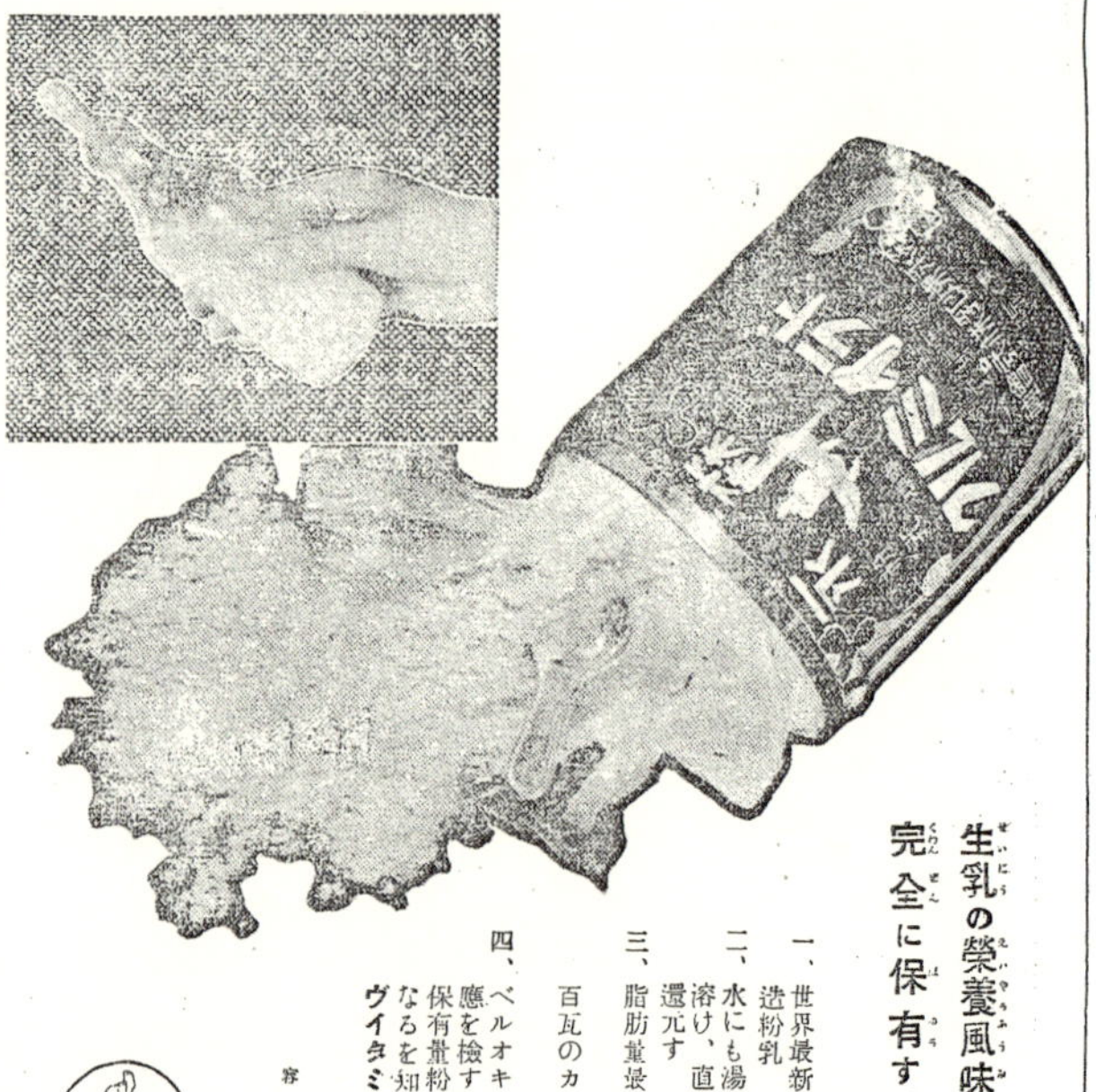

生乳の榮養風味を完全に保有す！

一、世界最新の噴霧式製造粉乳
二、水にも湯にも容易に溶け、直ちに生乳に還元す
三、脂肪量最も多し　二七、二％　百瓦のカロリー　五二〇、八
四、ペルオキシターゼ反應を檢するに酵素の保有量粉乳中第一位なるを知る　ヴイタミン又豐富

容量　半ポンド罐　一ポンド罐

森永煉乳株式會社

敎育結婚保險
徵兵保險
東京 第一徵兵 銀座

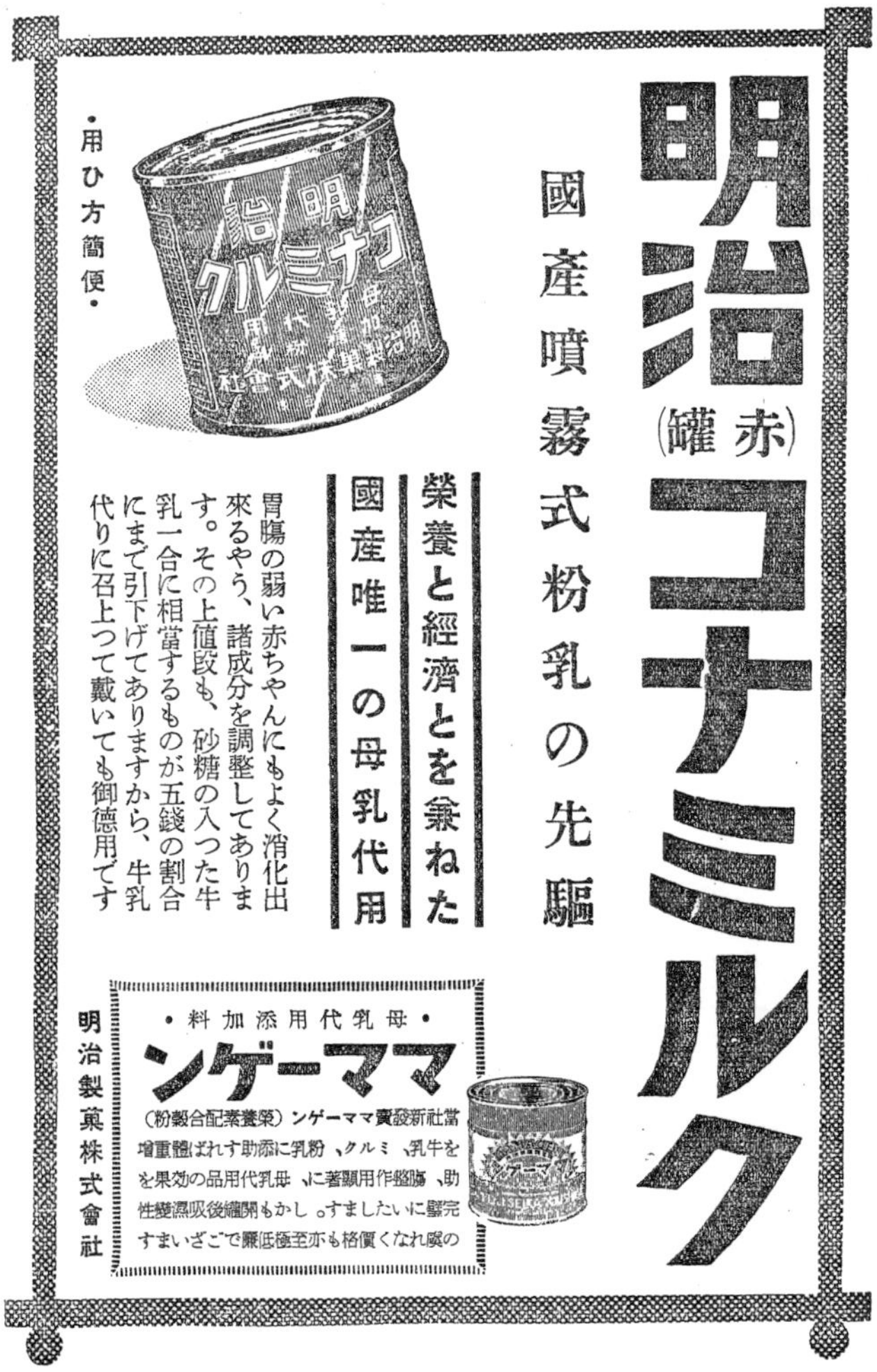

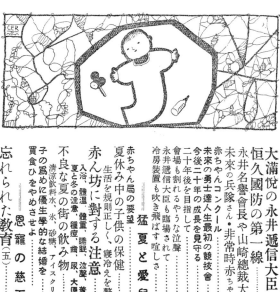

明治コナミルク
(赤罐)
國産噴霧式粉乳の先驅
榮養と經濟とを兼ねた
國産唯一の母乳代用
胃腸の弱い赤ちゃんにもよく消化出來るやう、諸成分を調整してあります。その上値段も、砂糖の入つた牛乳一合に相當するものが五錢の割合にまで引下げてありますから、牛乳代りに召上つて戴いても御徳用です
・用ひ方簡便・
・母乳代用添加料・
ママーゲン
當社新發賣ママーゲン(榮養素配合製粉)を牛乳、ミルク、粉乳に添加すれば體重增助、腸整作用顯著に、母乳代用品の効果を完璧にいたします。しかも開罐後吸濕變性の虞れなく價格も亦至極低廉でございます
明治製菓株式會社

喫茶店より美味しい珈琲が出來る珈琲沸器!!

大川パーコー

美味しい香り高い珈琲は
大川パーコーにのみ依つて得られます

全國百貨店に有り　　說明書送呈します

關西代理店　大阪市北區梅田新道

ニッポンブラジリアントレェディングコンパニー

東京市日本橋區本町
大川吸入器本舗
大川銀三郎商店發賣

モデル東京松竹少女歌劇聲樂專科對馬洋子さん一人二役

第二國民を祝福さるゝ我等の永井遞信大臣

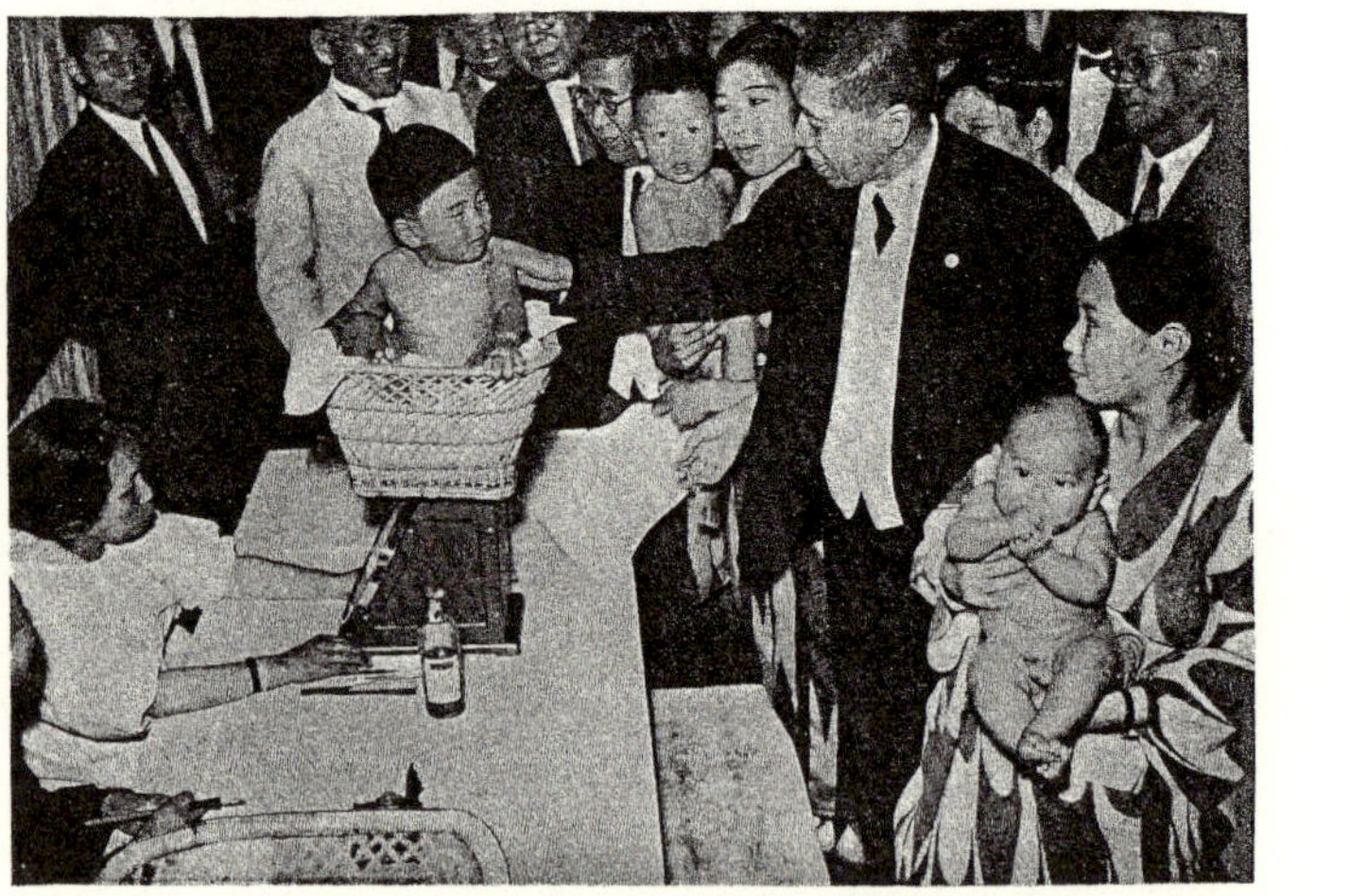

――第九回全東京乳幼兒審査會に於て――

寫眞向つて左より、二人目久留島先生、四人目村松高島屋重役、次は山崎前農林大臣前方にて幼兒を愛撫さるゝは永井遞信大臣、當日は開會當日にて全市各社寫眞班の包圍等ありて、軍國にふさはしい盛況ぶりであつた。

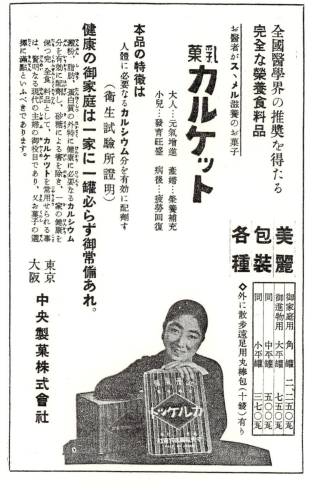

醫博士 有馬頼吉氏　醫博士 青山敬二氏　醫博士 太繩壽郎氏　發見創製

日・英・米・加奈陀・愛蘭　專賣特許

アーオー

結核免疫元

治療的應用

肺結核（潜伏、輕症、中等症）
腺結核、皮膚結核、泌尿生殖器結核、
外科的結核、眼科的結核、肋膜腹膜炎、喘息

特ニ小兒ノ淋巴腺結核ニハ手術ヲ要セズ治癒セシムルコトヲ多數實證セラル。

肋腹膜炎、肺炎等ノ恢復期ニ於テ最モ著効アルコトヲ認メラル。

豫防的應用

虚弱兒童、腺病質學童

特ニ感冒ニ罹リ易キ兒童ニハ著明ニ奏効スルコト確實ニシテ是等體位増強ノ手段トシテ最モ適切ナル豫防接種ナリト信ス。

診斷的應用

結核ノ存否病勢並ニ豫後ヲ確斷シ得　而モ無害ニシテ同時ニ治療的効果ヲ有スル方法

（所謂吉田氏反應）

特長

忌ムベキ副作用無ク、吸收容易ニシテ効果確實ナルコト。

製造所　有馬研究所

發賣元　須美商店

大阪市東區北濱四丁目〇

小兒科文獻贈呈

全國醫學界の推奬を得たる
完全な榮養食料品

お醫者がスゝメル滋養のお菓子

乳菓 カルケット

大人…元氣増進　産婦…榮養補充
小兒…發育旺盛　病後…疲勞回復

本品の特徴は

人體に必要なる**カルシウム**分を有効に配劑す

（衛生試驗所證明）

澱粉、脂肪、蛋白質の外特に健康に必要なる**カルシウム**分を有効に配劑し、砂糖による害を除き、一家の健康を保つ完全食料品として、**カルケット**を常用せられる事は、賢明なる現代の主婦の御役目であり、又お菓子の選擇に滿點といふべきであります。

健康の御家庭は一家に一罐必らず御常備あれ。

東京
大阪
中央製菓株式會社

美麗包装 各種

御家庭用	角罐	二、二五〇瓦
御進物用	大平罐	七五〇瓦
同	中平罐	五〇〇瓦
同	小平罐	三七〇瓦

◇外に散歩遠足用丸棒包（十錢）有り

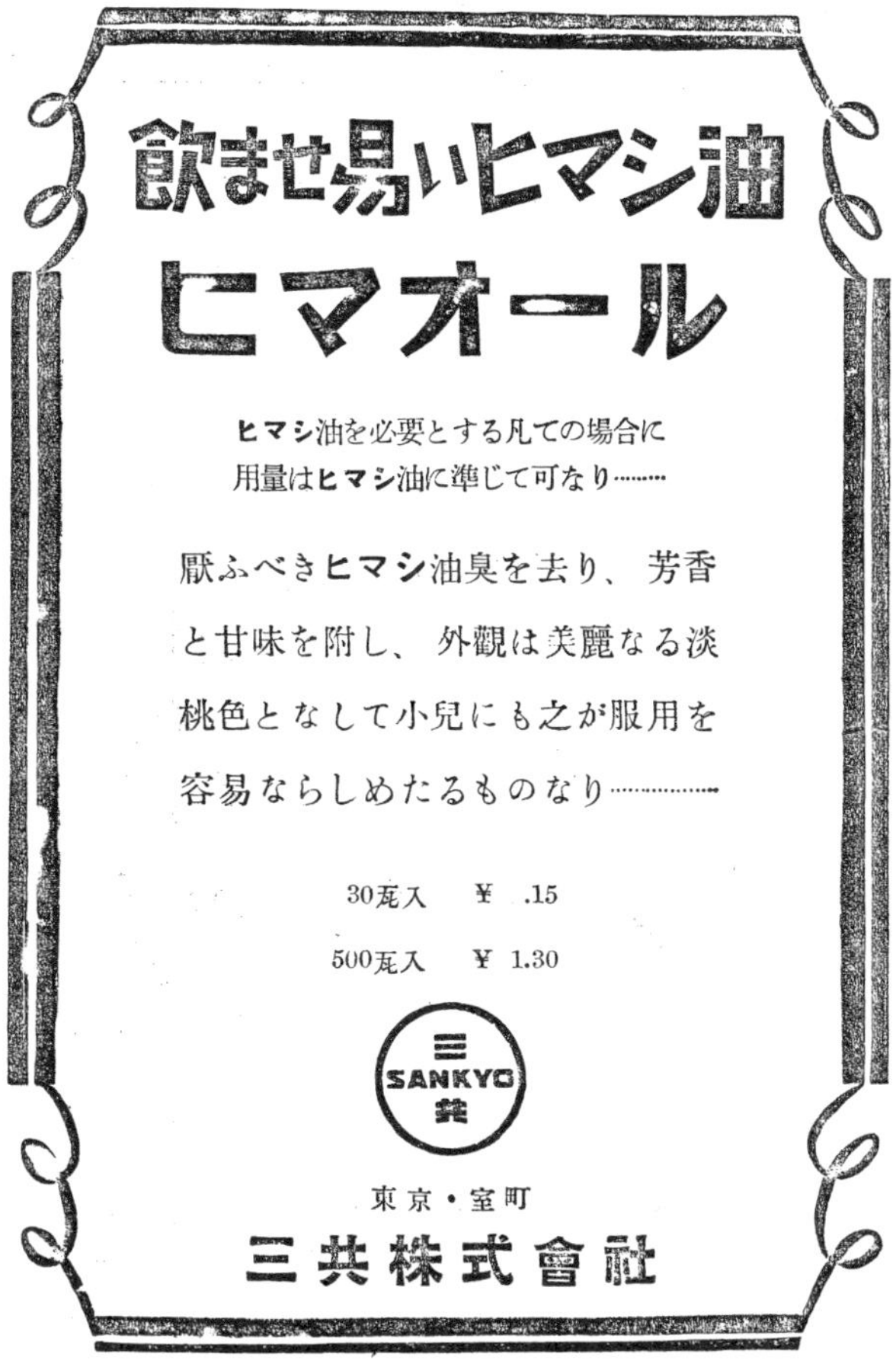

飲ませ易いヒマシ油
ヒマオール
ヒマシ油を必要とする凡ての場合に
用量はヒマシ油に準じて可なり………
厭ふべきヒマシ油臭を去り、芳香と甘味を附し、外觀は美麗なる淡桃色となして小兒にも之が服用を容易ならしめたるものなり……………
30瓦入 ¥ .15
500瓦入 ¥ 1.30
三共 SANKYO
東京・室町
三共株式會社

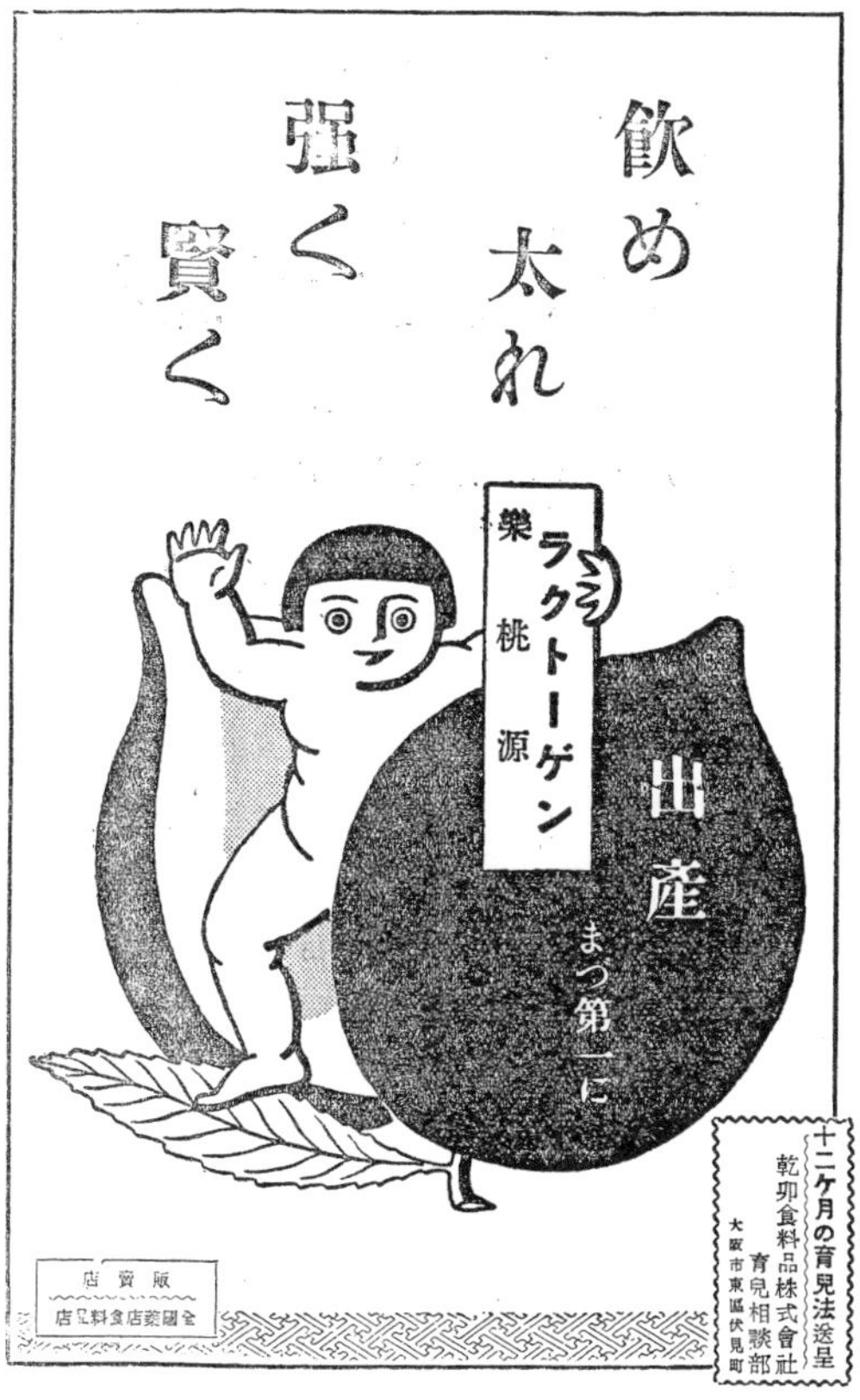

飲め 太れ
強く 賢く
ラクトーゲン
榮 桃 源
出產
まつ第一に
十二ケ月の育兒法送呈
乾卯食料品株式會社
育兒相談部
大阪市東區伏見町
販賣店
全國藥店食料品店

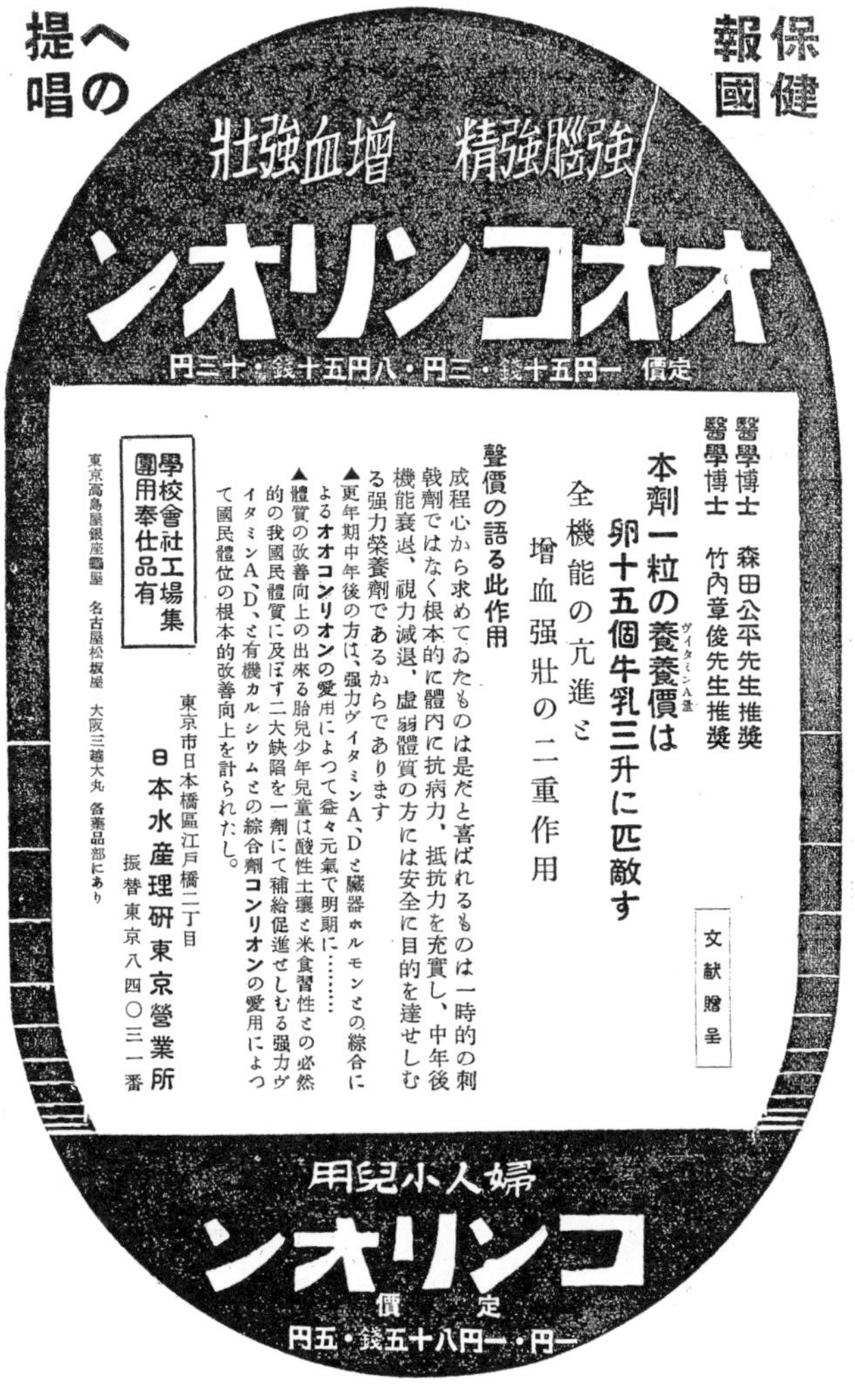

保健報國
への提唱
強腦強精 増血強壮
オオコンリオン
定價 一円五十銭・三円・八円五十銭・十三円
醫學博士 森田公平先生推奬
醫學博士 竹内章俊先生推奬
本劑一粒の養養價(ヴイタミンA量)は卵十五個牛乳三升に匹敵す
全機能の亢進と増血强壮の二重作用
聲價の語る此作用
成程心から求めてゐたものは是だと喜ばれるものは一時的の刺戟劑ではなく根本的に體内に抗病力、抵抗力を充實し、中年後機能衰退、視力減退、虚弱體質の方には安全に目的を達せしむる强力榮養劑であるからであります
▲更年期中年後の方は、强力ヴイタミンA、Dと臓器ホルモンとの綜合によるオオコンリオンの愛用によつて益々元氣で明朗に………
▲體質の改善向上の出來る胎兒少年兒童は酸性土壤と米食習性との必然的の我國民體質に及ぼす二大缺陷を一劑にて補給促進せしむる强力ヴイタミンA、D、と有機カルシウムとの綜合劑コンリオンの愛用によつて國民體位の根本的改善向上を計られたし。
文献贈呈
學校會社工場集團用奉仕品有
東京市日本橋區江戸橋二丁目
日本水産理研東京營業所
振替東京八四〇三一番
東京高島屋銀座鶴屋 名古屋松坂屋 大阪三越大丸 各薬品部にあり
婦人小兒用
コンリオン
定價 一円・一円八十五銭・五円

便秘性の乳幼兒に
マルツ汁エキス
MALT SOUP-EXTRACT
組成
マルツ汁エキスは易消化性麥芽糖を主成分とし、ヴヰタミンB、Cを包含す、
應用
ケルレル教授が治療食餌として創案せるものにして人工榮養に於ける食餌成分の偏重に基因する乳兒榮養失調症(牛乳榮養障碍)常習便秘又は高度の羸瘦を伴ふ消耗症、或は慢性消化不良、發育不良等に應用し、消化機能を整正恢復して榮養を佳良ならしめ、よく自然的便通を催進せしむ
用法
人工榮養兒には食餌に添加し、母乳兒には適宜溫湯に溶解して與ふ、又發育不良體重增加不良の場合にはケルレル氏法に從つて使用し、或はビオスメールの適量を添加し用ふ。
包裝 500G ¥1.90 120 G ¥ .70
文献贈呈
株式會社 和光堂 東京市神田區鍛冶町 大阪市東區南久太郎町
イ.M1

山崎總裁・永井名譽會長を迎へたる日の光景

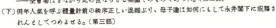

(上)希望に充ち溢れてる若き母性達と天使のやうな乳幼兒たちにかこまれた山崎、永井兩閣下——全會場はさながら此の世ならざる樂園そのものであつた。(第二部)
(下)例年人氣を呼ぶ體量計前の秩序正しい混雜ぶり、母子達は如何にもして永井閣下に祝福されんとしてつめよせる。(第三部)

山中湖から眺めた富士の英姿

東京蒲田大槻外科病院長
醫學博士　大槻正路氏撮影

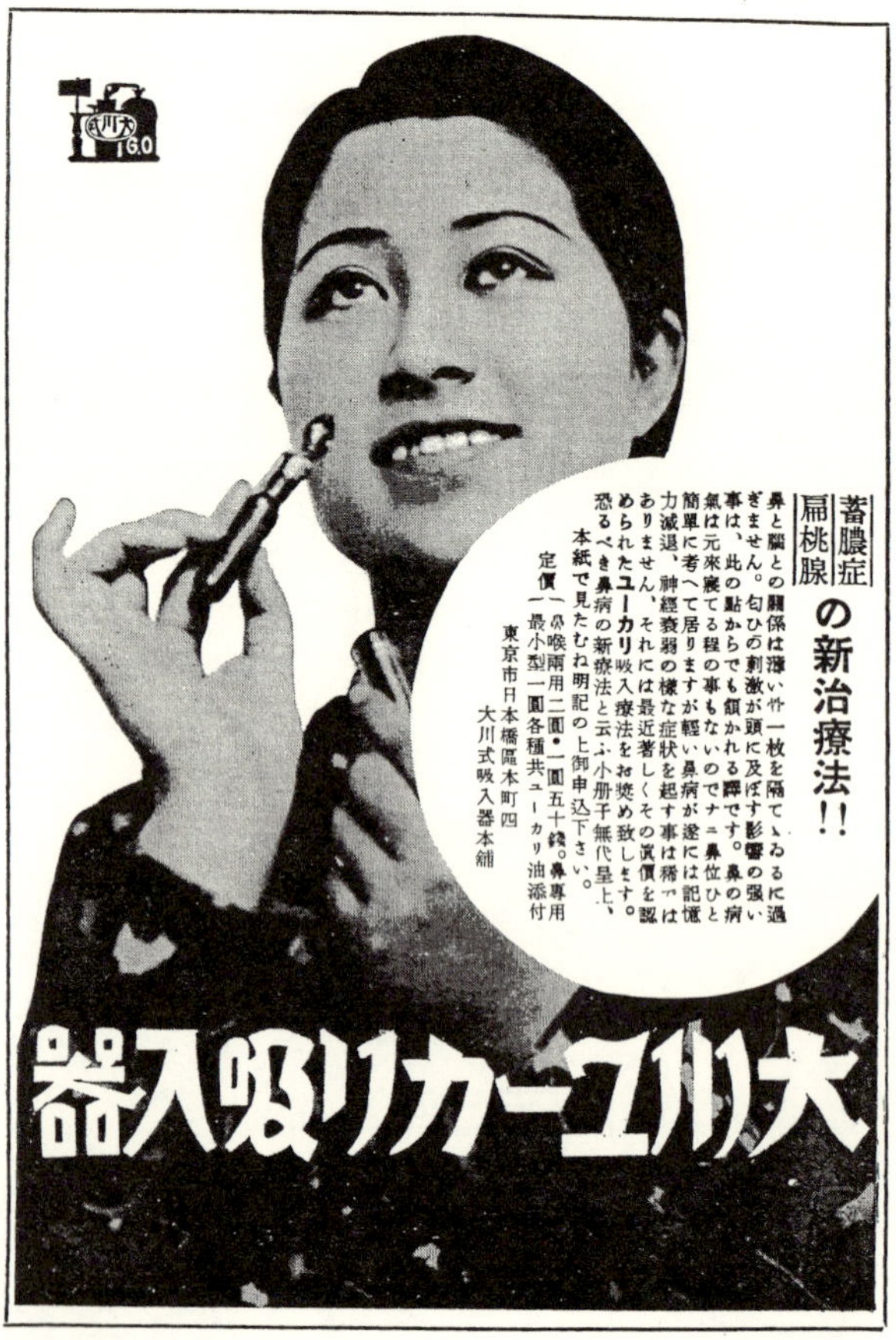

本會は常に審査會創始者としての權威を保持す

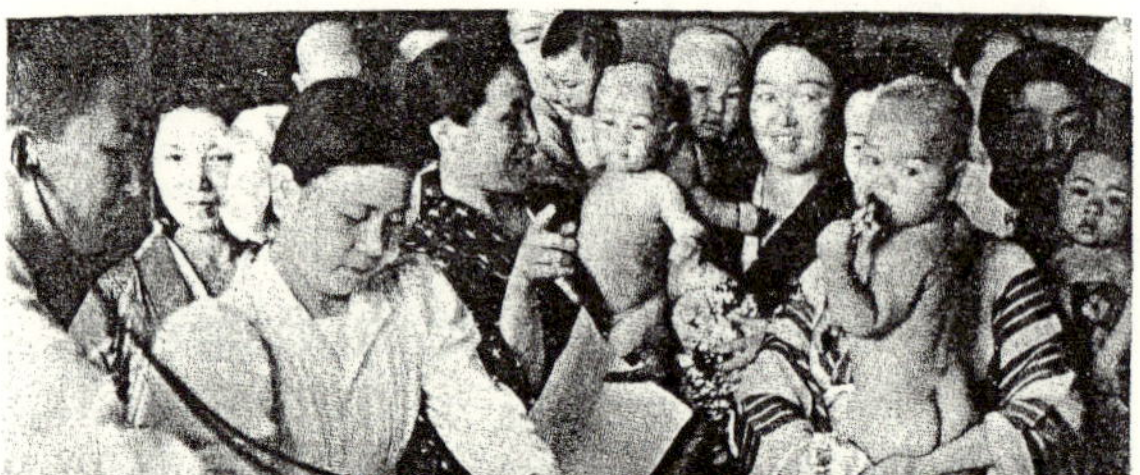

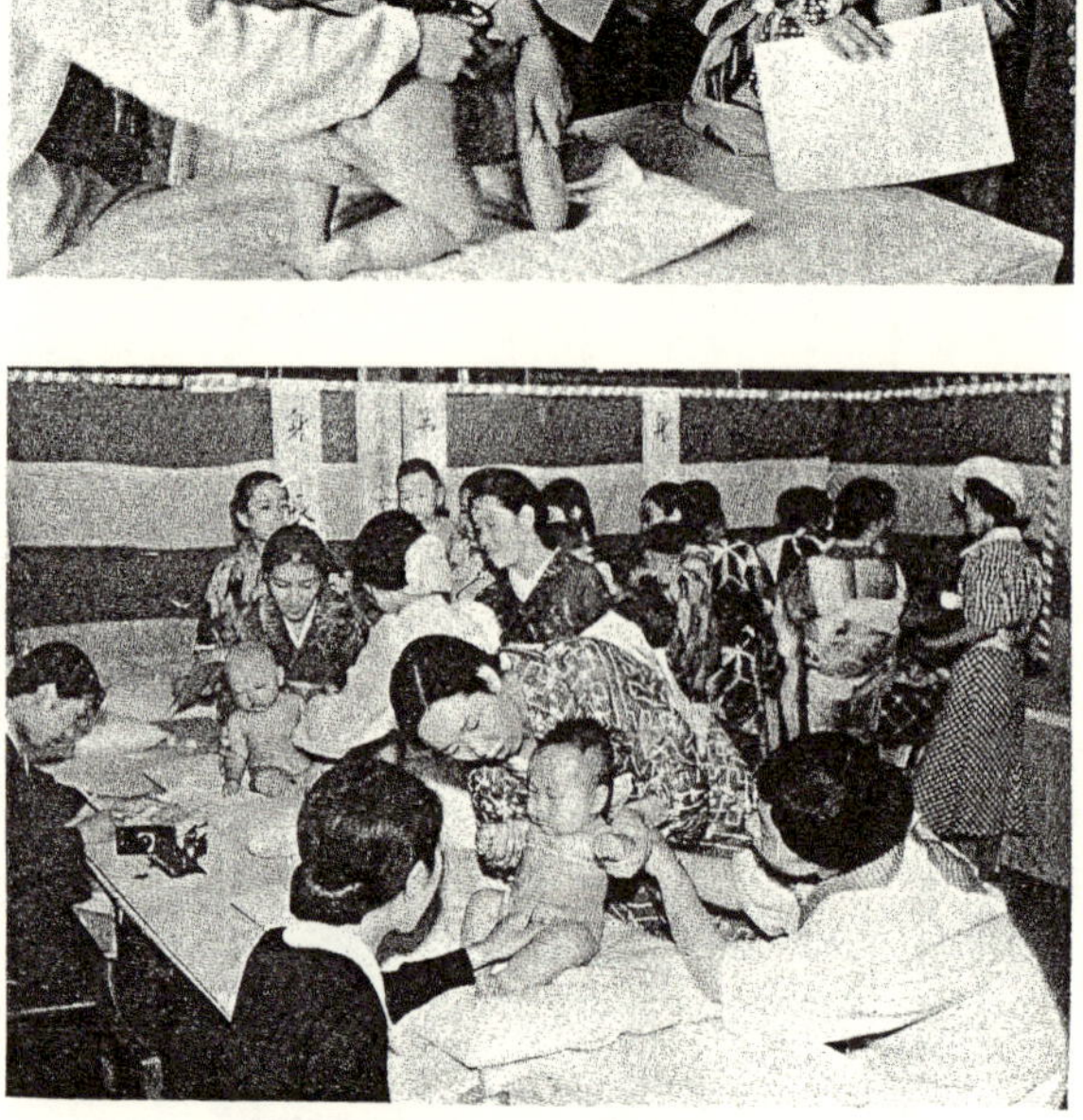

(上)斷じて他會の追隨を許さぬ嚴密なる內科の審査、潑剌と輝く母子達の姿を見よ!!
これぞ恒久國防の第一線に立つ可き人々だ。(第四部)
(下)身長、座高、頭圍、胸圍……測定の部。(小石川區產婆會奉仕)

昭和十二年　子供の世紀　八月號

全國民反省懺悔の秋（巻頭言）

去る七月七日深夜、彼のマルコポーロの旅行記等にも記されて居る、蘆溝橋郊外に於ける支那軍の不法發砲によつて端を發した今回の北支事變は、全世界民族の耳目を聳動せしめ、我國民全體を異常に緊張せしめ、筆舌に盡されぬ覺悟決心を示して居る事は今更茲にくど〳〵しく記すの要はなからう。

貴賤貧富を問はず、老若男女を論ぜず、ひたすらに國を愛するの至誠赤心の發露の高潮に達したる事は開闢以來曾つて無いと云はれて居る、此の尊嚴なる忠君愛國の眞心は、獨り天が我が國民にのみ特に附與されしものにて、いづれの國民の味はんとして味ふ能はず、獲得せんとして獲得する事の出來ぬ心の寶なのである。

これこそは歐米人などの五年や十年の修養練磨によつては夢にだも體得出來ぬ賜物なのである、我等は數千年來の尊き傳統によつてかもし出された愛國心を此の際いやが上にも發揚して、國家百年の計を建て、恒久國防の基礎をつくる可きであると考へる、我等はけちな數百萬圓の國防獻金位で滿足すべきではない、殊に此の際不純にも宣傳等を加味された獻納金などは日本國民として反省すべきであると信ずる者である。

聞くところによれば鎌倉その他の有名なる海水浴場などに於ては、のんびりと行樂避暑をするもの次第に減じて、恰も閑古鳥が啼くやうだとの事である、亦各百貨店當事者の談によれば海水浴着や贅澤極まる旅行用品等の賣れ行きすくなく、專ら百二十度炎天下に奮戰する出征軍人への眞心こめた慰問品の賣れ行きが日に日に增加して行くとの事である。然し乍ら尚我等の愛國心は此の程度で終つてはならない、我等は身分不相應の生活をして居らないだらうか、國民として恥づ可き娛樂を續けては居らないだらうか、遊女にも等しい婚禮の衣物を娘に着せて得意然としてはゐないだらうか、不勞所得で安逸をむさぼつてゐないだらうか、虛僞虛榮の贅澤品を身につけてはゐないだらうか、我が全國民若し反省懺悔せば全世界を相手として戰ふも怖るゝに足らず、尚且つ餘裕を殘し得ると斷ずるも決して過言ではなからう。

恒久國防・國民體位向上を目標とする 第九回全東京乳幼兒審査會の記

日本兒童愛護聯盟理事長　伊藤悌二

實行は大雄辯に優る

本聯盟が滿十七年前より稱道實施して來た、國民體位向上の事業、恒久國防の運動が遲播き乍ら最近各方面に論議されて來た事は實に喜ばしい現象である、然し今からでも決して遲くはないのである、世は擧げて超非常時であり、今回の北支事變によつて我が國はあらゆる意味に於て全世界注目の的となつて居る事は事實である。此の際我等眼前に迫つた壯丁の健康恢復位の程度で滿足して居る可きではなからう、我が國は東洋を舞臺とし、世界を相手として戰ふの決心覺悟が必要であると同時に、我が國の使命が五十年や百年で果せると思ふならばそれは早計であらう。

恒久國防を忘れ、眼前の勝利に心醉し、國家百年の計を忘れた國民の滅亡して居る實例は有り餘る程ある、此の秋に當り各方面の社會事業團體は、唯徒らに尊大振つた態度で、高所から君臨するやうな高慢な心事を去り、煙草と認印を握つて日々の能事終れりとせず、亦何等勞せずして政府の援助金や、非禮にも畏き邊りの御下賜金を夢みる事なく、緊揮一番、百尺竿頭一歩をすゝめて、出征軍人家族の兒童、乳幼兒の救濟保護等有意義な運動に着手するのは社會事業家本來の面目ではなからうか。

恒久國防のための乳幼兒愛護運動

恒久國防の旗印には何人と雖も反對する者はあるまい、若しありとすればそれは國賊である、我等の運動は今にして朝野各方面より認められ、政府當局の援助を受くるに至つた事は、十數年來勞苦を共にして來た同志同勞の人々と共に涙ぐましき程の感謝に充ちて居る次第である、殊に陸、海軍兩省の絶大なる協賛は第二國民を代表し、本聯盟を代表して心からなる感謝を披瀝しなければならぬ。

陸軍省醫務局長小泉中將閣下、名和醫務局醫事課長殿、大槻副官殿、新聞班の大久保少佐殿（彼の二・二六事件に際し、「今からでも遲くはない」の名文をものされた方）岡江、梶浦兩軍醫殿――海軍省醫務局長高杉中將閣下、保科軍務局第一課長殿、松永副官殿、大久保、木津兩軍醫殿等の御芳名を茲に列擧する所以のものは、私共は譬へ公用とは云ひ乍ら何時如何なる時に御訪ねしても、必ず御多端の時を割かれて種々御示教を仰ぎ、力强い御助勢の御言葉を受くる事の出來る感謝の心の一端からなのである。

私共は何時までも私心を捨てゝ、邦家のために奮鬪しなければならぬと誓ふやうになるのも其のためである、君國に仕ふるの赤心に於ては何人にも劣らぬ自信あればこそ恒久國防のために奮進出來るのではあるまいか。

永井遞相、山崎前農相の御臨場

第九回全東京乳幼兒審査會は、既報の通り去る七月二十六日より五日間、東京日本橋高島屋大ホールに於て開催された、（本會が結了して間もなく世界教育會議の招待會が同ホールに催されたのも意味が深い）二十六日、早朝本會名譽會長永井柳太郎閣下の會場に御臨場のあつた事は、東京全市十七新聞紙上によつて報道されたので周知の事であるが、正九時と云ふ開會と同時刻に貴賓室に暫し御休憩になつたので、記者は「昨日は議會の開院式の御事故、御公務御繁多の折柄誠に恐縮の至りと存じます」、と申し上ぐれば、「炎暑の中、畏くも天皇陛下には昨日帝國議會に行幸遊ばされ、全閣僚、全議員、唯々恐懼感泣する計りであつた、忝くも陛下の尊くも輝かしい御健康なる御龍顏を拜し奉り、何とも申上ぐる事の出來ぬかしこさ、ありがたさが我等全員の胸に自ら湧いたやうに感ぜられた……」、私共閣下の御話しを承つて居ると、いかにも我が日東帝國の盤石の上に萬代迄もゆるぎ無き事を證する御言葉のやうに思はれて、一種名狀の出來ぬ嬉しさがこみあげて來た。

其處へ本會總裁山崎達之輔閣下の御來場があり、廣井會長、村松高島屋重役、東遞信秘書官、木村高島屋宣傳部長、保利茂氏等を交へ審査會の社會への貢献事項や歴史等を中心に懇談し、それから永井、山崎兩閣下を同時に會場內に御案內したのであつた。永井閣下は山崎閣下にむかはれ、「此の赤ん坊たちの泣く中で演説が出來るやうになればたいしたものですよ!」と、云はれると、「元氣潑溂な事は豫想外だね」、といかにも驚かれたやうな御樣子であつた。

「來年からは社會保健省の方の所管となるから、此の事業も萬事は遺漏なく世話してくれる事と考へる」、とも附言された。

例によつて第一部の受附から、第二部の小石川產婆會の方々の出產前後の質問の部等を、順を追ふて兩閣下が御參觀の時より、同盟通信社始め各新聞社の寫眞班が何回も何回も繰返して包圍するので、御氣の毒のやうに思はれたが、それでも兩閣下は終始ニコ〳〵されて各社に便宜を與へられるのは子供の事業であればこそと思はせられた。

山崎閣下は始めての御參觀故、こと〴〵に珍らしいと云ふ御面持で、「實にくはしく調べるものだ」、と記者に度々賛辭を呈して下さるのであつた。

永井閣下は「斯うした事變最中でもあり、猛暑の中でもあるから、來會者は例年よりもすくないと思つたが、益々多くなるのは驚くの外はない、これは國民全般が健康保健の問題を重要視するに至つた證據であつて何より喜ばしい、殊に若き母性が多く熱心で元氣な事は邦家將來のために賀す可き事である」、と心から喜んで下した。

久留島、岸邊、小原三顧問の御好意

體重計の前、頭圍、身長、座高測定の部の前にても兩閣下が記者團の再度の包圍攻擊をうけられてる最中、本會顧問久留島武彥先生が御見えになつて、兩閣下に御挨拶をかはされ同じレンズの中にはいられた。

先生は記者のために、記者を祝福されて

怠らずゆかば千里のはても見ん牛のあゆみのよし遲くとも

と揮毫された大幅の書を記者に手渡されつゝ、にこやかに微笑まれ「これは、伊藤さんへの御祝ひですよ、例年に優る御盛會で實にお芽出度う〳〵」、と握手され乍ら、我が事のやうに喜ばれるのであつた、先生は四、五十分の間、會場に足を止められ、來會の可愛い母子達に、一々に御挨拶の笑みをかはされ、一段と會場をなごやかにされた。

尚、期間中、本會顧問岸邊福雄先生は熱海より「コトシモオサカンナルヲシユクスキシベフ」と云ふ祝電を送られたのであつた、亦、同顧問醫學博士小原芳樹先生も、本會の成行を案ぜされ、御多忙な往診の時を割かれて來會される等各方面諸先輩の愛の無慾の奉仕にはひとしほ感激を禁ずる事は出來ない。

會期中屢々號外の鈴音に驚かされて、會場である八階樓上から街路を眼下に瞰おろすと、出征の軍人が、青年團員、愛國、國防婦人會の人々に見送られつゝ驛に向つて急ぐ姿が、每日幾つともなく見られるので、執務中とは云へ嚴肅なる氣に充たされ、はるかに歡送するのであつた。

過ぐる五日間は連日天候に惠まれ、連日未明頃に大雨があつたので、日中は實に凌ぎよく猛夏の最中とは云へ前々より案ずる程の事もなかつた。

保健運動の最前線に立つ若き母性達の中には暑熱など怖れる者は一人もなく、實に非常時にふさはしい光景であつた、暑さに苦情を申し立て、避暑などを誇る輩は半病人か、亦は未だ成金時代の虛榮の夢の醒めぬ人々で、共に天下國家を論ずるに足らぬ人々であらう。

連日に亘る審査主任、審査員、小石川區產婆會員、高島屋當局の方々並に店員諸氏の熱誠あふるゝ御奉仕には實に感謝の言葉もない程である。

帝都全新聞の我等が審査會觀

――全紙上寫眞入り――

赤ちゃんの世界へ

大滿悅の永井遞相

廿六日朝九時半、この日から日本橋高島屋の八階ホールで開かれた「赤ちゃんの審査會」第九回全東京乳幼兒審査會の會場へ、この會の名譽會長である永井遞相と總裁の山崎前農相とが連立つてヒヨツコリ顏を出した。

永井遞相にとつてはこれから非常時議會へ登院前の一刻、丸裸の赤ちゃん群が秤にかけられたり、胸圍を測られたり、ワア〳〵ギヤア〳〵と伴奏入りで賑はふ中を大臣ひどく御機嫌で視て廻る。

「うん、こりや良い兒だ」と氣輕に裸坊を抱き上げたり、おつむをさすつたり、赤ちゃんの方では極めててんゝ淡で今を時めく遞信大臣も「たゞのオヂチヤン」視してキヨトンとしてゐる。

約三十分、理窟も駈引もない無邪氣な子供の世界で遊んだ永井遞相はやがて赤ちゃん達にハイチヤして今度は議事堂で開かれてゐる大人の世界へ出かけて行つた。

（東朝　七月二十七日付夕刊）

〝恒久國防の第一線〟

日本兒童愛護聯盟主催の全東京乳幼兒第九回審査會は廿六日から（五日間）日本橋高島屋ホールで開かれたが、恒久的國防を目ざして本年度から特に陸、海軍省と連絡し新しい兒童愛護運動開始の第一歩を踏み出したことは意義が深い。何れも自慢の愛兒を抱いたお母さん連が押しかけ大賑ひの最中へ名譽會長永井遞相が來場、遞相は健康兒を抱き上げて大滿悅、第一日午前中の審査は五百人だつた。

（東日　七月二十七日付夕刊）

オギヤア〳〵コンクール

永井名譽會長や山崎總裁大童

オギヤア〳〵のコンクール、赤ちやんの審査會が日本兒童愛護聯盟の手で廿六日朝九時から日本橋髙島屋ホールで開かれた。滿二歳までの赤ン坊が一日に千人づつ五日間にわたつて斯界の權威者から體重、身長、齒科、內科の各部門について一々詳細な審査をうけるわけで、會場はさながら〝產めよ、殖せよ〟の實踐道場みたい、この朝名譽會長永井遞相、總裁山崎前農相らも姿を見せ抱きあげたり頰ずりしたりして廻つた、審査成績の發表は來る十月、とくに今年は陸、海軍醫務局も時節柄一肌ぬいでこの赤ちやんたちの成育ぶりを廿歳までカードに記錄參考資料にすることになつた。

（讀賣　七月二十七日付夕刊）

未來の兵隊さん

非常時赤ちやんコンクール

「赤ちやん審査會」の第九回〝國民體位〟の時節柄けふ廿六日から五日間、日本橋の高島屋で開かれる、第一日目、朝九時過ぎにはもう來場者も一千名を突破する盛況、うだる暑さに裸にされた赤ちやん達は大喜びだが齒科や內科で恐い小父さんに手を取られると忽ち泣き出しあちらでもこちらでもオギヤーオギヤーのコンクール、審査場は開始五分で大混亂に陷つた。

其處へ現れた名譽會長の永井遞相、この盛況にすつかり滿悅、赤ちやんの肩を撫でたり抱き上げたり「この子は頸がツンと立つてゐるから未來は兵隊さんだ」などゝ激勵、總裁の山崎前農相と共に廿分ばかり場內を隈なく見廻つて特別議會へ急いだ。

（都　七月二十七日付夕刊）

赤ちやんコンクール

日本兒童愛護聯盟主催の東京乳幼兒審査會も回を重ねること九回、今年は廿六日朝から日本橋の某デパートのホールで開かれたが、一日約千人づゝ、滿二歳以下の愛の結晶を五日間かゝつて審査しようといふのだ、名譽會長の永井遞相や總裁の山崎前農相等も姿を見せて童心に立返つてゐた。審査の結果發表は十月、今年からは陸、海軍醫務局と協力して、これらの赤ちやんが滿二十歳になるまでの成長振りをカードに取つて國民體位向上のための資料に供するといふ。

（報知　七月二十七日付夕刊）

未來のわが勇士達
人生最初の競技會

赤ちやんコンクール

赤ちやんコンクール――日本兒童愛護聯盟主催の第九回全東京乳幼兒審査會が廿六日午前九時から日本橋高島屋のホールで開かれた、選手は何れも滿二歳以下の赤ちやんばかり約千人、皆自信たつぷりのお母さんや初孫自慢のお祖父さん達に抱かれて續々出場、議會の暇をみて驅けつけた名譽會長永井遞相、總裁の山崎前農相が赤く肥つた赤ちやん達に取圍まれて大ニコニコ、この審査會は卅一日まで續き成績發表は十月、今年からは陸海軍の醫務局も乘出して滿廿歳までの成長振りをカードに取つて資料にするといふ。

（中外　七月二十七日付夕刊）

赤ちやんコンクール

今後二十年の成育を見守る

國民體位向上の叫ばれる折柄日本兒童愛護聯盟主催の第九回全東京乳幼兒審査會が日本橋高島屋八階ホールで廿六日午前九時から開かれた、選手は滿二歳以下の赤ちやんで一日約千人づつ五日間五千人餘を審査する慌しさ、名譽會長永井遞相、總裁山崎前農相も臨席、伊藤主事以下醫者、看護婦が緊張の顏つきで待構へるうち、ベビー選手は何れも自信ありげにジロ〳〵敵狀視察のお母さんや初孫自慢らしい勇肌のお祖父さん等に附添はれぞく〳〵入場、時節柄まる裸にされるのはみな大喜びだが體重計の籠や、寢かせてぐつと挾む身長計、齒科、內科等と來ると忽ち異議あり、果して開始五分にして會場はさながらオギヤー、オギヤーのコンクール、用意の菓子も役に立たずあやして泣かれた若い看護婦は自分の方が泣き出しさう、正午近くます〳〵混亂に陷つては蛙鳴蟬噪冷房裝置をふつとばす暑苦しさ、遞相も辟易して引揚げた、審査發表は十月、今年からは陸海軍醫務局と協力この五千人の滿二十歳までの成長ぶりをカードに取つて有力な資料を作る筈。

（國民　七月二十七日付夕刊）

二十年後を目指して
赤ちやんコンクール

オギヤーの喊聲に大臣も辟易

國民體位向上の叫ばれる折柄、日本兒童愛護聯盟の第九回全東京乳幼兒審査會が日本橋某デパートの八階ホールで廿六日午前九時から開かれた、選手は滿二歳以下の

赤ちやんで一日約千人づゝ五日間五千人餘を審査する慌だしさ、名譽會長永井遞相、總裁山崎前農相も臨席、伊藤主事以下醫者、看護婦が緊張の顏つきで待構へるうちベビー選手は何れも自信ありげにジロジロ敵狀視察のお母さんや初孫自慢らしい勇み肌のお祖父さん等に附添はれぞく〳〵入場、時節柄まる裸にされるのはみな大喜びだが體重計の籠や、寢かせてぐつと挾む身長計、齒科、內科等と來ると忽ち異議あり、果して開始五分にして會場はさながらオギヤー、オギヤーのコンクール、用意の菓子も役に立たず、あやして泣かれた若い看護婦は自分の方が泣出しさう、正午近くます〳〵混亂に陷つては蛙鳴蟬噪、冷房裝置をふつとばす暑苦しさ、遞相も辟易して引揚げた、審査發表は十月、今年からは陸海軍醫務局と協力この五千人の滿二十歳までの成長ぶりをカードに取つて有力な資料を作る筈。

（やまと　七月二十七日付夕刊）

赤ん坊コンクール

會場も割れるやうな泣聲

國民體位向上の叫ばれる折柄日本兒童愛護聯盟主催の第九回全東京乳幼兒審査會が日本橋某デパートの八階ホールで廿六日午前九時から開かれた、選手は滿二歳以下の赤ちやんで一日約千人宛五日間五千人餘を審査する慌だゞしさ、名譽會長永井遞相、總裁山崎前農相も臨席、伊藤主事以下醫者、看護婦が緊張の顏つきで待構へるうちベビー選手は何れも自信ありげにジロ〳〵敵狀視察のお母さんや初孫自慢らしい勇肌のお祖父さん等に附添はれ續々入場、時節柄まる裸にされるのは皆大喜びだが體重計の籠や、寢かせてぐつと挾む身長計、齒科、內科等と來ると忽ち異議あり、果して開始五分にして會場はさながらオギヤー〳〵のコンクール、用意の菓子も役に立たず、あやして泣かれた若い看護婦は自分の方が泣出しさう、正午近くます〳〵混亂に陷つては蛙鳴蟬噪、冷房裝置をふつとばす暑苦しさ、遞相も辟易して引揚げた、審査發表は十月、今年からは陸海軍醫務局と協力この五千人の滿二十歳までの成長ぶりをカードに取つて有力な資料を作る筈。

（東京每夕　七月二十七日付夕刊）

遞相耳を抑えて

赤ちやんコンクール開く

國民體位向上の叫ばれる折柄日本兒童愛護聯盟主催の第九回全東京乳幼兒審査會が日本橋某デパートの八階ホ

ールで廿六日午前九時から開かれた、選手は滿二歳以下の赤ちやんで、一日約千人づゝ五日間五千人餘を審査する慌しさ、名譽會長永井遞相、總裁山崎前農相も臨席、伊藤主事以下醫者、看護婦が緊張の顏つきで待ち構へるうち、ベビー選手は何れも自信ありげにジロジロ敵狀視察のお母ちやん初孫自慢らしい勇肌のお祖父さん等に附添はれぞく〳〵入場、時節柄まる裸にされるのは喜びだが體重計の籠や、寢かせてぐつと挾む身長計、齒科、內科等と來ると忽ち異議あり、果して開始五分にして會場はさながらオギヤー〳〵のコンクール、用意の菓子も役に立たず、あやして泣かれた若い看護婦は自分の方が泣き出しさう、正午近くます〳〵混亂に陷つては蛙鳴蟬噪、冷房裝置をふつとばす暑苦しさ、遞相も辟易して引揚げた、審査發表は十月、今年からは陸海軍醫務局と協力この五千人の滿廿歳迄の成長ぶりをカードに取つて有力な資料を作る筈。

（二六新報　七月二十七日付夕刊）

遞相、耳を抑えて遁走

冷房裝置も吹き飛ばす喧ましさ
赤ちやんコンクール開く

國民體位向上の叫ばれる折柄日本兒童愛護聯盟主催の第九回全東京乳幼兒審査會が日本橋某デパートの八階ホールで廿六日午前九時から開かれた、選手は滿二歳以下の赤ちやんで一日約千人づゝ五日間五千人餘を審査する慌しさ、名譽會長永井遞相、總裁山崎前農相も臨席、伊藤主事以下醫者、看護婦が緊張の顏つきで待ち構へるうち、ベビー選手は何れも自信ありげにジロジロ敵狀視察のお母ちやん初孫自慢らしい勇肌のお祖父さん等に附添はれぞく〳〵入場、時節柄まる裸にされるのは喜びだが體重計の籠や、寢かせてぐつと挾む身長計、齒科、內科等と來ると忽ち異議あり、果して開始五分にして會場はさながらオギヤー〳〵のコンクール、用意の菓子も役に立たず、あやして泣かれた若い看護婦は自分の方が泣き出しさう。正午近くます〳〵混亂に陷つては蛙鳴蟬噪、冷房裝置をふつとばす暑苦しさ、遞相も辟易して引揚げた、審査發表は十月、今年からは陸海軍醫務局と協力この五千人の滿廿歳迄の成長ぶりをカードに取つて有力な資料を作る筈。

（帝國夕刊　七月二十七日付夕刊）

親の慈愛の金字塔

御出産の御祝品に絶好

出産から小學校入學まで、六年間の生ひ立ちを細かに綴りゆく美しい本

四六倍版模造紙八四頁
色クロース金模様装禎
各頁極彩童畫飾畫挿畫
優雅堅牢な保存用箱入

大阪こども究研會編

わが子の歴史

杉浦非水先生装禎・有名童畫家十先生各頁着彩飾畫

定價一冊 三円

●地方送料 內地四十五錢 台灣朝鮮七十五錢 ●荷造料十六錢

慈愛深き親達の手で、この美しい本に可愛いお子樣の生ひ立ちを細かく御記入になつて、成人の後お子樣へ贈られることは、何と意義深い事で御座いませう。

大阪市高麗橋 三越圖書部

振替口座大阪三〇三番

"赤ちやん局"の要望

せめて「課」ぐらゐはほしいもの

金子しげり

▽五局△ 一院からなる保健社會省といふ新しいお役所が近く生れるといふので、その肝煎をやつてゐる企畫廳のお役人をつかまへて五つの婦人團體がいろ／＼の話を聞いた上で「赤ちやん局を作れ」と要望したといふニュースが、時局色の濃い新聞にちよつと變つた味を盛つたやうである。

赤ちやん局イコール兒童局であつて本當は婦人團體の要求は子供たちの母親のための婦人局を作れといふところまで行つてゐたのである。

▽保健△ 社會省といふ役所がどういふことをやるのかは、七月九日の閣議できまつた設置要綱でみても細かいところはわからない企畫廳の人の話ではさういふことはいづれきめるので、今は大筋だけだといふのらしい、そこで五局一院の大體の仕事を渉つてみると社會局の內に、「母性、乳幼兒の養護兒童の保護に關する事項」といふのがあるのだがその他の勞働、體力、醫務の各局のどれ一つだつて母や子に緣のない所はない。

國民の體位向上といふ大問題の解決を當面の目的として生れる役所であつてみれば、その國民の母胎である母性の保護は重要な對象であり、從つて一局ぐらゐは婦人のために設ける位でなくては根本的に力のある仕事は出來まい、それが行きがかり上困難ならば、せめて今迄の協議の際出てゐた兒童局なりと作れといふので、たゞ外國にもあるからといふ風な觀念論から出發したものでなかつたやうである。

▽局が△無理なら課でもいゝ、とにかく婦人なり兒童なりの獨立した役所がないと、何處にも含まれてゐるだけに却つて綜合の效果が上りにくいだらうといふので、同じ意味から新省付設の研究機關中にも女や子供の委員會を設けてほしいと要求したのだから全く當然の要求であり正しい輿論だと思はれる。

★　★

夏休み中の子供の保健・衛生

醫學博士 鎭目專之助

小學校は一齊に夏休みに入つた、學校の課程から解放された子供達は、のんびりして毎日遊戲に專心し、蠅取り、蜻蛉釣り、水泳ぎなど、終日遊び暮らす兒もあらう。また親達に連れられて海岸や温泉に暑を避け、身體を養ふ向きもあるでせう。何れにしても身體を壯健にするために折角與へられた夏休みを空しくせぬやう。休み中の保健衛生について二三の注意を述べて見たい。

×　×　×

生活を規則正しく

夏休み中の生活について第一に注意してほしいのは、生活を不規則にしないことである。平素學校がある時は、自然ある程度の規律ある生活をしてゐる、勉强も運動も食事も睡眠も自ら定りが出來てゐるので、身體を損ぜぬが、休みになつて不仕駄羅な生活を送ることは一番よくない。それで朝起きたらすぐラヂオ體操をするとか、續いて食事を濟ます、暫く學校の宿題を見る、遊びに行く等々凡そ自由の裡に或る程度の形式が必要で、この點どこへ行つても注意してほしい。

寢冷えを警戒せよ

成人と違つて小兒は兎角寢冷えから病氣し易い。誰しもわが子に寢冷えさせまいと苦心してゐるが、子供は毎夜のやうに蒲團を剝ぐし、また蒲團の外へ轉がり出る。掛けても／＼蒲團をぬいで母親は夜もオチ／＼眠られないほどである。そこで一ツ考へてほしいことは小兒といふものは幼いほど睡眠の深いもので、しかも睡眠中は寒冷に對して鈍感なものであるから、蒲團の外で身體がすつかり冷え込んで仕舞つてもなほ中々目をさまさない。成人なら曉方になつて少し冷えて來れば自づと目覺めて自身蒲團をかけるのだが、小兒にはそれが出來ない。從つて寢冷えをすることになる。その癖小兒は熱感には中々敏感で、蒲團が少し厚過ぎて暑く感ずれば、すぐに蒲團を脫け出す、夜具を蹴飛ばす、それで寢冷えさせまいと思つて厚い寢具をかけることは却つて寢冷えの基を作るやうなことになる。

故に暑くて寢苦しい夜などは一層のこと夜具なぞかけずに、寢着の上から腹卷をさせて、蒲團の上へ轉ろがして置く方がよい。そして曉方になつて餘り冷えて來たらその時初めて薄い夜具でもかけてやればよろしい。

飲食物への注意

暑い時は誰しも胃腸の働きが弱まるもので、成人でもごく暑いと胃の鹽酸の分泌が減る位である。然るに一方汗をかくので冷水、氷水その他冷飲料を澤山飲む、又果物殊に消化のよくない瓜類なども好んで食べられる。かくて夏は胃腸の病氣が起り易い、加之暑熱により食物は腐敗し易く、不幸にして食物に赤痢菌でも附着すると一夜の裡にその病原菌が食物一ぱいに蕃殖して仕舞つて、これを食べた小兒は疫痢や赤痢になるのである。

それ故夏は宵越しの食物は小兒に與へぬが安全で、少くも煮なほして與へてほしい。また汚れた手を洗はせて後に食べさせること、果物などは必ず何度も水を代へてよく洗つて後皮を剝いて與へるほどの御注意を願ひたい。暑い日には飲物は是非必要だが、市販の氷水に時々見かける樣に容器を洗ふのにおなじ水で何度でも洗つてるやうな不潔なものは避けて、家庭で氷水（氷のブッカキで作る）を作つてやる方がよい。

總て冷飲料は午前中か午後三時前なら好むに委せて與へても、みな汗になつて出て仕舞ふから害はないが、夕刻以後は澤山與へてはよろしくない。

海へ行く兒に對する注意

由來日本の海岸は一般に暑いところが多い。日中海風の吹き入る時は涼しいが、夜に入り戶を閉して寢るとなると暑くて寢苦しくなる。ために赤ん坊は汗疹に惱み、また子供は時に寢冷えをする虞がある。また海水浴で大變空腹になつた所へ暴食してお腹を痛めることも屢々ある。この點海へ行く時特に注意して欲しい。更に手足を虫に刺されたり、海で傷を作つたのが化膿して發熱するなど、避暑地で思はぬ苦勞をすることがあるから、早く手當をして置くことを忘れぬやうに願ひたい。

山へ行く兒へ注意

近年山行きが流行する。實際赤ん坊や幼少の兒で未だ海へ入つて遊べぬ兒には山の方が汗疹で苦しまぬだけでも有難い。しかし山地は兎角氣候の激變が起り易いからこの點に注意せぬと飛んだ目に遭ふ。東京を暑熱の最中に逃出して毛のシャツ一枚持たずに、單衣ばかりで山に來て、さて雨でも降ると温度が急に降下するため到頭感冒に罹つて發熱に閉口するなどよくあることです。また山に來る途中汽車の中が暑いので、氷水、アイスクリームなどと驛に着く度に喰べて來た上に、愈々山に着いて見ると急に涼しくなるので俄然食慾が出てその夜思はず食べ過ぎる。おまけに夜中は急に冷えるのでうつかりすると寢冷えする。翌日になると下痢、發熱で大騷ぎするなど、かういふ山に着く早々の病人を私も屢々診せられました。ご用心を願ひます。

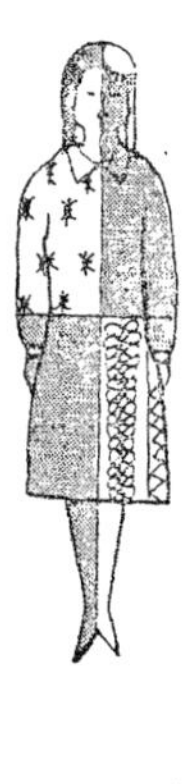

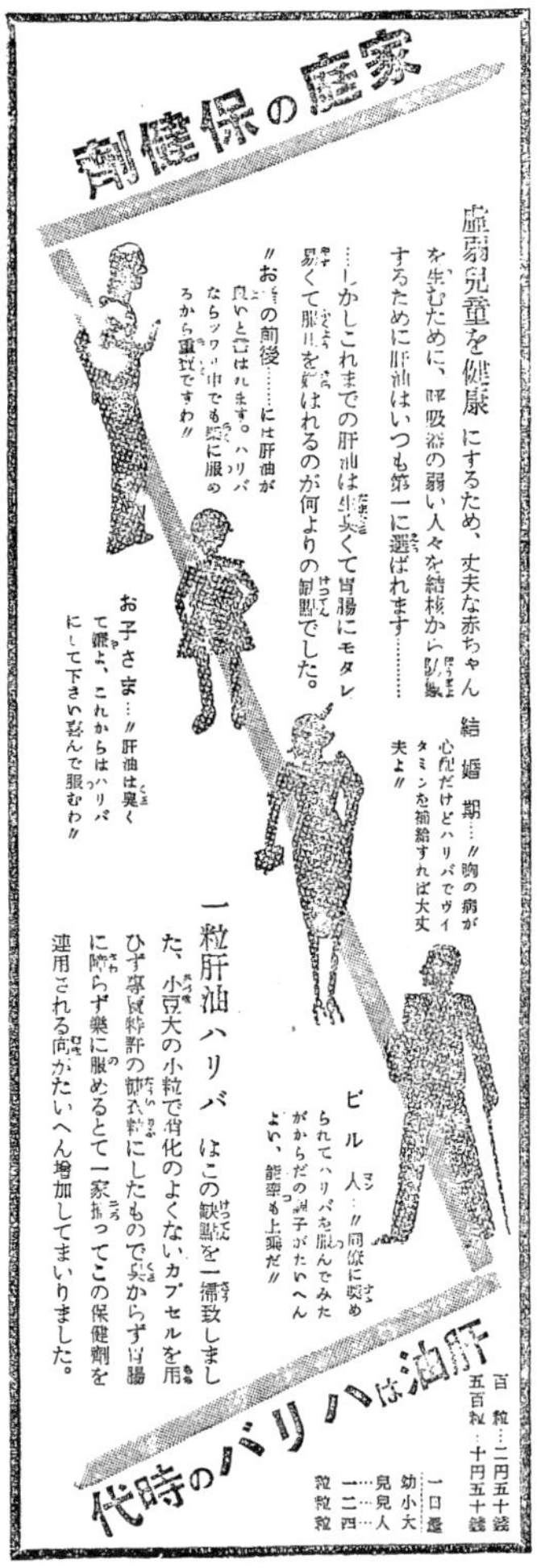

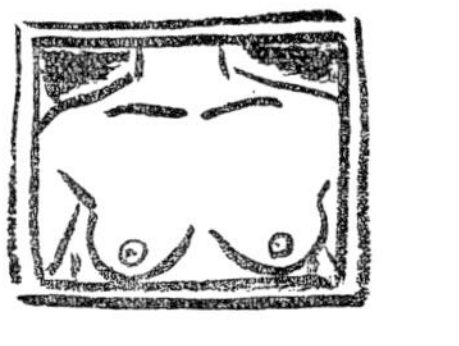

赤ん坊に對する注意

大阪市立今宮乳兒院長
醫學博士 野須新一

初生兒に一番大切なことは母親の乳を與へる事と身體を清潔にすることである。お產後六時間から八時間ぐらゐたつと乳房が少し張つて來る。丁度その時分に子供も目をさまし乳をほしがつて泣くから母乳をやつて差支がない。この時の母乳は初乳と云うて黃味がかつてねばり氣があり出やうも少いものである。たとへ二三日乳の出方少なくとも時間を定めて與へるとそのうちによく出るやうになる。生後二三日は乳が不足するも赤ん坊には差支はない。母親がまだ產褥にある間は寢たまゝ上半身をやゝ側方にむけて乳房をふくますやうにする。

臍帶 は生後五日目から七日目ぐらいの中に乾いて落ちる。落ちた後は少しく潤うてゐる。臍帶がとれても穢ない手で觸れぬやうに消毒ガーゼ(綿を用ゐてはいけない)をあてゝ繃帶をしておく。もし大小便で汚れたならば直ぐに繃帶をとり換へる。

黃疸 生後二三日間から皮膚が黃色となり七日から十日ぐらゐで自然に消える。これは初生兒黃疸といひ、大抵の初生兒に見るものであるから、心配するに及ばぬ。熱を伴ふか又は黃疸が三週間以上も消えぬ時には醫師に相談するがよい。

胎便 生後二三日間は黑く綠色の大便が出る。その後は次第に黃色になる。それが長引いて六七日間も黑い大便が出るか或は生れて二三日を過ぎて一度黃色の便を通じたものが再び黑色の大便を通ずる時は、早く醫師に相談するがよい。

赤ん坊(初生兒)の尿 初め一日位は小便が出なくとも心配はありませぬ。又小便の中に黃色の細かき粒を見る事があつても驚くには及びません。通常產後二三週間に

献立の一部

村岡花子

夕食後の雜談に花を咲かせて居りますところへ御近所に住む作家の某氏夫妻がぶらりと訪れて來られました。

「どうも胃が重苦しくて一向に仕事が出來ないで弱つてます」と聞くや否、私が取上げたのは「錠劑わかもと」の大瓶です。私の「錠劑わかもと」禮讚の一くさりに動かされてか、作家の某氏はおもむろに瓶をあけて、四五粒服用しました。

それがキツカケで「錠劑わかもと」愛用家が其處にも殖えました。

私共の家では「錠劑わかもと」は献立の一部のやうに食卓に出して置きまして、食後にいたゞくことにして居ります。お蔭で胃腸の工合がわるいといふことがありません。

自分が實驗して結果がいゝのを知つてをりますので、胃腸の加減がわるくて、不愉快さうにしてゐる人を見ると、つい「錠劑わかもと」をおのみなさいとすすめずにはゐられなくなります。

携帶用の綺麗な容器も出來て居りますので、旅行にも離さずに持つて行くことにしてゐます。

「錠劑わかもと」は三百錠入り、一圓六十錢、全國藥店にて取次いでをります。

小學校のために

「錠劑わかもと」についてゐる掛圖引換券を先生に差上げませう。それと引換へに美くしい掛圖が小學校へ贈呈されます。

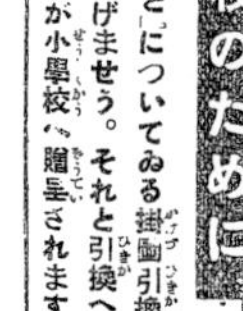

て薄き黃色で透き通つて臭のない水の樣な小便が一日四五回通ずるものです。

入浴 生れて百日間、若し出來るならば、一箇年間ぐらいは毎日一度づゝ湯(攝氏三七—四〇度)に入れた方がよろしい、尤も熱があつたり風邪の氣味があつたり、其の他變つた事のある時は止めて置くのです。一日に一度以上湯に入れる事は却て害があります。

入浴の時間 湯には六七分間入れる、時刻は午後二時頃か或は夜分眠りに就く前がよろしい。乳を飮ませてから凡そ一時間位を過ぎてから湯に入れ浴後は外出させないでなるべく寢かせた方がよろしい。口の中を洗つたりすることは却て不潔にしたり、傷けたりする恐れがある。唯口のまはりを清潔に拭ふだけにしなければならぬ。

體溫 初生兒の體溫は分娩直後では直腸內で三十八度內外であるが間もなく下降して三十分から二、三時間の中に最も低くなる。(三十六度—三十六度五分)正常な體溫は三十六度—三十七度の間に留るのが普通である。一般に丈夫な初生兒では三十七度に近く虛弱な初生兒では三十六度に近い。初生兒一過性熱(喝熱)と云つて分娩後第三—第四日頃に三十八度—四十度位の體溫上昇を見ることがある。之は數時間或は長くて一二日間持續するものである。水分の缺乏によつて起る發熱であつて豫め湯番茶等を與へることによつて之を豫防し又は治し得る。

體重 分娩時初生兒體重は將來の發育狀態を察知するに必要な基礎となるものであるから、必らず計つて置かねばなりません。日本人の初生兒體重は平均男子三、〇瓩女子二、八瓩となつて居る。初期體重減少、分娩後三—四日目迄は初生兒體重は却つて減少する。而して八—九日頃には元の體重に戾つて來る、之の一時體重の減少することを初期體重減少と云ふ。虛弱な乳兒では之の恢復が遲れる、そして二—三週後、時には一箇月後になつて、初めて元の體重に恢復する樣な乳兒がある。かゝる乳兒の養育は餘程愼重に行はねばならぬ。

睡眠 出產後一箇月半は手を上へ曲げて乳を飮む時間の外は大方晝も夜も眠るものです。赤ん坊で眠りの惡いのは何かからだに故障がある徵です。

乳房 生れてから三四日目位に赤ん坊の乳房が脹れて居ります。つとめて搾つたりするのはよくない事で捨てゝ置けば一二週間で癒るものです。

泣聲 赤ん坊の泣き聲が高くて强いのは丈夫な徵であります、泣き聲の弱いのは其の反對であります。泣き聲は乳兒の意志表示であります。ですから泣き聲でよく赤ん坊の氣持を判斷して上手にとりなさねばなりません。

泣いたら直ぐに乳を遣つたり或は逸早く抱き起したりすることは下手なとりなしです。よく赤ちやんの樣子を見てその原因を考へて見ることとです。泣くからと言つて時間でもないのに乳を與へたりする習慣は最も良くないことで色々の障碍殊に消化器疾患の原因となり、引いては乳兒の發育に惡るい影響を及ぼすものです。

着物とおしめ 着物はゆつたりと窮屈でないものがよい。季節によつて加減するのは勿論であるが、一日中でも朝とか夕方氣溫の下がる時は相當の注意を必要とする。餘りに厚着さす爲に皮膚が弱くなり風邪をひき易くなり汗疹などが出來る。身體がじつとりと汗ばんでゐるのは、旣に着せ過ぎと見て差支はない。肌着は晒木綿がよく冬はフランネルなどを用ふ。おしめは二十組ほど用意しておけばよい。なるべく足の自由を束縛せぬやうにゆるくまき、濡れた時は直ぐによくかわいたものと取り換へる。三角おしめを止めるには普通の留針でなく安全ピンを用ふ。晒木綿か「リンネル」で作り、もし古い布片を用ふるときにはよく洗濯したものを使用し一度煮立てゝ用ふるとよい。

子供の抱き方 生れてから三ケ月頃迄はまだ頭部がしつかりしないから前腕を枕にするやうにして抱く、その後は眞直ぐに抱き時々右左と交互に抱いて脊骨がまがらぬやうにする。

子供の背負ひ方 子供を背負ふときは、細い紐などでつよくしめ、子供の胸部を壓迫せぬやう、又脚部の運動が自由であるやうに背負ふ。

玩具の擇び方 乳兒の玩具は水につけても又は拭うても色の剝げぬもので、手に持つても餘り重くなく、手荒く使つてもこわれにくいものがよい。大さも子供の口に入らぬ位のものがよい。錻力、ガラス、眞鍮、鉛製のもの、尖端のとがつたもの、けばけばしく彩色したものなどはいけない。ゴム人形、木製のおしやぶり、ガラガラ(セルロイド製)、ゴム製の動物などは用ゐてよい。一般にセルロイド製の玩具は輕くて危險はないが發火し易いから火のあるそばでもてあそばない樣氣をつけなくてはならぬ。

藥の飮せ方 散藥は包藥を擴げて紙のはしのところへお乳か湯を一滴おとして指さきでこね小さい團子をこしらへ頰の內側へぬつて置く。水藥は一回分だけ瓶から盃へうつしガーゼか又は脫脂綿で、少量づゝ、口中へしぼりこむか、又は靜かに流しこめばよい。凡て藥は醫師の指圖通りに飮ませなくてはならぬ。

夏の注意 夏は乳兒の胃腸を惡くする時であるから母乳の分量を少くし一日にたびたび湯さましの水か、うす

い番茶を飮ます。牛乳で育てゝゐる小兒には、甘味をつける爲に入れる砂糖を半分位にへらして、成るべく新らしい牛乳を用ひ、牛乳のくさらぬ樣に牛乳を冷すことを怠つてはならぬ。日中炎天へ子供を出さぬ樣にし、外出には輕い風通しのよい帽子を被らせる。汗が出ればすぐ拭きとり、度々、湯で拭いてやれば汗疹はできないのが常である。涼しいところで晝寢をさせて、腹冷をしない樣に腹部に腹卷をさせる。扇風機の風を直接あてる事はいけない。

冬の注意 朝と夜の外出を見合せ、入浴後は戶外に連れ出さぬ樣にする。手袋、足袋は毛絲製のものがよく、炬燵より湯たんぽの方がよい。必らず栓をよくしめて、タオルなどで包み用ふる。乳兒の風邪は油斷すればすぐ肺炎になるから氣をつけなくてはならぬ。

種痘 六ケ月ごろから十ケ月ぐらゐまでにする方がよい。時季が夏ならば秋まで延ばす方がよい。くさ、ふきでもの又は熱のあるときは癒るまで延ばす。種痘をうける前日には入浴せしめ、種痘後は種痘の場所を避けて、湯水にて身體を拭き又は腰湯をすることは差支はない。肌着は淸潔なものを用ひ、糊のこわく、地質のこわいものは用ゐぬがよい。種痘後熱高く又かはつたふきでものができれば、醫者に相談するがよい。種痘の證書は大切に保存しておく。第一期の種痘證書は小學校へ入學する時に必要である。

齒 發育の早い乳兒では六ケ月ごろに下の前齒が生え始める(生齒は子供によつて三四ケ月遲れることがある)生齒時期には手指、玩具などを口に入れるから一日に何べんとなく手指を淸潔に拭く、齒の生える時に熱が出たり眠らなかつたり下痢などを起す事がある。

尿 尿量は乳兒の吞む乳の量と關係があつて乳兒の攝つた水分の六〇―七〇％が尿となつて排泄される。一般に母乳榮養兒は人工榮養兒に比べて尿量が少ないのが常である。排尿の回數は大體哺乳回數の凡そ三倍位である。が中には一日に二十回―三十回にも及ぶものがある。麥湯や番茶を授乳以外に與へると、回數は增す譯である。尿の色は淡黃色透明であるのが普通である。發熱時或は發汗後等には褐色の濃い尿が出て、量も少くなる。出た時に透明な尿でも放置して置くと白く混濁する事がある。之は尿中の無機鹽類の爲めに生ずるもので、心配なものではない。出たすぐの尿が混濁して居るのは尿路の病氣がある徵である。殊に熱があつたりした時には必ず醫師に相談をせねばならぬ。

大便 母乳榮養兒と人工榮養兒とで樣々異つて居る。

母乳榮養兒の便 卵の黃味の樣な色で軟かい膏藥の樣

なベットリとした硬さが正常である。少し酸つぱい臭がする。反應は弱い酸性である。便の回數は一日に一回多くて三回迄を普通とする。時に著しく水分が多く襁褓のあちこちに散亂性にくつゝき、色も少し綠色を帶び、顆粒や粘液を混ずることがある。又回數も增して四五回になる。斯う云ふ時でも直ちに病氣だとは言へぬ。乳を溢したり吐いたりする事もなく又體量も普通に增加して機嫌の良い場合には別に心配することなく、從來通り規則正しく授乳をつゞければよい。

人工榮養兒の便 色は淡黃色硬さも母乳榮養の便よりも水分が少なく硬い。反應は中性か弱「アルカリ」性で顆粒が多く腐敗臭を放つ、牛乳榮養であれば灰白色の硬い所謂石鹼便を排出す。小兒粉榮養であれば便は暗褐色で弱酸性を呈する。便の回數は一―二回が普通である。

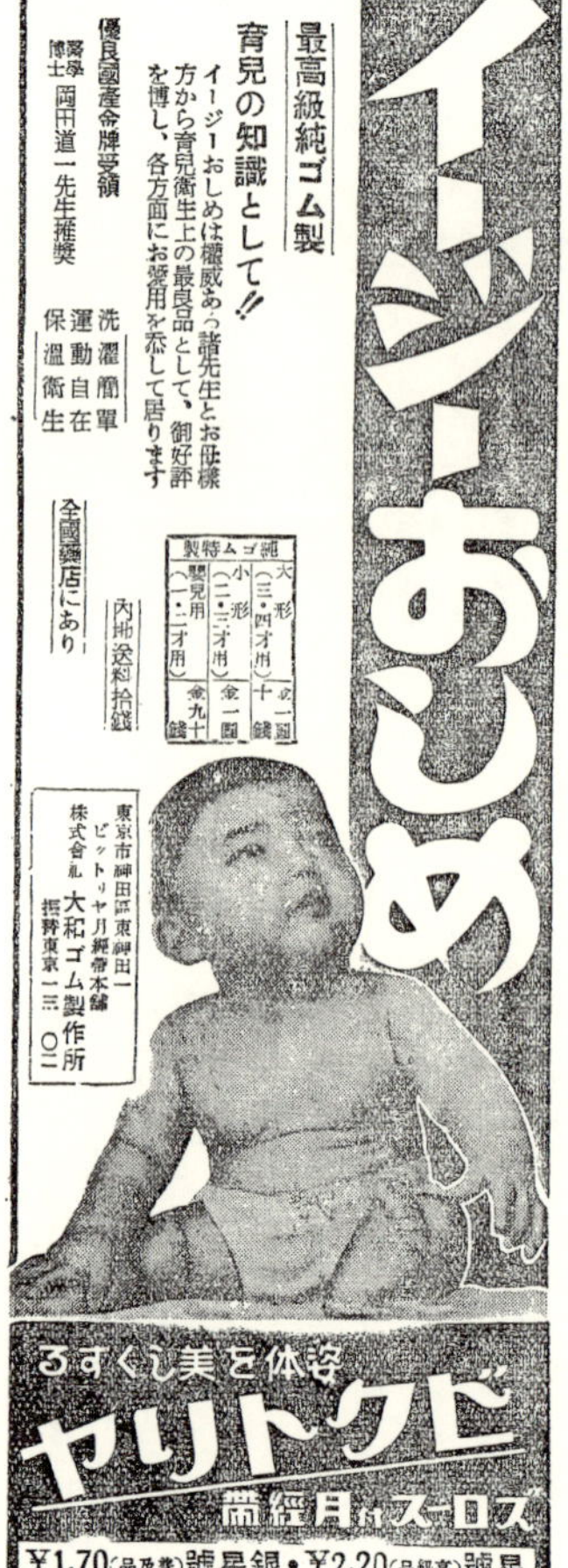

夏の街の飮み物

殊に子供さんなど 不良品御用心

―見分け方の心得―

夏になつてお子さん達の欲しがるのは冷たい飮物です、これに應じてまた街頭にはいろいろの冷たい飮物が現れて來ますが、中には材料、作り方等どうかと思はれるやうなものも少くありません、夏分は殊にお子さん達のお腹も弱り易い時、こんな時あまり飮み過ぎたりあるひは不良な物を口にしたりして危險な結果になる事がありますから御注意

清涼飮料水

サイダー（シトロン、シヤンペンサイダー）ラムネ、ソーダ水、果實水、果實蜜、牛乳や乳酸製品を原料にした酸性飮料等がこの中に含まれてゐますが、これ等の飮物はその原料（砂糖、酸、香料、色素）配合分量、製造方法から街頭に賣出されるまで一切が、嚴重な淸涼飮料水營業取締規則によつて監督されてゐますので、無認可でない限り安心して飮めるわけです、從つて夏の飮物としては衞生上最も安全なものだといへます。

しかし口にする時は次の點を確かめてから……サイダー、ラムネ、ソーダ水等は絶對に透明なことが良品の條件になつてゐます、それを簡單に見分けるには明るい方に透して見て濁りや沈澱物がないことが大切、次に更にこれを靜かに引繰返して見て前のやうに濁りや沈澱物がないこと、何か浮いてくるやうでは作り方が不完全なのか、變質してゐる證據です。

あるひは瓶の洗ひ方が惡かつたりしてその屑が沈んでる時がありますからラッパ飮みにしたり（殊に暗い映畫館の中などでは御用心）コップにつぐにしても瓶の底までつがないやうにする事が大切です。

アイスキヤンデー

氷菓といはれるものでちよつと見たところ淸涼飮料水に似てゐますが、その取締を受けてゐず一般のとして取扱はれてゐるため飮食物自由營業で誰でもどんなところでも作つて販賣されるやうになつてゐます、それだけに原料

流感・肺炎・百日咳等・特効

吸入藥 カンピロン

合理的吸入療法と其効果ある理由

本品は上圖の如く普通の吸入器で之を吸入して呼吸器直接に作用す、芳香爽快にして、毫も副作用なし

一、せきの出る神經に作用して咳を止め、又痰を溶解して容易く祛痰の効を奏す。

一、心臟を強め抗病力を增進し且つ肺炎、氣管支炎等の炎症を治する効ありて全快を早む。

一、解熱作用あり、卽ち溫熱中樞を刺戟して發熱を抑制し又殺菌力あり。

適應症 感冒、肺炎、氣管支炎等の急性病は勿論麻疹、百日咳等の小兒獨特の病に特効あり又肺結核、喘息等の鎭咳、祛痰に適應す

前第四師團軍醫部長 薬陸軍々醫監
大阪市民病院小兒科長 谷口醫學博士
福井赤十字病院長 大野醫學博士
大阪府立保嬰館前館長 上村醫學博士
大阪醫科大學前敎授 辰己醫學博士
實驗推奬

全國藥店にあり
定價 六十錢・一圓・二圓等
闇悪なる模倣、類似品あり御注意を乞ふ

大阪市東區平野町
道修藥學研究所

日本赤十字社病院　慶應大學病院御用

テツゾール

吉本醫學博士　簡野醫學博士推奬
藥學博士　石津利作先生創製

幼兒の榮養と母體の保健

お茶を禁ぜぬ便利の鐵劑

體内造血器管を鼓舞し其機能を旺盛ならしめ純血を豊富に新生し潑溂たる活力を附與す。故に

貧血の人、虛弱の人、病後の人、不眠症の人、神經衰弱の人、產婦、夏期に衰弱する人、肉體及精神過勞に適し又、登山、旅行、運動競技、試驗前後は常備、携帶の要あり。

愛兒の爲に

今迄小兒に適する鐵劑がなかつたが本品によりて初めて理想が現實したとは小兒科醫の言明である。

發育が遲れたり、虛弱であり、血色肉付わるく、夜尿をしたり、病後の小兒等弱き愛兒の榮養は美味で飮みよき**テツゾール**の服用に依り効果に直に母親の慈眼に映ずべし。

四週間分金貳圓八十錢　八週間分金四圓五十錢

各藥店
三越
松屋
松坂屋
にあり

發賣元　東京日本橋區本町三丁目　里村三治商店

關西代理店　大阪市道修町一　キリン商會

増量斷行　器械設備の完成と共に定價は元の儘にて二週間分を四週分に增量して非常に御徳用になりました

がそれほど衞生上惡くないとしても、作る道具が不潔だつたり、作る人が不衞生だつたり、あるひはまた作る場所がホコリの街頭が多かつたりする場合が多く、とかく中毒や傳染病の原因になる恐れがありますから御注意のこと、以上は極簡單なアイスキャンデーの作り方の場合で、この夏初めの警視廳の調査によると八割までは不良品だつたといふほどです。

しかし大きな工場で製氷工場と同じやうな作り方をしてゐるものは比較的衞生的ではありますが、やつぱり清涼飮料水にくらべるとあまり感心したものではありません。

……氷……

種物が清涼飮料水のやうな時は、氷が衞生的であればいゝ譯ですが、いつも繁昌してゐる清潔な氷店でない限りは、出來るだけ家庭で新鮮な種物を清潔な手で作つて與へる方が望ましい、といつて氷はよくお腹をこはすことが多いものですから御用心、なほ氷の塊は透かして見てゴミや濁りがないもの、氣泡があつても透明なものを選ぶこと、また中央の不透明なところ卽ち心部は一番汚れてゐるところですから、こゝは用ひないこと。

砂糖水

ガラスの管などに色をつけた砂糖水を詰めたもので、アイスキャンデーなどゝ同じ類のものです、ガラスの口で口を切つたりすることがありますから御注意。

アイスクリーム

中には危險な黴菌類が比較的多く含まれてゐるものもありますから出來るだけ信用のある清潔な繁昌してゐる店で求めることが大切です。

外に砂糖水等を凍らしたシャベット（一つのアイスキャンデーのやうなもの）がありますがこれは一般にアイスクリームよりも清潔度が高いものです。

（警視廳衞生檢査所　**三雲隆三郎氏談**）

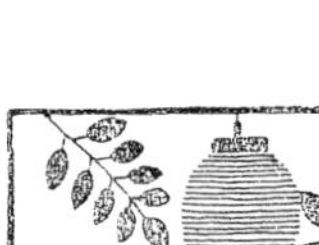

己よりもよい子を

優生學的な結婚

相手の素質を十分に考へて

醫學博士　**安藤畫一氏談**

國家の繁榮や衰亡は國民の質と量に密接な關係があります、このうちの質を取扱つたのが優化運動でそしてこの優化の方法としては素質と環境があげられます、素質は遺傳と關係して現れるものであり、これを改善する學問が優生學です、また環境はいはゆる育ちで病氣、榮養などの外因の方で、この環境をよくして行くのが優境學です、日本では從來優生學よりも優境學が重視されてゐます、それは氏より育ちといふ言葉があるのでも分る通り敎育や體育、病氣の豫防等の環境の支配をよくして、いゝ人間をつくつて行かうとするやり方で優生學の方は考慮されてゐません。

しかし今日ではもう一歩突き進んで考へる必要があります、如何にいゝ環境でも素質がなければ問題になりません、金剛石をみがいて光輝が出て來るのはみがきさへすれば光る素質をもつてゐるからです、いくらみがいても瓦や石ころは素質がないので光つて來ません、素質を異にした子供を同じやうに敎育しても同じやうになりません、外國の言葉に遺傳の一オンスは敎育の一トンと比例するといふことがあるくらゐです、素質は遺傳します、したがつて遺傳には家系に注意する必要がある、それはよい家系と惡い家系があるからです。

そこで優化運動の實際ですが、消極的には惡い精神、肉體狀態を持つたものゝ結婚を禁止することが考へられますが、これは人類の道德上無理があり、それよりは斷種がよい、しかし眞の優化方法はこんな消極的なものではありません。

惡いものはそのまゝにして置きよいものを選擇的に繁殖させて行くといふ積極的な方法です、この理論は遺傳を根據としたものです、生殖細胞の中には核と原形質とがありますが、このうちの核の中にある染色體に遺傳物質がある、今日では染色體のどの部分にどんな性質のものが潛んでゐるかまで硏究されてゐます、受胎はこの染色體が移動するわけで、したがつて核が受精の本態です、この繁殖選擇といふことは動植物においては無制限に行はれま

すが、人間の場合は結婚の當事者だけ勢ひ繁殖選擇は結婚選擇といふことになつてくるわけです。

現在日本では國家としてほとんどこの方面には手が付けられてゐませんが氏族將來のことを考へた場合必ずこれは行ふべき問題です、そのためには現在屆出主義の結婚にもつとコントロールを加へる、例へば果してこの結婚が適當かどうかといふことを優化上から、一度調査を加へてから許可するといつたことです。

今日個人的には花柳病の有無の檢査をして證書を取交すといつたことが行はれてゐる、むろんこれは惡いことではありませんが、質の上から見た場合これは枝葉にすぎません、もつと根本的な問題を考へなければならぬわけです。

さういふ主義のもとに結婚に努力するのは今後における個人の責任義務だと思ひます、なほ結婚する場合は自覺のある結婚を、即ち自分よりも進んだ素質のよい子を得るやうに信念をもつて優生學的によい結婚をするやうに望みたいものです。

小兒科
高洲病院
大阪兒童愛護聯盟理事
院長　醫學博士　肥爪貫三郎
顧問　醫學博士　高洲謙一郎
大阪市南區北桃谷町三五
（市電上本町二丁目交叉點西）
電話東一一三一・五八五三・五九一三番

子供のお小遣

買食ひに使ふのは是非やめさせよ

「子供の村」保育園長　平田のぶ

買食ひの悪癖は絶對にやめたいものです、それには先づお母さん教育から始めなければなりませんが、そのお母さん教育がなか/\むづかしいのです、なぜならば子供に買食ひの悪癖を續けさせてゐるお母さんにきいてごらんなさい、そのお母さんはかう答へるでせう。

「近所の家で子供に小遣をやるのにうちだけやらない譯には行きませんよ」と――貧しい母親は女性の最大の弱點である處の虚榮心を滿足させるため子供に與へる小遣の金高位で向ふ三軒兩隣のお母さん達を負かさうとします、それ故、その日暮らしの、本當に切りつめた生活をしてゐながら、子供に每日二十錢、三十錢の小遣を使はせて平然としてゐる有樣です、生活が行當りバツタリで、子供のお菓子を平素から整へておいて每日少しづゝ與へるなどといふ事をしないのです、内職の邪魔になるからといつて子供を往來に追出しておきながら、その内職から得る十錢、二十錢のお金をその子供の買食ひのために與へていさゝかも怪しまないのです、外のことでは子供の氣持なんてまるつきり尊重してゐないくせに、食べものゝことになると、これが全然反對で、買食ひをさせないのは最大の邪見だといふ社會通念にやす/\と從つてゐます、かういふ買食ひの悪癖を直すには一つの町なり、その町の一角なりに一人の賢いお母さんがゐて、周圍のお母さんをみんなむすびつけ、申合せて子供に買食ひをさせないやうにすれば理想的です。

しかしそれはなか/\出來ないことですから、母一人子供一人―一對一の場合に、どうしたら子供から買食ひ癖を除くことが出來るかを考へて見ませう、近所の子供の眞似して小遣をねだられたら母親は嚴然たる態度で「買食ひのいけないこと、甘いものを餘り食べると背ばかり伸びてヒヨロ/\な子供になつてしまふこと、お小遣を箱に入れてためておくと、いまに立派な玩具でも學校道具でも買へること」をハツキリといひきかせなさい。そして子

供自身が一錢では何も買へないがそれが卅枚になると模型飛行機の材料でも、繪の具でも買へるといふことに興味をもつたら、お母さんが子供と協力して貯蓄の樂しみを大きくしてあげなさい。

たとへば子供に簡單な預金帳を與へて、神棚の上の箱に入れる毎に、それに記入させるとか、買ひたいものゝ値段を帳面に書いておいて、毎日預金した額だけそれから差引き、零になる日を樂しみにさせるといふ方法など、いくらもあげられるでせう、買食ひをしようとして、母親からたしなめられた子供が、飜然として預金しますといつたなら、その時お母さんは子供をほめてそのけな氣な決心を激勵して下さい。

登錄商標
ギンザトップ二十番

【特長】
一、最上原料を特殊技術により製せらるゝ本品は、彼の高價なフイツシユスキン（魚皮）以上に鳴朱を博して居ります。
二、感觸が柔かで滑らかで抵抗尠く、使用者自らがその使用に氣付かぬほどであります。
三、それでゐて他の厚手のサツクよりも遙かに丈夫で數回の使用に耐へます。
四、形態が微妙な技術に成功し殆んど萬人向に出來て居りますから、使用中亂離があつても何等そゝうの心配がありません。
五、各個につき送氣檢査耐力試驗がしてありますから、疵物や孔アキがなく絶對責任の保險證付嚴選品であります

產兒調節とコンドーム
性病豫防にコンドーム
燕じを妨げず………
薄く……柔かく………
それで丈夫な
最高級コンドーム!!!
ゴム製品の目醒ましい發達の所產としてサツクもギンザトツプの如き完璧品が生れました！

―定價―
◎ギンザトツプ二十番
　一打　半打
▲C品（透明）一・〇〇　一・一〇
▲B品（眞珠色）一・五〇　・八〇
▲A品（櫻色）一・〇〇　・五五
組合せ（一箇宛）〇・四五（携帶用ケース入）
C品（三箇入）〇・六〇（同　〇）

―送料―
內地十錢、市內六錢、（代金引換は切手廿錢前送願ひます）新領土四十二錢、代引四十七錢
見本品御入用の方は小爲替五十錢又は三錢切手十七枚封入お申越下されば ABC 三種セル容器入をお送りいたします

東京市銀座西一丁目七番地
島津藥局
ギンザトツプ本舖
電話京橋六五二六番
振替東京四二四八九番

忘れられた教育（五）

塚田喜太郎

◎幼兒教育

義務教育が八年制に延長されると聞いた時に私は、幼稚園を義務教育にすればよいと申して、教育家に非難されたものでありますが、今日の「幼兒教育」ほど、忘れられてゐる教育問題は無いと思ふからであります。

と云ふと、或人々は、今日の幼稚園は飽和狀態であるかの如くに申しますが、それは私立幼稚園の經營上の立場から論ぜられる云ひ分であつて、決して幼兒教育の本體からの議論ではないのであります。

つまりこれ以上幼稚園が出來ては、園兒が減少するから、保姆の月給が出せぬと云ふに止るのでありまして、園主又は園長の收支經濟に立脚した云ひ分なのであります。

とにかく現在では、公私立とも幼稚園に子供達を通はせる理由は、特種の場所のものを除いては、家庭的の體裁が主であつて、幼兒の事情を考慮されて居る事の尠いものである事を發見出來ます。

從つて、幼稚園の教育方針も、幼兒自體の教育、滿足よりも、園兒の兩親の滿足を主として、取扱つてゐるものが大部分である事を知らねばなりません。お遊戲一つにしても、コドモ會等に出場して、大人の拍手を得るものを親は歡迎

し、保姆も亦是を敎え込むのが通例であります。

それですから、園兒達は自らの喜び滿足の爲めに遊戲をなすよりも、親を喜ばせ、保姆の名譽の爲めに、遊戲を敎え込まれるのが通常の保育であります。手工にしても、兩親の許にお土産として持ち歸る事を必要條件とします爲めに、園兒の手を煩はす部分はなるべく少くして、出來上りの立派なものが敎えられるのであります。

それですから、その受持園兒の手工の最も大切なる部分は、全部保姆が仕上げる爲めに、夜おそくまで勞働をしてゐるのが、今日の幼稚園であります。今日の幼稚園敎育は、親と保姆と、それ等を取まく無理解の大人達の、愛玩用として觀賞用として、最も悅ばれる園兒を造り出す事にあると申しても決して過言ではないのであります。

これは理論でないので、昨年度に私は百園近くも幼稚園を參觀して、幼兒の爲めに設立されてゐると感じた幼稚園は僅かに數園に過ぎなかつた事實から斯く論じるものであります。

「せめて幼稚園にゐる間丈けでも、幼兒達の思ふ存分に遊ばせ、歌はせ、元氣一杯に伸び〳〵させてやらう」

これは私の尊敬する幼稚園長の意見でありますが、幼稚園に於て、家庭に於けるよりも幼兒達が縮んで小さくなつてゐる幼稚園が少くありません。然も、それらの幼稚園の園長の曰く。

「私の幼稚園の子供達は、まことにおとなしくて、亂暴は致しません。」

とね。

「五分間以上動かぬ幼兒があれば、それは頻死の大病人だから、卽刻入院させねばならぬ」

とは、心理學者の名言だと聞いてゐますが、「躾のよい」と稱する幼稚園の園長達には、この言葉が判らぬのでせうかと思はれますね。

「保姆の顏色をうかがふ」樣な幼兒のゐる幼稚園の多い現代に於て、最も忘れられてゐる敎育の問題は、私はこの「幼兒敎育」であらうと思ひます。

「子供をのび〳〵させてやりたい。」

「のび〳〵した子供をつくりたい。」

私はこの意見に滿腔の敬意を表すると共に、高い月謝を拂つて、子供達を「大病人」に敎育させつゝある世の母親達に、一大警告を發したいと思ひます。保姆の作つた手工を喜ぶ親達に、我が兒を「見せ物」にして喜ぶ親達に、私は反省を願ひ度いと切望します。それと共に、幼兒の自然性に逆つた保育に專心努力しつゝある多くの幼稚園に、心から「廻れ右」を申したいのです。

私が若い保姆の顏を見ると申す一つの言葉があります。それは斯うなんです。

「親達は幼兒を、叱つて頂く爲めに、高い月謝を拂つて幼稚園へ通はせてゐるのではありません。家庭では、自然叱らねばならぬ場合が多いので、せめて少しでも叱らずに育てたいと、幼稚園にお願ひしてゐるのです。

それですから、叱らずに育てゝ下さい。若し叱る事が幼兒敎育に必要なものなら、家庭で無料で叱りますから、幼稚園の必要はありません」

呉々も忘れてはならぬ敎育問題のその五は「幼兒敎育」であります。

名作曲家の列傳（六）

ルウドヴイヒ・フアン・ベエトオフエン

Ludwig Van Beethoven

秋保孝藏

音樂界のシエツクスピーアと稱へられてゐるルウドヴイヒ・フアン・ベエトオフエンは一七七〇年十二月十六日、ライン河の邊ボン市に於て生れた。彼の父はコログネの選擧侯の音樂隊の一員であつた。家庭は至つて貧乏で、ルウドヴイヒの生れた家などは脊の高い人は眞直に立てない位低かつた。大きな家の後に立つてゐるので、日當も惡く薄暗かつた。

父は當時青年音樂家モツアルトの名聲を聞いてゐたので、何とかして自分の子供もあんな豪いものに仕上げたいと望み、強いて音階と指の練習とをやらした。彼は音樂的天分を有つた少年ではあつたが、無趣味な指の練習にはほと〳〵困つたらしい。日向で他の子供等が嬉々として遊んでゐるのを見ては羨ましくて堪らない、練習の手を休めては外を覩てゐるのであつた。すると父は不機嫌な顏をして、「ルウドヴイヒ！お前は何をしてるんだ。練習が終へるまでは飯を喰はさんぞ、さう思へ」と叱つた。

彼は普通の學課を修めるために學校に通つた。學校では餘り友達がなかつた。彼は在學中音樂のことばかり考へてゐた、そして孤獨の淋しさを忘れた。

九歳になつた時、專ら敎師の指導を受けなければならない位音樂に進步した。その頃音樂に心得ある一紳士が彼の家に同居するやうになつたが、間代を支拂ふ代りにルウドヴイヒの音樂の指導に當つた。けれどもその敎授たるや滅茶苦茶なものであつた。それといふのは彼の父は大の呑助で、毎晩遲くまで何處かで呑過ぎて歸れなく

なる。同居人の紳士は彼を迎へに行き、家まで連れて歸らねばならなかつたからである。ルウドヴイヒは旣に床について熟睡してゐるのに、彼はこれを搖り起し、夜中數時間に亘つて練習を續けさすのであつた。

當時音樂の他にラテン語、フランス語、イタリー語及び論理學なぞを學んでゐた。

父がこんな風なので、生計の方面は益々不如意になつて來た。母はやむなく、その子ルウドヴイヒを伴れて旅に出懸け、有志の家庭で彼に演奏させ、幾分の報酬を得なきやならなかつた。

當時彼は僅か十一歳であつたが、オルガンやピアノは殆ど完全に彈けたので、第二のモツアルトになるだらうと期待されてゐた。宮廷敎會のオルガニストであつたクリスチヤン・ネーフエは彼の親しい友人であつたが、ボン市を去つてミユンシユテールに行くことになり、暫く現職を離れなければならないので後任を探してゐた。或る日彼はルウドヴイヒを訪ねてその話をした。「僕は暫く留守になるんだが、誰か僕の後をやつて呉れる人はないだらうか」と暗に彼を後任に据える積りで恁う言つて見た。併しまだ若いルウドヴイヒはそれを悟らない。そこで相手は更にかう言つた、「實はその人はあるんだ、その人ならば大丈夫だと思ふんだ。それは君だよ、ルウドヴイヒ君」

彼は此推薦を受けて、十一歳の彼に取つては非常な名譽だと思つた。たゞその職に就くに當つて、財政上の準備がないのを家族は心配した。此地位に對する責任と、ネーフエが自分に對する信任とに依つて彼は一層音樂上の研究に勵むやうになつた。此頃作曲の方面にも意を注ぎ、ピアノに用ゐる二三のソナタを作つて見た。

十三歳の時、選ばれて宮廷管絃樂隊のピアニスト兼練習指揮者となつた。智識や技能が段々進んで來たので、ボン市では滿足が出來なくなり、もつと廣い世界に乘り出し、研究もし、演奏も聽きたいと思ふやうになつた。ハイドンの若い時のやうに、音樂の都ヴインナは彼の憧れの都、理想の境であつた。朝勤務に出る時も、夜床に就く時も、彼の心に往來した輝かしい夢は、このヴインナの都であつた。或る時、この切なる希望を知つた友人は、旅費を提供するから行つて見てはどうだと云つて呉れた。彼は飛び立つばかり喜んで、早速旅裝に取りかゝつた。彼が最も望んだことは彼の地で、當時第一流の音樂家なるモツアルトに會ふことであつた。

十七歳で、彼は輝かしい前途の希望を抱き、憧憬の都ヴインナに向つて發つた。彼の地に着くと、直ちにモツアルトの家を訪ふた。モツアルトは歡んで彼を迎へ、來

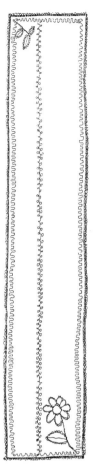

意をきいた後、それでは何か彈いて見ろと言つた。良く彈けると思つたのか、彼は何も言はなかつた。ルウドヴイヒは彈奏をやめて、何か御忠告をと訊いて見たが彼は簡單な注意を與へたきりであつた。ルウドヴイヒはその注意を辿つて懸命に彈いた。モツアルトは次の間に待つてゐる來客に會ふといつてその場をはづした。そして來客に向つて「あの靑年の彈くのを聽いて御覽なさい、將來屹度名を擧げますよ」と言つた。

間もなく彼は郷里に歸つたが、その頃悲しむべき出來事二つあつた。一つは彼の最も愛してゐた善良な母の死、もう一つは數ケ月後に愛する妹マアガレタを失つたことである。この悲しむべき心の痛みは或る傑作に表はれてゐる。併しこの傷める心は、別の方面に於て慰められた。その頃四人の子供を教育してゐた富める寡婦でブロイニンクといふものと知合になつて、その末の男子と娘とに音樂を教へることになつた。その家庭から非常な厚遇を受け、時には數日も滯在して家族の一員のやうに親しまれたこともあつた。子供もよく懷いてゐた。家族は皆教養ある人々だつたので、若いベエトオフエンも、彼等と親交するに連れて、趣味も廣くなり、教養も進んで來た。彼は自國や英國の文學に親しむやうになり、暇さへあれば讀書に耽る。ヴアルドシユタイン伯爵と親しくなつたのも此頃のことである。或る時、ヴアルドシユタイン伯が彼の家を訪ねた。いかにも貧乏臭い室の中で、破れピアノの前に坐してゐるベエトオフエンを見て、優れた天才がこんな見すぼらしい家に住み、生活のために精力を消耗して、その天分を充分伸ばせないことを非常に遺憾に思つた。生計費位は送つてやつてもよいと思つたが、彼の自重心を傷けることを恐れて躊躇した。併し音樂の生命であるピアノだけでもと、間もなく破れた古いピアノは新しい上等のものと置き換へられた。ベエトオフエンはこの溫い友情に感激し、後年その最も優れたソナタの一つを彼に献じたのである。「ヴアルドシユタイン・ソナタ」として知られてゐる作品第五十三が即ちそれである。

當時選擧侯は歌劇の發達を助長するために帝國劇場を建てた。ベエトオフエンは管絃樂隊員中のヴイオラを擔當することになつた。一七九二年七月のこと、當時英國で非常な名聲を博したヨセフ・ハイドンがヴインナに歸る途中、ボン市に立寄つた。歌劇の隊員は、彼のために歡迎の宴を開いた。ベエトオフエンはこの機會を逸せず、ハイドンに會つて、最近作つた歌謠曲を見て貰つた。彼はこれを見て賞揚し、大に勉强するやうにと勸告したのである。選擧侯は之を聞いて、彼にもつと研究を積ま

せ、大音樂家になるやうにしたいと感じたので、自分が費用を引き受けるから、暫くヴインナに行つて、ハイドンの許に研究を續けてはどうだと慫慂した。當時ベエトオフエンは二十二歲の靑年であつたが、作曲家として地方には相當知れてゐた。今やその天分を一層磨くため、洋々たる希望を抱いて、音樂の都ヴインナに乘り出すことになつた。

その年の十一月、ベエトオフエンはヴインナに行つた。彼は漸次その天分を發揮し、高貴の家庭に招かれては演奏を試みたことも度々であつた。此地で自ら研究を積みながら、他人にも音樂を敎へたのであるが、段々社會から認めらるゝやうになつた。然るに生來の無愛相と粗暴な態度とは、尠からず擁護者を失つた。彼は他人の機嫌を取るとか、他人から好かれたいとかいふ風のことは思ひもしなければ、又勉めもしなかつた。けれども彼を深く識つてゐる人々はその高潔なる精神を愛したのである。リヒノスキイ公とその夫人は彼を愛し、暫くその宮殿に滯在するやうに彼を招いたのである。夫人は母の如く彼を慰め且つ何くれとなく世話してくれた。併し貴族的な禮儀作法の煩はしさに堪へ兼ね、殊に食事の折の服裝の面倒なのに懲りて、暫く居酒屋に宿泊してゐたこともある。

彼はハイドンの許に研究を始めた。併し餘り具合よく行かなかつた。敎師は彼に充分な時間と注意を與へもしないで、一年ばかり經つてから英國に渡つた。その後數名の優れた音樂家について奏樂と作曲とを研究した。アルブリヒツベルゲルから多く學ぶ處があつた。この靑年音樂家はピアノに向ふと、卽興曲を奏することを避け得られなかつたと見える。弟子のカール・ケルニイは次のやうなことを言つてゐる。「ベエトオフエンの卽興曲は實に立派で、力あるものであつた。何んな聽衆に對しても必ず感動させる道を知つてゐた。時には聽衆の眼は悉く潤ひ、或は啜り泣くものさへあつた。彼の曲には一種不思議な表情力があり、また美妙なところ、獨創的なところがあつた。又その彈奏には活きた力が籠つてゐた」けれども不思議なことには、ベエトオフエン自身は一向感動してゐなかつた。こんな場合に、時としては自ら笑ふこともあつたし、又我々音樂家は他人から淚を要求しない、喝采を要求するのだといつて、彼等を責めたことさへある。併しベエトオフエンは決して鈍感な人ではない。愛する友人に對しては極めて同情の厚い人であつた。彼はたゞ恁う言つて自己の感情を隱してゐたのであつたかも知れない。彼は至つて怒りつぽい人であつてその怒は長くはつゞかなかつたが、時々爆發した。それに

彼の性癖である猜疑心は、しば〳〵彼を苦境に陷らせ、又他人をも困らした。

ベエトオフエンは風采の立派な人ではなかつた。脊は低く、身體は固くるしく出來てゐた。また他から愛され易い晴々した顏ではなかつた。彼の眼は黑く輝いてゐたし、髮は黑々と廣い額の上に積み重なつてゐた。境遇が然らしめたものか、何時も陰鬱な顏をしてゐた。併し笑ふ時には何とも云へぬ一種の光輝がその顏に漂つた。手は頑丈で指は短く、絕えざる樂器練習の結果指股が廣くなつてゐた。奏樂指揮者としての彼は、一種獨特な身振りをした。音曲が低く靜になる時には、身を屈めてテイブルの下に隱れてしまふやうにした。又音曲が段々高く、強くなる時には、身を段々伸ばし、兩手を高く揚げ、遂には空中に身を浮べるやうに飛び上つた。

音樂敎師としての彼は、平常と違つて注意深く、忍耐強く、且つ親切であつた。その弟子に對しても、完全に彈けるまでは、幾度でも繰返すことを强要した。些細な間違は餘り咎めなかつたが、曲全體の意味を會得することゝ、それを正確に表現することゝは、非常にやかましい。之が出來ない學習者に對しては、例の癇癪が爆發した。何故かと云へば前者はほんの一時の間違であるが、後者は音樂家に取つて大切な感情に關する智識の缺乏を意味するからである。

ベエトオフエンは自然を熱愛した詩人であつた。彼は春を稱讃して措かなかつた。戶外生活は最も好んだところで、森林は彼に取つてパラダイスであつた。其處に散策して思索に耽ることは唯一の樂みであつた。大木の枝の交叉してゐる所に數時間も憩ひ、忘我の境に往復し、作曲に想を練つたこともある。又時には樹の幹に倚りかゝつて、小枝と葉の搖れる間から天空を眺め、無限の世界に徨つた。茲に暗示を得て、彼は聖曲「撒欖山」を作り、歌劇「フイデリオ」を出し、又第三シンフオニイ「エロイカ」を生んだのである。彼は曾て次のやうな考へをある友人に書送つたことがある。「私程田舍を愛する者はなからう。森林や、樹木や、岩石は私達の心の叫びに應へて吳れる。自分には凡ての木々は皆『聖なる哉、聖なる哉』と讃美してゐるやうに思はれる」

豐かな天分を有つて生れ、絕えざる努力によりて藝術の神秘に踏み入つた彼に取りて、何よりも傷ましい打擊は彼の耳の病氣であつた。人生の活動期ともいふべき三十歲に達する前頃から、その徵候が見えて來た。この病氣は益々彼の神經を鋭くした。彼は種々なる方法で治療を試みた。シユミツド博士の巧な手術で一時は殆ど恢復した。その勸告によつて、一八二〇年の夏、ハイリンゲ

ンシユタツトの小さい村で、自然を友として靜に病を養つた。その頃は病勢も衰へたやうであつたが、後になつてから再び病勢が募つて、遂に畢生の事業の一なる音樂指導の方面をば中止せねばならぬ破目となつたのである。

天才は多く婦人の纖細な愛に對して極めて敏感なものである。わがベエトオフエンも無口で、短氣で、無愛想であるにも似ず、婦人に對しては溫い愛着心を有つてゐた。併し異性との交際に於ては、注意深く且つ高潔であつた。彼は度々戀を經驗した。併し何時も純精神的なものであつた。彼は曾てジユリイ・グウイカルデエ伯令孃と戀し合つた。これは彼に取つて終生忘れられぬ出來事である。彼女は彼の「永久の愛人」となつた。その名は彼女に献じた「月光の曲」の緩徐曲の中に震動してゐる。どんな理由か判明しないが、彼等は互に結婚する運びには至らなかつた。ゲーテの小さい友であつたベテエナ・フオン・アルニムと懇意になつたこともあつた。又マリイ・エルデデエ伯令孃とも相思の間柄であつた。彼女に立派な二つの三部曲作品第七十を献じた位である。併しこれらは悉くプラトニツク愛であつた。實は孤獨で不遇な彼れベエトオフエン程、內助者を要したものは恐らく他になからう。若し彼を懊惱の中から救ひ、その神經的氣質を柔げ、共に勝利を喜び、互に悲哀を分つに足る內助者があつたら、彼の精神的重荷はどんなに輕減されたことであらう。併しながら彼の交際した婦人達は、皆所謂高貴の人々であつて、彼と結婚生活を共にするには不適當であつたかも知れない。この問題に對して、彼は何時も悲哀と克己と勝利とを繰返したのであつた。どうして彼は人生のこの苦痛に勝てたか。彼には何物にもまして愛するものが裏にあつたからである。それは彼の藝術卽ち音樂であつた。音樂は彼の生命であり、彼の生命は音樂であつた。彼は實に音樂に生きたのである。

一八〇四年、彼は傑作「エロイカ」を完成した。これは前にも述べたやうに二年前に構想されたのである。このシンフオニイで、彼は平生自ら崇敬して措かなかつたナポレオンを賞揚しようと思つたのである。然るにナポレオンが巴里で帝位に卽いた時、彼が崇敬の念は侮蔑の情と變じた腹立たしさに、そのシンフオニイを裂いて壁に投げつけた。併し暫く經つてから、再び思ひ返して之を公表したのである。それがこの「エロイカ」だ。

私達がベエトオフエンの作品について考へる時、いかにもその數の多いのに驚かざるを得ない。彼はこんなことを云つてゐる。「自分は唯音樂に生きてゐる。一つの作が出來ると、直ぐまた次の作に取りかゝる。二三種のも

のを同時に始める時もある」音樂は彼の言語でもあり、また自己表現でもあつた。我等は彼の音樂を通じて、その爲人を知ることが出來る。言語、動作及びその生活は實に彼の音樂であつた。彼はその愛する藝術のためにのみ活きた純眞高潔な人物であつた。

凡そ人間の生活には、見えない所に苦惱が潜むものだ。特に天才の生活にはそれが多い。ベエトオフエンは一人の甥カールを自分の子のやうに可愛がつて世話してゐた。この子供によつて、自己の孤獨が幾分慰められた。然るに不幸にも、この少年は成長するに從つて、愛するに足りない程の遊蕩兒となつた。手當豐に與へて置くのに、叔父の金を盜み、尠なからず迷惑をかけた。道徳の念に篤い潔癖家のベエトオフエンは、この甥の爲に如何程惱んだか知れない。彼は實に家庭の恥辱であつた。ベエトオフエンはそのために壽命を縮めたとさへ云はれてゐる。

晩年に於ける彼は種々な困難と苦鬪しながらその事業を續けた。彼の聽覺は全然駄目になつた。此の如く偉大な事業を完成したにもかゝはらず如何に彼は謙遜であつたらう。一八二四年一友人に「私は未だほんに二三の作曲しかして居ない樣に感じられる」と書き送つた事がある。一八二四年「私は最早僅々二三行の作曲しか出來なくなつた」と一友人に書き送つたことがある。

一八二七年三月二十六日、五十六歳を一期として彼は遂に此世を去つた。モツアルトの場合と異つて、彼の遺骸は二萬人の群衆に擁せられ、ヴインナの近傍ヴエリングの墓地に埋葬された。音樂家シユーベルトも會葬者の一人であつて、臨終の折には病床に侍し、柩を負うては野邊送を助けた。葬儀の際、故人の作品數種が男聲の合唱隊で歌はれ、棺は三個の花輪で飾られてゐた。

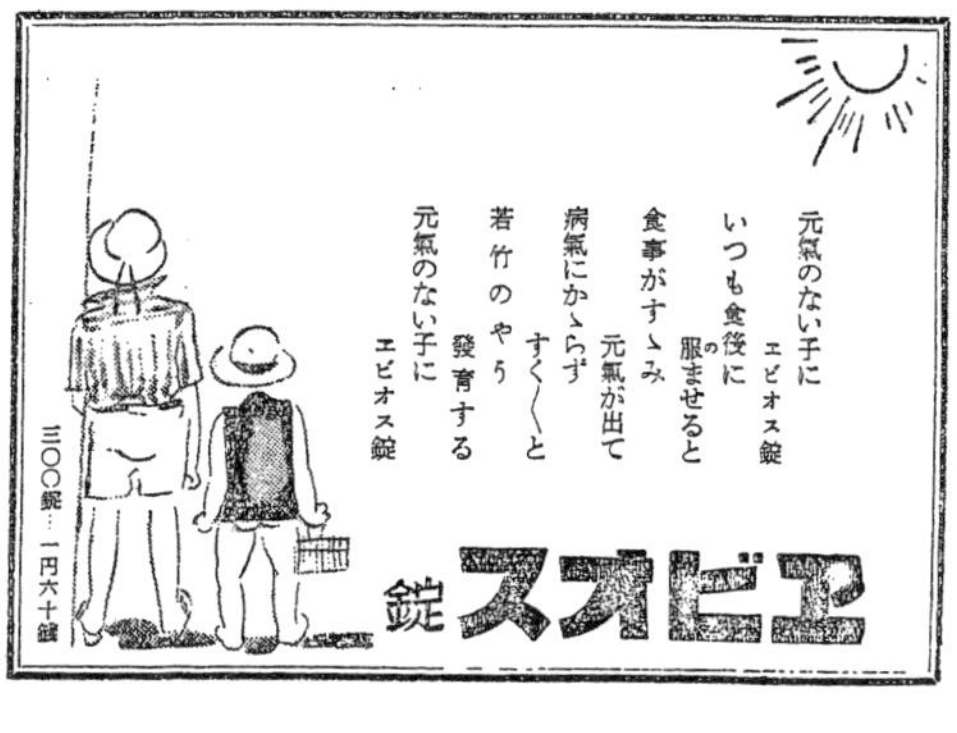

溢るゝ感謝の聲（育兒ページ）

神經質で病弱だつた子が見事オール九州赤ちゃん大會に榮冠輝く特等賞に!!

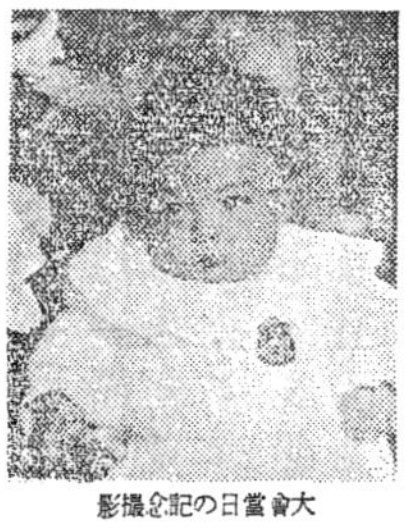
大會當日の記念撮影

去る五月十六日、福岡日日新聞社主催の下にオール九州赤ちゃん審査會が盛大に擧行された事は、國民體位低下の憂慮される折柄、洵に喜ばしい企てとして識者間の好評の的となつて居りますが、同審査會に於て榮譽に輝く一等入選者四十餘名の中から最高優良兒として、特等賞を授與された福岡市宮内町武田學吉さんの赤ちゃん、幸信（生後百三日）さんは、生れつきひ弱の上に神經質で夜泣きがひどく、身體が次第に瘦せ衰へて行くのに心配された御兩親が、最近小兒の諸病と發育に確かな藥效を賞讃されてゐる「慈童」を知つて服用させ初めて以來、ミル〱裡に丈夫になり服用後二ケ月位で、特等授賞を得られる程の健康兒になられたのです。

病弱なお子樣にお惱みの世のお母樣方のために少しでも貢献出來たならと、お寫眞と一緒に禮狀を寄せられました。謹んでお寫眞を掲げさせて戴きました。胸に輝いてゐるのは特賞恩賜記念巾着型メタルです。

貧血で瘦せ衰へ恐怖性の子が丈夫に

釜山府谷町二丁目　河　虎　龍

貧血質にて顔色が蒼ざめ、身體が虚弱し且つ恐怖性なり前記の樣な弱い子供で、色々な榮養劑等を服用せしめたが、何等効果を見なかつたが或藥局主から「慈童」の服用をすゝめられたので早速服用せしめてから約二十日餘り連用しました處、近頃顔に血色を帶びて來たのが見える程元氣になりますので、成程之はと思ひ三人の子供に皆服用させて居りますので、今更乍ら「慈童」御製劑になつた貴社に對して、感謝の外はありません第二國民の健康增進上、必要缺く可からざる良劑として、誠に推奬に價す。

（原文のまゝ七月六日受付）

育たぬと諦めた病弱の子が慈童で助かつたのも佛の手引

岐阜縣不破郡岩手村　長正寺住職　土　井　鐵　司

拜啓、貴社益々御清榮奉賀候

扨、小生次男鈴雄こと（本年三歳）昨年七月大病にて危き命を取止め其後發育不良にて主治醫大垣市山本先生の御指導の下に一意養生仕り候て、病氣は全快仕り候へ共はか〲しく育たず、一家は暗のドン底に毎日嘆き悲しみ居り候。病狀は疳虫にて夜はヒキツケ、晝は怒りつぽく一寸しても熱が出て其上下痢を致し、誠に誠にヤセ衰へ最早死を覺悟致し居り候處、計らずも婦人倶樂部六月號四七四頁の「慈童」の廣告を見、早速お送り願ひ服用致させ候處が二圓分半分程使用の處にてニコニコ笑ひ這ひ出し元氣旺に出で來り、誠に佛の御手引と一家を擧げ喜びの光明に照され其後垂井町の北島藥店にてお取次を願ひ、三瓶使用の結果ムク〱と肥り、障子を傳ひ走り廻り昨日の疳虫やヒキツケも何處へやら消し飛んで了ひ、一家は幸福その物に有之候。

これも一重に貴藥のお蔭と喜び會ふ人每に宣傳致し居り候（六月二十四日受付原文のまゝ）

劃期的小兒藥の發明

この素晴しい治驗成績を擧げてゐる小兒藥「慈童」は、從來の藥理的根據の薄弱な一時的姑息的な對症療法のみ多かつた小兒藥界に劃期的發明として驚嘆されて居る小兒藥です。

即ちその主成分とされてゐる皇漢藥エレキシール、特殊カルシウム、ヨード、燐、タンニン其他小兒の發育成長に必須の諸榮養素と治療劑が綜合的に作用して、治病を促進する許りか身體の芯から健康にする美味しいシロツプ劑の小兒藥です。

目下至る所で大評判です。早速御試用になりたい方へは本誌愛讀者と書いて大木合名會社へ御申込みあれば一名樣一回限り先着五百名樣へ試藥と詳しい說明書を無代進呈致します

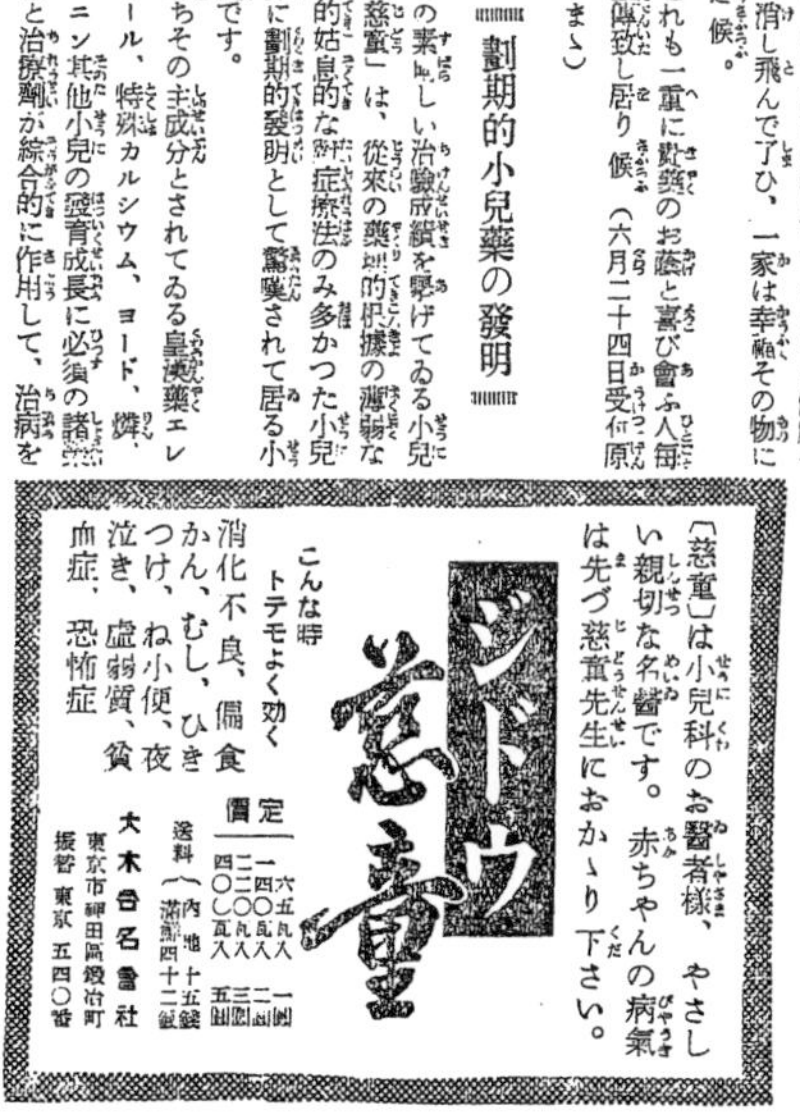

經堂閑話

桐野葉子

光背の耀く瞳

まだうら若いお母さんが、眞白いベビードレスに包まれた赤ちやんを、靜かに膝の上に抱つこしてゐる姿を、よく電車の中で見受ける事がある。乳色のふつくらしたお顏の中に、黒ダイヤを鏤めた如うな圓らなお眼々が二つ、車内の吊皮の白い輪が動搖するにつれて、ブラン〱前後に動くのをぢつと凝視めてゐる。汚濁に染まない瞳だ。その後には光背の燿きさへ見える如うだ。

古いタゴールの詩にこんな意味の詩があつたと思ふ。

赤坊の瞳に、はてしなく廣い空が輝き、綠の大樹がゆら〱ゆらいでゐるのを見る。

我々は落ち着いて、我々お互の瞳を見直す必要はあるまいか。こんなゆとりが欲しい時代だ。

田園を失ふもの

田園の娘は、表面的な都會の輝かしさに眩惑されて、夏の虫の如うに都會に集まる。

都會生活に敗ぶれた若者は、母の懷の如うに田園を慕ふ。

世は皮肉でありさま〲だ。

國辱的なアツパツパ

暑くなつたら、急に奥さんも、おかみさんも、簡單着になつた。下拵へをよくして着たのはそれでも見られるが、あのスカートの下から赤いおゆもじを出してゐる姿は、如何見てもおぞましく、實に國辱物である。それを敢てして、平氣でゐる簡單着の女の心臟の强さは、まさ

に防弾チョッキ以上だ。

明治初年の男達の開化氣取りのマントル姿は、これより意氣であつた筈。

東に永井荷風あり

モーパッサンの小説に、街頭の女が鼠の喰つた穴だらけのベットに、平氣で拾つた客を案内する場面がある。

こちらには、蚊のわめく溝河に沿ふたギシ〳〵する部屋の蚊帳の中に、これも平氣で客を招じる場面がある。

（永井荷風氏濹東綺譚）

巷の女の生活、共に東西を一にしてゐる。永井柳太郎先生の壇上の名科白を借用しては濟まないが、西にモーパッサンあり東に永井荷風ありと云ひ度い。

壽貞尼と芭蕉

英雄は色を好むが、聖人は色を好まぬらしい。色を好まぬから聖人となり得たのか、聖人なるが故に色を好まぬ修業をしたのか、それは解らない。例に引くのも少し僭上の沙汰だが、釋迦、孔子、基督、皆然り。

古今東西、女の無き處、聖人、君子、哲人、學者がある。貝原益軒の色戒の訓は、餘りにも有名だ。

基督に女があつたか、無かつたかなどの穿鑿はよして私は私の好きな聖人、芭蕉の女を考へて見たい。

芭蕉は旅から旅へ漂々浪々と全生涯を送り、二十三歳から五十一歳の十月十二日、大阪の花屋仁左衛門の裏座敷で往生するまで、實に旅と、俳句に精進し、

旅にやみ　夢は枯野をかけめぐる

の辭句を殘してゐる。

愛弟子にはみとられたけど、女にみとられたといふ優しい記錄は、見聞の狹い私には見當らない。

俳聖芭蕉とて若かりし日、夢多き日も必ずやあつたに違ひない。まして芭蕉は、決して醜男ではなかつた。

十九で藤堂家に出仕して、廿三歳で脫藩したのだが、其の間多少、女出入り無きにしもあらずの消息が、朧ろに傳はつてゐるに過ぎない。藤堂家お奧に多少の若さを發散さしたのが、口さがなき雀の口の端に上つたので、脫藩したとも傳へられてゐる。

女性の俳友親しむ可らず、師にも弟子にも入らぬことなりと、四十歳頃は弟子を諭した。奧の細道の旅に出たのが四十六歳で、その歸途越後路にかゝり、市振の宿に伊勢詣りに上る遊女と泊り合せた。遊女が酷く芭蕉を慕つたらしいが芭蕉は淡々と

一家に遊女と寢たり萩の月

の一句を殘して、漂然と出立したのも、芭蕉なればこその感が深い。

芭蕉の旅の留守中は、壽貞尼といふ女性が、その庵を守つてゐた。壽貞尼が亡くなつた時、

數ならぬ身とな思ひそ玉まつり

といふ芭蕉としては一寸情の厚い一句を送つてゐる。

旅の先々で愛弟子に送つた書簡の端に、壽貞尼の事よろしくといふような傍書や、傳言があつたのも見受けるが、と云つて壽貞尼と芭蕉との間の臆測は許されない。その方が俳聖芭蕉らしいではあるまいか。

開巻第一印象

朝、新しいインキのプンと匂ふ新聞をパラリと頁を開く。大みだし小みだしに一應目を通して、そして本文記事に讀み入る。これが私の習慣で、最後に廣告を見るが、退屈な時は、この廣告も並々ならぬ智識の供給者である事に氣づく。

これが雜誌の場合は別の習慣で、無意識に何十年來その習慣を繰り返してゐるから、考へて見ると自分乍ら面白い。私は何雜誌でも目次やみだしに餘りかゝはらない。パラ〳〵と頁を繰つて、その中五六行を讀んで見る。これは面白いと思ふと、初めて標題を見て作者を知り、そして冒頭から讀み出す。だからこの頁をめくつて見て私の目に入つた最初の五六行が私にとつては、思ひがけない寶玉でも見つけた如うに樂しく嬉しい。面白相だといふ豫感が最後まで續くと、私は、ひそかに會心の笑を洩らす。が豫感が外れても、何處かに得る處があるかも知れないと、寶玉を探がす如うな樂しみを心の一隅に描きながら讀みつゞける。だから私は私の生活に何のかゝはりも無い、六つかしい經濟機構の論文なんか、無意識に讀みつゞけて行ける自分ながら面白い癖がある。

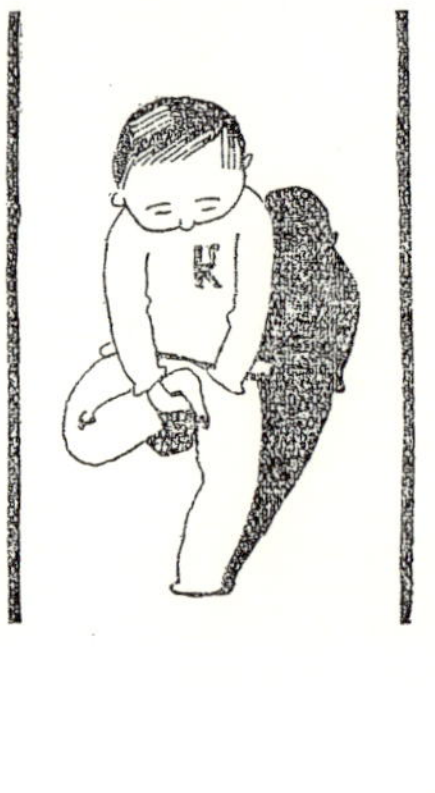

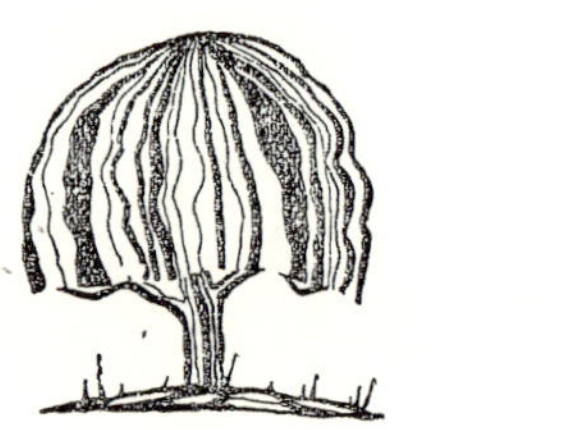

「そこの花」と「江鮭子」と補遺

兒童に關する俳句評釋（一二）

岡本松濱

「そこの花」は万子と支考の共撰、元祿十四年の刊行である。兒童を詠じた句は七句あつた。多からず、尠からずと云ふところ。

夕かほに餘所の娘かこれの子か　　　管吾

夕顏の花の咲くのはたそがれ時、人の顏さへはつきりと分りかねる薄くらがりである。その夕顏の垣根に立つて、もそ〳〵してゐるのは、よその娘であらうか、我家の子かと、じつとそれを眺め入つてゐる親の心を現はした句。顏は誰ともはつきり分らないが、立つてゐるのは女の子と云ふことは分つてゐる。それを我子でないかと、じつと見入つてゐる處から推測すれば、家の子も又女の子であることが明らかである。夕顏の花がうす闇にくつきりと白く浮んでゐて、恰も其の花の精の如く小さい女の子が立つてゐる光景は、繪としても可なり趣は深い。その上に我子の歸るのをひそかに待つてゐる親の心もうかゞはれて、面白い句である。

相知りたる女わらはの宮仕へに出る時申侍る。

荻萩もねたがる中ぞ女郎花　　　從吾

知る人の娘の子が、やうやく年頃になつたので、行儀見習ひのために何處かへお宮仕へをすることゝなつたので、其の祝ひやら、惜別やらに、この句を送つたのである。荻も萩も秋深くなつて丈けが延びれば、風のためにうち亂れて果は地に臥しがちのものである。そこで「ねたがる中ぞ」と云つたのであり、「女郎花」は女の子そのものを形容したものであるが、其の「女郎花」の形容と、「ねたがる中ぞ」と云ひ廻しなどから推すと、この子は遊里へ身を沈める場合の如くに聞えて、謹嚴なお宮仕へに上る子を祝ふには甚だふさはしくないやうに思はれる。

嵐竹子愛子のいたみに

悲しさの數にも入るか小夜碪　　　史邦

親しくしてゐる俳友嵐竹の愛子の死に會し、それを悼み悲しんで送つた句。昨日まであれほど壯健に、あれほど愛らしく人々の眼に映つてゐたいとし子も、今日は早くも悲しまるゝ數に入つたかと、無常を嘆ち、子を惜む心を述べたものであつて、「小夜砧」は其の悲しいものゝ表徴に付け足したまでゞある。

髮置や七郎殿の眼ざし　　　白良

髮置、袴着、帶解、被衣初（かつぎぞめ）等は、所謂七五三の祝ひであり、みな十一月十五日に行つたものである。髮置は男女共に三歲に達すれば、そろそろ髮を延ばし初める祝ひである。この句はその髮置の祝に際して、七郎殿の眼くばりの銳さなどが、何となく逞ましく、末賴もしく見うけられたと云ふの意味。七郎殿は固より誰とも想像もつかぬが、多分祝はれてゐる其の男の子の名であらう。

髮置にまた袴着や兄弟　　　六𨛗

髮置は前にも述べた如く三歲の祝ひ、袴着は男の子の五歲の祝ひである。この句の場合は、上の男の子が五歲の袴着、下の男の子は三歲の髮置の祝ひと、兄弟二人の祝ひが重なつたのである。「髮置にまた袴着や」とたゝみ掛けて來た調子から考へると、親の心の何となく慌たゞしい樣を述べた如くに感じられるが、其の心の急がしさを訴へる裏面には、二人の男の子の無事壯健に育つて行つて、今日の祝ひを行ふことを深く喜んでゐる心と、いくらかそれを誇るやうな心持のひそんでゐる事が窺はれる。

積塔や袴も着ずに寺小姓　　　里倫

積塔會（しやくたふゑ）と云ふのは、雨夜の皇子のために、盲人共が集

つて供養する法會を云ふ。「歳事記」には

二月十六日檢校以下衆分に至るまで、京都高倉綾小路清聚庵に集り、光孝天皇の皇子雨夜の御子の爲めに積塔會を修す。座上に守瞽の神の畫像を置き、盲衆之を拜し、其の後酒を酌み、盲人中四人を選みて平家を說かしむ。積塔のことは、雨夜の皇子薨じて後、諸の座頭、墓に毎年石を積みて弔ひ祭りし遺風なりと。

と記されてゐる。積塔の内容は之で明らかになつたと思ふが、其の積塔に數多の盲人を接待するため、寺小姓が急がしく立ち働らいてゐる樣を、「袴も着ずに」と云ふ言葉に依つて言ひ現はしたのがこの句である。

童（わらんべ）の名も大きさよ鷄あはせ　　種文

鷄合せは鬪鷄の遊びである。今は賭博類似として嚴禁されてゐるが、むかしは禁庭でも行はれ、民間でも相當盛んであつた。この句の場合は勝つた鷄の持主が年端も行かぬ幼童であり、しかも其の童の名が聞くだに強さうな大きな名をしてゐたので、勝鷄を譽める心が、終に少年に對する頼もしい心持にまでなつて押し廣められたのである。

以上「そこの花」の句は終り。次は大阪の俳人之道の撰にかゝる「江鮭子（あめのうを）」に移るが、これには兒童の句はたゞ一句しか載つてゐなかつた。「江鮭子」は元祿三年板である。

指さしてのびする兒（ちご）の月見かな　　短月

鏡の如く明らかな仲秋の名月を眺めて、頑是ない乳呑子までが、其の光りをうち仰ぎ、頻りに月を指さして、何か意味の分らぬ片言をしやべつたり、果は少しでも月の世界に近づかうとして、頻りに背延びをしてゐるのである。月の光りのさやけさ、美くしさ、淸らかさが、無心の子に依つて言ひ現はされてゐる。

この前に既に抽出した「卯辰集」と「伊達衣」から、更に少年の作句を發見したから、こゝに補遺として評釋することゝした。之は活字の飜刻本の、或るものは、屑書の年齡、男女の別等を省略してゐるのと、或るものは忠實に原本通りに復本してゐるとの差違から出て來たものであつて、私の見落しでなく、飜刻本を便りとする貧書生の悲哀が生んだものである。

振舞の中に聞きけりほとゝぎす　　五歳　長血

五歳と云へばまだ舌もはつきり廻らぬ幼童である。其の童が既に斯樣な句を詠じたことは、たゞ驚嘆の外はない。現代にも三歳のピアニストがあつたり、十一歳か十二歳で、オリンピックの世界的舞臺に飛躍する少女がある。いつの時代にも、斯樣な異常天才と云ふものが出現するものと見える。

扨この句は何かの振舞があつて、皆が御馳走に食べ醉つて、歡談まさに高潮に達した時、たま〳〵時鳥が一と聲、二た聲鳴きすぎたと云ふのである。御馳走以外の思はぬ御馳走に逢つて、一座いよ〳〵興に入つてゐる場合であらう。

高燈籠松の木の間に見ゆる哉　　五歳　長血

文字通りの句。盆の高燈籠は云ふまでもなく白張りである。其の白張りの高燈籠が、亭々と競ひ立つてゐる松林の間に、ほのかに見えてゐるのは、甚だもの寂しいものである。同じ作者ではあるが、前句に比し、この句の方がまことに穩かであり、まことに自然であつて、何の巧みもない處に子供らしさが溢れてゐる。

南天の枝にうつろふ月夜かな　　五歳　長血

之も見たまゝを率直にうち出したのがよい。嘗て評釋した。

かる〳〵と笹のうへ行く月夜哉　　少年　梅舌

と同巧異曲の句であると云ひたいが、技巧の上に於て後句は遙かに前句に勝つてゐる。若し心の素直さから云へば、前句は後句の上にある。

以上「卯辰集」補遺終り。

我心駿河の富士やほとゝぎす　　石川少女　つね

自分の心はたとへて言はゞ駿河の富士山の如きものであつて、洵に氣高くも淸らかであると、たま〳〵ほとゝぎすを聞いた喜びを誇張して表現したのである。誇張はやゝもすれば厭味を伴ふものであるが、この場合其の憂ひは除かれて、讀者も共に快感に誘はれる。たゞ富士と云はず「駿河の富士」と云つたところにも、多少效果が擧げられてゐる。

野遊に
おさかなに折る人つらし梅の花　　十歳　可候

梅を賞しつゝ頻りに盞の交換をしてゐた大人づれの一人が、ふと立ち上つて最も澤山蕾をつけた見事な梅の枝を折り取つたので、それを悲しんだ少年の句である。自分を悲しむ心が、やがて梅を悲しむ心となつて現はれてゐる。

夜もすがらさ有しを
深窓に我と居かはれほとゝぎす　　藤井氏妹十歳　久須

夜もすがらほとゝぎす待つて、皆の人が珍重するので、それ程に尊い鳥ならば、山深く遠くへ飛ばずに、自分と居かはつて、深窓の裡に籠つてゐよかしと、ほとゝぎすに對する少女の情味をうち出した句。

垣越しに自慢くらべや菊作り　　十歳　道滿

菊作り、朝顏作りが、互に我が花の出來を誇り合ふことは、常に有り勝のことである。この句の場合は、それが垣一重隔てた隣同士であるだけに、平生からの親しみも深く、同時に自慢の鼻を高くすることも、御互に一層強いであらう。「自慢くらべや」と云ふやうな物の觀方なり、言ひ現はし方は、子供の純眞さを失つてゐる。

母の事足らぬを諫む
大豆煎つて福を打ち込む心かな　　十歳　道滿

僅かな大豆を煎つて、それを撒いた位なことで、鬼を拂つたり、澤山の福を招き寄せやうと云ふのは、あまりに虫のよい話。母がそれを悟らずに、古い習慣を其のまゝに取り行つてゐる心の足らなさを、ひそかに諫めたと云ふのであらうが、十歳の少年が斯樣に知性に優れてゐることを、人に依つては驚きもし、譽めもするであらうが、それを直ちに俳句として表現したのは、甚だ面白くない。恐らく親か兄かゞ、この句に手を入れて、無理に少年道滿の句に仕立てたのであらう。前書の詞など、むしろ心憎さを覺えるのは、私ひとりではあるまい。

「伊達衣」の補遺以上五句を以て終りとする。

（昭和一二、七、二二）

蟬

前田夢一

花の春とか爽涼の秋とかであればどこの山でもどこの丘でもハイカーの亂群だが、土用のハイキングは餘り見受けない、それよりも晝寢の方がと、海でなくば家の内らでゴロ寢の人が多い。こんな時こそ出かけて見やう、そこに世間では拾ふことのできない詩情を拾ふことができるかもしれないと、無理に誘つて四人、飯盛山へとしやれてみた。さて來るには來たものの、さすが土用だ、脚は空氣のぬけたタイヤのやうにしやつきりしない。ふなふなの脚をもつらしながら赫々と照りつける殺を、何獎ふんばれと痩我慢に力を入れて歩みつづけた。

炎天下の飯盛山は火を吐いてゐる。

千曡の青田に白くくつきりと劃して見へるは四條畷中學校と女學校だ。

野崎まゐりに屋形船で往きつ來つした川が昔のまゝに左手に細くうねつてゐる。

水車を踏む側を黑光りしたアスハルト道が長蛇のやうに延びてゐるかと思ふと、モダン女學校に隣つて藁葺の家があるなどその對照がおもしろい。

村長らしい紋付袴が坂の松並木をS字型に上つて來るのと、白く細い腕に荷物を振分けに持つて上つて來る汗だくの歸郷の人との色彩も更におもしろい對照である。

飯盛山の山頂を午前中に極めてすぐ下山、さてそれからどこへ行くかに迷つた。

今どき野崎まゐりでもなく、といつて石切詣では更に變哲が無さ過ぎる。そこで花の頃ほい設けられた麓の掛茶屋に一ぷくすることゝして、何はともあれと、仰向けざまにゴロンと轉んで澄切つた天空に土用の息を吐いてゐると、そこへ蟬取の子等が四五人やつて來て騷ぎ初めた。初めの程は何の興味もなく眺めてゐたが、巧に樹枝によぢ登つたりぶら下つたり、かんかん照ものかは山を駈け上り駈け下りあるひは崖に飛びついたり飛下りたりする身軽さ、そしてまたしても蟬を打伏せる手練の早業はまさにましらのそれである。

　山に、峠に、そして樹に枝に、ジージー、
　ミンミン、ニーニー、シヤワシヤワ

私はいつまでもいつまでも自然の懐に抱かれて飽くことをしらずゐたが、いつの程にか自分も蟬取の仲間に這入つて了つてゐた。

　みんみんや榎赫々照る中に

空蟬やよくも古りたる大楓
無造作に呉れしみんみんつんぼ哉
中の一人蟬懐に鳴かすかな
蟬鳴くや一人ぼつちの山の中
みんみんや下山疲れを木の蔭に
土工たち蟬の木蔭に仰向ざま
　四條畷神社
蟬皆し手洗ひ水の湧きあふる
不手際を嗤はれ蟬を逃かしけり
蟬の子等健康色のかがやきに
（昭和一二、七、二五日記）

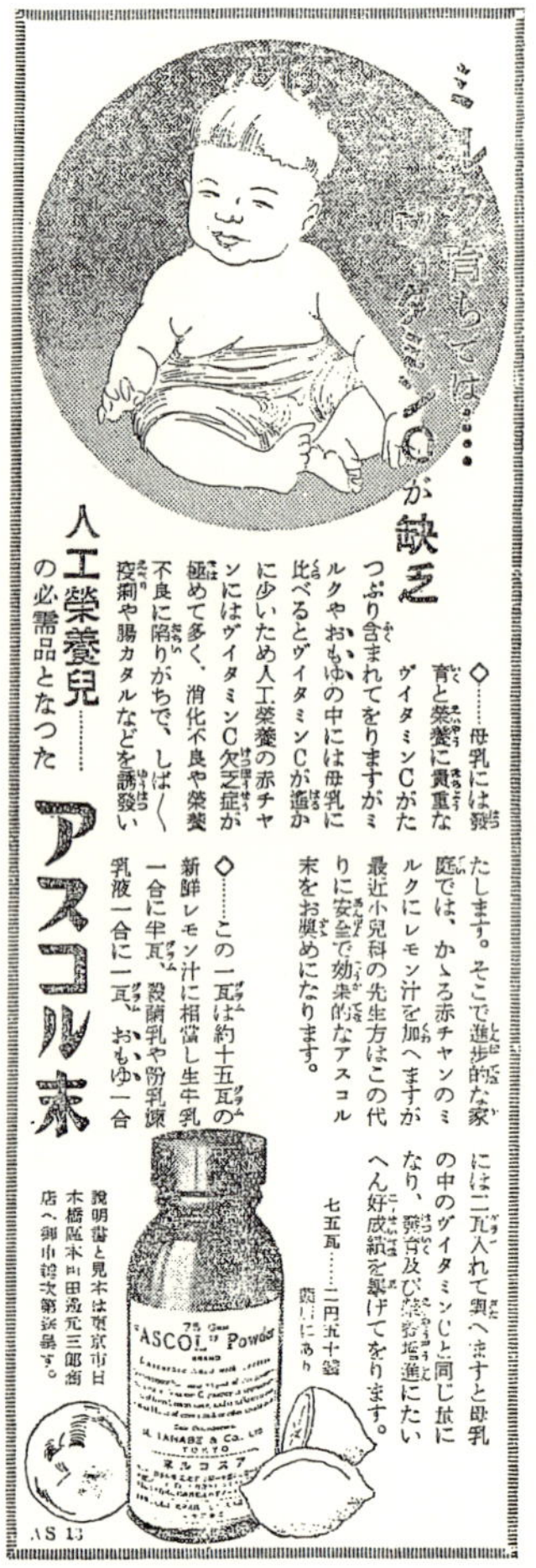

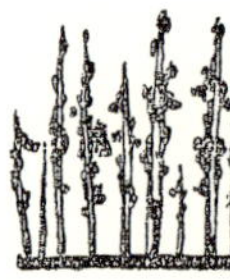

小さい蚋の話

尾崎邦子譯

小さい蚋がどんなにして生れたか——誰も見たものがありませんでしたが、お日樣が春みたいな日の出來事でした。小蚋はあたりを見まはして云ひました。

——いいのねえ——

翅を揃へ、細い足で一つ一つきれいに拭いて、またまはりを眺めて云ひました。

——何ていいのでせう！　何て暖かいお日樣！　何て青い空！　何てまつさをな草原！

——ほんとにいいこと！　そしてみんな私のもの！

小蚋はなほも自分の足をこすり合せ、そして飛び立ちました。とびつづけながらもいろんなものに驚き、またたのしみました。下の方は綠の草原で、その小草の中には紫の花がかくれてゐました。

——小蚋さん、いらつしやい！

花はよびかけました。

小蚋はおりていつて、花の上を這ひ甘い花の蜜を吸ひはじめました。

——花さん、あなたは、何ていいんでせう！

——脚で自分の唇をふきながら小蚋は云ひました。

——えゝ、まあね、でもわたし歩くこと知らないんですもの——と花はこぼしました。

——でもほんとにいゝわ、そしてみんなわたしのもの

——まだ云ひきらないうちに羽音を立てて、ひげもぢやの土蜂がまつすぐに花の上へとんできました。

——ズズズ……誰だ、俺の花の中へはいつたのは？　ズズ……誰だ、俺のうまい蜜を吸つたのは？　ズズズ……オ、、お前、惡い蚋め、あつちへ行け！　ズズズ……すぐ行け、殺されたくないのなら！

——ごめんなさい、でもこれはどういふ意味ですの——と小蚋は鳴きました。

——みんなわたしのもの——ズズズ……いや俺のだ！

小蚋は、いぢの惡い土蜂からあやふくのがれました。

草の上に坐つて、蜜でよごれた足をなめながら怒りはじめました。

あの土蜂は何て無作法なんだらう。

あきれるわ！　それに刺さうとまでして——でも。みんなわたしのものですわ、お日さんだつて、小草だつて、花だつて、

——オヤ、いいえ、失禮ですが、それは私のものでございます。——草の莖をはひ上りながら、ひげもぢやの毛虫がはなしかけました。

小蚋は、毛虫が飛べないと思つて前より元氣にはなしはじめました。

——ごめんあそばせ、毛虫さん、でもあなたが間ちがつてゐますわ、私はあなたの這ふのをお邪魔はしません、だから口論は止しませうよ。

——贊成ですとも！　けれどもあなたは、わたしの草に觸らないで下さい、打明けて云へば私はそれが嫌なんです。あなたはあまり長らくここでとびすぎます、あなたはまじめなお方ではありませんけど、私はいたつてまじめな毛虫です、かくさずに申しますと、ここらのものはみんな私の所屬なのです。ホラ、私は草に這ひ上つて喰べてしまふでせう。どんな花の中へでもはひこみますよ、そしてそれもまたたべてしまひます。ぢやさよなら——

何時間かの後小さい蚋はいろんなことを覺りました。つまり、お日樣や、青い空や、綠の小草の外にもまだいぢわるい土蜂や、まじめな毛虫や、いろんな棘が花の上にあること、一口に云へば、大きな心配を感じはじめたのです、小蚋は怒りさへもしました。

實際いろんなものはみんな自分のもので、そして自分のために創られたものだとはつきり言ひましたが、他の者たちも同じことを云ふのですもの、いいえそれは本當ではありません、そんな筈はない！

小蚋はまたとんでゆき、そして水を見つけました。

——さあ、こゝにも亦私のものがある！——喜ばしげに云ひました。——わたしの水……まあ何てうれしい！こゝには、草も、花もある、そこへ外の小蚋たちもとんで來ました。

——今日は、お姉ちやん！

——今日は、みなさん！わたしもう獨りでとぶの、退屈してるとこなの、こゝで何してゐるのあんたたち。

——わたしたち、遊んでるのよお姉ちやん、いらつしやいな、とても愉快なのよ、——あなたは近ごろ生れなさつたの？

——今日生れたばつかり、土蜂にあやふくさされるところでしたし、その後で毛虫も見ました。わたしは、みんなわたしのものだと思ひますのに、あの人たちも、みんな自分のものだと云ふんですの。

他の小蚋たちはお客さんを安心させました。

そして一緒に遊ばうとさそひました。

水の上に小蚋は群がつて遊びました。まはりつづけ、とびつづけ、そしてしやべりつづけました。私たちの小蚋は嬉しさに息もつげない程でした。そしてまもなく、いぢわるの土蜂も、まじめな毛虫も、すつかり忘れてしまひました。

——まあ何ていいのでせう！　彼女はうつとりとなつてさゝやきました。——みんなわたしのもの、お日樣も、草も、水も。何のためにみんな怒つたりするんでせう、わたしにはわからない。みんなわたしのもの、けれどもわたしは、たれの邪魔もしない。みんなとびまはりなさい、おしやべりしなさい、そしてたのしむといいわ、わたし許してあげる。……

たのしい遊が終はつて、沼草の上に休みました。本當に休まねばならないのでした。

小蚋は姉妹たちがどんなに樂しんでゐるか見廻しました。と、突然雀がとんで來ました。どこから來たんでせう？　まるで投げた石のやうに強くとびすぎました。

キヤア！　小蚋たちは叫びをあげてあたりへとびちりました。雀がとび去つたあとでは、みんなで十疋の小蚋が足りなくなつてゐました。

——マア、どろぼう！——お婆さんの蚋がとがめました。——十も一度にたべるなんて——これは土蜂よりも惡いことです。小蚋はこわくなりました。そして他の若い友だちと一緒に沼草の中へずつとふかく身をひそめました。けれども、ここにも他の惡いことが、二疋の蚋は魚がたべ他の二疋は蛙が……

——これはどういふわけでせう？——小蚋はふしぎに思ひました。——これは本當にいけないわ……生活なんか出來ないわ！　マア何てわるものたち！

さうだ！　澤山蚋たちが居ながら誰も減ることに氣がつかない。で、また小蚋は先へとんでゆきました。たつた今生れたばかりの、新しい小蚋たちのところへ、彼女たちはとびまはりそしてしやべりつづけてゐます。

——みんなわたしたちのもの……みんなわたしたちのもの……

——いいえ、みんなわたしたちのものではありません、——わたしたちの小蚋は、みんなに向つて叫びました。その外に いぢわるの土蜂もゐる、悪い雀、魚、それから蛙、お氣をつけなさいね、姉妹たち！　夜になりました。小蚋たちはみんな芦の中へかくれました。そこは大へん暖かかつたのです。空には星がまきちらされ、月が昇りました。そしてみんな水の中にうつつてかゞやきました。

マア何ていいんでせう！

わたしの月、わたしの星——わたしたちの小蚋は思ひました。けれども、誰にも云ひませんでした、誰かがこれまでもとりあげるかも知れない……。

さういふ風にして、小蚋は夏中をすごしました。樂しいことも澤山でしたが、またいやなことも澤山ありました。蟲とりの上手なつばめにあやふくのまれさうになつたことが二度、そのあとで知らぬまに蛙に忍び寄られました。

さて、小蚋たちには何んと澤山の敵があつたとでせう。けれどもまた樂しみもありました。

小蚋は他の雄蚋にあひました。口ひげを持つたその蚋は云ひました。

——何てあなたは美しいんでせう小蚋さん——わたしと一緒にくらしませうよ……。

そして二疋は一緒にくらしはじめました。ほんとによい生活でした。そして、どんなにして夏が過ぎたかさへも氣がつきませんでした。

雨と、寒い夜々がはじまりました。わたしたちの小蚋は繁つた草むらに卵を生みました。

——アヽ、疲れた！

小蚋がどんな風に死んだか、誰も見たものがありませんでした。さうです、死んだのではありません。たゞ冬のためにねむりはじめたのです。春になつたらまた起き出して、また生活するでせう。

——ロシアお伽噺より——

幼稚園の衛生問題に就て（二）

文部省體育官　大西永次郎

五、淸潔の保持

叙上の外に、幼稚園に關係したもので、文部省の規程として定められた大切なことは、幼稚園の淸潔保持に關する規程である。これは小學校を主體として定められた規程であるけれども、幼稚園にも準用されてゐる。卽ち幼稚園も一の集團生活である。尤も幼稚園は小學校などのやうに、千人、千五百人といふやうに多數の兒童が集ることはない、二、三百人以內、百人位の所が一番多いかとも思はれる。いづれにしても子供の集團的社會であつて、斯かる集團生活においては動もすれば淸潔の保持といふことが困難となる。淸潔が保持されないといふことは、同時にそこに色々な病菌傳染の媒介をなすといふやうなことになり、隨つて學校や幼稚園のやうに集團生活をする處では特に淸潔を保持することが大切である。斯うした意味から學校や幼稚園においては常に淸潔を保持し、傳染病を豫防するといふ一つの方針を國家で定めたわけである。幼稚園においては、幼兒自身が園內を掃除するといふことはまづない。そこで幼稚園の當事者は、園の淸潔を保持するためにその設備をどういふ風にして行くか、それは非常に大切なことである。最近は建物の設備もよくなり、殊に幼稚園は小學校や中等學校などと異つて、子供の亂暴さも尠く、またその取扱も割合に容易であるから、その點淸潔の保持には都合がよいと思ふ。とにかく國家として集團生活に對し保健上一定の方針に基いて淸潔保持をやつて貰ふやうに幼稚園當事者に要求してゐることになる。

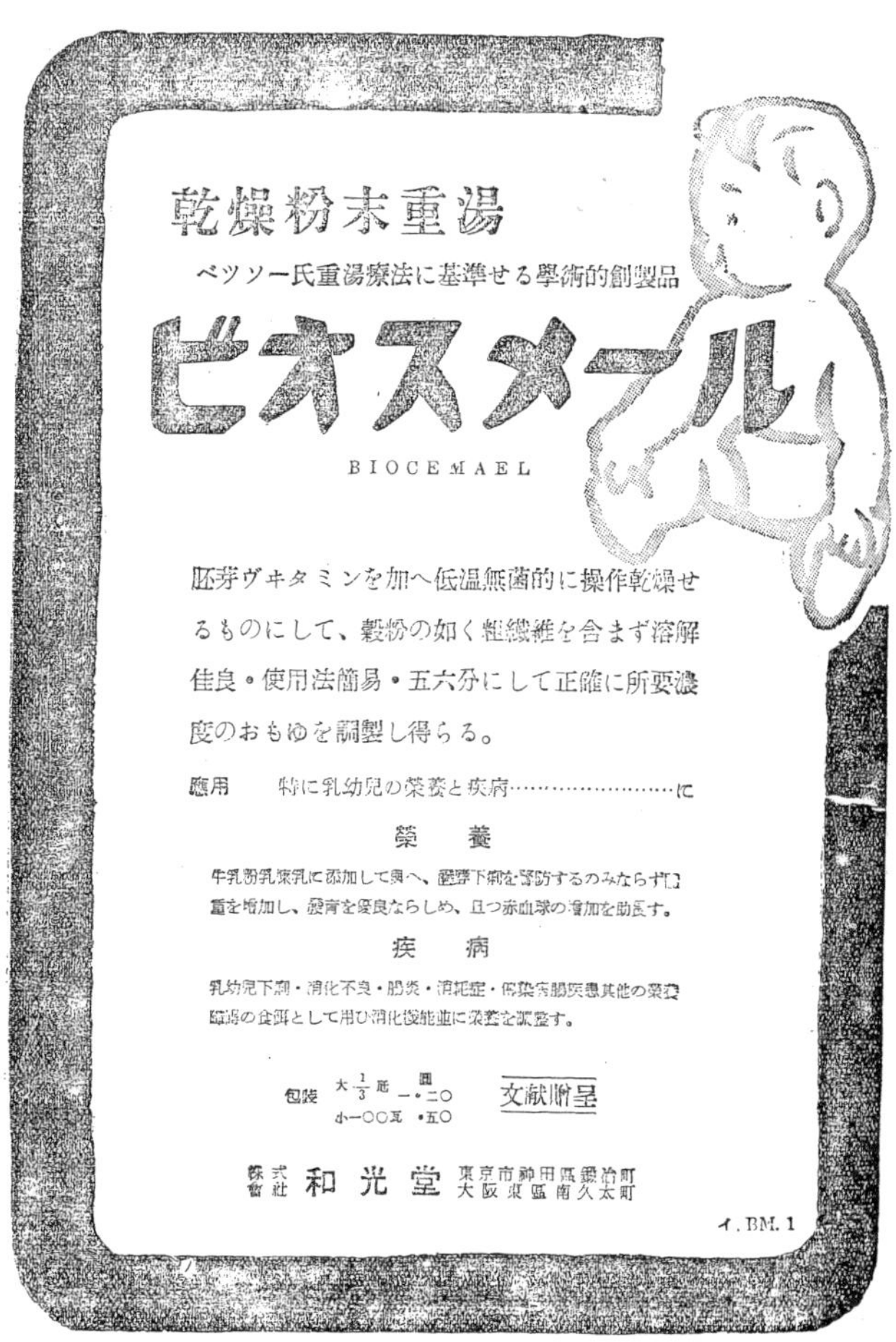

六、幼兒の發育と健康

叙上の事柄は、主に學校、とりわけ小學校を中心として定められてはゐるが、幼稚園にも原則として適用されるわけである。幼稚園醫、幼稚園齒科醫、幼稚園看護婦等の衞生技術者、身體檢査の施行、傳染病の豫防並びに淸潔保持の問題等、勅令、省令、訓令等を中心として述べたが、更らに幼兒の健全なる發達を期するといふことのためには、色々幼稚園でやるべき施設があると思ふ。

一體子供の成長發達の原因は、到底理窟ではわからない。どうして子供が成長し發達するかといふ理論はわからないにしても、子供は內的にも、外的にも特別の異常さへなければ自己の先天性の素質に應じて成長發達といふ一現象を呈するわけである。卽ち子供の成長發達といふことは、生れながらの一つの事實である。それを發育といふのである。年齡に應じて身長は伸びるし、體重は段々增加してくる。それに伴つて內臟の諸機關も發達し增大してくる。筋肉も段々と肥り、また丈夫になり、一定の年齡がくれば乳齒が拔けて永久齒が生えてくる。かくて子供から靑少年を經て、大人になるに從ひ身體の諸機關においても特殊の變化が起る。どうして斯ういふ變化が起るかといふことは、今日の學問では判明してゐないが、さういふ一つの事實が認められるのである。幼稚園幼兒の時代は僅か二三年であつて、はつきりした其の間の發育の特長を見出すことは困難であるが、とにかく身長も伸び、體重も增し、胸圍も肥つてくるのである。隨つて大體同一年齡の正常の子供の發育といふものがどういふ姿にあるか、換言すれば標準幼兒の發育の姿はどういふ狀態にあるかといふことも知つておかなければならない。さうして標準幼兒の發育と比較して一人一人の幼兒の發育がどういふ情勢にあるか、例へば標準幼兒と對比して、身長は多いか少いか、體重はどうか、胸圍はどうか、また身長と體重の割合はどうか、身長と胸圍の比率はどうか、といふやうなことを調査することによつて大體標準幼兒に對しAといふ幼兒の發育はどういふ狀態にあるかの見當がつくと思ふ。それをBの幼兒についてもCの幼兒についても檢討することによつて、自己の受持つ幼兒の一人一人の發育がどういふ狀態にあるかがわかるのである。勿論幼兒は一齊に同樣に伸びて行くものではない。それ〴〵先天性の素質があるから、同樣の形式では成長しないが、發育に大なる支障があるといふことは、同時にその發育を阻害する內外の原因が、そこに存在してゐるのではないかといふことが考へられるのである。さういふ意味で一人一人の幼兒について發育の状況を調べ、それを基礎として標準幼兒に出來るだけ近づけるやうに考究すべきであり、幼稚園の保育の中で發育を對象として考へる場合には、そこに根據をおかなければならないのである。また健康の方面についても同樣である。

一體幼兒は內外の病的原因さへなければ、やはり健全に育つといふことが本質である。卽ち內外のどこかに原因がある、例へば外的には環境があまりに非衛生的であるとか、內的には內臟のどこかに健康を障碍するやうな病的な箇處があるとかいふことで初めて、その幼兒の發育が阻止され、健康狀態が侵されるのであつて、斯うした原因の存しない限り、順調に標準的な發育もするし、またその健康も保たれるものである。發育が旨くいかなかつたり、健康が保たれないといふのは、環境上の衛生的缺陷があるか幼兒の身體の內部に缺陷なり異常なりの存することに起因するのである。

そこで正常な發育を保たせるためには、私共は發育健康の條件といふものについて大體の見通しをつけておかなければならないのである。幼兒が正常に發育し、それから健全に育つといふことの條件は種々あるが、ここには四大條件について述べようと思ふ。これらの條件は必ずしも人間のみの問題ではなく、むしろ動物を通じ或は場合によれば生物全體を通じて共通の條件であるといふてもよからうと思ふ。

七、發育・健康の條件

發育・健康の要素として重要なものは第一に日光であり、第二は新鮮なる大氣で、この新鮮な空氣を十分に呼吸することである。第三は發育・健康に必要な榮養を攝ることであり、第四は適度の運動を行ふことである。この外にも澤山の條件があるが、根本的のものはこの四條件である。ところが、日光とか、空氣とか、榮養とか、運動とかいへば、これは何れも平凡のことばかりで、そこらの婦人雜誌の中にも、日刊新聞の家庭欄の中にも每常出てゐる問題で、この位平凡のことはない。しかしながら、殊に都會の幼兒若くは少年が、自己の身體を丈夫に發育させ健全に育つために必要な此等の四つの貴重な要素を、實際生活において完全に受けてゐるかどうかといふことになると重大な問題である。先づ日光について考へてみよう。

日光の中には我々の健康に大切なものは色々あるが、今日のところ健康に一番必要なものは日光中の紫外線である。プリズムによつて太陽光線を分析すると、七色が現はれて兩端に赤と紫が出て、その紫の外に出てくる線が紫外線である。また化學線ともいうて化學變化を起す

作用がある。この紫外線は、太陽光線が地上に達するまでに雲や塵埃に吸收されて消失することが尠くない。例へば、都會の空氣中には塵埃や煤煙が多いから、日光が此處を通つてくる場合には、その中の紫外線は空氣中の塵埃や煤煙に吸收されて地上に達しないか、達しても非常に僅かの分量に過ぎない。また曇天の日には大部分の紫外線は吸收されて、地上には極めて僅かしかこないのである。故に都會生活をやつてゐる子供は、たとひ日光に當つても健康に必要な紫外線はほんの僅かしか受けないことになる。そこで同じ日光に當るにしても郊外に出て、新鮮な大氣中を通つてくる日光に浴さなければ、その效果は尠いといふことになるのである。

これは別の問題であるが、近年建築物が段々變つてきて、昔の建築では「ガラス」を全然用ひなかつたものであるが、近頃は「ガラス」の家になり、何處の家でも戸障子に「ガラス」を用ひるやうになつた。そして夏季は開放するが冬季は閉鎖するため「ガラス」を通うしてくる日光に浴することになり、「ヴエランダ」などでも窓を閉めてあるので紫外線は「ガラス」中に吸收されて室內には入つてこないのである。それ故廊下に出て暖をとるだけならよいが、紫外線の效果はないといふことになる。無論紫外線を通す「ガラス」も發明されてはゐるが、非常に高價なため一般には用ひられてゐない。ところが昔の紙障子は、紫外線を相當に透過するので、室內にも紫外線が相當量入つてくるわけである。このことだけから考へても、昔の家と今の家とは室內の紫外線の多少において非常に違つてゐる。況んや都會の空氣中には段々と煤煙や塵埃が多くなり、殊に人口が稠密になればなるほど、都會の中心地は煤煙と塵埃のために紫外線の地上に達する分量が減少する。その尠いところをもう一度「ガラス」を通すのであるから、室內の紫外線といふものは一層尠いことになる。それでも子供が戸外に出て自由に遊び得るやうな場處があればよいのであるが、段々空地がなくなつて、それも叶はなくなり、それに交通量の多いために道路にも出られないことになつて、一層紫外線の不足が甚しくなるのである。日光が大切であることは誰しも知つてゐて洵に平凡極まることであるが、都會生活の實情は、子供の發育健康に必要な日光に浴する機會を段々奪ひつゝある。隨つて子供の成長發達を本務とする幼稚園の保育なり、また小學校體育養護なりは、この現實に着目しなければならないと思ふ。

次は新鮮な空氣のことであるが、前に述べた昔の紙障子の家と今日の「ガラス」の家とでは日光のみでなく、空氣の問題になると餘程の相異がある。最近では鐵筋コンクリート建築は勿論、木造建築にしても色々のタイル張りなどの塗込みが多くなつて、昔程に自然換氣がなくなつてきた。そこで今日の「ガラス」の家では自然の結果として人工換氣を絕對に必要とする。住宅でも幼稚園でも、この換氣の大切なことは同樣である。昔の家では自然換氣がよく行はれてゐるため別に人工的に窓を開けたてせずともすむのである。殊に紙障子は非常によく空氣を通過させ、隨つて自然換氣は十分行はれてゐる。また雨戸にしても、板の隙間などから空氣が出入して自然換氣が行はれてゐる。この點は日本在來の建築は非常にルーズにできてゐて、天上や屋根裏にも多くの隙間がある。また疊敷では、その床板が極めてバラ〳〵に張つてあり、床下は吹き通しときてゐるから空氣の流通は申分ない。また窓が多く、それに開放的であるから外界の空氣と室內の空氣とが自由に交替する。然るに近年の建築は「ガラス」戸になり、床は隙間なく張りつめ、壁などもタイルやセメントで塗込むので、その結果自然換氣が行はれない。それで人工換氣の必要が起つてくるわけである。つまり欄間をつくるとか、時々窓を開放することが非常に必要となつたのである。昔の家では緣側に出さへすれば、太陽から暖をとり、同時に紫外線にも浴し、また新鮮な空氣も吸ふといふことになるのであるが、今

日の家では狹い上に新鮮な空氣は不足し、單に太陽中の熱線だけに浴して喜んでゐるといつたわけである。

次は榮養であるが、この榮養に關する研究は非常に發達し、且つ調理方法も進步したためか、却つて子供には適當でない食物が澤山できてきたやうに思はれる。殊に問題になるのは糖分を澤山に含んだ菓子類が極めて多數に商品として販賣されるに至つたことである。都會地における子供の今日の生活の實情から考へれば、糖分が相當過度に攝取せられてゐることが知らるゝのである。また都會の子供は骨をつくる頑健な體格の構成に必要な無機質、殊に「カルシウム」が著しく不足してゐることが窺はれる。「カルシウム」は靑い葉の野菜、例へば靑菜やホウレン草のやうなものゝうちに含まれてゐる。それから海草類、例へば、わかめ、昆布、海苔などに多く含まれ、この外には骨ぐるみ喰べられる小魚、煮干、佃煮のやうなものゝ中に多いのであるから、それ等の食物を出來るだけ澤山攝取すれば、子供の骨は非常に丈夫になり、よい體格が形成されるのである。然るに今日の都會生活を見るに子供は中々さういふ食物を攝取する機會が寧ろ少い、都會の子供は丁度日蔭の植物のやうに、縱にはひよろ〳〵伸びてはゐるが、橫の發達が十分でない。小學校兒童でも幼稚園幼兒でも同じことであるが、裸に

して氣を付けの姿勢をやらせると脚の眞直なものは極めて少いのである。卽ち大抵の子供は輕いX脚になつてゐるわけで、これなどは都會の子供に限られる現象である。なほカルシウム分の不足は日光とも關係があり、十分に日光に浴せないものは、やはりカルシウムの沈着が尠く、自然骨の發育が十分でないといふことになる。

次にはヴイタミンの不足である。田舍の子供は果物などでも生のまゝ皮もむかずに平氣で喰べてゐる。從來、食物について主として傳染病の豫防といふことを餘りに宣傳した爲めに、程度を越して生のまゝ喰べることを好まない傾向があり、今日迄不潔とされてゐたものゝ中にも非常に榮養價のあるのに氣が付かなかつた、無論不潔なものを喰ふことはよくないが、田舍の子供が木に實つてゐるものを採つてそのまゝ皮もむかずに喰ふといふことは子供の發育にとつてよいことである。ところが、都會の子供とくると、まづ母親などが皮をむいて一度湯でも通してから中味だけを喰はすとか、或は生のものは絕對に喰べさせないとか、野菜でも一旦煮沸しなくては喰べさせない。それも一つの衛生的方法であらうが、果實にしても野菜にしても、生のまゝ喰はさないところから、ヴイタミンCが非常に缺乏してゐる。隨つてその發育が色々の點で妨げられることになるのである。ヴイタミンA、B、Dの不足のことについては色々述べたいこともあるが、こゝには省略しておく。

第四の運動のことについても大體さういふことがいひ得られると思ふ。一體子供は精神的にも肉體的にも、運動することによつて發達するものである。社會的な心理的な知能も、遊戲によつて發達するといはれてゐるくらゐで、やはり身體の成長も同樣で、動くことによつて身體の發育機能に一つの刺戟を與へるのである。元來子供は動く生物であつて、一寸もぢつとしてゐられないものである。斯かる子供の生命ともいふべき運動、その運動をやる場處がないのが都會生活の實情であつてみれば、身心の成長發達に一番大切な役割をもつところの運動の機會が事實上段々とせばめられ壓迫されるとすれば、都會の子供が近年著しく弱くなつてきたのは寧ろ當然なことである。そこで彼等の發育を助長し、健全な身體たらしむるには、子供の指導の任に當つてゐる幼稚園や小學校においてその事實を十分に認識し、それに對應する計畫を立てなければ、子供の健全な發育は到底望めないのである。

今日の日本の實情からいうて、特殊の保育園は別として、一般に幼稚園には中產階級以上の家庭の子供が多いと思ふが、前にも述べたやうに日光の不足、新鮮な空氣

の缺乏、糖分の過量攝取、ヴイタミンの不足などがどうも中產階級の子供に比較的多いといふことは寒心すべきである。寧ろ下層階級であると、第一家が狹くて屋內にゐられない關係上自然戶外に出て、露路や長屋の隅で遊ぶことになる、これは一見非衞生的のやうでもあるが、中產階級の子供等が「ガラス」の家の中で遊んでゐるよりは、環境の不潔な戶外で遊んでゐる方が寧ろ保健的で幸福のやうにも思はれるのである。

それに運動そのものについてみるも、下層階級の子供は、隣り近處の子供達と集團を作つて如何にも子供らしく遊んでゐるが、中產階級の子供は、近所の喧嘩太郎や餓鬼大將等と遊んではいけないなど親達からいはれるので、自然退嬰的となり、家に引込んで本でも見るか玩具でも弄ることになり、益々運動の不足をきたすことになるのである。

斯やうに今日の都會の子供は、社會の實情からして自然の結果として一般に運動の不足、日光の不足、榮養の缺陷、新鮮な空氣の缺乏といふことになるのであるから、幼稚園の當事者はこの發育・健康に必要な叙上の要素の足らないところを補ふ必要があると思ふ。これは幼稚園だけでもよい、家庭とも十分聯絡がとれゝば更によい。幼稚園としても一週一回位は郊外に幼兒を連れ出して新鮮な空氣を吸はせ、十分日光を浴びさせ、自出に運動をやらせ、また父兄に對しては子供はなるべく戶外で、子供同志が集團をつくつて遊ばせるやう勸告すべきである。勿論、心理的に惡い影響をうけるやうな場合には相當の注意を拂はなければならないが、身體の發育を助成するには特に以上の點に注意すべきである。そこに幼稚園における幼兒の衞生といふものゝ根本方針が出てくるのではないかと思ふ。

八、むすび

要するに幼稚園幼兒の精神の發達と身體の育成を目標に保育を行ふのであるから、各幼兒の現在の身體發育や健康狀態を知ることが先決問題で、これは身體檢査によつて知ることができるのである。

次には標準幼兒の發育を知り、これ等の標準に比較して、その幼兒は胸圍が狹いとか、體重が不足してゐるとか、顏が靑いとか、眼が惡いとか、扁平足であるとか、または耳に異常があるとかを調べて治療なり養護なりを施し、成るべく標準幼兒に近づけるやうに努力する。それを私は、身體的に見た保育の根本だと考へるのである。

その標準幼兒に近づけるためには、叙上の四つの條件を充たしてやらなければならないのであるが、今日の都會生活の實情を見ると、子供の身體の發育や健康の保持を到る處で阻害してゐるので、實に不幸な境遇に置かれために、子供は段々虛弱な體質となつてしまふのである。故に保育に從事する方は、子供の生活の實相をはつきりと認識して、さうして本當に子供が身體的にも精神的にも、その發育が十分に成し遂げらるゝやう考慮することが、實際の施設を指導する上に最も必要な條件であると思ふ。それには日光浴をさせるとか、紫外線の照射をするとか、常に新鮮な空氣を吸はせるとか、榮養についても單に母親等に注意するばかりでなく、食物それ自體を幼兒に適するやうに改善することも必要である。また食事に際しては咀嚼を十分にするといふことも口腔衞生の點からいうて考へなければならない。運動も室內遊戲の技術を敎へるのでなくして、發育成長といふことを基礎として成るべく戶外の廣々した處で遊ばせることが必要である。以上のことができなければ、都會地の子供を健全に育てゆくことは殆ど不可能といふてもよい。若し健全に育つてゐる子供があれば、それは無意識の間にそれ等の條件を充たしてゐるのである。しかし身體的には丈夫になつても、他面に精神的發達がこれに伴はないやうな場合があるかも知れない。その點については十分考慮しなければならない。

設備一〇〇%料理七〇%
更に御待たせいたしません

理髮 ヤング軒銀座本店

軒主 加川莊三郎

京橋區數寄屋橋通
對鶴ビル(電銀座一三九一番)

そこで敎育の方法なり、保育の手段といふものは、結局子供が心身共に完全に育つやうな條件を充たしてやることにあると思ふ。最近國民の保健問題が重要な國策の一つとなつて、敎育においては勿論、廣く一般國民に對する體位向上の問題が喧しい世論となつてきてゐる。幼稚園の保健問題は、今日の都會生活は如何にも子供の發育健康のために適しない實情にあるから、それ等の條件を意識的に具體的に子供の生活の上に充たすといふことが身體的に見た保育の根本原理であると信ずる。(終)

日本人はなぜ小さい?

帝大名譽敎授
農學博士　鈴木梅太郎

若い次の時代を背負つて起つ人々の體質が大變惡くなつてきたさいふことが、國民體位の低下さいふ言葉をもつて近頃旺んに問題とされてゐます、なぜ國民の體格が惡くなつてきたのかに就ては、あらゆる角度から今後益す論議され、また解決の道が見出されねばならぬことですが、玆には一つの根本的な立場—榮養上の見地からして、ビタミンBの世界での最初の發見者であり、わが國榮養學最高の權威である帝大名譽敎授農博、鈴木梅太郎氏によつて日本人はなぜ小さいかを論じて頂きました。

米の蛋白質では體力が維持できぬ

日本人の體格が歐米人に比べて矮小なのはなぜだらう、果してこれは人種的特質でどうにも改良の餘地がないものだらうか。われ〱はこれを榮養學の立場から考へてみる、そして眞先に考へ付くことは、主食物である米のもつ蛋白質がわれ〱の身體の發育に適してゐるかどうかの問題である。

榮養價の低い米の蛋白質

數年來、われ〱はいろ〱の食品に就て蛋白質の榮養價を比較研究してきた、その結果、米の蛋白質榮養價は牛肉や魚肉などの蛋白質の三分の二位であることを確めたのである。同じ蛋白質であつて、なぜ米の蛋白質は榮養が劣るのであらうか。元來蛋白質の榮養價はその組成分であるアミノ酸の類と分量によつて左右されるもので、蛋白分子中にシスチン、チロシン、リジン、トリプトフアーンの樣なアミノ酸が不足すれば、動物は發育が出來ないことは實驗的に證明されてゐる。ところが、米の蛋白質はこれらアミノ酸は殆ど不足してゐないのだから何か他に原因がなければならない。それは何か?

初めて發見された新アミノ酸

最近わが研究室の前田司郎氏によつて從來知られなかつた新しい一種のアミノ酸が發見され、これを既知のアミノ酸の混合物中に加へれば、動物は完全に發育することを確めたのである。

更にこの新アミノ酸の少量を米の蛋白質に添加すれば動物の發育が非常によく促進され、肉類の蛋白と同樣の効果を發揮することが出來たのである。

合成アミノ酸で米の缺陷補給

要するに米の蛋白の榮養價が低いのは、その組成分の中にこの新アミノ酸が不足する爲であるから、將來このアミノ酸を人工的に製造して我々の食料の中に混合すれば强ひて動物性蛋白質を用ひないでも、われ〱日本人はもつと大きくなれる見込みがある。現在日本人の食物を總平均すると、植物質が九七%、動物質は僅かに三%に過ぎない、こんな貧しい現狀で、所謂國民體位の低下をどうして防止できよう。日本のやうに狹い土地で多數の人々を養はねばならない所では牧畜によつて肉類を豐富にうることは到底不可能である。だから最も經濟的な米作によつて主食物を生產し、その米の缺陷を合成アミノ酸によつて補はねばならぬ時期が早晚くるものと考へられる。いや一日も早くその日が來ねばならぬ。

ビタミンB群が米飯には缺けてゐる

日本人の體格はなぜ矮小であるのか?その理由の一つとして、米の蛋白の榮養價の劣る點を明かにした。だがもう一つの他の大きな原因があると思ふ。

ビタミンB1

各種のビタミン(A、B、C、D、E)はそれ〱必要な生理作用を有し榮養上缺くことの出來ないものであることは、これ迄無數の實驗によつて確認されてゐるが、一體これらのビタミンの中、吾々にとつてどれが一番必要であらうか。言ひ換へれば、吾々の食物の中に最も缺乏してゐて、是非とも補給せねばならぬビタミンは何であるかといふに、私は先づビタミンB1であると考へる、このことは年々百萬人に近い重輕症の脚氣患者が出ること、又乳兒脚氣の多いこと、その他B1不足による潛伏性症狀のものが無數に存在することが醫家の定論となつてゐることによつても判る。

胚芽米の三倍量

近來大分普及してきた胚芽米や半搗米、或は麥飯のやうなものには脚氣を豫防する程度のB1は含まれてゐるが、併し一層健康を增進するためには胚芽米に含まれるB1の三倍量位ゐを補給する必要があるのである。殊に乳幼兒の食物である生乳、煉乳等はB1が不足してゐることが吾々の最近の試驗によつて確められた。

ビタミンB2

次にビタミンB2はフラビンと稱せられて既に合成されてゐるが、このどタミンB2も概して日本人の食物に不足してゐる、そして玄米や半搗米などにさへこのB2の少いことは最も注目に値する。

玄米や半搗米に、バターやマツカラム鹽を添加しても動物の成育は不完全である、ところが、これらの飼料にビタミンB2の微量を加へると著しく動物の發育は速進されてくる。B2は牛乳、卵白、肉エキス、味噌などには相當に含まれてゐるが、酵母中に最も多く存在してゐる。

かやうにわれわれ日本人の主食たる米の中には人體の構成に最も不可缺な蛋白質成分に劣るものがあり、また成長、發育に最も大切なビタミンB群が不足してゐるのである、これこそわれわれの體格が矮少である最も大きな原因の一つであると思ふ。

炭水化物とB群

しかもすべての學者の一致した見解では炭水化物の完全な同化には、ビタミンB群が特に必要な働きをなすものであるから、日本人のやうに澱粉質を多量にとるものは、是非ともビタミンBを豊富にとらねばならぬのである。

どうしてとるか？矢張りビタミンB群の合成品を主食物に添加してとる方法が近い將來において最も可能性が多いと考へる。

われわれは今日日本人の主食物である米は、榮養上缺くることの多い點をはつきりと自覺の上にのせる必要がある、そしてこの宿命的な缺陷克服のために、すべての人々の協力が必要とされねばならない。（完）

夏の山登り心得帳

病氣や事故に備へて

先づ登山の前に登山者は一應健康診斷をしておく必要があり、身體が惡いのに無理に山へ行くことは非常に危險です、健康體でもいろいろな突發事故があり、應急手當をしなければならないから相當の準備が必要です。殊に三日も四日も山で暮す場合には繃帶、ガーゼ、脫脂綿、絆創膏、油紙、ピンセツト、外用藥、解熱劑、健胃劑、鎭痛劑、强心劑、下劑等を持つて行く必要があります、近頃はこれらの藥を小さな箱にをさめたスポーツ救急函が出來てゐるから、これらを買つて行くのもよいでせう、登山につきものゝ病狀や事故の簡單な手當を記しませう。

◇山醉　疲れると、心臟が弱ることから起る現象で、身體がだるくなる、めまひがする、耳鳴や頭痛まで伴つて來ます、やられたと思つたら坐るか横になつて靜かにし、コーヒーや紅茶、ブランデー、ウイスキーなど興奮劑を少しとつて眠らないやうにする、重いと見たら早く下山させること。

◇日射病　突然睡氣が出て來て、顏が紅くなり頭痛、めまひ、耳鳴、幻覺等もあらはれ呼吸が辛くなり、脈搏が多くなつたり、あるひは微弱不規則となつてくる、重い時は體溫を增し昏睡狀態となる、涼しい場所にねかせて頭を高くし冷やし衣服を寬いで水を多く飲ませる。

◇腦震盪　高い所から墜ちて頭を打つた時に起る、手當は安靜第一、頭をひやし鎭靜劑を與へる。

◇凍傷　小さな靴や手袋、衣服等をつけてゐるために起ることが多く、山ではいきなり第三度の凍傷となるから怖ろしい、しめつたものをつけると夜の冷氣などでかゝりやすい、かゝつたら雪とかブランデー類でくりかへし力强くこする、溫めたり、暖い室に入つたりするとなほひどくなる、こすつた後

はヨードチンキを塗つておく。

◇電擊　落雷が傍にあつた場合などに起る、人口呼吸を施しカムプルとかヂガレンのやうな强心劑を注射し、火傷には油藥を塗りつける。

◇雪盲　雪溪でやられることがある、冷水や雪塊で眼をひやすとよい。

◇靴擦れ　豆―靴擦れをしたら直ぐ靴を脫ぎ、軟膏類や硼酸末をすりこみ、その上に絆創膏をはる、豆が出來たら針でつぶしてその後にヨードチンキを流しこみ、絆創膏をはつておく。

さて登山中に遭遇するいろいろの障碍に備へる心得。

◇濃霧　前進してはいけない、岩かげや林の中に逃げこんでゐれば二、三時間たてば切れ目が出てくるゆゑ、この時前途の方向を見定めねばならない、行進中は絕えず地圖に現在の位置を記しておくことも大切です。

◇暴風雨　風當りの强い峰筋を避けて林や岩かげにかくれること、なかなかやまない場合には人夫とか强健の者が山小舍や麓と連絡をとつておく必要がある。

◇雪崩と落雷　これは最大の危險だが不可抗力のものゆゑリーダーは地形や雪の狀態から考へて雪崩をさけるために路を變へたり、雷雲が發生した時は萬一の落雷に備へるために暴露した山上から安全な地に立退いたりして隊員を護らねばならない。

◇食糧缺乏　健全な者に殘つてゐる食糧を與へて山麓や山小舍と直ちに連絡をとらせる、いよいよなくなつた場合は杉や松の亞皮（表の皮と樹の肌との間にある白い皮）ウルシノキの若芽、笹、山ウドの根、フキの莖、イタドリの莖等の植物類をとつて食ふことが出來る、萬一遭難した時には遭難信號を發し救援を求める、國際的に用ひられてゐる遭難信號は一八九四年アルパインクラブで採用された次のやうなものがある、遭難した者は一分間に十秒每に少しづつ間をおいて六回信號をくりかへす、その後一分休んで再び發信する、この信號を受けたものは、一分間に廿秒每に僅かの間をおいて三回の信號をする、信號の方法は布片を振つてもよく夜なら燈火を利用してもよく眺望のきかない所なら笛や呼子、あるひは「ヤーホー」でやつてもよい、何れにしても萬全を期して遭難しないやうにしなければならない。

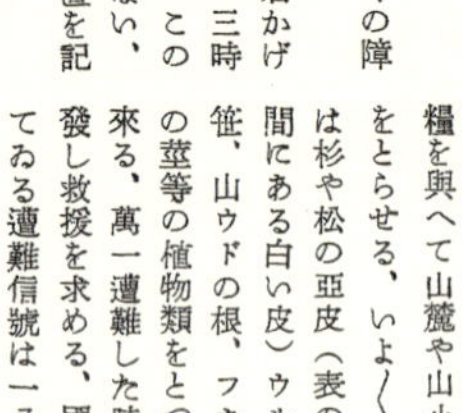

街頭醫學

虚弱兒と海水浴

かはいゝ坊ちやん孃ちやんを海水浴へ連れてゆくのもいゝがお子さんたちは身體の抵抗力が弱いからお母さんたちは海ではこんな注意が大事です。

食後すぐ海に入ることは禁物——ものを食べたり飲んだりした兒が腹のふくれたまゝ海水浴すると腹が冷えてすぐ疫痢になつたりする怖れがあるから禁物。尤も、だからといつて空ッ腹で泳いだりするとまた腦貧血を起す危險があるからお子さんたちの海水浴には程よい時刻——たとへば午後三時ごろを選ぶとが大事です。

長い間水に浸らぬこと——海水に浸つてゐた子供の唇の色が青くなつたりするのはごくいけない、それから子供はなるべく砂濱で身體をあたためることで海にはせいぜい十五分以上入らないことです。

頭を日光に直接さらさぬこと——この點なるべくお子さんたちはツバのひろい帽子を被るのがよろしい。

冷いのみものや時間外の食べものをさせぬこと——海水浴場にはいろいろの賣店や食堂が出張してゐるが子供にはそんなものを食べさせぬこと、のみものは番茶のあたゝかいものがせいぜいのところで麥茶の冷やしたものも子供は飲まぬ方がいゝ。

なほ平常から腺病質でちよつと運動するとすぐ七度一、二分の熱が出るといつたような性質の子あるひは心臟の弱いお子さんたちは海へはゆかぬほうがよろしい。（阪大醫學部講師前田伊三次郎博士談）

疫痢の豫防は買食ひの嚴禁が第一

ウダル盛夏に生活が不規則に流れ飲食物への注意を怠ると、その隙に病魔が跳梁します。中でも芽生えたばかりの幼い生命をねらふ疫痢の豫防にはな上にも十分な戒心が必要です、疫痢豫防に内服ワクチンも結構、寢冷えさせぬことも結構ですが、それとともにつぎの必得を嚴守して下さい。

不馴れな飲食物嚴禁

夏は子供連れで外出する機會が多いものですが外出先は勿論自宅でも馴れない飲食物は絶對に禁じ、馴れたものでも腹八分目に控へ、不消化物を與へぬこと、それにきまつた食事時刻をみださぬのが親の受です、間食の果物が原因で疫痢をおこすのがずゐぶんあります、しかし子供に危險だといはれる果物でも果物そのものが惡いのでなく、選び方、與へ方を誤りさへしなければよいものもあります。

バナナ…不熟でない新鮮なものをきれいに水洗して少しづゝ與へる。

西瓜…新鮮なものを皮をきれいに洗ひ切つた時にすぐ少量を與へる。

その他の瓜類やトマトでもよくよく水洗して皮をむいて少量與へる、夏みかんや、林檎、梨なども多くなければ結構です、皮が軟いものや一粒一粒十分きれいに洗へぬもの、例へば葡萄桃などは禁じた方が安全です、店頭に切身のまゝで晒された西瓜を與へるなどは危險極まることです。

果物は必要な食物ですが細心に扱ひ、與へる時刻も日中の暑いさきに限るやうにせぬと、却つて病氣を招くやうになります

間食として安心なのは、食パンを燒き、新しいジャムなりバタをつけ、それに新しい牛乳をそへる、また上等な飴類、ビスケット、餅を醤油をつけて燒いたもの、蒸すか燒へかしたいも類が安心です、飲物では番茶か麥茶がよろしい。

子供の最大の敵は一錢二錢の買食です買食のためどれだけ多くの幼い生命が失はれてゐるか分りません。

早期手當で助かる！

なほ死亡率四十％といふ恐しい疫痢でも早期に手當すれば魔手を振ふ餘地がないのですから數日も續いて子供に食慾がなく便が軟いか、回數の多いときはたとひ大したことでないと思つても油斷せず些細な障害のうちに速かに治療をうけるのが大切です。（大阪女子醫專教授落合明博士談）

御婦人と海水浴の效能

海水浴をする御婦人たちは初め海に出かける二、三日前に必ず尿を二〇立方センチほどとつて醫師に姙娠中かどうかを確かめてもらふ用意が大切です、殊に月經のおくれてゐる方は姙娠初期であるのを氣づかずにゐて失敗することが多いから氣をつけて下さい、診斷の結果は二日も待てばわかります、神經衰弱や胃腸の弱い人、またアステニーといつて無力性體質の方や月經痛のある婦人は方法さへ誤らなければ海水浴の效果は、てきめんに利きます。

朝食後一、二時間してからコツプに一ぱい熱いお茶かコーヒを飲み、身體の暖まつてゐるうちに海に入るとよろしい、また濕つたタオルか海水帽を被つて入り乾けばすぐぬらすやうにすると腦の鬱血を防ぎます、しかし海に馴れてからでも一時間以上も入つてゐるのはよろしくありません、一時間も經たなくとも海水の寒刺激でおこつた皮膚の充血が去り、溫感がなくなれば上らねばなりません。

小麥色の皮膚が夏の女性の誇りだからとて、やたらに燒立てるのは面白くありません、輕く赤くなるくらゐが適度です、なほ心臟病や慢性腎臟炎、脚氣、中耳炎のある場合には男子と同樣婦人も海水浴を避ける必要があります。（大阪女子醫專教授巴陵祐博士談）

どうすれば夏のお產は必ず安產が出來るか？

お產にとにかく異常の多いといはれる盛夏の候に、はじめてお母さまになられる方々に安產の祕訣をお知らせしませう。

初產では最初の陣痛からオギアの產聲のあがるまでに平均十四、五時間はかゝります、この長時間の忍耐をウダル暑熱の中で續け、疲勞を最小限にとゞめ得られる體力が安產の第一の鍵です、それには胃腸の健全と腹筋の鍛鍊を必要とします。

胃腸の保健にはキャベツ、トマト、ホウレン草など、新鮮な野菜を主とした食餌を選び平生肉食の習慣があつても肉類はなるべく少くするがよく、腎臟に障碍ない場合には味は醬油でからくするのが大切です、そして量も控へ目にし、馴れない食物は禁じたが安全です。

飲料は番茶の冷したものをやゝ多いめにとつたがよろしい、寢苦しいからとて腹を冷したりまた夜おそく冷たいものを食べるのは下痢をして早產のおそれがありますから禁物です、下痢をおそれるとともに便祕も大いに警戒せねばなりません、便祕は婦人の常だからとてすてゝおくと腎盂炎をおこしますから新鮮な果物や野菜で快よい便通をつけて下さい、平生歩行の訓練ができてゐぬ日本女性は腹筋の發達では槪して外國女性に劣ります、リズミカルな步行を樂しむ癖をつけておけば、知らぬ間に腹筋は發達するものです、それとも一つ朗らかに唄ふことです。聲樂、長唄、謠、淨瑠璃何でもよろしい、好きなものを遠慮なく聲を張り上げてやつて下さい、また歌へぬ人は輕い散步なり腹式呼吸で十分代用できます

胃腸が健全で腹筋が發達してをれば間違ひなく安產できますが、お產は母と子のチーム・ワークの最初の經驗だと思ひ、釜中十五時間の忍耐も笑つてすませるといふ信念が大切、これが安產のお守り以上のききめがあります、なほ陣痛がきてお產のすむまでの間の大小便の排泄を適時にするといふことも缺かせぬ安產條件の一つです、初產婦の產後の疲勞は相當大きくまづ四週間から六週間の休養が必要で、特に最初の二週間に周到な注意を怠るとお母さんだけでなく赤ちやんにまで惡影響しますから休養のための部屋はできるだけ涼しく頭の休まるやうにせぬとお母さんが不眠に陷り、乳が出なくなります、乳が出ないと忽ち赤ちやんの健康が脅かされるのはいふまでもありません、お產の日から四五日は柔かい消化のよい腹のはらぬ食物を選び、その後は產前と同じやうなもので結構です。

赤ちやんが萬一弱い時には生後すぐにちかごろ賞用される卵巢ホルモン、腦下垂體前葉ホルモンを必ずヴィタミンBとともに注射するとスクスク育ちますなほ食鹽水、葡萄糖の注腸、石灰水の內服、紫外線照射などをする從來の方法もすてがたい發育促進の手段です。（大阪市扇町產院余田忠吾氏談）

小兒結核に就いて（二）

醫學博士　芳　山　　龍

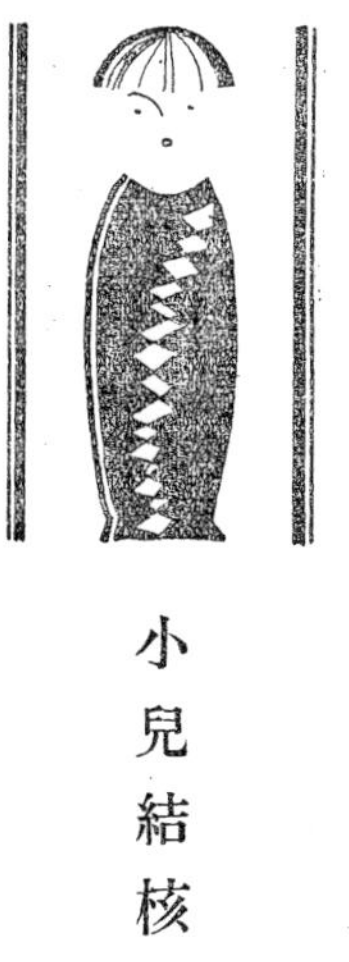

乳幼兒の第二期肺結核の症狀

乳幼兒の肺結核は內部の病變が顯著であるに拘らず、臨床上の症狀が比較的輕く見えるのが特長である、多くは加答兒性肺炎に似た症狀であるが呼吸困難は左程强くない、食慾も相當にあり熱も餘り高くないが段々病症が進行して衰弱が日々增加し、其多數は結核性腦膜炎や、急性全身粟粒結核を起して死亡する、經過の早いものは一、二週間で斃れるが往々長引いて三四ケ月に亘る事もある、肺結核經過中、此等の併發病を起して來れば、急に熱が高くなり全身症狀が惡化して特有な局所症狀を現はして來、時として急性肺炎に似た症狀を以て始まる事があるが、輕症は數週數月に亘り潜在して氣附かぬ事がある。

又初期結核から引續いて粟粒狀の小結節が肺臟實質內に到る所に播種狀に發生する事がある、症狀は多樣で數ケ月間も殆んど無熱に經過し、診斷の下し難い事あり。喀痰の結核菌證明とレントゲン光線によつて確認せられる。

斯の如く乳幼兒結核の症狀は樣々にして、他の傳染病と誤り易く、死因統計の上に表示せられぬ者が多々ある可き事想像に難くない。

年長兒の肺結核

年長兒は乳幼兒に比べて、身體の構造が段々進步し、抵抗力が著しく增大して居るから、結核に感染しても乳幼兒の如く危險でない、殊に五乃至十年頃の年齡に於ては、結核に感染するも、多くは初期結節の狀態に止り、病竈の週圍に良い組織を新生して病竈を包圍し、瘢痕となつて治つて行く傾向が强い、病竈の小さく潜在性のものは兩親の氣附かぬ間に自然に治つて行く程である。

年長兒の初期結核は、乳幼兒に比べて比較的症狀が輕く、豫後も比較的良好であるが、外觀治つた樣に見えても猶數年間は病竈內に結核菌が潜伏して居るから、養生が惡いと往々第二期結核に移行し、或は肋膜炎、腹膜炎脊椎カリエス等を併發する事少からず、稀には恐る可き腦膜炎を引起す事があり、殊に痲疹、百日咳、流感後等に惡化する事が多いから、油斷は大敵である。

第二期症狀も乳幼兒に比べて比較的症狀も輕く、豫後も左程惡くないとは云へ、全治を望む事は相當困難で、腦膜炎を引起して死す者も少くない。

要するに小兒結核の重症は死亡し、輕症は一部分治癒するが一部分は一進一退して、春季發動期頃に及びて再發し、大人結核の基となるもので、完全に全治するのは初期結核だけである事を忘れてはならぬ。

素　質　結核の家系に結核患者の頻發するのは感染の機會が多いからで、其子供を隔離して養育せば非結核家系の子供に比し、遜色がないと謂はれて居るが、結核に罹り易い體質の遺傳することは、蔽ふ可らざる事實であります。

肺癆性體質は頸が長く、撫で肩で、胸廓が狹く扁平で筋骨が纖弱である、眼の切れ目が長く眉毛が伸びて居る眼球結膜が蒼白で蠟樣の光澤を放つて居ます。

腺病質　滲出性體質の子供が結核に感染して潜伏狀態にある者を指します。

皮膚は纖弱で頑固な濕疹を生じ、子供苔癬を形成す。筋肉は弛緩して疲勞し易い。

粘膜も抵抗弱くなり、鼻カタル、咽頭カタル、扁桃腺炎を起し易い。

結膜炎眼瞼炎等を現はし治つたと思つたら又反覆して出來る。

頸部、頸下腺、腋下腺、鼠蹊腺等が豌豆大、蠶豆大等に腫脹し累々として相連つて居る。

偏食で食慾進まず、體重は增えない。

時々微熱が出て、百日咳樣の咳嗽を發する者がある。

段々、初期結核の症狀が現はれてくる。

急性全身粟粒結核

本症は結核病竈より大量の結核菌が比較的大なる血脈に流れ込んで全身の血行に竄入し、肺臟、心臟、腦膜、其他到る處の臟器に播種狀に粟粒大の結核を發生するもので、百日咳、痲疹、流感等からも誘發せらる、小兒に於ては、結核菌毒素が急速に吸收せられて、チフス樣症狀を現はす事が多い。

症　狀

一、發病日より熱が出る。
二、脈膊が著しく頻數となる。
三、呼吸が速くなり、小兒では一分間九十位に上る事がある。
四、肺臟に加答兒症狀が現はれる輕度である。
五、食慾缺損、惡心嘔吐あり。
六、皮膚蒼白にて呼吸困難强ければ、チアノーゼを現はし時として出血性紫斑や紅斑が出て敗血症と誤り易し。
七、發汗著しく尿は減少し蛋白が出てくる。
八、頭痛、耳鳴、不眠嗜眠等の神經症狀を訴へる。
九、心臟に雜音が現はれる。
十、眼底の脈結膜に粟粒結核が發見せられる。
十一、腦膜炎を起してくる者がある。

經　過　大人では平均二三週より二ケ月に亘る。乳幼兒では急劇で一、二週間で終を告げる者が多い。

小兒と腦膜炎　昭和九年度の腦膜炎で死亡せる數三九、九二四名中五年未滿二一五、四三九名、其中乳兒一一、一五七名あり。

年齡の幼少な者程腦膜炎を起し易い事が判る。

腦膜は腦實質と血行とを隔てる關門であつて、年齡の幼少な者程構造が不完全で、熱發、中毒其他の原因から容易に關門が弛んで通過し易くなり、血行中の細菌や毒素等が樂々と關門內に這入つて、腦膜炎を起す。

白粉中毒から來る鉛毒性腦膜炎の樣な無菌性腦膜炎は比較的治り易いが細菌性腦膜炎は一般に豫後が惡い。

細菌性腦膜炎を起す主な細菌は、流行性腦脊髓膜炎菌インフルエンザ菌、結核菌等であるが、特に結核菌で起る結核性腦膜炎は絕對に豫後が惡い、小兒結核の治療に最善を盡して豫防する外はない。

結核性腦膜炎　本症は結核病竈より結核菌が流血中に入つて發病するもので、乳幼兒に最も多く、乳幼兒結核病の約半數は腦膜炎を起して斃ると謂はれる程である。

誘　因　本症は第二期肺結核から續發する事の多い事は前述の通りであるが、潜伏性結核のある場合に痲疹、百日咳、流感等から誘發せられる事が少くない。

發　病　乳幼時に結核性腦膜炎が起れば熱が高くなり痙攣、其他の腦膜刺戟症狀が急劇に現はれる事が多いが年長兒では一般に知覺過敏となりて安眠せず、時として嗜眠狀態となるも睡眠中屢々軋齒夜驚症を呈す、又頭髮を摑み外陰部を弄する者がある。

熱は高からず、往々無熱に經過するが、良く注意すると呼吸が不正である事に氣附く。

腦壓亢進期　病症が進んで腦膜內に滲出物が增して來

ると次の樣な壓迫症狀が現はれて來ます。

脈膊が緩徐となり、不正となる。

嘔吐が食事と無關係に現はれる。

乳兒では顖門が腫れ、年長兒は頑固な頭痛を訴へる。

漸次無慾狀態となり昏々として眠るが、時々俄に急劇な叫聲を發して周圍の人を驚かす。

瞳孔の反應が鈍く、斜視や眼瞼下垂等の腦神經痲痺症狀が現はれる。

痙攣性の腦膜刺戟を現す事がある。

痲痺期　以上の腦壓亢進症狀は終に近づくと、一時諸症輕快して所謂「ナカナホリ」の狀態になるが間もなく昏睡狀態となり、失禁して來る、瞳孔は散大し、呼吸はシエーンストック型となりて停止す。

結核の免疫　大多數の大人は子供の時代に輕く結核に感染して親の知らない間に治癒した者である。

小兒は結核に對し過敏であるに反し、大人は一般に鈍感で中年を過ぎると肺結核も慢性氣管枝カタルの樣に經過する者の多い事は周知の事實である。

又結核の處女地とも云ふ可き地方から都會に出て來た青年が結核に感染すると概ね進行が急速であるが、一旦結核に罹つて治つた者は結核に罹り難い事實から見ると結核にも多少の免疫性のある事が明かである。

小兒期に結核を經過して置く事は、將來結核に對して免疫性を得る事になるのであるが、結核の免疫性は甚だ不確實だ、感染して幸に完全に治つた者のみが結核に對し比較的感受性が鈍くなる程度に過ぎない、毒力の強い結核菌を吸込む事があれば再感染は免れぬから油斷は出來ない。

白蟻や梁蝕めり濕く家

百日咳 内服藥
チミツシン
永くから百日咳の内服藥として最も有名なものです、あの痙攣性の咳に良効があるだけでなく、虚弱な兒童に長く續けて與へても害にならないのが特長です。寢る前に與へる一匙は良く夜中の發作を防ぎ、安眠を得せしめます。

一円八十銭 藥店にあり

暑中御見舞申上げます

昭和十一年盛夏

大阪兒童愛護聯盟

顧問　笠原道夫
顧問　酒井幹夫
顧問　高洲謙一郎
顧問　藤原九十郎
常任理事　志賀志那人
常任理事　余田忠吾
理事　山桝儀重
理事　大野內記
理事　生地憲
理事　高尾亮雄
理事　前田伊三次郎
理事　肥爪貫三郎
理事　横田群三
理事　原田龍夫
理事　西川爲夫
主事　伊藤悌二
子供の世紀編輯部
愛兒叢書編輯部
赤ん坊審査會統計編輯部
外　一同

結核
貧血
胃腸
強化
醫學博士 西谷宗雄先生著
〃新榮養讀本〃 無代進呈
發明特許
服み易い肝油精劑
本劑は發明特許の方法による新鮮なる鱈肝臟と牛胆汁の配合劑であつて肝油分の消化吸收頗る良好且つ兒童にも服用容易なる點に特徴あり各種貧血諸症並びに結核性諸疾患の特效劑としてまた腺病質虚弱体質の強化劑として奏効顯著である
活力榮養ホルモン劑
ネオ肝精
鱈肝臟 牛膽汁 配合
肝油 二十五%
ヴイタミンＡＢＣＤＥ
アミノ酸 酵素
グリコーゲン
コレステリン
肝臟ホルモン 胆汁酸
胆汁色素 燐化合物
グリコヒヨール酸 等
藥價低廉
錠劑 二七〇錠 二圓 / 一〇〇錠 [illegible] / [illegible]
粉末 六〇瓦 一圓 / [illegible]
株式會社 藤澤友吉商店
大阪市道修町
東京市日本橋區本町

審査會前記（編輯後記）

◉軍國超非常時下に於ける、我等の東京に於ける意義深き審査會の準備は、數ヶ月を費したる御蔭で漸く完成を見た、六月二十九日は小泉陸軍省醫務局長、高杉海軍省醫務局長の本會顧問たる事の御承諾を受け、同日午後一時半遞信省大臣室にて永井閣下に拜眉の榮を浴し、七月下旬開催さる可き會に就いて御報告を申上げ、諸般の御意見を窺つた、同三十日は陸海軍兩省の確實なる本會御協賛に關する御通知があつたので、欣喜雀躍の感がし、且つ重荷をおろした思ひがした。

◉七月六日の夜は通町末廣にて係員一同の打合せを兼ねた懇談會を開く、五人の審査主任、軍部方面並產婆會の幹部の方々、高島屋の主腦部、聯盟側等二十名の出席があつて談笑の裡に打合せを終り、記者は其の夜十一時發の列車にて西下した、北支事變の發端をなした蘆溝橋事件の號外は大阪で手にして驚いた。

◉本誌編輯の事務を見て、十五日の夜の十時發にて上京したが濱松あたりより豪雨となる、高島屋の村松重役とは偶然にも同じ車であつた、着京早々平野次郎氏に面會、直ちに四谷のライオン兒童齒科の岡本院長をお訪れして齒科部の審査に關する打合せをした、幸にも神谷重役も居られ守屋東女史等にも逢ふて禁煙問題のお話しなど聞いて嬉しかつた、十七日「家の光」の櫻井記者の來訪を受く、尙、同夜は木村御夫妻の御招宴を蒙る。

◉十八日、義弟平田君の舊友辰己柳太郎君を有樂座の樂屋に訪れた「召集令の來るのが待ち遠しいが、芝居の宮本武藏も實戰は怖いですよ」、と笑つてゐた、十九日、東京病院に戸川博士をお訪れして審査の事を御願ひした、愈々二十日は申込者六千名に對して審査時日の通知狀を發送した、二十一日、我等の總裁山崎達之輔閣下を牛込五軒町の私邸にお訪れして、各般の御報告を申上げた。十一年前閣下が文部次官時代、水野元文相閣下を總裁に御願ひして頂いた當時の追懷談があり、今昔の感に堪へなかつた。

◉二十二日、未明四時頃〇〇聯隊の重砲兵隊の出征を見送る、涙ぐましくも勇ましい嚴肅な感に打たれた、此の日は矢野聯盟員と一日文字通り汗だくになり本會の後援支持贊助者の方々の歷訪を終り、二十三日は審査會附屬の子供優良必需品展覽會出品者の招待懇談會を開いた、二十四日、慶應大學病院に中鉢博士をお訪れした、開催間際には必ず重要な相談事項があるので同博士に御目にかゝる事になつてゐる、同日矢野氏は各新聞社を訪問した。

◉二十五日午前十一時、三宅坂にて畏くも聖上陛下の帝國議會への御臨幸を拜し奉つた、炎熱やくが如き日にも民草を思はせ給ふ大御心には、街上堵列の群衆一人として感涙にむせばぬ者とては無かつた、殊に幾千の學童たちの眼には異常な輝きを見のがす事が出來なかつた。

本誌定價　一冊金參拾錢　郵稅壹錢
半年分六冊　金壹圓六拾錢　郵稅共
一年分十二冊　金參圓　郵稅共
誌代郵稅は一切前金の事
前金切の場合は發送中止
郵券代用は一割增のこと
昭和十二年七月廿八日印刷（每月一回）
昭和十二年八月一日發行（一日發行）
兵庫縣武庫郡精道村芦屋
發行兼編輯人　伊藤悌二
大阪市西淀川區海老江上二丁目三七番地
印刷人　木下正人
印刷所　木下印刷所
電話福島㊺二一五三四番・二二四二六番
大阪市北區天神橋筋六丁目
大阪市立北市民館內
發行所　大阪兒童愛護聯盟
電話堀川㉟一〇〇〇一番・一〇〇〇二番
振替大阪五六七六三番

子供の世紀 第十五巻 第八號
大正十三年二月二十日第三種郵便物認可
昭和十二年七月二十八日印刷納本 毎月一回一日發行
【定價金參拾錢】

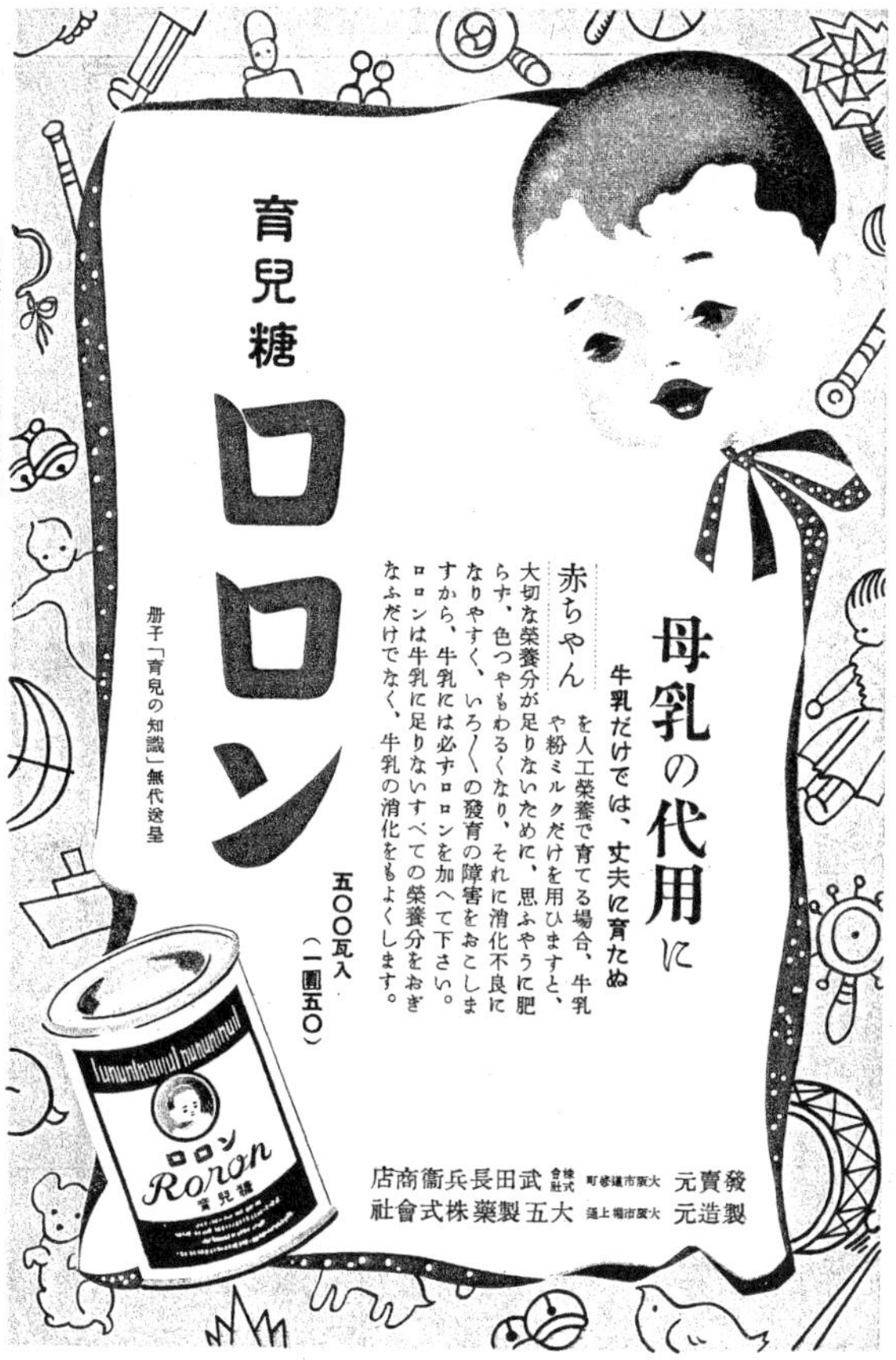

36—1755(O)

基礎鞏固　經營眞摯

創立　明治四拾四年

コドモの保險　日本徴兵

入營・嫁入準備　出世・教育資金

子を持つ親心

可愛い子供の爲に何程かづゝの貯金をしてやらうと考へるのは、凡ての親としての至情で、男子ならば適齢迄、女子ならば嫁入迄と誰しも心掛ける所ですが、さて實行はなかなか困難です。

最良の實行方法

徴兵保險、生存保險のコドモ保險は此需用を充たす最良の施設で、一度御加入になれば知らず識らずの間に愛兒の爲に必要な資金が積立てらるゝことになります。

日本徴兵保險株式會社

本社　東京市麹町區内山下町一ノ一

第十五回全大阪あかんぼ審査會

主催　大阪兒童愛護聯盟
後援　大阪市

規定

全日本に於ける乳幼兒審査の創始者であり且、大阪の年中行事として傳統と、權威を誇ること十五年、既に五萬數千の乳幼兒の發育狀態を審査し、年々優良兒の選出表彰を行ひ、育兒科學上多大の貢献を認められてゐる大阪兒童愛護聯盟主催の「あかんぼ審査會」は緊迫せる非常時局の下に恒久國防と國民體位向上を目標として、ここに第十五回審査會を左の通り開催致すことになりました。

例により斯界專門諸大家が直接綿密なる審査に當らるゝ事も本會の誇とするところであります。二十年後の日本を背負ふ頼もしい赤ちゃんの奮つて御參加の程を切望いたします。

日時　昭和十二年九月廿九日より十月二日まで（四日間）

會場　大阪高麗橋　三越　三階西館

資格　滿二歳以下の健康乳幼兒（昭和十年十月一日以後出生の者）

方法　體重、身長、胸圍、頭圍、大顋門等の測定及び榮養體質の鑑定、並に母親に對し哺育事項の質問

表彰　審査の結果、優良兒には褒狀を贈呈いたします。右表彰式は十二月中に大阪三越に於て擧行致します（擧式一週間前に通知）

申込方法

往復はがきに左記の事項を明記し**九月十五日**迄に「大阪東區高麗橋　三越内あかんぼ審査會事務所」宛お申込下さい。申込不備のものは受付ません。

1. 乳幼兒の名前、男女別（姓名にふりかなをつけること）
2. 乳幼兒の出產年月日
3. 父又は母の住所、姓名

往復はがきの復の方には必ず住所姓名を記入して下さい。

締切　先着順に受付けて豫定人員**四千名**に達したる時を以て締切ります。

會長　大阪市長　坂間棟治氏

審査委員
- 大阪帝國大學醫學部小兒科長　醫學博士　笠原道夫氏
- 同　小兒科　醫學博士　前田伊三次郎氏
- 同　眼科　醫學博士　宇山安夫氏
- 同　齒科長　醫學博士　弓倉繁家氏
- 同　齒科　醫學博士　石野憲庸氏
- 同　法醫學教室　醫學博士　中田篤郎氏
- 同　同　醫學博士　大村得三氏
- 同　同　醫學士　松倉豊治氏
- 大阪市立市民病院小兒科長　醫學博士　谷口淸一氏
- 大阪市立堀川乳兒院長　醫學博士　廣島英夫氏
- 大阪市立今宮乳兒院長　醫學博士　野須新一氏
- 大阪市立扇町產院長　醫學博士　余田忠吾氏
- 大阪市立今宮產院長　醫學博士　吉岡德平氏
- 大阪市立阿波堀產院長　醫學士　板野正一氏
- 大阪兒童愛護聯盟理事　醫學博士　大野內記氏
- 同　醫學博士　生地憲氏
- 同　醫學博士　伊藤謙吉氏
- 同　醫學博士　肥爪貫三郎氏
- 同　醫學博士　原田龍夫氏
- 同　醫學博士　横田群三氏
- 同　醫學士　西川爲雄氏
- 日本兒童愛護聯盟參與　醫學博士　金子丑之助氏
- 大阪兒童愛護聯盟顧問　醫學博士　原田達三氏
- 同　醫學博士　松尾勇氏
- 同　醫學博士　酒井幹夫氏
- 奈良女子高等師範學校教授　理學士　桑野久任氏

總務　日本兒童愛護聯盟理事長　伊藤悌二氏

應援
- 大阪帝國大學小兒科・眼科・齒科・法醫學職員
- 大阪帝國大學醫學部學生
- 大阪市保健部醫員

あかんぼ審査會

事務所　大阪高麗橋　三越内

『子供の世紀』（第十五卷第九號）銃後の健康躍進譜號

目次

本文

銃後の國民保健運動に光榮あれ!!

══第九回全東京乳幼兒審査會場にて══

昭和十二年七月二十六日、日本國民の記憶すべき臨時議會開催中、然も公務御多端中の本會總裁山崎達之輔閣下、名譽會長永井柳太郎閣下には、此の意義ある我等の保健運動の第一線に立たれて熱誠をこめられ本會を統裁された。（會場東京高島屋）

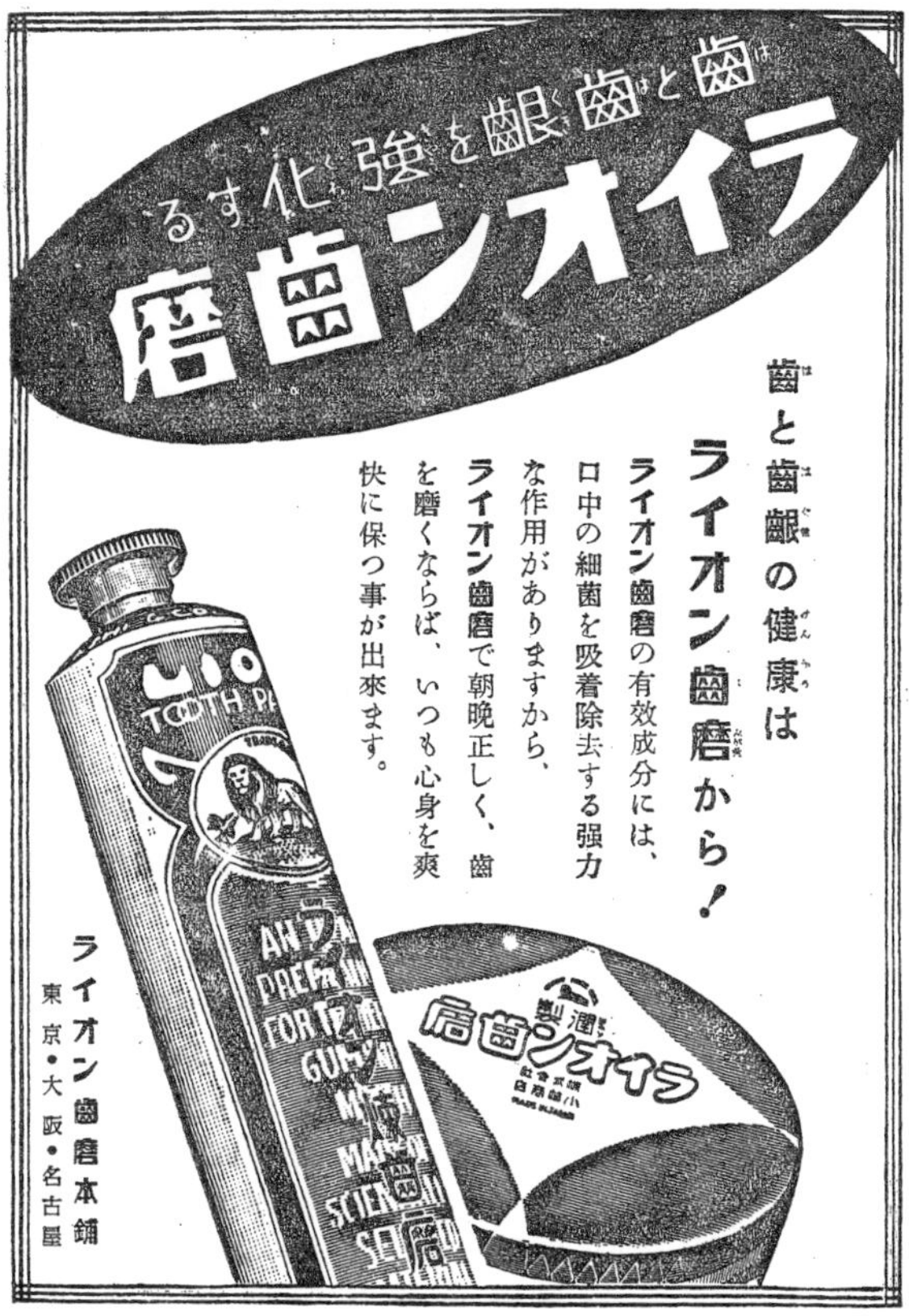
歯と歯齦を強化する
ライオン歯磨
歯と歯齦の健康は
ライオン歯磨から!
ライオン歯磨の有効成分には、口中の細菌を吸着除去する强力な作用がありますから、ライオン歯磨で朝晩正しく、歯を磨くならば、いつも心身を爽快に保つ事が出來ます。
ライオン歯磨本舗
東京・大阪・名古屋

喫茶店より美味しい珈琲が出來る珈琲沸器!!
大川パーコ
美味しい香り高い珈琲は
大川パーコにのみ依って得られます
全國百貨店に有り
説明書送呈します
關西代理店 大阪市北區梅田新道
ニッポンブラジリアントレーディングコンパニー
まあ!! 素的な香りですこと!!
喫茶店以上ですわ
東京市日本橋區本町
大川吸入器本舗
大川銀三郎商店發賣
モデル東京松竹少女歌劇樂專科對馬洋子さん一人二役

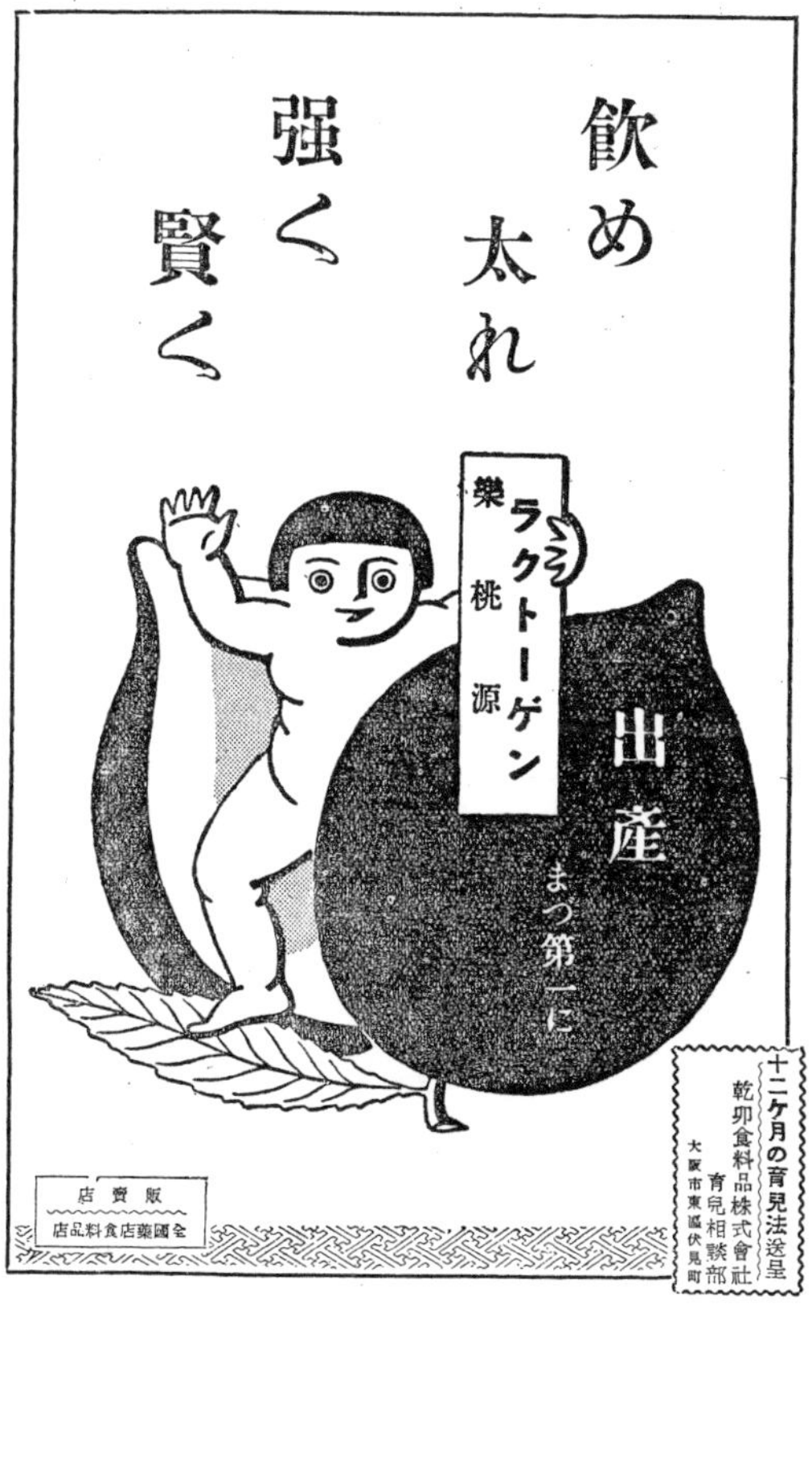
飲め
太れ
强く
賢く
ラクトーゲン
樂桃源
出産
まづ第一に
十二ケ月の育兒法送呈
乾卵食料品株式會社
育兒相談部
大阪市東區伏見町
販賣店
全國藥店食料品店

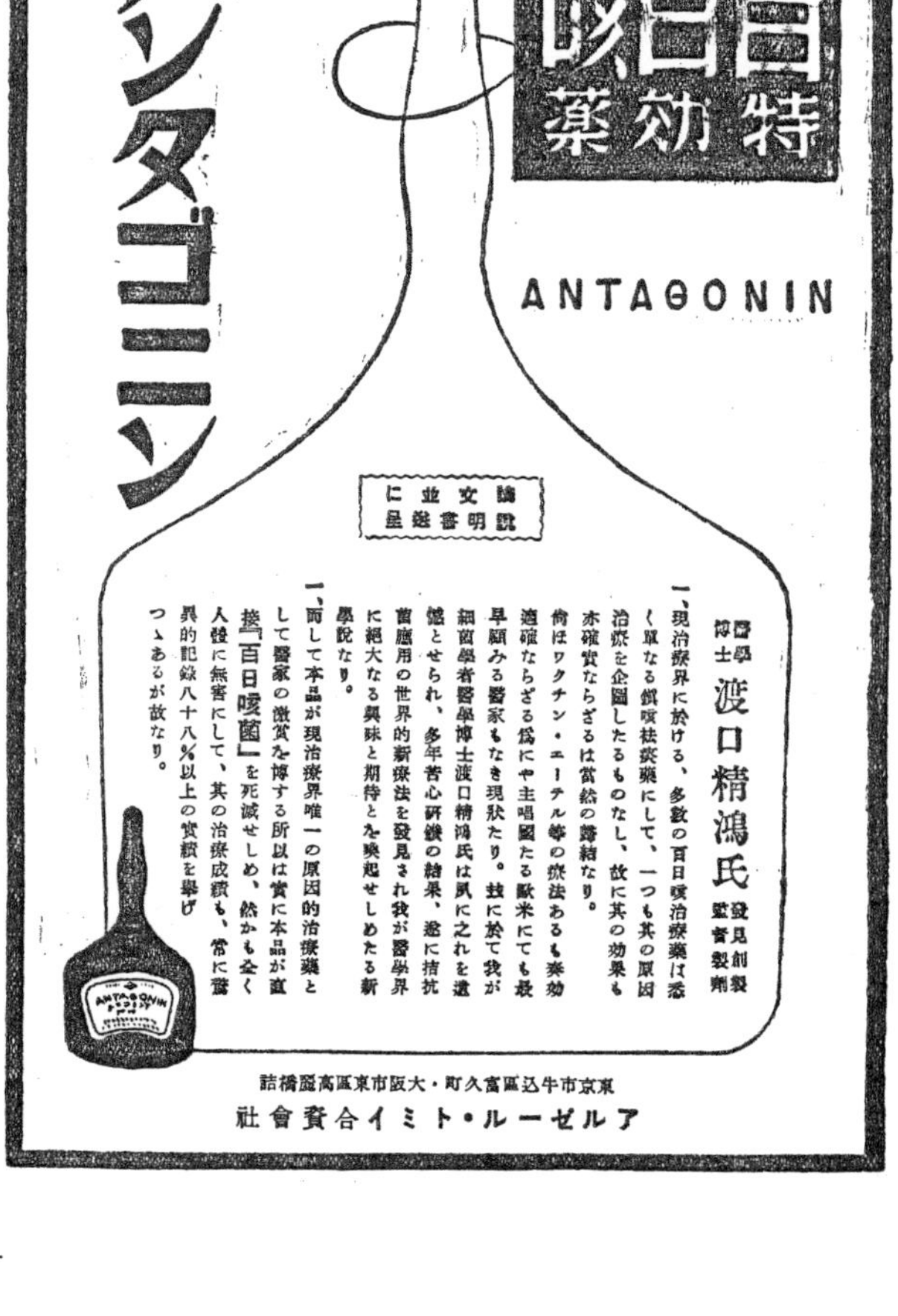
百日咳特効薬
アンタゴニン
ANTAΘONIN
論文並に
説明書送呈
醫學博士 渡口精鴻氏 發見創製 監督製劑
一、現治療界に於ける、多數の百日咳治療藥は悉く單なる鎭咳袪痰藥にして、一つも其の原因治療を企圖したるものなし、故に其の効果も亦確實ならざるは當然の歸結なり。
倘ほワクチン・エーテル等の療法あるも奏効適確ならざる爲にや主唱國たる歐米にても最早顧みる醫家もなき現狀たり。玆に於て我が細菌學者醫學博士渡口精鴻氏は夙に之れを遺憾とせられ、多年苦心研鑽の結果、遂に拮抗菌應用の世界的新療法を發見され我が醫學界に絶大なる興味と期待とを喚起せしめたる新學說なり。
一、而して本品が現治療界唯一の原因的治療藥として醫家の激賞を博する所以は實に本品が直接「百日咳菌」を死滅せしめ、然かも全く人體に無害にして、其の治療成績も、常に驚異的記錄八十八%以上の實績を擧げつゝあるが故なり。
東京市牛込區富久町・大阪市東區高麗橋詰
アルゼール・トミイ合資會社

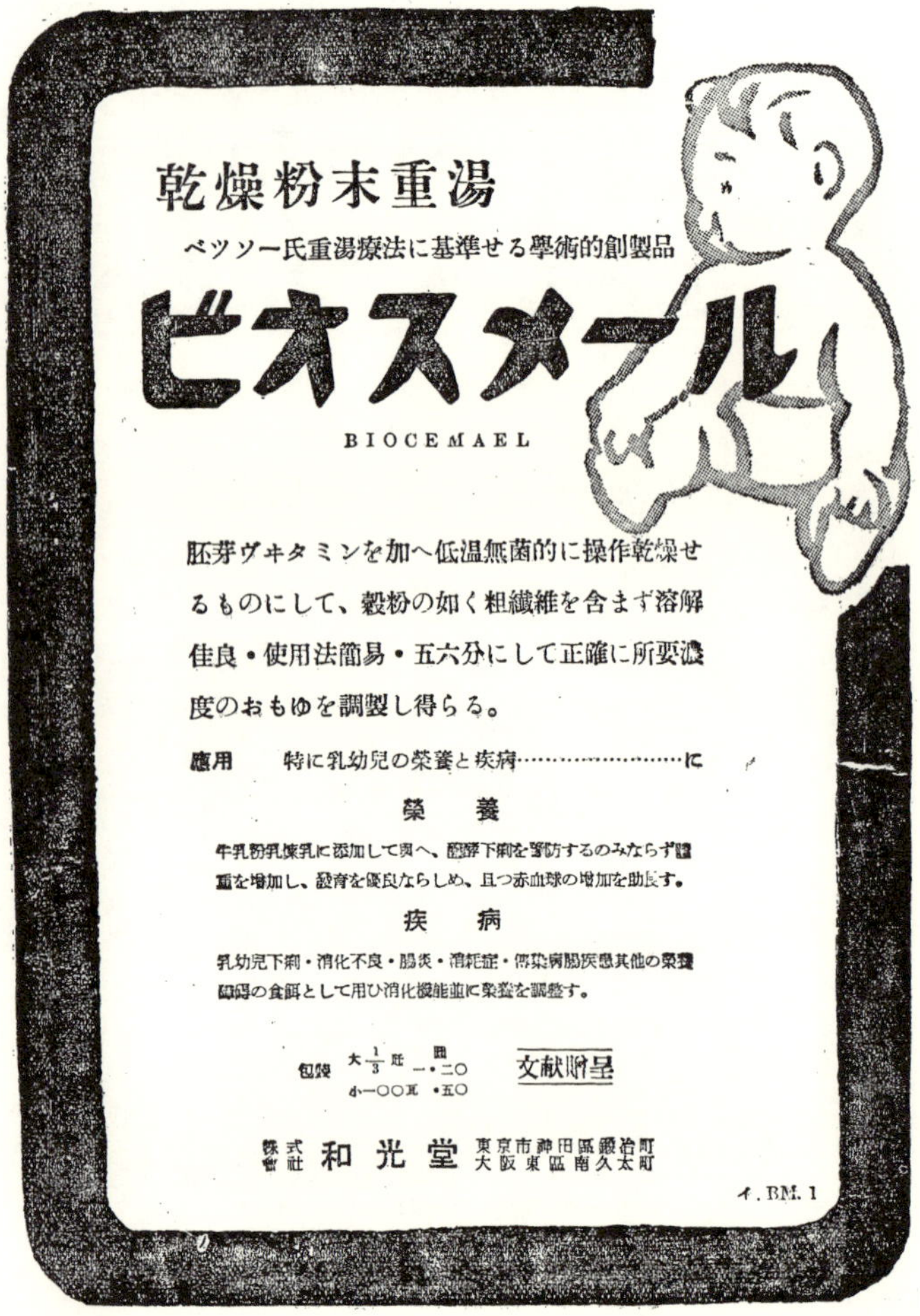

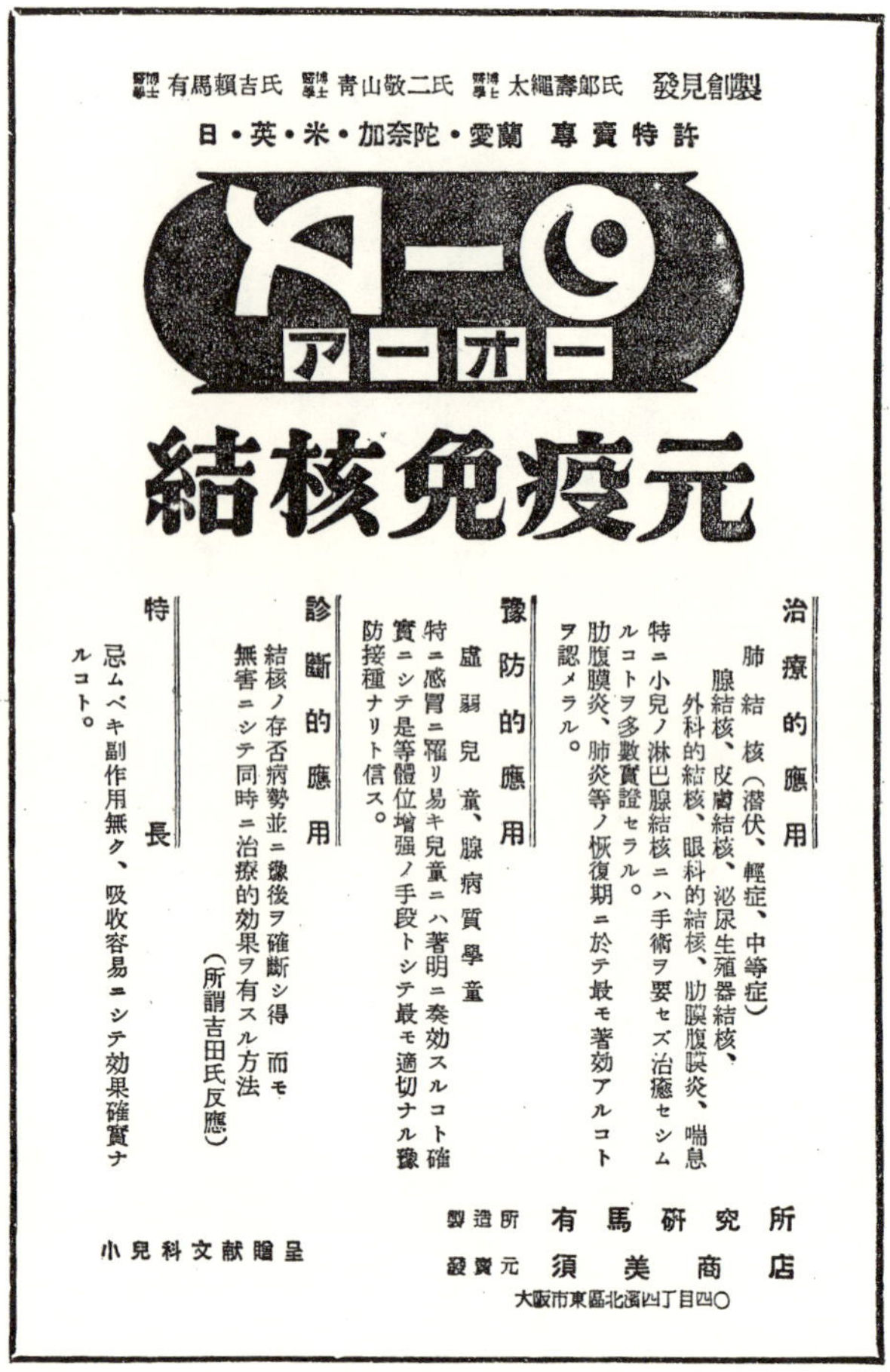

姫百合の花の咲く頃

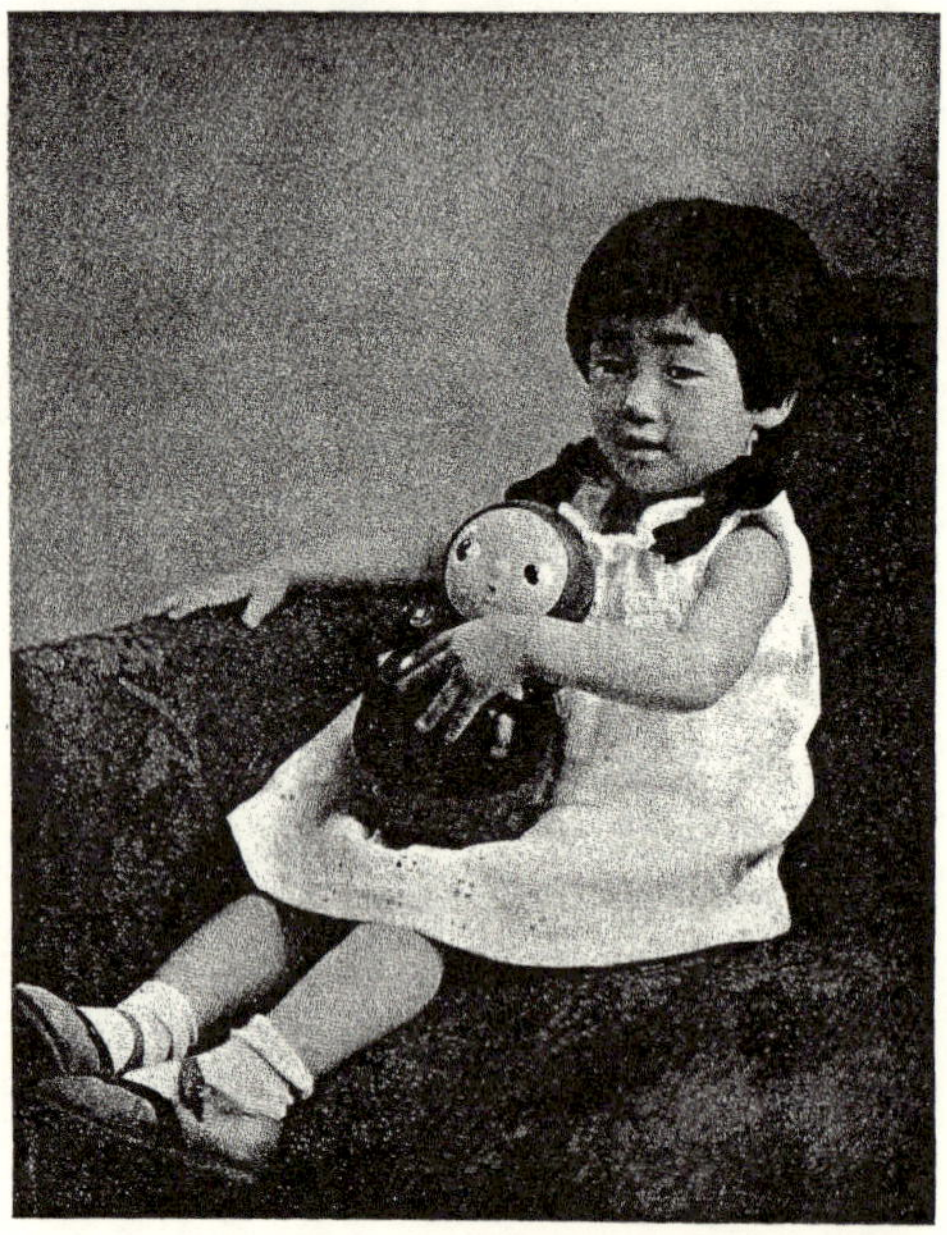

第十四回全大阪乳幼兒審査會にて表彰された、豊中市本通一丁目山崎良太郎氏令孃良子様、（母君は治子様）これと云ふ病氣一つせず健かに成長されてゐます。

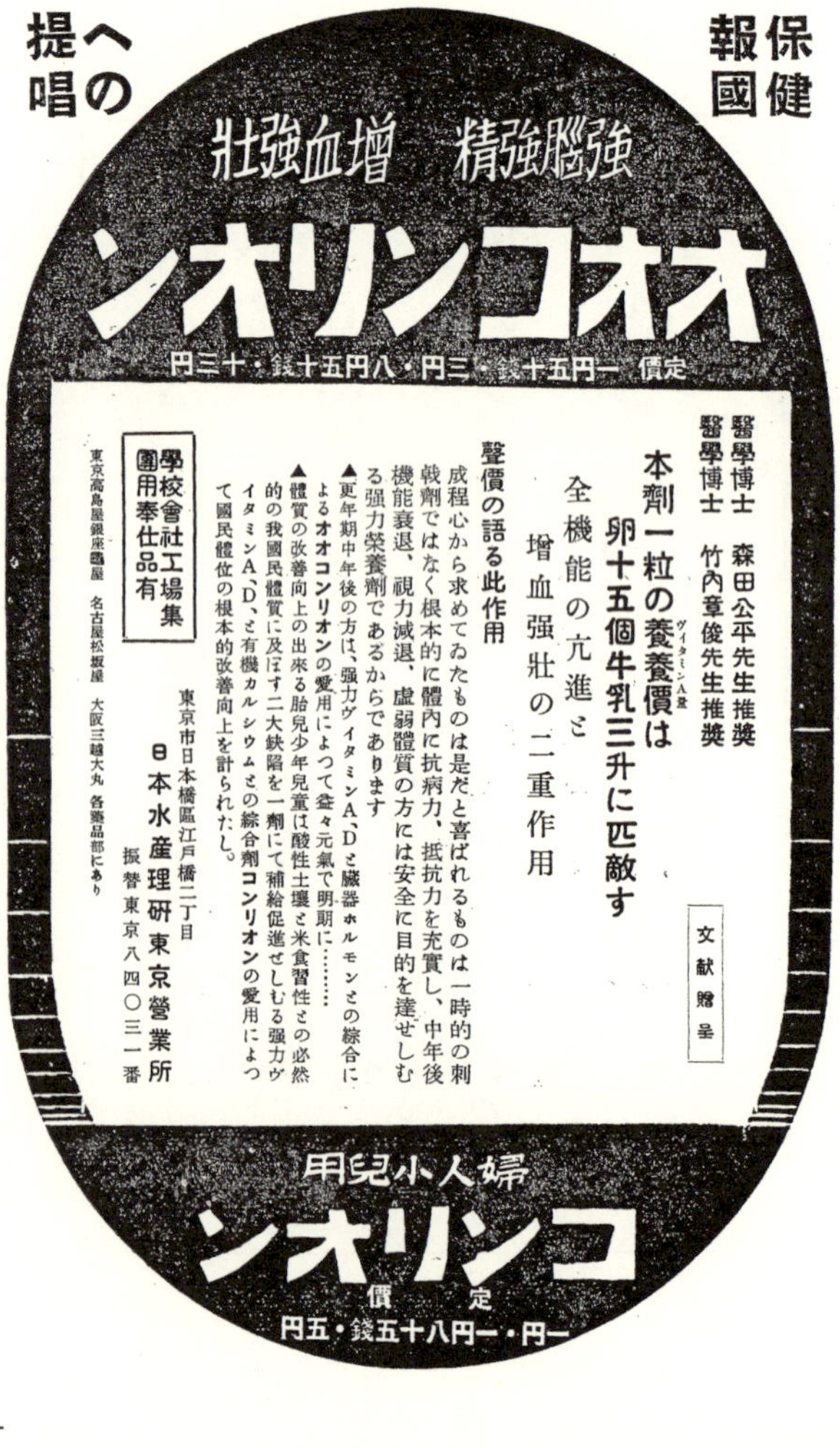

兒童愛護戰線に異狀なし

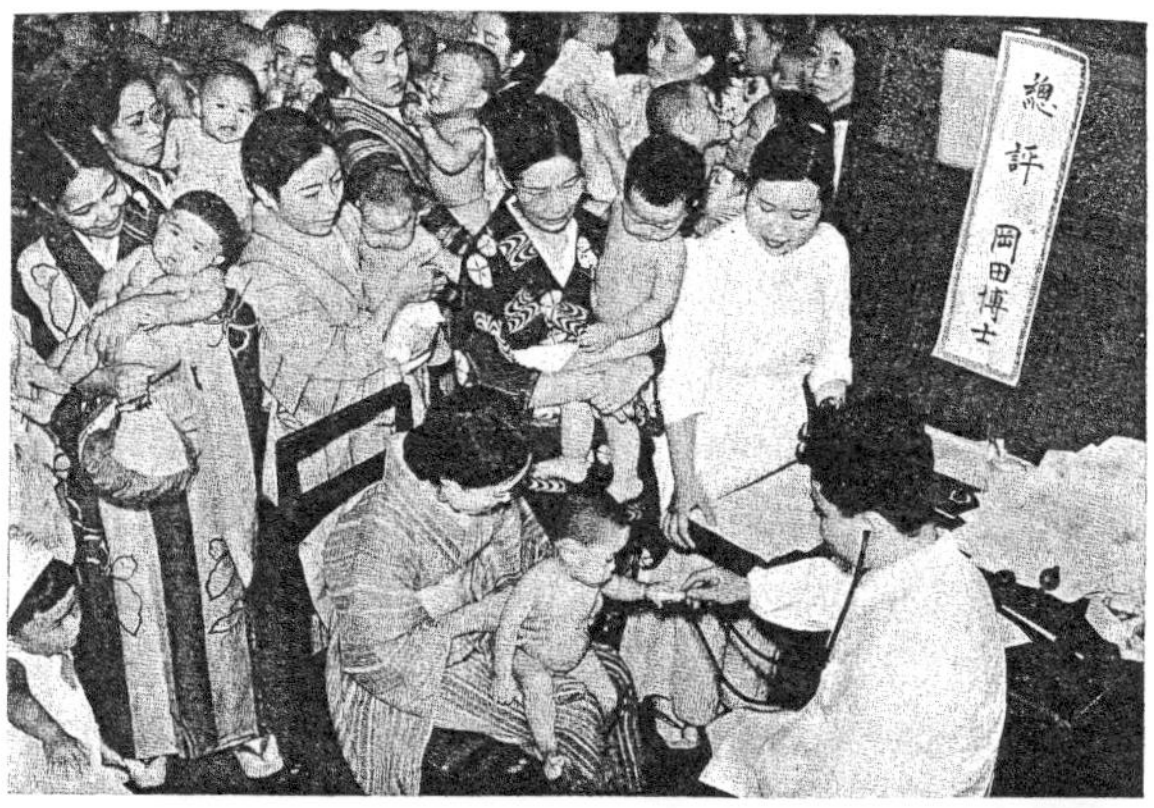
總評 岡田博士

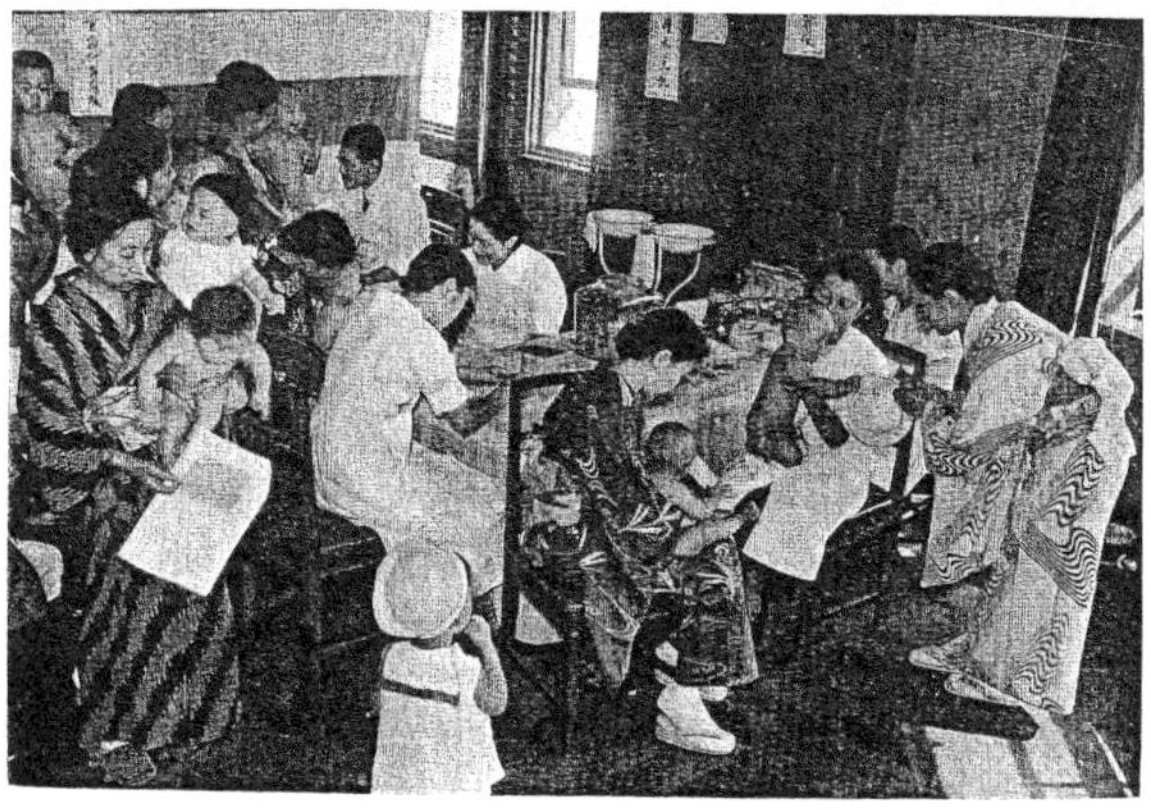

炎暑と闘つて審査に當らるゝ審査委員諸家。（上）審査主任岡田春樹氏。（下）ライオン兒童齒科院總動員にて嚴密に赤ちやんの齒を審査されるところ、主査は岡本院長である。

國防充實は母子の健康から

——永井遞信大臣・山崎前農林大臣の會場巡視——

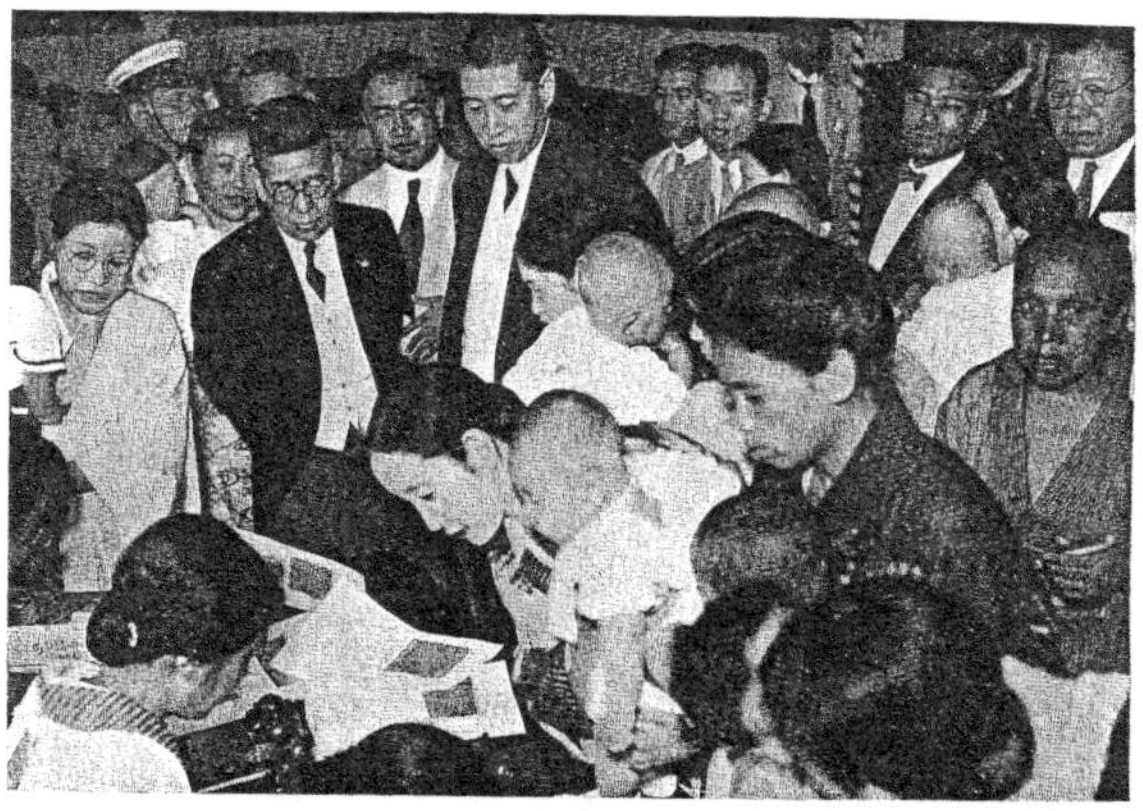

何と云つても恒久國防の充實は母子の健康からであり、圓滿なる家庭の平和からである。（上）產婆會員によりて出產前後の事を調査中のところ。（下）身長をはかる部門——第二國民の育成に當つて居る若きママさんは實に張りきつてゐる。

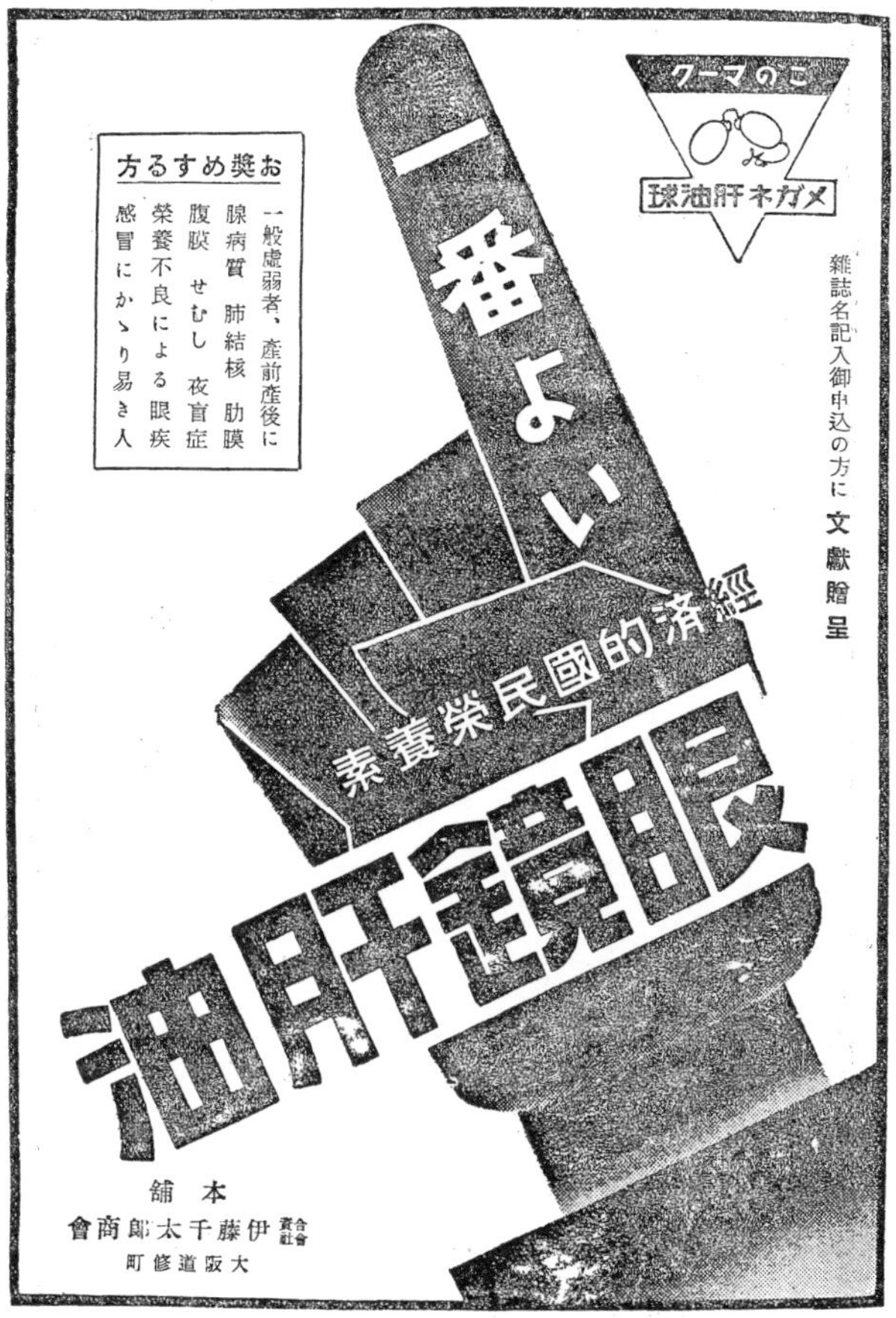
このマーク
メガネ肝油球
お奨めする方
一般虛弱者、產前產後に
腺病質　肺結核　肋膜
腹膜　せむし　夜盲症
榮養不良による眼疾
感冒にかゝり易き人
雜誌名記入御申込の方に　文献贈呈
一番よい
經濟的國民榮養素
眼鏡肝油
本舗
合資會社 伊藤千太郎商會
大阪道修町

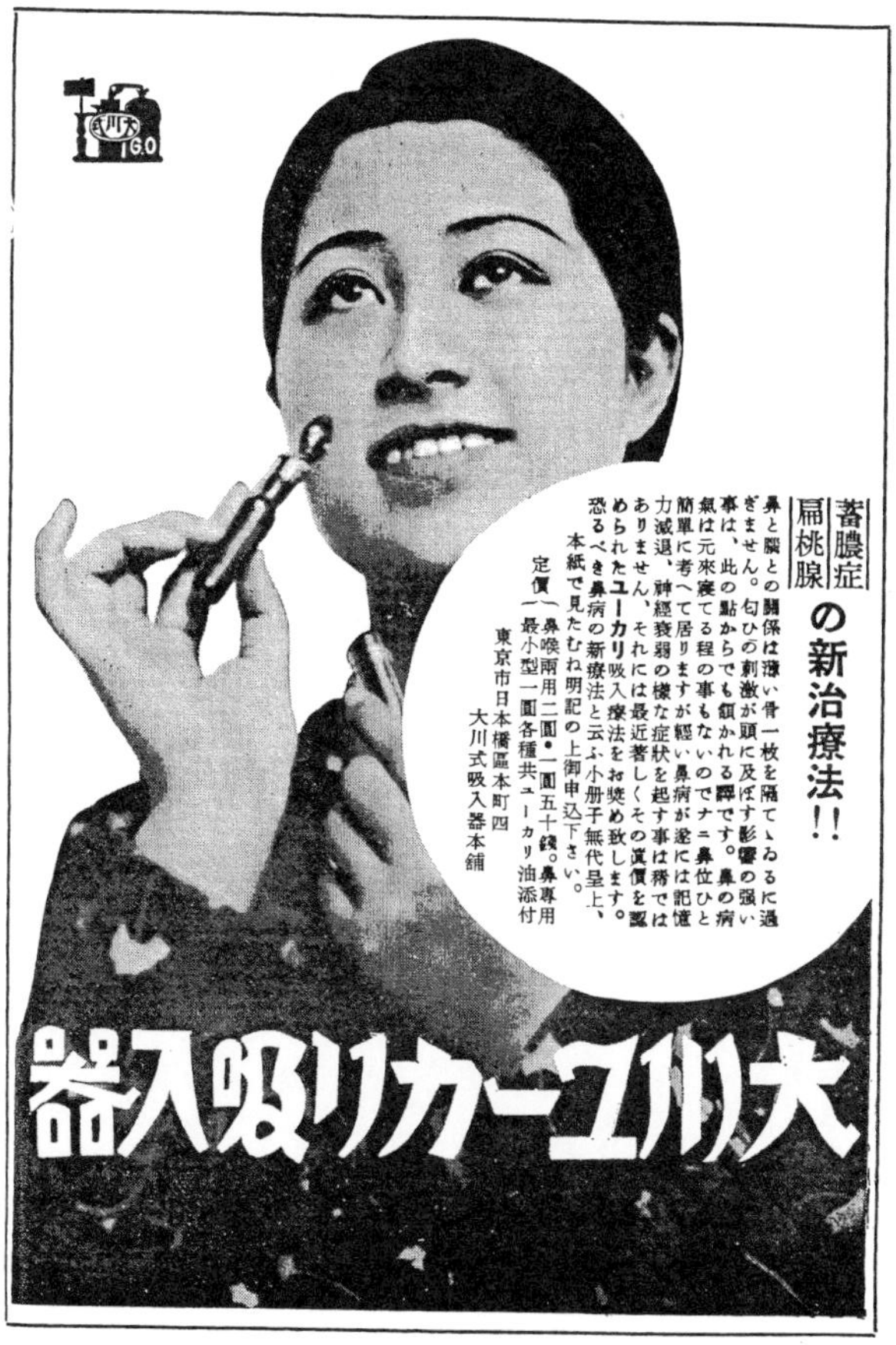
蓄膿症
扁桃腺
の新治療法!!
鼻と腦との關係は薄い骨一枚を隔てゝゐるに過ぎません。匂ひの刺激が頭に及ぼす影響の强い事は、此の點からでも頷かれる譯です。鼻の病氣は元來寢てる程の事もないのでナニ鼻位ひと簡單に考へて居りますが輕い鼻病が遂には記憶力減退、神經衰弱の樣な症狀を起す事は稀ではありません、それには最近著しくその眞價を認められたユーカリ吸入療法をお奬め致します。恐るべき鼻病の新療法と云ふ小冊子無代呈上、本紙で見たむね明記の上御申込下さい。
定價｛鼻喉兩用二圓・一圓五十錢。鼻専用最小型一圓各種共ユーカリ油添付
東京市日本橋區本町四
大川式吸入器本舗
大川ユーカリ吸入器

新秋
優雅な地風に溢るゝばかりの
淸新味を湛へた今秋流行お召
の最高峰を飾る逸品を揃へて
松坂屋
大阪 日本橋

指導者は昏睡狀態（巻頭言）

日本國民は過去に於て日淸戰役、北淸事變、日露戰役、歐洲大戰における日獨戰役、それから滿洲・上海の事變等幾多の緊張した戰時氣分を體驗したが、今回の事變程、都會と農村とを問はず、國民全般が銃後に於ける燃ゆるが如き奉公至誠の實を顯現した事はなかろう。

然し乍ら一方甚だ不可思議に感ぜらるゝのは、インテリ層、殊に平常世の木鐸指導者を以て任ずる人々の沈默の有樣である。智識階級はいづれの時代に於ても、冷靜沈着にして然も英國の外交の如く賢明に身を保護して居るのであつて、國家に事なき時には新聞雜誌の論壇に、亦講演會の壇上に我がもの顏に虹を吐くやうな氣焔を擧げて居るのであるが、今回の如く彼の上海の大山中尉の暴虐事件に際しても、亦通州に於ける婦人子供の眼もあてられぬ、慘酷を極めた野蠻的な、非人道的な虐殺事件に際しても、彼等の悲憤慷慨に滿ちた一篇の論說もなく、世界の輿論に訴ふる決議をなしたと云ふ事も聞かないのは洵に奇怪千萬な事である。

我が國史上には鎌倉時代の如き戰亂の世に、法然・親鸞・道元・日蓮等精道的な英雄は國家の爲めに獅子吼をして、人心を覺醒指導して來た例は枚擧に遑はない。

昔から戰時は各個人が反省し、團體としても國家將來のために一大精神運動の起つて居るのであるが、今の世の指導者を以て任ずる敎育家、宗敎家、社會事業家たちは、昏睡狀態に陷つて居るのであるか、賢明過ぎるのであるかこれと云ふ戰時に卽した事業の生れて來ないのは、實に物足らぬ次第である。世の指導者たちよ！卿等の使命は卿等一個の事業の發展のみではない、亦權門に媚ぶる事ではない、亦生活の安定のみではなからう。北條時宗が元冠の難の砌、祖元禪師に謁した時、「驀直にして進前せよ」、と云つたと傳へられる。今や未曾有の非常時に當り、一人の祖元禪師は愚か、一人の新島襄なく、一人の海老名彈正なく、一人の本田庸一なきは我が精神界こそ實に秋風落寞の感がするのである。

出でよ、イザヤの如く正義人道のために叫び且つ鬪ふ愛國的指導者!!

軍國氣分橫溢の

第九回全東京乳幼兒審査會の記

伊藤悌二

七月二十七日

各方面の參觀と應援

七月二十六日、開會當時に山崎總裁、永井名譽會長の御臨場があり、いとも盛況であつた事は、既に前號に報じて居るので玆に再錄しない。然し會場の設備は十數日前よりの計畫通り、最早や二十五日の夕刻に完成を見たのであるが、萬事其の衝に當られ可なり厄介な體重計等の端に至る迄も心配された高島屋の柳生、松井二氏に對しては、主催者として心から感謝しなければならぬ。

二十六日の東京全市十七の大小新聞が、其の夕刊紙上に寫眞諸共大々的に報道したので、今日は朝から各方面の旣知未知の人々の參觀がひきも切らぬ雜沓を極め、一々應援に暇がない。前日に於て新聞記者團方面の人々の來訪は一段落を告げたが、それでも一人二人と代る〴〵見える。それから產業組合の『家の光』の櫻井記者、市立廣尾病院の伊藤醫學士、（記者の甥）日新社の不動玉山氏、つぼみ保育園の荒木院長、末松政美氏等の諸氏が參觀された。

會場の整理と、そして本會の成行きと其の雜沓を案じて、高島屋の小瀨支配人始め、柴本販賣部長、宣傳部の宮崎氏等も時々巡視された。尙亦、本聯盟の書類配布等に關して大川式吸入器本舖、東京保證牛乳株式會社、大木合名會社の人々の應援も感謝しなければならぬ。

秩序整然たる獨特の審査

二十六日の開會當時は混雜を案じて、風見小石川區產婆會長が高島屋正面玄關開扉前に來場されて、種々行き届いた監督をされたが、今日も亦早朝より係員の人々を督勵して居られた。

本日の審査主任は富田博士（午前）山田博士（午後）で、第一部、第二部（出產前後の質問）等秩序整然たる進行を見たのは、無論產婆會員諸姉の熱誠なる奮鬪にもよるが、若き高島屋女店員や外部からの靑年諸君の倦まない助勢による事は申すまでもない、齒科は前日通りライオン兒童齒科院總動員の有樣で、岡本院長は一日熱心に主査督勵をされた。

內科審査の外に別個なる營養狀態の測定は、慶應病院の庄司學士が擔當された、これは特別の研究に屬するものである。

午前中よりも午後は場內混雜し、一時間置き位に大濤の如く押し寄せて來る、然し平田君獨特の手腕で整列をなさしめ、秩序よく進行させたので、例年のやうに一人も不平を鳴らす者がない。亦斯くも行屆いた懇篤極まる審査方法は他會に絕對にないので、感謝の言葉以外には捧ぐる辭はない事だらう。

宜なり來會者の中には「橫濱ではこれ程明細な方法ではなかつた」とか「中野では斯樣に秩序整然と審査が徹底してゐない」とか云つて去らるゝ人が多いとの事であつた。

新興東京は新市から

東京も大阪も例年天候に惠まれる事は感謝に堪えない、一昨年記者は臺灣方面旅行中であつたので、審査の日程が七月下旬に延期した事があるが、それでも左程暑いとは思はなかつた。本年は未明に必ず大豪雨があつて、曙光輝りそむるのに先つて、大地を潤してくれるので、其の日一日は實に凌ぎよい。殊に會場のホール內は完備した冷房裝置があるので、春風吹きめぐる四五月頃を思はしむるのである。

換氣法その宜しきを得て居るので、子供等に嘔吐する者がないのは何よりである。可なり遠隔の地——千葉、水戶、橫濱、靜岡——よりの來會者もあるので疲勞して居る筈であるが、若い非常時の母性等は實に潑剌として身だしなみも宜しく、午睡を日課と心得て美衣鼓腹してる階級の人々よりも生き〳〵として氣持よい。それで「新興東京は山の手よりも新市街から」、と云ふ標語が生れて來る時の遠くはない事を證言して餘りあると思ふのである。

古臭き傳統習慣と卑しむ可き怠慢に生くる人々は、新しき日本を繼ぐ事が出來なくなる事は實に明かな事だ、中堅階級の人々は一番衞生思想が發達して居るから、來會の愛兒たちを見ても不潔な皮膚病の者など見うけられない。財產や地位を誇る古き階級の人々は其の無爲のために、地上から姿を消す時代が來るではなからうか、此の點からみても新市街の人々をも尊重する、高島屋當事者の慧眼に對して敬意を拂ふ者である。

今日は全日本發聲ニユース新聞聯盟の松永喜雄氏始め、その一行が來られ、會場の要所、要所を撮影されたから、多分全國の隅々迄も映寫される事と思ふ。尚北支視察に趣かれる松田勳君は暇乞ひだと云つて立ち寄られた。

七月二十九日

國防色會場に橫溢

記者の泊つてるホテルの隣家の人で、親一人子一人の人が出征するので、早朝から青年團の音樂隊が軍歌をかなでたので朝食前に歡送した。審査會施行最中高島屋八階ホールの窓からも、はるかに出征軍人を見送る國防婦人會員や在鄕軍人、町內有志の人々の姿が見ゆる度毎に思はず頭が下るのであつた。開會を宣する前より號外の鈴がけたゝましくなる。二十八日は定休日なので、今日は參會者が倍加するだらうと全係員緊張して朝から待ちかまへた。例日のやうに受付は高島屋ホール係の四名の人々がラウド、スピーカーで一々高聲に名前を呼びあげるのである、「御返事の無い方は後廻しになります」、と云はれても返事が無い場合が多い、係員は益々汗だくになる。

廣井會長は每日臨場されて全員を督勵される、圖らずも今日は日本貿易振興協會の木下乙市氏の令息が見えた、「寫眞展覽會を觀に來た序だ」、との事だ、父君は世界一周中なのである。

恒久國防色が全會を支配し、はる〲中央線「みたか」より愛兒の兩親始め、祖父母等一家總出の家族もあつた、いかにも軍國氣分である、尙亦、淺草田中町で九人目の赤ちやんを連れて來た其の姉なる人がある、無論乳母を連れて居る「環境が騷々しいし、家の商賣が多忙で子供が睡眠時間がすくないが、習慣は恐ろしいもので、よく丈夫に成長します」、と云ふので係員は「非常時にふさはしい健康ぶりです」、と答へると若い姉君は頰笑んでゐた。

健康者は夏も强健

夏季は體重も減じ、概して身體が弱つて居るやうであるが、斯うした時には却つて、本質的な健康調査が出來るのではないか、けれども我々は常に考へなければならぬ事は、健康なる者は何時も健康だと云ふ事である。

現代の若き婦人等は、上下貴賤を問はず、健忘症にかゝつて居るとの報告がある、それは愛兒が言葉を發する

やうになつた時とか、その言葉の種類、亦は離乳期等を正確に返答する母親はすくないとの事である、一般に無頓着になつたのか、複雜な周圍は物事を忘れしむるに至つたのか、どちらにしても喜ばしい現象と云はれない。

人工榮養亦は混合榮養にても保育の方法宜しきを得、育兒の知識正しきを得ば乳幼兒は必ず健康に成長すると云ふ確證を握つた、それは八名の產婆會の方々の質問による調査報告の御蔭である。文化が進めば月經閉止期が遲延するかどうかの問題は、學者の確實な研究發表を見た事がないが、どうも相當年輩者の婦人が可なり多く子供を連れて來てるのを見ると、學者達に其の意見を諮ねたくなるのである。

今日の審査主任の柿本博士は「一昨年も夏の盛りで暑かつたが、今年の暑さは格別ですな、然しどうでせう來會者每日千人とは例年よりも多いではありませんか」、と驚いて居られた。或る參觀者の感想をきくと、「若き母性の洋裝は惡くはないが、母としての服裝は未だ板に着いてゐない」……。その辮洋裝の人は年々增加してる。

七月三十日

無意識な慈愛

病的な母性達は餘り來會しない。丈夫な赤ちやんを產み落すやうな母親に惡阻はすくないやうである、健全であれば惡阻も輕いのは當然であらう。中には鉗子を使用したものもないではないが、これは婦人科醫師の奬めによる場合のものが多いではないかと考へられる、無理に鉗子を使用する事もあるまいにと、老婆心乍ら一言したくなる。帝王切開の者も數人カード上に見受けた。

前項記載のやうに母親が子供の言語、匍匐、座位、起立、步行、睡眠、便通、利尿、吐乳、溢乳――と續けざまに質問されると、その時季、度數等を正確に記憶してゐない、而して母親の任務を果して居るのは不思議である。自然の理法によるものであり、天の賜物であつて、無意識の親の慈愛が意識した慈悲にも優るものであらうか、兎にも角にも有難い事であるが、モット現代婦人は科學的であつてもよいと思はせられる。

「御病氣なさつた事がありますか」、と問はれると、必ず「ありません」、と答へる、審査決定の成績に關係でもあるものと思つて居るのだらうか、蒙信も亦甚しいではないか、生きて居る以上病氣も時にはするのが當然ではないか？意外にも出生當時の赤ちやんの體重を正確に答ふる者の多いのは、產婆の注意が行き屆いて居るためで、初生兒の場合に限られてるのも皮肉な感がする。今日は

下里幸夫、山口潤三、桐生浪男、山口丈雄諸氏の參觀があつた。

七月三十一日

普遍的文化運動

月末であつても審査人員には變りはない、今日の午前の總評は中鉢博士で午後は岡田春樹博士(口繪參照)である、受付人員は一千名である。

正午廣井會長、長崎發生氏等が見えた、尙、小川高島屋支配人、木村宣傳部長も會の進行を案じて參觀された。

參加者の親の職業別を調査しても軍國氣分が橫溢してる、卽ち航空大佐、軍醫中佐、騎兵大尉と云ふのが目立つ、その他の職業では作家、僧侶、金貸、彫刻家、同盟通信社員、料理業等千差萬別である、これは本會が各階級を網羅してる證據であり、普遍的な國家事業である證左である。

「伊藤悌二と云はれますと、二十年程前、伊豆伊東の教會で講演を度々拜聽した事があるのですが、どうか間違つたら御赦し下さいませ、其の頃はあの教會には賀川豊彥、中野正剛、故江原素六、故森村男爵、昇曙夢等と云ふ名士の方々がよく御見えになつたものです」、と記者の前にあらはれた上品な老年婦人があつて、然もその令孃らしい人の胸には可愛らしい女の赤ちやんが抱かれて居る。

「それに相違は御座いません」、――と云ふので過ぎこし方の精神運動に從事してゐた當時の事を追想して轉た今昔の感に堪えない、「わたし共が伊豆に滯在中、未だお傑くなられない伊東深水さんが遊びに來られて、よく繪を描いて下さいましたが」、と話しは盡きない。

別項記載のやうに本會附屬の子供優良必需品展覽會に出品され育兒知識の正しい普及を助勢されて、本會を援助された各商會各會社各商店に對し、心からなる感謝を披瀝する者である。

―親の慈愛の金字塔―

御出產の御祝品に絕好

出產から小學校入學まで、六年間の生ひ立ちを細かに綴りゆく美しい本

四六倍版模造紙八四頁
色クロース金模樣裝幀
各頁極彩童畫飾畫揮毫
優雅堅牢な保存用箱入

大阪こども究研會編

わが子の歷史

杉浦非水先生裝幀・有名童畫家十先生各頁着彩飾畫

定價一冊 三円

◇地方送料 內 地四十五錢 台灣滿七十五錢 ◇荷造料十六錢

慈愛深き親達の手で、この美しい本に可愛いお子樣の生ひ立ちを細かく御記入になつて、成人の後お子樣へ贈られることは、何と意義深い事で御座いませう。

大阪市高麗橋 三越圖書部
振替口座大阪三〇三番

主婦が中心となる
家庭防火群
その任務と仕事は

戰爭になつて大きな都市が空襲を受けると、平時の防空演習のやうに、男子に全部をまかせておく事は出來ません、そこで生れたのが家庭防火群ですが、これはどのやうな組織を持ち、仕事をすることになつてゐるのでせうか。

家庭防火群は、ドイツがもつとも早く出來、それから大戰の當時、空襲の慘禍を嘗めた各國でだん／＼發達して來たものですが、日本には德川時代から五人組などゝいふのがあつて、防火や町內の警備に當つてゐたのだから日本の方が早かつたともいへませう、しかし戰爭と空襲を豫想したところに、この家庭防火群の特徵があるのです。

平時の防空演習なら、防護團の青年團や在鄕軍人團が勇しく活躍してくれますが、戰時にはその力に賴り切ることは、難しいと思はねばなりません、そこで各家庭は家庭の人々が自らこれを護らねばなりません、そこで家庭防火群は、戰時に町が空襲をされて、燒夷彈が敵の飛行機から投下され、火事が起つた場合に、近所近隣の人々が、火事を擴げないやうに働くために組立てられたものです。

この家庭防火群は五戸から廿戸までの家庭がその單位となるもので、アパートや大きな料理屋や商人等の家庭なら別に他から力を借りなくてもそこだけで立派に防火出來ますからかうしたところは特別家庭防火群となります、防火群の中の家庭ではいつも家にゐる人が防火擔任者として萬一の時の責任者になります。

だから主人が家にゐる商家とか理髮業者の家庭とかは、男が防火擔任者になりますが、男の人が勤めに出てゐる家庭では奧さんなどの女の人が防火擔任者となるのです。

防火擔任者といふのは、防火のために働ける人でなければならないから、子供とか病人は無論なることは出來ません、その近所隣りが五戸から廿戸集つて一つの家庭防火群が出來ると、一町內の防火群が集つて、町家庭防火團が出來ます、群には群長があり、町防火團には團長があります、ですから東京でいへば、町が三千五十二町あるから、三千五十二の町家庭防火團が出來上る譯です、防火群に入つた家庭では、老人や、子供、病人などは、何時でも避難させる用意をしておき、また家にはなるべく澤山水槽（五斗樽、たらひ風呂桶）や防火用のバケツ、水道用のホース、消火器などを備へておかねばなりません、戰爭がはじまつて防空の命令が下りたら、これまでの防空演習で度々やつたと同じやうな動作をとればよいのですが、今度の場合は燒夷彈が落された時には、この群の人々の力だけで延燒を防ぐのでこれまでのやうに防護團の仕事だと暢氣にしてゐられません、で燒夷彈についての知識を知らせるために、東京市は代々木や日比谷、上野等で防火群長を集めて實地に燒夷彈を爆發させ、これを防ぐ方法を敎へることになつてゐますから防火群の各家庭は萬一の時は群長の指揮に従ふやうにしなければなりません。

今日本で家庭防火群を設けてゐるのは大阪と東京ですが、やがて全國の主な都市には、必ず設けられるやうになるものと思はれます。

目・齒・のど を丈夫にする
一粒肝油ハリバ

視力…

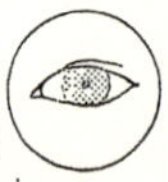

…の弱い人、夕暮になると盲になる鳥目の人、メヤニが出て結膜に故障の起きる人だちに、お醫者さまは肝油を奬められます。それは目の粘膜表皮を常に濕潤ならしめて健康な涙液を分泌させたり、『視力紫』と稱する視力をつかさどるレンズを健康に保つにヴィタミンAが必要でそれを最も濃厚に補給するのは肝油だからです。

齒牙…

…が弱けたり齒齦や琺瑯質の弱いため齒に故障の起きる人にも肝油が奬められます。齒を丈夫にするには含嗽をしたり、齒を磨くことも必要ですが、それ以上に齒を形成する齒牙組織を强めることが肝要でそれにはVDを充分に與へ食物中のカルシウムと燐との吸收をよくし齒質を丈夫にすることが必要でこのDは肝油の中に豊富に含まれて居るからです。

のど…

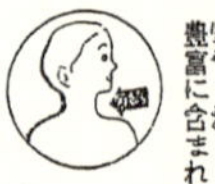

…かぜを引いたり扁桃腺を腫らしたり、鼻カタルを起しがちの人にも肝油が用ひられます。咽喉や呼吸器の粘膜を常に濕潤に保って、外から病菌が附着しても、それに感染しないやう、粘膜の障壁を强めるにはヴィタミンAとDとが何より必要で、いつも肝油がこの目的に賞用されます。

肝油 も以前のやうに服み難い油をむりに服まなくてもよい時代になりました。ヴィタミンADが在來の油劑に比べ數百倍も濃厚な高級肝油が發見され、それを小豆大の糖衣粒とした一粒肝油ハリバが發明されたからです。一粒が一匙に相當するヴィタミンを含み、大人一日四粒小兒二粒で足ります。

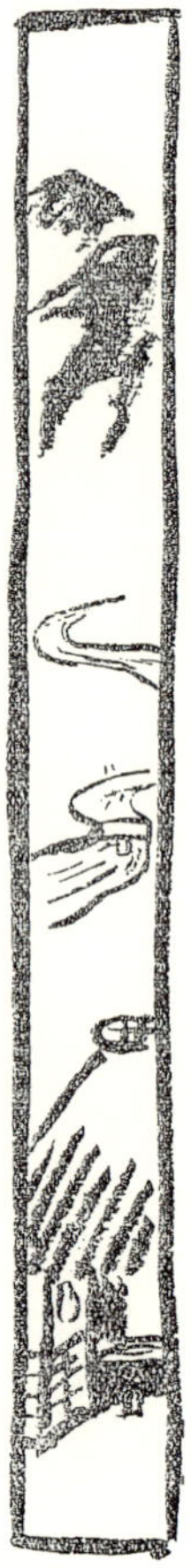

忘れられた教育（六）
◎國際親善教育

塚田喜太郎

「本大會に於て各國少年團の教育法を見て感じたことは、何處の少年團を見ても國家主義的な處が多分に見られたことである。之は戰後斯うした思想なり傾向が特に濃厚になつたとのことである。ハンガリーのスカウトなどは其の適例である。かつて中歐の盟主として誇つた繁榮を歷史の一頁に記して、今不運に歎く自國の一角に、輝やかしい光明を投げてゐるのはハンガリーの少年達である。都市と云はず田舍と云はず、少年の在る處には必ず組織的な團體を作り、最も堅實な訓練を受けて居る。

「祖國を起すのは我々だ」「祖國ハンガリーを輝やかせ」等の言葉は少年たちの標語となつてゐる。「我々は如何に小さくとも愛國の至情にいたつては決して大人に劣るものではない」とは、純情に燃ゆるハンガリー少年の叫びである。聞くところによると、ハンガリーでは何處の學校を訪ねても、斯うした標語が揭げられてゐるさうである。同時に其處に大戰前のハンガリーと大戰後のハンガリーとを比較對照した地圖が擴げられてあつて、燃えやすい少年の心に靈火を點じてゐるとの事である。」云々。

これは昭和四年七月から八月へかけて、英京ロンドン郊外で開かれた第三回少年團世界大會に日本代表の一人として列席された、岡田良太郎氏がその著「歐米の印象ところ／＼」に記されてゐる處であります。

由來少年團運動とは、少年達の握手によつて世界平和を招致しようとの運動であつて、國際平和的な最も理想の運動として知られてゐる團體であります。

勿論、その少年團の起原に關しては、愛國的の動機からであるのですから、國家的色彩を帶びると云へばそれまでの事ではありますが、現今の萬國少年團のモットーにしても、又その實際的の訓練にしても、少しも國家的色彩を强調するものはありません。

これが「少年達の握手により、世界より大人の爭ひ卽ち戰爭を無くする」と云ふ宣言となり、又實際の運動ともなつて、今日まで發達して來たものであります。

然るに、この世界平和運動、然も最も有效にして、又最も信賴するに足ると思へる、この少年團運動に於て、その世界大會に於ける色彩が、各國代表とも濃厚であるとの觀察を讀んで、私は淋しい感を持つ者であります。

勿論、今日に於て、否今日のみならず過去並に將來に於ても、國家的運動の必要な事は、申す迄もない事で、一日たりとも國防たるものは、國家的精神を忘れてはならぬ事は、萬々承知して居ります。

然し乍ら、歷史の示す限りに於ては、この國家主義的運動が、戰の原因となり、延いては國家主義者最も主張する自らの國家にさえ、安危をおよぼすが如き場合の往々に生じる實例を見て、平和主義者が、世界各國民の握手卽ち、國際平和を稱え、その運動をなす爲めに、世界の平和運動の聯盟さえ結成されるに至つたものであらうと思ひます。

そしてこの事は、私の如き素人には判り兼ねますが、人類和愛の本義に基くもので、神の聖旨であると察しられるのであります。又その如く說かれて、多くの尊い努力が繰り返えされてゐる樣であります。

この目的の爲めに、全力を擧げて贊成もし、又最も急先鋒となつて努力してゐるべき筈の否、事實努力を拂ひつゝある世界の少年團運動に於て、頭書の如き傾向を見るとせば、世界の平和思想やその平和運動は、何處にありやと申さねばなりません。

「一たい、日本人に國際と云ふ言葉の眞意が判つてゐるのか知らん」とは、國際平和委員の一人の言葉でありますが、日本に於ける少年團運動を見る時に、此感を深くするものがあります。

世界共通の兄弟愛を示す、あの三指の敬禮でさえ、「外國の眞似をするな」との理由丈けで、五指（片手）の擧手禮を主義し、採用して、「國粹少年團」等と稱してゐる者もある有樣で、我國の少年團は、全然外國の模倣か然らずんば、全然「排外的」なものであるのです。

「世界平和」などと云ふ事は、學者や宗敎家の說くに過ぎぬもので、「空理空論である」との考えが、我が國民に徹底してゐる樣であります。

これが我が國民をして、恰も「〇〇〇」であるかの如く諸外國に誤解させ、友邦等にも、「〇〇」「〇〇」などの口實を與える原因ではなからうかとも思はれます。

「斷乎として」許すべからざる事は、誰しも許す事は出來ませんが、小事にも一々、大言を用ゐる事は、大國民の取らざるの處と聞いてゐます。「斷乎として」なる言葉は、「斷乎として」些々たる事件には用ふべからざるものであると信じます。

私は、勿論、日本國の國民であり、且又、我が國非常時を承知してゐる者であります。が然し、あくまでも友邦とは平和を保ちたいと念願する一人であります。

「先づ和ぎて」然るの後に、萬事を判斷すべきではなからうかと思ひます。初めより「敵視して」世界を見るべきものでないと思ひます。「敵を斃す」敎育よりも、その前に施すべき敎育は、「友邦を和ぐ」事ではなからうかと思ひます。どうぞ呉々も間違ひない樣に讀んで頂き度いのです。早合點の流行する世間だから、頗る危險ですが、世界は決して惡意のみの集合體でもなければ、外國人は全部我が國の爲め善からぬ事を考えてゐるのでもありません。勿論、十幾億萬人の中には、自らの國以外に對しては、極く敵意を持ち、惡意を抱く人々も數多くあるでせう。

が然し、同時に又、國家の差や、國民の別を離れて、人類愛からの平和を希望してゐる人々もある事は事實であります。然も、「男子門を出れば七人の敵あり」式の考え方よりも、「旅は道連れ、世は情け」の考え方の方が人情の自然であり、又人世に奪い事を覺えます。

此意味から、私は、「先づ和ぎて後に計れ」との敎育を、希望して止みません。呉々も忘れてはならぬ敎育問題のその六は、「國際親善敎育」であります。

★ ☆ ★ ☆

お子樣におやつの是非

砂糖の害を除く新しい發見

醫學博士　星野章二

お母樣方のよく經驗されることですが、子供達は學校から或は遊びに出かけてから、歸つて來たと思ふと直ぐに鞄や玩具を投げ出して食べ物を探します。そんな際に、間食は惡い習慣だと頭から決めて絶對に禁ずべきかどうか——これに就いてお母樣方の御一考を煩はしたいと思ひます。

おやつで最も多く與へられるのは、どちらの御家庭でもお菓子でありませう。大ていの子供達はお菓子ばかり食べ度くて御飯を嫌がるものですが、お菓子を慾しがるのも嗜好以外に大きな理由があることです。お菓子の主な材料である砂糖やメリケン粉は、胃腸から吸收されますと、體內で分解をくりかへしてグリコーゲンと云ふ活動力の素となるからであります。

それでは御飯の代りにお菓子をどん〳〵與へても差支へないかと云ふに、これは大きな弊害を伴ひます。糖分が過ぎると覿面に胃腸をこわし、次いで齒も弱くなり齲齒が殖えて參りますが、知らず識らずの內にやつて來るのは體質の虚弱化です。體質が抵抗力を失つて腺病質に傾きますと、それにつけ込んで、肺結核、肋膜炎、腹膜炎等、結核性の病氣が起り滿足な發育も不可能となるに至りまして、お菓子の害もこゝに極まれりと云ふべきであります。

併し最近の研究によりまして、それ程大きい砂糖の害を防ぐ一種の成分が、ヘーフェ菌の中に含まれてゐることが種々の動物實驗で判明しました。これはヘーフェ菌が榮養不良に對する効果の一部分をなすもので、我國で有名なヘーフェ菌劑『錠劑わかもと』がお子樣方の養護劑として廣く賞用される一つの根據が茲にもある譯であります。なほこの藥には前記糖分の害を防ぐばかりでなく、豐富なビタミンBの含有によつて白米食に附き物の脚氣を防ぎ、生長發育は頓に促進されます。發育を振興する生きた證據としては、この藥と略成分を等しうする新藥『わかもと』を小學兒童に服用させました結果、一ケ月間に體重を二キロ（約五百三十匁）も增加したといふ喜ばしき報告が有ります。

「錠劑わかもと」は三百錠入り一圓六十錢にて全國藥店で取次いで居ります。

各國ヘルス・センター概況（三）

內務技師 醫學博士　南崎雄七

獨逸にては姙婦相談センターの數一九三〇年に、公立一、四二六、私立一、八二二、母性及び小兒福祉センター公立六、一五九、私立三、六一七の多數に上つてゐる。其の他のものにありても古くよりヂスペンサリー等の形に於て健康保險による發達の結果豫防的事業にしてセンターと認むべきものが多い。曾て著者はミュンヘン在の Kinder Fiirsorge Station を視たが、或大建物の一部で二室よりなり卽ち診察室と待合室のみにて極めて簡單なる農村乳兒のセンターであつたが附帶事業として牛乳調理を行ひ附近の貧民の乳兒に調理せる牛乳を輕費にて供給して居るのを一見したことがある。

ポーランドに於てはヘルス・センターは一九二五年には僅かに二箇所であつたが、一九二七年には二二、一九二八年には一四〇、一九二九年には一五一、一九三一年には一八〇を算するに至つた、仕事としては結核豫防、花柳病豫防、兒童保護、學校衞生、酒精中毒豫防、精神衞生ヂスペンサリー等である。

ハンガリーは現在一千以上のヘルス・センターを有すると云はれてゐる、曾て著者の視察せるハンガリー・グルーロ Godolle のヘルス・センターは一町（人口一三、〇〇〇）と隣接落（人口七〇、〇〇〇）とを有するヘルス・センターで、ロ氏財團と國費と所在縣との合資になり仕事としては母性及兒童保護、學校クリニック、公衆衞生職員の敎育、牛乳供給、公設浴場の五部門に分れ、相當大規模の建物であつた、一九二八年の開設である。

ユーゴースラヴィヤにては一九一九年衞生省設置以來最も進歩せる公衆衞生機關の組織として夙に有名であり

彼のスタンバー博士の非凡なる才を待つ所が多い。重なる都市に衞生研究所を設置し之を大センターとして地方センターを監督せしめて居る。殊に農村センターの發達に力を注いで居る。

ルーマニアにては一九三〇年新衞生法に基き町村人口約一萬に對し小センターを郡人口約五萬に對し大センターを設置すべく努力計畫して居ると云ふ。

七、東洋のヘルス・センター

東洋諸國に於ては殊に日本、支那等は未だヘルス・センターの發達を見ないのは頗る遺憾であるが、熱帶諸國にては稍發達しつゝある。

蘭領印度にては、面積の狹少なる地方にありてはヘルス・ユニット又はヘルス・センターの組織をとり經費は行政當局卽ち公衆衞生局の中央官廳と縣及び村等から充當されて居る。職員は醫師、看護婦、衞生檢査員、產婆助手、豫防接種係より成り何れも專任である。目的は環境衞生改善、衞生慣習の實行、個人衞生の習得、傳染病豫防、農村住民の精神的身體的改善を目的として居る。事業は地域の一般衞生的監督、出生、死亡及疾病統計、公衆衞生敎育(フイルム)、講義及家庭訪問、母性及乳幼兒保健事業、學校衞生、家屋內外の衞生、敎授衞生、兒童の衞生習慣マラリヤ、トラホーム、眼疾患、ペスト、黴毒等の救療豫防、其他一般的研究、診療、隔離、免疫給水方法、衞生井戸、塵埃燒却、住宅改善、市場監督(食品、乳肉、魚類等)である。

ビルマに於てはヘグン Hlegn と云ふ所に唯一箇所のヘルス・センターがある。人口六萬三千三百八十二名を有する六百三平方哩の大地域である。仕事としては豫防醫學が主であるが治療の方も相當やつてゐる。社會事業は行つてゐない。設立者は縣とロックフェラー財團で內部の組織は諮問委員として村會議員から成る委員會がある。醫師一名、衞生官、看護婦、產婆、衞生檢査員各一名から成り何れも專任職員である。

經費は人口一人當り九アンナンスと云はれて居る、センター總經費は行政廳と衞生局との經費の〇・四五%に當る。ビルマ公衆衞生局はヘルス・センターの仕事を指導補佐し地域內の學校は何れも醫學的檢査を受け、其他種痘及び豫防接種ヂフテリー、狂犬病、猩紅熱豫防事業等を行つて居る。

海峽殖民地、シンガポールのヘルス・センターは農村地域內に五箇所の乳兒センターと出張所とも見るべき三箇所の小センターとを有して居る、何れも豫防的仕事と治療的仕事とを兼用してゐる。各センターには一名の看護婦と一名の產婆と小使が居る。相談治療共に無料で各センターには外國人看護婦に依つて監督されて居る。產前相談は勿論家庭訪問、學齡兒童の健康相談並に疾病治療共に無料である。住宅衞生に就ては都市計畫委員と農務關係の官廳との認可を要するのである。

ペンナには八箇所のヘルス・センターがある。何れも兒童健康增進の事業を行ふ。所在場所はペンナに五箇所ワルレスリー地方に三箇所ある。ヘルス・センターの看護婦の日常の仕事は最初母親への忠告、產前の心得、出產の統計、家庭衞生の敎示、微恙の治療、驅蟲劑の使用等で專ら敎育的豫防的の仕事である。病人は官立のヂスペンサリーに送ることになつて居る、センターの看護婦は田舍の產婆の登錄を集め出生の記錄を整理し、又外科的の疾病の治療の補助や淸湯手としての仕事等を行ふ。學齡前兒童の訪問もしてゐるが每年の學校兒童の身體檢査と無料治療とを行ふ。衞生敎育として學校で衞生の大要を講義し殊に母親に對する敎示を行ひ衞生の必要なることを覺醒せしめることにしてゐる。

聯邦マレー諸島のヘルス・センターは兒童福祉センター二箇所があつて、二臺のバスを備へセンターに通ふ母親と子供との爲めに無料で使用せしめてゐる。

中華民國のヘルス・センターは Kaochiao に於けるものは其の區域二〇五箇村、人口三八〇〇、吳松醫學校の公衆衞生敎育センターであり、其の下に三箇の小センターがある。仕事は人口統計に關する行政、傳染病豫防、一般衞生、救療事業、學校、工場、母性保護に關する公衆衞生等である。職員は醫師專任二名、兼任二名、技術官一名、齒科醫師一名、助手一名、訪問看護婦四名、衞生檢査員一名、產婆二名より成つて居る。此の外にデモンストレーション地區として Ting Hsien がある。面積四十四平方哩、人口四四、〇〇〇約六十一ヶ村に亘る地域である。以上が東洋諸國に於けるヘルス・センターの概要である。

八、農村のヘルス・センター

一九三一年ゼネバに開催された歐洲農村衞生會議の際討議された農村衞生の三大問題の一として農村地方に於ける公衆衞生機關の最も有効適切なる組織方法なるものが卽ち農村のヘルス・センターであつた。而して本會議の Recommendations 中に其の詳細が擧げられてゐる。

今其の報告をこゝに紹介して見ると、次の如きものである。

（以下次號）

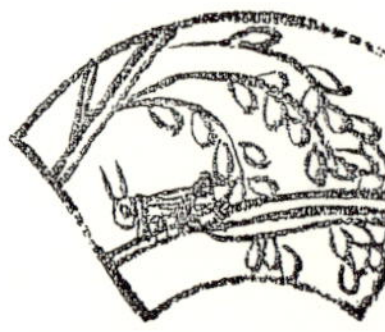

「皮籠摺」と「一幅半」

兒童に關する俳句評釋（一三）

岡本松濱

「皮籠摺」も「一幅半」も、共に伊勢の俳人の撰であり、前者は涼莵、後者は乙孝の手に成つてゐる。「一幅半」といふのは、芭蕉が文臺の前に坐つて、俳諧を捌く時、袖口が邪魔になると云つて、特に一幅半の着物を着たことがある。その面影をしのんで、撰集の名としたのは面白い。

雲出にて

馬士に出る子をまつ門や傀儡師　其角

雲出、雲出川など、多分伊勢邊であらう。その邊を旅した其角が、馬を雇つて馬方の來るのを待つてゐるが、其の馬方は子供だと云ふことであるが、何をしてゐるのか、なかく〳〵やつて來ない。じつとそれを待つてゐると、たま〳〵傀儡師がやつて來て、節おもしろく何か唄のやうなものを歌ひながら、頻りに人形を使つてゐると云ふのである。傀儡師は俗に土偶使ひと云つて、粗末な土人形に、粗末な着物を着せたのを、いろ〳〵皮籠の中から取り出して、芝居の眞似事をやつて見せる門付の藝人である。今も田舍へ行けば、とき〴〵土偶使ひを見かけることがある。

やぶ入や童部心の小豆めし　昨意

やぶ入は一月十六日と、七月十六日。卽ち正月と盆の

二回に、奉公人が宿下りをして骨休めをするのである。むかしの奉公人は、今日と違つて月に何回といふ定休日がある譯でなく、一年の內に正月と盆の唯二回、それもたゞ一日一夜の休養が與へられるだけである。それを藪入と唱へた。半期たゞ一日の休みであるから、奉公人としては如何にそれを樂しみ待ち兼ねたであらうか。また親の家でも、如何に我子の歸るのを樂しみ待つたか、それは今日の人々の想像の外にある。この句もまだ年も行かぬ少年ながら、早くも奉公に出てゐて、たま〳〵今日の藪入に親里へ歸つたら、自分のために小豆めしを焚いたり、いろ〳〵の御馳走をして心のかぎり親々がもてなして呉れるのを、子供心にもたゞ嬉しく感じたと云ふのである。

あの人の子の名をきゝて

ことはりや養ひ子なら蜂之助　其角

ある人の養子の名が蜂之助であると云ふのをきいて、成る程養子であれば蜂之助と云ふ名も尤もであると云つたまで、其角が一般の人から持てはやされたのは、斯樣な當意卽妙の思ひつきの句を卽座に吟じ出すからである。併し俳句としては寔につまらぬ句である。

小小姓はぼたんの花の行儀かな　野紅

小小姓は大きな格式のある寺方か、大名などに仕へる少年の近侍であり、派手な模樣の振袖の小袖を着、美しい袴をつけて、住職や大名の身邊の用を足すのが任務である。その小姓が用もなくて端然と坐つてゐる處は、恰も牡丹の花の如きものであると、小姓の美しさと、行儀の正しさとを讃美した句。

乳吞子を背中にゆする田植哉　賀枝

農家にあつては、初夏の田植と、晩秋の收穫とは、猫の手もほしいと云はるゝほど忙しいものであつて、田植などは遠く幾里も隔つた親戚から、手傳を賴むと云ふほどである。一家悉く田に下り立つて田植をしてゐる中に、まだ乳離れのせぬ子供を背負つてゐる者もあるが、負はるゝ者も、負ふ者も、たまらぬ程苦しいに相違ない。その苦しさと、乳のほしさに、背中の乳吞子は火のつくやうに泣き出す、それをなだめすかすために、背中をゆすり〳〵苗を植ゑすゝんで行く母親の心は、泣きたいやうに辛からう。

田植歌おやこづからや須磨の里　吾桐

づからは、みづから又は手づからと云ふ如く、「より」の意味を持つ言葉であるが、この場合に於ける「おやこづから」は、親子だけと云ふ意を含めてゐるものと解される。卽ち須磨の里の田植歌は、たゞ親子二人が歌つてゐるだけで、まことに淋しくも、哀れ深く感じたと云ふのであらう。

瓜抱いて頭剃らするわらべかな　露松

子供に依つては頭を剃ることを非常にいやがるもので、それをいろ〳〵になだめ、すかして、剃刀を當てることは、なか〳〵にむつかしい。この場合の子供も、頭を剃るのをいやがる癖があると見えるが、それに眞桑瓜を與へて、漸く頭を剃つてゐるのである。子供は與へられた瓜を大事さうに、兩手に抱えて喜んでゐる。

片よりて繼子泣きけり土用ぼし　涼莵

どうも繼子を詠じた句にはよいのがない。この句も同樣あまり面白くない。繼子は充分に衣裳も與へられてゐず、土用干と云ふので、本子の衣裳が澤山干しならべられてゐるのに、自分の物が一つもなかつたので、物かげにかくれて泣いてゐると云ふのであらう。さう云ふまゝ子根性を向き出しに示した句、或は親がまゝ子らしく子供を冷遇すると云ふことは、世の中に實際あり餘る事かも知れないが、それを其のまゝに句にしたのではよい感じは起らない。

親の顏しらぬ子もあり魂祭　反朱

まだ乳離れせぬ內に、親がこの世を去つて、生涯親の顏を知らぬと云ふのは世間に澤山ある。その親の顏さへ知らぬ子供が、盆を迎へて親の靈を迎へて祭つてゐるのである。哀れはまことに深い筈であるが、この句は單なる說明に終つてゐる。

あれきけと鳴子ならして子守哉　諷竹

時は秋、見渡すかぎりの稻田は、充分に熟しきつて、黃金の海がひろ〳〵と展開されてゐる。その稻の上には鳥おどしのために、縱橫に繩を引つ張つて、鳴子が結び

つけてある、背中に子を負うた子守が、縄の一端を引いて、その鳴子を鳴らして、子を守してゐるのである。背中の子も鳴子の音を面白がつて聞いてゐるであらうし、子守みづからも鳴子の音に興じてゐるのであらう。

以上「皮籠摺」の分終り。

少女が酌取りあふせたり春の宵　　口遊

家に珍客を迎へて、酒肴のもてなしをしてゐるが、酌をすべき適當な人もないので、やむを得ず召し使ひの少女を侍らして、假の酌人とした。まだ小娘のことであり、酒席などに出たことがないから、うまく酌をするかと、ひそかに案じてゐたのが、どうやら無事に酒間の接待を終つて、客も滿足の樣子である。それを見て、主人も漸く心が落ちついたと云ふ春宵一刻の一些事である。

抱いてゐる子の顏撫て御慶哉　　之言

抱いてゐる家の人も、抱かれゐる子も、その顏を撫でゝ新年の御祝を述べてゐる客も、すべて上々吉のお正月氣分である。

羽子をつく童部心に替りたし　　ツネ

紙鳶を揚げたり、羽子を突き、毬をついたりして、新春の少年少女は、たゞ喜びに滿ち、樂しみに滿ちて、正月は子供に取つて無上の樂園であり、それを思ふさま樂しんでゐる少年少女には、何の縛りもなく、何の濁りもなく、まるで神の戯れ遊ぶが如くに見える。その淸らかさ純眞さをうち眺め、自分ももう一度あゝ云ふ神の如き世界、神の如き心に替りたいと述懷したのである。

大井には子持の君ぞ雛の宴　　涼莵

大井は大井川か、或は大堰川か、むかしは二者を混同してゐるから、孰れともはつきり分り兼ねる。「子持の君ぞ」とあることから察すれば、大井川の舟遊か何かに、子持の雛の故事があるのであらうが、私は淺學にしてそれを知らぬ。隨つてこの句の解釋し兼ねるのを慚ぢねばならぬ。

宵によし奈良に親子や花の春　　了麓

小兒科
高洲病院
大阪兒童愛護聯盟理事
院長　醫學博士　肥爪貫三郎
顧問　醫學博士　高洲謙一郎
大阪市南區北桃谷町三五
（市電上本町二丁目交叉點西）
電話東一一三一・五八五三・五九一三番

宵によりは奈良の枕言葉であるにすぎず、詮じつめればこの句は奈良の親子と、花の春とだけであつて、あまりの大摑みで、内容も趣も一向捉へがたい句である。

でち達に毒じやく〳〵と鴨の汁　　八菊

大人が鴨の汁を造つて食べてゐる。下座で共に食事をしてゐた丁稚達は、口にこそ云はないが、物ほしいやうな顏つきをしてゐるので、お前達にはこんなものは毒じやく〳〵と、ごまかしてゐる。こんな間に合せのごまかしを云つて、それで事がすんでゐたむかしの樣が、この句に依つて想像されるのが面白いと云へば面白い。

行く歳や親のこゝろを子はしらず　　桃風

「親の心子知らず」とはいろは譬へにもある古い俚諺である。その俚をそのまゝに、年の暮に持ちこんだのであるが、そこに多少の意味も加はり、心持も現はれぬではないが、要するに借り着の衣裳を着てゐるだけに、姿勢は充分に整つてゐない。

鳳仙花の咲く朝

桐野葉子

朝顏の葉醫者

アパートの向隣の齒醫者さんは、今日もいちんち庭いぢりだ。

檜と落葉松を植ゑめぐらした中の、花壇の紅い虞美人草は、いつか綺麗に刈り取られて、眞黑い柔い土の上に、コスモスと鳳仙花の苗が、行儀よく植ゑられた。西日の射す窓際の、朝顏の棚も、手際良く、これもいつの間にか、齒醫者さんが作つた。

或る朝、この齒醫者さんが、一枚一枚朝顏の葉を撫で廻はしてゐるのを見た。「お隣り、人間の齒醫者さんでなく、朝顏の葉醫者さんね」、など語つたら大きい子が「母さんそんな探偵見たいに、お隣りの庭ジロ〳〵見てるもんぢやありません」と、强意見をされたのであつた。が、そんな意地惡のつもりではないが、ボツネンと獨りになり、讀書に倦むと、ついお隣りの庭に目を落すのである。

ほんとうにつれ〴〵なるまゝに目を落すのである。だから柵外の雜草の延び工合までが目につく。返つてあかざ、猫じやらし、犬蓼なぞの雜草が齒醫者さんの、商賣そつちのけで栽培していらしやる、グラジオラスや、石竹なぞよりも威勢よく延びてゐるのが、いさゝかお氣の毒見たいだ。

アパートの二階に來たのは、まだ入梅の明けない頃であつた。一坪ばかり占めた虞美人草の園が、霧雨の中にうなだれ勝に、それでも紅く〳〵咲き誇つてゐた。支那の傳説を拔きにしても可憐な花だ。眺めてゐるとわれにもなく、うす酸つぱい感傷が、そこはかとなく胸に湧き上るのであつた。

中年女の胸にも、こんな感傷の滲みが全く消失もしないで、ちよつぴり殘つてゐたのかなあと、殘つたほのか

流感・肺炎・百日咳等・特効
吸入薬　カンピロン

合理的吸入療法と其効果ある理由
本品は上圖の如く普通の吸入器で之を吸入して呼吸器直接に作用す、芳香爽快にして、毫も副作用なし
一、せきの出る神經に作用して咳を止め、又痰を溶解して容易く祛痰の効を奏す。
一、心臟を强め抗病力を增進し且つ肺炎、氣管支炎等の炎症を治する効ありて全快を早む。
一、解熱作用あり、即ち體熱中樞を刺戟して發熱を抑制し又殺菌力あり。
適應症　感冒、肺炎、氣管支炎等の急性病は勿論麻疹、百日咳等の小兒獨特の病に特効あり又肺結核、喘息等の鎭咳、祛痰に適應す
前第四師團軍醫部長　英隆軍々醫監
大阪市民病院小兒科長　谷口醫學博士
福井赤十字病院長　大野醫學博士
大阪府立保嬰館前館長　上村醫學博士
大阪醫科大學前敎授　辰己醫學博士
實驗推獎
全國藥店にあり
定價　六十錢・一圓・二圓等
悪辣なる模倣、類似品あり御注意を乞ふ
大阪市東區平野町
道修藥學研究所

日本赤十字社病院　慶應大學病院御用

テツゾール

吉本醫學博士　簡野醫學博士推奬
藥學博士　石津利作先生創製

幼兒の榮養と母體の保健

お茶を禁ぜぬ便利の鐵劑

體内造血器管を皷舞し其機能を旺盛ならしめ純血を豐富に新生し潑溂たる活力を附與す。故に

貧血の人、虛弱の人、病後の人、不眠症の人、神經衰弱の人、產婦、夏期に衰弱する人、肉體及精神過勞に適し又、登山、旅行、運動競技、試驗前後は常備、携帶の要あり。

愛兒の爲に

今迄小兒に適する鐵劑がなかつたが本品によりて初めて理想が現實したとは小兒科醫の言明である。

發育が遲れたり、虛弱であり、血色肉付わるく、夜尿をしたり、病後の小兒等弱き愛兒の榮養は美味で飲みよきテツゾールの服用に依り効果に直に母親の慈眼に映ずべし。

四週間分金貳圓八十錢　八週間分金四圓五十錢

東京日本橋區本町三丁目
發賣元　里村三治商店

各藥店
三越
松屋　にあり
松坂屋

大阪市道修町一
關西代理店　キリン商會

增量斷行　器械設備の完成と共に定價は元の儘にて二週間分を四週分に增量して非常に御徳用になりました

なる情趣をいとほしんだのであつた。

雨上りの風に落葉松の新芽が、みやびやかにゆらいでゐる。

「この松は、日本古來の常綠樹の松と違つて、葉が秋になると落ちるのである。原產は樺太でこの密林が、はてしなくつゞき、樺太は取つたけれ共、役にも立たない木が鬱蒼と茂つてゐるので、今、日本ではその用途を研究中であるのである」

昔し園藝の先生が、校庭に植ゑ終るとかう仰有つたのであつた。

樺太の落葉松が濫伐と、纖維工業の異常な發達に伴つて、流石の密林も、疎林化されんとして業界を脅かし、紙價の暴騰は、米の飯の如うな新聞をさへ、値上げにさして仕舞つた。

あゝあの鬚モジヤ童顏の師健在なりや。

何處の空で、先見の明無かりしを嘆じ居給ふや。

猪苗代湖物語

會津猪苗代發電所が東洋一である事は、國定地理教科書に載つてることで先刻御承知の筈。

秀麗な磐梯山の影を落した淸冽な水が、そんな事にはなんのかゝはりもない、といふ靜けさで漫々と湛へてゐる。

其處で起つた電氣は何處へ行く？それは皆遙に大東京に運ばれて、機械文明の動力となり、文化生活の基調となり、輝かしいネオンとなるのであるが、地元の方では少しもそのお蔭を蒙むつてゐないのである。お餘り頂戴とも行かず、猪苗代湖を源にする毛の如うに細いチョロ〳〵川に、小規模の發電所を建てゝ、あの附近に配電してゐるのである。

先年この廣い大きな猪苗代湖水に不足をいふ輩が現はれたのである。

それは、もつと〳〵この湖水を利用し、飽くなき搾取をしようと企らんだのである。

湖水の水量を增すには如何したらよろしいか、底を掘り下げて深くする、こんな馬鹿氣た事眞氣で考へる人はあるまい。技術者や事業家は、頭がいゝです、沿岸を高くすれば、底が深くなる理屈のやうに、水量を增す事が出來るといふので、周圍數里の岸邊に大にしては萬里の長城か、小にしては刑務所の塀見度いな奴を、蜿々と建設しようとした。そして猪突式に縣會の議題になつたのである。さあ地元の鄕土愛護者はカン〳〵に怒つたのである。

殊にも湖水端で育ち、湖水のある村から出された縣會議員の秋山某は、自分の腕でも拔かれる如うな悲鳴を擧

げて呻えたのである。が、呻立てゝばかしも居られないと、緊褌一番、登壇して反對演說をやつた。

說き來り說き去り、泣くが如く訴ふるが如く、「そんな事したら猪苗代湖水樣と磐梯樣にすまない。あの風光明媚、諸君は知らないのかつ。」とむきに喰つてかゝつた。

遂に〳〵この風光明媚居士の頑張りが利いて、その議案は蛇の尻尾の如うに消えて終つた。

「あゝ俺は、猪苗代湖の爲めにも長命せにあならん」と、こゝにも文明の反逆者が居るのである、實に會津なればこその感が深い。

A夫人の鬚

果物、紅茶、饒舌、こんなのに飽きた一寸の隙に、淺野兒童演劇學校の淺野夫人が、手を延ばして小さい鋏を取つた。そして慣れ切つた手つきで自分の顎の下にチョン〳〵鋏を入れて居る。「まあ靜枝さん、まだその鬚消えないの」

若い頃の思出が、稻妻の如うに私の胸に蘇へつた。いかにも靜枝さんらしい仕草が、別れて二十年の年月を消し飛ばして吳れた。靜枝さんと私は、四五歲からのお友達である。靜枝さんの御姉妹と私の姉妹は、誰が誰のお友達といふ事もなく、みんな一緒になつて遊んだのであつた。それが、仙臺の學校に行くようになり、お互に職業を持つようになつて益々親密の度を增し、惱や憂を語り合ふたのであつた。惱多い靑春の頃、ふと靜枝さんが今の如うに銀色の鋏で、顎鬚を切つたのであつた。

「平塚明子女史見度いね」

其の頃の新しい女の先覺者、平塚明子女史の顎に、男見度いに黑い鬚が五六本長く生えてゐるといふ事が、ゴシップになつてゐる頃なので、私がそんな事を云つてからかつたのであつた。女にもあるまじき硬い黑い鬚の何本かさへ、明子女史にあやかり度い爲めには、羨ましくさへ思つた頃のあの若い頃が、思出されたのである。淺野夫人は、ぢつとその頃を偲ぶ如うな眼をして、チョン〳〵切つてゐる。

「延ばしたらいゝのに」

「ウフ」

切つた後を手で撫で廻はして、又も昔しの思出話に移つたのであつた。

ほくろ判斷

淺野夫人の顎鬚が出た序手に、私のほくろの事を書いて見る。自分の顏の事を云ふのは誠に恐縮であるが、私の鼻柱の眞中に可成り大粒のほくろが、年と共に成長して頑張つてゐる。小さい頃は氣づく程の物ではなかつた。年頃になつて顏の汚點や、そばかすを氣にする頃になつて、漸つと氣づいた位のいかにも微々たるものであつたが、二十から三十になり、四十になつた近頃は、誠に目立つ代物になつたのである。

某婦人雜誌のほくろ判斷に、一生持病に惱むと出てゐた。

今まで氣にもとめないでゐたが、私の一生は小さい時から何んとなく病弱で、時々命にかゝはる程病みはするが、ケロリと癒つては着々弱い人生を步いて來た。さういへば持病に惱む運命を背負つてゐるのかも知れない。が、私はこのほくろを取り捨てる氣は毛頭無い。

「餘りいゝほくろぢやないから取るといゝ」

など度々皆から忠告されるのであるが、私は、私で、取つて見たところで運命が好轉して、頑健な身體になるとも思へないし、長年の愛着が、このほくろにあつて、如何なに自分を忘れる如うな無反省な日が續かうと、惱み憂、悲しみの際にも、私は指先で鼻のほくろを觸つて、「我健在也矣」と肯定するのである。

鼻の尖端に、このほくろがあつたら想像して見てもをかしい。目頭に近くては、誠にいかつく見えるだらうと、むしろ眞中にあつて吳れたのが有難い位だ。

（つゞく）

イージーおしめ

最高級純ゴム製

育兒の知識として‼

イージーおしめは權威ある諸先生とお母様方から育兒衛生上の最良品として、御好評を博し、各方面にお愛用を忝して居ります

優良國產金牌受領
醫學博士 岡田道一先生推奬

洗濯簡單
運動自在
保溫衛生

全國藥店にあり

內地送料拾錢

純ゴム特製	
大形（三・四才用）	金一圓十錢
小形（二・三才用）	金一圓
嬰兒用（一・二才用）	金九十錢

東京市神田區東神田一
ビクトリヤ月經帶本舖
株式會社 大和ゴム製作所
振替東京一三〇〇二

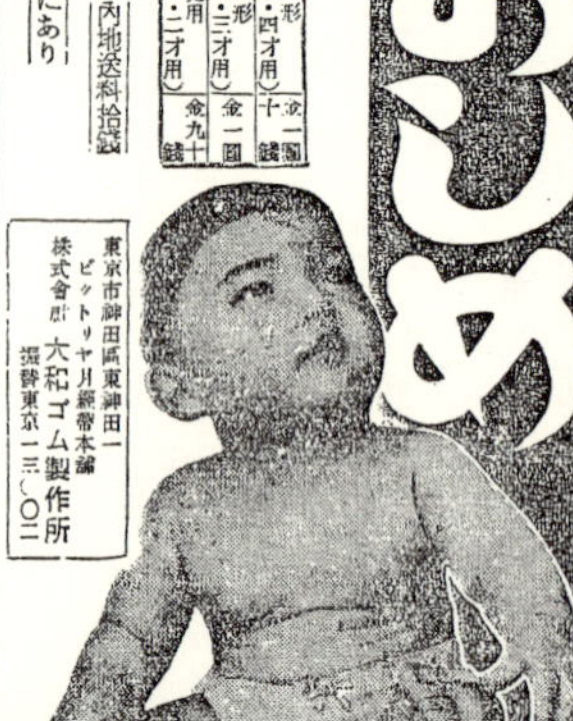

姿体を美しくする
ビクトリヤ
ズロース付月經帶
星號（高級品）¥2.20・銀星號（普及品）¥1.70

名作曲家の列傳（七）

カアル・マリア・フオン・ヴエバー

Carl Maria Von Weber

秋保孝藏

音樂家の中で、その名を成すに至つた人々に、彼等の父の斡旋奬勵によつたものが多いのであるが、わがヴエバーもその一人である。

父のフランツ・アントン・フオン・ヴエバーは以前は富んでゐつたが、當時はその財産を失ひ、諸所を巡業して廻る所謂「ヴエバー喜劇團」の首長であつた。

カアル・マリア・ヴエバーは一七八六年十二月十八日獨逸サクソニイ州の小邑オイテンに於て呱々の聲をあげた。父と後妻なる若い婦人との間に生れた初めての子である。まだ物も言へない時分から、父は彼を立派な音樂家にしようと決心した。當時僅か十七歳の妻は、この事に關して、どう思つてゐたか傳へられてゐないが、全然夫の意に從つたらしい。カアルは初めから、旅より旅へと流浪した喜劇團の附屬物のやうにして育つた。その幼い眼に映じたものは、舞臺の背景や、それを照す光線や、俳優どもの綺麗な舞臺姿などであつた。又その耳にしたものは、舞臺に於ける科白や、その音曲であつた。斯る境遇の中に培はれた彼の想像力は、やがて彼をして歌劇舞臺の王者たらしめたことは敢へて不思議ではない。

自然の美しい懷に抱かるゝことも、清淨な空氣を自由に呼吸することも出來ず、日の輝く靑空の下に、花笑ふ野邊に、他の子供等と共に遊び戲るゝことも許されなかつたこの少年は、可哀想に、健全な自由な成長を遂げ得なかつたやうである。多くは室內に在つて、畫布に描かれた自然界や、紙板で造られた古城などが彼の友であつた。六歲の折、彼はヴアイオリンをその小さい、かよわ

い手に持たされ、無理無體に稽古させられた。少しでも覺えの悪い場合には、短氣な父は責め打擲してもつと勉强することを强いたのである。旅より旅へと渡り歩いたので、敎師は次から次へと代へられた。彼の有名なヨセフ・ハイドンの弟、ミカエル・ハイドンの指導を受けたこともあつた。ミカエルは滅多に他人に敎へようとしない男であつたが、ヴエバーの樂才を認め、暫くその敎授の任に當つた。

その名を成す前に、彼は二つの喜歌劇を書いた。「森の啞娘」と「ペテロ・シユモルとその隣人」といふのであつて、上演もされたが、評判を贏ち得るに至らなかつた。

彼が十七歲に達した時、父は彼をヴインナに遣り、優れた多くの音樂家の間に在つて、益々その技を磨かさうと思ひ立つた。當時の彼は、物事に感じ易い、生き生きした、機智に富んだ、快活な青年であつた。間もなく、ヴインナに於ける音樂家達に可愛がられ、愉快な勉强を續けることが出來た。有名なるアベ・フオグラーは彼の敎師であつた。翌年彼は、フオグラーの推薦によつて、ブレスロウの歌劇々場の指導者となつた。僅か十八歲の指揮者たる彼は、多くの同僚からは烈しい嫉妬を買ひ、年上の歌手等からは、若年者の指導を受けたくないとて、露骨な反對を蒙つた。一年間の苦しい奮鬪の後、遂に辭職の止むなきに至つた。この間に彼は時を得て、歌劇「ルーブツアール」を作つた。

その後數年間は、浮沈の多い生活を送り、いろ〳〵苦い經驗を甞めた。ブレスロウからカアルスルウアに移りユウジエナ公爵に雇はれ、一年ばかり公爵邸にて華やかな生活を送つた。然しその頃戰爭で低迷、獨逸は社會的不安に陥り、音樂に親しむ高雅な生活は到底許されなかつた。若い作曲家は、何とかして他に生計の道を立てねばならなくなつた。間もなく、彼はシユタツトガルトに宮廷を持つてゐるヴルテンブルヒのルツドヴイヒ公の秘書となつた。その間、閑を得て作曲に當り、他の數種の小作品と共に歌劇「シルフアナ」を出した。然しながら彼の收入は段々減ぜられ、一時は借金のために投獄の憂目を見たこともある。方向を轉換せねばならぬことに氣付いた彼は、自己の伎倆を練磨し、且つ發表すべく演奏旅行を始めた。マンハイム、ダルムシユタツト、バアデン等に於て演奏を試みた。一回の演奏より受くる收入は、彼の生活を一二週間支へる位しかなかつたので、彼はそれからそれへと覺束ない演奏をして廻らねばならなかつた。

一八一〇年、彼が二十四歲の折、「アブハツサン」といふ美しい歌劇を出した。その師フオグラーの暗示を受け

て作つたもので、彼はこれを當時の大公に獻じた。大公は大いに喜び、二百弗ばかりの値打ある金の財布を彼に贈つた。この歌劇は一八一一年二月六日、上演されたが作者の滿足は非常なもので、これによつて二百フロウリン以上の純益を得た。獨逸の町々ムニツヒ、プラーグ、ベルリン、ドレスデン、其他を巡り、演奏に成功し、多大の歡迎を受けたのは、その後間もない頃であつた。彼は到る所に於て、その才能を認められ、殊にプラーグに於ては、多くの貴族の歡迎を受くる地盤が出來た。

プラーグに着するや否や、ヴエバーはこの地の劇場の監督リーピツヒを訪ねた。病身のリーピツヒは喜んで彼を迎へ、

「あのヴエバーさんといふ方は貴方ですか。貴方は貴方の歌劇を賣らうと思つてお出になつたのでせう。一つは一晩上演出來ますが、他の一つはどうか分りません。よろしい二つで千五百フロウリンなら頂きませう。如何でせう、それでよろしうご座いますか。」

彼は承諾した。そして別るゝ時、來春それを指揮するために參りませうと約した。翌年の春、約束通り彼はこの地にやつて來た。單に歌劇の上演に成功したばかりでなく、恰度その時、空席であつたこの劇場の音樂指揮者たることを望まれた。年收二千フロウリン、その他特別興行の一千フロウリンと三ケ月の休暇をとる約束で、彼はその招聘に應じた。それによつて借金の處分も出來、新に運命開拓の門出に立つことが出來たのである。

彼は管絃樂の改善に全力を盡した。間もなく、その効果が著しくあらはれ、多くの新しい歌劇が存外容易に舞臺に上演せられるやうになつた。かく努力すること三年に及んだが、彼のこの成功は、反つて奸策をめぐらす敵を作るに至り、彼等の嫉妬と惡感情は遂に彼をしてその地位を去らねばならぬに至らしめた。然しこの三年間は彼に取つて最も有益な期間であつた。數種のピアノのソナタや、一組の國歌集や、歌謠曲「奮鬪と勝利」などは皆、この際出來たものである。この最後の作は、彼をして全獨逸にその名を擧げしめたものである。彼の歌劇「シルヴアナ」の主役をつとめた美しい歌手カロリナ・ブラントと婚約したのもこの頃の事である。

恐ろしい迫害があつたに拘らず、プラーグには彼のために親切な有力な友達があつた。彼等の一人にフイツツームといふ伯爵があつて、何とかしてヴエバーをドレスデンに留めたいと思つた。一八一六年、クリスマスの朝、ヴエバーは彼の招聘狀を受取つた。彼は愛するカロリナに次のやうな手紙を送つた。

「フイツツーム伯からの書面をしばし開かずに凝視てゐたよ。幸福な報知か悲哀なそれか、どちらだらうね。到頭思ひ切つ

て開封した。喜んで吳れ、私はサクニイ侯の宮廷樂隊長になつてゐた。私は宮廷へ出仕の衣服を以て身を飾られればならない。ドレスデンの人々を喜ばすためには辯髮もせねばなるまい。お前はどう思ふか。私はこの吉報を齎すからには、餘分のキツスを頂戴する値打はあるね。」

彼はドレスデンに行つた。初はこの地の情況を觀察してゐたが、後に最初に感じた程、有望でないことに氣がついた。獨逸音樂の氣勢を擧げるためには、戰はねばならぬ幾多の競爭者があつた。この地に於ては、當時伊國音樂が全盛を極め、伊國ものでなければ夜も日も明けぬ有樣であつた。それに伊國の優れた歌手等がこれを助け、大いにその氣勢を擧げてゐた。ヴエバーは一種の愛國的精神に燃やされ、如何なる犧牲を拂つても伊國音樂の勢力を驅逐して、獨逸音樂の基礎をこの地に据ゑねばならぬと決心した。彼は遂に成功した。當時友に送つた手紙の一節に次の如く錄した。

「伊國人は獨逸の歌劇とその徒黨とを一呑みにしようとて、天と地とそして地獄をも動かした。然し彼等は私に征服の出來ない尊い强靭な或るもののあることを發見した。私は彼等に容易に壓服されなかつた。」

こはヘンデルが曾て英國に於てなした戰や、グルツクがピツチニ一派の人々と爭つた奮鬪に酷似したものである。

この地に於いて、彼が初めて指揮した歌劇はメウルの「ヨセフとその兄弟等」であつた。彼は曾てなかつた程の熱心を以て、管絃樂隊を訓練した。中には餘りの嚴格さに不平を言ふものもあつたが、到頭立派に練習し遂うせた。この歌劇は一八一七年一月三十日に上演する運びに至り、王も宮廷員も皆臨席した。すべてが都合よく運び、立派に上演を終つた。王は何時も氣に入らぬ場合には、よく咳をする癖があつたが、この歌劇を聽いてゐた間は初めから終りまで咳一つしなかつた。

伊國人の反對あるに拘らず、ヴエバーの倦まざる努力は、遂に獨逸歌劇の勢力を充分扶植することが出來、ために此處に國立劇場が設けられ、彼は終身その指揮者とせらるゝに至つた。この名譽を荷ひつゝ、その愛するカロリナと、十一月四日芽出度く結婚した。この時記した彼の日記は、彼は如何にも敬虔な人であることを示してゐる。

「神よ、我等の結婚を祝し玉へ。僕をして愛するカロリナに幸福と滿足とを與へ得るに相應しい能力ある者となし玉へ。汝の惠、すべての場合、僕を指導し玉はんことを。」

今やヴエバーはその生涯中、最も幸福な活動期に入らんとしてゐる。彼の音樂はその內容に於て、愈々豐富になり、上品になり、美しくなり勝つていつた。カロリナ

との結婚は、新しき生命と精力とを與へ、間もなく彼の作は全歐洲に喧傳せられ、稱讃を博するに至つた。彼の心は次から次へと發表せらるべき獨創的な題目で一杯であつた。美しい作品「變ホ調の彌撒曲」や、サクソニイの皇后の誕生を祝ふために作られた歌謠曲「自然と愛」や、サクソニイ州のオーグスタス統治五十年祭を祝ふ「ジユビリイ歌謠曲」等は、この頃出來た優れた作品である。伊國音樂團の妨害のために、この「歌謠曲」の全部を上演することが出來ないで、ただその序曲を奏し得たに過ぎなかつた。然し後に全部演奏された時は、非常な印象を聽衆に與へた。次で彼はジユビリイ彌撒曲や、數種のピアノ曲を出した。このピアノ曲の中には、誰にもよく知られてゐる美しい有名な「舞踏の招待」がある。これらを作曲してゐた間に彼はその傑作「デル　フライシユツ」の完成に勵んだ。一八二〇年五月八日、この歌劇はベルリン劇場の監督の手許に送られた。直ちに練習に取りかゝつた。この練習が充分出來ないうちに、倦まざる精力家なるヴエバーは又新作「プレシオサ」をベルリンに送つた。この「プレシオサ」は「フライシユツ」に先んじて上演された。然しこは間違ひでなく、極めて當を得たやり方であつた。何故かと云へば「フライシユツ」の音樂を聽くためには、是非前以て聽いて置くべき性質のものであつたからである。「プレシオサ」はスペインの物語「マドリツド」の「ジプシイ」に基いたもので、ヴエバーはスペインの地方的色彩と生活とを充分表出し得た美しい風調（メロディ）を、そのために作曲した。その後、この歌劇は世から忘れられたが、序曲だけは度々演奏されてゐる。一體ヴエバーの序曲は最も優れたもので、その歌劇全部の樂旨、メロデイを充分示すに足るものである。話は「フライシユツ」に戻るが、後にヴエバーの寡婦が、ベルリンの皇室圖書館にこれを寄附した時、一個所の削除も訂正も要しない完全な作であつた事が發見された。

「デル　フライシユツ」の初て上演されたのは一八二一年六月十八日で、群衆は開場の數時間前から劇場に押し寄せ、開場するや否や、群衆は雪崩をうつて場内に流れ込み、見る見る間に階上階下立錐の餘地なきに至つた。作曲家が管絃樂隊の席に現はれた時は、聽衆は割れんばかりの喝采を以て迎へ、何時止むべくも知れなかつた。演奏の進行につれて、聽衆は全く醉はされ、やがて終つた時は、何ともいへない感激の雰圍氣に滿たされた。その成功は非常なもので、數個の開演によつて劇場は急に金持になつた。聽衆のすべてが幸福を感じた、然し何人も作曲家自身のそれには及ぶまい。彼のメロデイは獨逸國中到る所のピアノの鍵盤を賑し、街に遊ぶ子供までが

口笛で之を奏したと云ふことである。その評判は雷電の如く全歐洲に響き渡り、遂にドウバア海峽を横り英國にも達した。英國の音樂界はそのメロデイで震動してゐるやうであつた。巴里に於ては、この作が餘りに獨逸風の特色が濃厚であつたゝめに、初は歡迎されなかつたが、「森の駒鳥」と改名して上演してからは、三百五十回も繰返して演奏された程の人氣を博した。

ヴエバーは絶えず力作を續けた。「フライシユツ」を出してから二年後、歌劇「オエリアンテ」を完成した。その脚本は半狂亂の婦人ヘルミナ・フオン・シエジイの作であるが、ヴエバーはこれを用ゐて立派な歌劇に仕上げ、優れた音樂で彩色した。これは自分で好んだ自信のある作品であつたらしい。彼はこれを初て上演する二時間前に、愛妻に送つた手紙の中に『私は神を信ずる、そして私の「オエリアンテ」を信ずる』と書いてゐる。この歌劇は一八二三年十月二十五日、ヴインナのケールントネルトール劇場で上演された。作曲家は當時健康優れてゐなかつたが、ヴインナの人々に、之を自身で紹介したいと態々出懸けた。彼は次の如き手紙を妻に送つた。

『愛する妻よ、私は神に感謝する。「オエリアンテ」は見事に成功したよ。私は健康優れないけれども、喜んでお前にお休みといひ、勝利を叫ばざるを得ない。全聽衆は恍惚失神の狀態であつたよ。獨唱者も、合唱隊も、管絃樂隊員も、皆喜びに醉つてしまつたやうだつた。』

ヴエバーはこの歌劇上演後、ベエトオフエンを訪ねて見て貰つた。ベエトオフエンは彼に向つて何故上演前に來訪しなかつたかと言つた。彼は自身が「フイデリオ」に施したやうに、その三分の一を削除した方がよからうと忠告した。ヴエバーは彼の忠告に從つて、必要と思はれた部分を改作した。

「オエリアンテ」改作の努力で、彼の弱い健康はひどく害され、病軀を以てドレスデンに歸らねばならなかつた。宮廷の用事が多くて、彼は充分休養することが出來ない。肺臟を犯した病氣は益々その勢を逞うし、やがて愛する妻や子供等と別れねばならないやうになりやしないかと氣遣つた。

けれども意氣沮喪しなかつた、彼は再びペンを執つた。當時彼の名聲は全歐洲に喧傳され、諸方面から好ましい招聘の依頼が舞ひ込んだ。その一つは一八二四年の夏ロンドンのコヴエント・ガアデン劇場からの注文であつた。この劇場の監督チヤールス・ケンブルから、この劇場で上演するために歌劇を一つ作つて吳れと云うて來た。熟考の末、選んだものは「オベロン」である。これは佛國の物語から採つたもので、彼はこれがために美し

い音樂を作曲し、一八二六年の約束の日までに、序曲を除いて、全部完成した。相變らず病身であつたけれども、その年の二月七日、家族等には、再びこの世では相見ることが出來ないかも知れないと云ふ不安を胸に抱きつゝ、別を惜しんでロンドンに去つた。

ロンドンに到着するや、ジヨーヂ・スマアト卿は彼を迎へ、立派な邸宅をその住ゐとして提供した。すべてが完備して居心地よい外に、彼の所用にとて、ロンドン一流の製造人の造つた立派なピアノを一臺据えて吳れた。彼は手紙に恁う書いた。「王樣でも、こんな歡待は受け得ないであらう。行屆いた待遇と親切に對しては、とても感謝しきれない位だ。」此處で彼は「オベロン」の美しい序曲を作つた。これは上演前二三日で出來上つた。

「オベロン」は四月十二日、コヴエント・ガアデンで上演された。滿員盛況、非常な成功であつた。翌朝作曲家の健康は益々良くない。然しケンブルとの約束を履行するために「オベロン」の初の十二回の興行を指揮せねばならぬと感じた。彼はこの特別興行によつて、少なからざる收入を鄕里に在る小家庭に殰し得ることを喜んでゐた。悲しい事には期待された興行日なる五月二十六日は豪雨のため、會場は殆ど空席の有樣であつた。この演奏會の終つた時、彼は極度の衰弱のため、人の助けを借りて室を出なければならなかつた。醫者は彼を診察して、到底旅行などは出來ない。故國に歸るのは暫く延期せねばならないと勸告した。然しヴエバーは「いゝゑ、私はどうしても歸らねばなりません、どうしても。私はもう一度家族のものに會ひ度い。その後はどうなつても神樣にお任せするんです」と言ひ續けるのであつた。

翌朝、彼を見舞ふために、人々がその室にやつて來た時は、室は妙にひつそりして靜であつた。見れば彼は靜に床の上で息を引き取つてゐた。

遺骸はロンドンに埋葬された。家に歸り度いといふ最後の希望は到頭果された。それといふのは、十八年後、彼の遺骨はドレスデンに送られ、この作曲家は遂にその慕はしい家庭に歸つたのである。

公衆衞生官と黴毒の撲滅（二）

一九三四年サラトガスプリングに開催された健康官と公衆衞生看護婦會員の總會にての講演

ジヨセフ・イー・モーレ
大阪市保健部　武谷等太郎抄譯

次に私は健康局と開業醫とは密接なる連絡を取られねばならぬと思ひます。梅毒に關して多くの健康官は自分等の職務は梅毒患者に無料にてワッセルマンを注射し貧しき人々に對しては之亦無料にて治療を加へれば事足れりと爲して居る樣ですが、これでは如何かと思ひます。梅毒の十分の一位しかないヂフテリア、又極めて少數の腸チフス等に對しては豫防方面に相當の努力を拂はれてゐる樣ですが、梅毒には少しも其の樣な事がありません。

新患者を報告する眞面目なる方法に對して組織立つたる務力が拂はるべき必要があると思ひます。私は此の點に關して開業醫師諸君と協力せねばならぬと考へます。その理由は兎角患者は秘密にしたがるものです。それ故どうしても醫師の了解を得ねばなりません。斷つて置きますが濫りに患者を摘發せよといふのではありません。さりとて性病は他の傳染病の中へ包含して報告すべきものではない。判然と一項目の下に揭げればならぬ。

北米公衆衞生局で發行してゐる週刊の公衆衞生報告の中でも梅毒は最も重視すべき疾患故、特に一項目を設けて報告されてあります。此の週刊の公衆衞生報告とは登錄地域内にてその週間に發生した傳染病が報告されてあります。

醫師の立場より申しますと、性病豫防の一手段として學童の性敎育成人へはパンフレツトの配布、ラヂヲ放送、雜誌、其他社會衞生學者等の首唱する豫防の種々複雜なるプログラム等は餘りに效果を期待することは望まれません。何故かと申しますと此等の事が了解出來得る人々は既に豫防警戒してゐます。今更そんな記事を讀んだり聞いたりする事は、その煩に堪へないのです。此の豫防智識を了解し得ない人々に對しては此の位の手段で同化さす事は全く不可能な事に屬します。

此の方面の事は全く閑却されてゐるのではありませんか。

又御役人も梅毒罹患者—古い軍隊的の言葉で言ふならば自分の不行跡の結果の病氣—救濟について資金を募集するより、ヂフテリア豫防榮養不良兒へ牛乳配給の方が一般の興味と同情を惹き易く資金を得ることが容易であるから不幸にして此の方のことばか

り行はれてゐる樣であります。

公衆衞生官はその任務が社會政策的のものであらうが、無からうが自分の地位は公の召使の如きものであると感じてゐるらしい。であるから唯輿論に追隨するのみにて輿論に卒先して事を行ふといふことを敢てしないのである。又彼等は一般の輿論は明らかに梅毒問題を取扱ふことを好んでゐないと信じてゐます。それ故輿論の熱する迄待たうといふ考へであるらしい。然し公衆衞生官は衞生方面の事のみを專門に取扱つてゐる、從つて彼等の責務は輿論に從ふのではない、輿論を導かればならぬのであります。梅毒問題の樣に左樣に知的の指導者を必要とする疾患は他にありません。再び言ふが、官公署にては―公衆衞生問題も其内に含まれてゐることは勿論である―すべてそのやり方は與へて而して取るといふ組織であります。ちれば公衆衞生官は次の三點に重點を置く事が肝要かと考へます。

（一）梅毒は猛烈なる傳染病であること、而して尙最も恐るべきものであること。

（二）梅毒は當人のみが不品行の結果に受くると言ふに止まらない。妻帶者が感染して居る場合は直に無垢な妻へ感染する。而して遺傳梅毒は梅毒患者の殆んど半數にも達し且つは遺傳梅毒からの幼兒の死亡は誠に同情に値するものであります。

（三）梅毒の感染は不品行の結果だとは言へ早期に適當なる治療を施すならば結局は其れは社會的に費用の節約になります。

第一に他人に感染の機會を少なからしめます。又手遲れになると餘病併發して大動脈瘤、脊髓癆、不全麻痺等の患者の治療となると莫大なる費用を掛ければならぬのです。政治家は金を節約する事には特に興味を以つて居るらしい。財界不況は、それを彼等に敎へたのかも知れない。又假令政治家は經濟的議論に聾であつても納税者はそうではあり得ない。早期の梅毒及潜伏梅毒の治療に年々一萬弗の費用をかけると其れが後年になつては結局一年十萬弗の費用節減ともなるに至るであらう。これは相對的の話で絕對的の費用節減とはならないと雖、現在梅毒患者に施されて居る無料施療の如きは消滅して他の目的の爲に使用せらるゝであらう。之に依つて受くる社會の利益たるや蓋し莫大なるものがありませう。此事實に面しては如何なる聾の政治家と雖、耳を傾けざるを得ないであらう。かくなつてこそ始めて梅毒制壓に費してゐた費用を、より純粹の政治的の事に費ふ事が出來るといふものですんやである。

若し健康官の仕事が黨派的に左右せらるゝなれば又何をか言はんやである。然しながら左樣の事は有り得べからざる事である。彼は在任中充分にその職務を完ふすべきであります。それには彼等は梅毒問題を評價すべく充分なる勇氣を持つべきであります。又梅毒撲滅には如何程の費用を要するか、如何にせば其費用を得るか等々に對して勇敢でありたいのであります。梅毒撲滅問題は他の政治的題目同樣若くはより以上に社會を益する事、救世の根本的の事にして且急を要する事たるを指摘するのが衞生官の任務であると思ひます。

一九三四年にバルチモア市の支出額は四千參百萬弗であつたが其內健康局の支出額は六十八萬六千弗（一・六％）に過ぎません。

この健康局の支出額の內、性病豫防の費用は僅に三萬九千弗に過ぎない。この位の豫算額では充分なる事は到底出來ない。無料診療所は大繁昌をしてゐるが、總て此處を訪れる人々の希望を滿足さすことは出來ないのが現狀です。それ故今の豫算內にては急性の梅毒、又は止むを得ざる者のみに限つて治療を施してゐます。これは次の樣な患者を指します。第一期第二期梅毒、比較的早期の潜伏患者（例へば感染して三年以內）感染の事が判然とせないならば女性ならば四十歲以下（此の時期迄は姙娠の可能性があるからです）男性ならば二十五歲以下（感染は比較的最近であると想像されるから）等の者であります。

健康局の見地よりして又限られたる其豫算內の事業としては此の程度で止むを得ない事です。

此うした政策の結果、バルチモアにては長期に亘る潜伏性梅毒は一の州立の病院、五の補助金の交付を受けてゐる私立病院にて行はれてゐます。此の六病院の內二ケ所は比較的にその規模が大いのです。然しながら此等の診療所の診療能力では荷が重過ぎる現狀です。潜伏患者に門前市を爲して全部を診療する事は全く不可能な事であるので次の樣な事を言つて患者を追ひ返してゐます（あなたの身體の中には梅毒があります。早く治療せねばなりません。私はして上たいのは山々なれども費用が少ないので出來かれます）と。

私は繰返して言つて置きたい。健康官が彼の豫算を組む時には梅毒問題に最も重きを置くべき事を。斯して得たる豫算は如何に使用せば有效に且梅毒を減少する事が出來るかを考へねばならぬ

私は今パラン氏が發表した事を左に揭げて見ます。

畢竟するに性病の撲滅は二個の問題に過ぎない。その一つは梅毒に感染したならば速に治療を受ける事。その二は診察と治療とは內容を充實して有用のものとせねばならぬ。以下少しく詳細に說明を加へて見たい。

規則的の事項　新患者數の發表、特に患者の內病氣の知らぬ間に經過した患者數の發表。感染原因の發表。無責任患者の檢黴。

醫學的措置　早期診斷に必要なる實驗室の完成。適當なる診療所の設置（其處では有料、一部分有料、無料の三種とす）必要なら投藥する。田舍地方にて支拂能力の無い者を治療せし醫師へ代金支拂、患者は他人に感染せしめざる樣豫防措置を講ぜしむること。

個人醫師又は診療所の別なく患者の感染の原因を決定すべく注意深く訊問すること。

醫學の社會奉仕　看護婦をして患者の家を訪問せしめる事。

個人の必要なる社會的健康の訓練、醫師の訓練、公衆の訓練、患者の特別訓練等。

私は此等の諸點に關して一臨床醫として特に力を入れて强調したいのです。患者發表は登錄地域を定めて而して性病報告の統一したる組織を採ることは望ましい事です。北米公衆衞生會等は國又は市の健康局に呼びかけて、斯うした形式を統一する事は良いことです。之によると患者の氏名、住所を揭げ無くとも濟むからです。かくして健康局で發表されるブレチンは絕えず醫師の注意を引き且つ此れが完成すると―尙よいことには比較的に費用が少なくて濟む―我等の最も重要なる問題は何んであるか又如何なる印象を我等は得つゝあるかを明かに捉へる事が出來るのである。

人生の大きな試煉

夫婦の倦怠期

仕事か勉强か趣味なりに
お互に魂を打込んで……

精神的に打開せよ！

夫婦のけん怠期は必ず來るものともきまつてゐませんが、大抵の人は結婚後三年目、五年目、十年目位に、大なり小なり、程度の差はあれ、この家庭をむしばむ毒虫に襲はれるものと思つて差支へない、極端な人は結婚式の翌日から、もうけん怠期に入るなんていふのもあるかも知れませんが、一番深刻に一般の夫婦をむしばむのは、結婚後七八年目頃から十年目位に來る夫婦生活のけん怠でせう、昔私の知つてゐるある四十男は公然とかういつたものです「おれのうちに女なんぞゐないよ」――しかし細君が鼻につき出したこの男は、馴染みになつた一人の藝者を落籍しようと、その金を稼ぐために商賣を熱心にやり出したおかげで、今では相當の財產家になりました、そのうちに藝者のことなんかすつかり忘れて商賣大切、女房大切の眞面目な男に返つたのですから、この男などは意識せずにけん怠期を有效に生かして來たやうなものです、さて夫婦のけん怠期は、どうして切抜けたらよいかといへば、夫婦が互に智性を働かせて、何か魂を打込むことの出來る仕事なり、高尙な趣味娛樂なりを見つけ、それに沒頭してみることです、そのためには夫婦一緖に何か有益な勉强を始めるのもよければ、一緖に旅行して知識を深めるのもよろしい、兎に角、憂鬱な雲の低迷する生活を更新しなければなりません、夫婦のけん怠期などゝいふものは、私生活の我まゝから起るもので、奉仕の生活をしてゐる人にけん怠期は絕對にないと思ひます。ですからけん怠期に入つたと思つたら、外道に落ちこまないうちに、私生活三分に奉仕七分といつた生活に轉換させることが賢い方法です。しかし、これは誰にでも出來るわざではありません、環境、物質、それに何よりも彼等の敎養、智性の問題になります「元來日本の男も婦人もいゝ意味のおしやれが足りない若い時ばかりおしやれして、結婚して何年かたつとそんなことはすつかり忘れてしまふ、だからいけないのだ」などゝ說く人もありますが、せいぜいお互におしやれしろといふことは、けん怠期を切抜ける策としては効果が少いばかりでなく、なんとあはれな動物的な眞劍さのない話しでせう、我々は夫婦の生活をもつと敬けんに考へたいと思ひます、とまれ夫婦のけん怠期を打開する方法は、精神的に生活更新を行ふより外はないといふのが私の本來の考へです、女は藝者の眞似をしろ、女給の眞似をしろなどゝけん怠期の女を一服でなほす重寶な妙藥なんぞはないのです、あれば不斷に精神にむちを當てる持藥的方法です、だからけん怠期に入る前にお互に氣をつけること――それだけが最上無二の切抜け策といへるのです、女からいへば平素、絕えず夫に分らないところをもつやうにすることです、これは秘密を持てといふことではありません、常に新しいものを創造して新鮮さを失はぬやうにせよといふことです、男の方からいへば、けん怠期に入らぬ前に心にブレイキをかけて、でたらめになりやすい生活を整理することが大切です、この心掛があれば、いはゆるけん怠期も知らぬ間に通つてしまふでせう。

（石井滿氏談）

登錄商標

ギンザトップ二十番

【特長】

一、最上原料を特殊技術により製せらるゝ本品は、彼の高價なフイツシユスキン（魚皮）以上に喝采を博して居ります。

二、感觸が柔かで滑らかで抵抗尠く、使用者自らがその使用に氣付かぬほどであります。

三、それでゐて他の厚手のサツクよりも遙かに丈夫で數回の使用に耐へます。

四、形態も微妙な技術に成功し殆んど萬人向に出來て居りますから、使用中亂暴があつても何等そうの心配がありません。

五、各個につき送氣檢査耐力試驗がしてありますから、疵物や孔アキがなく絕對責任の保險證付嚴選品であります

産兒調節とコンドーム

性病豫防にコンドーム
感じを妨げず……
薄く……柔かく……
それで丈夫な
最高級コンドーム!!!
ゴム製品の目醒ましい發達の所產としてサツクも**ギンザトツプ**の如き完璧品が生れました！

―定價―

◎ギンザトツプ二十番

	一打	半打
▲C品（透明）	二・〇〇	一・一〇
▲B品（眞珠色）	一・五〇	・八〇
▲A品（櫻色）	一・〇〇	・五五
組合せ（一箇宛）	〇・四五（携帶用ケース入）	
C品（三箇入）	〇・六〇（同 ）	

―送料―

內地十錢、市內六錢、（代金引換は切手廿錢前送願ひます）新領土四十二錢、代引四十七錢

見本品御入用の方は小爲替五十錢又は三錢切手十七枚封入お申越下さればＡＢＣ三種セル容器入をお送りいたします

東京市銀座西一丁目七番地
島津藥局
ギンザトツプ本舖
電話京橋六五二六番
振替東京四二四八九番

傳記小說

高橋是清（廿三）

小杉健太郎

日進、春日の購入に獻策

其後、是清は正金銀行の副頭取、日本銀行副總裁に累進して、ます〳〵國家財政の中樞圏內に活躍してゐた。その頃、日本銀行總裁は、川田氏の後に岩崎彌太郎、山本達雄と二代を經て松尾總裁になつてゐた。時は明治三十六年十二月、日露の風雲急をつげて、國論は開戰の一途を辿つてゐる折柄だつた。

或日、曾根大藏大臣から呼ばれたので、是清はすぐ大臣官邸へ行くと大臣は聲をひそめて、

「實は極秘だが、露國との關係が甚だ危い、いつ破裂するかも知れない狀態になつた。そこで、政府は今度ロンドンで、チリー國の軍艦を二隻購入するやうに林公使が交涉を進めて契約まで取結んだのだ。所がさてその代金支拂の段になると、正金ロンドン支店の手違ひで、支拂不能となつて了つた。そのため進退谷つた林公使は、もしこの支拂金が調達出來なければ、自分はすぐ解約してロンドンを引揚げればならないと電報をうつてきたのだ。事情はこんなに切迫してゐるし、日本政府としても、この際ぜひ二隻の軍艦を買取る必要があるんだから、何とか名案はあるまいか。日本銀行で調査してくれたら非常に助かるんだが、どうだらうな高橋。」

大臣の顏には、濃い憂色がアリ〳〵と現れてゐた。

「さうですなア」

事柄が何しろ餘り重大で、少しも猶豫のできない場合だから、是清もその答へには非常な決斷を要するのであつた。

「それなら仕方がありません。第一に、林公使の資格で約束手形を振りだし、それを先方に渡すこと、第二は、もし先方で擔保を要求する場合には、日本銀行所有のわが四分利英貨公債二百萬磅を正金銀行支店に貸し渡し、これを正金支店振りだしの手形で金融をはからせること。この二つの道より外に、急務を救ふ方法はないだらうと思ひます。」

赤ちゃん打ち粉

パーキュロ

赤ちゃんのアセモ・タダレには勿論のこと、旦那様のお髭剃りの後にも亦、奥様やお嬢様のコナ白粉の代用にもなる、肌色芳香、一罐あれば家庭の皆様が重寶する、全く時代の要求によつて産れた新様式の撒布剤はこれです

定價 ・二〇 ・五〇

味の素直系

本舗 東京・京橋・寶製薬株式會社

パトローゲン

稻垣乙丙博士創製
鈴木梅太郎博士完成

監製 東京帝國大學農學部構内 財團法人 糧食研究會
製造 明治製菓株式會社

半ポンド入 壹圓貳拾錢
一ポンド入 貳圓貳拾錢
三ポンド入 五圓五拾錢

日本乳幼兒の身體に最も適合せる
超母乳代用榮養素配合粉乳
パトローゲンを選ばれよ

パトローゲンの三大特性

一、乳幼兒發育に必要なるヴイタミンAの適量を決定し純正粉乳を配合せる爲脂肪過多による胃腸障害の憂なく體力の旺盛と抵抗力の増加顯著なり。

二、可溶性デキストリンの給源「ココイド」は酵母によるヴイタミンBの參加により消化吸收同化の三作用を最も有効に完結し迅速なる發育を促進す。

三、酵母に紫外線を照射せしめヴイタミンDを化生し特に添加せるマツカラム鹽中爀、石灰と作用し齒牙骨格の形成を容易且つ强靱ならしむ。

申越次第說明書進呈

東京・京橋 明治製菓株式會社

「なるほど、それはいゝ考へだ。」

と、大臣も即座に贊成した。そこで早速この指令を林公使と正金支店に向けて發すると、やがて折返し、公使から第一案によつて萬事解決した旨の返電があつた。この時購入した軍艦こそ日露戰爭の日本海大海戰に偉勳をたてた日進、春日の二艦であつた。

外債募集の苦心

明治三十七年二月、いよ〳〵日露の國交は斷絕して直ちに開戰となつた。開戰となると外債募集をして軍費に當てればならないので、適當な人間を財務官としてロンドンに派遣し、巧に外債募集をせしめればならない——といふのが、廟議の一決した所であつた。

さて、誰をやつたらいいか。人選はなか〳〵困難であつたが、結局、高橋より外に適任者がないといふ元老や閣僚の一致した意見によつて、是清はその命を受け、數日前に落馬してまだ右手の傷も癒えないのに、そのまゝ出發せねばならなかつた。

彼は、日本銀行秘書役の深井英伍たゞひとりを同伴して、二月二十四日に横濱を出帆して、まづ米國に向つたのである。

ニユーヨークに到着すると、この時は既に日本海軍の戰勝が續々と傳へられてゐた。即ち瓜生艦隊が仁川沖で敵艦を擊沈せしめ、また聯合艦隊は旅順の敵を三隻もうち沈めたといふ捷報が喧傳せられてゐたので、米國人の人氣は日本人にとつて非常に芳しかつた。

「まるで冒險少年が惡魔の巨人に組みついたやうなものだ。勇敢だ〳〵」

と云つて、わけもなく賞讃してゐた。しかし、元來、米國は產業振興狀態が、まだ外國の公債に應ずるほど發達してゐなかつたので、あまり日本公債の發行が有望ではないと悟つた是清は、アメリカに見切りをつけて直ぐロンドンに急行した。

ロンドンへ着くと、まづド・ケーゼル・ロイヤルホテルに部屋をとつて落着いた。このホテルは三流どころであるけれど、日本の名士がよく泊る所で、是清もこの前の洋行中にもう顏馴染になつてゐたので、こゝを選んだのである。彼にとつて都合のいゝことには、横濱の「金の柱の銀行」でボーイをしてゐた時分に、その銀行の支配人だつたシャドン氏が、今はパース銀行のロンドン支店長をして押しも押されもしない地位を占めてゐた事であつた。

このシャドンの紹介で是清はロンドン一流の大銀行の首腦部にたやすく面會することができた。パース銀行をはじめ、香上、チアター、ユニオンの諸銀行やベアリング商會の幹部達と盛に往復して交涉を進めた。

「日本政府では こんど英貨公債一千萬磅を募集したい意向であります。して、私が政府の命令をうけて參つた樣な次第です。日本として乾坤一擲の戰爭で、ぜひ勝たねばならない場合ですから、同盟國の皆樣の御援助を切に御願ひ致したいと思ひます。」

「御心配でせう、實際、御同情申しあげますよ。」

と、誰でも挨拶した。それは眞心を籠めた言葉であつたが、それ以上に具體的に話を進めてくれる者は一人もなかつた。

「何しろ英國政府の方針も不明ですし、國民の希望も解りかれま

すから、いま直ぐ御相談に應ずるわけには行きません。兎に角只今の情勢では、日本公債の發行は容易なことではありませんな。」

「只今の情勢と仰有るけれど、日本は現に戰爭に勝ちつゞけてゐます。それに……」

「勝つてゐるのは海軍だけでせう。陸軍の方は、まだ一戰も交へないから、今後の御手並を拜見した上でないと――いや、われ〳〵は兎も角國民が應じませんので。」

その言葉は嘘ではなかつた。英國民は大抵「海軍は日本が勝つだらうけれど、陸軍では露國に敗けるだらう」といふ觀察を下してゐた。殊に銀行家達が日本公債の引受けを躊躇する主なる原因は、ロシヤ政府はフランスの豊富な財力を後楯にもつてゐるので、戰爭開始以後もロンドンに於て露國公債の市價はむしろ上騰氣味を呈してゐる。それに引きかへ、日本公債は忽ち二十磅も暴落したので、公衆は可なりの損害を蒙り、日本公債の人氣が非常にわるい。それゆえ、いま新公債を募集しても到底成功の見込みがないといふ推測であつた。

また、日英は同盟國ではあるけれど、何といつて英國は白色人種である。その白色人種が黄色人種に味方をするといふことは多少の氣乘れもあつたらしい。殊に、イギリス皇室とロシヤ帝室は近い親戚の間柄だから、もし小國日本が敗北したとなると、英國の立場は甚だ妙なものになつて了ふのであつた。

かうした困難な事情が潜在してゐることを探り得た是清は、「これは彼等が日本といふものをハッキリ知らないからである」と氣がついたので、すぐ手を變へて公債の話は正面からもちかけずに、まづ日本の眞髓を諒解させるやうに努めだした。

「日本が勝たねば、東洋の平和は維持ができない。さうなると英國の損失はもとより火を見るよりも明かである。また、日本は領土は小さいが萬世一系の皇室を宗家と仰ぎ、二千五百年來きたへにきたへた武士道をもつて、五千萬國民が一團となり、貪慾無殘な外敵にあたる意氣は實に物凄い。最後の一人となるとも祖國に殉ずる覺悟をしてゐる。だから、いかなる大敵たりとも恐れないのだ。こんどの戰爭こそ大和魂の發露である。正義の戰である。」

といふ意味を、こん〳〵と説いた。そして間接に相手の義侠心を誘導するやうに努めたのであつた。

彼等日本にだん〳〵興味をもつて公債にも色氣を見せて來た。その頃、是清のもとへ、本國の松尾總裁から、ひんぴんと電報や手紙で督促して來た。「開戰以來、軍費支拂ひのため、正貨の海外流出が豫想以上に多い。はやく公債を發行しなければ、戰爭の前途が甚だ暗澹である」とか或は、

「もはや兌換の維持が非常に心細くなつてきた。このまゝでは兵器の購入も覺束ない。日本軍は強くても金がないために敗戰しては吾々の責任である。一日も早く募集を完成してくれ」

といつた樣な強い意味のものであつた。

流石に是清も氣が氣でなかつた。云ふまでもなく一生懸命にやつてゐるのだが、何といつても相手は自國民ではない、利害關係を考へて愼重である。それに公債募集といふやうなことには機會時がある。その機運が向つて來なければ、いくらこちらが焦慮つても駄目であつた。

「これはいつそ、銀行團に頼らず個人の財閥に持ち込んだ方が話が捗るかも知れない。」

さう考へた是清は、英國某大汽船會社長マッケンジー氏を訪問してこのことを相談した。マッケンジー氏は駐日英國公使マクドナルドの姉婿にあたる人で、人格識見ともに高く、英公使より紹介狀をもらつて行つた。是清には、殊に親切に何かと腹藏なく意見を述べてくれた。

「なるほど、あなたがさう御考へになるのも無理はありません。ロスチャイルドとか、カッセルとか有名な個人財團に交渉すると、お説の通り話は早く纒るに違ひない。しかし彼等は萬一の危險が大きいだけに、利益も相當に大きなものを要求します。そこへ行くと、銀行側は個人の獨斷で契約を即決できない代りには利益もさう過大なものを望む筈がありません。この點をよくお考へになる方がよろしうございます。」

さういふマッケンジーの意見を聞くと、ハタと胸に應へるものがあつた。

「これは矢張り銀行團の手を經なければいけない。日本國家の百年の大計から考へて、さうしなければ非常な損である。」

と是清は考へ直した。そこで彼は再び銀行家に交渉を試みた。しかも今度は前に地均しがしてあるのだから、遠慮なく強く迫つて行つた。また一方では宴會だとか觀劇だとか懇談を重ねながら、陰に陽に、秘術をつくして目的の達成に奮鬪したのであつた。

恰も、氣運も向いてきたのであらう。つひに銀行家達も大いに心を動かして、たうとう四月上旬に日本公債發行を五百萬ポンドだけ、彼等の手で引受けるといふ假契約を締結したのであつた。

が、それはまだ豫定の半額である。日本政府の希望よりも遙かに開きがある。軍費はそれ位ではとても足りないことを知つてゐるだけに、是清の苦慮は大きかつた。が、現在の情勢では、これだけでも兎に角成功といはなければならない有樣であつた。

（以下次號）

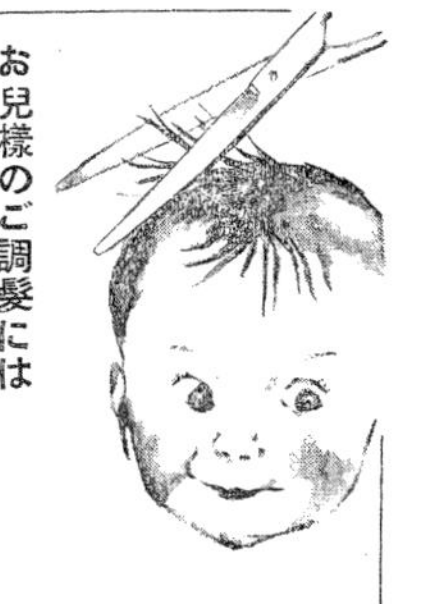
お兒様のご調髪には
優秀な技術と、近代的な衛生設備は
夙に好評を頂いて居ります！
椅子二〇餘臺・技術員四〇餘名
理髪 ヤング軒
東京銀座スキヤ橋際タイカクビル1階
TEL.(57)1391

春草會詠草（七月例會）

（昭和十二年七月二十四日 於辻堂東海岸納秀子別莊）

兼題 盛夏雜題

小口みち子

かなしきは代々木の原の夏の草自動車隊がならばれてあり

豆の出來し吾が指いとし非常時の夜明けにひとり草むしりせり

阿部龍夫

函館の夏凉しければ盛夏の歌作らんと思ひつ期日忘れ居き

生垣のいぼたは花の盛りにて曇り日はことに匂ひこもらう

平澤壽子

炎天下歩みをとどめ四五人の人聞き居たり事變のニュース

百餘度の暑熱に堪へて皇軍の北支曠野の守備は堅し

神尾光子

黒々と塀に木の葉の影さやぐ早や秋風の立たんとすらん

海ならば夕凪時の暑さなりやけくそに彈く隣のピアノ

桃井廣人

山の邊に夏降る雪か眞白にぞ除虫菊咲く石狩の國

夏の日は裸馬と共に札幌のクローバーに居ん大學の森の

福島貞子

みそなはせ紫と白との朝顏のけさはわけても鮮かに咲く

東の赫々の雲けふあたり尾根にやかゝる山に行きし子

山本美都子

まひるまや行く人絶えて街道は一すじ白く土かはきたり

皮膚にさす眞夏の太陽身に浴びて高原ゆけば遠雷きこゆ

中島祿子

長竿の手許あやしく忍びよる蟬欲る子等を慫かしの母

北支なる勇士に濟まぬ思ひしつゝ緣台にきく號外の鈴

本圖晴之助

君待つと潮の香かをる鵠沼の松の根方の撫子をほる

血壓のたかきにこもる靜心ふとやれにけり夾竹桃の花

渡邊光風

酷熱の眞晝に立ちて日まはりにわが子さひたる裸形の黒さ

赫々とほとる河原に焦げよとも晒す戀なり水の音きく

岡田道一

八丈の流人めきて我も居し去年を思へば罪ゆりし今日

大輪の白百合山に香をはけば連山匂ふことく氣高し

納秀子

夏草の靑き炎のもゆるまに身をなげかけむ戀もありけり

母と子と並ぶ裸のせなか吹くこの砂山のひるがほの風

木野幾世

白沙を摑めど五指をすべり落つ濱にかなしき戲びならずや

相見ざる人にあふべく辻堂の濱肉體にやはらかき白沙なりし

小川淸子

我が魂の心地して見る加茂川の水底淸しましろなる石

柳より平安朝の風起り我が肩すぎぬ加茂の橋邊は

畑中敏三

囚はれの籠にかたぶく月影に啼かぬふくろふの人のゆるさず

夕さればねむの葉かげに美しく樣をまち候女郎蜘蛛よし

野本泰

てりつゞく街中にすむ我が家のちりうづたかき緣に疊にし

即題 砂丘

岡田道一

すべり落つる砂丘のごとく御君の肌に食ひ入る人生かなし

砂丘、戀、それは若き日今にしてかへりみすれば早發痴呆

納秀子

砂丘遠くおり〳〵人のかくれては戀物語る小便もする

ありし日の嬉しきことを今も知るや夜の砂丘にひとり立ちたり

木野幾世

湘南の砂丘の影にさくと云ふうすむらさきの思ひ花はも

身をひそめ泣くに語るに砂丘のこのひとところなつかしきかな

モロッコの砂漠をゆくに似たるかな丘越えゆかん白砂の濱

西村醉香

君の名を砂丘に佇ちて呼び上げん濤高けれど思出の濱

誰がゆきしこの砂丘に花咲かず一人と見ゆる跡のつゞける

夏は來ぬかの鎌倉の砂丘に今年も咲くや月草の花

畑中敏三

その昔かの鎌倉の砂丘に語りしことを忘れたまふや

たゞひとり立てば砂丘の夕影に世を去りし人のおもかげの見ゆ

桃井廣人

草の種砂丘にまきてくづるゝをふせぐに似たる北支那の形勢

風なきにさら〳〵流る砂丘の夜のほどろに月見草冴ゆ

砂山を崩す努力は一發の大砲の彈に若くものぞなき

大阪の審査會に於ける
母親のメンタルテスト（二）

伊藤悌二

第五問 初めてのお子さんがお生れになつた時記念にどんな事をなさいましたか

調査人員總數 一、六〇〇名 男 一、〇〇〇 女 六〇〇名

種別		男	女	各計
貯金	郵便貯金	一八〇	一〇三	二八三
	積立〃	五三	五二	一〇五
	月掛〃	四二	一八	六〇
	教育〃	七	三	一〇
	据置〃	五	三	八
	日掛〃	四	三	七
	兒童〃	〇	一	一
	不動〃	〇	一	一
	徵兵保險	一一二	〇	一一二
	簡易〃	一九	一七	三六
	生命〃	一七	一二	二九
保險加入	出世〃	六	一二	一八
	生存〃	一	一四	一五
	嫁入〃	三	九	一二
	結婚〃	五	七	一二
	教育〃	五	六	一一
	育兒〃	三	八	一一
記念撮影		五七	三九	九六
記念植樹		二四	一四	三八
親戚友人を招き馳走する		二四	一四	三八
育兒日記をつけ初める		一〇	九	一九
宮詣		一一	七	一八
銀行預金		七	七	一四
増築、新築		六	四	一〇
記念品購入	債券を買ふ	六	一	七
	寫眞機を〃	三	一	四
	人形を〃	二	二	四
	時計を買ふ	〇	二	二
	仔犬を〃	一	一	二
	日本刀を〃	一	一	二
	お膳を〃	一	一	二
	本を〃	一	一	二
	箱風呂を〃	一	一	二
	小鳥を〃	一	一	二
	簞笥を〃	一	〇	一
	ラヂオを〃	〇	一	一
	金庫を〃	〇	一	一
	繪畫を〃	〇	一	一
	用地を〃	〇	一	一
記念品配布		三	三	六
禁煙		五	〇	五
轉居		二	〇	二
神社へ奉納		一	一	二
店の運動會を開く		〇	一	一
先祖の墓石建立		一	〇	一
歌を作る		〇	一	一
謡の會を開く		〇	一	一
商賣を開始		一	〇	一
轉職		一	〇	一
遊びを止める		一	〇	一
着物をこしらへる		一	〇	一
畫伯に國旗を描いていたゞく		一	〇	一
無し		三六四	二一四	五七八
合計		一、〇〇〇	六〇〇	一、六〇〇

第六問 このお子さんは病氣にかゝられたことがありますか、若しありますなら生れて何ケ月目に何病にかゝられましたか。

調査人員總數 一、六〇〇名 男 一、〇〇〇 女 六〇〇名

病名	姓別	½月	一ケ月	二ケ月	三ケ月	四ケ月	五ケ月	六ケ月	七ケ月	八ケ月	九ケ月	十ケ月	十一ケ月	一年	一年一ケ月	一年二ケ月	一年四ケ月	計	
風邪	男	一	八	一九	二〇	一六	一八	二二	七	一四	六	五	六	三		二	〇	一四七	二二八
	女	四	三	一一	一一	七	四	七	一〇	五	四	四	七	二		一	一	八一	
胃腸病	男	〇		一	四	二	九	四	五	二	一	三	三	二	二	一	三	四二	六〇
	女	一		一	三	〇	四	〇	四	一	一	一	一	〇	一	〇	〇	一八	
消化不良	男	一	一	二	三	三	七	〇	一	〇	一	一	二	〇			一	二三	四八
	女	二	一	一	二	四	五	五	一	二	〇	〇	一	一			〇	二五	
乳兒脚氣	男	〇	一	三	三	二	二	一	〇	一								一三	二五
	女	三	一	二	一	一	二	一	一	〇								一二	
水痘	男		三	二	一	一		三	一	一	二	二	〇	一		〇	一	一八	二五
	女		〇	〇	〇	二		〇	〇	〇	〇	二	一	一		一	〇	七	
中耳炎	男	〇	一	二	三	一	一		二	一		二		一				一四	二一
	女	一	一	〇	〇	〇	〇		三	〇		二		〇				七	
智慧熱	男				三	三	一	二	一	一		〇	一	一				一三	二〇
	女				〇	一	〇	二	一	二		一	〇	〇				七	
百日咳	男			一	二	一		二	二	一	一	二					二	一四	一九
	女			二	〇	〇		一	〇	〇	一	一					〇	五	
氣管支炎	男			一	一	〇	〇	〇	二	一		一						六	一三
	女			一	一	一	一	一	〇	〇		二						七	
麻疹	男				一	〇	一	一	〇	一	〇				二			六	一三
	女				〇	一	一	一	二	一	一				〇			七	
濕疹	男	一		一	二	一		〇	〇								〇	五	一二
	女	一		三	〇	〇		一	一								一	七	
眼病	男	二	〇	〇			四	一									〇	七	一一
	女	〇	一	一			一	〇									一	四	
肺炎	男					一		〇	一			一			一			四	七
	女					一		一	〇			〇			一			三	
扁桃腺	男						一		一			〇		一			二	五	七
	女						〇		〇			二		〇			〇	二	
腫物	男	〇			二	一												三	五
	女	一			〇	一												二	
ジフテリヤ	男									一		一			一		一	四	四
	女									〇		〇			〇		〇	〇	
小兒黄疸	男	一																一	三
	女	二																二	
脱腸	男		〇	一	一													二	三
	女		一	〇	〇													一	
ガコウソー	男	〇		〇														〇	三
	女	二		一														三	
敗血症	男	一																一	二
	女	一																一	
耳下腺炎	男									一								一	二
	女			一						〇								一	
血膜炎	男				一		一											二	二
	女				〇		〇											〇	
臍炎	男		〇															〇	一
	女		一															一	
		二五	二三	五七	六五	五一	六三	五六	四六	三六	一八	三三	二二	一三	八	五	一三		五三四
無病	男																	六六九	一、〇六六
	女																	三九七	
合計																			一、六〇〇

第七問 お母さんのお乳は十分ありましたか足りなかつた方は何を代用なさいましたか

調査人員總數 一、六〇〇名 男 一、〇〇〇 女 六〇〇名

品別		男	女	各計
牛乳		七〇	三五	一〇五
牛乳と重湯		二二	一〇	三二
重湯		六	四	一〇
ミルク	森永ドライミルク	一〇	六	一六
	ボーデンスミルク	九	二	一一
	明治コナミルク	一七	二	一九
	鷲ミルク	四	一	五
	オシドリミルク	二	〇	二
	コンデンスミルク	一	〇	一
滋養糖		一〇	四	一四
ラクトーゲン		八	四	一二
コレクト		六	三	九
ロロン		四	三	七
ビオスメール		四	三	七
エレドン		四	三	七
キノミール		三	四	七
ミルクフード		四	三	七
エリー		三	〇	三
パトローゲン		二	一	三
果汁		二	一	三
デキストロプア		〇	二	二
アトロゾン		〇	二	二

デリゴールド	一	〇	一
母乳充分	八〇八	五〇七	一、三一五
合計	一、〇〇〇	六〇〇	一、六〇〇

第八問 このお子さんのやどられた時御兩親の年齢は何歳でしたか

調査人員總數 一、六〇〇名 男 一、〇〇〇 女 六〇〇名

年齢	父 男	父 女	父 各計	母 男	母 女	母 各計
一七歳				一	二	三
一八〃				二	〇	二
一九〃				一二	七	一九
二〇〃	〇	二	二	二二	二〇	四二
二一〃	一	一	二	五七	四〇	九七
二二〃	四	一	五	七七	四七	一二四
二三〃	一四	七	二一	九二	六九	一六一
二四〃	三三	二一	五四	一〇三	六九	一七二
二五〃	四〇	一七	五七	一〇六	六三	一六九
二六〃	六四	三五	九九	九四	六二	一五六
二七〃	六四	四七	一一一	七〇	四七	一一七
二八〃	七〇	五〇	一二〇	七二	四六	一一八
二九〃	九三	六五	一五八	四九	二五	七四
三〇〃	七九	五三	一三二	二八	二一	四九
三一〃	七七	四〇	一一七	四〇	一三	五三
三二〃	六五	三八	一〇三	三六	一五	五一
三三〃	五五	三六	九一	二七	一二	三九
三四〃	五〇	三九	八九	三一	一一	四二
三五〃	五四	三一	八五	一三	九	二二
三六〃	四三	一八	六一	一五	四	一九
三七〃	二四	二四	四八	九	六	一五
三八〃	三〇	一五	四五	一八	三	二一
三九〃	二三	八	三一	七	四	一一
四〇〃	一九	一〇	二九	七	一	八
四一〃	二二	一一	三三	三	三	六
四二〃	一五	五	二〇	二	〇	二
四三〃	一〇	一〇	二〇	三	〇	三
四四〃	七	三	一〇	二	一	三
四五〃	八	四	一二			
四六〃	七	一	八			
四七〃	七	二	九			
四八〃	六	一	七			
四九〃	六	二	八			
五〇〃	一	一	二			
五一〃	四	〇	四	二	〇	二
五二〃	〇	一	一			
五三〃	一	〇	一			
五六〃	二	〇	二			
五七〃	〇	一	一			
六〇〃	二	〇	二			
合計	一、〇〇〇	六〇〇	一、六〇〇	一、〇〇〇	六〇〇	一、六〇〇

赤ん坊に對する注意

大阪市立今宮乳兒院長
醫學博士 野須新一

病氣の徴候 言葉の出來ない乳兒の病氣はよく注意しないと往々手遲れとなる事がある。第一に子供が病氣か否やを知るには其子供の機嫌に氣をつけ、睡眠に變りがないか否や、乳を飲む元氣の有無、發熱の有無、吐瀉の有無、大便の異常に注意して少しでも平常とちがつたところがあれば直ぐに確かな小兒科醫師の診察をうけねばならぬ。大したこともあるまいとすてゝおくと取りかへしのつかぬ事となる。

病兒の部屋 南向の日あたりのよい、夏は涼しく冬暖かい部屋がよい。室内の溫度は華氏六十五度位で冬ならば隙間からくる風を屛風でふせぎ、又戸障子を目張りする。部屋をあたゝめるために炭火を用うるときは必ずよくおこり赤くなつた火を用ゐ、炭火からでる惡るい瓦斯を出來るだけ少なくする。又時々部屋を明け放ちて新鮮な空氣を入れる。

乳兒に必要なる藥品その他 乳兒をもつ家庭では是非左の如き藥品及び醫療器具を備へておくと便利である。

沃度丁幾、硼酸末、ワゼリン、リスリン、亞鉛華澱粉
ヒマシ油、檢溫器、消毒ガーゼ、消毒脱脂綿、繃帶、
氷嚢、氷枕、吸入器、灌腸器、便器、絆創膏、油紙
體溫記入表。

これらの用ゐ方は豫め醫師から聞いておく方がよい。

急に熱の出た場合 乳兒はわずかな事ですぐに熱が出る。熱があるからとて無暗に熱さましなどの賣藥を用ゐてならぬ。靜かに寢かせ冷水で絞つた手拭を頭にのせ、これを時々交換する。熱のために咽頭がかわくやうなときは、番茶、湯さましを與へ、醫師のくるのを待つ。無暗に氷嚢、氷枕などは醫師の指圖の上ですことで、無暗に用ゐては宜しくない。

吐乳の場合 これまで乳を吐いたことのない乳兒が突然乳汁を吐いたときは何か病氣のある徴候であるから、靜かに寢かせ、體溫を計り、醫師のくるまでは何もやらずに置く。よく〳〵ほしがつたならば、湯さましの水か麥湯などを少し與へる。

急にひきつけた場合 醫師のくるまで家内中狼狽せず子供を寢かせ、頭を冷し、窮屈な衣服などをゆるくして、「リスリン」灌腸をする。便が出れば捨てずに醫師に見せる。

爪の手入 乳兒の手足の爪は注意して長くのびぬ内に剪る。眠つてゐる間に剪れば樂にとれる。

耳垢 小兒が眠つてゐる時は耳を傷けぬ樣に注意して耳垢をとる。餘り尖端が尖つたものでとらぬ樣にし、硬く塊つてとれにくき時は、無理にとらずに醫師に賴む方が安全である。

耳漏 みゝだれは耳内から膿樣の分泌物が出る病氣でこれはすてゝおかずに醫治を乞ふのがよい。

靡爛 股間腋窩にたゞれが出來れば腰湯をして清潔に拭ひ水分をとり亞鉛華澱粉を撒布するか、亞鉛華オリーブ油を塗布する。肌着おしめは成るべく、柔かき木綿を用ふ。糊づけしたもの、毛織物はその部分を刺戟するから用ゐてはいけない。

濕疹 くさは早く治療すれば癒り易いがすてゝおくとだん〳〵に擴がりなか〳〵癒りにくい。くさを治療して内攻すると云ふ事は決してない。

便秘 便秘には水飴などを與へるか又は果實のしぼり汁(林檎、梨、蜜柑等)を一日二回午前と午後に與へてもよい。なるべく食餌で便通をつけるやうにする。リスリン灌腸は差支はないが決して買ひ藥の下劑を與へてはならぬ。

乳の遣り方

(其の一) 母乳榮養の場合

赤ん坊には母の乳が何よりもよい、天から授かつた養ひ分であります。それ故子供を丈夫に育てやうとするには是非とも母の乳で養はねばなりませぬ。

出生時 生れてから二十四時間は乳をやらないでもよいのですが、お產の後六時間から八時間位たつと乳房が少し張つて參るものです。丁度其の時分に赤ん坊が眼を醒まし、乳を欲しがつて泣くならば、其の時からすぐ乳をやつても差支ありませぬ。

乳をやる回數と時間 最初の間は赤ん坊の欲しがるに從ひ二時間か二時間半位每に乳を遣つてよいのですが眠つて居るならば、無理におこしてまでやらなくてもよろしい。生れてから一箇月以後は三時間置に乳を飲ませ一日に六七回與へる。生れて三箇月以後は一日に五六回とし一回の飲ませる時間は十五分間内外が普通です。

乳をやる時の注意 乳首を含ませる時に母親がつばを乳首につけて濕す事は母親の口中の不潔な物を赤ん坊の口中にうつす事になりますからやめねばなりませぬ。乳を飲ませるには生れて二三週間後よりは赤ん坊を抱いて飲ませ、其の際赤ん坊の鼻を押へて息を妨げない樣に氣をつける事です。出來れば片一方の乳房のみにてお腹一杯になる樣に飲ませ、其の次の時には他の一方を飲ませ左右代る代る飲ますのがよろしい。產後五、六日間出る初乳(あらちゝ)は黃色で粘り氣のあるものですが、これを最初から飲ますのは何も差支はありませぬ。却つて輕い下劑の効力がありますから胎毒下しなどを用ひる必要はないのであります。母親は從來の生活や習慣を變へないで適度の運動をし、精神のあまり疲勞するやうな事は避け、充分に睡眠をとるのが必要です、食餌は平素より慣用してゐる食物、飲料を換へることは無用であるが授乳によりて母親は澤山の榮養分を失ふのであるから、これを補ふために消化し易くて滋養に富んだものを與へ、且乳をやるために多量の水分を失ふ故、補ひとして牛乳スープ、味噌汁等を攝らせ、且食餌の回數を增し、時にはお夜食をもどらせるのです。乳首の平らなもの、或はくぼんで居るものは姙娠中より前以て吸引器或は手の指を以てひねり出し且一日五六回「アルコール」にて乳首及其の周圍をきれいに拭くときは其の部の皮膚を丈夫にし又痛みを豫防する事が出來ます。

授乳の障碍 色々の原因で母親が赤ん坊にお乳を飲ませる事が出來なくなつたり、お乳の分泌が減つたりします。

(一)原因が母親にあるもの。

(イ)母親の乳汁分泌が惡るい場合 これには眞實に乳腺の發育が惡るくて乳の分泌の尠ないことがある。然し

こんな場合は割に尠く大抵は母親の乳腺の發育は充分であるにも不拘乳汁の出の惡るい場合が多いのです。これは授乳の方法が惡いか、乳兒が乳を吸ふ力が弱いためかによります。

（ロ）乳嘴や乳房の形が常と變つて居たり乳嘴が裂けて傷が出來たり、又は傷も何もなくても其の部分の知覺が過敏であるための痛みにより、或は乳汁が鬱滯して乳腺炎を起し授乳の出來ぬことがあります。これ等は皆醫師に相談を要します。乳腺炎の場合に未だ化膿もして居ない間は患側の乳房からの授乳は乳兒に害はなく乳腺炎には却つてよい影響があります。

（二）原因が子供にある場合。

乳兒の脣や口蓋が、生れつき畸形であつて（例へば兎脣、狼咽、口蓋裂等）乳を吸ふのが困難な場合、或は月たらずで生れて吸ふ力が弱い場合、神經質、お産が重くて新生兒が昏睡狀態になつたやうな場合に哺乳の困難なことがあります。斯う云ふ時は乳を搾つて與へるがよろしい、尚こんな時でも度々乳房を吸はせて哺乳の練習をする必要があります。其の他よく乳兒では鼻がつまつて哺乳の困難を起すことがありますが、こんな時は其の鼻炎の治療を受ける事が肝要です。以上の樣に色々の原因によりて赤ん坊にお乳を飲ませるに障碍が出來て來ますので授乳困難の起つた時には以上の注意をすると共に夫が原因除去に努めなければなりません。

乳母の撰び方　乳母を雇ふ前には醫師に診斷して貰ひ結核、黴毒、淋疾、癩病、脚氣、傳染性皮膚病、トラホーム等の有無を調べる、乳母の年齡は二十歳から三十歳まで位の性質の溫良なもので、これまで子供を取扱ふに經驗のあるものがよい。乳母の子と乳兒との差は二、三箇月、或は四、五箇月位までは差支ない。雇ふた後は乳を與へる時間を規則正しくする習慣をつけ、食物などは特別にする必要もなく充分睡眠時間を與へ、適度に運動をさせば乳汁の分泌がよくなる。生後九箇月頃まで雇へばよい。

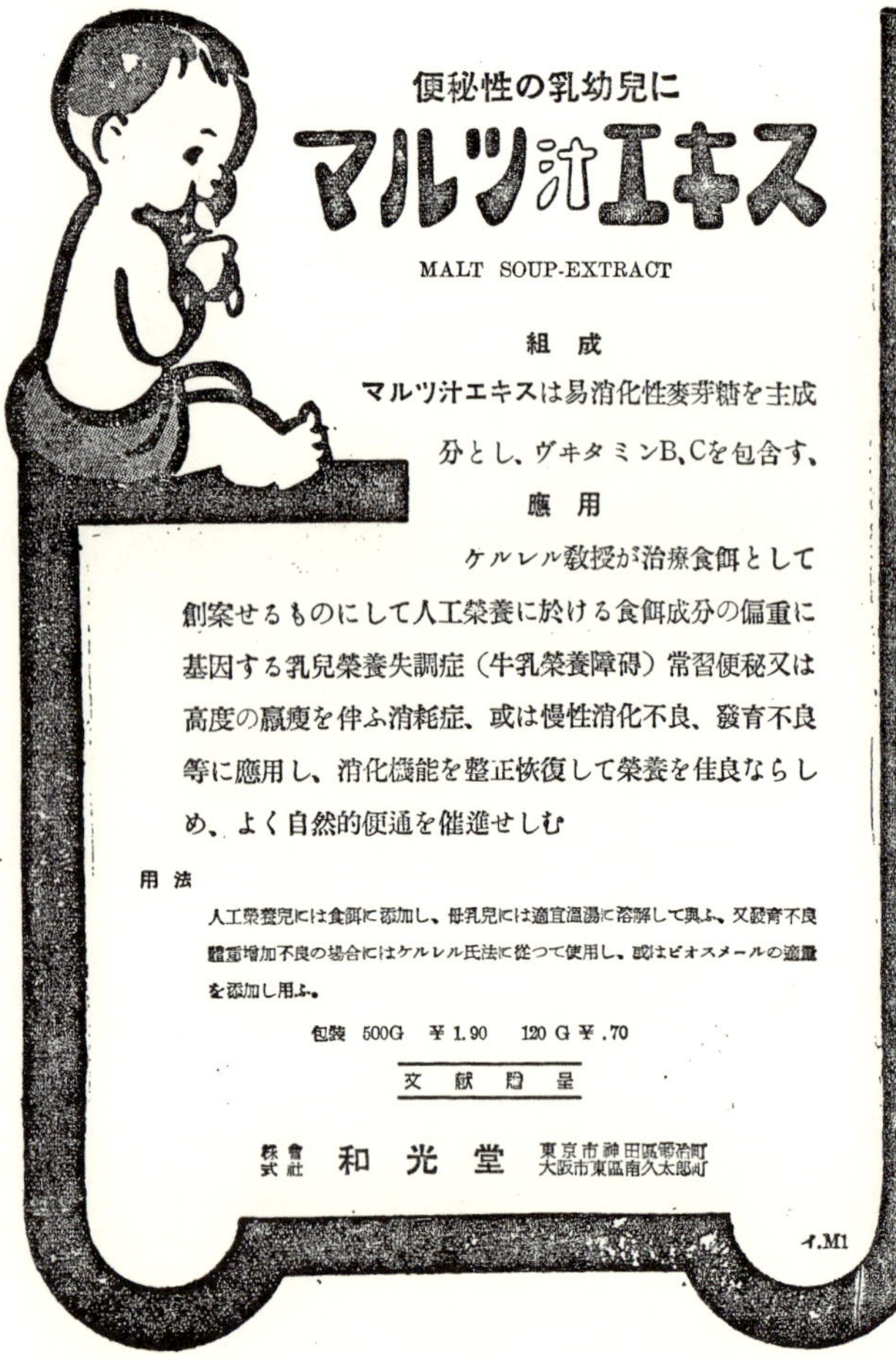

乳兒の榮養障害（一）

醫學博士　芳山龍

乳兒の榮養障害は多種多樣であるが、榮養の不適當から來る消化器の障害は大人と異り胃腸以外の臟器に新陳代謝障害が起り、胃腸症狀と同時に全身症狀を伴ふから大人の樣に胃腸カタルと云はずに一般に消化不良症と呼稱せられて居る。

健康兒は、食物を消化し同化する作業能力卽食物に對する耐力が旺盛であるから、食過ぎても能く之に堪へて障害を起さぬが、耐力の乏しい子供は、輕微な原因にて食物と耐力との調和が破れて消化障害を起す。

食物の消化が不十分であると、腸內常住の細菌が跋扈して異常醱酵が起り、異常酸が發生するから、消化液の分泌が少くなり、食慾が衰へる計りでなく、異常の酸を發生する爲、體內のアルカリが減少して所謂酸毒症の狀態となり、體構成分を破壞して榮養障害に陷ります。

消化不良症の症狀や經過は、子供の年齡と體質に密接な關係があつて、年長兒では胃腸症狀が主で、新陳代謝機能障害は輕いが、乳兒では、胃腸症狀と共に新陳代謝障害が來り、全身症狀が强く現はれる。

乳兒の中でも母乳榮養兒の消化不良症は、比較的輕症であるが、人工榮養兒殊に體質異常兒の如き食物に對する耐力の乏しい者は、往々重篤な榮養障害を起して豫後を不良ならしめる傾向がある。

一、母乳兒の消化不良症

原因　呑み過ぎより起る事が多いが又屢々母體の異常例へば月經、妊娠、或は脚氣、胃腸病、腎臟病等の爲に母乳の異常から來る事あり。

母乳に異常なくとも乳兒が腸管外傳染、例へば流感、痲疹、肺炎、中耳炎、腎盂膀胱炎等のために腸管その他の消化機能が衰へて二次的に消化不良症を起す。

此外滲出性素質、神經性體質の如き體質異常を有する子供は母乳に異常なく、授乳法に缺點なきに拘はらず消化不良症を起して來る傾向あり。

症狀　母乳呑み過ぎの初めは健康兒はよく之に堪へ、急に體重が增加し一見榮養佳良の觀があるが軈て便秘に傾き吐乳する樣になり、次第に腹部膨滿して下痢が始まる。

糞便は粥狀となり顆粒（脂肪石鹼塊や粘液を混じ往々綠色を呈するが、通常酸性で惡臭を放つ事がない。

腸管外傳染に原因する消化不良症は、全身症狀が强く減食しても輕快せぬ。

食餌療法と手當　呑み過ぎで發病した場合には輕症なれば授乳の回數を減じ、規則正しく授乳するのみで治るが全身症狀の强い場合には、胃腸の內容を排泄し、茶汁やリンガー氏液を與へてお乳を與へませぬ、之を飢餓療法と云ひ、その後母乳を段々に多く與へて行く。

母體に異常あれば母體の治療をなすと同時に、一時母乳を廢止するか若くば制限して、適當な母乳代用品を用ふ。

腸管外傳染若くば腸內傳染（腸炎）に歸因するものは夫々病原菌に對する適切な治療法を受けねばならぬ。

體質異常兒にありては、授乳の回數だけは脂肪の少い牛乳製劑、例へばミルクフード等にて榮養するとよい。

又小兒によつて授乳前に蛋白製劑、例へばプラスモーン、又トローゼ、ガラクトサン等を少量（一茶匙）宛水にとかして與へるとよい事がある。

二、乳兒脚氣

明治二十四年東大教授故弘田博士によつて世に紹介せられたる本邦固有の乳兒疾患にて全國に蔓延して居る、ビタミンB劑の發見以來漸次減少したが、それでも昭和九年內地乳兒脚氣死亡數は六八九四名にて乳兒總死亡の二・八％に相當して居る事は寒心す可きである。

原因　脚氣母乳を呑んで發病するのであるが、母體に脚氣症狀が不著明であるにも拘はらずその赤ん坊に脚氣症狀を來す事がある。

母體の脚氣が增進期にある母乳は有害にて、恢復期にある脚氣母乳は比較的無害であると云はれて居る。

病理解剖的變化　大體大人の衝心性脚氣に一致して居るが、病狀は大人と餘程異つて居る、大人の樣に四肢の神經を侵す事が無く、聲帶を支配して居る上喉頭神經及び眼に分配して居る動眼神經等が麻痺して來るのが特有である。

症狀　母體に脚氣があつても生後二、三週間以內では未だ赤ん坊に脚氣症狀が現はれぬのが普通で、生後二、三ケ月頃に最も多く、生齒期後に發病する事は稀である。發病は徐々で吐乳綠便を以て始る事が多い、母體の脚氣が潜伏性で脚氣の自覺症狀のない場合には消化不良症と誤り易い、吐乳綠便の外に左の症候に注意すれば大體の見當がつく。

一、啼聲低調となり時々呻吟性の聲を擧ぐ
二、呼吸が頻數となり促迫して居る、往々呼吸と脈搏が一對二の比例となる
三、皮膚蒼白で手足冷たくなる
四、啼泣時に口唇が薄紫(チアノーゼ)になる
五、上眼瞼下垂、斜視を來す事がある
六、足脊下腿等に浮腫を見る事がある
七、肝臟は肥大す
八、尿量は減少し尿中に燐酸鹽が增える

是等の症候は每常揃つて現はれず、消化不良症が主で外の症候が不著明な事あり、又初めより神經麻痺症狀の强く現はれる者あり、時として恐る可き衝心症（呼吸促迫脈搏頻數胸內苦悶等を呈す）を起して來る

母乳檢查よりも身體の診察が大切であるから早く專門醫に受診せねばならぬ。

豫防　母の脚氣を豫防すれば乳兒は絕對に脚氣に罹らぬ、母體は妊娠中よりビタミンの多い食物、例へば胚芽米、半搗米、麥、豆類、湯婆、人蔘、菠薐草、トマト、キヤベツ、アスパラガス、葱、蕪靑、酵母、卵黃等を攝取すればよい。

ビタミンB劑を賞用するもよいが酒造家にて馬に喰はす程澤山出來る胚芽其者を生の儘或は米飯を炊く時に袋に入れて任用すると廢物利用になつてよい。

食餌療法　母體が脚氣にて乳兒も脚氣に罹つて居れば通常母乳を廢止するか、又は制限して母乳若くば適當な人工榮養品にて補足するのが常である。

母體に脚氣ありても進行性のものでなく乳兒脚氣も疑はしい程度であれば母體及乳兒にビタミンB劑を處方しつゝ投乳してよい、離乳は最後の手段とし輕々しく離乳を急いではならぬ。

三、人工榮養の消化不良症

原因

イ、過飮、牛乳稀釋法の缺點、殊に糖分過剩添入等に基く事が多い

ロ、不良なる牛乳又は牛乳製品にて哺せらるゝ時にも發病す

ハ、不潔なる乳瓶や腐敗乳等より腸內傳染を起して來る事がある

ニ、腸管外傳染（流感、痲疹、肺炎等）に罹れば消化機能が障害せられて消化不良症を起して來る

ホ、體質異常も關係あり、滲出性體質や神經素質の乳兒は食物に對する耐力が薄弱にて消化障害を起し易く、稀に牛乳に對して特異質の乳兒ありて牛乳を與へると急劇な反應を現はす

症狀及經過

イ、單純な食餌性消化不良症は母乳兒の消化不良症と同然にて胃腸症狀と共に全身症狀を現はす

下痢するが故に糞便は水樣乃至顆粒狀で屢々綠色を呈し粘液や灰白色の塊片(脂肪石鹼)を混じ腐敗臭或は酸臭を放つ、糞便中に脂肪量が增加すると脂肪樣の米澤ありて强酸性反應を呈す、**脂肪便**と云ふ

糞便中に澱粉が增加すると糊狀で泡沫を含んで居る、**澱粉便**と云ふ

患者は一般に機嫌惡しく熱發する事がある

下痢して食慾も振ひませんから次第に體重が減じる

ロ、榮養不良の幼兒が消化不良症に罹つた時には症狀が頑固で屢々慢性となり、萎縮症、消耗症或は中毒症に移行する懼がある

ハ、腸管外傳染による消化不良症は病原によつて一樣でないが一般に全身症狀が强くして、高熱特長し往々中毒症狀を起す事がある、榮養を制限しても輕快する事が稀である

ニ、腸管內傳染による消化不良症も病原菌の毒性と乳兒の體質の如何によつて樣々であるが、一般に糞便は粘液膿樣にて往々血液を混じ屢中毒症を惹起す事がある

食餌療法と手當　月齡や病症によつて樣々である。

輕症　從來榮養障害を起さずに來た人工榮養兒の食餌性消化不良症に對しては、含水炭素の制限牛乳稀釋度變更若くば粉乳の選擇等で輕快す。

初期には先づ胃腸內容を排出せしめて、十二時間乃至二十四時間茶汁、湯冷し、リンガー氏液等を與へて胃腸を休養せしめ飢餓療法その後お乳を必需榮養量の1/8乃至1/4程度に制限し、次第に乳量を增して行くのが大體の治療方針になつて居るが月齡により多少相異がある、例へば生後數ケ月以內の人工榮養兒の消化不良症には人乳が最も賞用せられるが、人乳の得られぬ時には飢餓療法の後サツカリンで味を附けたるガラクトサン、蛋白乳、脫脂乳、牛酪等を用ひるが一兩日で滋養糖を加味數日後にはミルクフードの如き穀粉汁を混用し比較的速かに榮養の十分なお乳に移行せねばならぬ、若し人工榮養品にて輕快し難き時は、一日數回貰乳して人工榮養品と交替に與へるとよい。

生後數ケ月を經過せる發育のよい人工榮養兒の消化不良症に對しては、飢餓療法の後從前用ひし稀釋牛乳或は粉乳を制限して與へ次第に乳量を增して行く。

注意　飢餓療法を長く持續し或は反覆する事は禁物である、飢餓の結果食物の耐力が減退して慢性榮養障害に陷る恐れあり。

世上往々食慾なしとて數日間に至り少量薄い重湯や茶汁ばかりを與へて愛兒の生命を斷つて居る例が少くない食慾缺損の場合にはスープで作りしベツソー氏の濃厚重湯を少量宛度々與へて耐力の減退を防がねばならぬ。

胃腸の內容を排出するには、リチネ油を與へ或は胃腸洗滌を行ふが之を反覆する事は却つて胃腸を刺戟して惡影響を及ぼす事がある、寧ろ微溫の重曹水（重曹匙一杯を水二〇〇―三〇〇瓦にとかす）をイルリガートにて徐々に注腸する方がよい、重曹水は粘液を溶し異常の酸を中和し反覆するも差支へなし。

腹部の溫罨法は腸の蠕動を靜める、火傷を起さぬ樣に腹部の皮膚にオレーフ油を塗つて熱い湯で搾りたるタオルを當て、更に冷えない樣にその上より懷爐を置くとよい。

重症　是まで榮養障害（萎縮症、消耗症）に陷つて居る乳兒が消化不良症を繼發したる場合には極力人乳にて榮養せねばならぬ、人乳と雖も少量より始め次第に增量すべきである。

患兒の衰弱が未だ顯著ならざる限り先づ六―十二時間茶汁や卵白水等を與へて胃腸を休養せしめ、其後哺乳の時間を每日二、三分間に制限して乳房に附かしめ茶汁や薄いガラクトサン等にて水分の不足を補ふ、かくて時日を經過すると共に茶汁を減じ哺乳時間を延長して行く。

重き消化不良症に對しては人乳が絕對に必要である、人乳を攝取して一日量二〇〇瓦內外を十回位に小匙で分與し、水分の不足は茶汁、麥湯等で補ふ。かくて每日人乳五〇乃至一〇〇瓦宛增量し、數週間の經過を見て一日一、二回人乳の代りに人乳代用の榮養品、例へば蛋白乳牛酪乳、ミルクフード等を用ひる。

斯の如くして猶高熱繼續し輕快せぬ時は、人乳を脫脂して危機を脫する事がある、熱が下らず下痢が止まぬとて濫りに人乳を替へてはならぬ。

人乳を得られぬ時に蛋白乳、ガラクトサン等を代用するが重症の消化不良症には人乳がなければ絕望であります。

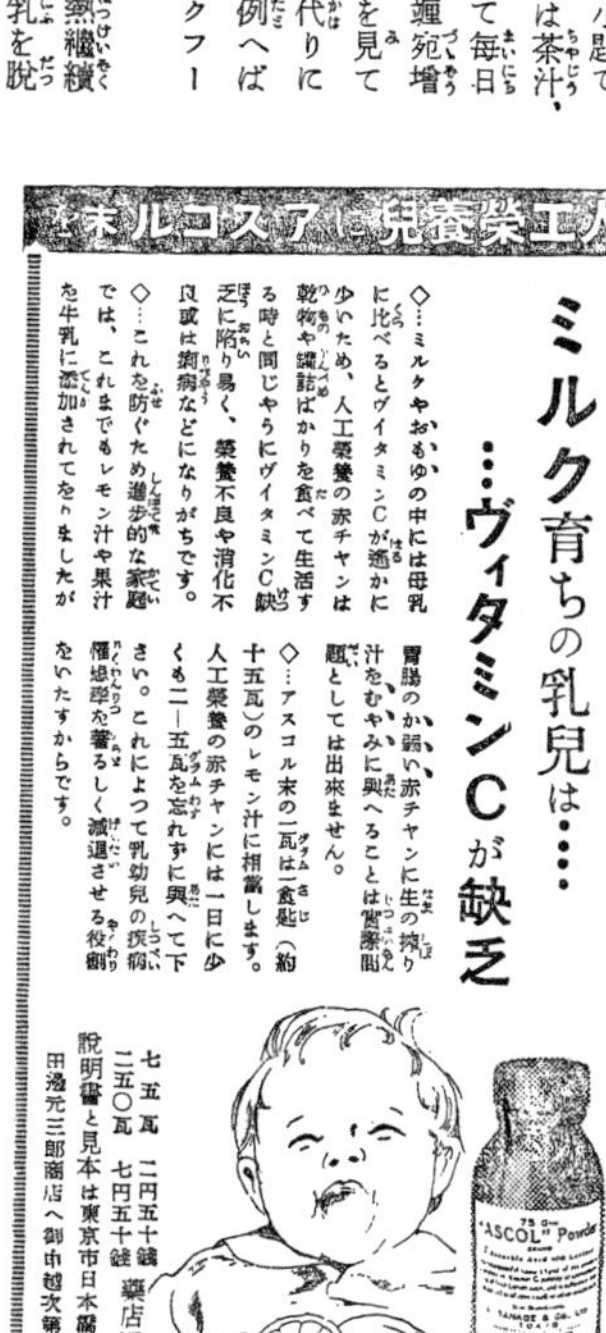

支那を覗く（一）

ツカダ・キタロウ

「隣邦を知る」事は、世界平和の第一歩であると確く信じて居ります私は、隣邦「支那」を知り度いと、長い間望んで居りました處、友人達の厚意で、「上海を觀る」機會を與へられて、連絡船「上海丸」で、揚子江を上る旅に出かけたのは、三月八日の朝の事です。

三月九日朝長崎着、午後出帆、翌十日午後三時、早くも上海埠頭着。これより約一旬の、「上海見學」が始まつた次第であります。

私の上海滯在は、三月十日午後三時より三月十九日午前九時までの、正味八日間十八時間に過ぎませんが、此の間講演回數二十七回、約四千八百人の在留邦人に會ふて話した他、數多くの先輩諸氏に敎へを受けましたので、いさゝか乍ら「支那の臭ひ」位は、知り得た氣がします。

勿論、我流の上海觀であり、短時日の支那見物でありますから、支那を語る資格はありません。然し乍ら、私は私の數日間の「上海漫步」を通じて「我觀中國」を語る事を、無駄なりとは思はぬのには、數々の理由があります。

第一は、僅かの時日ではありましたが、全上海在留の邦人兒童に、殘らず會ふた事であります。そして、その狀況を知り得る機會を得た事であります。

第二には、在留邦人の凡ゆる階級の人々に接する機會を得た事であります。たゞ、在留軍人と官廳方面の人達には會へませんでしたが、これは私の今回の目的外でしたから致し方ありません。第三は、上海の街を、西に東に、何度となく往復し、又支那人街を、何回となく步き廻つた事です。恐らく、私ほど、「步いた」者は少いことでせう。

第四は、支那人の家庭に招かれて、その家庭料理を馳走になつた事であります。

これは實に得難い體驗で、友人達の特別の厚意と、董氏一家の篤志による事でありますが、上海在留何年間と言ふ私の友人達も、純支那式の家庭料理を味ふ事は、最初であつたとの事で、上海旅行者としては、或は空前の事かも知れません。

「城內」（支那人街）の半日の見物と共に隣邦を知るに最も尊い經驗として、生涯私の忘れる事の出來ぬ思ひ出となると信じます。

斯くの如き事情の許に、私の上海旅行は終始惠まれた日程であつたのみならず、最終の夜に、甘濃民團長を初め、先輩諸氏の歡迎會に招かれ、數々の敎へを得ましたのでありますから、內山完造氏の「支那觀」と共に、私の認識を大いに擴められた事は幸福でありました。勿論、數多くの著書に記されてある如き「見聞」は私にはありません。從つて、まとまつた意見や見物記等は

發表出來ません。

それと共に、俗に「上海見物」と稱される部分は、私は幸か不幸か一回も見物する機會を得なかつた事でありますから、諸賢の御期待下さる上海旅行談は出來ぬ事情にあります。

がとにかく、十日間に亘つて友邦「上海」に滯在して、朝から晩まで西に東に步き廻つた事でありますから、私の眼に映じたものも尠しとは思へません。

思ひ出すまゝに、羅列して、皆樣の御判斷に委せたいと考へて居ります。

たゞ私の滯在中のお宿は、新嘉坡路と稅する上海の西端の友人の宅であり、滯在中の半分は、上海の東部である、平凉路に往復しましたので、大上海を東西に幾回となく貫走した譯であります。

この爲め、普通の見物客の訪問する、佛租界、埠頭、四川路方面以外の「上海」を屢々見るの機會を得たのでありまして、數年間上海に在留する邦人達でさへ、未だ知らざるの土地を步いて來たのであります。

これは思ひもかけぬ幸福な事であつたと共に、その要件の關係から、恐らく上海にある主なる紡績會社の社宅へは、殆ど參つたのでありますから、可成り「廣い見學」と稱しても、決して過言でないかと思ひます。

百聞一見に如かず、とか。

「兩岸の見えぬ河」を逆る事數時間、漸く兩岸を見得て更に數時間、支流なる黃浦江に入つて更に一時間以上の長航走の後、やつと上海埠頭に到着せし當時より、ボツボツと記す事に致しませう。

× ×

連絡船上海丸は、二十一哩の快速船にして神戶上海間を僅かに二晝夜で發着する優秀船でありますが、私の船旅は往路は非常に惠まれて、黃海も波立たず、これでは洋行氣分？も味はへぬかと悲觀したのでありますが、歸航に於て往復分を一度に取り返し、搖れたも搖れた大荒天で、さすがの上海丸も船首に危險を感じて、時速十三哩までスピードを落してやつと危難を通過した有樣となりました。

これは眞に有難い經驗で「疊の上」の如く殆ど動搖を感ぜぬ航海と、山の如き波とドスーン〱と打ち搖れる大搖れと、一擧にして兩極端の海の事情を味はふ事が出來たのは、先づ上海旅行の第一の收穫であります。

今回の旅行で、唯一つ覺えて來た處の私の支那語（上海語）は「馬馬孚」（マンマフー）の一語でありますが、この馬々孚たるや、凡ゆる場合に通じる言葉にて、その意味たるや、千變萬化、到底說明し得ぬものがある由にて實に面白き言葉でありますと共に、これ程、支那人の日常に數多く用ひられる言葉は他にないとの事です、一たいに私は旅行に對しては非常な神經質でありまして、數種の旅行案內書や地圖を調べて、時間表により日程をハッキリ決めて旅行に出かけるのですが、今回に限り、何の準備も無くして出かけたものであります。

數多くの支那に關する書籍も一切讀まずに出かけた次第で、甚だ準備粗漏、不用意千萬でありますが、これには私の考へがあつたからです。

即ち、いろ〱の「先入主觀」をもつて隣邦支那を見る事は、やつぱり從來の支那觀に左右される事になりますから、白紙で支那を見て來たい。即ち、私の眼に見、耳

に聞いたまゝの支那を見て來たい。

そして、それが假令、他の先輩諸氏の意見に違つてゐても、少しも差支へない事だと思つたからです。

私は私の「第一印象」を、この度の旅行には最も尊重したいと考へたのでありました。そして、私の見誤り、或は聞き違ひは歸つてから「訂正」すればよいと思つたのです。

これが今度の私の「上海旅行」そのものであつたのです。そして、歸宅以來ボツボツと上海事情の書物を讀んでゐる有樣であります。

處で、左に一つの「序文」を御紹介申しますが、これは內山完造氏より頂いた、同氏の著書「生ける支那の姿」に對する、支那の有名なる文士魯迅氏の序文の一節であります。

「これも自分の發見でなく內山書店で漫談を聞いて居たときに拾つたものだが、日本人ほど結論を好む民族、即ち議論を聞かうが、本を讀まうが、若し遂に結論を得なかつたらどうしても氣がすまない民族は、今の世の中に頗る少ないらしいと言ふことである。

この結論を先に受け入れると時々成程と考へさせられる事がある。

例へば支那人についてもさうである。明治時代の支那研究の結論は大抵英國の何んとか言ふ人の書いた「支那の氣質」の結論に影響されたものが多かつたらしいが、近頃になつて面目一新の結論も出て來た。或る旅行者が退隱した金持の大官の書齋に這入つて、とても價値のない硯を澤山持つて居つた所を見てから支那は文雅な國だと言ひ、又或る觀察者はちよつと上海まで出掛けて猥褻本や繪を二、三種買込み變な見世物を探し出して支那はエロチックな國だと言ふ。江蘇や浙江あたりの人々が竹の子を盛んに食つて居る事までもエロチックな心理の表現の一證據として數へ上げられる。ところが廣東や北京などには竹が少いから竹の子をさう盛んに喰はない。貧窮文士の家か下宿に行けば書齋と言ふ部屋がないばかりか、硯も一つ二十錢位の代物を使つて居る。

そんな事を見ると今迄の結論は通じなくなるから觀察者も少々困つて別に何か適當な結論を摘み出さなければならない。さうして今度はどうも支那は中々判りにくい。支那は謎の國だと言ふ。」云々。

私は次に著者の內山完造氏の序言を御紹介申さうと思つて居ります。

× ×

「生ける支那の姿」の著者、支那通として上海に於ける邦人中の權威と呼ばれてゐる內山完造氏の序言を紹介しませう。

「二十年來、私は中華を見て來たのであるが、最も考へさせられる事は、もと〱一つである――一つの存在である中國の文化が二つに見えると言ふことである。

中國の文化は右の眼で見た文化と左の眼で見た文化と、はつきり區別出來るのであつて、私は假にこの二つの文化に對して、一を文章文化となづけ一を生活文化と呼んでゐる。

文章文化とは言ふまでもなく文章に表現されたものであり、生活文化とは、生活として具體的に存在するものゝことである。

私の見る處では、日本の支那研究家の大部分が、たゞ文章文化を研究するのみであつて、生活文化を具體的に觀察し、研究されてゐる人は殆どない。尠くとも私はまださういふ人にお目にかゝつたことがない樣に思はれる。

私は支那の文章なるものが中國人の生活の一部、若くは一面を巧みに文字を配列して書き遺したるものだと考へてゐる。從つてそれは一部の記錄であつて全部の記錄ではなく、同時にまた之等の文章が生活の規範として、それ程絕對力を振つたわけでもないと信じてゐる。

しかるに日本の支那研究家が、何故に文章文化の研究のみに沒頭して、他に顧みないのか私にはそれが不思議でならない。日本の研究家は文章でなければ――文獻でなければ信用しない。それが如何程確かな事實であつても、文獻にない事實であれば見て見ぬふり、聞いて聞かぬ振りをしてしまふ。私が見たとか、事實存在してゐるといふよりも、何々の書の第何節にどう書いてあつたといふことが確かめられなければ信用できぬといふのが日本の研究家の態度である。

中國に於て有閑文化の代表的存在である儒敎が、日本に受け入れられて實踐倫理の基準となつたのは、前進の點から見て當然のことであらうが、反對に中國の生活文化は日本人の未だ殆ど影響を蒙つてゐないやうである。

有閑文化によつて育まれた私が、實際の中國の生活文化に直面して、面喰つたのはけだし當然のことであらうが、兎に角面喰つた後の窮餘の一策か、或は偶然の出來事か、私は從來の支那研究の書物を讀まず、文獻の先入主から離れて、先づ中國人の生活そのものを觀察し把握しようとした。

そしてこの生活文化――眞實なるものゝ一端でもつかみたいと思つて今日まで努力してゐるのである。」

以上が昭和十一年六月五日第三版發行の序言であります。そして私は此の著を讀んで敎へられつゝ私の上海漫遊記を記さうと考へて居ります。

今一冊私の手許にある本は、池田桃川氏著「續上海百話」であります。これはその序文にもある通り、新聞や雜誌に發表された記事をまとめたもので、「上海百話」の續刊でありますが、惜しい事に「上海百話」の方が私の手に入りませんでしたので、「續篇」だけ手に入れたものです。

この著の發行は大正十二年三月一日で、著者は既に故人であります。

今一冊は、塚本助太郞氏著「支那芝居讀本」でありまして、支那劇の研究に關する最も尊い研究書の一つでありまして、長友堀場定藏君の厚意で頂いたものでありますが、これは私が「見聞」して居りません「支那劇」に關する文獻の事とて、次の機會にゆづる事にします。

とまれ、私の上海觀は、上記の如き事情よりして、甚だ變則なものである事御含み置きを願ひ度いのであります。今一つお斷り申して置き度い事は、上海事變に關して、數多くの「見學」を致して居りますが、これは性質上記さぬ事と致します。

たゞ、私の想像通りであつた事と、諸賢の御想像とは全く違つてゐる數々のあつた事だけ申して置きませう。

× ×

どうも上海行が仲々はかどらず、黄海を行つたり戻つたりしてゐて申し譯けない事ですが、馬々字でお許しを頂いていよ〳〵上海丸揚子江のぼりと出かけませう。

「もうボツ〳〵河ですよ。」

上海へ往復何度と言ふ上海通の隣客に教へられて甲板に飛び出して呆然とした事は河だと言ふのに、一向に兩岸の見えぬ事です。

なるほど水はにごつて黄色いや褐色のドロ〳〵ですが、たゞ見渡す限りは黄水ばかり、岸らしいものゝ姿もなし。こんな事が數時間も續いてやつと兩岸が見え出した頃には、早や支流の黄浦江に入る頃でした。

これには第一に肝を奪はれたものです。

此處で、私は自畫自賛を一つ記したいのですがそれは私の雜誌の記事「胡弓の響」に關してゞあります。

筆者米山愛紫氏は、西部日本人小學校の訓導で、熱心な郷土研究家でありますが、この「支那風土記——胡弓の響」か如何にもよく支那の實情を物語つてゐると言ふ事實であります。

私の上海旅行の近因は、確かにこの「胡弓の響」に招かれものでありますが、上海を見學して、一層この記事の尊い事を知つたものであります。

恐らく、支那事情の文獻として、過去に於ても亦現在に於ても、最も優れた生活文化の一つとして賞讃さるべきものと信じる次第であります。

それですから、私の見聞記も、なるべく狹い範圍にとゞめて、その多くは「胡弓の響」にゆづり度いと考へて居ります。たゞ重複する場合は平にお許しを願ひ度いものです。

とにかく洋々たるもので、支流黄捕江に入つてからが、大阪灣位の河幅があるのだから驚くの他ありません。

歸つてからの事ですが、

「支那の河は、瀬戸内海位はありますか。」とよく聞かれたものです。

聞く方では、よつぽど廣く言つたつもりらしいが、聞かれる私には、呆れて返事も出來ません。

とにかく、兩岸の見える樣になるまでには上海丸の快速でゝ猶數時間を要する上流である事を知つて頂き度いのです。

そして、この河を眺めて暮してゐるのが支那人であります。

一寸行けば山、すぐ海岸等と言ふ箱庭の樣な島國に住んでゐる我々には、想像のつかぬと言ふ事だけでも判つて頂き度いものです。

私が友人の會社を訪れて、その應接室で支那の地圖を見て、上海を探しました處、二間に餘る大地圖の支那全土の中で、海から二三分離れた處に上海の印が附してあつたので二度ビックリしたものです。

あれだけ河を上つて來たのに、支那全土から見ると、記せもせぬ狹い距離に過ぎぬと知つては、何とも言ふ言葉がありません。これが支那そのものであるのです。

丁度、池を示して海を説明してゐるのが、日本で支那の話をしてゐるのと同じだと思つて下されば、幾分でもお判り願へるでせう。

百聞一見に如かず、も、此處に來てその眞價を發揮する譯です。

なるほど「可愛い兒には旅をさせよ」とは全くその通りです。

南京までは上海より二日間、漢口までは

更に二日間。重慶まではその上四日間の川を遡る旅の由です。何れも汽船でありますが、聞いただけでも不思議な思ひがします。

全く、支那の川は、日本の海の比ではない氣がします。

この川を見て、この國土に育つ支那人が我々日本人と、その性格的に相違するものは當然であります。

それこそ、馬々字です。馬々字でもなければ、手のつけ樣もない譯です。天然、自然の偉大さも、支那に來ると判るのです。まだ〳〵日本の樣な島國では、自然の偉力も十分の一も現はれて居らぬと思へまする。

まあ、こんな事で、上海に着く迄に、大分肝を奪はれて終つた譯ですが、埠頭近くなると共に、大上海の高層建築が堂々とその姿を現はして來ます。これは又大阪や神戸等の比ではないのですが、之は追つて記すとして、いよ〳〵上陸の第一歩を印する事としませう。時は正に三月十日午後正三時。

私の上海に於ける第一歩は、支那税關の檢査よりはじまるのです。

× ×

「支那の税關は面倒だ。」

私はよく聞かされてゐました。そして上海丸の船中での噂は、一層難かしいとの事だつたのです。

言葉の判らぬ上に、初めての洋行？の事とて、税關の面倒なのは、一番の苦手です。これはいさゝか憂鬱です。

もと〳〵、私は例の呑氣から、

「一寸上海へ行つて來ます。」

と話して、よく笑はれたものです。

實際の處、一寸上海へ旅行する氣持だつたのです。

處が、いよ〳〵上海丸に乘つて驚いた事は船中での取調べや、長崎での檢査は嚴しいのです。

先づ、神戸を出帆する前に、一々明細書を提出せねばなりません。

本籍から現住所、職業から旅行の目的、上海での行く先、それも住所番地、姓名まで書かればならぬ有樣です。

其の上、一々訊問されます。そしてやつと上海行が許されるのです。全く驚いて終つた事です。

名刺を出して、旅行の目的を述べて、宿の所番地まで言はれば、お隣の上海まで行けぬとは、私は今まで知らなかつた事で、全くビックリさせられました。

然も、長崎での上陸は、もつと〳〵面倒なもので、私はウッカリ船にのれぬなアと思つた程でした。

そして初めて知つた事は、

「上海は外國で、外國に行く事は、洋行である。」

と言ふ事實であります。

これでは全く、日本人は出無精になると思はざるを得ませんでした。

海國日本だとか、海外發展だなどと申した處で、僅か長崎より二十四時間の旅行をするのに、これだけの面倒があるとすれば海を越える事は面倒に思へるのも無理のない事でせう。

こんな有樣では、噂さに聞く上海の支那税關は、どんなにか難かしからう。これは困つた事だ。と神經に病んでゐたものです。

いよ〳〵船は着いた。出迎への米山君の顔は見えたが、税關の構内へは入れぬとの

事。さあ事だ。無言の苦行がはじまるのだ荷物は全部ヒックリ返へされて調べられる覺悟をせればならぬ。まあ、こんな思ひで手提鞄と風呂敷とを兩手に提げて、支那税關吏の一列横隊の前へ出た譯です。

そして、臺の上に荷物を置いて、通關申告書を差し出しました。

處がです。處が、税關吏は、内容を調べ樣ともしません。手提鞄の蓋を開けた私を見もしないで、風呂敷包の内容を聞くのです。

そこで私は内容は、子供の學用品だと答へると、

「オーライ。」

スラ〳〵と通過のサインを終つたのです。

何一つ手を觸れるでもなく、又何一つ聞きたゞすでもなく、申告書と同じである事だけ私から確めると、すぐサインをして與れたのであります。

此の間實に一分間。

勿論、この税關吏は支那人であります。

そしてそこに何の疑もなく、長崎で受けた樣な不愉快な言葉や眼は全然なく、厚意に滿ちた顔で、早や次を待つてゐる有樣です。

これが私の上海の第一印象であります。

そして、この印象は、滯在中に度々繰り返へされて證明されたと同じものでありまして、尠くも上海で私の接した支那は、唯の一人も私に惡印象を與へたものはなかつたのであります。

全然言葉の通ぜぬバスの車掌でも、亦タクシーの運轉手でも、それが支那人である限り私は少しの不愉快も受けなかつたのが私の上海での印象であります。

私は確かに日本人であります。

そして、長崎は確かに日本國であると思ひます。

にも拘らず、私が支那の上海で受けた事のない不愉快さを、その長崎で、往復とも受けた事を私は心から悲しむものでありますと共に、私は上海上陸の第一歩から、私の支那人に對する認識の不充分を知ると共に、お互同胞に對する認識の不充分さをも味はされたのであります。勿論、支那人にも、ピンからキリまであります。だから私の受けた印象で支那人全部を許する事は出來ません。が然し、尠くも、上海に於ける支那人は、目下の處（明日は知らず）表面に於ては（内心は知る由もなし）日本人に對して、些の懸念も持たず、又惡感も有してゐない事は確かであります。

國家と國家との關係は、全く別である事は申す迄もありませんがれ。

× ×

支那人が、裏面に於ては知らず、表面に於ては、少しも日本人に對して惡戯を有して居らぬ事は事實であります。それは私は米山兄の案内で、約半日間「城内」見物をして、一層其の感を深くしたものであります。

「肩々相摩する。」

とは全く「城内」の事で、

「人で埋まる。」

の有樣でありますが、申す迄も無く、全部支那人のみであります。

數時間になるこの「城内見物」の間にたゞ一人の日本人にも出會ひませんでしたし又外國人にも會ひませんでした。

然も、私は何の不安も無く、何等の不愉快も感ぜずして、のこり無く「城内見物」をしたのでした。

城内の中心には、數々の「神々」が祀られてあります。そして、澤山の信者達が、頭を地につけて禮拜して居ります。その奥殿までも私は、遠慮も無く見學して來ました。そして、誰一人にも邪魔されなかつたのであります。

城内の中心近く「のぞき眼鏡」があります、日本のものと同じであります。そして數々の不幸がこの石疊の上で起り、日本人の血の流れた場所と聞いてゐます。

其の「のぞき眼鏡」も見て來ました。そして、何等の間違も生じさうにはありませんでした。

城内の玩具店は、一々「ひやかし」ました。そして、數々の店では買物もしました。けれども何等、惡意のある言葉は受けませんでした。

歸る前日の事です。

日本人倶樂部へ行く爲め、私一人でバス（公共汽車）に乘つてゐますと、ドカ〳〵と巡査が踏み込んで來ました。そして乘客の身體檢査です。

私は驚きました。そして、これは困つたと思ひました。訊問されたら言葉が通ぜぬので困るからです。

乘客は次々へと調べられてゐます。ブリキ製の汽車をポケットより出して見せゐる支那人もゐます。大變な騷ぎです。

處が、やがて支那人全部の身體檢査が終ると、私には見むきもせずに巡査は下車して終ひました。そしてバスは再び平然と動き出したのです。

私は呆れて終つた事ですが、十數人の乘客中私丈けが調べられなかつた理由は、私が日本人だつたからです。

皆さん、これは上海の事であります。決して長崎や神戸での出來事ではないです。どうぞお考へ願ひ度いのです。勿論この檢査はピストルの有無を調べたので、共産黨の警戒なのです。それにしても、支那人の巡査は、私には一言も聞かず手も觸れなかつたのであります。

これはお互に支那人に對して、認識を更めればならぬ一つであると思はされます。

埠頭から、友人と共にタクシーで西部の友人宅に行く途中で、第一に眼に着いた事は交通巡査であります。これは支那人が最も多く殆ど辻々に立つてゐて、その間に印度人巡査が眼立ちます。

要所々々には日本人の巡査もゐます。處でその交通整理の方法でありますが、

「通れ〳〵。」

と合圖をしてゐる事であります。

日本の交通整理は、「止れ〳〵」との信號でありますが、上海では、自動車が行くと他の交通をとめて、先づ自動車を通す樣に整理して居ります。それから、待つ間は殆どありません。よく〳〵交通の激しい部分即ち六ッ辻あたりでは「ストップ」との信號も出ますが、これ等は上海市中に僅かに數ケ所でありまして自動車は偉駄天の如く走れます。

實際に上海のタクシーは、市中でも三十哩乃至四十哩が普通でありまして、歸神してから、交通機關のノロイのには閉口してゐます。

自動車と言ふものは、早く走るものであつて、自動車にのるのは、急ぎの用事の爲めである、と言ふのが上海の常識らしい。どこでも第一に自動車を通す樣に工夫されてゐます。

婦人と保健の問題

丸岡秀子

初めて先生になつて赴任した昔の學校から校友會誌が送られて來た。はぢらひながら教壇に立つた頃の想ひ出にしばらく微笑みながら、次々と頁を繰つて行くと、かつて自分が受持ちだつたクラスの名前が連なつてゐる。

一人〳〵の顔がはつきり浮んで來る。わからない所へ來ると「みんなこんな事がわからないでは困りましたね明日迄に調べていらつしやい」などと云ひながら、實はその晩一生懸命辭書をひつくりかへした、そんな先生だつたのに、みんな翌朝になると信頼に滿ちた顔をして教室はいつも元氣だつた。

□—□

その頃の生徒は全部で卅九人だつたところがいま會誌を見ると、その中、八人が死んでゐる。初めての生徒だつたので、死んだ一人〳〵の印象が、實にはつきりし、なにかしら胸を熱くするものがある。

學校は女子師範だつたので、生徒はみんな十九か、二十で小學校の先生になつたわけだが、卒業して家庭を持つ頃、廿六、七でみんな死んでゐる。學校と家庭とに身體を分かつて嘸苦勞したであらうに。

□—□

「現在、日本人の一般死亡率は人口千人につき約十八人で、殊に婦人の死亡率が著しく高いこと、中でも結婚適齢の廿歳から子供を育て上げる四十四、五歳迄が高率を示してゐることは、婦人の負擔の重過ぎる事を如實に示してゐる。」と內務省保健課の一技師はかつて語つた。この一、二年來、國民の保健問題が各方面の注意を喚び、最近では保健社會省の新設や、國民健康保險法案の提議まで行はれて、積極的な改善施設の動きが見られるやうになつてゐるが、いまいとしい敎へ子の死を想ふにつけて、我國にも「健康は權利である」狀態を招來するのは、一體いつのことだらうかと切に思ふ。

こども部屋は質素であれ

細井次郎氏談

相當間數に餘裕のあるところや教育に關心を持つてゐるインテリの家庭中には、こどものために特別に設備したこども部屋をつくつてゐるところが少くありません、これは大體こどもの教育に熱心な證據であつてその意味からいふと大變結構なことです、このこども部屋は外で自由に遊べるやうなところでも雨の日だとかその他天候の關係で外で遊べぬ時には必要であり、また天候の關係を除いても都市などの一般に外の遊び場所の少いところではその必要が一層大きいことゝなります、このこどもの部屋は特にどんな點に注意したらよいだらうか、衛生上の條件としては窓を大きくとり、日光や、通風に役立つやうにすることがまづ必要です、出來れば庭へ直接出られるやうな風の構造であることがのぞましいものです、裝飾については特にこども部屋だといふので壁を童話的のもので貼つたり、色彩の強いものを用ふる家庭もありますがさういふ裝飾はさけて出來るだけ簡素であり素朴である方が結構です、それといふのは大人の考へる以上にこどもには趣味に好き嫌ひがありまたあきやすく、一方においてはそのために想像力を働かせる餘地が出來ないからです、立派に設備された部屋で遊ばず門の脇の小さな部屋や垣根にのぼつて遊んでゐるこどもを經驗する家庭が多いことゝ思ひますが、完成された立派な部屋はこどもにとつて想像力を働かせることが出來ないからです。

それに反して垣根のやうなものは汽車の窓にもなり自動車ともなる、また門の小さな部屋からはいろ〳〵のことが想像されるからです、椅子、テーブルなどがこどもの體格に合つたものを準備することはむろんとして洗面所のやうなものでも高さだけでなく奥行もこどもに合つたものが欲しいと思ひますが、そこまで考へてやつてゐる家庭はまだないやうです。

洗面所そのものをこども部屋に設備してあるところすら實際には少いが、これは是非必要なことです、また著物掛けにしてもこどもの體格に相應した大きさ、高さのものを準備する、かういふことは、こどもに整理の良習慣を早くつける上からもよいことです、こどもの物入れも幾つか必要です、お人形やその他の玩具をきれいに飾つて置くのは大人の趣味で、こどもはそれよりも出したり入れたりするのが好きです、物入れがないとそれが出來ないだけでなく、こゝで物を整理する習慣がつきません、しかしその物入れも硝子棚の立派なものだけでは困るのです、棒切れや石ころなどを入れるものも必要なのです、床については疊は塵埃が多くてこまるし、といつて板の間は冷たすぎる、これにはボロ屑で織つた敷物が一番よろしいでせう、部屋の位置については親の眼の屆くところであること、そして仕切りが窓のやうにつねに外から遊んでゐる狀態が見える構造であること、さういつた考慮を拂ふことが大切だと思ひます。

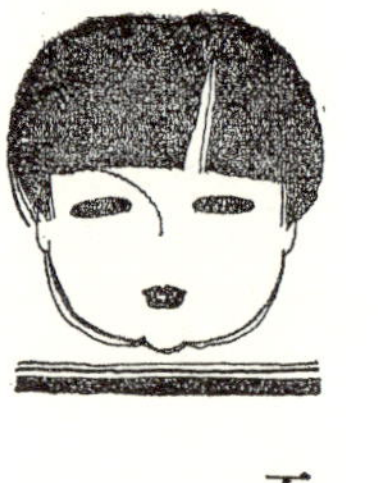

五歳まで母の愛 その後は父の訓へ

その何れが缺けても子供は不良になり易い

日本少年指導會　橋本勝太郎

子供の不良化ついて、父親の無いことゝ母親に死なれたことゝ、何れがより重大な關係を持つかといふことが屢々問題になります。慈愛深い兩親と和かな家庭が、子供にとつて如何に大切であるかゞ誰の眼にも判ればこそ、この父方孤兒、母方孤兒の比較なども問題になるわけです。本會の吉益修夫氏が少年受刑者一千名に就て生活調査を行つた統計中に、この項目も含まれてゐますが、これは一般の兩親方にも非常な參考となるものと思はれます。統計を見ますと

親に別れた年齢　五歳までに父に先立たれた少年受刑者七八名、母に死なれた者一二〇名、六歳—一〇歳の間に父に死なれた者九九名、母を失つた者九四名、一一歳—一五歳で父をなくした者一〇七名、母方孤兒九七名、一六歳以上で父方孤兒九四名、母方孤兒六五名、不詳五五名、四一名——となつてゐます。

幼時は母次に父　この表に依りますと五歳前の幼兒期に母を失つた少年受刑者は、父のない者よりも遙かに多いのです。併し少年達の年齢が進むにつれて、この傾向は反對になつてゐます。つまり十歳以上で父に死別した少年受刑者の數は母に死別した者の數より非常に多くなつてゐるのです。この事は學齢前の幼兒には母の愛護が如何に必要重大であるかを示してゐると共に、少年期、靑年期の子供には、父親の經濟的保護と規律ある統制が缺くべからざるものであることを物語つてゐます。衝動を抑へる父親の言動は、子供の精神の中にとり入れられて、わが儘を抑へ、成長してからの道德的生活の核心となります。この超自我、良心の建設が、父親の死去のために障礙されることは、子供の衝動生活に對して有害なものとなつて現れてくるのです。

尊きは父母の愛　溺愛も極端な叱責も勿論いゝことではありません、併し幼兒期には母の深い愛、成長しては父の威嚴と統制が、特に子供には大切であり、不良化にも影響が大きい事實を考へて、兩親方は心構へも言動も十分愼み、反省していたゞきたいと思ひます。

女子の勞働が月經にどう響く?

日本勞働科學研究所　桐原葆見博士

やがて妻となり母となる女性の肉體勞働は、それが激しい勞働であればある程精神的にも肉體的にもいろ〳〵惡い影響を齎すといふことは、これまでも二、三研究されてゐたことですが、その中、彼女等の月經への惡影響だけについて立業を主とし、寄宿舎生活をおくる四五三名の婦人工場勞働者(主として紡績)に就て調査した結果は次の通りであります。

月經變化の年齢

最低一三歳から最高四〇歳(一六—二一歳のものが大多數を占め、いづれも入社前から月經のあつたもの)までの一週間ごとに晝夜交代の十時間勞働に從事してゐる健康なもので、入社後月經になんらかの變化を來したものは過半數の五六%で、それを年齢別に比率をとつてみると、一四歳以下では六六・六%、一五、一六歳では六四%、それ以上の年齢ではいづれも五〇%內外で、生理的に變化を來し易い年少な婦人ほどより大きい異變が現はれて來て居ることが判ります。

異變時期と季節

而もこれらの婦人の中八四%までは就職して滿二ケ月前後までに早くも異變があり、季節的には四、五月に次で七、八月に入社したものに比較的多く環境が急に變ることゝ身體がとかく疲れ易い季節に最も多く影響されてゐることが判ります。

月經遲延と停止

次に月經の週期上に變化のあつたものは、二五三名のうち約半數の一一九名(四七%)で、內、遲れがちになつたものが九六名(三八%)規則的になつたもの八名(三%)全く停止したものが一五名(六%)も數へられます。

繼續日數の變化

また月經の繼續日數に變化のきたものは計一四〇名で(五五%)內二〇%が長くなつたほかは殆んど短かくなつてゐます。

量の變化と症狀

經水量に變化をみた一五四名(六〇%)では、以前より減つたもの一一二名(四四%)、增したもの四二名(一六%)で、自覺症狀に異變をみた一二五名(五〇%)では、局所症狀の新に加はつたもの及び劇しくなつたものが大多數です

幼年ほど惡影響

以上のうち、月のものが遲れがちになつたもの、全く停止したもの、量の激減したもの、繼續日數の短くなつたもの等が、主として弱年の處女によつて占められてゐることはもちろんですが無月經となつたものも退職すれば再び順調になることも珍らしくないのですから、婦人の過激な勞働や生活狀態の激變乃至精神上過度の緊張が婦人の不姙症、神經症狀にいかに大きい惡影響を齎すかは容易にお判りのことゝ思ひます。——と云つて社會の生活難が婦人の勞働を阻止し得ないとすれば、資本家側でも從業人員を增すとか椅子を與へるとか、榮養方面の改善とゝもに待遇上にも今少し改善が施されて欲しいと思ひます。

第九回全東京乳幼兒審査會

審査主任（總評）日割當表

（昭和十二年七月二十六日ヨリ三十一日マデ於高島屋）

期間	午前	午後
七月二十六日	中鉢不二郎博士	柿本　保博士
〃　二十七日	富田　幸藏博士	山田　治郎博士
〃　二十九日	柿本　保博士	富田　幸藏博士
〃　三十日	岡田　春樹博士	山田　治郎博士
〃　三十一日	中鉢不二郎博士	岡田　春樹博士

內科審査員（慶大病院）日割當表

期間	午前	午後
七月二十六日	染谷學士　鮒子田學士	野崎學士　中島學士
〃　二十七日	奧田學士　戸田學士	田村學士　中西學士
〃　二十九日	野崎學士　小川學士	中西學士　中島學士
〃　三十日	奧田學士　鮒子田學士	高橋學士　中西學士
〃　三十一日	石丸學士　染谷學士	野崎學士　小川學士

內科審査員（東京病院）日割當表

期間	午前	午後
七月二十六日	井橋學士　吉眞學士	時見學士　黃學士
〃　二十七日	杉山學士　猪田學士	鈴木學士　吉眞學士
〃　二十九日	鏑木學士　溝口學士	小山學士　關野學士
〃　三十日	西井學士　今井學士	井橋學士　山田學士
〃　三十一日	小山學士　時見學士	鈴木學士　杉山學士

第九回全東京乳幼兒審査會內

コドモ優良必需品展覽會出品店一覽表

（昭和十二年七月二十六日ヨリ三十一日マデ於高島屋）

出品店	出品
ライオン齒磨本舗小林商店	ライオン齒磨
保證牛乳株式會社	保證牛乳
中央製菓株式會社	カルケット
明治製菓株式會社	明治コナミルク・パトローゲン
大木合名會社	パパー・慈童
第一徵兵保險株式會社	
田邊元三郎商店	ハリバ・エビオス・アスコル末
大川式吸入器本舗	大川式吸入器・大川パーコー
武田長兵衞商店	ロロン
寶製藥株式會社	パーキユロ
和光堂本店	シツカロール・キノミール・滋養糖

結核
貧血
胃腸
強化

服み易い肝油精劑

本劑は發明特許の方法による新鮮なる鱈肝臟と牛胆汁の配合劑であつて肝油分の消化吸收頗る良好且つ兒童にも服用容易なる點に特徵あり各種貧血諸症並びに結核性諸疾患の特效劑としてまた腺病質虛弱体質の强化劑として奏効顯著である

鱈肝臟
牛膽汁 配合

肝油二十五％
ヴイタミンABCDE
アミノ酸　酵素
グリコーゲン
コレステリン
肝臟ホルモン　胆汁酸
胆汁色素　燐化合物
グリコヒヨール酸　等

藥價低廉
錠劑 [illegible]
粉末 [illegible]

活力榮養ホルモン劑
ネオ肝精

發明特許

醫學博士 西谷宗雄先生著
〃新榮養讀本〃 無代進呈

株式會社 藤澤友吉商店
大阪市東區道修町
東京市日本橋區本町

審査會後記（編輯後記）

◉第九回全東京乳幼兒審査會は時局柄ではあり、且つ猛暑中とは云へ、旣報の如く未曾有の盛況裡に終りを告げ、非常時下の現社會に好き反響を與へ、各方面より多大の感謝を贈られた事は主催者として、洵に光榮此上もない。それで八月二日、木村氏と共に富田博士邸を皮切りに午後は御禮廻りをした。先づ芝の東京病院から文部省に至り、岩原體育課長に御目に懸つて本會第一回當時よりの御援助に對し御禮を申上げた處、「議會開會中で樣子は見に行けなかつたし、斯うした事變中で會の成行を心配してゐたが、新聞紙上では例年に優る盛會振りで結構でした」と心から喜ばれるのであつた。

◉それより車を海軍省にはしらせ、先づ醫務局長の御室に高杉中將閣下を御訪れした。閣下は溫容に笑みを湛へて「突發的事變のため、職務柄參觀出來ないのが殘念だつたが、回を重ぬるに從つて益々盛大に趣くのは何より嬉しい事です。愈々邦家のため國民の體位向上のため貢献されたい」と勵まされた。陸軍省正門内で車を下りると天幕内には赤誠溢るゝ献納金を持參した女學生の團體や、老人夫婦の涙ぐましくもけなげな姿が先づ眼を惹いた。係の方々も炎暑と鬪つて實に汗だくの樣子であつた。私共は大槻副官を御訪れして、醫務課に梶浦軍醫殿に御禮を申のべたところ、「御盛大に閉會されて慶賀に堪えません。どうか皇國のため益々御隆盛に趣かれん事を祈つて止まぬ次第であります」と御熱誠な激勵をされた。

◉都大路のこげつくやうなアスファルトの輝り返しは實にはげしい、車に超スピートを出し唐澤博士邸、四谷のライオン兒童齒科院、慶應病院小兒科等を歷訪した。病院で唐澤博士に御目にかゝると、「暑いから態々來られなくともよかつたのに、然し政府當局も軍部の方々も年々御援助になるので乳幼兒保健の立場からみても誠に感謝に堪えない、それにしても主催者の持續される熱意には敬服の至りです」と慈愛のまなざしをむけられて喜んで下した、博士は本會のために大正十四年の第一回當時より庇護されて來た支持者なのである。

◉永井遞信大臣邸に着いたのは暑い盛りの午後三時頃で、顏見識りの護衞の警官は「暑いのに御苦勞ですな」と云ふ、無論閣下は議會から未だ戾つて居られない、それで風見產婆會長邸から我等の總裁山崎閣下邸に趣いた、今しも議會から歸られた計りなので應接間にて御目にかゝり、過般御繁多中御來臨の榮に浴した御禮を申上げ、當日の寫眞を御目にかけた、本年度表彰される乳幼兒のために御揮毫の標語は、御懇ろにも旣に本會へ御郵送して下した由實に恐縮した、閣下と建築などの雜談をして邸を辭去し、途中にて木村氏と別れ、自分は小石川に藤原產婆會副會長を、芝白金に廣井會長を御訪れし、黃昏六時、馬込奧の義弟平田君宅に着いたが身體綿のやうに疲れ果てた。

本誌定價　一冊金參拾錢　郵稅壹錢
半年分六冊　金壹圓六拾錢　郵稅共
一年分十二冊　金參圓　郵稅共
誌代郵稅は一切前金の事
前金切の場合は發送中止
郵券代用は一割增のこと

昭和十二年八月廿八日印刷（每月一回）
昭和十二年九月一日發行（一日發行）

兵庫縣武庫郡精道村芦屋
發行兼編輯人　伊藤悌二
大阪市西淀川區海老江上二丁目三七番地
印刷人　木下正人
印刷所　木下印刷所
電話福島㊺｛一五三四番 二四二六番

大阪市北區天神橋筋六丁目
大阪市立北市民館內
發行所　大阪兒童愛護聯盟
電話堀川㉟｛〇〇〇一番 〇〇〇二番
振替大阪五六七六三番

明色美顏白粉

專賣特許品

あまり美しく附くのでどなたも驚く！
明色美顏白粉のお化粧の美しさにはどなたも驚かれます。
しかも
お化粧して時間が經つほどサエて一層美しくなるのが此の白粉の特長です
未だの方は一日も早くお試し下さいお喜びキット滿點です！
明色とよ……眞に明麗なこれまでにない美しいお化粧が出來るので附けた名です。
色味は白色・肌色・濃肌色・淡黃色などの種類があります。

明色美顏水（明色水白粉）　白色・肌色・濃肌色
明色美顏粉白粉　白色・肌色・濃肌色・淡黃色
明色美顏（固）エリ煉白粉　白色・肌色
明色美顏煉白粉　白色・肌色

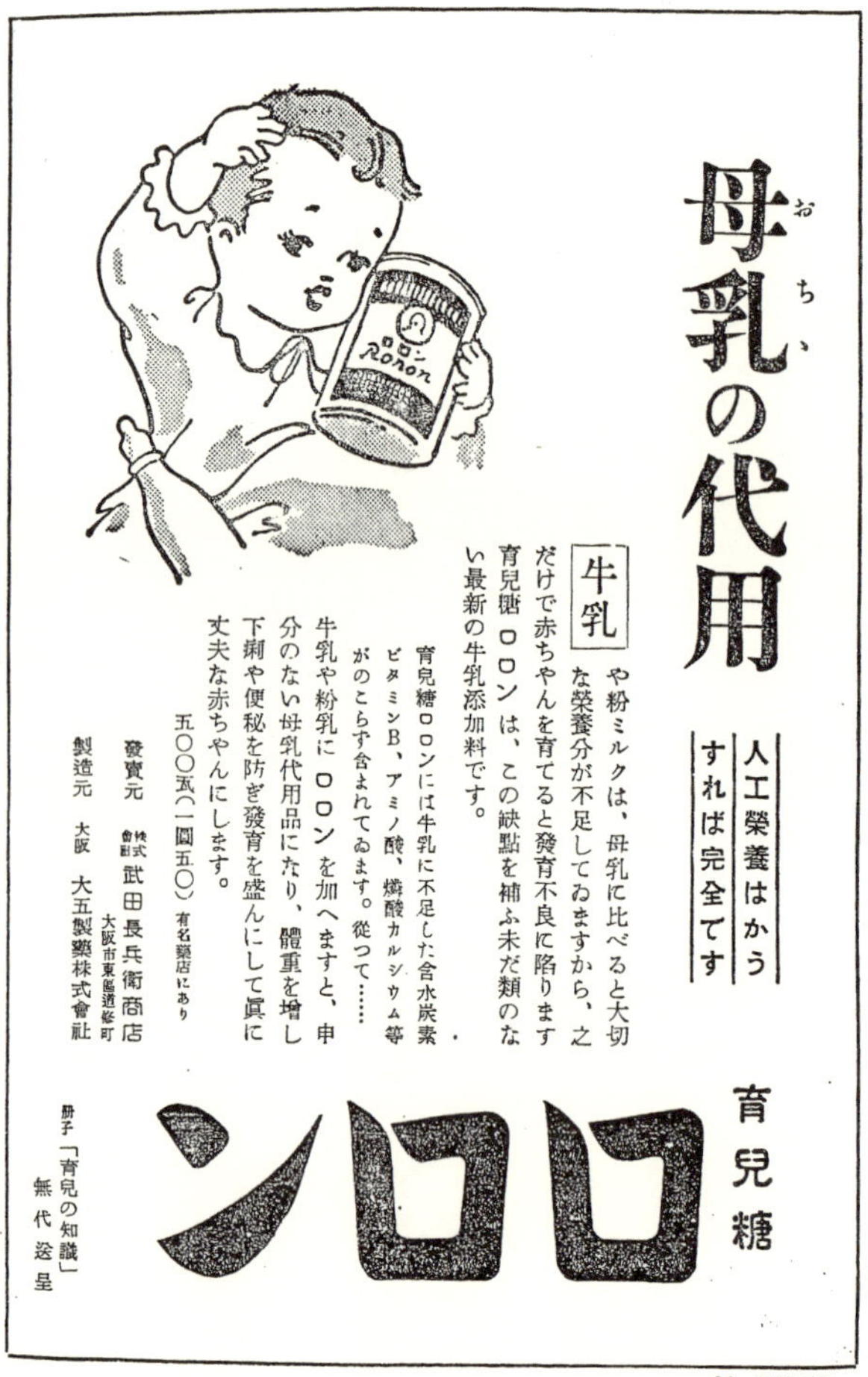

36—2060(〇)

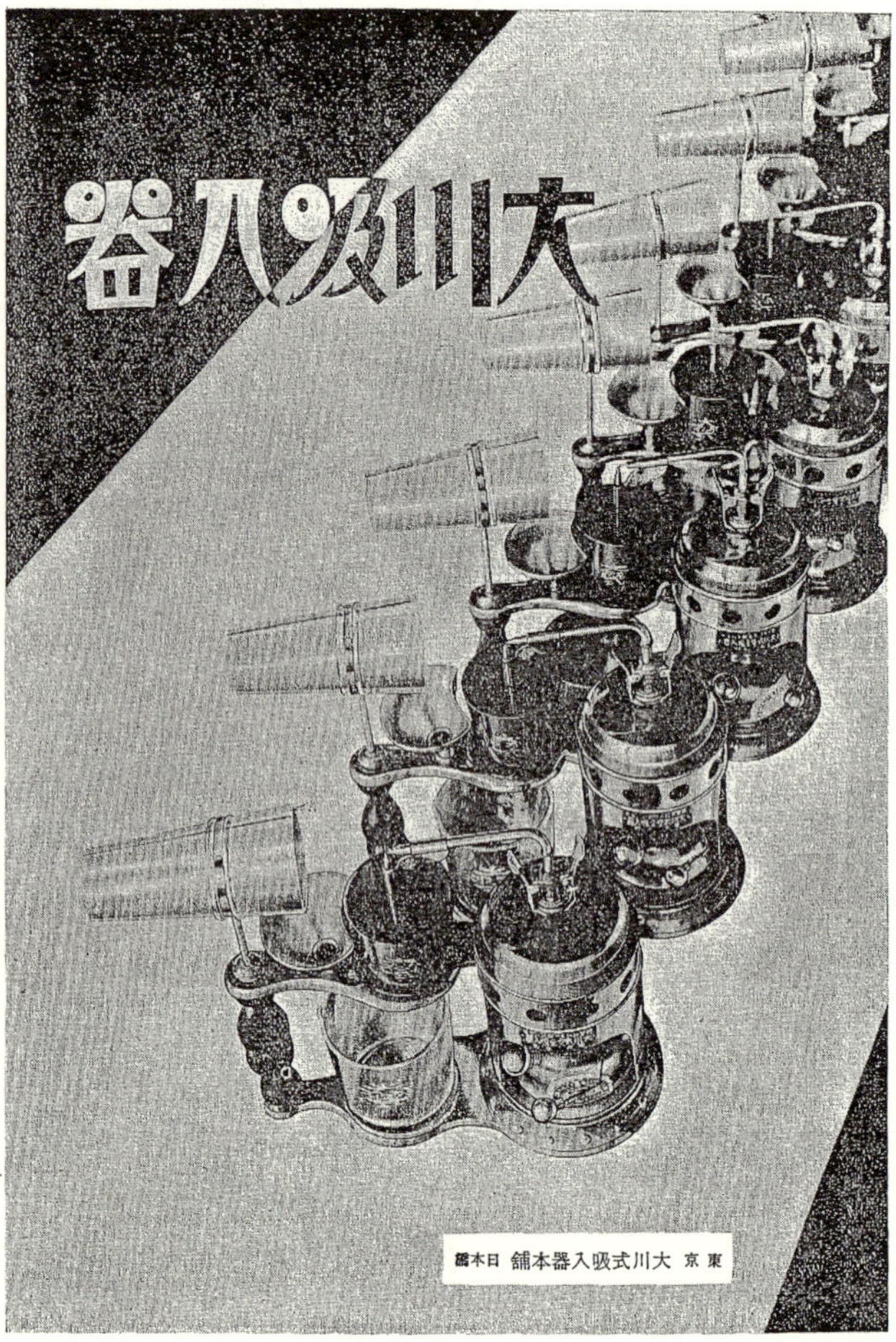

子供の世紀 第十五卷 第九號
大正十三年 十日第三種郵便物認可
昭和十二年八月二十八日印刷納本 毎月一回一日發行

【定價 金參拾錢】

新母性講座・育兒知識

子供の世紀

第十五卷　第十號

非常時下の乳幼兒保健號

大阪市立北市民館内

大阪兒童愛護聯盟

基礎鞏固　經營眞摯

創立　明治四拾四年

コドモの保險　日本徴兵

入營・嫁入　出世・教育

準備　資金

子を持つ親心

可愛い子供の爲に何程かづゝの貯金をしてやらうと考へるのは、凡ての親としての至情で、男子ならば適齢迄、女子ならば嫁入迄と誰しも心掛ける所ですが、さて實行はなかなか困難です。

最良の實行方法

徴兵保險、生存保險のコドモ保險は此需用を充たす最良の施設で、一度御加入になれば知らず識らずの間に愛兒の爲に必要な資金が積立てらるゝことになります。

日本徴兵保險株式會社

本社　東京市麴町區内山下町一ノ一

新鮮にして世界最良の自信を有す

森永無糖ドライミルク

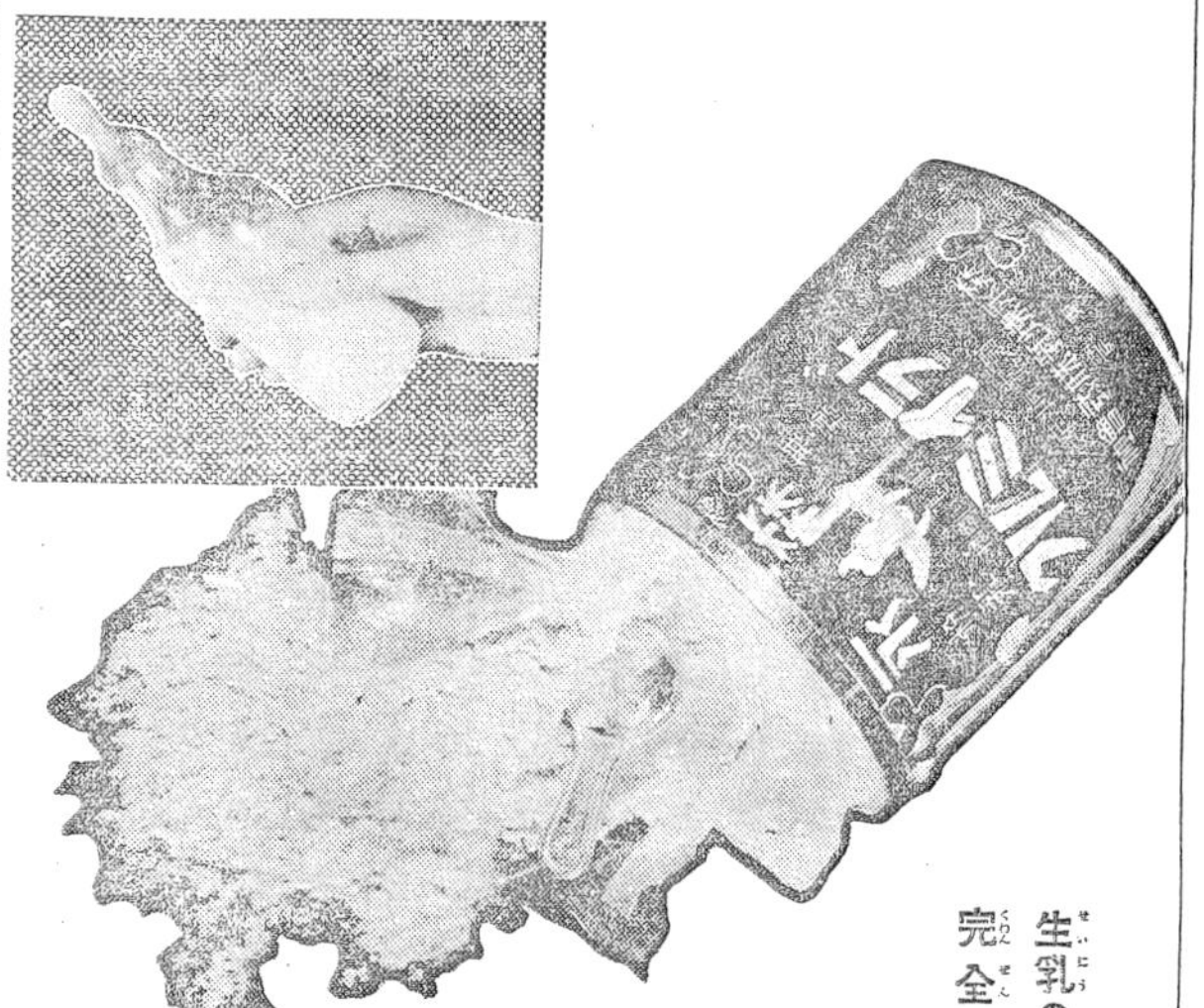

生乳の榮養風味を完全に保有す！

一、世界最新の噴霧式製造粉乳

二、水にも湯にも容易に溶け、直ちに生乳に還元す

三、脂肪量最も多し　二七、二％

百瓦のカロリー　五二〇、八

四、ペルオキシターゼ反應を檢するに酵素の保有量粉乳中第一位なるを知る

ヴイタミン又豊富

容量　半ポンド罐　一ポンド罐

森永煉乳株式會社

『子供の世紀』（第十五卷第十號）非常時下の乳幼兒保健號

目次

乳兒榮養の話……醫學士 山田讓…(一〇)
緒言、健康乳兒の發育と生理――身體の發育
(體重・身長・胸圍・頭圍)

＝巨人の列傳＝

傳記小說 高橋是清(廿四)……小杉健太郎…(一五)
外債募集の苦心、宛ら探偵小說

名作曲家の列傳(八)……秋保孝藏…(二〇)
――フランツ・シューベルト――

世間話(一) ツカダと云ふ男……ツカダ●キタロウ…(二八)

童話『金の大黑さん』……間淑子…(三〇)

＝新母性讀本＝

赤ちゃんの齒を護る…ライオン兒童齒科院長 岡本清纓…(三三)
赤ちゃんの口中にもこんなにムシ齒がある、母體の健康が第一、
強い齒をつくるには、ムシ齒豫防の實際、赤ん坊から齒をみがくことの勵行

乳兒の榮養障害(二)……醫學博士 芳山龍…(三六)
中毒症、胃腸の症狀、意識の障害が特有、呼吸は大きくなる、
尿量減少して、虛脫狀態になると、體重日々減少
平衡失調症、原因、食料療法、經過
消耗症、病狀、豫後、穀粉榮養障害、榮養法

赤ちゃんの本能を温く見守れ 醫學博士 古澤平作…(四三)
リビドー活動、結婚恐怖症と神經症

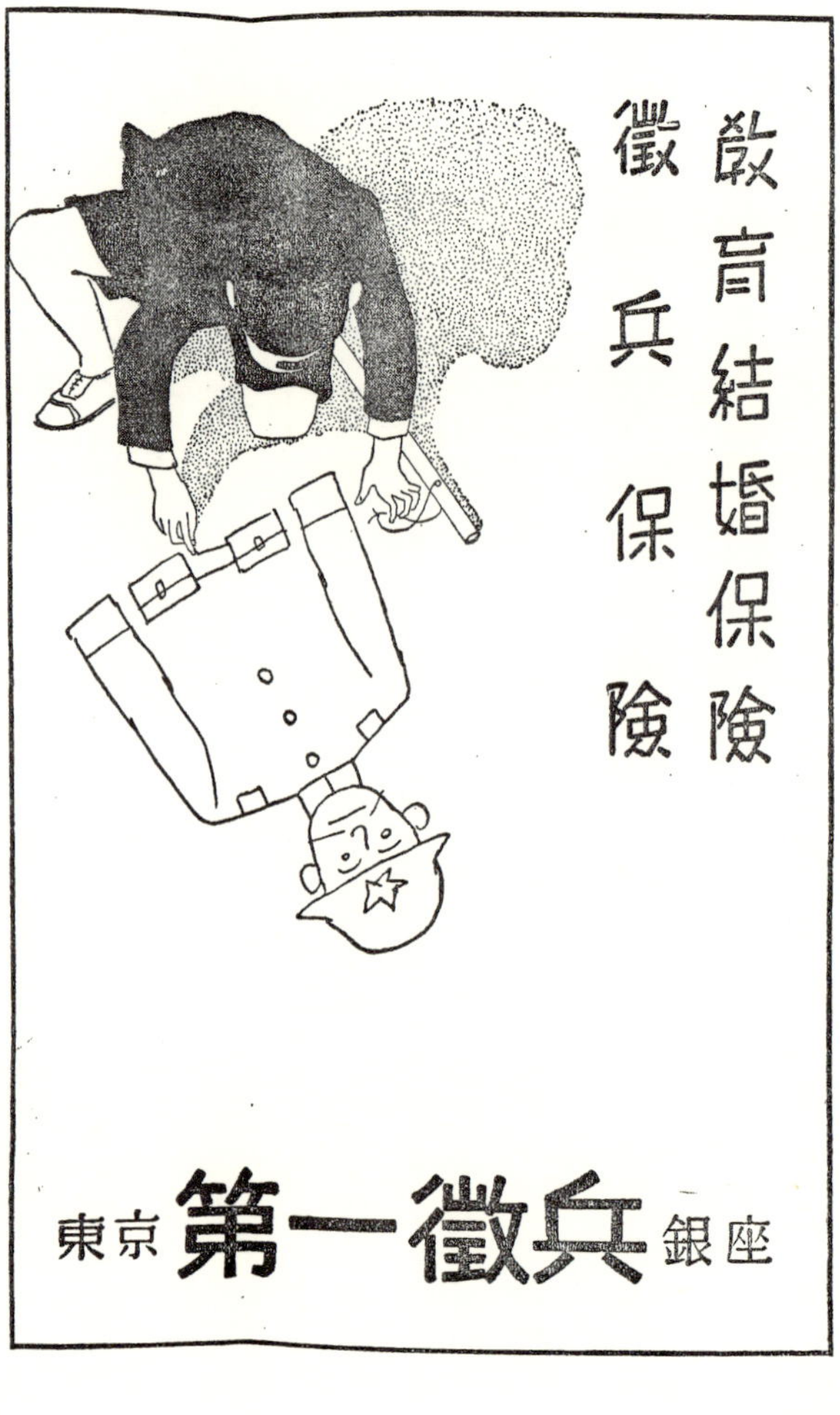

敎育結婚保險
徴兵保險
東京 第一徴兵 銀座

大阪の審査會に於ける
母親のメンタルテスト(三)……伊藤悌二…(四四)
姙娠中つはりの有無、姙娠中の病氣、産婆のみによりしや否、産後發熱の有無

おたまじやくし(童話)……山田春男…(四八)

＝碧空爽話＝

鄕土は語る……塚田喜太郎…(五三)
熊野詣で、ねんねこの宮、下里の塾、新宮を觀る、除福外交、神倉山の御燈祭

鳳仙花の咲く朝……桐野葉子…(五八)
みな月のたそがれ、大江戸の情緒、銀座の哀愁、蕎麥喰ふ近代娘、日本化する紅毛人、みゝずの嘆き、大地を抉ぐる、長太郎高子、鍵のハイキング、肥滿した美容師

春草會詠草(兼題)月(卽題)戰……(六三)

支那を覗く(二)……ツカダキタロウ…(六四)

＝特別講座＝

各國ヘルス・センター概況(四)……南崎雄七…(六七)
農村のヘルス・センター、第一級センター、職員
(所長、保健婦、產婆、衞生檢査員)

銃後の衞生と市民の覺悟…醫學博士 藤原九十郞…(七三)

毅然としてたつ者……村岡花子…(七六)

編輯後記……伊藤悌二…(七八)

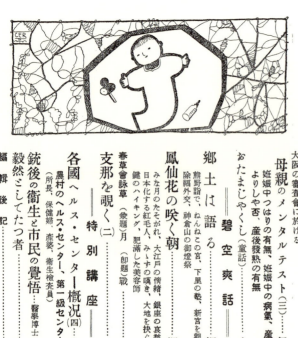

明治コナミルク(赤罐)
國産噴霧式粉乳の先驅
榮養と經濟とを兼ねた
國産唯一の母乳代用
胃腸の弱い赤ちゃんにもよく消化出來るやう、諸成分を調整してあります。その上値段も、砂糖の入つた牛乳一合に相當するものが五錢の割合にまで引下げてありますから、牛乳代りに召上つて戴いても御徳用です
・用ひ方簡便・
・母乳代用添加料・
ママーゲン
當社新發賣ママーゲン(榮養素配合穀粉)
を牛乳、ミルク、粉乳に添助すれば體重増
助、腸整作用顯著に、母乳代用品の効果を
完璧にいたします。しかも開罐後吸濕變性
の虞れなく價格も亦至極低廉でございます
明治製菓株式會社

第十五回記念
全大阪乳幼兒審査會 會長坂間大阪市長の會場巡視

── 會場　大阪三越三階に於て ──

寫眞、 前列向つて右より、瀨長大阪三越支店長、會長坂間大阪市長、伊藤聯盟理事長

非常時下海國赤ちゃん寫眞大會の優良兒

其の一

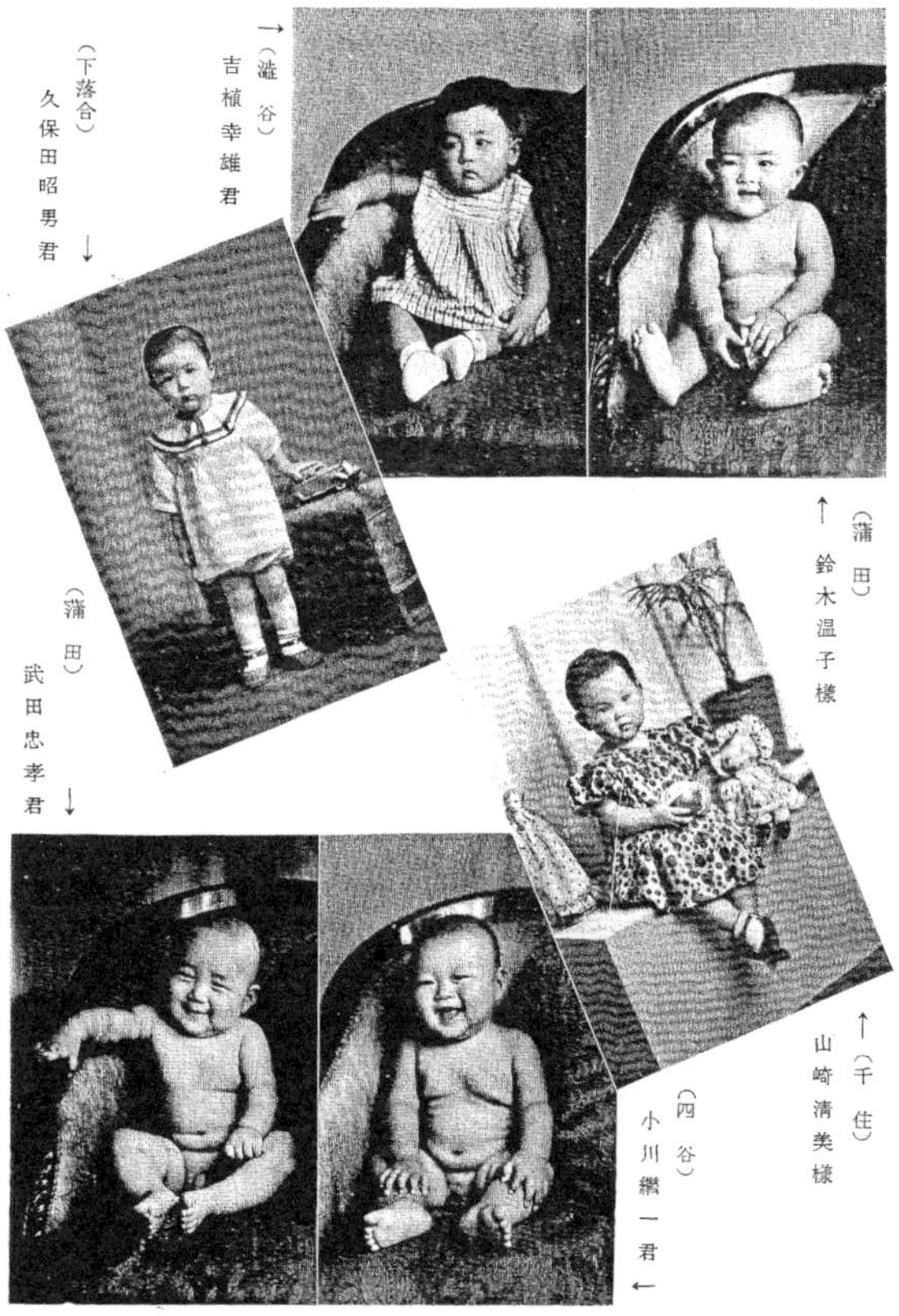

主催　東京高島屋
後援　日本兒童愛護聯盟

秋草の彼方に映ゆる護國の富嶽

東京蒲田大槻外科病院長
醫學博士 大槻正路氏撮影
── 山中湖畔に於て ──

海國赤ちゃん寫眞大會の審査委員會

——昭和十二年度——

本聯盟後援、海國赤ちゃん寫眞大會の審査會は九月十三日午後から、東京高島屋にて審査員の嚴密な審査の結果、總數八百餘點の中から一歲より四歲まで各二名づゝの推薦を選び出した。

寫眞は審査員——向つて左より小野東京寫眞專門學校教授、中鉢博士、文展審査員吉村畫伯、與謝野晶子女史、伊藤理事長、大岩寫眞部長、森井宣傳部次長——

蓄膿症
扁桃腺
の新治療法!!
鼻と腦との關係は薄い骨一枚を隔てゝゐるに過ぎません。匂ひの刺激が頭に及ぼす影響の强い事は、此の點からでも頷かれる譯です。鼻の病氣は元來寢てる程の事もないのでナニ鼻位ひと簡單に考へて居りますが輕い鼻病が遂には記憶力減退、神經衰弱の樣な症狀を起す事は稀ではありません、それには最近著しくその眞價を認められたユーカリ吸入療法をお奬め致します。恐るべき鼻病の新療法と云ふ小册子無代呈上、本紙で見たむね明記の上御申込下さい。
定價 鼻喉兩用二圓・一圓五十錢。鼻專用最小型一圓各種共ユーカリ油添付
東京市日本橋區本町四
大川式吸入器本舖
大川ユーカリ吸入器

子供の世紀

昭和十二年十月號

非常時局に直面し特に
兒童の體位向上を望む

大阪市立今宮産院
醫學博士 植野晃徳

日支紛爭以來漸次皇軍の出征を見、現地では空軍、陸海戰隊を初め刻々我が軍の戰勝のニュースを聞き、國運宣揚のため誠に喜ばしい極みであります。此炎熱燒くが如き支那の曠野で、壯烈な戰闘を續けて下さる我が將兵士の方々に、衷心感謝に堪えぬ次第であります。居留民保護と自衞行動のため、彼の暴戾なる支那軍を斷乎膺懲すべく、過般帝國の廟議一決した事は、皆樣も紙上又はラヂオにて御承知の事と存じます。然らば旭日皇軍の進む所何故に暴虐不法な支那軍が弱いか、それには何か原因があるに違ひない、支那政府、軍閥の跋扈共產黨と、列國との國際關係等種々通り一遍の理屈では統制のとれぬ復雜な原因があることは推測出來ますが、一方吾々保健、衞生、體育の方面からこれを觀察して見ますと、支那の將軍さては三軍を率ひる大將軍も、傳統的に續いて來た一つの大缺陷があるので、到底日本の將軍と同じく論ず可きではないのであります。

卽ち口には「長期抗日」「國家を救へ」などゝ美辭を述べた立派な訓示を發令してゐるが、事實はそう云ふ通りに行かぬので、いざ戰爭が始まると兵士共は食糧や蒲團を抱へて、早々と後退避難するのが常であるのと一つは、中堅級から上級將士は常に阿片を吞みながら安逸と享樂を貪り、第一線に立つて指揮など實際の活躍の出來ない事、卽ち常々の身心の鍛錬が不足で體質が柔弱で、いざ戰爭となつてはもう克苦この炎暑に對應して抗戰する氣魄がないのであります その點日章旗の向ふ所、日本將士の進む所は堅忍不拔、實踐躬行、不撓不屈、ひたすら、義勇奉公の日本精神を以て天日を絕海に迎へ皇運忠誠の氣魄と訓育が普く全國津々浦々まで漲つて到底彼等と同じに考へられぬ所に强味があるので斷じて他の追從を許さぬ所であると私は僣越ながら考へるものであります。

就いては此際この堅實なる日本魂によつて鍛錬されて來た我國民は、何かの方法に依つてより以上の心身鍛錬と體位向上に邁進し、この國家の非常時に擧國一致恒久國防の感がなければならぬと切に考へます。而してこそ體敎育の御聖志に添ひ奉る事と存じます。畏れ多くも 明治大帝が日露の役に際して

子等は皆 いくさの庭に 出で果てゝ 翁や ひとり 山田もるらむ

と仰せられたる事を思ひ起せば、優柔不斷、遊興に時を費し體育知育をおろそかにすべき時ではないと一層考へを深める次第であります。

私は今日丁度私の子供がかねてから大阪市立六甲郊外學園々長小畑三郎氏の特別の御取計にて、小學校の休暇中御世話になつてゐたのが、八月卅日退園式があるので學園へ參りました所、今迄の子供の偏食と氣儘も直り體重も增加してゐて誠にうれしく存じました。最初家庭から離すのは一寸可愛想な氣がしましたが、滿一ケ月間兩親から離れて他の學童と朝夕の共同生活の習慣も出來、然も規則正しい學習と心身の鍛錬とに、この空氣淸朗なる六甲の中腹で紫外線を滿喫しながら、體質改善に一生懸命お骨折下さつた園長樣外諸先生方に滿腔の感謝を表し厚く御禮申上ます。

終りに臨みまして十數年後に於て國防に或は家庭に我が皇國の中堅となるべき現在の學童諸君にこの上とも一層の心身鍛錬と體位向上を祈る次第であります。

學園から見渡すと生產全能力を擧げてゐる吾が扇港は何となく息詰る樣な緊張感に包まれてゐます。入道雲が淡路の沖に見えて、いなづまさへしてゐます。

扇港を見渡す遠雷秋暑し

赤ん坊に對する注意（二）

大阪市立今宮乳兒院長
醫學博士　野　須　新　一

乳の遣り方

（其の二）人工榮養の場合

人工榮養を始むる時期　母親の乳がなくて牛乳で育てる事を人工榮養と申します、牛乳をやるには生れてから七、八箇月目頃からが一番安全でありますが止むを得なければ六箇月目頃より、尚止むを得ぬ事情のある場合は三箇月目頃より與へる事となし生れて百日以內の嬰兒は萬難を繰合して人間の乳を與へる樣にしたいものです。

牛乳の遣り方　牛乳の配達をうけたならばそれを出來るだけ早く飮ませ牛乳瓶の密栓の封を切つて一度口をあけたものは長時間そのまゝにして置かずになるべく冷い處、例へば冷藏庫に入れるか、水につけて置く。用ふる前に一度煮立つてから下ろして冷やし體溫位の溫度にして用ふる。飮ます前に一應臭氣の有無、もろ〳〵の有無をしらべる。

哺乳瓶　乳豆は用ひた後淸潔に洗ひ乳滓は重曹水で洗へばきれいになる。乳豆の孔は一回の乳量を十分乃至二十分位に飮みつくされる大きさに、あたゝめた針のさきであける。

人乳と牛乳の成分は次の表の樣であつて人乳は牛乳に比較して乳糖が多いが蛋白質は少ない。而してヴイタミンＡＢＣＤの量は人乳と牛乳とで差異がある、牛乳榮養で注意せねばならぬ事は、ヴイタミンＣに就てゞある、市販牛乳中にはヴイタミンＣが殆んど皆無であるか又は著しく微量である、從つて牛乳榮養をする際には之を補はねばならぬ。近來市販のヴイタミンＣの製品があつてその分量も明らかであるから哺乳時に際して之を與へるのが便利である、又は果汁を與へる。果汁は生後三ケ月以後に與ふるを良しとす。

人乳と牛乳との成分の比較

成分	人乳	牛乳
水分	八七・九五一％	八六・九六％
固形分	一二・〇四九％	一二・九九％
蛋白質	一・三一三％	三・五三％
脂肪	三・五〇五％	三・六七％
乳糖	七・三三八％	四・九六％
灰分	〇・一六九％	〇・五八％
消化酵素	多量	殆ンドナシ（消毒牛乳）
ヴイタミン　A	多量	少量
同　B　B_1	少量	多量
同　B　B_2	同	同
同　C	多量	少量
同　D	少量	多量

牛乳のうすめ方と其の分量及び乳をやる時間　丈夫な赤ん坊に對する大體の標準を示しますと左の表の通りでありますが、赤ん坊の體の目方や一般の模樣に應じて多少加減する必要があります。それ故人工榮養を行ふに當つては必ず専門の醫者に相談して其の指圖を受けるのがよろしい、若し赤ん坊が機嫌惡くよく泣いて下痢をしたり、乳を吐いたりなどする場合には牛乳を一時止めるか或は極く薄めて與へ發育がよくて丈夫である時には定めよりも濃くして與へるのです。牛乳を濃くするには漸次にするがよろしい、一時に濃くするのは胃腸を損ずる基です。薄めた牛乳には味をつけます。それには二十倍（四五％）の割合に滋養糖を加へるのが一番安全です。授乳の回數は一日五―六回を適度とし、夜間の授乳は成るべくこれを避くべし、授乳の時間を左の如く定むれば便利です。

牛乳の薄め方

生後日數	稀釋の割合	一回の哺乳量	哺乳時間	一日の回數	稀釋液
二日	三分の一乳（牛乳一分／湯二分）	一〇瓦	三時間置	七回	一一％の割合に水飴を加へたる水飴液を用ふ或は五％の割合に滋養糖を加へる
三日	同	二〇瓦	同	同	
四日	同	三〇瓦	同	同	
五日	同	四〇瓦	同	同	
六日	同	五〇瓦	同	同	
七日	同	六〇瓦	同	同	
二週間	同	八〇瓦	同	同	
三週間	同	九〇瓦	同	同	

生後日數	稀釋の割合	一回の哺乳量	哺乳時間	一日の回數	稀釋液
一箇月	同	一〇〇瓦	同	同	一一％の割合に水飴を加へたる重湯を用ふ或は五％の割合に滋養糖を加へる
二箇月	同	一二〇瓦	三時間半置	六回	
三箇月	二分の一乳（牛乳一分／湯一分）	一三〇瓦	同	同	
四箇月	同	一四〇瓦	同	同	
五箇月	三分の二乳（牛乳二分／湯一分）	一五〇瓦	同	同	
六箇月	四分の三乳（牛乳三分／湯一分）	一七〇瓦	同	同	
七箇月	全乳	一八〇瓦	四時間置	五回	
八箇月	同	一八〇瓦	同	同	
九箇月	同	一八〇瓦	同	同	
十箇月	同	一八〇瓦	同	同	

六回授乳　午前七時、九時、午後一時、午後四時、午後七時、午後十時

五回授乳　午前六時、十時、午後二時、午後六時、午後十時

其の三　混合榮養の場合

人乳と牛乳或は其の他の榮養品と兩方を用ゆるを混合榮養と申します其の方法に左の三通りあります。

第一法　ちばなれの準備などの時に行ふ方法

一、午前六時　母乳
二、午前十時　牛乳
三、午後二時　母乳
四、午後六時半　乳
五、午後十時　母乳

第二法　母乳不足の場合

一、午前六時　初め母乳後牛乳
二、午前九時　初め母乳後牛乳
三、正午十二時　初め母乳後牛乳
四、午後三時　初め母乳後牛乳
五、午後六時　初め母乳後牛乳
六、午後九時　初め母乳後牛乳

第三法　母乳を制限するため例へば乳兒脚氣などの場合に行ふ法勿論與へる牛乳の量と回數は狀態に應じて加減をする。

一、午前六時　初め牛乳後母乳
二、午前九時　初め牛乳後母乳
三、正午十二時　初め牛乳後母乳
四、午後三時　初め牛乳後母乳
五、午後六時　初め牛乳後母乳
六、午後九時　初め牛乳後母乳

夜分牛乳を用ゆる事は夏の頃など腐敗するおそれがあつて度々しくじる事があります。それ故夏期には左の方法がよろしい。

一、午前七時 }
二、午前十時 }　牛乳　午前中に配達せるもの
三、午後一時　母乳

四、午後四時 }
五、午後七時 }　牛乳　午後配達せるもの
六、午後十時　母乳

母乳を禁止せねばならぬ場合

母親に害となる場合　母親の重き「ヒステリー」症、糖尿病、重き腎臟炎、心臟病、たちの惡い腫瘍バセドー氏病などの時には乳を禁じます。

赤ん坊の害となる場合　母親の急性傳染病殊に腸チブス、猩紅熱、丹毒「ヂフテリー」等の場合には赤ん坊に感染する恐れがありますから直ぐになさねばなりませぬまた母親に精神病や癲癇などがある時は赤ん坊にあぶないから乳を禁じます。母親の脚氣の場合は後に詳しく述べます。

母子共に害となる場合　母親の結核、母親の慢性熱病等には靜かに療養する必要があるために乳を禁じます。

乳兒脚氣（ちのみごの脚氣）

母親に脚氣があれば必ず其の子供にも乳兒脚氣を起すものと信じて居る人が今でも澤山ありますが脚氣ある母の乳がいつでも乳兒脚氣を起すものとは定まつて居ませぬ母親に脚氣があつても其の乳を飮んで居る赤ん坊には何等の異常も起らない場合が澤山あります。斯樣な場合には母親の乳を止める必要は少しもないのです。若し乳兒脚氣の疑ひがある場合でも、母親の乳を半分に減らして前述の混合榮養法にするか又は母親に脚氣の養生を守らしめ、同時に脚氣に對する藥品の內服及び注射等に依つて母乳を續けて與へても赤ん坊には何等の害がないのです。又前の場合でも母親が醫師の治療を受けて快方に向ひ次第母乳のみにもどしてよいのです。それ故母親に脚氣に似た模樣があつて乳をどうすればよいかと云ふ場合には必ず先づ専門の醫師について赤ん坊の方に變つた事があるかどうかを充分に診て貰ひ其の上にて指圖を受けるがよろしい決して輕々しく素人判斷で乳を禁じてはいけませぬ。

乳兒脚氣の場合の養ひ方

前述の樣に乳兒脚氣の診斷は輕々しくつけられぬものです。それ故乳兒脚氣の赤ん坊の養ひ方なども必ず専門醫師の指圖によらねばなりませぬが大體の定めは左の如くであります。

(一)母親が産前から又は産後に脚氣に罹つたとしても産後直に乳を斷める必要はありませぬ。赤ん坊に變つたことの無い限り普通の如く飲ませてよいのです。そして充分に脚氣の手當をすればよろしいのです。若し乳兒脚氣の疑ひがある場合には母乳を半分にへらして牛乳其の他の榮養品を以て補ひ前述の混合榮養にすればよいのです近來母子共に强力なるヴイタミンB劑の注射と一般脚氣の養生法とを行ふことに仍てその儘母乳を規則正しく與へて居れば完全に脚氣が治るものとされてゐる。

(二)乳兒脚氣になつたり又は赤ん坊が胃腸を損じた場合には乳をへらして先づ醫療を受け、母子共に其の病氣が快方に向ふたならば漸次に母乳を飲ませる量を増すことを忘れてはなりませぬ。

(三)一般に乳兒脚氣ではそれが非常に重い場合の外はたとへ青い便位があつてもきびしく乳を斷める必要なく一日に二三回牛乳又は「ネツスルミルクフード」を混用して行けば輕快することが多いのです。

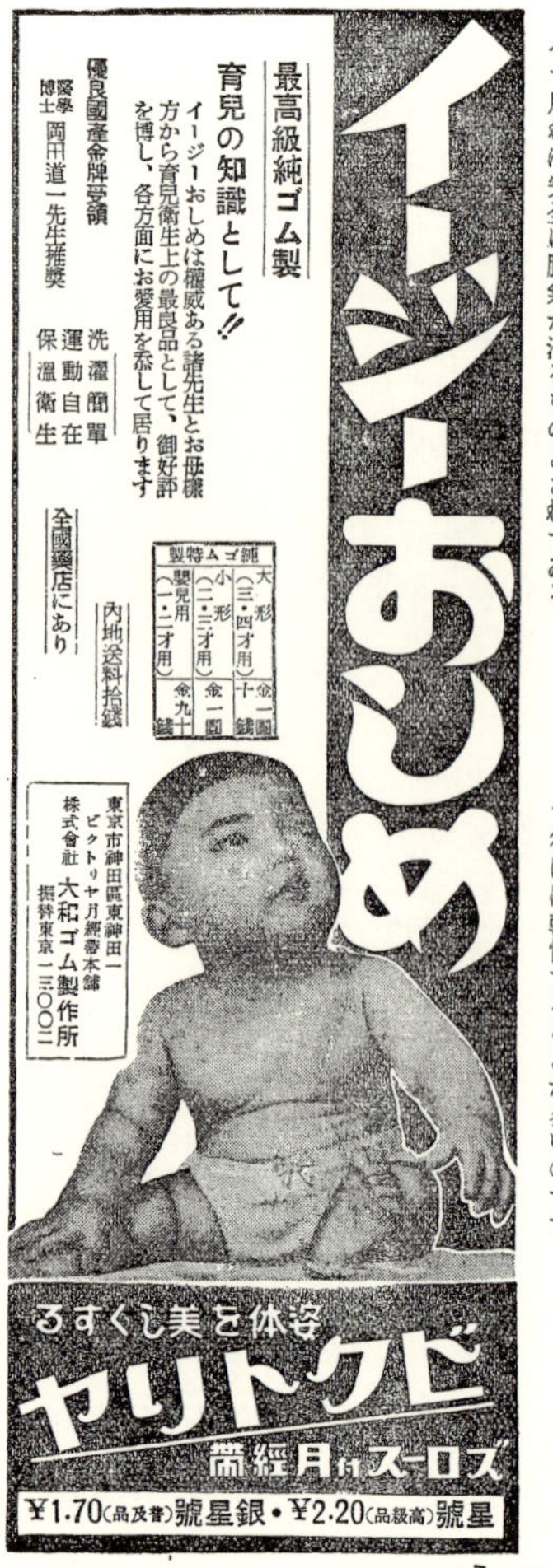

赤ちゃんの發育に大きな關係ある………

離乳期の食べ物

母親が特に注意すべきは傳染する病氣の豫防

醫學博士 中鉢不二郎

普通赤ん坊の離乳は何時ごろがよいかといへば誰でも知つてゐるやうにお誕生前後ですがこれについて、普通及び普通以上の發育をとげてゐるこども七百五十人ばかりについて何時ごろ母乳から他の食べものに移つたかを調べて見たことがありますが、生後六ケ月位から母乳以外に他のものを食べさせてゐます、食べもの〻種類としては果實の汁、パン、ビスケット、おまじりといつたものです、さらに生後八ケ月位になるとずつと殖えて來ます、また食べもの〻種類も多くなる、これは自然のま〻にして置いても、丈夫な子であれば、この年齢においては何かつまんで食べたいといふ氣が起きて來る、さういふことが大きく作用するためでもありますが、それを抑制して母乳以外に何もやらずに置くと痩せてしまひます。すでに母乳だけでは全身の發育に對して榮養が不足してくるからです一方この時期の食べものについては食べさせ方が惡いとすぐ消化不良を起して來ます、御飯にしても、八ケ月ぐらゐから食べさせてゐますが、少し食べ過ぎると大抵の場合下痢を起します、これは消化器官が、まださういふものを完全に消化するほどの力がなく、抵抗力が弱いためなので、從つて消化不良の結果死亡するものがこの時期には多いのです、この點は大變注意を要します、調査に現れた特異な點は離乳を終つてから二年をすぎても未だ母乳を他の食餌のかたはら飲んでゐるものが多い、しかもさういふこどもの發育は非常によい、これは普通の食餌であるとよほど注意しないと偏食になりやすく、したがつてある榮養素の缺乏を來すといふことになるが、この場合各成分のすつかり揃つてゐる母乳を飲んでゐると、これによつて不足を補はれて行くためです。

× × ×

食餌の外に育兒上大事な點は何かといへば傳染病です、傳染病といつても法律できめられてゐる赤痢、チフスのやうなものばかりが傳染病ではありません、小さい子供にとつては、皮膚のタムシも傳染病ならオデキもさうであるし、ヒゼンもさうである、トラホーム、百日咳、水疱瘡みな傳染病です。

かういふ傳染病につぎ〳〵と罹つてゐては、子供は決して丈夫になりません、殊に小さいときにタムシ、濕疹が始終出來てゐると、何時も子供はうるさがつたり、かゆいといつた所から神經質になり、疳が高くなつて來ます、それには傳染病の豫防が大事なのです。

それも自分の家庭だけでは駄目、お互の家庭がこどもの傳染病には氣をつける必要がある。

四人目に一貫目の男子を安産

(富山) 西谷波代

私は生れつき冷え性で、いつも腰から下が猫の鼻の様に冷たくて、時々子宮の障害が起りますので、家の人にも氣の毒でした。十七歳の暮に結婚して以來十二年間の夫婦生活で子供は四人生れ、内一人(二番目で女)は生れて八十日目に死亡致し、現在三人が無事で居ります。頭の子は女で今年八歳で學校へ行つて居りその次は長男で四歳、その次がこの間生れて男でありました。いつも姙娠しますと三ケ月目から腹の底が痛く、頭痛、めまひが起り、食慾が進まず、七ケ月頃は迚も身體の具合が惡く、その爲生れた子供は榮養不良で痩せた子であり、乳は子供の呑む半分しか出ず、授乳についても大變骨を折りました。

姙娠の度毎にこんな心配ばかり重なりますので、私共は人の姙娠やお産の話を耳にする毎に身の毛もよだつ思ひでございました。ところが今度の出産には、主人より榮養と育兒によい『錠劑わかもと』の服用をす〻められ、姙娠三ケ月頃から服み始めました。服用後は

大變お腹が空き

三度の食事が四度あればよいと思はれ、平生は不味いものでも美味しく頂ける様になりました。そのため次第々々に身體に元氣が加はり坂道を登るにもさほど苦しくなくなり、お腹も以前より大きく、双兒ではないかと思はれる程でした。

ところが肥つた一貫目餘の元氣な男の兒が首尾よく生れ、全く念願通りで、產婆さん始め家の者も驚きました。私は産前こんな大きなお腹では、出産の際定めし苦しまねばならないだらうと心配して居りましたが大したこともなく樂〳〵と生れ、全く『錠劑わかもと』のお蔭と感謝して居ります。

生れた子は四十一日經過致しましたが、風邪一つひかず、一寸も病の氣がなく元氣で、乳を呑ませない時はよく寢ます。全く赤兒は寢て肥るとは本當です。乳も今度は有り餘る程で、乳房が張り切つて痛みます。産後百日は特に氣をつけなければならない時ですから後二ケ月『錠劑わかもと』を服用して見ようと思ひます。

私共婦人は銃後の國防に一往邁進すべき秋で、特に身體の健康、强壯に注意が肝要でありますから、私の家庭では『錠劑わかもと』を常備藥として居ります。私の身に對する効果は前記の通りで自信を持つて居ります。そこで私の樣な身體工合の方、丈夫でない方に是非共お奬めしたく、常に知人、友人とも親しく相談して居ります。

「錠劑わかもと」は三百錠入り一圓六拾錢にて全國藥店で取次いで居ります。

乳兒榮養の話

大阪市立堀川乳兒院 醫學士 山田 讓

第一章 緒言

近年に於ける醫學の進步の跡は各方面に亘つて著しく一昔前とは隔世の感がありますけれども、乳兒の榮養法の如きも全く面目を改めて居ると申されませう。乳兒の死亡率の如きも明治から大正、昭和と次第に減少して居りますが、然しこれを諸外國の統計に比較して見ますとまだ〳〵吾々は現狀を以て滿足されません。昭和九年度の内閣統計局の調査によると五才未滿の乳幼兒が總死亡數の約三分の一卽ち三二・六八%を占め一才未滿は最も多く二〇・一一%の高率を示して居ます卽ち百人出生すると一年未滿に十二人强、五年以内に二十名强死亡してゐる事になつて居ります、これらの乳幼兒の死因を觀察して見ますと、先天性弱質を筆頭に下痢及腸炎、肺炎、腦膜炎、氣管支炎、疫痢、痲疹、百日咳、乳兒脚氣などが大多數を占めて居る樣です、先天性弱質の如きはまづ兩親の體質改善から研究すべきものでせうが、吾々は諺に「氏より育ち」と云ふ樣に此等不幸な虛弱體質の乳兒も熱心な誤らざる榮養法、育兒法によつて一定度迄は必ずや改善されませうし、下痢及腸炎、乳兒脚氣が榮養法の不適當により起る事は勿論としても、上記の其他疾患も榮養の惡い乳兒に起つた時に如何に恐ろしいものであるかと云ふ事は自明の事實です、これらの傳染性疾患は體細胞の抵抗力減退し、免疫力が弱いときに其の虛に乘じて猛威を猛しくするもので、年齢の幼弱なる程そして榮養狀態の不良な程危險であります、私がこ〻で述べ樣

とするのも究竟この點に關して世の子供を持つ親達の御注意を喚起せんとするに他ないのであります。均しくこの世に生を享けて來た乳兒に、たとへ貴賤貧富の左がありませうとも、すべてが明るい太陽のもとにすく〳〵と育つ樣にと願はない親がありませうか。親はなくとも子は育ちませう。誤つた育兒法であつても丈夫に育つ子もありませう。しかしそれは非常に危險な、盲、蛇に恐ぢずの類と申されませう。吾々は必ずや正しい育兒法、正しい榮養の知識をもつて、國家の幼兒を育てあげる義務をもつて居ります。

第二章　健康乳兒の發育と生理

乳兒榮養法の適否によつて左右される乳兒の榮養狀態の標準となるものはその發育であつて、これに併せて乳兒の生理を先づ知つて置く事は乳兒の榮養法を論ずる上に最も重要な事です、詳しく述べると際限もありませんから私は乳兒榮養法を考へる前の豫備知識として其の要點を申し述べて御參考に供したいと思ひます。

第一節　身體の發育

（一）體重　本邦では生下時體重は平均男三瓩、女二・八瓩で、生下數日間は多少減少いたしますが、これは生理的體重減少と云ひまして、主に胎便、尿等の排泄並に榮養品を攝取する事が僅少なために起るもので心配はありませんが、その後は體重の增加は最も旺盛で四—五ケ月で生れた時の二倍、一年で約三倍となります、體重は素人にも判り易くもあるし、一番簡單に測定も出來ますので乳兒の健康の一番の目標となりますけれども、これで知つておくべき事は體重の增加のみが唯一無二のものと思つてはならないと云ふ事です、其の適當な一例として吾々が穀粉榮養障碍と呼ぶ乳兒の病氣があります、これは含水炭素が主で脂肪、蛋白質、鹽類、ビタミン等に乏しい小兒粉、重湯などで長時哺育された乳兒において一見體重も增加し、皮色も良くて榮養が甚だ良好の樣に見えましても、こうした乳兒は傳染病に對する抵抗力も非常に弱く、吾々の眼から見れば誠に憂ふべき危險狀態に乳兒を暴露して居るものと云はねばなりません、この一例でも體重のみが多くとも決してそれがすべてではないと言ふ事が了解されると思ひます、しかし反對に體重が甚しく少いと云ふ事はこれ又決して喜ぶべき事ではありません、體重の增加と云ふ事は體重曲線を作つて簡單に知る事が出來ます、體重はあまり屢々測定すると反つて迷ひ易く、親の神經を昂らせるのみですから月二回位が適當でせう。別表の樣な體重表によつても乳兒の發育狀態を知り得ますが、次の算式も亦便利で略々大差のない數字を得られます。

1年未滿　3000＋30×乳兒月齡（28－乳兒月齡）瓦
1年－15年　9＋1.5（年齡－1）瓩

この曲線の樣に上昇曲線を畫いて增加するときは先づ順調な發育を考へられます、時には曲線が或ひは階段的に增加と停止を交互に繰り返へす事もあり、或ひは又緩慢な上昇を示す事もありますが、これとても一定度迄は健康と見做されます、然し曲線が下降したり、動搖が激しかつたり、長時上昇停止する時には何所かに缺點があり、最も重大な意義を示すものとして專門醫師の指示を受ける必要があります。

本邦健康　乳兒體重發育標準曲線

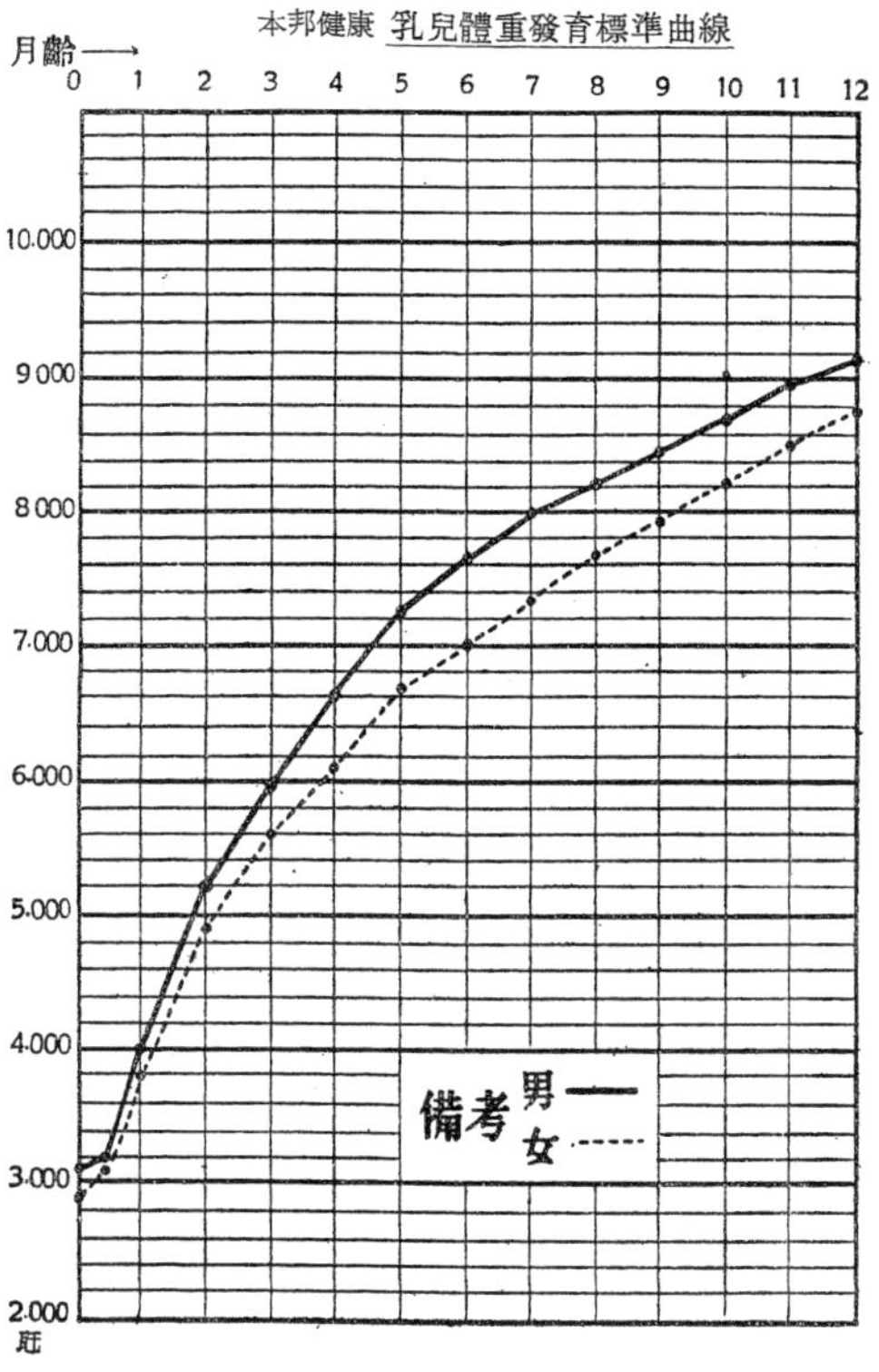

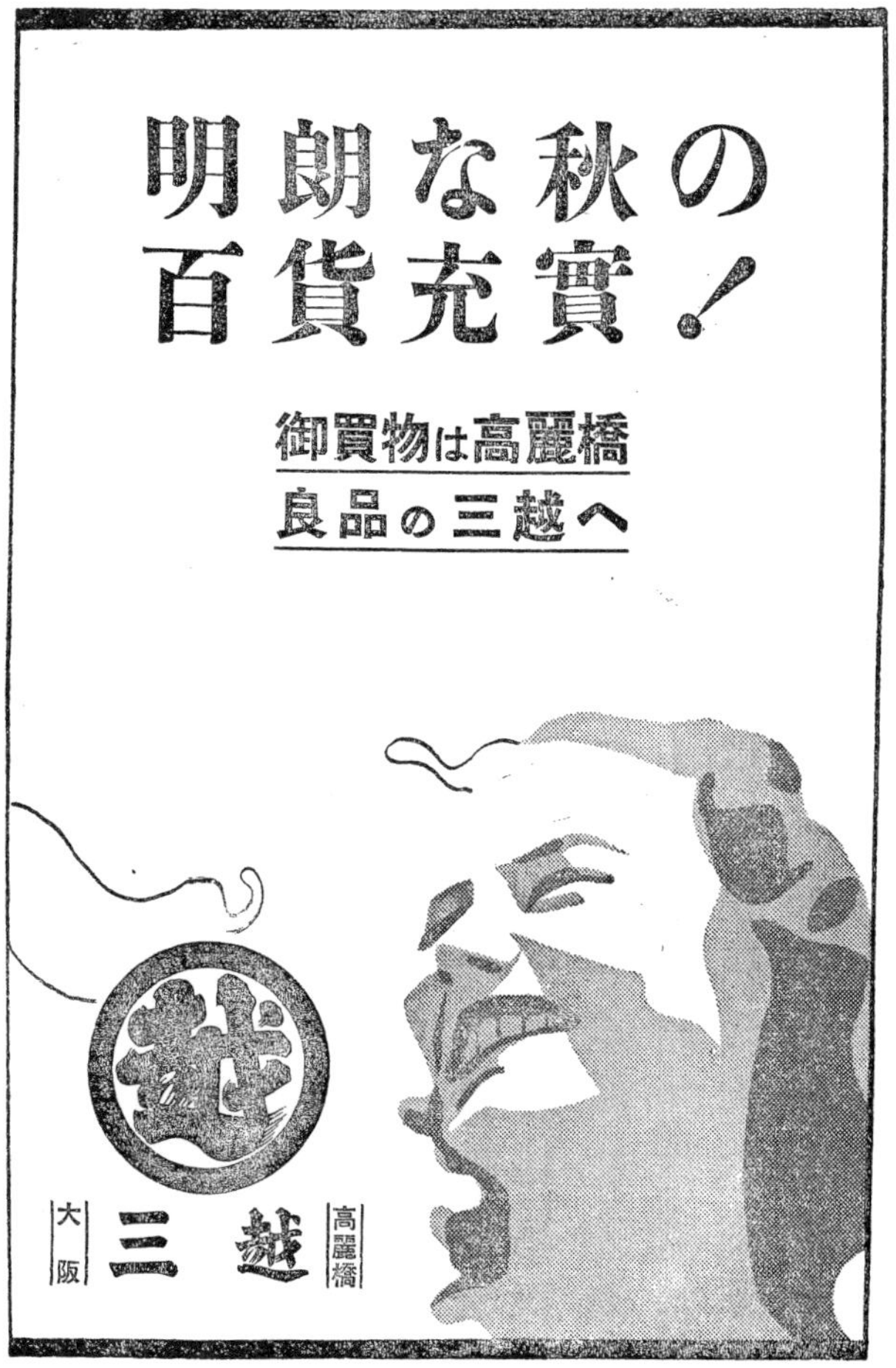

（二）身長　身長の發育も亦普通乳兒の發育標準として重要なもので、特に骨骼發育の標徵をなします、生下時は平均男五〇糎、女四九糎で乳兒期の前半特に著しく增加し後半期には增加率は少く、滿一年で二十三—二十五糎增加します、しかし尙重要な事は體重と身長との關係で例へば健康兒は生下時一糎に對し體重六〇瓦ですが、滿一年には約一二五瓦を示します、ピルケと云ふ人は體重と座高との間に關係を求め、この値をもつて發育の尺度としました。

$$100 \times \frac{\sqrt[3]{10 \times 體重（瓦）}}{座高（糎）}$$

この値が九五—一〇〇を發育良好とし、九四以下其の數字の少い程發育不良と定めました。座高と云ふのは正しい椅坐姿勢で其の坐面より顱頂の最高點迄の高さを申します、ピルケによると坐高は新生兒三十二糎、六ケ月三十九糎、滿一年で四十五糎と云ふ事です。

（三）胸圍　胸圍の增加も一般に體重增加と竝行します幼弱乳兒では前後徑は左右徑よりも大で、六ケ月以後になると左右徑の方が大きくなり、成人の形態を呈して來ます、胸圍は乳嘴の高さで測定し胸圍の增加停止及び減少は榮養障碍に原因し意義が大です、初生兒では頭圍の方が胸圍より一—二糎大で頭でつかちですが、滿一ケ年になると初めて胸圍が頭圍に追ひつき、次でこれを凌駕致します、滿一ケ年以上經過して尙頭圍が胸圍より甚しく大なるときは佝僂病とか腦水腫などを一度考へて見る必要があります。

（四）頭圍　前述の樣に新生兒では頭圍は胸圍よりも大で、平均三十三糎ですがその發育は胸圍のそれに比して非常に少いものです、吾々の方で必要なのは頭圍と胸圍との關係の他に大顖門（おどりこ）の狀態で生後一時增大しますが、次で減少し大體十二—十五ケ月で閉鎖するもので、菱形をなした銳角は前方を向き大顖門の大きさは菱形の對邊の中心間の距離を測り其の平均を以つて示します、あまり早く閉ぢ、頭の小さいのは小頭症と云つて腦の發育が惡く、頭蓋の過度發育は佝僂病の初期に認められます。

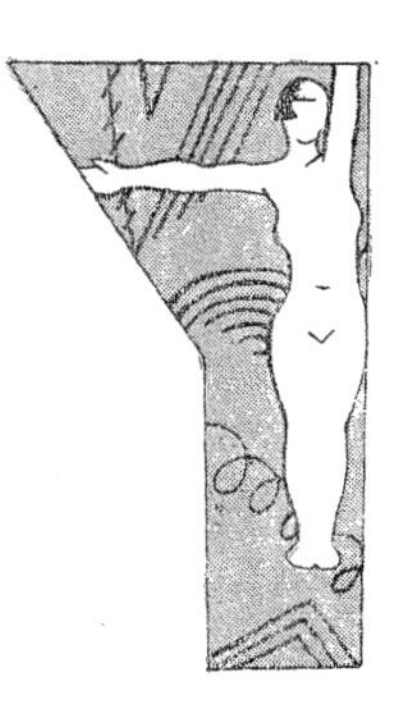

小説 傳記

高橋是清（卄四）

小杉健太郎

外債募集の苦心（前號續き）

この假契約は勿論まだ極秘であつた。が、ヒルといふ實業家は東京に來てゐた時から是清ときはめて懇意にしてゐた親友なので今度の成功の内祝ひとして彼の邸宅で、是清のために丁寧な晩餐會を催してくれた。

その席に、脊の高い一の未知の外國人が加はつてゐた。

「高橋さん、この方は私の友人で、ニューヨークのクーンロエブ商會の首席代表者シフさんです。――こちらが、かねてお話しの日本の高橋さん」

と、ヒルは双方を紹介した。

シフは是清の隣席についたので食事をしながら自然と二人の間に話がはづんだ。どちらも話題が豐富だから、それからそれへと面白くおかしく、時の經つのを忘れる位であつたが、しかし、話はやはり戰爭の所へ落ちて行くのであつた。

「日本といふ國は全く不思議な國ですね。」

「どうしてです。」

「だつてさうぢやありませんか。蚤のやうな小さい體をしてゐながら歐米でさへ怖れてゐる白熊にぶつかつて行くんですから。」

「しかし、蚤でも只の蚤とは違ひますよ、鋭い針をもつてますから、白熊の毛皮をやぶり心臓を突き差して斃さねば止みませんよ。」

「さう巧くやつてくれますかな。」

「日本の諺に、山椒は小粒でもピリッと辛いといふことがありますからね。」

「なるほど、それは頼母しい格言ですな、ハハハ。」

「ハハハ」

みな聲を合せて笑つたが、シフはすぐ眞面目になつて

「われ〳〵はロシアの惡政を非常に憎んでゐるのです。外には侵略主義、内にはユダヤ人壓迫、實際憎んでも餘りある非人道な

國家ですからね。ぜひとも日本に勝せたいといふのが、アメリカ人全部の希望ですよ。」

切歯扼腕といふ風に彼は興奮して云つた。（この人はユダヤ人系だな）是清はさう思ひながら、一寸皮肉な微笑を浮べて、

「しかし、私が先般、貴國へ行つて公債募集をお話した所が、少しも相談に乘つてくれませんでしたよ。アメリカの同情も、あまり當てにはならないぢやありませんか。」

「さう仰有られると痛いですが――いや、必ずしも同情ばかりとは限つてをりません。中には隨分、貴意に添ひたいと思つてゐる者もあるやうです。」

「本當ですか。」

「本當ですとも、まあ今に見てゐて御覽なさい――おや、折角のコーヒーが冷えてしまひましたよ。」

「御馳走が、いつ喉を通つたか忘れてゐましたよ。ハハハ。」

そんな有樣で、愉快に主客は一夕の歡談をつくした。すると、その翌日、シャンドがロイヤルホテルへ是清をたづねて來た。

「實は、昨夜あなたがヒル氏の家で知人になられたシフさんの依頼をうけて來たんです。シフさんがすぐ貴方にお眼にかゝりたいと仰有るんですが。」

「それは、どういふ意味ですか。私にヒル氏の旅館へ來いと仰有るんですか。」

「えゝ、つまりさうなんです、御面倒でも、一寸……」

「お斷りしませう。」

俄に是清は屹ッと容を改めた。

「どんな御用か存じませんが、わたしは日本政府の代表者です。シフ氏がわたしに御用がおありなら、どうぞ、こちらへお出で下さるやうに仰有つて下さい。いつでもお眼にかゝりますから」

「さうですか、ぢやさう申し傳へませう。」

流石に、シャンドも引込みのつかないやうな苦笑ひを浮べながら歸つて行つた。

是清だつて、好んで威張つて見たわけではない。それに昨夜の話の様子では先方にも公債應募に下心がないとも云はれない。それゆえ、是清も個人の資格ならば喜んで出かけたのであるが、何しろ今は自分の體で自分の自由にはならないのである。一擧一動はこれ日本帝國を代表することになるわけだから、輕々しく進退することが出來ないのであつた。殊に、外國人の常としてこちらは下手に出ると、すぐ高飛者な態度に出てくることを百も承知してゐる是清は、公債發行關係のことを考へると、尚更、將來のためにも相當の威嚴を保たねばならないと考へたのであつた。

やがて、シフが自動車でロイヤルホテルに乘りつけて來た。その要件は果して日本公債のことであつた。

「高橋さん、殘りの五百萬ポンドを私が引受けて、アメリカで發行したいと思ひますがいかゞですか。」

と云つた。

「ほう、それア結構なお話ですが、貴國では日本公債の人氣はどうでせうか。」

自分の苦い經驗があるから、是清はいさゝか不安を感じてゐた。

「いや大丈夫です。私が責任をもつてお引受け致します。」

「さうですか。そのお言葉を伺つて非常に安心致しました―いや先程はどうも失禮なことを申上げまして、どうか惡しからず。」

是清もつい極り惡げに頭をさげたが、シフは少しもそんな事にはこだはらない様子で、

「いゝえ、貴方の態度は尤もです。私こそ失禮したと後悔してゐます。まあそんな事はお互に問題ぢやありますまい。今後、あなたのためにお力添へが出來れば結構だと思つてますよ。」

「何分よろしくお願ひします。」

シフの思ひがけない立派な態度に、是清は思はず頭が下がるのであつた。そして是清はこれまで殆どシフなる人物を知らなかつたので、内々調べて見ると、それは意外にも、シフは米國財界の大立物でユダヤ人會會長であるといふ。露國を蛇蝎視するのも故あるかなと是清は悟つた。

この爲に、シフはその親友なる英國の大財産家カッセル氏と共に英國皇帝陛下より午餐を賜はる光榮に浴し、かつ「日本公債の應募に參加せるは朕の深く滿足とする所である。」といふ旨の有難いお言葉を賜つたのである。

これを見ても、英國は上下を通じて、他國に氣をかねながらも日本に大きな好意を寄せてゐたことが覗はれるのである。

さて、是清は幸運に惠まれて首尾よく使命を果したとは云つても、まだ實際に發行して見るまでは、どんな邪魔が入らないとも限らないものだ市場の人氣の程も氣づかはれた。

宛ら探偵小説

現に、ロシヤやフランスの經濟スパイ、軍事探偵などがロンドンに入り込んで盛に暗躍し、日本の募債計劃を攪亂しやうとしてゐるといふ風説がしきりに彼の耳にも入つてきた。だから公債發行の發表日を定めるのが、なか〳〵の重大問題である。

或日、是清はこの問題を相談するために、シフの泊つてゐるクラーリッヂ・ホテルへと自動車を急がせた。ふと氣がつくといつの間にか自分のあとを追跡してくる。一臺の怪しい自動車があることを彼は知つた。

「おい運轉手！　怪しいやつがつけてくる。急いでくれ！」

彼の自動車は殆んど全速力をだして走つたが、あとから怪自動車も速力を増して執拗に追ひかけてくるのであつた。是清は癪に觸つて仕方がなかつた。背後の硝子窓から覗いて見ると、巧に適度の距離を置いてつけてくる自動車は、茶色のスマートな型で、いかにもフランス人好みらしく思はれた。

「運轉手！　どこでもいゝ、この近所の相當な料理屋へつけてくれ。」

是清は突然さう命じた。やがて彼の自動車は電車の交叉點の角にある、立派なレストラントの玄關へ横付けにされた。

「歸るまで、君はこゝに待つてゐてくれ。」

是清は運轉手にかう云ひつけて自動車から降りながら、チラと背後を見ると、二三間ほどあとに、あの茶色の怪自動車がちやんと止まつてゐた。是清は何食はん顔をしながらツカ〳〵と料理屋の扉を押して入つて行つた。

入るとすぐに彼は帳場の電話をかりて、日本の留學生や大使館

員、それに懇意な英國官吏などを四五人つぎ〳〵に呼び出して、すぐに來てくれと招待したのであつた。腹に一物ある彼は、イギリスの銀行家達を一人も招ばなかつた。間もなく一同が二階の部屋に集ると、美事な食卓へついたが、是清はボーイのゐない時を見澄して、すぐ立上り、

「諸君は充分に歡を盡してゐて下さい。私は一寸これから失禮ですが、秘密の要件で行つて來なければならない所があります。で諸君は少くとも一時間はどうかこゝにゐて下さるやうに御願ひします。」

と云つた。その顔色で、言外の意味を汲みとつた。一同は、親しい仲だけに快く頷いた。

忽ち料理屋の裏口からひそかに脱けだして是清は、すぐ附近のタクシーに乘つて、クラーリッヂ・ホテルへと飛ばした。

やがて、そのホテルへ着いて見ると、外觀は勿論、内部の裝飾設備萬端に善美をつくしあるのには一驚を喫する外はなかつた。流石に各國の皇族方をはじめ一流の貴顯紳商が泊るところだけに是清のやどつてゐるロイヤル・ホテルなどはとても比べ物にならなかつた。

これには是清もいさゝか赤面した。しかし國運を賭して戰爭してゐる祖國の財政窮乏を考へると、相當の體面さへ維持できればそれ以上の贅澤は云つてゐられなかつた。

是清は、シフの部屋へ入つた時は、もう微塵も氣臆れの色がなく、いつものやうに蟠りのない朗かな調子で、

「やあシフさん、いま大變面白いことがありましてね。」

といきなり手を握つて云つた。

「ほう、何ですか。」

シフも思はず釣りこまれて微笑した。

「スパイにつけられたんですよ。」

「えッ！」

シフの顔色が心持ち變つた。

「茶色の怪自動車なんですよ。そいつが、しつこく追跡してくるもんですから、僕はすぐ交叉點の角の料理屋へ飛びこんで、日本人や英國官吏など公債にはまるで關係のない顔觸れを四五人よんで、俄お客をしたんです、そしてその人達には勝手に飲んでゐて貰つて、僕だけソット裏口から逃げて來たんですよ。例の發行日を、あなたに御相談しやうと思ひましてね。」

「それア。まるで探偵小説みたいでしたな。その怪しい奴は、今頃ぽかんと口をあけて、あなたの出てくるのを表で待つてゐませうよ。痛快ですな　アッハハハ。」

シフは冒險好きらしい一面を現はして、豪膽な笑ひ聲をたてたが忽ち要心深い顔つきをして、

「しかし高橋さん、いまが大切な時です。尚十分に氣をつけなさらればいけませんよ。千丈の堤防も蟻の穴から崩れるたとへもありますからな。」

「有難う。これからもよく注意しませう。」

それから二人は、肝腎の要件について、ひそ〳〵と相談をしはじめた。

この事があつて十日ほど後だつた。突如「鴨綠江の戰爭に日本

軍大勝利」といふ捷報が傳はつたので、ロンドン市民の不安が忽ち一掃された。そして一週間ほど後にいよ〳〵日本公債發行が發表されたので、これがロンドン市場に豫想以上に景氣を呼び、各取扱銀行とも朝から四五丁も應募申込者の列をつくつてゐるといふ有樣。その日の三時頃にはもう申込受付を締切るといふ盛況であつた。

あとで聞くと、アメリカでも矢張り同じやうな活況を呈したといふことであつた。

人工榮養兒に・・・

アスコル末を

牛乳の中には、母乳に比べるとヴイタミンCが極めて少いものです。ところが近ごろ乳幼兒の榮養が昔のやうに母乳に頼らず、ミルクやおかゆの如き人工榮養料に代るやうになつたので、ちやうど生もの拔きで毎日偏食餘儀なくされる人間と同じやうにヴイタミンCの缺乏から赤チャンが肥り得ず消化不良や榮養不良に陥ることが判りました。

★

歐米では人工榮養兒と否とに拘らず、生後三ケ月を過ますと、毎日一匙のレモン汁を乳瓶中に添加することが最近の育兒常識の一つになつてをりこのために乳兒の死亡率を激減させてをります。が胃腸のか弱い赤チャンに生の果汁を與へることはお腹に障り易い不純物を含んでゐる恐があるので最近わが國ではそれに代りヴイタミンC粉末（アスコル末）が乳兒專門家から愛用されてをります。

アスコル末一瓦は一食匙（約十五瓦）の新鮮レモン汁に相當するヴイタミンCを含有してをりますから、人工榮養の赤チャンの乳瓶中に混ぜて與へますと、貴重なヴイタミンCが補給されて、自衞力を強め消化不良や榮養不良、その他いろ〳〵の乳兒病から遠ざけて、母乳育ちと同じやうによく肥らせます。

ミルク育ちはヴイタミンCの缺乏で消化不良や榮養不良になり易い

七五瓦　二円五十錢
二五〇瓦　七円五十錢
藥店にあり

說明書と見本……
東京市日本橋區本町二ノ七田邊元三郎商店へ御申越次第送呈す

名作曲家の列傳（八）

フランツ・シューベルト

Franz Schubert

秋保孝藏

墺國ヴインナの保壘に近く、リヒテンタールといふ古い一區域がある。そこに一軒の古い建物がある。今日では個人の住宅でなく、一種の公有物になつてゐる。入口の戸の上には「フランツ・シューベルトこゝに生まる」と記した大理石の板が貼付けてある。その文字の右方には星を冠く堅琴を描き、左方には花輪を彫り、その中央に一七九七年一月三十一日と記してある。

フランツ・リストの所謂「音樂家中で最も優れた詩人的作曲家」であるシューベルトは、卽ち前述の場所で生れた。彼は三十一歳を一期として死んだが、その間に無慮六百の歌曲を作り、八つのシンフオニーと、歌劇その他の傑作を出した驚くべき天才である。

父はこの地で小さな學校を經營してゐた。五人の子供があつたが、四人が男の子で、一人が女の子であつた。彼には學校長として受くる俸給の他には何等の收入もなかつたので、妻が苦心して家計上の始末をしてもいつも不足勝であつた。家庭は敬虔で善良であつた。フランツは幼少の折から音樂に對する趣味の閃きが見えてゐた。家にある古い破れたピアノで聞覺えの曲を彈くのであつた。いつしか樂器屋の小さい丁稚と懇意になつて、時々その店の倉庫に伴れられてはそこにある新しいピアノを彈いて見たりした。

フランツは七歳の時、音樂の稽古を始めた。父がヴアイオリンを教へ、兄のイグナツはピアノの指導に當つた。處が優れた技術の持主である彼は、間もなく父兄を追越してしまつた。そこで彼はピアノ、ヴアイオリン、

オルガン、唱歌等を學習するためにその地の教會の音樂指導者ホルツアルの許に遂られた。ホルツアルはこの少年の進歩の速いのに舌を巻いた。「何か教へようとすると彼は何時も前以てそれを心得てゐた。私はこんな生徒を教へたことがない」といつたことがある。十一歳に達した時、音聲が優れて美しかつたので合唱隊のソプラノ歌手に選ばれた。その頃から作曲にも志し、ピアノの小曲や歌曲などを作つた。兩親はその天分に驚き、適當な指導を與へれば、音樂で家計の手助になるだらうと思つた。この地に帝國會館の音樂員を養成する學校があつて、若しフランツが試驗に及第すれば、官費で就學を許すといふことであつた。一八〇八年十月の或る朝、フランツは極めて舊式な服を身に纏ひ、近視眼鏡をかけて試驗場に出た。他の子供はその變な格好を見て笑つた。宮廷樂隊長が試驗官であつた。フランツは見事にやつて除けて直ちに入學を許せられ、唱歌隊の制服を着せられたのである。

この學校で彼は深く音樂の研究をする機會を得た。管絃樂隊の中でも最も良い地位を與へられた。毎日熱心にモツアルトやハイドンや、ベエトオフエンなどの序曲やシンフオニーを研究した。そして最も好きなのはモザルトのシンフオニーのト短調であつた。この曲の中には天使が歌つてゐると彼はいつてゐた。或る時師のスパウンに、自分は今まで多少作曲した、今もそれに勵みたいが、五線紙が手に入らないから駄目ですと物語つた。スパウンは大いに同情を寄せて、今後五線紙をやるから大に勉强しろと勵ましてくれた。

彼は著しい進歩を遂げ、間もなく管絃樂隊でも第一ヴアイオリンを受持ち、指揮者缺席の場合にはその代理を勤めた。彼の技倆と熱心とは充分その任を辱しめなかつた。休日の折には懷しい家庭に歸つて家族と共に管絃樂を始め、互に批評し合つては研究に勵んだのである。その頃供給される五線紙では到底足りない位作曲に努力した。五個年間の在學後いよいよ本物の音樂家になることに決心し、此處を去つて一人その道の開拓に着手することにした。一八一三年の暮彼は師のラング博士のために作つた第一シンフオニーによつて、自分の途を祝はれながら此學校を去つたのである。若々しい希望と精力とを以て他の大音樂家等の踏んだ道を進むのであつた。その時彼は十七歳であつた。

當時彼は兵役の義務に服しなければならなくなつてゐた。これは不斷の勉强に依つて前途を開拓しようとする彼には最も辛いことであつた。之を免れる道は唯一つ、それは學校の教師になることであつた。彼は止むなく父

の學校の教師となつて幼い子供の組を受持つた。教育事業には少しも趣味を有たない彼は成るべく時間をつくつては音樂に親しみ作曲に勵んだ。當時リヒテンタールに住んでゐたグロブ家と懇意になつた。家族は皆音樂が好きなので、彼はその家庭でしばしば音樂會を催した。彼の新しい曲は前に居つた學校の友人等にも用ゐられた。又少年の折世話になつたホルツアルがまだ此地の教會のオーガニストであつたので、その人や教會のためにフランツは最初の彌撒祭の曲を作つた。これは非常な評判になつて、十日後またオーガスチン教會でその演奏が繰返された位である。ヴインナの官廷樂隊長サリエリも聽衆の一人となつてこの曲を稱讃して措かなかつた。その後フランツはサリエリから音樂上の指導を受けた。父はこの成功を祝してピアノを買つてくれた。

彼は盛んに歌曲を作つた。有名な「紡車のグレツチエン」もその頃の作である。當時の詩人ヨハン・メエヤホオフエルと親しくなつて、詩人は歌詞を作り、シューベルトはその曲をやつた。

一八一五年歌曲だけでも百三十七種の多きに及んだ。その他に歌劇や教會音樂を澤山作曲した。夏の或る日などは一日の中に七つまたは八つの歌曲を作つたこともある。中には印刷して二三十頁に亘る長いものもあつた。

フランツ・ショーベルといふ一青年があつて、ヴヰンナ大學へ入學の目的で此市に來た。大の好樂家で、此市に來るや否やシューベルトを訪ねて見ると、彼は机に倚つて餘念なく作曲中であつた。二人は間もなく意氣相投じて刎頸の友となつた。シューベルトは學校で教授することが如何にもいやで堪らないといふ。するとショーベルはこの天才の自由奔放な心事に同情し、學校をやめて自分と同居し、終日自由に好きな作曲に從事したらよからうと勸めた。父も之を許したので、彼はその友の家へ引移つた。友から受けた恩誼に報ゆる意味でショーベルに音樂を教へてやつた。然しシューベルトは生來人に物を教へることが嫌ひなので、これも長く續かなかつた。

シューベルトは二十四歳になつた。これまで澤山曲を作つたが一つもまだ公にしない。出版屋は名のない作曲家のものは發行したがらない。それでも彼の作曲は聲樂家によつて唱はれ、何時も稱讃と喝采とを博した。友人は出版屋が發行を引受けてくれないのを憤慨し、彼の傑作「エールキング」を先づ刊行することに骨折つて豫約募集をしたところ、即坐に百部の豫約が出來た。これに元氣づいて「エールキング」と「紡車」とを發行し、本屋に委託して販賣した。この計畫は豫期以上に成功した。其後七曲までこの方法で公にした。評判がよい。今

流感・肺炎・百日咳等・特効
吸入薬
カンピロン

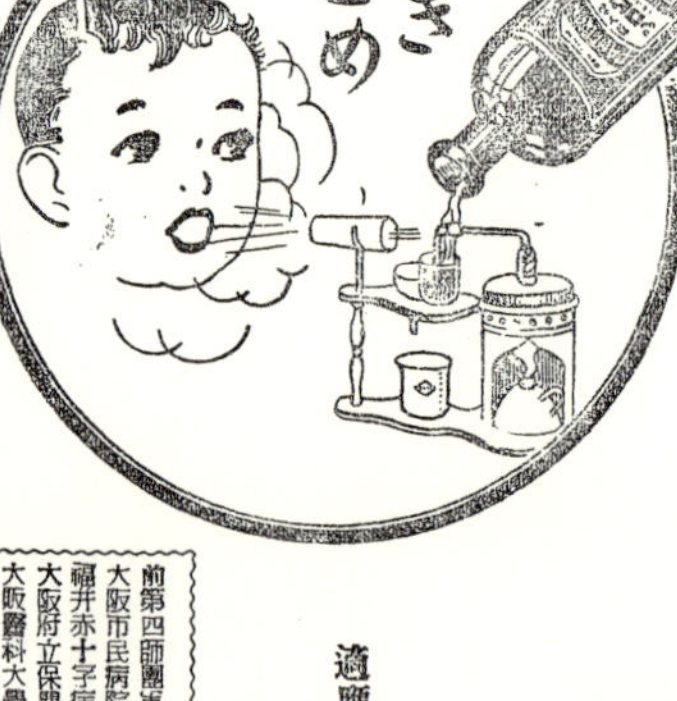

合理的吸入療法と其効果ある理由

本品は上圖の如く普通の吸入器で之を吸入して呼吸器直接に作用す、芳香爽快にして、毫も副作用なし

一、せきの出る神經に作用して咳を止め、又痰を溶解して容易く祛痰の効を奏す。
一、心臓を强め抗病力を増進し且つ肺炎、氣管支炎等の炎症を治する効ありて全快を早うす。
一、解熱作用あり、即ち濾熱中樞を刺戟して發熱を抑制し又殺菌力あり。

適應症　感冒、肺炎、氣管支炎等の急性病は勿論麻疹、百日咳等の小兒獨特の病に特効あり又肺結核、喘息等の鎮咳、祛痰に適應す

前第四師團軍醫部長　英陸軍々醫監
大阪市民病院小兒科長　谷口醫學博士　實驗
福井赤十字病院長　大野醫學博士
大阪府立保嬰館前館長　上村醫學博士　推奨
大阪醫科大學前教授　辰巳醫學博士

全國藥店にあり
定價　六十錢・一圓・二圓等
類似品あり
御注意を乞ふ　惡なる模倣、
大阪市東區平野町
道修藥學研究所

日本赤十字社病院　慶應大學病院御用

テツゾール

吉本醫學博士　簡野醫學博士推奨
藥學博士　石津利作先生創製

幼兒の榮養と母體の保健

お茶を禁ぜぬ便利の鐵劑

體内造血器管を皷舞し其機能を旺盛ならしめ純血を豐富に新生し潑溂たる活力を附與す。故に

貧血の人、虚弱の人、病後の人、不眠症の人、神經衰弱の人、產婦、夏期に衰弱する人、肉體及精神過勞に適し又、登山、旅行、運動競技、試驗前後は常備、携帶の要あり。

愛兒の爲に

今迄小兒に適する鐵劑がなかつたが本品によりて初めて理想が現實したとは小兒科醫の言明である。

發育が遲れたり、虚弱であり、血色肉付わるく、夜尿をしたり、病後の小兒等弱き愛兒の榮養は美味で飲みよきテツゾールの服用に依り効果に直に母親の慈眼に映ずべし。

四週間分金貳圓八十錢　八週間分金四圓五十錢

東京日本橋區本町三丁目
發賣元　里村三治商店

各藥店
三越
松屋
松坂屋
にあり

關西代理店
大阪市道修町一
キリン商會

增量斷行
器械設備の完成と共に定價は元の儘にて二週間分を四週分に增量して非常に御德用になりました

度は出版屋の方で默つてゐない。他の未刊の歌曲を引受けようと申込んで來た。

ヴキンナの名高い聲樂家ヨハン・フォグルは、シューベルトの「エールキング」のことを傳聞して、一八二一年三月宮廷音樂會の席上でそれを唱つた。ところが雷のやうな喝采を受けた。ショーベルはこの聲樂家を知つてゐたので、シューベルトに會せようと思つて來訪を勸めた。或る日シューベルトを訪ねて見ると、例の如く一生懸命に勞作してゐる。音譜を書いた紙が室一杯に散らかつてゐるので客は驚くこと一方ならず、フォグルは當時の上流社會に交際が廣かつたので、彼をあちこち紹介してやらうと言つた。然し羞みやの彼はそれを聞いて只默つてゐた。フォグルは散らかつてゐる二三の樂譜を拾つて見てゐたが、やがて歸る時に彼の手を握つて、「君は心の中に澤山のものをもつてゐる。然し君はその立派な思想を甘く用ひないで亂費してゐやしないか。」と言つた。

フォグルは彼に對して非常に興味を有つやうになつた。その後再び訪ねて來て、遂に親しい友人となつた。シューベルトは曾てその家族にかういつて手紙をやつたことがある「フォグルが唱つて自分がその伴奏を彈く時は、實に二人ではなくて全く一人であつた」。それ位しつくり聲と音とが合つてゐた。ショーベルとの同居生活は半歳ばかり續いた。偶々ショーベルの弟がやつて來たので、シューベルトは自然遠慮しなければならなくなつてその家を出た。彼は他人に敎授することが嫌ひで堪らなかつたが、生活のためには仕方がない。約一年後ヨハン・エスターハゼ伯爵家の音樂敎師となつた。音樂好きの友人と自由な生活をしてゐた彼に取つては、貴族の家に入ることが非常な變化であつた。然し冬はヴキンナの邸宅に、夏は田舍の別莊にその家族と共に暮した。家族は皆音樂好きであつたが、彼は大した義務も負はされずに安樂な生活を送つた

田舍の別莊にゐる間、彼はその地のジプシーのハンガリアンメロデーを聞いて、いろいろ作曲上の暗示を受けた。彼のヴアルツ曲の最初の部分にこれが表れてゐる。當時時間の餘裕があつたので、充分作曲に努むることが出來た。彼は絶えずペンを執つて作曲したが、曲の中にその折々の思想感懷を述べてゐる。かの有名な「聽けよ！聽けよ！雲雀を」なんかは料理屋の勘定書の裏に書いたものだといふ。毎日毎日澤山の歌曲を作つたが、一向金にはならなかつた。何故かと云へば彼は自分で作つたものをあまりに卑下してゐた。自分は大した作曲家でないと思つてゐたのである。それで優れた作品でも自分で重んじない所から世に知れないで埋もれたものも少くな

い。彼は作曲せずには居れなかつたのだ。物言はぬは腹脹るる業なりで、作曲しなければ氣が濟まなかつた。健康はどうかといへば決して丈夫な方でなく、かう連續的に作曲に努力するのは彼の體力の堪へ得る處でなかつた。それに他の天才の如く彼は貧乏で充分養生することも出來なかつた。若し親切な友人があつて彼の生活を保證し、健康に注意してやつたら、もつと長命だつたらうと思はれる。彼は生活のために傑作「エールキング」や「流浪人」をひつくるめた歌曲集を僅四百弗で賣拂つたことがある。出版屋では「流浪人」たけで一八六一年までに四千四百弗を儲けたと云ふことである。シューマンは曾て彼のことをかういつた。「シューベルトに取つては見聞するもの悉く音樂となつた。」彼は夜更くるまで作曲し、又朝早く起きて勞作し、睡眠時間は段々切り詰められた。彼は眼鏡を眼からはづす時さへ節約して、それをかけたまま寢に就いたのである。

シューベルトは若い頃モッアルトの感化を受けた。其頃の曲にそれが表れてゐる。然し長ずるに及んでベエトオフエンを師表とするやうになつた。

或る時敬慕してゐたベ氏のために佛蘭西風の變奏曲を作つて彼に献じようと思ひ、直接面會したかつたのであるが、臆病な彼はそれを斷行し得ないで躊躇してゐた。出版屋デアベリがこれを知り、或る時同伴してベエトオフエンを訪ねた。ベ氏は普通の態度でこの青年音樂家を迎へた。當時既に耳が聞えなくなつてゐた主人は鉛筆と紙片とを客の前につき出してその用件を聞かうとした。シューベルトは恐る恐る一言變奏曲を自ら敬慕してゐる師に献ぐる旨を記してその紙片を渡した。ベ氏は喜んでこれを受け、一通り見終つて後その中の一寸氣に入らぬ處を指摘した。

シューベルトは怖々ながらその家を辭去した。その後ベエトオフエンは此の曲を好んで自分の甥に時々彈いて聽かしたといふことである。

五年の後ベエトオフエンは最後の病床に就き、シューベルトの歌曲六十ばかり集めたものを手にして繰返し繰返しそれを讀みながら、「シューベルトは内に天來の火を藏してゐる。」と言つて、この作曲家に會ひたいと思つてゐたが、或る時病床に招き、他の面會者を差置いて彼に會つた。次回にシューベルトが訪問した時はベエトオフエンは既に死に瀕してゐた。彼は涙を呑んでその室を去つた。

その時シューベルトは三十歳の青年であつた。翌年彼も師の後を追はうなんか夢想だにしたものはあるまい。ああ、彼は一生を通じて力作に力作を重ね、これ日も足

小兒科
高洲病院
大阪兒童愛護聯盟理事
院長 醫學博士 肥爪貫三郎
顧問 醫學博士 高洲謙一郎
大阪市南區北桃谷町三五
（市電上本町二丁目交叉點西）
電話東一一三一・五八五三・五九一三番

らず努力した。其間失望もし、落膽もした。然し何時も氣を取りなほしては自己の使命に向つて突進した。一八二八年十月いたくも健康を害し、遂に病床の人となつた。兄フェルデナンドの家に居つて病を養うた。十一月初旬健康もやや恢復し、外出も出來るやうになつたと思ふと、再び起てなくなつて、十一日間と云ふもの、絶食絶飲、遂に十一月十九日に三十一歳を一期として、まだ充分に咲ききれぬ天才の花を空しく地に委した。父は郷里の墓地に埋葬しようとしたが、兄のフェルデナンドが彼の遺志に從つて、ヴアーリンゲルの墓地ベエトオフエンの傍に葬つた。一年後その墓碑が友人等によつて建てられた。

◇ ◇ ◇

世間話（一）

ツカダと云ふ男

ツカダ・キタロウ

「ツカダと云ふ男はどんな男か」

私の投書します雜誌の編輯者は、よく讀者から、斯んな質問を受けると申します。投書すると云つた處で、書く事の下手な私の惡文を載せて呉れる雜誌は、皆心安い友人の發行するもの丶みで、それもよく〱原稿難の場合の穴埋め位の事ですがね。とにかく、私の惡文は相當問題になるらしい樣です。

そして、斯う云ふ質問を受けると、決つた樣に皆其の返答に困ると云ふ事です。

實際の處、何と云つて返事したらよいか、全く見當がつかぬと云ふのです。

友達であり乍ら、見當がつかぬなんて、そんな事があるものかと、お叱りになつてはなりません。全くの處、ツカダと云ふ男は、見當のつかぬ男でありまして、何をするつもりなのか、どんな事をしてゐるのか、全然本人の私さえも判らないのですから、他所から見當のつく筈がありません。

馬鹿な事を申せ。本人が自分の事が判らぬ筈がないではないかと、眞面目にお叱りなさるお方もあるかも知れませんが事實は僞る事が出來ないものでありまして、全く自分自身にも見當のつかぬのが此私なのであります。

商業學校出身の私が、子供のお伽噺專門の仕事をやつてゐるかと思ふと、本職の童話よりも母親に對する育兒講演の方が評判がよかつたり、教育の事は何一つ判らぬのに、幼稚園の保育の相談相手になるかと思ふと、旅行先では郷土の人の知らぬ史實を發見して、一かどの歴史家と間違えられたりします。全國の燈臺看守で誰知らぬ者もないほど名前を知られて居るかと思ふと、救癩運動では世間には少しも名の出ぬのに、全國癩病院の患者達や職員は全部友達であつたり

します。

至る處非常に惡評があるかと思ふと、郷土に於ても迎えられて悦ばれて居り、友達も一人も無い樣で、至る處に知己を持つてゐます。頗る自慢家の樣に思えて、その實は正直一方頗る心臓の弱い人間であります。親類には、無口で通り乍ら、誰と話しても話が合ふのだから全くもつて妙な男です。

これが僞はらざるツカダと申す男の正體であります。

私の文章をお讀み下さつてゐるお方に、初めてお目にかゝると、決つた樣に申されます。あなたは、もつと痩せた人でもつと〱年輩者かと思つてました。」と。

私は正味二十貫より降つた事がない肥滿した身體の持ち主でありまして、身長五尺四寸、我乍ら堂々たるもの（見かけだけは）であります。決して、尖つた身體の持ち主でありません。年齢も御想像よりも、ずつと〱若い事丈けは確實です。

まあ、これ位自己紹介をさせて頂いて、偖、申し上げたい事があります。

と申すのは、長い間御愛讀を賜つたと（自分ではうぬぼれてゐます）「忘れられた教育」を、今回で終らうと思つてゐる事です。

世は非常時であります。全く文字通りの非常時であります。教育も大切でありますが、もつと〱切迫した「事實」が澤山に押し寄せて來てゐます。

そこで、日常直面した生活の事實を並記して、皆さんと共に考えて見たいと思ふのです。全くの「世間話」であります決してこれの批評をしたり、或は又是非を論じたりするつもりはありません。

たゞ〱、忠實に、見たまゝ、聞いたまゝ、感じたまゝをありのまゝの姿で、皆さんの眼前に提供しようと云ふ丈けの事です。

これを鬼にするも、又蛇にしようと、或は又佛になさらうとそれは全く皆樣の御自由であります。

さあ〱。評判ぢや〱。代は見てのお歸り〱。どし〱と御光來の程を、いや、どうぞ御愛讀の程を、伏してお願ひ申します。口上、依如件。

試作童話 金の大黑さん

間淑子

勇ちやんは長いこと長いこと呼吸をしなくても辛棒が出來るこどもでした、お兄さんだつてお父うさんだつて、お隣のさんばつ屋のおぢさんだつて、皆勇ちやんには勝てませんでした、二郎君や鐵夫君が三べんも四へんも呼吸をつないだつてやつぱり勇ちやんには勝てませんでした。呼吸のくらべつこをするときお兄さんもさんばつ屋のおぢさんもみんな眞赤な顔をしてうんうんさきばつてゐますが、勇ちやんは平氣な顔をしてゐました。

或る日向ひの大金もちの鐵夫君のお家へ泥棒がはいつてお家で大事に大事にしてゐる金の大黑さんをぬすんで行きました。

鐵夫さんのお家では、大さはぎになり、たくさんの人があちらこちら探がしに出かけました、遠い遠いさなり村までもさがしに出かけましたが見つかりませんでした、鐵夫君のお家では、金の大黑さんを探し出して持つて來てくれたものにはよく走る馬を一匹ほうびにあげようさ云ひましたので皆はよろこんでまたまた出かけてゆきました、勇ちやんも探しにゆくことになりました、行く道でお腹をすかした一尾の可哀そうな犬に出逢ひましたので持つてゐた握りめしをやつて助けてやりました、するさその犬がワンワンさほえるので、勇ちやんがその犬について行きますさ、井戸のあるさころへゆきました、そして又ワンワンさほえるので、勇ちやんが不思議に思つて井戸の内を覗いて見るさ、キラキラさ光るものがあります、ひよつさしたら、鐵夫君のお家の金の大黑さんかもわからないさ思つて、お家へかへつて此事をお父さんに知らせました、お父さんが井戸を覗きますさやつぱりキラキラ光つてゐるので、この事をお巡りさんに知らせました、お巡さんが覗いてみますさ同じようにキラキラ光つてゐます、そうしてゐる内に段々人が集まつて來ました、そして散髪屋のおぢさんが長い長い梯子をもつて來て井戸の中へはいてゆきました、さころがいくらたつても、いくらたつても上つて來ませんので、こんどは豆腐屋のおぢさんがはいつてゆきました、豆腐屋のおぢさんも上つて來ません、その次は鍛冶屋のおぢさんが這入つて行きましたが鍛冶屋のおぢさんも上つて來ませんでした、その次は横町の餅屋のおぢさんが這入つてゆきましたが、餅屋のおぢさんだつて上つ

て來ませんでした。

みんな心配してゐるところへ學校の先生が來られて、この井戸は深いから呼吸を長くするものでないと いけないと言はれました、そこで勇ちゃんがこんど這入つてゆく事になつたので、勇ちゃんはうんと呼吸をして、井戸の中へ はいつて 行きました、ところが勇ちゃんもいくらたつても上つて來ませんので勇ちゃんのお父さんも お巡りさんも近所の人も皆心配して居ました。

すると井戸の中からゴトゴトと音がして來ました、みんなが誰だろうと思つて見てゐますと、それは勇ちゃんでした、勇ちゃんは左の手に鐵さんの家の金の大黑さんを持つて上つて來ましたので皆が大變よろこびました、鐵夫君も鐵夫君のお父さんもよろこびました、勇ちゃんは井戸から上ると、もう一ぺん呼吸をして又井戸の中へ這入つてゆきました、そして散髪屋のおぢさんと豆腐屋のおぢさんと横町の餅屋のおぢさんとを助けました。

勇ちゃんは鐵夫君のお父さんからよく走る馬をごほうびにもらひました。

（終）

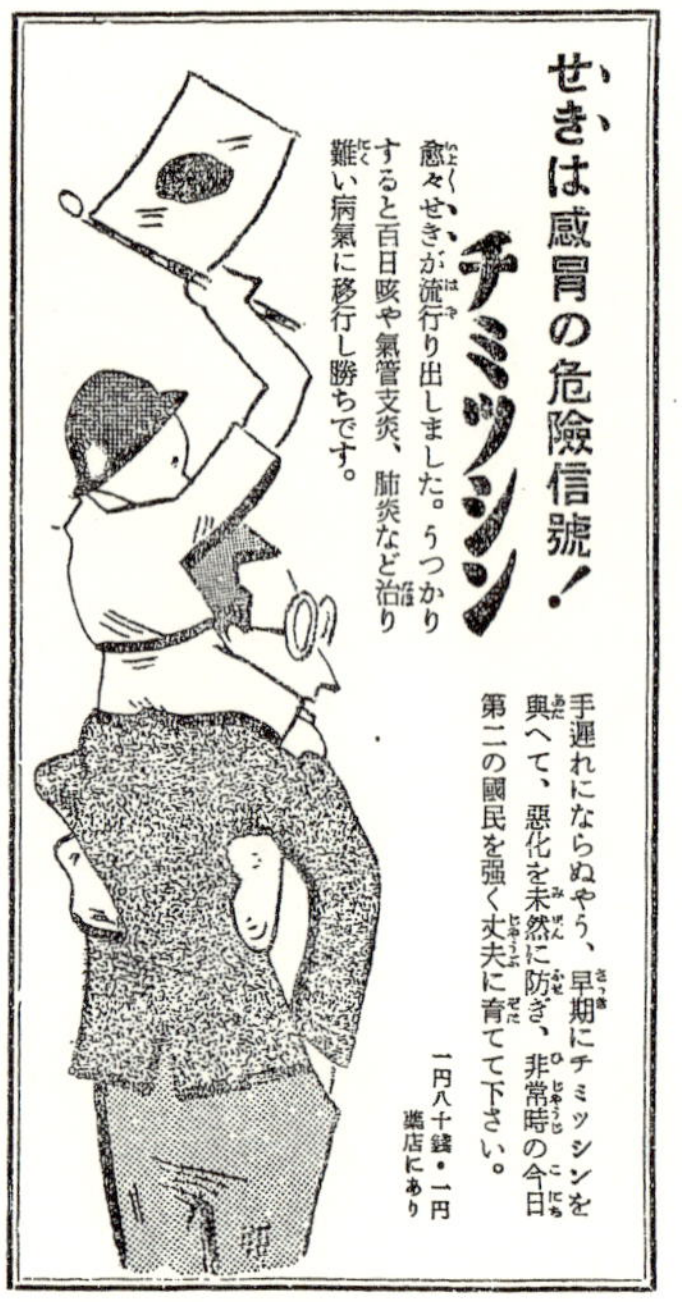

赤ちゃんの齒を護る

ライオン兒童齒科院長　岡本清纓

赤ちゃんの口中にもこんなにムシ齒がある

此の夏東京高島屋に於て開かれた赤ん坊審査會に於て齒科を擔當して、赤ちゃんの口腔齒牙を檢査して感じたことが二三ある。ある母親の中には「この子はまだ齒が生えたばかりですから診ていただかなくてもいゝでせう」と言つたやうな者があつたが、一應はさう考へるのも無理がないかも知れない。しかし實際には世人が想像してゐる以上に、ムシ齒は非常に早くから口中にあらはれてゐるのである。

今度約四千人の滿二歳以下の赤ちゃんの檢査に於て、一番早かつたのは生後十ケ月の男子であつた。此の子は母親の話によると八ケ月に齒が生えたといふから既に三ケ月の間にムシ齒になつてしまつてゐたのである。體格榮養共に佳良であつて、上四本下二本の乳齒が生えてゐた。その中上四本全部が第一度のムシ齒に罹つてゐた次には生後十一ケ月の女子で上四本下四本の乳齒が生えてゐたが、上二本が第一度のムシ齒に罹つてゐた。此の事實を我々はどう考へたらよいか、更に次の表でわかるやうに、滿一歳から二歳迄の間に於て、男子七一二人中ムシ齒をもつてゐる者は六八人、女子では三八七人中二三人であつて、合計一〇九九人中九一人卽ち八二六％の齲齒率を示してゐることは、兒童養護の上に眞劍に考へさせる問題を提示したものではなからうか。

此表でみると、一歳未滿には二人だけであるが、一歳一ケ月以後になると段々增加してゆくことがわかる。そのムシ齒の多くは前齒で、しかも極く初期の琺瑯質を侵した程度のものが多いが、中には齒髓が侵されてゐる位のものもあるので、油斷は出來ない。

生後	男 檢査人員	男 齲齒罹患者	女 檢査人員	女 齲齒罹患者
1 年	114	0	67	0
1年1ケ月	85	3	54	0
1. 2	77	2	41	0
1. 3	87	5	39	1
1. 4	85	6	33	0
1. 5	71	7	37	2
1. 6	61	5	45	6
1. 7	31	11	22	3
1. 8	20	6	16	3
1. 9	32	8	13	1
1. 10	23	6	11	5
1. 11	26	9	9	2
合計	712	68	387	23

今日、學校幼稚園には勅令によつて學校齒科醫幼稚園齒科醫が設置されることになつてゐるが、未だ强制的なものでないので、地方によつては設けられてゐない所もあり殊に幼稚園には稀にしか設置されてゐない現狀である。學校齒科衞生が重要である事は、勅令によつて定められてゐる事でも明白であるが、私はその時代に至る迄の齒科衞生的監督が如何に緊喫であるかを日常取扱つてゐる多數の乳幼兒の齒牙疾患によつて感じてゐるが、此の檢査の成績によつて一層その感を新にせざるを得ない卽ち幼稚園とか學校とか集團的に施設をなし得る場所では、勿論どしどしやるべきであると共に、もつと對象を年齡的にさげて乳幼兒時代並に胎生時代に對する齒科衞生的施設が、もつと力强く叫ばれねばならないと考へる

母體の健康が第一

永井遞相が聯盟名譽會長として會場に來られた際、齒科の診査を見られた時、私は「此の可憐な赤ん坊の口中にムシ齒が發見されます」と說明すると非常に驚かれて「こんな赤ちゃんにもムシ齒がありますか矢張り遺傳ですかネ」と仰つしやつた。昨年は平生前文相もムシ齒と遺傳に就て質問された。ムシ齒が遺傳するか否かは未だ研究が充分でないが、齒質そのものは遺傳するらしく考へられるから、ちやうど結核の遺傳と同じく素質は遺傳されるが、結核そのものは遺傳されないといふやうなものと考へられてゐる。我々の經驗では母親の齒の惡い場合子供の齒の弱いことが屢々である。いづれにせよ母體の健康は何より要求される。

強い齒をつくるには

強い丈夫な齒をつくるには、齒の主成分になる榮養物

を送つて基礎をかためることである。これには齒の形成の時期によつて二通りに考へる必要がある。

乳齒の形成はその大部分が母體内で行はれるから、胎兒の顎骨内で發育する乳齒を丈夫に組立てるには、母親が榮養をとりそれが血液の中に入つて胎兒を育てるのであるから、母親が胎兒の齒の芽（乳齒の芽は妊娠二ケ月頃に出來る）を强くする食物を攝ればよいのである。

ところが永久齒の多くは妊娠の末期、胎生の八ケ月頃から成形が始まるから母體の榮養によるよりは哺乳期から學齡期に至るまでの小兒の榮養狀態を良くすることが永久齒を丈夫に組立てる上に大切である。

此の二つの時期——卽ち妊娠中の母親の榮養は乳齒を丈夫にし、哺乳期より學齡前迄の小兒自身の榮養は永久齒を丈夫にする、といふ根本の原則を知つて、夫々齒に必要な食物、卽ちカルシュウムを含む昆布、ヒジキ、ワカメの如き海藻類、シジミ、アサリの如き貝類、新鮮な野菜類、或は燐を多く含む牛乳、卵、魚、葱、などを攝ることである。又ビタミンCやDはカルシウムと燐とを結びつける役に立ち大切である。ビタミンCは新鮮な野菜果物に多く含まれ、ビタミンDは鰻、肝油、卵の黃味椎茸などの中に多く含まれてゐる。日光にあたると、紫外線が皮膚の中に吸收せられて皮下脂肪と結びついてビタミンDと同じ作用をするから日光浴は齒のためにもよいのである。これらの榮養物は妊娠中の母體は勿論哺乳期間にも母親によつて與へるのであるが、離乳期になるとこれらの榮養を與へるには充分注意を要する、あとは偏食を避けること、何でもまんべんなく食べさせることである。かくして一生涯の丈夫な齒の根基を此時期につくるべきであるが、實は此の事は仲々困難で餘程注意深い母親でないと行はれないのである。

ムシ齒豫防の實際

そこで、ムシ齒はどうして起るかといふ當面の問題になるが、簡單に言へば「食物の殘滓が細菌の爲に醱酵されて酸になり、その酸の爲に先づ琺瑯質が破壞されてムシ齒が起る」のである。だから食物のたまり易い場所、前齒では齒と齒との間臼齒では咬み合せる面の凹んだ部分で皺や小窩のある部分などから起る事が多い。全面的にムシ齒が起ることはないのは此の理由による。それ故ムシ齒の原因をなす食物のカスを齒の表面より除くことは細菌の活動を阻止して酸をつくることを防ぐからムシ齒はできない。こゝに齒を磨くことの重要な意味がある殊に細菌は夜間の睡眠中に多く活動するから寢る前に齒を磨くことはムシ齒豫防上最も大切なのである。榮養的

の注意が行屆かない齒はもとよりだが、假に榮養のよい齒であつても食物と細菌とにさらされるなら、ちようど體質が丈夫だから無茶をしても病氣をしないなどゝ考へるのと同じでそこにムシ齒を起す原因が濃厚にかもされたなら危險此上ない。榮養一點張りでムシ齒を豫防しやうとする考へは誤りである。

赤ん坊から齒をみがくことの勵行

然らば齒の清掃は徹底的に行はれるか、といふとこれ亦仲々難かしい。旣に齒が生えて二ケ月間にムシ齒になる事實から考へても齒が生えたその時から常に清淨に保つことが齲齒から免れる唯一の途といふべきである。

これが現在の家庭で行はれるであらうか、いや行つて貰はなければ乳齒のムシ齒を豫防することは不可能である。幼稚園兒の統計をみても東京では九十八％の高率を示してゐるが、これはみな幼稚園に入る前に起つてゐるのである。各家庭の責任である。小學兒童のムシ齒も同じことがいへる。それ故、無理だと思はれるかも知れないが「齒が生えたらみがけ」と叫ぶのである。たしかに始めは面倒であるが、かうすべきものと強い意志を働かせれば、やがて母親は何の苦もなく無意的に行ふ樣習慣づけられてしまふであらう。赤ん坊は何やら乳を吞んだあとには口中に入れられるものと思ひ、さうされなければ滿足しないやうにもなる。上下八本位になれば小形の齒刷子で母親が磨いてやる、三歳頃になれば少し早い子は自分で齒を磨き出すからこれをよく指導してやる。かくて齲齒の危難を免がれるのである。考へ樣によつてはこんな單純な病氣の豫防法は他にないであらう。世間には赤ん坊用の齒刷子（ライオン齒刷子六號形）のあることを知らない人が多い。毛は軟かく極めて小形であるがその割に柄が長いのは母親が磨いてやるのに便利な爲である。三四歳頃になれば獨りで持つからこれに適當した形のものを與へる。そしてこの時分から寢る前に磨くことを習慣づけるやう全力をつくして欲しい。ムシ齒豫防ばかりでなく、克己心啓培といふ副產物も獲得できると奬勵してゐる幼稚園もある。ライオン齒磨本舗經營のライオン兒童齒科院では、此の習慣を特に幼兒に與へる爲に「ネルマヘノハミガキカード」を作つて幼稚園其他一般の希望者に頒つてゐるから、御利用の方は御申込み願ひたい。

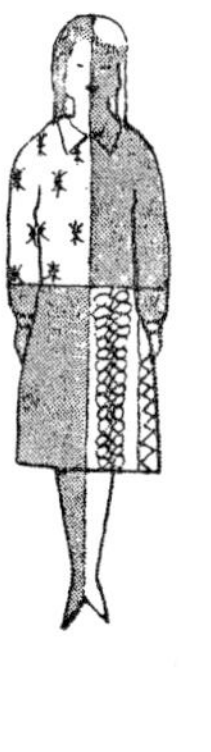

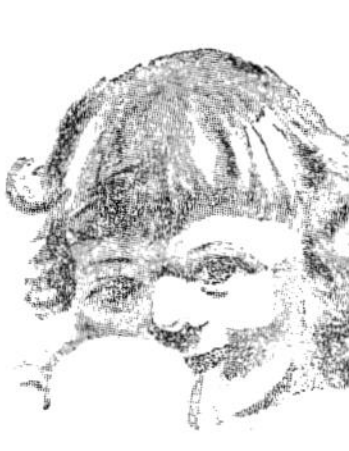

乳兒の榮養障害（二）

醫學博士　芳山　龍

四、中毒症

中毒症狀を現はす乳兒固有の腸疾患で、主に人工榮養兒に來り消化不良症から移行する事もあるが、又後に記載する如き慢性榮養障害の經過中に發生する事が多い、又屢々非衞生的な生活をする乳兒に突發する事がある。

原因　に就ては、色々の說あり、從來は腸內傳染に重きを置き、特種な非病原菌腸內傳染、若くは腸內常住の細菌が增殖し毒性を增すが爲であると考へられて居たが必ずしも細菌毒素に歸因するものでなく、最近の說では大多數は食餌性中毒であつて、榮養素の新陳代謝が障害せられ有害な中間分解產物の出來る爲だと解せられて居る。

主なる症狀　を列擧すると次の樣である。

一、胃腸の症狀　便通は僅に多い程度に止る事あり、又頻同の事あり、糞便は單純な消化不良症の便の事あり或は非液膿樣の事あり、或は米柑汁樣（小兒コレラ）の事あり、時として生臭い特有の臭氣を發する事がある、嘔吐ありて小量の血液を混ずる事がある。

二、意識の障害が特有　で顏貌無慾狀態となり、眼光暈よりとして、眠つても眼瞼が半ば哆開して居る事がある時々頭を左右に振り、身體を轉々反側するが次第に嗜眠狀態となる、時として痙攣を起す。

三、呼吸は大きくなる

四、尿量減少して　蛋白質、糖が尿中に現はれてくる糖尿は中毒症の的確なる症狀である。

五、熱發する事が多いが　昇降が著明にて俄に常溫以下に下る事あり。

六、虛脫狀態になると　體溫は常溫以下となり、血壓下降して脉搏小となり、顖門陷沒し、眼窩凹み、皮膚土色となり、時として鞏皮症樣に硬くなり、全身粘稠な汗で被はれ四肢厥冷して來る。

七、體重日々墜落狀に減少する

以上の症狀の中下痢頻回にて虛脫症狀の強く現はれる時は、小兒コレラ型、痙攣の來るものは腦症型、意識障害の強きものは腦型、腸胃症狀の強きものは消化不良症性喘息と稱ばれて居る。

經過及び豫後　は乳兒の榮養狀態と原因とによつて樣々である急劇に發病する事あり、又忍びやかにぢりぢりと惡化する事あり。

單純な食餌性中毒にして、その乳兒が從來比較的健康で初めて罹患した樣な場合には、飢餓療法と水分の供給にて比較的急速に治る。

人工榮養兒にて、生後數ケ月以內の榮養不良兒であれば豫後は疑はしい、殊に萎縮症や消耗症に罹つて居る乳兒が中毒症を起した場合には最危險で餘病を併發せば殆んど不可抗力である。

腸內傳染、腸外傳染、若くは暑熱の鬱滯から中毒性を現はしたる者は、飢餓療法も何等効果なく耐容力の著しく衰へた幼弱乳兒にありては豫後重篤である。

手當　初期には二十四時間榮養攝取を禁止して、成可く多量の茶汁、卵白水、鹽類溶液、野菜スープ等の液體組織の乾燥を防がねばならぬ。

卵白水は、鷄卵一二個の卵白を約五合の水に混へて之にサツカリン錠二、三個を加へたものである。

鹽類溶液は、重曹と食鹽を各五％の割に水に溶解せるものにて、食鹽の爲に渴を覺へ多量に飮む樣になる。

モーロー氏野菜スープは、人參百匁皮を剝ぎて小片に截切し、水五合を入れて一、二時間煮沸して濾過し適當に肉汁を混和し、食鹽一匙を加へたものである。

經口的に水分を與へる外に直腸の點滴注入、皮下或は

腔空內の注射が成可く早く實施されねばならぬ。

此外酸毒症を中和するために枸櫞酸曹達の內服、重曹水の皮下注射等を行ふ。

虛脫に傾きて四肢厥冷せる者には、芥子浴、溫濕布、溫浴等を一日數回反覆してよい。

嘔吐の持續する者には胃洗滌は重症には禁物である。

食餌療法、生後數ケ月以內の幼弱乳兒が中毒症を起した場合には人乳が最的確な榮養品であるが、少量宛段々增量して行かねばならぬ、例へば

第一日	母乳	一回	五瓦宛	十回　水分適宜補給
第二日	〃	〃	十瓦	〃　〃
第三日	〃	〃	十五瓦	〃　〃

每日五〇乃至一〇〇瓦宛增量し、一日哺乳量三〇〇瓦に達せば哺乳回數を減じて一回分量を增加し、必要カロリーに達せば直接乳房より哺乳せしめてよし。

年長乳兒では、最初二、三日濃厚重湯と水の供給をなし次で蛋白製劑ガラクトサン、プラスモーン、ストローゼ等脫脂乳牛酪乳等を與へ次第に平時の榮養法に移行する。

五、平衡失調症（慢性牛乳榮養障害）

牛乳を多量に吞んで居るに拘はらず、體重增加せず身體の發育が停止して、健康乳兒に比べて身體が著しく小さいのが特有である。

よく觀察すると、皮膚は蒼白にて乾燥し、筋肉は弛緩して腹部膨滿の氣味である、一般に神經過敏でよく啼泣し睡眠は不安である。

原因　糖分添加の少ない牛乳の飮過ぎで起る事が多いが、體質にも關係する、先天的に食物、殊に脂肪に對する耐容力の乏しい乳兒に起り易く、從つて滲出性體質や神經素質の赤ん坊が牛乳で哺育せらるゝ時に屢々本症に罹る、又傳染病や反覆する消化不良症にて耐容力の弱つた場合にも同樣に本症を繼發する。

食料療法　輕症なれば牛乳を體重の$1/10$乃至$1/12$程度に制限し之を適當に重湯（生後三ケ月以內）又は穀粉煎汁（年長乳兒にて稀釋し滋養糖を添加して與へます。

斯の如くして輕快に向はぬ者には、脂肪含有量の少なき、ミルクフード、牛酪乳、ケルラー氏マルツ汁等を試用するとよい、但し輕快するに從ひ全乳又は全乳製粉乳

を混用し六―八週後には普通の榮養に復歸すべきである。授乳量は月齡と病症に應じて加減すべき事は勿論であるが、月齡に比べて體重が著しく少ないのであるから體重に比して比較的豐富なるカロリーを供給せねばならぬ。健康維持の最少限度は普通體重一瓩に對し八〇カロリーであるが、輕快するに從ひ增量し、體重一瓩に對し百カロリー以上百五十カロリー位迄增量すべきである、離乳期を過した樣な年長乳兒が本症に罹りたる時は、牛乳の外にお混り、薄粥、馬鈴薯の裏漉し等を與へ、兼て、果汁や野菜汁を給與すれば速に輕快する事が多い、本病が長引いて高度に達した時、殊に生後三ケ月以內の乳兒にありては人乳が最も安全である其際恢復緩慢であつても右顧左眄せずに人乳榮養を續ける可きです。

重症平衡失調症の治驗一症例

滿一ケ年の人工榮養兒にて兩親健在初めての子なり昭和七年七月消化不良症を起し余に診察を乞ふ、體重六五五瓩

經過 貰乳を主とし不足は牛乳を脫脂し適當に稀釋して與ふ、數週間にて消化不良症は治つたが、お乳に對する耐力が著しく減退せる爲一日に攝取する總熱量は四〇〇乃至五〇〇「カロリー」內外にて之より增せば下痢し最少健康維持量に達せず、十一月頃には體重五、〇〇瓩內外に止る。

仍て牛乳を全廢し貰乳を增し之を一部脫脂して榮養し次第に快方に向ひ、(ビタミンB及びCも與へつゝ)翌年一月には體重五、七〇〇瓲三月には六〇〇瓩となる。

之より貰乳の外に少量の重湯及び牛乳を添用し漸次增量す、五月には牛乳及び重湯を主とし貰乳が從となり、六月末には貰乳を全廢して牛乳及び重湯に滋養糖を加へたる人工榮養法に移る、體重六、五〇〇瓩、一日の總攝取量約六〇〇「カロリー」也、卽發病一ケ年にて發病前の狀態に恢復す。

其後少量宛粥を與へ漸次增量し十月頃には每日牛乳一〇〇、粥一〇〇、宛一日五回程度となり體重七、九〇〇瓩に增す、十一月頃にはみそ汁、卵黃を粥に副ふるに至り體重八、六瓩に增す、同月半頃一時氣管枝加答兒を起したるも幸ひにして大事に至らず爾來順調にして心身の發育障害も年と共に恢復し最近其發育狀態は年齡相當の

健康に劣らず。

六、消耗症

六、消耗症 は牛乳榮養障害の重症と看做す可きもので平衡失調症から移行することがあるが又屢々消化不良症を反覆する人工榮養兒に來る。

食餌殊に脂肪に對する耐容力が著しく沈衰して、合理的榮養を與ふるに拘はらず重き全身病狀を現はし、體重が日々墮落狀に減少して行くのが特徵である。

病狀 一見して羸瘦著しく眼窩陷沒し、老人樣の顏貌を呈し、皮膚は蒼白にて皺壁が多く全身の皮下脂肪組織が減退して筋肉は萎縮し、恰も骨格の上に澁皮を張つた樣な外觀である、初めの間は興奮してよく啼泣するが段々遲鈍となり哺乳せず啼聲が嗄れ低くなる、體溫は動搖甚だしく多くは常溫以下に下り、脈膊も緩徐となる糞便はお乳によつて樣々で、消化不良便の事あり、又脂肪石鹼便である事あり、屢々多量の脂肪を混じ所謂脂肪便を呈する事あり。

末期には十二指腸出血を起してテール樣の暗黑色の便を出し、同時に珈琲殘渣樣の吐血を伴ふ。

本症の乳兒は、食物に對する耐容が著しく沈衰して居る爲に榮養品を僅に變更しても重き反應、所謂奇異現象を現はし、虛脫にて死亡する事がある。

又傳染病に對する免疫が著しく減弱して居るが爲に傳染性疾患を併發し易し。

豫後 輕症は恢復の望なきに非ざるも、病症長引きて體重が健康乳兒に比し1/3を失ふ時は危險で、恢復覺束なし又輕症と雖も經過中に傳染性疾患を併發せるものは如何なる方法も恢復の望みがない。

榮養法 消耗症に對しては飢餓療法は却つて食餌に對する耐容力を一層減退せしめて恢復の望みを薄くするもので禁物である、榮養品は患兒の耐容力を超過せぬ樣に細心の注意を要する、僅なる食餌の增加も危險なる奇異反應を起す、榮養品として人乳が絕對に必要である最初一回二〇瓦乃至三〇瓦宛一日十回哺乳せしめる、以後次第に增量して十日後には一瓩に對し百カロリー位に達せしむるゝが普通である(注意)人乳榮養にても一定期間症狀の增惡する事あるも顧慮する事なく繼續せば、數日乃至一週間後に輕快に向ふ、全身並に腸胃症狀輕快しても、數週間に亘り尙體重の增さぬ事がある、此間を恢復

期と云ふ、恢復期を過ぎて始めて體重增加するに至るものである、人乳を得られぬ時は、脂肪に乏しき牛乳、例へば脫脂乳、蛋白乳、牛酪等を代用するが成績の人乳に劣るのは勿論である、水液の注射も却つて浮腫を來す事があるから適當と云へぬ、寧ろ健康なる人の血淸、馬血淸等が賞用せられる。

七、穀粉榮養障害

七、穀粉榮養障害 は乳粉、煉乳又は重湯、葛湯等の含水炭素を主とする榮養品で哺育せらるゝ乳兒に來る牛乳を得難き山間部落に多く、殊に離乳時期に起り易し

病狀 初めの間は目立つ程の異常なく却つて體重が急に增して一時發育佳良の觀あり、お母サンの御自慢にもなるが良く觀察すると皮膚は蒼白にして、皮下組織は緊張せず、豚々として居る筋肉は硬くて四肢を動かしめると多少の柢抗を感ずる、以上は水腫型であるが此外に萎縮型と云ふのがある、食鹽を加へぬ穀物榮養にて起るので著しく羸疲し、組織は乾燥し筋肉は硬くなり往々皮膚は褐色を呈して居る、糞便は澱粉便と云つて糊狀で屢々泡沫を含んで居る、含水炭素の腸內醱酵が强ければ大腸の刺戟症狀を現はし下痢の爲に體重が一時に減少す

本症乳兒は免疫力に乏しき故、化膿性皮膚炎や、大腸菌性膀胱炎等を併發し易く、又往々角膜、結膜の軟化症を起して失明する事がある。

榮養法 年長乳兒の本症は適當なる稀釋牛乳、若くは蛋白製品の混合榮養にて輕快に向ふが糖分の添加には警戒を要す、通常初め一、二週間は糖の添加を禁じサツカリンにて味を附ける。

本症は他の榮養障害と異り、脂肪に富みし榮養品が有効であるから下痢のない場合には、バタ穀粉加牛酪乳等が賞用される。

又肝油を一日三回數滴宛與へてよき事あり、肝油代用としてビタミンA製劑も用ひられる。

幼弱乳兒の本症は長引く時は危險である、成可く早く人乳榮養に代へねばならぬ、人乳は初め搾乳して匙にて與へる、吞まぬ時は消息子を鼻腔より注入する初め一回五〇瓦內外より初め、次第に增量して慣るゝに從ひ直接乳房より哺乳せしめるとよい。

猶本症はビタミン缺乏を合併する事が多き故にビタミンB劑やC劑の補給を忘れてはならぬ。

細り行く子の泣き聲や春寒し

赤チヤンの本能を溫く見守りませう

ヘンに抑へつけるのは惡習をつけるもとです

醫學博士　古澤平作氏談

リビドー活動

リビドーとは人間の活動における廣い意味の性的方面に用ひられるエネルギーであつて、このリビドーの活動は樣々の快感となつて現れる、卽ち幼兒が乳房を吸ふ時の唇の快感、美にあこがれる目の快感、便通に對する肛門の快感、皮膚の快感等の性的活動がそれです、幼兒が生後四五ケ年の間の行動はほとんどこの快感を求める行爲以外にはないのであつて、母親はこの幼兒の本能をおさへつけず、しかも放縱に流れさせず、漸次道德感を植ゑつけてゆく苦心が是非とも必要なのです。

離　乳

よく乳に絆創膏をはつたり、辛子、薄荷、墨または鹽酸キニーネ(これは最も効果があるらしいですが)等を塗つたり、あるひはひどく叱つたりして離乳させようとする母親が大部分ですしかしこれは明かに幼兒の本能を不自然に抑壓するので、子供は先づ事每に母に對し復讐を續け、どうしても乳獲得が不成功と知るや俄然態度をかへ自分の最もすきな乳に對して「ケチ」をつけようとする、この感じが潛在意識となつて成長後食物の中に乳樣のものがあると嘔吐を催すやうになる、母親は離乳時にはなるべく「もう大人になつたんだから」とやさしく說明して自然に離乳させるやうに心がけねばなりません。

結婚恐怖症と神經症

母が小兒の不行儀に對して「オチンチンを切つちやふよ」「お手々をもぎますよ」とおどかしたり嚴重な刑罰を與へたりすると乳の場合と同じく成長してから性慾に對して禁性的な嫌忌心を起しつひには結婚恐怖症の原因となる、また「赤ちやんはどこから生れるか」の子供の質問に對して親がうそを敎へる結果は惡い、卽ち子供が思春期に達して親のうそを知つた時は、親を信用しなくなると同時に、反抗的に性慾に對する興味を感じ、せん鑿癖または神經症となる、卽ち親は道德を知らぬ幼兒に道德を强要せず、道德の芽生えに從つて道德をはぐゝんでやらねば

ならないのです。

便通

幼児は便通を一定時間ためる事に快感を感じてゐるもので、母親が勝手に自分の都合や嫌惡の感じから幼兒に便通を強ひたり拒否したりすることは恐るべき結果をもたらします、母が子供に小便をさせたが子供はしない、やめると一分もたゝないうちに着物をぬらしてしまふ……などの例は多い、この頃は既に子供は自分の快感を妨げる母に對し反抗してゐるのです、この反抗が潜在意識となつてつひに成長してからも便通にしまりがなくなる結果になります、母親はこの點矢張り便通に對する道徳をやさしく子供に説明して聞かせる態度を常にとるべきなのです。

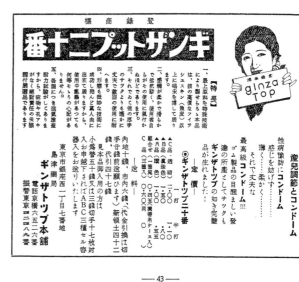

登錄商標

ギンザトップ二十番

産兒調節とコンドーム

性病豫防に**コンドーム**
感じを妨げず………
薄く……柔かく……
それで丈夫な
最高級**コンドーム**!!!
ゴム製品の目醒ましい發達の所産としてサックも**ギンザトツプ**の如き完璧品が生れました！

【特長】

一、最上原料を特殊技術により製せらるゝ本品は、彼の高價なフイツシユスキン（魚皮）以上に鳴采を博して居ります。

二、感觸が柔かで滑らかで抵抗尠く、使用者自らがその使用に氣付かぬほどであります。

三、それでゐて他の厚手のサツクよりも遙かに丈夫で數回の使用に耐へます。

四、形態も微妙な技術に成功し殆んど萬人向に出來て居りますから、使用中亂暴があつても何等そゝうの心配がありません。

五、各個につき送氣檢査耐力試驗がしてありますから、疵物や孔アキがなく絶對責任の保險證付嚴選品であります

—定價—

◎ギンザトツプ二十番

	一打	半打
▲C品（透明）	二・〇〇	一・一〇
▲B品（眞珠色）	一・五〇	・八〇
▲A品（櫻色）	一・〇〇	・五五
組合せ（一個宛）	〇・四五（携帶用ケース入）	
C品（三個入）	〇・六〇（同　〇）	

—送料—

内地十錢、市内六錢、（代金引換は切手廿錢前送願ひます）新領土四十二錢、代引四十七錢

見本品御入用の方は小爲替五十錢又は三錢切手十七枚封入お申越下さればABC三種セル容器入をお送りいたします

東京市銀座西一丁目七番地

島津藥局

ギンザトツプ本舗

電話京橋六五二六番
振替東京四二四八九番

大阪の審査會に於ける 母親のメンタルテスト（三）

伊藤悌二

第九問 御姙娠中つはりはありましたか、ありましたら何ケ月頃、幾日間位でなほりましたか。

調査人員總數　一、六〇〇名　男 一、〇〇〇名　女 六〇〇名

月數	性別	五日	七日	一〇日	一四日	一五日	二〇日	二五日	三〇日	四〇日	五〇日	六〇日	七〇日	八〇日	九〇日	一〇〇日	一二〇日	五ケ月	六ケ月	七ケ月	八ケ月	各	計
一ケ月	男	一		一	二	二	三		三		一	一	〇	一		一	一	〇				一七	三二
	女	〇		三	〇	〇	二		二		三	三	一	〇		〇	〇	一				一五	
二ケ月	男	一四	一五	一八	二	二〇	二六	四	三二	七	一三	一八	一	一	六	四	一	一	一	〇	一	一八四	三一七
	女	五	一五	一五	五	七	一八	二	三五	七	九	一二	〇	〇	一	一	〇	〇	〇	一	一	一三三	
三ケ月	男	二七	二二	二九	一〇	二三	三三	四	四八	一〇	一〇	一三	三	一	四	〇		〇				二三三	三八二
	女	九	二一	二一	四	一七	一七	二	三〇	七	四	一二	一	〇	三	一		一				一四九	
四ケ月	男	五	六	一	二	二	四	一	八	〇							〇					二九	四一
	女	三	二	二	〇	一	二	〇	〇	一							一					一二	
五ケ月	男	三	三	一			二		〇			四			三			一				一七	二二
	女	〇	〇	一			一		三			〇			〇			〇				五	
六ケ月	男	二							三			二										七	九
	女	一							一			〇										二	

月數	性別	五日	七日	一〇日	一四日	一五日	二〇日	二五日	三〇日	四〇日	五〇日	六〇日	七〇日	八〇日	九〇日	一〇〇日	一二〇日	五ケ月	六ケ月	七ケ月	八ケ月	各	計
七ケ月	男								一	一												二	三
	女								〇	一												一	
八ケ月	男					一																一	一
	女					〇																〇	
九ケ月	男			一		一			三													五	六
	女			〇		〇			一													一	
十ケ月	男								〇													〇	一
	女								一													一	
		七〇	八三	九三	二五	七三	一〇九	一三	一七一	三四	三九	六二	六	三	一七	七	三	四	一	一	二		八二四
無し	男																						五〇五
	女																						二八一
合計																							一、六〇〇

第十問 御姙娠中どんな御病氣をなさいましたか。

調査人員總數　一、六〇〇名　男 一、〇〇〇名　女 六〇〇名

病名	性別	二日	三日	五日	六日	七日	一〇日	一四日	一五日	二〇日	三〇日	四〇日	二ケ月	三ケ月	四ケ月	五ケ月	不明	各	計
脚氣	男		一	〇	〇	〇	一	一	一	二	四	一	二	〇		〇	二〇	三三	五七
	女		〇	一	二	一	五	〇	一	〇	一	〇	一	一		一	一〇	二四	
腎臓炎	男					二	〇	〇	一	三	一			二	一		九	一九	三二
	女					一	一	一	一	一	一			一	〇		六	一三	
風邪	男	三	〇	一		一			一								一	七	一三
	女	一	二	〇		一			〇								二	六	
胃腸	男		一	一							一						一	四	四
	女		〇	〇							〇						〇	〇	
腎盂炎	男			一			〇			一								二	三
	女			〇			一			〇								一	

病名	性別	二日	三日	五日	六日	七日	一〇日	一四日	一五日	二〇日	三〇日	四〇日	二ケ月	三ケ月	四ケ月	五ケ月	不明	各	計
扁桃腺	男	〇																〇	一
	女	一																一	
糖尿病	男																一	一	一
	女																〇	〇	
卵巣嚢腫	男																一	一	一
	女																〇	〇	
盲腸炎	男									一								一	一
	女									〇								〇	
關節炎	男												一					一	一
	女												〇					〇	
心臓病	男																一	一	一
	女																〇	〇	
發熱	男								〇									〇	一
	女								一									一	
口熱	男												一					一	一
	女												〇					〇	
																			一一七
無病	男																九二九		一、四八三
	女																五五四		
合計																			一、六〇〇

第十一問 お産は産婆だけの手で生れましたか。

調査人員總數　一、六〇〇名　男 一、〇〇〇名　女 六〇〇名

種別	男	女	各計
産婆	八三七	四八九	一、三二六
病院	六一	四〇	一〇一
産婆と醫師	五〇	二八	七八
産院	二二	一二	三四
産婆と助手	一二	一一	二三
産婆と家族	九	九	一八
産婆を要せず	九	一一	二〇
合計	一、〇〇〇	六〇〇	一、六〇〇

第十二問　産後一週間以内に熱は出ませんでしたか、出たら何度位、何日位續きましたか。

調査人員總數　一、六〇〇名　男　一、〇〇〇名　女　六〇〇名

熱度	性別	一日	二日	三日	四日	五日	七日	八日	一〇日	一四日	一五日	三〇日	各計	計
三七度	男	三	四	二		二	一		一	〇			一三	二二
	女	二	三	二		一	〇		〇	一			九	
三七・五〃	男	一	六	一							〇	一	九	一四
	女	三	一	〇							一	〇	五	
三八〃	男	八	六	六	四	二	二	二	一		一	二	三四	六〇
	女	七	八	四	一	一	一	一	三		〇	〇	二六	
三八・五〃	男	一										〇	一	四
	女	二										一	三	
三九〃	男	二	四	二	一	三	〇		一	〇			一三	二七
	女	四	二	三	二	一	一		〇	一			一四	
四〇〃	男	二	一		一		一		二				七	一〇
	女	二	〇		〇		一		〇				三	
四〇・五〃	男		〇										〇	一
	女		一										一	
四一〃	男	一											一	一
	女	〇											〇	
		三八	三六	二〇	九	一〇	七	三	八	二	二	四		一三九
無熱	男												九二二	一、四六一
	女												五三九	
合計														一、六〇〇

おたまじやくし

山田春男

三月になるともう菜の花が咲きました。廣野のあちらこちらに、うれしさうに黄色く光つてゐました。ほかほかと暖い風が、遠くの遠くまで、その良い匂ひを運んでゆき、花の咲いてない田圃や畑にも配つて歩くのでした。お天氣續きで田圃の水も、陽炎が立つくらゐに暖くなりました。

或る日、その田圃でおたまじやくしが生れました。ところてんのやうに透きとほつてふわ〱した塊りの中に胡麻を撒いたやうに小さい黒い粒々がてん〱と、數へきれないほど並んでゐるのが卵なのですが、それがひとつ〱みんなおたまじやくしになつたのですから、田圃の中は一ぺんに賑やかになりました。

稻の切株に腰かけて日向ぼつこしてゐた田螺は、ふいに目の前にちよろ〱と何か泳いで來たので、びつくりして、キユウと鳴いて殼の蓋を閉めてしまひました。その音に、おたまじやくしの方でも吃驚して、ふわ〱の下に逃げ歸りました。

しばらくしてから、そろり〱と口を開けた田螺は、又おつかなびつくりでちよろり〱と傍に寄つて來た小つちやいおたまじやくしを見付けると、アハヽヽ、と笑ひました。

「なあんだ、お前たちか。わしは蛭かと思つたよ。もうよつぽど暖くなつたんだな。」

「おぢさんは誰なの？　とても重さうなものを脊中にしよつてるんだね。」

「こりやあお家さ。わしら田螺はみんな、かうして牛に踏まれてもつぶれないやうに、固いお家をしよつてゐるんだよ。」

「牛つてなあに？　どんな恰好してるの。」

「大きな〱山みたいな身體をして、角の生えた奴さ、

田圃を耕しに來るんだよ。お前たちもよく用心しなよ。」

朝々はまだ寒いのですが晝近くなると、水が溫んで來ます。おたまじやくし達はうれしくなつて、ちよろ〱水面に出て見たり深く凹んだ底でおやつに食べるみぢんこを探したり、そこら中を跳ね廻ります。お日樣が曇つて寒い日には、あまり動かないでお話などして遊びます。烏や鶺鴒が下りて來ると、急いで泥の中にもぐるのです。

「お前たち、鳥には良く氣をつけるんだよ。」

と田螺の小父さんが教へてくれたからです。

しかし田圃には、おたまじやくしと田螺のほかに目高がゐました。いつも元氣で、つーい〱と多勢揃つて駈けつくらしたり、體操したりします。ときどき銀色に光りながら流線型をした目高たちの、とてもすばしこく泳ぐのが、おたまじやくしには羨ましくてならないのです。自分達もつい、つい、つーいと、あんなに早く泳げたらどんなにいゝかと思ふのです。

「どうしたら、君たちみたいに早く泳げるのかしらなア。ぼくは頭が大きくて重くて不細工で、自分でもいやになつちやふ。」

「でも、ぼく達は泥の中にもぐると死んぢやうし、早く泳がなきやしようがないさ。」

「でも、ぼくたち、大人になつてもこんなに遲いのかい？」

「君たちは大人になつたら、蛙になるんだよ。そしたら陸にだつてあがるさ。」

カエルつて何だらう、とおたまじやくしは思ひました。陸に上れるつて！　どんなに素敵だらう。鳥は空を飛ぶし、目高は早く泳ぐし、今に自分たちは陸にも上れるやうになる、みんな、めい〱にひとゝ異つたすぐれたものを何かもつてゐるのだな、誰でも。あゝ早く大人になりたいとおたまじやくし達は思ふのでした。

ある朝、畔からぼちやんと大きな音を立てゝ何か飛込んで來ました。目高たちは慌てゝつゝツと逃げました。田螺は蓋を固く閉め、おたまじやくしは泥煙をあげて水を濁らしながら、泥の中にもぐりました。

しばらくたつて、水が澄んでから、そつと顏をあげて見ると、眞白な大きなお腹をした、太つちよの、目玉がぐり〱飛び出た岩みたいな生きものが優しい眼で、こちらを見てゐます。

「おぢさんは誰なの？」おたまじやくしは恐々きゝました。

「わしはお前たちのお父さんだよ。」そして大きな口をあいて「ケーロ、ケーロ、ケロ」と鳴きました。

「お父さんて、ぢやあ、お母さんは？」

「まだ土の中にゐるのさ。今呼んであげるよ。ケーロ、ケーロ」

「どうして土ん中にゐるの。御馳走があるの？」

「四五日とても寒かつたからさ。冬なんか何ケ月でも土ん中で、何にも食べないで眠つてるんだよ。ケーロ、ケーロ」

冬つてどんなものか、おたまじやくしにはよく解りません。しかし、お父さんやお母さんに續いてそのお友だちの殿樣蛙のおぢさんたちが多勢來たので、田圃はよけい賑やかになりました。お父さんは赤茶の着物を着てゐるので、綠の縞のある殿樣蛙のおぢさんとはすぐに見分けがつきました。いつもじつと坐つてゐて、時々パクリと素早く長い尖端の二つに割れた舌をのばして蠅や蚊をつかまへて食べてゐました。そしてお腹が一杯になると大人たちはみんなで聲を揃へて、ケーロ、ケーロ、と歌を歌つてくれるのでした。

ところが、おたまじやくしは或日、あんまり腰のへんがむづ〱するので、ひよつと見たら、まあどうでせう！尻尾の附根に枝が生えてゐるのです。息がつまるほど吃驚してお父さんのところへ飛んでゆきました。

「お父さん。これなーに。なにするもの？」

「それは足だよ。元氣に飛んだり跳ねたりするために生えるんだよ。」

氣がついて見ると、お父さんにも、大きな足があるのです。

「お父さんには、尻尾はないの？」

「大人になつて手足が生えると無くなるんだよ。人間の赤ん坊だつて、足で歩けるやうになると、お父ちゃんやお母ちやんに負んぶしてもらはなくなるよ。蛙の子は足と手が生え揃つたら、何處へでも一人で行つていゝんだよ。」

おたまじやくしは試しに足で、ピンと石を蹴つてみました。身體がグーンと水雷のやうに水を切つてすゝみます。によろ〱尻尾だけ振つて泳ぐより、ずつと便利です。みんな大喜びで、鬼ごつこしたり、隱れん坊したり田圃中に水を跳ねかへしてあばれまはりました。夜になると、疲れてぐつすり眠りました。

だが又ある日、田圃路を殿樣蛙のおぢさんが氣狂ひみたいに夢中になつて飛んでくるのを見ました。顏色が眞青です。氣をつけて見ると、後から、草をざわ〱すりながら、黑い繩みたいなものが追ひかけて來ます。あつ、つかまつたかと思つたとき、殿樣蛙のおぢさんはぼちやんと水の中に飛込み、ぐーつと底の底にもぐつてずーつ

と逃げてしまひました。お父さん蛙まで青い顔をして、じつとその黒い縄みたいなものをみつめてゐます。おたまじやくし達も何が何だか判らないけれど、じつと泥の中にもぐつてゐますと、やがて縄みたいなものはどこかえ見えなくなりました。

「お父さん。今のあれ、なあに？」

「あれは蛇さ。疫病みたいなもんさ。」

「こわいの？」

「恐いとも。私たちを見付けると食べてしまふんだよ。でも、お前たちが、うんと立派な丈夫な身體を作つて、駈けつくらでも泳ぎつくらでも巧くなつたら、何にも恐くないさ。どんな蛇だつて、私たちみたいに長く水の中に潜ることは出來ないんだよ。」

おたまじやくしは安心しました。さうだ。誰でも、みんな何かひとつに優れたものがあつて、それをぐん〳〵勉強してのばせば何にだつて負けやしないだ！

そのうちに、たう〳〵手が生えました。おたまじやくしは毎日毎日、オリンピックの選手よりもつと熱心に練習して、今ではもう目高にも負けない位早く泳ぐやうになりました。尻尾も少しづゝ短くなつて來ました。

或る暖かな朝、もう待ちきれなくなつて、短い尻尾をつけたまゝ、おたまじやくし達は陸へあがりました。

「よく氣をつけるんだよ。」

といふお父さんに、元氣に挨拶しながら、小蛙たちは——さう、もうおたまじやくしぢやなくなつたのです——仲善くお手々つないで、青草の原へのぼつてゆきました。

希望で胸をふくらせて。

（一九三七・三・七）

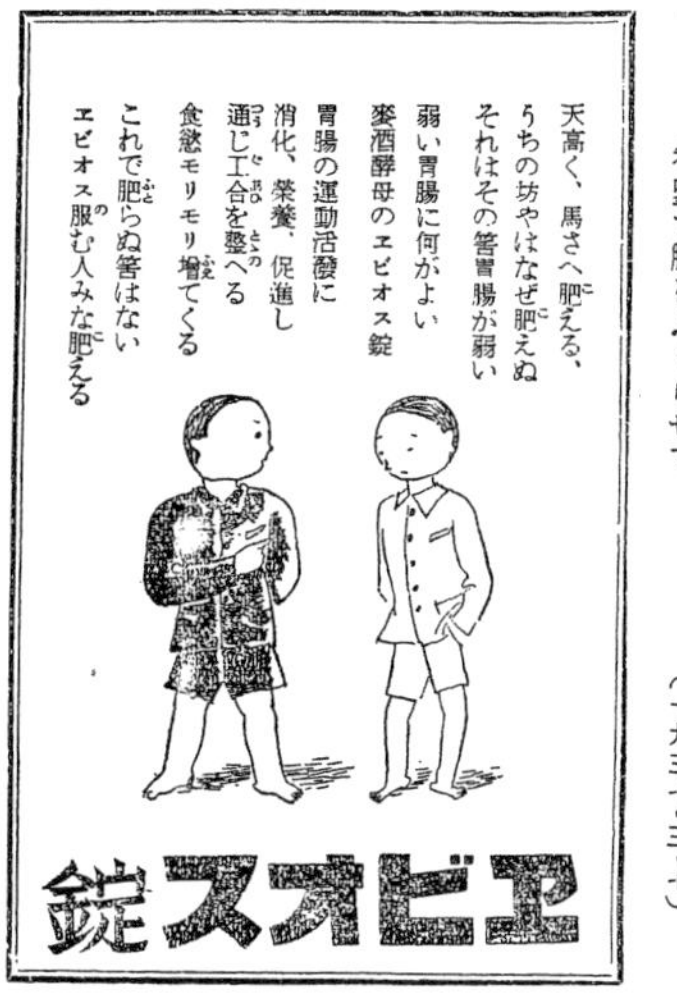

郷土は語る

ツカダキタロウ

◎熊野詣で

熊野三山は我が國の開祖とも申すべきとの說の如く、神武天皇御東征の第一歩を印されし地に祀られある三つの神社にして、本宮の熊野產神社（官幣大社）新宮の熊野速玉神社（官幣大社）及び那智の那智神社（官幣中社）を稱するもので、共に有名なる「熊野牛王」の發行所であります。

熊野牛王に關しては、郷土の文人喜多村進氏の著「紀州萬華鏡」で御覽願ふとして、とにかく產土の神々である事は想像されませう。

とまれ熊野の地が、交通不便の爲めに近畿の地方に文化的の交涉も無く、今日に至つた事は或る意味に於ては殘念ではありませうが、然し他面に於て、その貴重なる資料の散逸を防ぐ事の出來たとも思へば却つて喜ぶべきでありませう。

串本より木ノ本までの旬日の私の旅行は、此の點に於て惠まれた日程であつたと申す事が出來ます、尤も日程の都合で、海岸線に沿ふ地方丈けしか見聞出來ず、然もその中でも湯川、浦神、三輪崎の有名な土地を踏んで居りませんので眞に殘念な點も多々ありますが然し猶、數多くの見聞を得た事は如何に、熊野灘の地が、見るべきの多いかを知る事の出來る證ともなりませう。

潮岬の燈臺は再遊の地につき省くとしても、田原の「ねんれこの宮」下里の「塾の教育」重疊山の「眺望」、妙法山の「大觀」、新宮の「神倉山」「丹鶴城」「大岡丘」、「楠木の里」、木ノ本の「鬼ヶ城」等々は、勝浦の溫泉、那智の瀧、新宮の浮島等々と共に大いに語るべきの郷土の誇りを有する事は確かでせう。

勿論、唯一度の素通りに等しき忙しき旅に、素人の私の狹き見聞でありますから、郷土人より御覽になれば、數多くその不備な點を有する事と信じますが、とにかく「旅行記」を記して、大方諸賢の教へを乞ふ事と致します。

幸に御高教を惜み賜はざらん事を祈つてやみません。

◎ねんねこの宮

俗稱「ねんれこさん」で熊野灘は勿論、遠く和歌山市、大阪、奈良地方までも信者を有する有名なる「ねんれこの宮」は、田原町の驛前直ぐ西手にありまして、村社木葉神社のことであります。

每年十二月一日、朝まだきより祭典が擧行され、參詣者千をもつて數ふべく熊野地方稱に見る盛大なるお祭りでありますが、その行事たるや又他に類例の無い風變りなものであります。行列は本社を出でて海岸に至るものですが、これは初日出を拜する意味にて、無事列の進まざる事甚しく、一歩々々立ちどまりつゝ海岸に達する由にて數丁たらずの海岸まで數時間を要する有樣であります。

然も、最も珍奇とすべきは、神主の聲高らかに讀みあげる「のりと」でありますが、前半の主なる「のりと」は、

「蜜柑喰はふか、こうじ食はふか、酒（サーケと讀む）呑まふか。」

と稱し、後半の「のりと」は、

「ねんれこ、ねんれこ、ころゝんよ。」

と呼ぶものゝ由。白髮多く混じりたる神主の、最初は面はづかしかりしとの言も、さこそとも思はれるものがあります。

土地の種々の語り傳へは別としても、この宮には拜殿のみにて、本殿は無く玉石を積みたるを拜するものにて、拜殿にて履物を脫ぐも、亦珍らしき有樣であります。

傳へ聞く、神功皇后を祭神とするとかにて、「夜泣き」の止む事妙にして、遠近より信者の參るもの多く、後世に至り、子供の病氣一切を癒す事より、安產までも念ずる者多しと聞くは何處も同じ「流行神」としての世相ではありませう。

社前の石柱には、木葉神社と刻まれあるも里人も、その名を知るもの少く、拜殿に揭げられし額の「ねんれこの宮」と記されし名こそ、遠近にあまねきは此の神社に祈願する者の願の程も察し得べく、祭典の行列に童子の「枕」樣のものを捧持するも亦緣あるならんとの事であります。

「のりと」中の、「こうじ」とは小さき柑橘の一種にて、此の地方に特に多く、どの家にも昔は一本づつは植ゑありし由なるも今は見る由もなし。

又「甘酒」も盛に用ひられしこと同樣なれども、今は風習すたれ殆ど之を見ずと聞くも、「のりと」の中に、紀州名物の「蜜柑」と共に讀み込まれあるは、如何にも此の地方の昔時に於ける有樣を明白に物語るものと稱すべきでありませう。

「玉石」を安產の祈願に用ひる事は、住吉神社の例を見ずとも、全國到る處にある風習にて共に神功皇后の應神天皇安產云々の口碑にするならんも「ねんれこ、ねんれこ、ころゝんよ」に至つては、土地の古老に聞くも判然せず意味深きものならんと思へども知る由もなきは殘念であります。

下里地方に（下里町と田原町とは接續せる土地にて、この中間が有名なる玉ノ浦即ち下里町字浦神でありますは、「ねんれこ〳〵」と子供達がハヤして石を繩でくゝり、土地を打ちつゝ家々を廻る風習ありたる由にて、亥ノ子の行事と同じ時刻なりしならんとの說あり。家々にて蜜柑、こうじ柑等を與へる事全く亥ノ子と同じと。

この風習と、ねんれこの宮とに何等かの關係ありとすれば、甚だ興味ある事乍ら、今之を斷定すべき材料も無く、並記して教へを待つに止めますが、とまれこの風習は面白き行事であつたと信じます。

「ねんれこさん」に對する信仰は熊野地方では著るしいもので、誰知らぬものも無き「育兒行事」の一つであると聞く時に、何等か頰笑ましき風景を想像して、朗らかな思ひを持たされます。

「ねる兒は育つ」との育兒の諺を、この宮の祭典が教ゆるものとすれば、東部日本の代表的此の行事「泣き相撲」の「泣く子は育つ」と共に、東西の双璧とも稱すべきでせうが、私は十二月一日の行事を實驗してゐませんので、何とも申されませんが、然し、私の勝手な想像が許されるならば、「子守」の方式を教へる行事ではないかと思はれる點があるのです。これは機を得て、實地を見てから論じる事にしますが、とにかく「ねんれこさん」の存在は、熊野第一の郷土の誇りであると信じて疑ひません。殊に田原町を中心として、此の地方の大半は海外に發展してゐる人々である事を思ふ時、この行事の重大性を察知し得ます。

「古座男に太地女」と稱されるとか。現在に於ても海外發展の本場は古座町及太地町の由にて、その間にあるこの田原町も亦、劣らぬ海外發展者を有して居ります。

勿論近因はそれ〳〵他にありま

せう。が、この「ねんれこさん」の行事が、遠因として何等かの役割を演じてゐるではないかと思ふ事も、決して無駄ではないと信じます。

熊野の地には、應神天皇を祀れる宮は一社も無く、勿論、神功皇后を祀るのも、この「ねんれこの宮」一社のみと聞いてゐますが、其の田原町との因緣を調べ得れば興味あるものゝ存する事と確信出來ます。

南に海を受け、北に山を負ひ南紀中でも暖かな地方として、年内に稻が二作も取れると聞く田原の町に、この「ねんれこの宮」のある事は、何等かの意味ある事を思ふて、暫し社前にたゝずんで思ひを廻らしたものでありました。

紀勢中線開通と共に、益々參詣人の多くなりつゝある木葉神社即ち「ねんれこの宮」の、眞意義を發見されん事を衷心より祈りつゝ私は下里に急いだのでありましたが、未だに郷土の誇りとして「ねんれこの宮」に心惹かれてゐます。

◎下里の塾

熊野の文化を司りたる下里の地は、今や昔日の觀無く、商業の中心も勝浦に去り、僅かに遊覽地として、玉ノ浦を誇りつゝあるは、惜しみても餘りある事であります。

「那智黑」で有名な玉ノ浦は、國立公園として指定され居り、海水浴にもよく、紀勢中線の白眉と稱すべき絶景なるも、下里の塾の盛なりし事を聞くに及び如何にも惜しき衰微の狀を見逃す事が出來ません。

太田川の水運を利して、熊野材の此の地に運搬され、木炭の搬出されし昔時は、文化、商道共に熊野灘を一手に引き受けたりしものにて、僅かに町の家並にその面影を存するを見得ます。

この文化事業の中心をなせしは新宮藩より移り住みし伊達家に負ふ處多大にして、目下醫業として熊野にある者、殆ど其の恩惠を蒙らざるなしと言ふも過言にあらずと聞く。

伊達家の人々今や故郷を去つてこの地になくその舊宅のみ存するも淋しき極みなり。

◎新宮を觀る

憧れの國熊野灘を、串本より東進して新宮の地に到り、熊野川に浮ぶその熊野材を見て、初めて此の地の實際に接せしが如く感ぜしは、私のみではありますまい。

九里峽、瀞の清流で其の名もよき熊野川は、熊野材の搬出にその功績多大にして、往古より今日に至るまで、默々として其の運輸を續けてゐる有樣は、實にも尊い教訓であると共に、熊野の地數萬の住民の命の親とも稱すべきであります。

由來熊野材は、其の良質にして產出量の多大なる、本邦の建築に缺くべからざる事は、往古より幾多の實例を有し、彼の京都三十三間堂の棟木、柳の精靈の物語りは世にも著しきものでありませう。

飛鳥文化、奈良文明、平安朝建築、室町時代、一として其の建築材を、此の地熊野にあふがざるはなく、巨材良木は全國大建築物に供給されし有樣は、現在に於ても「木ノ本」なる地名として存するを見ても知り得べきでせう。

蜜柑船にて有名なる紀文のみならず、熊野材の多くは、遠く江戸表に送られたものでありまして、從つて此の地の商人の氣風、江戸前式なるは今に見る事が出來ます。

その熊野材の取引の盛なる、現在に於ても江戸は勿論、年々臺灣に移出さるゝ熊野材數百萬圓を超ゆると聞けば如何に新宮商人の敏腕たるかを知り得ませう。

那智山遊覽バスの女車掌の說明を聞けば、

「丹敷戸畔は女ながらも抗し奉り云々」と唄ひますが、此の地由來女性の働く事盛にして、從つて商賣人にも女性の活躍するあり、女丈夫の稱ある者多きは、古來よりの風習ならんも面白き土地柄であります。

紀勢中線新宮驛の附近、昔時楠樹多く茂り、此の地を「楠木」と呼びしが、現在も楠木姓を名のるもの多く、女性尊重時代にこの地楠木姓の娘京都に嫁ぎ、一女を產みしが、即ち楠木正成公の母君なりと傳ふ。楠木正行も新宮の地楠木の里に育てられし事あるやにて、楠氏の姓は里方の姓なるを思へば、神武天皇御東征以來、この地朝廷に由緣深き地にこそと察せられます。

母性尊重されし當時の物語りとしては、さもあるべしと察せられますが、熊野の地、吉野山十津川邊りと近ければ、當時の交通のほども知り得ませう。

前述の如く、良材巨木の產出盛なりし、木ノ本、新宮附近の豪族には、富める者多く、京都の公卿あたりより其の婚因を望まれし事は想像に難からず、公卿並に武家達とも、往復尠からざりし事と思へます。

如何に英傑なりと雖も、河內の一豪族に過ぎぬ楠木氏が、天下の勢を相手に取つて勝戰をなせし物語りを聞いて如何にも不思議に堪へなかつたものでありますが、其の背後に、金剛山麓の勤王黨あり、九度山に水の手の將海手家あり、然も遠く熊野に、この財力の助くありてこそと、私は旅で知り得て初めて得心したのであります。

惜しむらくは、時季惡くして、熊野川を逆のぼる事面白からず、吉野熊野間の交通路を確め得ざりし事は殘念ではありますが、地圖を按ずればこの間の消息を察するに難からず、十津川を經て、本宮近く「大塔峰」のあるのを見ても見る事が出來ませう。

歷史家が南朝の探索を、吉野大峰山あたりで打ち切る事なく、其の熊野路に到るまでを調べ求めたならば、數多くの新發見が存する事と思ひますが、これは私のみならず、本宮邊りの里人の語る處であります。

新宮の地に、今一人有名なる人は、大岡越前守でありまして、名奉行は幼き頃、丹鶴城の臣の家に生れし人であります。今猶「大岡」と稱される丘あり、土中より定紋つきの食器類多數掘り出されたるを見ても當時をしのび得ませう。

丹鶴城址に至つては、唯々驚歎するの他なく、其の直角に積まれし石垣の美しさ要害のよさは、全國稀に見るものでありまして、某將軍の激賞されしと聞くも實にもと思はれるものがあります。

◎除福外交

特に茲に記したい事は、新宮驛の傍、楠木の里の中央に「秦除福の墓」なる石碑の存する事であります。

新宮に於ける舊蹟の一つと稱されて、秦の除福なる者、二百名の部下を引きつれて此の地に流れつき、餘生を送れりと言ひ傳ふるも信じ難き點多く、後世の人の墓碑を建てしやに察せらる。

當時、秦より來朝せし除福なるものなく、又、其の子孫と稱するもの熊野地方に存せず、一に「秦姓」を名のるものあれども、是は全國的のものにて、新宮に多しと言へず、除福渡來說は一の假說に過ぎずと見る者多し。

却つて、その當時支那に留學する邦人頗る多く、日支親善の手段として、行方不明として探索中の除福なる權臣を我國に迎へて厚遇せるもの丶如く言ひて秦の厚意を受けしにあらずやとも思はる丶節あり。

その實否見屆け難き、最も交通不便の地に「除福」ありとして、親善外交をなせしものと思

はる丶は、度々失敗せりとの評ある近時の外交よりも、或は進み居りたるに非ずや。

除福の碑、以て如何となすや。

◎神倉山の御燈祭

大和の先住民族は、出雲民族なりし事は明白なるが如くに聞いてゐますが、地理を察するに漸次南下して、大雲取小雲取を越え、或は熊野川に沿ひ、熊野の地に進出せし事は想像に難くありません。從つて、和歌山の名草戸畔那智の丹敷戸畔等も出雲民族ならずとは誰が斷定し得んやであります。それですから神倉山に關しても、この出雲民族なる先住民の有したりし習慣を調べる事が、何よりも大切な點であると考へますが如何でせう。

殊に、神倉山の頂上に、高く聳え立つ二つの巨岩、即ち、天の盾岩たるや、陰陽石にして、全國各地に見る形式と同じものであります。これは、何等かの關係を有する事と信じます。

二月六日は、有名なる「御燈祭」でありまして、數百の男子タイマツを持ちて山頂に集り、御神火を頂いて急阪(石段)を駈け降り、自宅に持ち歸るものと聞きますが、これは頂上の石器神と特別の關係を有する事と信じます。然し、不幸私は「石器神と松明」の關係に關りては何等知る處がありませんので、友人に尋ねて稿を更めて記す事と致しませう。

とまれ、松明そのものが、石器神と同じシンボルである事は疑ひも無く、これをもやす事はその勢の盛んなるを示すものでありませう。昔は、市中の燈火を消して、松明の行列を迎へし由にて、その石段を烟々と降る有樣は、火の龍の降るにも擬して壯觀であつたと語り傳へられて居ります。中にも子供連れの者多く、一年に一度白裝束に身を固めて、鎌倉積みとして有名なるあの石段を駈け上り駈け降りる事は人間業では無いものがあります。

古來、第一番に下山せし者には賞が出でしものにて、橫に轉びて米一俵を得し者もありしとか聞きますが、不思議とも申すべきは、この神事中に火傷を負ひ又は怪我せしものは、忽ちに癒ゆると傳へられて居る事です。街々の家々では軒先きに水樽を出し飲料水を供して、その勞をねぎらふ習慣あり今に至るも絕えず行はれてゐる由で、遠近より集るものは數知れず「れんれこ祭」と共に熊野灘の双璧とも稱すべきでせう。

それにもまして異風景は、熊野川の河原に建ち並ぶ「小屋街」であります。橋の下に三條までも大通りを有する小屋掛の板圍ひの家々が、軒を並べて數十軒時には數百軒に及ぶ隆盛さを示してゐる狀態であります。

「河原住ひ」とか「橋の下に住む」とかは、餘り外聞のよき事に非ずとして、普通世間では嫌はる丶ものなるに、新宮の「河原住ひ」は、仲々の繁盛を示して居ります、然も非常に健康地の由にて流行病等絕えてなく、一朝出水の時には小屋を倒して全部陸上に引き揚げ人々は「上り家」に移り住むものにて、その爲め年中家を市中に借り置く用意ある有樣にて、仲々の暮し向なり。

これは恐らく全國稀に見るの異風景にして、數多くの遊覽客も、唯の河原者かと看過するならんと察しますが、この特種事情の存するは、熊野川を筏にのりて下り住みし人々の、河原に住居を構へて家業に精出せし、祖先の遺風を今に傳ふるものでありませう。

新宮の大橋より眺むる上下の二街は、實にこの事情の許に却つて市中の者共よりは、有福に暮せるものである事を知られば なりません。

日本でも西洋でも
昔も……今も

發育盛りの兒童に肝油が良いことは誰でも知り過ぎてをる事實です。昔も今も變らずに、西洋でも、日本でも醫家だちがこれを奬め、學校でも家庭でもその效力に少しの疑をさしはさまずに完く安心しきつて用ひてをる保健劑……それは肝油の右に出るものは先づありますまい。

皮膚粘膜の……
上皮が丈夫になる

肝油が效くのはその中に含まれてをるヴイタミンAとDとにあるのです。齒牙や骨骼を丈夫にし、筋肉組織の發育を援け、皮膚や粘膜のやうな身體上皮の城壁を強化することによつて外來の病虫或は病菌に蝕まれぬやう體內の自衞作用を鞏固にする働きがあるからです。

肝油嫌ひでも
……喜んで常用

最近ヴイタミンの研究が急激に進步を遂げた結果、從來一ばん廣く用ひられてゐた鱈の肝油に比べ、數十倍から數百倍も濃厚にヴイタミンADを含む極めて高級な肝油が發見されこれを眞珠大で、內柔外硬の糖衣粒とせるハリバが發明されて、これまで臭くて量が多くて、何人も極度に服用を嫌つた、あのベットリした油っこい肝油が極めて微量の服用で足りることになり、どんな肝油ぎらいでも喜んで連用し得るやうになつたことはこの世界的保健劑の普及化に一大貢獻を齎したものです。

兒童期の榮養は
一生の健康定め

虛弱な兒童を健康にする目的に、いつも第一に肝油が擧げられます。腺病質で、いろいろの病氣に罹り易く肥れずに、かぜを引き易い兒童などにはぜひハリバを與へて下さい……人間一生の健康の基礎はこの發育期に於ける榮養の如何によつて、ほゞ決まるとすら言はれます。兒童期の病弱は一代の不幸を招くものです。ヴイタミンADを充分に與へられて愛兒の健康な體格を創られるやう。

鳳仙花の咲く朝

桐野葉子

みな月のたそがれ

「桑の葉は大きくなつたでせうね」

淺野氏の二階の書齋で、食後のお茶を頂いてゐた時である。灯ともし頃の空氣があたりを靜かに包み、建てこんでゐる家らしくもなく、妙に田舍らしい落ち着いた氣分になつてゐた。

「さあ……」

私はすつかり忘れてゐた桑の葉を訊かれて間誤ついたのであつた。が、間もなく私の胸に蘇へつたのは、あのふるさとの桑園の青い波であつた。六月頃はもうみんな摘まれて、カラリとした畠には、ヂヤガ芋の花が仄白く咲いてゐるのであつた。

「もうすつかり摘み取られて仕舞つたかも知れませんわ」

かう云つて私は、あの桑園の中を流れてゐる阿武隈川や、西方に聳える藏王山やを懷しく、胸に描いてゐた。

淺野氏は階下に行き、夫人は食器を片づけに階下に行つたひとときである。

「もう無いのかなあ」

矢張り來客たちの心は桑の葉にこだはつていらつしやる。何んとなく重苦しい沈默が續いた。ヂヤランヂヤラン號外賣の鈴の音が間近に聞えた。

「林內閣總辭職よ」

淺野夫人が號外を持つて上つていらした。そして淺野氏を交へて、時局談に時を費して辭し去つたのであつた。

大江戸の情緖

空は晴かつた。地上の光に遮ぎられて星さへ見えなかつた。ふと空の彼方に、大きい輪劃の鈍い半月の低く出てゐるのを見た。月の下には、四角な商店街の屋根の直線が、高く、低く交錯してゐた。

月は赤く紅塵に煙つて、河端の枝垂柳の葉が、風に揺れる毎に、流れに碎くる月かげの如うに、大きく小さく碎けた。たつた一筋の河と、たつた一本の柳とが、私を淡いながらも大江戸の情調を偲ばして呉れた。都會に來て初めて都會らしい月を見たのである、そこから數間歩いて、「きやうばし」と刻んだ、橋の大きな疑寶珠に、大江戸の名殘りを益々身近に感じたのであつた。

銀座の哀愁

夜の銀座である。電車が軋む、自動車が澱む、人間が帶の如うに歩道に續く。店は、水晶の如うに明るく輝き、通る人を魅惑せずにはおかない。闇空の涯に、青い赤いネオンの光芒が漂ふてゐる。

銀座會館の古典的な眞珠色の光の配置、オリンピックの豪壯、そしてあのグランド銀座の青い彗星の廻轉、惱亂と、歡樂と、蠱惑の混成酒。

だが然し、水藻の花の如うに淡い哀愁の漂ひが、底深く澱んでゐるのではあるまいか。目隈の如うに蒼暗い疲れが、その裏に流れてゐるのであるまいか。

蕎麥喰ふ近代娘

赫熊の毛の如うに赤い頭髮を、朝顔の蔓るの如うに一本一本丹念に縮らして襟足にモヂャ〲固めた洋裝の令孃二人、スットト扉を排して入つて來て、コツ〲爽やかな靴の踵を鳴らしてテーブルに着いた。

木目のザラ〲した、お汁のこぼれで點々濡れてゐるそのテーブルに。

そして千疋屋の高價な果物でも啄ばみ給ふにふさはしい、濃いルージュのお口に、これは又餘りに日本的な冷いお蕎麥を、いさゝも平凡に人並にツル〲と啜り、最後に蕎麥湯を召食がつて、白皮の手提から白い冗錢を置いて去つた。

銀座更科である。これも銀座風景の一つであり東京人氣質の表はれであると思つた。

日本化する紅毛人

チヤツプリンの刺戟でもあるまいが、白痳の青い目のお父さん二人が、天プラ屋の暖簾を手でさばえて入つた。「日本人だつてフライ食べます。不思議ありません。」と云つたか如何か。

みゝずの嘆き

廣い廣い大東京が、何處も彼處も、アスフアルトに完成された道路になつて終つた。私はなんだか地球が生き乍ら、デスマスクをとられてゐる人間の如うに哀れに見える。人間の皮膚は毛穴から呼吸してゐるが、地球の皮膚だつて、地軸のなかから吹き出ようとする、何かゞあるにちがひない。

青い空の下に、自由に息づいてゐる田舍の道や、泥田の畦ののを〲した呼吸を思つて、どんなにせい〲していゝだらうと考へた。みゝずが此の土を喰ひ上げたらどの土を喰はうかと、地の下で毎日かすかに泣いてゐるとか。私の嘆きや地球への同情などこの類かも知れない。

大地を抉ぐる

重いビルデングに凹まされた地球の表皮。地下鐵に抉ぐり荒された地球の眞皮。大手術を受けたトンネル、河の底までいぢめようとする關門海峽の海中トンネル。文明は地球を愛撫するすべを知らない情知らずの奴だ、と文明の反逆者が憤つた。

長太郎高子

「オイ張りきれよ。」

「張り切つてるぢやないか。」

「そんな張り切り方つてないよ。まるで氣の抜けたアドバルーン見度いぢやないか。」

「さう見えるかなあ。無理もないや、かうして歩いてゐても、長太郎氏にも、高子夫人にも會はないからなあ。まして一萬圓のベビーには……」

「何云てるんだよ。」

「長太郎氏に高子夫人と云つたら、およそ察しがつかうといふもんだ、愚鈍だなあ君は。」

「長太郎、高子、ハハア廻りくどい事をいふもんぢやないよウハ……ぢや長太郎さいかう。」

やがて二人の若い銀座マンが、キリンのビヤホールに這る如うに入つて行つた。

鍵のハイキング

鍵のアベックハイキング。

お解りですか。近代の產んだハイキング相なんです。人相、家相があるように、ハイキングにも相があるのです。

Aアパートの、妻をまだめとらない男と、Bアパートの、まだお輿入れなさらない、カフエーのお姫樣とが、並々ならぬ苦心の甲斐あつて、今日こそ夏空の奥多摩にハイキングと洒落れたのですが、お二人共鍵の紛失を恐れてか、時々出して見てはニヤリと笑つて藏ふのですが、これでは、お男女のお伴をした鍵の筈が、鍵のお伴をしてゐるお男女に見えるぢやありませんか。さてこそ鍵のアベックハイキング、お解りでせう。

肥滿した美容師

「アイロンを少し強くあてて頂戴な、この前の直ぐ延びて仕舞つたのよ。」

「ヘイ承知いたしました。」

「そしてれ、左二つ、右三つ位のウエーヴで額を成可く隱くして頂戴な。」

「ヘイかしこまりました。」

「ふんわりと上げて頂戴。」

「ヘイかしこまりました、奥樣、面長でいらつしやいますから、さうなさるとほんとうに若々しく、お可愛いらしくなりますわ。」

「それほどでもありませんわ。」

「奥樣、ほんとうにお幸せですわれ、今日は又何處かへ、お出かけでいらつしやいますの?」

「え、今日はれえ、歌舞伎に參りますのよ。」

「まあお羨しいですわ、ほんとうに。」

「吉右衞門さんの毛剃なんですよ。」

「まあ、さうで御座いますか、羨しいですわれえ、奥樣のように、さうして毎日、今日は何處、あすは何處と、面白をかしく日を送つていらつしやる方なんて、廣い東京にたんと御座いませんわ。」

「まあれ、歌舞伎でも觀ない事には、私退屈で仕樣ないんですもの、それに今度の毛剃は夏向でして、船も出るし、海邊の場面が多いのですよ。」

「まあ、私も一生に一度でもいゝから歌舞伎の一等席におさまつて見度う御座いますわ、へ、出來ました、御覽下さいませ。」

六十に手の屆き相な馬面で、豚の如うに肥滿してゐる毛の薄いおばあさんが、ウエーヴで若々しく、お可愛いらしく結ひ上げた髮を、稍々久しく合せ鏡に時を費ひやしたのであるが、客商買ともなれば、美容師も辛いかな、口から出放題のお世辭を言はなくてはならないのだ。

夕方街の錢湯屋に行つたら、なんだか見た事のあるようなモダン婆さんが入つて居た。私の顏からチラリと視線を反らして、テレ臭さ相にして、隅つこの方で顏を撫でゝゐたが、確かに歌舞伎座に行つた筈の晝間の有閑お婆さんである。

春草會詠草（二百二十回）

（昭和十二年九月二十一日於堀の内大つた　幹事　桃井廣人）

兼題　月

小口みち子

月さへもすゝり泣きつゝ照らすらむ北支南支の戰線の空

あす知らぬ命の人はおもひ〲高粱の上の月を見てあり

岡田道一

月今宵壺坂寺の谷間をばすかすお里の心みだるゝ

岩間なるたまり水にも月澄むとたゞ雲水に身をまかす人

本圖晴之助

月のうく海にあそべる群鯛を聖僧も見けむこゝ妙の浦

月のすむ秋の上野の空高み高男あやしみ仰き見るかな

（高男はキリンの仔）

平澤壽子

皎々といや輝ける夜半の月君が鬢營の夢を守るや

罪はみな女にありとゝりすます男ごゝろに似たる明月

伊藤悌二

いみじくも淋しかりけり故里の友と見やりし沼土手の月

月はまろらもんぺいはける青根娘は此處は御國の歌を唄へり

有本芳水

聲立てゝ招くと見しも迷ひなり月白く照る母のおくつき

月のいろ冴えゆくまゝに昔見しふるさとの山目に浮び來る

小池こう

飛行機のプロペラの音にふと見上げたるその蒼空の晝の月かな

中島祿子

月見れどおたやかならなく兵送る歡呼の聲の巷にみてば

砲煙の最中か野營のくさむらか月を寫せよ吾が弟を

宮内仲子

行き過ぎし人のあまりに亡母に似てまたふりかへる月冴えし夜

去年の秋過ぎにし母が面影を月にうつして吾は只に泣く

湯本みさを

いとけなき子等に送られゆく兵を月も覗くや新宿の驛

いかになと訪ふ人のほしわが窓にうす紫の月かゝる夜は

木野幾世

地平線を今し上れる滿月を血の色濃くもうつまきて見ゆ

月の道光冴ゆればふり返る紀尾井坂なり人も通らず

中村　競

夕月の厨の窓に流れ入る小暗きあたり蟋蟀を聽く
山鳩のホロ〳〵鳴きて谷渡る山のみどりに淡き夕月

渡邊　光風

月々の歌のつどひも疎ましくなりつゝ久し事ら繁きに
千草野の月の光にあふらひて名あり名なしの虫鳴き競ふ

阿部　龍夫

忘られて忘れて安き心かもポプラ並木をわたる晝月
まんまろき月の出を見ぬ大火後の屋並そろはぬ街をゆきつゝ

小川　清子

秋風になぐさめられて泣き止めばみ空の月も澄みて招けり
月の夜のなぎさに白きうつせ貝心のあらばかなしからまし

畑中　敏三

母の髪白きになれて汝か翅を見ればかなしやおはぐろ蜻蛉

神尾　光子

何げなく月が出でしと子のいふに嵐の中の月をしぞ思ふ

福島　貞子

主いま召されてあらず初秋を書齋の窓は月いたづらに
廿日月秋めきにけり皇軍の屯するあたり霜やおかざる

納　秀子

この花に月の雫の情して人にまゐらす藤袴かな
塹壕に幾夜かいねず國まもるますら男てらす北支の月よ

桃井　廣人

爆破せる城跡の上にふるさとも照らす月なり秋のふけゆく
燒夷彈白き火華のパチ〳〵と音立てたるを空に澄む月

即題　戰

西村　醉香

砲煙の漲る空をよそにして今宵の月のさやかなるかも

有本　芳水

鐵かぶと頭に着けていくさするわがこの姿妻に見せたや
戰場に子らを送りて父さびし地圖とり出でゝいくさ思へり

納　秀子

かつぽう着白く清かれわれはそも國防婦人の一員なれば
塹壕に戰ひ人も食むときくこの昆布まきに心いためり

桃井　廣人

帽を振りもろ手あぐれば戰車隊擧手の禮して進みゆきけり

支那を覗く（二）

ツカダ・キタロウ

　上海に來て觀て驚いたことは、その市政とでも申すべき事情の複雜なことであります。その實權は大略三分されてゐて、現在の上海は佛租界と共同租界とで中心地を占め、支那界はその外部を圍んでゐる有樣であります。勿論上海の住民の大部分は支那人ではありますが、その統治上の勢力は外國人に存するのであります。それで租税にしても此の三勢力三樣に取り立てるのですから、人力車にしても自動車にしても、全市を自由に通行するのには三倍の（三界ともの）税金を納めればならぬわけです。支那界で許可された車夫は一歩も共同租界に入れず、共同租界で屆け出た自動車は一寸も支那界を走れぬのでありまして、自動車の番號札を二つも三つも附けてゐるのは全く斯の事情のためであります。

　佛租界に逃げ込んだ盗賊は共同租界の巡査は捕へられぬため、心得た者は甘く助かるなど茶飯事であると聞かされました。これ等も支那人なればこそ平氣で生活して行けるのでせうが、全く「馬々乎」「沒無子」でなければ片づかぬ問題であります。

　斯の如き租界問題を少しも苦にせず、舊上海市（現在の上海）を離れた遙か北方に「新市政府」を建築し、「大上海」を樹立する計畫を着々實現しつゝあるのが現在の支那であります。

「お前はお前の好きな樣にしろ。土地はいくらでもあるから、俺は俺の好きな樣にやる」

といふのが支那人の考へであるやうです。

　本流より支流に何時間も遡る現在の上海は外國人に委して置いて、本流に直接埠頭を設けて、吳淞より陸路の連絡による新市街を樹立するのが支那當局の考へであります。既に道路は旭日形に四通八達し、新市政府を中心に萬國體育場、市立第一公園、泗涇球場、遼東運動場、市立公墓、育青中學、兩江女體育學校等々と、見事に施設を施してゐます。その遠大な、廣大なことは到底現在の上海の比ではなく、それこそ日本内地では想像もつかぬ大がゝりなものであります。

　今頃「昔に還れ」などゝ騷いでゐるどこかの國を尻目にかけて、現代の支那は新しきに對して大躍進を續けてゐるのであります。

　上海の街を歩いてゐる女性は、老若を問はず、それが支那の女性である限り、すべて斷髪であります。しかも輕快な支那服で舗裝された廣い道路を歩いてゐる活潑さは、到底日本の女性の足もとにもよれぬ所です。

　佛租界の街並の美しさ、新公園や極司非而公園の廣さなどは、見ぬ人には話すだけ野暮と申すべきでせう。

　建物にしても二十四階が最高で、その附近には次々と高層建築の群をなして行く、これが上海の姿です。八階建より高い建物を知らず箱庭式の公園より想像のつかぬ人

には支那を論じたりする資格はないとも申すべきでありませう。太公望ならずとも、支那百年河清を待つの覺悟がないならば、支那との交渉は負けです。三年五年や乃至は一代で勝負がきまつたり、カタのつく支那ではありません。

×　×　×

　上海事變の話を、差支へのない程度に申し述べたいと思ひます。

　私の驚いた事は、上海の街々が上海事變の損害を少しも蒙つて居らぬことであります。上海事變のあつたことすらも、大半の支那人の間には（それが上海に住んでゐて）頭にないといふ事實であります。

　勿論それは七年の昔語りであり、その後に於て戰跡は修理され、街々は回復されてはゐます、けれども、それにしても一向その餘波が發見されぬのであります。當時、内地の新聞記事によつて私の想像してゐたことは、上海の市街戰で上海の街は大半破壞されたのであらうといふことでした。

　關東大震災の復興が如何に早いと自慢しても、七年や八年の歳月で全然その跡形を見せなくなつたとは思へませんでしたので、上海に於ても街々は幾分でも亂れてゐる事と思つてゐたのであります。所が、上海に上陸して驚いたのであります。どこにもその跡形はなく、修理された樣子も發見出來ぬのであります。

　この事情は「閘北」を見學するに及んで判明しました。戰爭は實に此の閘北の一小部分で行はれたのであります。閘北とは北停車場より吳淞に至る鐵道線路より北部の上海郭外なのです。そしてそこには家らしい家は殆どなく、僅かの貧民窟があるだけです。

「一たい戰爭はどこであるのですか」といふのが、事變當時上海に上陸した人の第一聲だつたといふことで、狹い土地に住む私達には想像もつかぬ事實であります。

　とにかく、時間的にも空間的にも、私達は支那の「廣さ」に對する認識を訂正しなければならぬことは、この上海事變の結果からでも知ることが出來ます。

×　×　×

　支那人が如何に「實を取る」人種であるかといふことを知り得たことも、今回の旅行のお土産の一つであります。

　すべてが實利主義で、理屈流行の日本とは甚だしく勝手の違ふものがあります。さうして、此の心情の相違が數多くの不幸の原因ともなり、紛騷の根源にもなつてゐると思ひます。

　一つの例が、看板にしても、支那人の店には文字ばかりであり、しかも隙間もなく文字が羅列されてゐます。電車にしても、公共汽車（バス）にしても、前も後も橫も文字（廣告）の行列であります。こんなに文字々々の陳列でありながら、少しも街の美觀を損せず通行者にも些の不愉快を與へないのであります。畏友堀場君の説によれば、之は如何に支那人が文字に巧であるかを證するもので、どの文字を見ても見事な筆蹟ばかり、日本の辻に見る如き、細い文字や亂雜な文章のポスターやビラに見られません。

　とにかく支那では文字を解する程の人間はその筆蹟も見事であると想像されると共に、教育の普及を誇る日本の「文字教育」の成果について些か考へさせられます。

　何事もその時その場限りの應待が支那人の日當であるやうです。いくら約束してもたとへ證文を取り交しても、それはその場限りであつて、後日否後刻に於ては有效ではないやうです。だから、日支條約に何と

書いてあらうと、あれはあの時の事情で決めたのであつて、今日の實情ではそれを實行することは出來ないといふのが支那人の考へであるやうです。

　公公汽車（バス）に乘ると、

「不井線度高過超不童兒凡費免者位坐佔」

といふ掲示があります。これは「高度線に達せぬ兒童は無賃」といふので、バスの乘降口に一本の線が彫つてあつて、その線に達せぬ身長の低い兒童は無賃との意味でありますが日本のやうに「何歳以下無賃」といはぬ所にまた支那らしい妙味があります。

「車掌さんが聞いたら四つといひなさい」といふ母親の教育は上海では不用になるわけです。

children under height line not
occupying a seat.

　すべて掲示は洋漢兩樣で記されてありますが、これなどは實に面白い規約であります。即ち「高度線に達せぬ子供は無賃乘車を許すから、席を取るな」といふのでありまして日本などでは反對に無賃の子供が人一倍座席を占領してゐるのと比べて、文明の進歩の程も思はれます。

　一事が萬事で、これらの些細な事から支那人の考へ方といふものを知ることが出來ると共に、お互の考へ方と根本的に相違する點を思はされます。

　徹底せる實利主義生活を私は支那人に見ると共に、お互の學ぶべき點を此の中に數多く發見し得ました

×　×　×

「男はアメリカ人、妻は日本婦人、料理は支那料理」

　これは一夕私が御馳走になつた董氏の理想であると共に、支那人一般の理想でもあります。

　それ程アメリカ人は尊敬されて居り、日本婦人は慕はれて居りますと共に、料理に關しては支那人は世界一の誇りを有して居るのであります。

　私が御馳走されたのは寧波料理でありまして、上海には寧波人が非常に多く、しかもこの寧波料理は我々日本人には甚だ親しみのある料理であります。寧波料理には野菜類が澤山に用ひられ、しかもそれが甚だ美味であります。

　甚だ美味であるのにその正體不明の野菜料理の一つ。主人に聞くと「小蕃豆の葉」との返事。ます〳〵判らない。途に臺所まで人がとんで實物をとりよせると「えんどう豆」の葉であつたのです。

　如何なる支那料理店でも食し得ぬ珍味佳肴のもてなしで、心ゆくばかり頂いた中でも珍らしかつたのは「豚肉の糟漬」と「南京豆の漬物汁煮」でありました。これ等は上海中の支那料理店をたづねても見る事も出來ぬ料理であります。

　私は初めて知つたことは「支那料理」と私共が呼んでゐるものは全く味も香も拔けたもので、上海の在留邦人三萬人と稱され滯在數年に及ぶ人でも、支那人の家庭で支那人の家庭料理を味つた人は殆どない事實から察して、世人の支那觀たるや全く自己流であり近視眼流であると思はざるを得ないのであります。私が支那通の第一人者と思つてゐた某氏の如きも、單なる「一旅行者」に過ぎぬと知つて呵然としてゐます。

　上海の水道の水は一滴も飲まず、長崎から氷詰で送られ、輸入税のかゝつた魚を食してゐる上海在留の日本人には、何年しても支那料理の味も判らねば、支那人の考へも判る筈はないと思ひます。

　意を悉さぬ點も多々ありますが、一應此邊で打切り、再遊を期して又述べませう。

各國ヘルス・センター概況（四）

內務技師
醫學博士　南崎雄七

農村のヘルス・センター

農村ヘルス・センターとは農村民の保健增進の目的を以て特に計畫された機關であつて、一般保健組織の上から見て缺くべからざるものであつて、從つて保健組織を構成せる凡ゆる機關、就中國立又は州立の衛生研究所 State or Institute of Hygien と緊密なる關係を有して居る。この國立又は州立の衛生研究所は多くの國々に於て衛生に關する最高機關で國家の衛生を技術的に指導する位置に立つてゐる。ヘルス・センターは大別して第一級センター（村落の Villege Commune）と第二級センター（地方的 District Arronotissement）とに分類されて居るが之は國情によつて異り、又同一國內でも地方々々によりその規模の大きさ、職員數、備品、仕事の範圍等は非常に雜多である。

ヘルス・センターの中にも吾々が最も普通に考へる處のセンター以外に各地方の事情に應じて要求せられてゐる種々なる特殊センターがある。

農村ヘルス・センターを分類するに二つの方法がある組織と活動範圍の相違に從つて、小センター、又は第一級センター、及び大センター又は第二級センターと區別するのと、センターの活動舞臺たる地域の行政的區分に從つて、第一級センターに相當する村落センターと第二級センターに相當する地方的センターと二つに分つ。

當會議の第二回會合時に委員會は山間僻地の小なる村々にまで、このセンター事業を普及せしめる爲めに最も簡單な樣式にてヘルス・センターの出張所の設置を奬勵することに決定した。

（定義）農村ヘルス・センターとは與へられた範圍內の住民の健康及福祉增進の目的の下に作られたる機關にして、其の目的を達成せんが爲に保健官の指揮の下に一屋の下に仕事を集約し或はその他の統制方法に依り一般公共事業に關係ある各種福祉機關、救助機關と協同してその區域內の保健に關する全般の事業を行はんとするものである。

かゝる公衆保健事業が已に以前より組織されて居る農村地區にては全部の保健關係の活動力を一ケ所に或は同一機關內に集めると云ふことは稍々困難ではあらうが、兎に角現在の各社會的保健的機關を最も有効に働かしむる樣に考慮を廻らさなければならない。

他方未だかゝる有力なる保健設備のない新天地で、今日新に近代的な保健機關を創設せんとする處にては上述の如きヘルス・センターは所期の目的を達成するに最良の方法である。

第一、第一級センター

第一級ヘルス・センターはその出張所と共に一國內の一般的保健裝備の最終段階を構成し、農村の最小地區の保健上の必要に備へる爲めの最小機關である。

此種センターの事業計畫は左の事項の豫備的調査を行つた上で立てること。

（イ）地理的條件、人口密度家屋の分布狀態交通機關之等の豫備知識はセンター所在地の選擇センター及びその支部の必要數の決定を容易ならしめる。

（ロ）住民の健康狀態及流行病について、之もセンターのプログラムを立てるに有力なる參考材料である。

かくの如き豫備調査によつて明白にされたる保健問題の輕重に應じて最小限度のプログラムも多樣に異つて居る例へば或一つの問題が他のすべてにも增してその地區內の住民の保健上に暗影をなげて居るが如き場合には當然センターは第一考慮をこの點におかねばならぬ。其の主なるものはマラリヤ、結核、十二指腸蟲病、各種急性傳染病其他である。

農村ヘルスセンターの最小限の事業計畫、

豫備調査の結果それを豫防するのが第一に必要だと認められた疾病の豫防撲滅等の他に普通センターの最小限のプログラムの要素は次のものから成立つて居る。

（イ）母性保護
（ロ）小兒保護（この中には學齡前及學齡兒童をも含む）
（ハ）通俗保健教育、シアワー・バスを設けて實例を示す
（ニ）衛生、何事に限らずセンターは住民に關係ある凡

ゆる衛生問題に接觸を持つこと
（ホ）最後に急救處置の設備

第一級センターのプログラムを樹てるに當つて當會議としてはセンターの本質的な役割を教育事業にありと主張し、センターの事業上の價値をこの方面に求めて居る。

先づ最初にセンターとして最も必要なることは民衆の協力を得ると云ふことで、この目的を達成する爲めの種々の方法手段として必要な場合の醫療の用意、シアワー・バスを設け、活動寫眞、陳列室の利用等の如き色々の意見が提出された。

本會議の意見としては第一級センターにては特に（結核）事業を行ふことを必須條件とはしない。第一級ヘルス・センターの義務としては濾過機の役目をなしたらよい。卽ち結核の疑ひある患者を發見して設備の完備した第二級センターに送るまでの役目を果す。

小兒保護に就ては乳幼兒の環境に關する參考的知識を得る爲に「社會相談部」を開くことの必要が力說された衛生工事衛生事業 Sanitary Work もその重要さに於ては決して他に次ぐものとは考へないが、當會議では「之を第二級センターに屬せる衛生工學技師 Sanitary Engineering）によつて計畫され專門的な指導を仰ぐべきものであり、もし第一級センターが、その必要に遭遇した る場合には衛生技師に報告しその意見をきゝその命令によつて事を運ぶべきである。」

如何なる保健團體であつても保健衛生に關係を持つ以上は急救處置の設備を無視することが出來ない。保健事業を行つてゐると稱し乍ら急救處置の用意を忘れるが如き無關心は公衆の非難を招く原因である。ネザーランドにては看護用具が備へ付けてあつて各家庭に貸出される樣になつてゐる。

職員

（一）所長 Director 第一級ヘルス・センターは他の保健機關と同樣に國家保健行政と保健官指揮の下に置かる。

其の事實上の事務は專門の保健醫官（衛生學校で專門の訓練を受ける）又は醫學上の充分なる智識を持ち且必要なる補足的訓練を受けたる開業醫に委任せられてゐる

この訓練は一方に於ては社會衛生及び豫防醫學に關するものであると同時に他方にその指揮するセンターに固有の地方的事情に應ずる丈の知識を持たねばならぬ。

第一級ヘルス・センター及支部の多くは村の普通開業醫にその指揮を委囑されてゐる。この醫師はセンターをその本然の活動に則して導いて行かんとするには一般醫學に對して正確なる知識を持ち保健に就ての補足的訓練

を受けて居なければならぬ。

一九三〇年七月ドレスデンに開かれた衛生學校長會議はこの事項に就き左の如き勸告を發して居る。

「單に兼任役人として任命されたかゝる農村の保健官の爲に保健學の各部門及び豫防醫學に關する補習教育は焦眉の必要事であつて然も特に任命に先立つて特殊訓練を受ける機會を持たなかつた者に對しては殊更に必要である。」

最後に所長たる者はセンターの根本任務たる處の基本的保健問題について專門的智識を持たなければならぬ。この教育を與へる方法は各國々に依つて夫々異る。ユーゴースラヴヰアにては衛生學校にこの爲の課程が設けられて居て、場合に依つては夫が臨床上の實習で補助されて居る。この臨床教育は時に依り第二級ヘルス・センターで行はれることもある。

ハンガリー及びワルソーにてはヘルス・センターを委任されて居る。

醫官に對しては特別講習が與へられるが事實は第二級の大ヘルス・センターを預る醫官に限られて居る。

（二）保健婦（訪問婦）Pubie Health Nurth（Neath Visitor）保健婦に依つて行はれる仕事の價値は特に當會議に於て强調せられた。農村地區に於ける保健婦事業には一般的と特殊的との二種類があるが一般的の方が經費と職員の能率との關係上原則的のものである。

社會衛生に關する限りに於ては如何なる機關たりとも保健婦のサーヴイスなしではやつて行くことは出來ない農村に於ては特殊化せられたる保健婦事業よりも一般的のものゝ方が原則的であるべきである。

一ケ所の第一級ヘルス・センターで受持つべき地理的範圍及人口に就ては當會議では最後的な結論を得るに至らなかつたが、之は各國の國情にもより異なるであらうから、最初の豫備的調査によつて其の場合々々に從つて適宜に決定すべきであらう。とにかく大體の各國に於ける一センターで受持てる人口表も提示されたが夫によると最小は四〇〇より最高四〇〇〇平均二〇〇〇である。

又一人の保健婦が農村地區に於て受け持つことの出來る人口に關する材料がハンガリーの保健婦局（Health Nursing Service）より會議に提示せられたが、夫は次の如き條件をその根底として居る。

（イ）出生率二五（人口六、〇〇〇にして一ケ年出生數一五〇）
（ロ）結核患者數四八
（ハ）小學校兒童數六〇〇
（ニ）交通機關の便あること

（ホ）　一日八時間　一週四四時間勤務

保健婦の仕事は

（イ）　初生兒及乳兒の家庭への訪問
（ロ）　結核患者のある家庭訪問
（ハ）　傳染病患者への訪問
（ニ）　學童の健康檢査の場合醫師の手傳
（ホ）　一週に一回乳兒相談會、結核相談會を開くこと

（保健婦の勤務時間）の中四八、二%は家庭訪問に二五、九%は學校及クリニックにて一四、八%は交通に一一、一%はオフィス內で記錄整理等の事務に費される。もし二〇、〇%以上の時間が交通に費される樣な時は（例へば夫が地區の大いさ人口過多の爲にしろ或は適當の交通機關の缺如――よき道路、自動車等の――爲にしろ）保健婦の受持區域が大きすぎるのである。

之等の條件の下に於ては一保健婦は人口六、〇〇〇―八、〇〇〇に對し第一級ヘルス・センターの最小限度の保健婦受持の仕事を遂行することが出來る。

デンマークに於ては一保健訪問婦が約一、六〇〇人から二、〇〇〇人位の小數しか取扱はぬに比し兒童保護婦は一〇、〇〇〇人位を受持つて居る。勿論一保健婦に依つて能率的に取扱はれる人口の範圍はその地區の保健狀態と行ふべき仕事とに依つて決定されるものである。之等の點を考慮して當會議では次の樣な意見の一致を見たのである。

センターの各種の活動となすべき仕事の量によつて一保健婦は一ケ所又は數ケ所のセンターを受持つことが出來る。保健婦の事業をセンターの最小限度のプログラムに巧にまとめ、又家族數、保健婦の見廻りを必要とする處の患者の數、人口の密度、家屋の分布狀態、交通機關等の如き諸要素を考慮して一保健婦は約六、〇〇〇から八、〇〇〇の人口を取扱ふことが出來る。保健婦が都會に於て其の教育を受け、都會にのみの經驗を積んだ者は往々農村地區に就ての智識又はその地方の方言、農村の不自由な生活などに對する經驗が缺けてゐることがある。

第一級及第二級センターに使用せられるナースは普通保健婦としての資格（公立又は政府の認定ある學校の出身）を持ち且其の職業教育を受ける間に於て農村事業にたづさはるに相應しい理論上及實際上の訓練を受けた者でなければならない。多くの國々に於ては近代的保健機關に對する要望が非常に高まり適當に訓練された保健婦の供給はその需要に應じ切れぬ有樣である。

（三）　產婆（Midwife）

產婆は保健訪問婦の仕事を助ける爲に利用せらるべき

もので產婆として正規の教育を受け、その仕事の範圍は明確に限定せられて居る。產婆を傳染病患者に接觸せしめる樣なことあるときはその結果として非常な危險が起り得るのである。センターの仕事中に產婆事業も加へらるべきか？　若し加へらるべきならば如何なる條件の下に如何なる方法に依つて？

產婆が姙婦（出產前保護）及初生兒の取扱保護等に於てセンターの事業で重要なる役割を果す地位にある事實は論ずる餘地もない。この點よりして產婆は保健婦に委されたる一般保健事業の中の分娩に關する仕事を分擔する保健婦の有力なる助手である。從つてセンターに働く助產婦は單に產婆としての一定の教育課程を踏んだのみにては適任とは云へない。農村ヘルス・センターの性質よりして仕事をやつて行くに必要な特別訓練を受けたもののみが完全な有資格者と云へるのである。

以上の條件に適せる者が產婆としてセンター醫官の指揮の下に一定の限られた仕事を遂行すべきセンターの職員中に加へらるべきである。

（四）　衞生檢査員（Sanitary Inspector）

從來の經驗では第一級のセンターでは完全な訓練を受けた衞生工學技師（Sanitary Engineer）を置くことは望めない。

現在はかゝる仕事も醫官の一般的指導の下に行はれて居るのであるが然し勿論斯道の專門家の技術的指導の下に行はねばならぬ性質のものである。ある國々に於ては衞生法規で消毒手の傭用を規定して居る處もある。之等の者は補習教育を受けた後に衞生檢査員として用ひらるゝのである。衞生檢査員は第二級センターに屬する衞生工學技師（Sanitary Engineer）の技術的（專門家）監督と指揮の下に消毒法の如き一般の衞生の仕事と併せて行ふべき處置や些細な衞生上の改良工事の監督及び施行を負ふべきである。

銃後の衞生と市民の覺悟

大阪市保健部長　醫學博士　藤原九十郎

去る七月上旬の蘆溝橋事件をきつかけに日支國交關係は頓みに急迫し、今や北支の山野に或は上海始め中南支の天地に、榮ある皇軍は支那軍膺懲を目指して必死の奮戰を續けつゝあり、或は山岳戰に或は市街戰にさては空中戰に、至る處凱歌を奏しつゝ、陸海空軍夫々相呼應して連戰連勝、益々帝國の威信を發揮しつゝある事實は眞に感激に堪えず、我等銃後にあるものゝ等しく衷心より感謝措く能はざる處である。

然し乍ら、數を以て恃みとする支那軍の實力は寡兵の我軍として輕々には侮り難く、執拗なる彼等の挑戰的態度は益々戰線を擴大させ、何時如何なる地點に戰火が飛ぶかも知れず、戰線は愈々全面的に展開され、簡單には終熄しさうにも思はれない。而も事態の發展如何に依つては更に重大決意を要する時期が勃發するかも測り知らないものがある。

之を思ひ彼を惟ふ時、我等銃後にあるものゝ責任も亦甚だ重大で、擧國一致、遙かに皇軍の武運長久を祈ると共に、銃後の務めを或は銃後の護りを層一層固く勵行して、前線の勇士に聊かたりとも後顧の憂を持たしめないやう、心掛ける必要がある。

偖て、銃後の務めとして吾人が勵行すべき義務は、數々數へられるが、其內でも衞生を守り病氣を招かないやう心掛ける事は最も必要な務めである。榮ある應召に當り、若しも勇士の心を幾分でも鈍らせるものがあるとすれば、夫れは一家の貧困に依るのでもなければ、勿論女々しい鄕愁の故でもない、唯病床に臥す肉身を見捨てゝ家を出て行く後髮を索かるゝ思ひあるがためである。夫故に我等銃後にあるものは之等病床家族の保護に精進すると共に一層衞生上に留意して特に時節柄、急性傳染病などの蔓延を來さないやう心掛け、以て第一線の勇士に後顧の憂を皆無ならしめるやう努めなければならない。

殊に本市に於ては、赤痢、腸チブス等各種法定傳染病

の發生率は毎年增加する一方で、昭和元年には人口一萬に對する發病者は一九・四名であつたのが昭和四年には二六・三名に增し、同七年には三一・七名となり、昨年は遂に四四・二名にも達し、本年は更に之より優るとも劣らざる勢を以て蔓延しつゝある現狀である。尙憂ふべき事實は患者百に對する死亡數が、毎年減少しつゝありとは云ふものゝ、之を他の六大都市に於ける死亡率と比較すれば依然相當の高率を示し、一昨年の死亡率は六大都市中第一位、昨年は第二位であつた。斯樣に本市に於ては他の六大都市に比較して一般に死亡率の高い急性傳染病が流行し、而も患者數が年々著しく增加しつゝある現狀であるから、時節柄、銃後にあるものゝ責任として本市には急性傳染病を之以上猖獗させない覺悟を以て、市民一人々々が充分に衞生上の注意を拂ふべきである。

特に本市に於ける腸チブスは、その發生數に於ても或は死亡數に於ても常に驚くべき程多數であつて、昨年は六大都市中發生並死亡兩數共第一位を占めてゐたのである。而もこの腸チブスの發生數は、本市過去十ケ年の月別統計に從へば、平均して九月に最も多く、從つてその死亡數も九月が最も多くなつてゐる。

夫故に今月の市民は特別に注意して、腸チブスの猛威を絕對に排擊すべく、チブス菌に對し一齊に嚴重な警戒陣を張る必要がある。其の爲めには、先づ飮食物を充分に洗淨或は煮沸するなど出來るだけ淸潔に取扱ひ、蠅其他の不潔物を絕對に近寄せず、食器及びその用品は常に淸潔に保ち、食事前には必ず手を洗ひ淨め、食事は腹八分に止めて決して無茶喰ひをせず、殊に疲勞した際の食事は成るべく控へ目にするのがよい。以上の注意を充分に守れば單に腸チブスだけでなく、他の總ての消化器系急性傳染病をも完全に豫防する事が出來る。

更に積極的な豫防方法としては夫々豫防ワクチンを內服乃至注射しておく事で之は一層有效である。若し不幸にして一家に腸チブス患者を發見したならば、患者及びその周圍に就て消毒を充分に行ふ必要がある。夫れにはクレゾール石鹼液或は石炭酸液を三%の割で水に溶かして用ひるのであるが、患者の屎尿は勿論の事、患者の用ひた物件は出來るだけ此の消毒液に浸し或は此の消毒液で拭ひ淨める必要がある。御承知の通り、腸チブス菌は大便中に現はれる他、血液に混じて全身を循環するから尿、汗　或は唾液中にも容易に發見される。從つて物件の消毒に當つては、夫等の體液に觸れたものは悉く充分に消毒しておく必要があるのである。

次に時節柄、海外に猖獗してゐる惡疫を本邦に寄せつけない注意が肝要である。殊に本市は海港として海外諸

港との連絡が緊密であるから、悪疫上陸の玄關口とならないやう特に警戒する必要で、目下香港にはコレラが流行しており、又事變を動機に兎角衛生が疎んぜられ、不思議に悪疫が流行し易い因縁もあるから、本市々民は一致協力、海外の悪疫に對し、萬全の防禦を張つておくべきであらう。

最近の紙上によれば防空法が豫定より早く實施されんとし防空計畫機關が設置される由であるが、假りに敵國が空襲すると言ふことありとせんも技術的には必ずしも難事ではない。勿論實際問題として斯様な企ては徒らに我が空軍の犠牲となるに過ぎず、飛んで火に入る夏の蟲に終るのは明かであるが、然し乍ら若し彼等が生きて歸らざる覺悟で飛來すれば、若干の損壞が生じるかも知れない。

かゝる變事に處しての市民の覺悟は充分であらうか。特に注意すべきは飲料水の問題であるが、水道に代る井戸の準備は十分であらうか、平素使用してない井戸は勿論の事、平素から使用中の井戸でも、時宜に應じよく消毒して用ひねば流行病を招く因となるのは云ふまでもない。井戸水の消毒には全水量の五百分の一位のクロール石灰水を投入し、充分攪拌して十二時間位放置すれば安全に使用出來る。尚又糜爛瓦斯等に身體が觸れたとすれば直ちに苛里石鹼を用ひて汚毒部を多量の水で充分に洗滌すれば、完全に瓦斯中毒を避ける事が出來る。

以上を要するに、事變に際し本市々民が銃後の務めとして特に勵行すべき事は、充分に衛生的訓練を積むと云ふ一事に盡きる。戰前及戰後に於ける衛生上の危虞は悪疫の傳播と流行であるから、市民諸君は之等に充分留意して、平常に增して保健の道を守らねばならぬ。

毅然としてたつ者

音色にも判る金鈴の價値

村岡花子

＊この箇所は著作権継承者の許諾が得られず掲載できませんでした

（六花出版編集部）

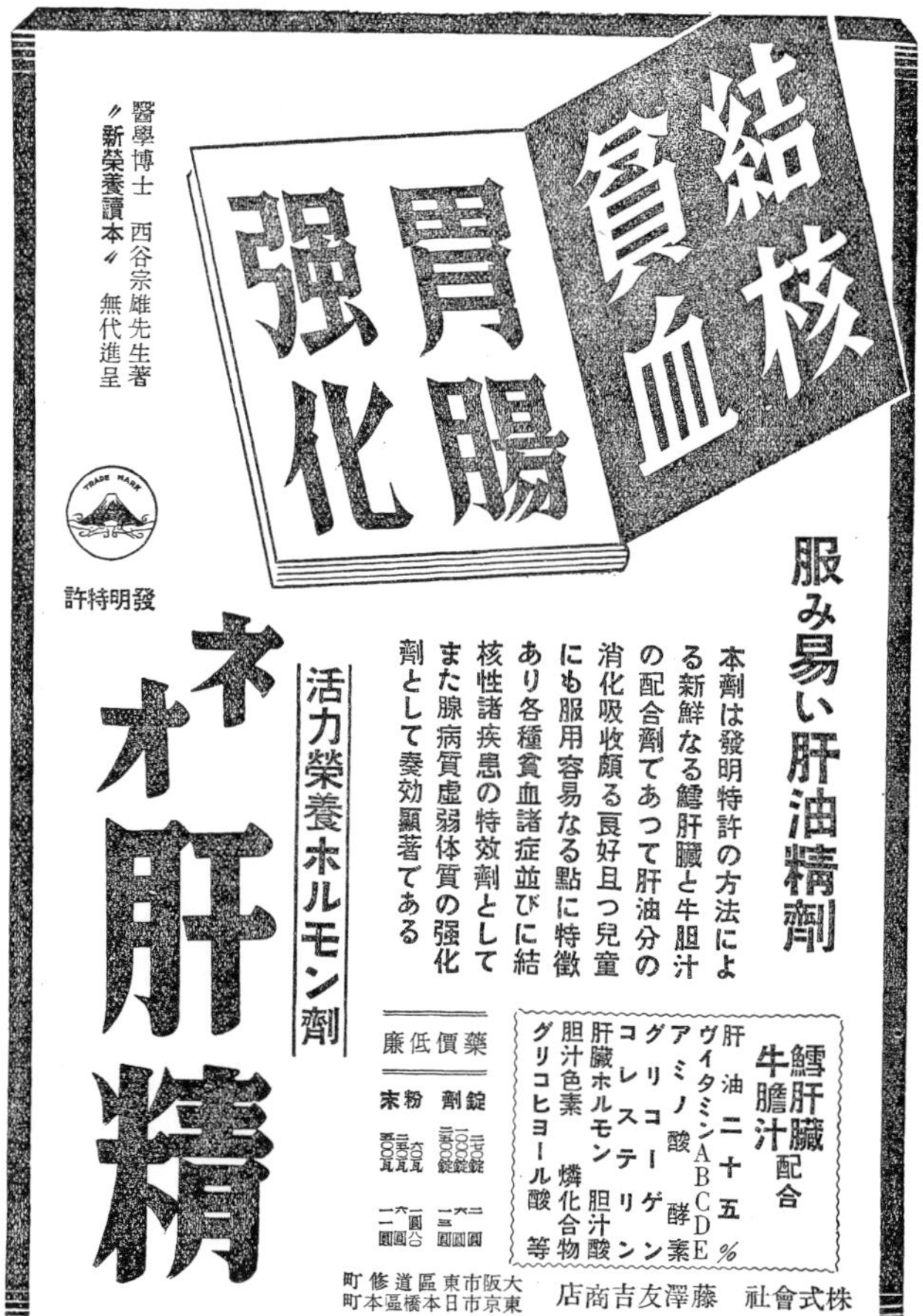

結核
貧血
胃腸
强化
醫學博士　西谷宗雄先生著
〃新榮養讀本〃　無代進呈
TRADE MARK
發明特許
服み易い肝油精劑
本劑は發明特許の方法による新鮮なる鱈肝臟と牛胆汁の配合劑であつて肝油分の消化吸收頗る良好且つ兒童にも服用容易なる點に特徵あり各種貧血諸症並びに結核性諸疾患の特效劑としてまた腺病質虛弱体質の强化劑として奏効顯著である
活力榮養ホルモン劑
ネオ肝精
鱈肝臟
牛膽汁配合
肝油二十五％
ヴイタミンＡＢＣＤＥ
アミノ酸　酵素
グリコーゲン
コレステリン
肝臟ホルモン　胆汁酸
胆汁色素　燐化合物
グリコヒヨール酸　等
藥價低廉
錠劑
粉末
株式會社　藤澤友吉商店
大阪市東區道修町
東京市日本橋區本町

九月の日記（編輯後記）

◉九月は第十五回記念大阪審査會の準備さ東京海國赤ちやん寫眞大會さ、それから東京審査會表彰式の準備等に忙殺された、即ち一日は十三に生地博士、豊中に原田龍夫博士を、二日は大阪帝大醫學部の法醫學敎室に中田、大村二博士を、眼科に岩村博士を、齒科に石野學士を、小兒科に笠原、前田二博士を、三日には岡町に横田博士を御訪れして例年の如くそれ〴〵審査の件を御願ひした、亦市社會敎育課に事務所を置く婦人聯合會にも挨拶に趣く。

◉六日の『大阪朝日』『大阪毎日』（七日も同様）二大新聞を通じ、華々しくも我等の輝かしい審査會が全關西の地に發表された、僅か二日間にて四千名の受付を締切り、三千名を遺憾乍ら斷るの止むなきに至つた、各方面から本會創始者の權威があるさの評をうけた、それで直ちに後援さるゝ大阪市保健部に出頭して保健、庶務二課長に面會し經過の報告をしたのである。

◉十二日、鷗號にて上京、十三日午後一時東京高島屋に於ける寫眞大會の審査會に列席（口繪參照）四時、板橋に内田青薫氏を、五時目白に高木氏を、七時巣鴨に吉村氏を訪問、十四日朝、中野に服部有恒氏を訪れ上野に院展、二科展、青龍展等を見、十五日は報知社の岩崎重役を、蒲田の大槻博士を訪れ、十六日は防空演習にて、柿の木坂の國司義兄宅に一泊、十七日は小林ライオン本舗に山崎、向井、平野三氏を、東京病院に戸川博士を訪問。

◉十八日早朝、代田橋に西牧氏を、上高井戸に野田九浦氏を、荻窪に木村氏を訪れ、暗黒の市中を京橋のホテルに戻る、十九日青薫寄伯の御訪れを受け、共に再び板橋茂呂の新邸に趣く、夜は富田博士を訪れた、二十日、義父の油繪は西牧氏の努力により て完成したので柿の木坂に自携した、夜はニューグランドにて審査主任會議を開く、中鉢、富田、山田、柿本の四博士（岡田春樹博士は出征）木村部長等の御出席があり深更まで周到なる協議をさげた。

◉與謝野先生を訪れて内田氏の『範果』に春さ秋の歌を贊して頂く、午後九時四十五分發にて東京驛を出發、二十二日、大阪三越にて堤、小野、岩本三氏さ大阪審査會の協議を凝らし、下阪中の聯盟員矢野氏の報告を聽き黃昏歸宅した、二十三、二十四の兩日も引續き準備のため寸暇なく、二十五日は市保健部長、同課長、秘書課長に面會、午後一時より三越にて審査醫員會議を開く、谷口、吉岡、余田三博士、山田、石野二學士、堤、小野、矢野三氏等の出席があつた。

◉隣人で出征軍人の數ある中に、『英文毎日』のK氏がある、三人のお子さんは病弱なので誠に御氣の毒な事である、記者の長男の友が士官學校がパスしたさ云ふので、長男も來年は受驗の意氣込みであるのは親さして賴母しい事さ考へる。

本誌定價　一冊金參拾錢　郵稅壹錢五厘
半年分六册　金壹圓六拾錢　郵稅共
一年分十二册　金參圓　郵稅共
誌代郵稅は一切前金の事
前金切の場合は發送中止
郵券代用は一割增のこと

昭和十二年九月廿八日印刷（毎月一回）
昭和十二年十月一日發行（一日發行）

兵庫縣武庫郡精道村芦屋
發行兼編輯人　伊藤悌二
大阪市西淀川區海老江上二丁目三七番地
印刷人　木下正人
印刷所　木下印刷所
電話福島㊺（二五三四番）（二四二六番）

大阪市北區天神橋筋六丁目
大阪市立北市民館内
發行所　大阪兒童愛護聯盟
電話堀川㉟（〇〇〇一番）（〇〇〇二番）
振替大阪五六七六三番

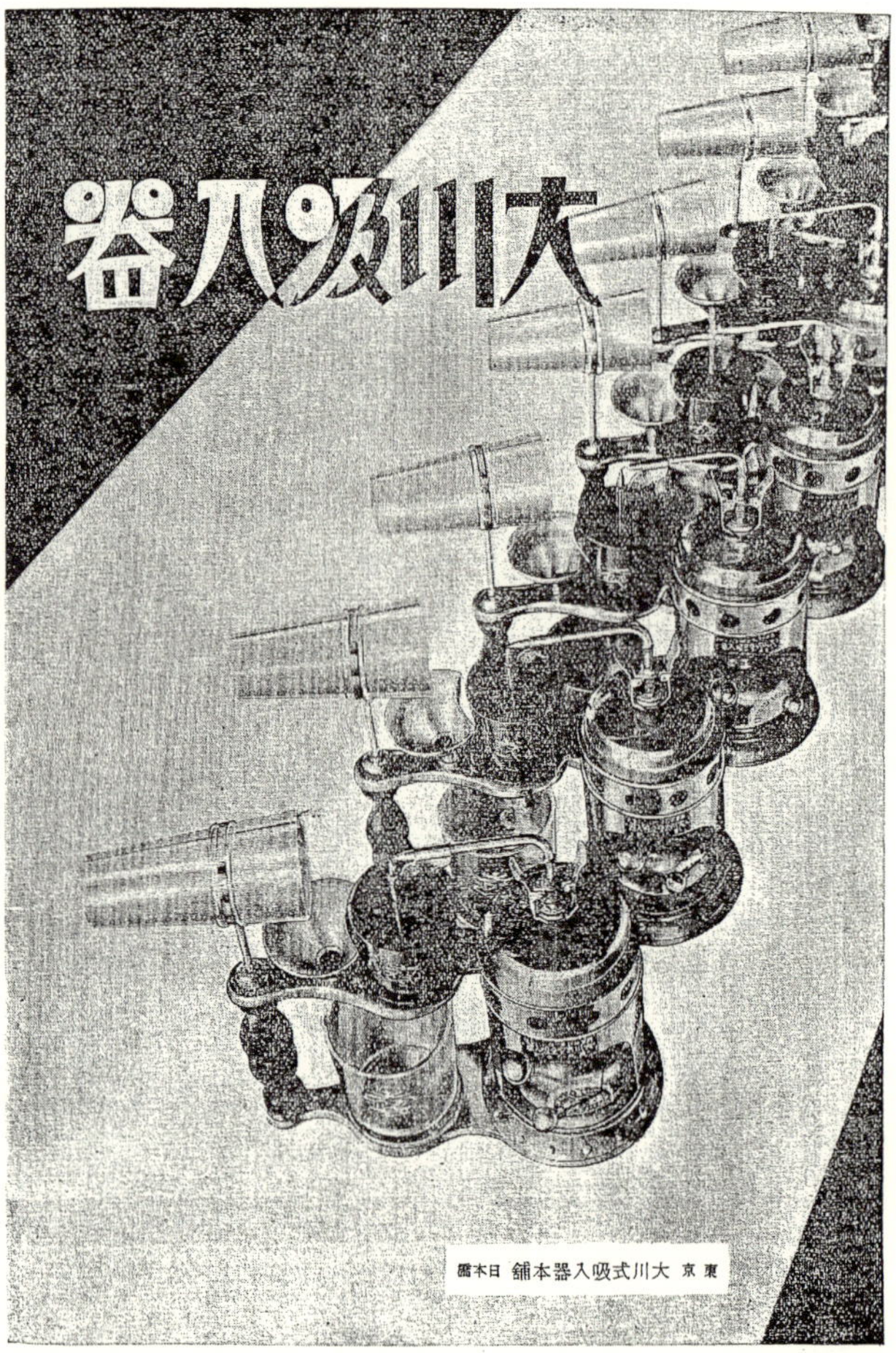
大川吸入器
東京 大川式吸入器本舗 日本橋

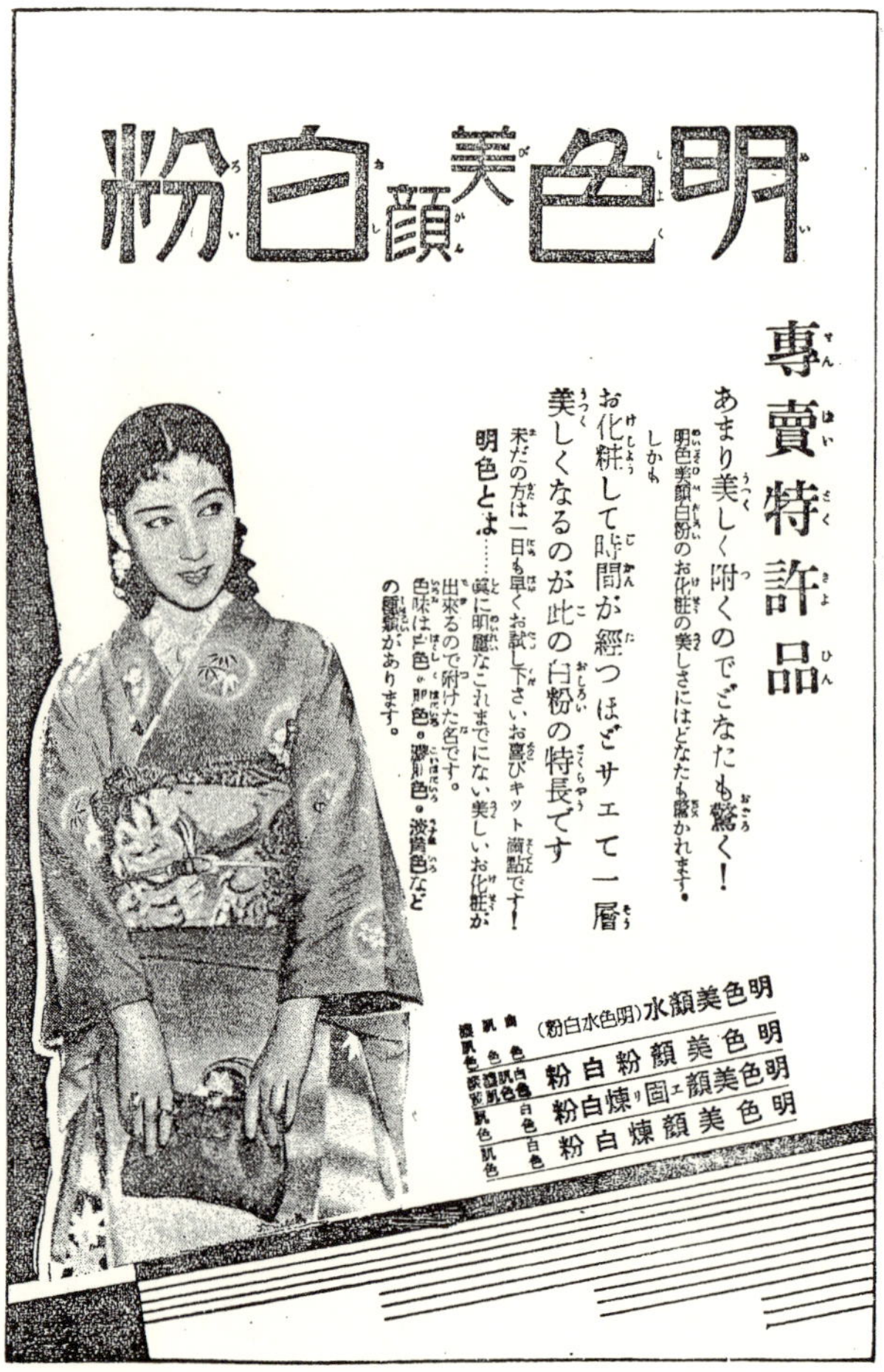
明色美顔白粉
專賣特許品
あまり美しく附くのでどなたも驚く！
しかも
明色美顔白粉のお化粧の美しさにはどなたも驚かれます。
お化粧して時間が經つほどサエて一層美しくなるのが此の白粉の特長です
未だの方は一日も早くお試し下さいお喜びキット滿點です！
明色とは……眞に明麗なこれまでにない美しいお化粧が出來るので附けた名です。
色味は白色・肌色・濃肌色・淡黄色などの種類があります。
明色美顔水（明色水白粉）
明色美顔粉白粉
明色美顔固煉白粉
明色美顔煉白粉

お買物は・・・
皆様の高島屋へ
お子様用品各種豊富に取揃へ……
土曜・日曜は雑貨コドモデー（五階）
東京日本橋
髙島屋

Ronon
母乳の代用
人工榮養はかうすれば完全です
牛乳や粉ミルクは、母乳に比べると大切な榮養分が不足してゐますから、之だけで赤ちゃんを育てると發育不良に陥ります
育兒糖ロロンは、この缺點を補ふ未だ類のない最新の牛乳添加料です。
育兒糖ロロンには牛乳に不足した含水炭素ビタミンB、アミノ酸、燐酸カルシウム等がのこらず含まれてゐます。從って……
牛乳や粉乳にロロンを加へますと、申分のない母乳代用品になり、體重を増し下痢や便秘を防ぎ發育を盛んにして眞に丈夫な赤ちゃんにします。
五〇〇瓦（一圓五〇）有名藥店にあり
發賣元 株式會社 武田長兵衛商店 大阪市東區道修町
製造元 大阪 大五製藥株式會社
育兒糖
ロロン
冊子「育兒の知識」無代送呈

36—2060(O)

復刻版
子供の世紀　第10巻　ISBN978-4-86617-013-8
第4回配本［第10巻～第12巻］分売不可　セットコード ISBN978-4-86617-012-1
2017年5月5日発行
揃定価　本体75,000円+税
編・発行者　山本有紀乃
発行所　六花出版
〒101-0051　東京都千代田区神田神保町1-28
電話 03-3293-8787　ファクシミリ 03-3293-8788
e-mail : info@rikka-press.jp
組版　昴印刷
印刷所　栄光
製本所　青木製本
装丁　臼井弘志
乱丁・落丁はお取り替えいたします。Printed in Japan